JN161226

新版 薬の相互作用としくみ

—第2版—

杉山 正康
［編著］

序

2016年6月に新版を発行してから6年以上が経過した。この間にも多くの新薬の販売や相互作用などの報告・追記などが行われ、本書も『新版　薬の相互作用としくみ　第2版』として補足・修正を行うことにした。

今回の主な追記は、以下に示す新薬（五十音別）に関する相互作用であり、必要に応じて体内動態、薬理作用、副作用、関連事項などの解説を行った。

アメナメビル（アメナリーフ；抗ヘルペスウイルス薬）、アルテメテル・ルメファントリン（リアメット配合錠；抗マラリア薬）、イダルシズマブ（プリズバインド；ダビガトラン特異的中和剤）、イバブラジン（コララン;HCN チャネル遮断薬）、イバンドロン酸（ボンビバ;ビスホスホネート系薬）、エサキセレノン（選択的ミネラルコルチコイドブロッカー；アルドステロン阻害作用）、エスフルルビプロフェン（ロコアテープ）、エリグルスタット（サデルガ；ゴーシェ病治療薬）、エルビテグラビル配合（スタリビルド配合錠、ゲンボイヤ配合錠；抗 HIV 薬）、抗 HCV 薬（グラゾプレビル［グラジナ］、エルバスビル［エレルサ］、グレカプレビル・ピブレンタスビル［マヴィレット配合錠］）、サクビトリルバルサルタン（エンレスト;アンジオテンシン受容体ネプリライシン阻害薬［ARNI］；慢性心不全治療薬）、サフィナミド（エクフィナ；MAO-B 阻害薬；抗パーキンソン薬）、シポニモド（メーゼント；多発性硬化症治療薬）、スピラマイシン　（スピラマシン；16員環マクロライド）、腎性貧血治療薬（ロキサデュスタット［エベレンゾ］、バダデュスタット［バフセオ］、モリデュスタット［マスーレッド］、ダプロデュスタット［ダーブロック］、エナロデュスタット［エナロイ］）、ダロルタミド（ニュベクオ；前立腺癌治療薬；AR 競合阻害薬）、チカグレロル（ブリリンタ；抗血小板薬）、テトラベナジン（コレアジン；非律動性不随意運動治療薬）、セレキシパグ（ウプトラビ；PGI_2誘導体；肺動脈性肺高血圧症治療薬）、ソホスブビル・ベルパタスビル（エプクルーサ配合錠；抗 HIV 薬）、チカグレロル（ブリリンタ；抗血小板薬）、デスモプレシン（ミニリンメルト；脳下垂体ホルモン薬）、デスロラタジン（デザレックス；抗アレルギー薬）、ドラビリン（ピフェルトロ；抗 HIV 薬）、ドルテグラビル・リルピビリン（ジャルカ配合錠；抗 HIV 薬）、ナルメフェン（セリンクロ；飲酒量低減薬）、バロキサビル（ゾフルーザ；抗インフルエンザ薬）、ビクテグラビル配合（ビクタルビ配合錠；抗 HIV 薬）、ヒドロキシクロロキン（プラケニル；免疫調整薬）、ヒドロモルフォン（ナルサス；オピオイド鎮痛薬）、ビベグロン（ベオーバ；β_3刺激薬；OAB 治療薬）、ファビピラビル（アビガン;抗インフルエンザ治療薬）、ブレクスピプラゾール（レキサルティ;SDAM；非定型抗精神病薬）、プラジカンテル（ビルトリシド；抗吸虫薬）、ベンラファキシン（イフェクサー；SNRI）、ベキサロテン（タルグレチン；抗悪性腫瘍薬：ビタミン A 類似薬［レチノイド製剤］）、ペマフィブラート（パルモディア；フィブラート系薬）、ペランパネル（フィコンパ；抗てんかん薬）、ボルチオキセチン（トリンテリックス；5-TH 再取り込み阻害・5-TH 受容体調節薬）、ポサコナゾール（ノクサフィル；アゾール系抗真菌薬）、メラトニン（メラトベル顆粒小児用0.2％；メラトニン受容体作動性入眠改善薬）、ラコサミド（ビムパット；抗てんかん薬）、ラサギリン（アジレクト；選択的 MAO-B 阻害薬）、リナクロチド（リンゼス；便秘治療薬）、ルラシドン（ラツーダ;抗精神病薬 / 双極性障害のうつ症状治療薬）、リスデキサンフェタミンメシル酸塩（ビバンセ；中枢神経刺激薬；抗 ADHD 薬）、レテルモビル（プレバイミス；抗 CMV 薬）、ロミタピド（ジャクスタピッド；ホモ接合体家族性高コレステロール血症治療薬）、分子標的治療薬（50種類以上）など。

特に分子標的治療薬では50種類以上の新薬が続々と販売されており、かなり多くの薬物相互作用があるため、付録「付C」の表S-8にもまとめて記載してみた（表S－7）。

その他、「（表5-14）主なCYP450阻害薬（FDAによる阻害強度の分類）」、「（表5-38）CYP450の臨床基質の例と治療域の狭い基質の例（FDAによる分類）」「（第7章第8節）SGLT2阻害薬の適正使用に関するRecommendation（勧告）」、「（コラム84）漢方薬の成分による副作用」などは、最新の報告・情報に基づいてアップデートしている。

また、「（第1章第1節：注意）ビスホスホネート系による顎骨壊死」、「（コラム21）注意すべきトランスポーターの臨床阻害薬及び基質」、「（第4章第2節；注意）NPC1L1阻害（ビタミンK吸収阻害）が関与するエゼチミブとワルファリンの相互作用」、「（コラム20）ヌクレオシドトランスポーターとは」「（コラム47）アルデヒドオキシダーゼ」「第8章第4節❼ショック、アナフィラキシー」などについても追記を行った。

上記以外にも、CYP450、抱合、薬物トランスポーターなどの薬物代謝酵素の基質の追記、販売中止の薬剤の商品名削除、また多少の追加や修正も行っているが、相互作用の発現機序の分類や考え方については、医歯薬出版から初版を発行して以来、25年以上一貫して同じであり、本書が基礎および臨床における最新の情報を兼ね備えた「相互作用を理解し把握するための理論書、実践書、必携書」として愛読されるよう最善の努力を行ったつもりである。本書について読者の方々からご意見・ご感想があれば、著者（メール sugiyama.masa@gmail.com）までご連絡いただきたい。

最後に、本書の発行に当たりご協力いただいた、日経BP社の河野紀子氏ならびに担当者諸氏にお礼を申し上げる。

2022年8月

杉山薬局　**杉山 正康**

執筆者一覧

●編著者　杉山 正康（杉山薬局）

●執筆者

杉山 正康（杉山薬局）　後藤 道隆（杉山薬局）　嶋本　豊（杉山薬局）
前原 雅樹（杉山薬局）　松田 宏則（杉山薬局）　落合 寿史（杉山薬局）
宮本 綾子（杉山薬局）　杉山 慶太（杉山薬局）　亀谷 麻衣子（杉山薬局）
川見 祐介（杉山薬局）

目　次

第6章　その他の薬物代謝酵素（系）……363

第2部　薬力学的相互作用　405

第7章　薬の作用に起因する相互作用……407

付録 611

コラム目次

本書の構成と使い方

構成

本書は、「序　薬物相互作用の考え方」「第１部　薬動態学的相互作用」「第２部　薬力学的相互作用」「付録」の４部構成となっている。

「序」では、薬物相互作用の概論を解説したほか、薬剤師が処方箋を受け付けた際の対処法や、相互作用に注意すべき薬剤などをまとめた。筆者の経験に基づく理想の薬剤師像についても言及しているので、参考にしていただきたい。

本編では、相互作用の発現機序によって、「薬動態学的相互作用」と「薬力学的相互作用」の２つに大きく分けた上で、それぞれの相互作用が生じるメカニズムから、注意すべき薬剤、併用する場合の対処法まで、図表を用いて詳しく解説した。表では、臨床上問題となる薬剤の組み合わせを示したほか、相互作用の程度に関するデータや、併用によって起こり得る事象なども紹介しているので、患者への説明や処方変更の必要性を判断する際の材料としていただきたい。

各節の末尾には、相互作用を理解する上で重要な生化学・薬理学・薬剤学などの基礎知識や最新の研究成果に関するトピックなどを、コラム形式でまとめた。また必要に応じて、巻頭の化学構造式を理解の一助にしていただきたい。なお、相互作用の発現機序は、明らかにされていることのほか、可能性として考えられる機序についても、区別せずに解説している。

本書で取り上げた相互作用のうち、併用禁忌・同時禁忌薬剤については巻頭の一覧表にまとめ、処方箋応需の際に素早く参照できるようにした。

付録では、相互作用と密接に関わる生理活性物質やシグナル伝達機構について解説を加えたほか、分子標的治療薬が関与する相互作用、飲食物・嗜好品と薬との相互作用について一覧表にまとめた。

薬剤名の記載方法

薬剤名については、原則として「一般名（主な商品名）」の順で記載しているが、症例の解説では実際の処方箋に基づき、商品名のみを記載している場合もある。先発品に複数の銘柄（商品名）がある場合、全ての銘柄を列挙しているわけではない点に留意してほしい。一般名と商品名が同一である薬剤については、「同名」と記している。また、初出は正式な一般名で記載しているが、２回目以降や図表中の薬剤名については、原則として省略形（例：ドネペジル塩酸塩→ドネペジル）で記載した。

原則として、経口薬、注射薬、点眼薬などの剤形については省略しているが、相互作用の発現に剤形が関わる場合は付記している。基本的に、相互作用が起こり得る薬剤（成分）の組み合わせでは、軟膏を除く全ての剤形に関して注意が必要である。ただし、消化管吸収の過程における相互作用は、経口薬のみで発現する。

主な配合剤の一覧

本書では、原則として単一成分の薬剤による相互作用について解説しているが、同じ成分を含有する配合剤についても同様に対処しなければならない。次項に主な配合剤の商品名と成分を示しておく。

主な効能・効果	商品名	配合成分
HIV感染症	エプジコム配合錠	ラミブジン、アバカビル硫酸塩
HIV感染症	カレトラ配合錠／カレトラ配合内用液	ロピナビル、リトナビル
HIV感染症	コンビビル配合錠	ジドブジン、ラミブジン
HIV感染症	ツルバダ配合錠	エムトリシタビン、テノホビルジソプロキシルフマル酸塩
HIV感染症	デシコビ配合錠	エムトリシタビン、テノホビルアラフェナミドフマル酸塩配合錠
HIV感染症	オデフシィ配合錠	リルピビリン塩酸塩、エムトリシタビン、テノホビルアラフェナミドフマル酸塩配合錠
HIV感染症	スタリビルド配合錠	エルビテグラビル、コビシスタット、エムトリシタビン、テノホビルジソプロキシルフマル酸塩
HIV感染症	ゲンボイヤ配合錠	エルビテグラビル、コビシスタット、エムトリシタビン、テノホビルアラフェナミドフマル酸塩
HIV感染症	プレジコビックス配合錠	ダルナビルエタノール付加物、コビシスタット
HIV感染症	シムツーザ配合錠	ダルナビルエタノール付加物、コビシスタット、エムトリシタビン、テノホビルアラフェナミドフマル酸塩
HIV感染症	ビクタルビ配合錠	ビクテグラビル、エムトリシタビン、テノホビルアラフェナミド
C型肝炎	ハーボニー配合錠	レジパスビルアセトン付加物、ソホスブビル
C型肝炎	エプクルーサ配合錠	ソホスブビル・ベルパタスビル
アレルギー	セレスタミン配合錠／セレスタミン配合シロップほか	ベタメタゾン、クロルフェニラミンマレイン酸塩
アレルギー	ディレグラ配合錠	フェキソフェナジン塩酸塩、塩酸プソイドエフェドリン
咳嗽	アストフィリン配合錠	ジプロフィリン、パパベリン塩酸塩、ジフェンヒドラミン塩酸塩、エフェドリン塩酸塩、ノスカピン
咳嗽	アストモリジン配合胃溶錠／アストモリジン配合腸溶錠	プロキシフィリン、エフェドリン塩酸塩、フェノバルビタール
咳嗽	フスコデ配合錠／フスコデ配合シロップほか	ジヒドロコデインリン酸塩、メチルエフェドリン塩酸塩、クロルフェニラミンマレイン酸塩
抗菌薬	オーグメンチン配合錠125SS／オーグメンチン配合錠250RS、クラバモックス小児用配合ドライシロップ	クラブラン酸カリウム、アモキシシリン水和物
抗菌薬	バクタ配合錠／バクタ配合顆粒、バクトラミン配合錠／バクトラミン配合顆粒／バクトラミン注ほか	スルファメトキサゾール、トリメトプリム
マラリア	マラロン配合錠／マラロン小児用配合錠	アトバコン、プログアニル塩酸塩
マラリア	リアメット配合錠	アルテメテル、ルメファン
パーキンソン病	イーシー・ドパール配合錠、ネオドパゾール配合錠、マドパー配合錠	レボドパ、ベンセラジド塩酸塩
パーキンソン病	ネオドパストン配合錠L100／ネオドパストン配合錠L250、メネシット配合錠100／メネシット配合錠250ほか	レボドパ、カルビドパ水和物
パーキンソン病	スタレボ配合錠L50／スタレボ配合錠L100	レボドパ、カルビドパ水和物、エンタカポン
高血圧	エカード配合錠LD／エカード配合錠HDほか	カンデサルタンシレキセチル、ヒドロクロロチアジド
高血圧	エックスフォージ配合錠／エックスフォージ配合OD錠ほか	バルサルタン、アムロジピンベシル酸塩
高血圧	コディオ配合錠MD／コディオ配合錠EXほか	バルサルタン、ヒドロクロロチアジド
高血圧	プレミネント配合錠LD／プレミナント配合錠HDほか	ロサルタンカリウム、ヒドロクロロチアジド
高血圧	ベハイドRA配合錠	ベンチルヒドロクロロチアジド、レセルピン、カルバゾクロム
高血圧	ミカムロ配合錠AP／ミカムロ配合錠BP	テルミサルタン、アムロジピンベシル酸塩

高血圧	ミコンビ配合錠AP／ミコンビ配合錠BP	テルミサルタン、ヒドロクロロチアジド
高血圧	ユニシア配合錠LD／ユニシア配合錠HDほか	カンデサルタンシレキセチル、アムロジピンベシル酸塩
高血圧	レザルタス配合錠LD／レザルタス配合錠HD	オルメサルタンメドキソミル、アゼルニジピン
高血圧	アイミクス配合錠LD／アイミクス配合錠HD	イルベサルタン、アムロジピンベシル酸塩
高血圧	アテディオ配合錠	バルサルタン、シルニジピン
高血圧	ザクラス配合錠LD／ザクラス配合錠HD	アジルサルタン、アムロジピンベシル酸塩
高血圧	イルトラ配合錠LD／イルトラ配合錠HD	イルベサルタン、トリクロルメチアジド
高血圧・高コレステロール血症	カデュエット配合錠1番／カデュエット配合錠2番／カデュエット配合錠3番／カデュエット配合錠4番ほか	アムロジピンベシル酸塩、アトルバスタチンカルシウム水和物
糖尿病	グルベス配合錠	ミチグリニドカルシウム水和物、ボグリボース
糖尿病	ソニアス配合錠LD／ソニアス配合錠HD	ピオグリタゾン塩酸塩、グリメピリド
糖尿病	メタクト配合錠LD／メタクト配合錠HD	ピオグリタゾン塩酸塩、メトホルミン塩酸塩
糖尿病	リオベル配合錠LD／リオベル配合錠HD	アログリプチン安息香酸塩、ピオグリタゾン塩酸塩
ミネラル補給	アスパラ配合錠／アスパラ注射液	L-アスパラギン酸カリウム、L-アスパラギン酸マグネシウム
消化酵素	エクセラーゼ配合カプセル／エクセラーゼ配合錠／エクセラーゼ配合顆粒	サナクターゼM、メイセラーゼ、プロクターゼ、オリパーゼ2S、膵臓性消化酵素TA
血栓、疼痛	バファリン配合錠A81／バファリン配合錠A330ほか	アスピリン、ダイアルミネート
血栓・塞栓症	タケルダ配合錠	ランソプラゾール、アスピリン
血栓・塞栓症	コンプラビン配合錠	クロピドグレル硫酸塩、アスピリン
癌	ロンサーフ配合錠T15／ロンサーフ配合錠T20	トリフルリジン、チピラシル塩酸塩
疼痛	トラムセット配合錠	トラマドール塩酸塩、アセトアミノフェン
頭痛	クリアミン配合錠A1.0／クリアミン配合錠S0.5	エルゴタミン酒石酸塩、無水カフェイン、イソプロピルアンチピリン
てんかん	ヒダントールD配合錠／ヒダントールE配合錠／ヒダントールF配合錠	フェニトイン、フェノバルビタール、安息香酸ナトリウムカフェイン
てんかん	複合アレビアチン配合錠	フェニトイン、フェノバルビタール
精神疾患	ベゲタミン-A配合錠／ベゲタミン-B配合錠	クロルプロマジン塩酸塩、プロメタジン塩酸塩、フェノバルビタール
高尿酸血症	ウラリット-U配合散／ウラリット配合錠ほか	クエン酸カリウム、クエン酸ナトリウム水和物
骨粗鬆症	デノタスチュアブル配合錠	沈降炭酸カルシウム、コレカルシフェロール、炭酸マグネシウム
女性ホルモン製剤	ルナベル配合錠LD／ルナベル配合錠ULDほか	ノルエチステロン、エチニルエストラジオール
尋常性ざ瘡	デュアック配合ゲル	クリンダマイシンリン酸エステル水和物、過酸化ベンゾイル
緑内障	デュオトラバ配合点眼液	トラボプロスト、チモロールマレイン酸塩
緑内障	ザラカム配合点眼液	ラタノプロスト、チモロールマレイン酸塩
緑内障	タプコム配合点眼液	タフルプロスト、チモロールマレイン酸塩
緑内障	コソプト配合点眼液／コソプトミニ配合点眼液	ドルゾラミド塩酸塩、チモロールマレイン酸塩
緑内障	アゾルガ配合懸濁性点眼	ブリンゾラミド、チモロールマレイン酸塩
ICS+LABA	アドエア100ディスカス28吸入用／アドエア250ディスカス28吸入用／アドエア500ディスカス28吸入用／アドエア50エアゾール120吸入用／アドエア125エアゾール120吸入用／アドエア250エアゾール120吸入用ほか	フルチカゾンプロピオン酸エステル、サルメテロールキシナホ酸塩

ICS：吸入ステロイド　LABA：長時間作用型β_2刺激薬　LAMA：長時間作用型抗コリン薬

ICS+LABA	シムビコートタービュヘイラー30吸入／シムビコートタービュヘイラー60吸入	ブデソニド、ホルモテロールフマル酸塩水和物
ICS+LABA	フルティフォーム50エアゾール120吸入用／フルティフォーム125エアゾール120吸入用ほか	フルチカゾンプロピオン酸エステル、ホルモテロールフマル酸塩水和物
ICS+LABA	レルベア100エリプタ14吸入用／レルベア200エリプタ14吸入用ほか	フルチカゾンフランカルボン酸エステル、ビランテロールトリフェニル酢酸塩
LAMA+LABA	ウルティブロ吸入用カプセル	グリコピロニウム臭化物、インダカテロールマレイン酸塩
LAMA+LABA	アノーロエリプタ7吸入用／アノーロエリプタ30吸入用	ウメクリジニウム臭化物、ビランテロールトリフェニル酢酸塩
LAMA+LABA	スピオルトレスピマット28吸入	チオトロピウム臭化物水和物、オロダテロール塩酸塩

■ 併用可否の記載方法

本書では、薬剤併用に対する注意喚起の程度や重篤性について、「**併用禁忌**」「**同時（服用）禁忌**」「**原則禁忌**」「**併用慎重（注意）**」という表現を用いて示している。いずれも、添付文書上の表現やそれに準じたものだが、「**原則禁忌**」は添付文書上の「併用禁忌」とは異なり、「併用注意」の一つとして記載している点に留意してほしい。同時（服用）禁忌は添付文書上、併用注意に含まれるが、服用間隔を空けることは重要であり、注意を喚起する意味でここに加えている。また、相互作用について一方の薬剤の添付文書には記載があり、他方にはない場合は、記載がある方を採用した。「**併用慎重（注意）**」の組み合わせには、添付文書に記載はなくても、使用上問題となると著者が判断した組み合わせについても加えている。また、下記のような「**原則禁忌**」の表現が、添付文書中の「相互作用」には記載されていないが、「重要な基本的注意事項」に記載されている場合にも本書では原則禁忌とした（例；腎機能の臨床検査値に異常が認められる患者についてのスタチン系薬とフィブラート系薬との併用）。

＜凡例＞

「**併用禁忌**」……………………併用を避ける。

「**同時（服用）禁忌**」……同時に服用させないなど注意が必要。併用時には併用間隔を空ける（ことが望ましい、ことが推奨される）。可能な限り間隔を空けて投与すること。一方の薬剤の服用時およびその前後に、他方を服用しないことが望ましい。

「**原則禁忌**」…………………併用を避けることが望ましいが、併用する場合は慎重に対処する。併用は治療上の有益性が危険性を上回るときのみで、やむを得ず併用する場合は注意する。

「**併用慎重（注意）**」……併用する場合は慎重に対処する。併用する場合は注意する。

■ 本書の使い方

本書をより効果的に活用してもらうために、まずは本編を図表やコラムなどを参照しながら熟読し、相互作用を発現機序から理解していただくことを勧める。テーマごとに、筆者が実際に経験した症例を提示しているので、理解度を確認するドリルとして、まずは処方箋を見て、どのような相互作用が起こり得るか、どのように対応すべきかを考えてから、解説を読んでいただきたい。

その上で、実際に処方箋を受け付けたときには、相互作用一覧表を活用して、併用禁忌・同時服用禁忌薬剤の有無をチェックするといいだろう。これらに該当する組み合わせがない場合は、本書を参考に各発現機序に該当する相互作用の有無を考え、服薬指導に生かしていただきたい。その際、処方箋だけでなく、薬歴やお薬手帳の記載も忘れずに確認してほしい。

また、DSU（drug safety update）、学術論文や学会発表などを通じて、相互作用に関する新たな知見が報告されたり、添付文書が改訂されたりした場合には、本書のどの部分に該当するかを考えながら、ぜひ書き加えていってほしい。本書がそれぞれの読者にとって、相互作用の“バイブル”の原型となれば幸いである。

参考文献

本書は、以下の書籍や雑誌のほか、DSU（drug safety update）、学術論文、各メーカーが発行する添付文書、相互作用集などを参考にして執筆した。学術論文については、本文中に著者名、雑誌名、年号、巻、ページを記載している。

1. 杉山正康編著『服薬指導のツボ 虎の巻 第3版』（日経BP社、2018）
2. 島田和幸、川合眞一、伊豆津宏二、今井靖編『今日の治療薬2022』（南江堂、2022）
3. 清水孝雄監訳『イラストレイテッド ハーパー・生化学 原書29版』（丸善、2013）
4. 田中千賀子、加藤隆一編『NEW薬理学 改訂第6版』（南江堂、2011）

注意
- 本書の内容は、原則として2022年6月末時点の情報に基づいています。最新の情報は、各薬剤の添付文書やインタビューフォームなどで必ずご確認ください。
- 本書に掲載した「症例」は、著者が経験した実例の中から典型的な一例を示したものであり、ここに示した方法で疑義照会や処方変更を行うことが必ずしも最善というわけではありません。実際には、個別のケースごとに疑義照会の必要性を検討するとともに、問い合わせ時には、関連する情報を医師に提供し、処方変更の要否の判断を仰ぐことになります。本書に基づく疑義照会および処方変更によって起こった事態に対して、著者ならびに出版社はその責を負いかねます。

欧文略語一覧

A

ABC …………………… ATP binding cassette　ATP 結合カセット
ABCB1 ……………… ATP-binding cassette sub-family B member 1　P-gp、MDR1の別名
ACE …………………… angiotensin converting enzyme　アンジオテンシン変換酵素
ACh …………………… acetylcholine　アセチルコリン
ACS …………………… acute coronary syndrome　急性冠症候群
ACTH ……………… adrenocorticotropic hormone　(下垂体前葉) 副腎皮質刺激ホルモン
Ad ……………………… adrenaline　アドレナリン、別名エピネフリン
ADH …………………… alcohol dehydrogenase　アルコール脱水素酵素、アルコールデヒドロゲナーゼ
ADH …………………… antidiuretic hormone　抗利尿ホルモン、バソプレシン
AD/HD……………… attention deficit/hyperactivity disorder　注意欠如・多動症
ADP …………………… adenosine diphosphate　アデノシン二リン酸
AGE …………………… advanced glycation endproduct　終末糖化産物
AhR …………………… arylhydrocarbon receptor　アリル炭化水素受容体
ALA …………………… aminolevulinic acid　アミノレブリン酸
ALDH ……………… aldehyde dehydrogenase　アルデヒド脱水素酵素、アルデヒドデヒドロゲナーゼ
ALT …………………… alanine aminotransferase　アラニンアミノトランスフェラーゼ、GPT
AM …………………… adrenomedullin　アドレノメデュリン
AMP …………………… adenosine monophosphate　アデノシン一リン酸
AMPK ……………… AMP-activated protein kinase　AMP 活性化プロテインキナーゼ
Ang Ⅱ ……………… angiotensin Ⅱ　アンジオテンシンⅡ
ANP …………………… atrial natriuretic peptide　心房性ナトリウム利尿ペプチド
AP-1 ………………… activator protein-1　アクチベータープロテイン 1
APL …………………… acute promyelocytic leukemia　急性前骨髄球性白血病
ARK …………………… adrenergic receptor kinase　アドレナリン受容体キナーゼ
ARNI ………………… angiotensin receptor-neprilysin inhibitor　アンジオテンシン受容体ネプリライシン阻害薬
AST …………………… aspartate aminotransferase　アスパラギン酸アミノトランスフェラーゼ、GOT
$AT_{1\sim4}$ ………………… angiotensin Ⅱ receptor 1～4　アンジオテンシンⅡ受容体 1 型～4 型
ATP …………………… adenosine triphosphate　アデノシン三リン酸
AUC …………………… area under the curve　血中濃度曲線下面積
AZM …………………… azithromycin　アジスロマイシン

B

BA ……………………… bioavailability　バイオアベイラビリティー (生物学的利用率)
B α P ……………… benzo-alpha-pyrene　ベンゾ [α] ピレン
BBB …………………… blood brain barrier　血液脳関門
BCRP ……………… breast cancer resistance protein　乳癌耐性タンパク質
BMI …………………… body mass index　体格指数＝体重 (kg) ÷身長^2 (m^2)
BSEP ………………… bile salts export pump　胆汁酸塩排泄トランスポーター

BUN ………………… blood urea nitrogen　血液尿素窒素

BZP ………………… benzodiazepine　ベンゾジアゼピン

C c-AMP …………… 3', 5'-cyclic adenosine monophosphate　サイクリックAMP

CA ………………… catecholamine　カテコールアミン

CABG ……………… coronary artery bypass grafting　冠状動脈バイパス（移植）術

CAR ………………… constitutive androstane receptor　構成的アンドロスタン受容体

CBG ………………… corticosteroid binding globulin　コルチコステロイド結合グロブリン

CBZ ………………… carbamazepine　カルバマゼピン

CCR5 ……………… CC chemokine receptor 5　CCケモカイン受容体5

c-GMP ……………… 3', 5'-cyclic guanosine monophosphate　サイクリックGMP

CGRP ……………… calcitonin gene-related peptide　カルシトニン遺伝子関連ペプチド

CML ………………… chronic myeloid leukemia　慢性骨髄性白血病

cMOAT …………… canalicular multispecific organic anion transporter　MRP2の別名

CMV ………………… cytomegalovirus　サイトメガロウイルス

CN ………………… calcineurin　カルシニューリン

CNS ………………… central nervous system　中枢神経系

COMT ……………… catechol-O-methyl transferase　カテコール-O-メチル基転移酵素

COX ………………… cyclooxygenase　シクロオキシゲナーゼ

CPK ………………… creatine phosphokinase　クレアチンホスホキナーゼ

CSF ………………… colony stimulating factor　コロニー刺激因子

CTZ ………………… chemoreceptor trigger zone　化学受容器引き金帯

CYP ………………… cytochrome pigment　チトクローム色素、シップ

D D_2 ………………… dopamine receptor 2　ドパミンD_2受容体

DES ………………… drug eluting stent　薬剤溶出性ステント

DG ………………… diacylglycerol　ジアシルグリセロール

DHA ………………… docosahexaenoic acid　ドコサヘキサエン酸

DIT ………………… diiodotyrosine　ジヨードチロシン

DMARDs ………… disease-modifying antirheumatic drugs　抗リウマチ薬

DPD ………………… dihydropyrimidine dehydrogenase ジヒドロピリミジンデヒドロゲナーゼ（ジヒドロウラシル脱水素酵素）

DPP4 ……………… dipeptidyl peptidase 4　ジペプチジルペプチダーゼ4

DS ………………… dry syrup　ドライシロップ

DSA ………………… dopamine serotonin antagonist　ドパミン・セロトニンアンタゴニスト

DSS ………………… dopamine system stabilizer　ドパミン・システムスタビライザー

DSU ………………… drug safty update　医薬品安全対策情報

dTMP ……………… deoxythymidine monophosphate　デオキシチミジン一リン酸

dUMP ……………… deoxyuridine monophosphate　デオキシウリジン一リン酸

E ED ………………… erectile dysfunction　勃起障害

EDRF ……………… endothelium-derived relaxing factor　血管内皮由来弛緩因子

EGF (R) ………… epidermal growth factor (receptor)　上皮増殖因子 (受容体)
EM ………………… erythromycin　エリスロマイシン
EPA ………………… eicosapentaenoic acid　エイコサペンタエン酸
ERK ………………… extracellular signal-regulated kinase　細胞外シグナル調節キナーゼ
ET ………………… endothelin　エンドセリン

F FAD ………………… flavin adenine dinucleotide　フラビンアデニンジヌクレオチド
Fbg ………………… fibrinogen　フィブリノーゲン
FDA ………………… Food and Drug Administration　米国食品医薬品局
FdUMP …………… fluorodeoxyuridine monophosphate　フルオロデオキシウリジン一リン酸
FLT-3 ……………… FMS-like tyrosine kinase 3　FMS 様チロシンキナーゼ 3
FMN ………………… flavin mononucleotide　フラビンモノヌクレオチド
FMO ………………… flavin-containing monooxygenase　フラビン含有モノオキシゲナーゼ
FU ………………… fluorouracil　フルオロウラシル
FX (a) …………… (activated) coagulation factor X　(活性化) 血液凝固第 X 因子

G GABA ……………… gamma-aminobutyric acid　γ (ガンマ) アミノ酪酸
GFJ ………………… grapefruit juice　グレープフルーツジュース
Gi ………………… inhibitory G protein　抑制性 G タンパク質
GIP ………………… glucose-dependent insulinotropic polypeptide　グルコース依存性インスリン分泌刺激ポリペプチド
GIST ……………… gastrointestinal stromal tumor　消化管間質腫瘍
GLP-1 ……………… glucagon-like peptide-1　グルカゴン様ペプチド 1
GLUT4 …………… glucose transporter 4　4 型グルコーストランスポーター
GnRH ……………… gonadotropin-releasing hormone　ゴナドトロピン (性腺刺激ホルモン) 放出ホルモン
GOT ………………… glutamic oxaloacetic transaminase　グルタミン酸オキザロ酢酸トランスアミナーゼ、AST
GPCR ……………… G protein coupled receptor　G タンパク質共役型受容体
GPT ………………… glutamic pyruvic transaminase　グルタミン酸ピルビン酸トランスアミナーゼ、ALT
GR ………………… glucocorticoid receptor　グルココルチコイド受容体
GSH ………………… glutathione　グルタチオン
GST ………………… glutathione S-transferase　グルタチオン S 転移酵素
GTP ………………… guanosine triphosphate　グアノシン三リン酸

H HBV ………………… hepatitis B virus　B 型肝炎ウイルス
HCN チャネル …… hyperpolarization-activated cyclic nucleotide-gated channel　過分極活性化環状ヌクレオチド依存性チャネル
HCV ………………… hepatitis C virus　C 型肝炎ウイルス
HDAC ……………… histone deacetylase　ヒストン脱アセチル化酵素
HDL ………………… high density lipoprotein　高比重リポタンパク質
HER ………………… human epidermal growth factor receptor　ヒト上皮成長因子受容体
5-HT ………………… 5-hydroxytryptamine　5-ヒドロキシトリプタミン (セロトニン)

Hif または HIF … hypoxia-inducible factor　低酸素誘導因子
HIF-PH ……………… hypoxia-inducible factor-proline hydroxylase　低酸素誘導因子プロリン水酸化酵素
HIV ……………………… human immunodeficiency virus　ヒト免疫不全ウイルス
HMG-CoA ………… hydroxymethylglutaryl-CoA　ヒドロキシメチルグルタリル CoA
IBS ……………………… irritable bowel syndrome　過敏性腸症候群

I IDDM …………………… insulin dependent diabetes mellitus　インスリン依存型糖尿病
IFIS ……………………… intraoperative floppy iris syndrome　術中虹彩緊張低下症候群
IFN ……………………… interferon　インターフェロン
I κ B …………………… inhibitor of kappa B　NF- κ B 抑制因子
IKK ……………………… I κ B kinase　I κ B キナーゼ
IL ………………………… interleukin　インターロイキン
IM ………………………… intermediate metabolizer　中間型の代謝能を持つ人の総称
IMP ……………………… inosine monophosphate　イノシン一リン酸
IMPDH ………………… IMP dehydrogenase　IMP 脱水素酵素
INR ……………………… international normalized ratio　（プロトロンビン時間）国際標準化比、PT-INR
IP3 ……………………… inositol triphosphate　イノシトール三リン酸（イノシトール -1, 4, 5- 三リン酸）
IRS ……………………… insulin receptor substrate　インスリン受容体基質
ISA ……………………… intrinsic sympathomimetic activity　内因性交感神経刺激作用
ITP ……………………… idiopathic thrombocytopenic purpura　特発性血小板減少性紫斑病

J JAK ……………………… janus kinase　ヤヌスキナーゼ
JNK ……………………… c-Jun N-terminal kinase　c-Jun N 末端キナーゼ

L La ………………………… lanthanum　ランタン（金属元素）
LDH ……………………… lactate dehydrogenase　乳酸脱水素酵素
LDL ……………………… low density lipoprotein　低比重リポタンパク質
LH-RH ………………… luteinizing hormone releasing hormone　黄体形成ホルモン放出ホルモン
LPL ……………………… lipoprotein lipase　リポタンパク質リパーゼ
LPS ……………………… lipopolysaccharide　リポ多糖、内毒素（エンドトキシン）
LST ……………………… liver specific organic anion transporter　肝特異的有機アニオントランスポーター
LT ………………………… leukotriene　ロイコトリエン

M MAO …………………… monoamine oxidase　モノアミンオキシダーゼ
MAPK ………………… mitogen-activated protein kinase　分裂促進因子活性化タンパク質キナーゼ、マップキナーゼ
MARTA ……………… multi-acting receptor targeted antipsychotics　多元受容体標的化抗精神病薬
MCP …………………… monocyte chemoattractant protein　単球遊走促進因子
MDR1 ………………… multidrug resistance 1　P-gp、ABCB1 の別名
MEOS ………………… microsomal ethanol-oxidizing system　ミクロソーム・エタノール酸化系
MIC ……………………… minimum inhibitory concentration　最小発育阻止濃度
MIT ……………………… monoiodothyrosine　モノヨードチロシン

MMF ·················· mycophenolate mofetil　ミコフェノール酸モフェチル
MMI ·················· 1-methyl-1H-imidazol-2-thiol　チアマゾール（thiamazole）
MMP ·················· matrix metalloproteinase　マトリックスメタロプロテアーゼ（マトリックス分解酵素）
MPA ·················· mycophenolic acid　ミコフェノール酸
MRP ·················· multidrug resistance-associated protein　多剤耐性関連タンパク質
MTT ·················· 1-methyl-tetrazol-5-thiol　メチルテトラゾールチオール

N

NAd ·················· noradrenaline　ノルアドレナリン、別名ノルエピネフリン（NEp）
NAD（P）··········· nicotinamide adenine dinucleotide（phosphate）　ニコチンアミドアデニンジヌクレオチド（リン酸）酸化型
NAD（P）H ······· NAD（P）の還元型
NaSSA ·············· noradrenergic and specific serotonergic antidepressant　ノルアドレナリン作動性・特異的セロトニン作動性抗うつ薬
NCoR ················ nuclear receptor corepressor　核内受容体コレプレッサー
NFAT ················ nuclear factor of activated T cells　核内因子活性化 T 細胞
NF-κB ············ nuclear factor of kappa B　核内因子カッパ B
NIDDM ·············· non-insulin dependent diabetes mellitus　インスリン非依存型糖尿病
NMDA ··············· N-methyl-D-aspartic acid　N-メチル-D-アスパラギン酸
NPC1L1 ············ Niemann-Pick C1 like 1 protein　コレステロールトランスポーター
NPT4 ················ sodium dependent phosphate transporter type 4　電位依存性有機アニオントランスポーター
NSAIDs ············· nonsteroidal antiinflammatory drugs　非ステロイド性抗炎症薬

O

OAB ·················· overactive bladder　過活動膀胱
OAT ·················· organic anion transporter　有機アニオン（陰イオン）トランスポーター
OATP ················ organic anion transporting polypeptide　有機アニオントランスポーティングポリペプチド
OCT ·················· organic cation transporter　有機カチオン（陽イオン）トランスポーター
OCTN ················ organic cation/carnitine transporter　カルニチン有機カチオントランスポーター
OM ··················· omeprazole　オメプラゾール
OMS ·················· omeprazole sulphide　オメプラゾールスルフィド

P

Pael receptor ····· Parkin associated endothelin like receptor　パエル受容体
PAF ··················· platelet-activating factor　血小板活性化因子
PAPS ················· phosphoadenosine-phosphosulfate　3'-ホスホアデノシン-5'-ホスホ硫酸
PBG ·················· porphobilinogen　ポルホビリノーゲン
PCG ·················· benzylpenicillin potassium　ベンジルペニシリンカリウム
PCI ··················· percutaneous coronary intervention　経皮的冠動脈インターベンション
PD ···················· pharmacodynamics　薬力学
PDE ·················· phosphodiesterase　ホスホジエステラーゼ
PDGFR ·············· platelet derived growth factor receptor　血小板由来増殖因子受容体
PDK1 ················ 3-phosphoinositide-dependent kinase 1　ホスホイノシチド三リン酸依存性キナーゼ 1
PEPT ················ peptide transporter　ペプチドトランスポーター

PG …………………… prostaglandin　プロスタグランジン
PGI_2 …………………… prostaglandin I_2（prostacyclin）　プロスタグランジン I_2（プロスタサイクリン）
P-gp …………………… permeable glycoprotein　P 糖タンパク質
PI3K …………………… phosphoinositide 3-kinase　ホスホイノシチド 3- キナーゼ、PI3 キナーゼ
PIP_2 …………………… phosphatidylinositol 4, 5-diphosphate　ホスファチジルイノシトール二リン酸
PK …………………… pharmacokinetics　薬動態学
PKC …………………… protein kinase C　プロテインキナーゼC
PL …………………… phospholipase　ホスホリパーゼ
PLA2 …………………… phospholipase A2　ホスホリパーゼ A2
PLC …………………… phospholipase C　ホスホリパーゼ C
PM …………………… poor metabolizer　代謝能が低い人の総称
PML …………………… promyelocytic leukemia　前骨髄球性白血病
PP …………………… pyrophosphate　ピロリン酸
PPA …………………… phenylpropanolamine　フェニルプロパノールアミン
PPAR …………………… peroxisome proliferator-activated receptor　ペルオキシソーム増殖因子活性化受容体
PPI …………………… proton pump inhibitor　プロトンポンプ阻害薬
PRP …………………… pressure rate product　圧心拍数積
PTCA …………………… percutaneous transluminal coronary angioplasty　経皮的冠動脈形成術
PTH …………………… parathyroid hormone、parathormone　副甲状腺ホルモン
PT-INR …………………… prothrombin time-international normalized ratio　プロトロンビン時間国際標準比
PTK …………………… protein tyrosine kinase　チロシンキナーゼ
PTU …………………… propylthiouracil　プロピルチオウラシル
PXR …………………… pregnane X receptor　プレグナン X 受容体

Q QOL …………………… quality of life　クオリティ・オブ・ライフ、生活の質

R RA …………………… renin-angiotensin　レニン−アンジオテンシン
RA …………………… retinoic acid　レチノイン酸
RAA …………………… renin angiotensin aldosterone　レニン−アンジオテンシン−アルドステロン
RAGE …………………… receptor for AGE　AGE 受容体
RAR …………………… retinoic acid receptor　レチノイン酸受容体
RBP …………………… retinol binding protein　レチノール結合タンパク質
RM …………………… rapid metabolizer　代謝能が高い人の総称
RXR …………………… retinoid X receptor　レチノイド X 受容体

S SAPK …………………… stress-activated protein kinase　ストレス活性化プロテインキナーゼ
SDA …………………… serotonin dopamine antagonist　セロトニン・ドパミンアンタゴニスト
SERM …………………… selective estrogen receptor modulator　選択的エストロゲン受容体モジュレーター
sGC …………………… soluble guanylyl cyclase　可溶性グアニル酸シクラーゼ
SGLT …………………… sodium glucose co-transporter2　Na 依存性グルコース共輸送体 2
SHBG …………………… sex hormone binding globulin　性ホルモン結合グロブリン
SIADH …………………… syndrome of inappropriate secretion of ADH　抗利尿ホルモン不適合分泌症候群

SIDS …………………… sudden infant death syndrome 乳幼児突然死症候群
SIPA …………………… shear stress-induced platelet aggregation ずり応力惹起血小板凝集
SJS …………………… Stevens-Johnson syndrome スティーブンス・ジョンソン症候群（皮膚粘膜眼症候群）
SJW …………………… St. John's wort セント・ジョーンズ・ワート
SLC …………………… solute carrier ソリュート・キャリア
SNP …………………… single nucleotide polymorphism 一塩基多型
SNRI …………………… serotonin noradrenaline reuptake inhibitor セロトニン・ノルアドレナリン再取り込み阻害薬
SNS …………………… sympathetic nervous system 交感神経系
SOD …………………… superoxide dismutase スーパーオキシドディスムターゼ
SRC-1 …………………… steroid receptor coactivator 1 ステロイド受容体コアクチベーター
S-RIM …………………… Serotonin Reuptake Inhibitor Modulator セロトニン再取り込み阻害／セロトニン受容体モジュレーター
SRS-A …………………… slow reacting substances of anaphylaxis アナフィラキシーの遅延反応性物質
SSRI …………………… selective serotonin reuptake inhibitor 選択的セロトニン再取り込み阻害薬
ST …………………… sulfamethoxazole-trimethoprim スルファメトキサゾールとトリメトプリムの配合剤
STAT …………………… signal transducer and activator of transcription シグナル伝達性転写因子
STZ …………………… streptozotocin ストレプトゾトシン
SU …………………… sulfonylurea スルホニル尿素
SULT …………………… sulfotransferase スルホトランスフェラーゼ、硫酸転移酵素

T T_3 …………………… triiodothyronine トリヨードチロニン
T_4 …………………… tetraiodothyronine、thyroxine テトラヨードチロニン、チロキシン
TAK1 …………………… TGF-β activated kinase 1 TGF-β活性化キナーゼ 1
TBG …………………… thyroxine binding globulin サイロキシン（チロキシン）結合グロブリン
TCA …………………… tricarboxylic acid（cycle）トリカルボン酸（回路）（クエン酸回路と同じ）
TDM …………………… therapeutic drug monitoring 薬物血中濃度モニタリング
TEN …………………… toxic epidermal necrosis 中毒表皮壊死症（Lyell syndrome ライエル症候群）
TGF-β …………………… transforming growth factor-β 形質転換増殖因子β
TIF2 …………………… transcriptional intermediary factor 2 転写コアクチベーター2
TNF …………………… tumor necrosis factor 腫瘍壊死因子
t-PA …………………… tissue plasminogen activator 組織プラスミノーゲンアクチベーター
TPMT …………………… thiopurine methyltransferase チオプリンメチルトランスフェラーゼ
TPO …………………… thrombopoietin トロンボポエチン
TR …………………… thyroid hormone receptor 甲状腺ホルモン受容体
TRH …………………… thyrotropin-releasing hormone 甲状腺刺激ホルモン放出ホルモン
TSH …………………… thyroid-stimulating hormone 甲状腺刺激ホルモン、チロトロピン（thyrotropin）
TTP …………………… thrombotic thrombocytopenic purpura 血栓性血小板減少性紫斑病
TX …………………… thromboxane トロンボキサン

U UDP …………………… uridine diphosphate ウリジン二リン酸

UGT ………………… UDP-glucuronosyltransferase　UDP－グルクロン酸転移酵素

URAT1 …………… urate transporter 1　腎特異的尿酸トランスポーター

V V_2 ……………………… vasopressin receptor 2　バソプレシン V_2-受容体

VDR ………………… vitamin D receptor　ビタミンD受容体

VEGF（R）……… vascular endothelial growth factor（receptor）　血管内皮増殖因子（受容体）

VLDL ……………… very low density lipoprotein　超低比重リポタンパク質

vWF ………………… von Willebrand factor　フォン・ウィルブランド因子

X XOD ………………… xanthine oxidase　キサンチンオキシダーゼ

薬効分類と化学構造式一覧

本書では、原則として薬剤名を一般名および商品名で記載したが、薬剤の化学構造上、同一骨格を有する薬剤や、構造が類似している薬剤（誘導体）、同一の薬理作用を持つ一部の薬剤については、便宜上、「～系薬」「～薬」と記している。本書で用いた分類に基づく主な名称（五十音順）とそれらに分類される薬剤、構造式を以下に示す。

---

1 アゾール系薬 …… イミダゾール環またはトリアゾール環を有する薬剤
（☞ 表5-16、図5-4）

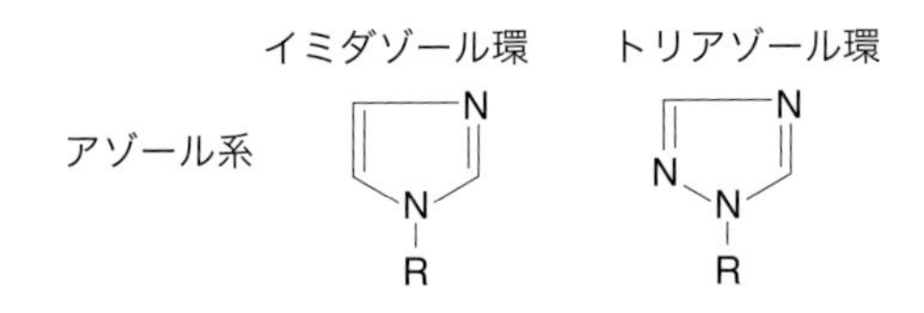

▶イミダゾール系

抗真菌薬……ミコナゾール（フロリード）、クロトリマゾール（エンペシド）、イソコナゾール硝酸塩（アデスタン）、ケトコナゾール（ニゾラール）

抗トリコモナス薬……メトロニダゾール（フラジール）、チニダゾール（ハイシジン）

駆虫薬……チアベンダゾール、メベンダゾール（メベンダゾール）

▶トリアゾール系

抗真菌薬……フルコナゾール（ジフルカン）、イトラコナゾール（イトリゾール）

アロマターゼ阻害薬……アナストロゾール（アリミデックス）、レトロゾール（フェマーラ）

---

2 アニリン系薬

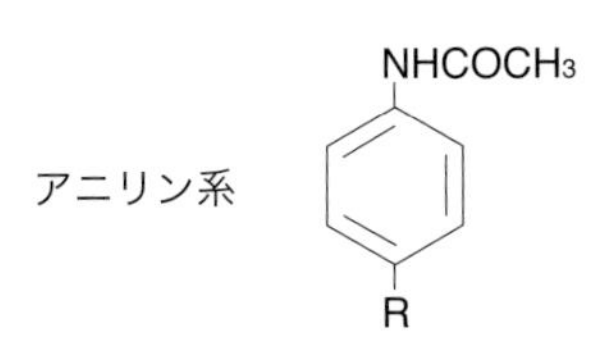

フェナセチン、アセトアミノフェン（カロナール、アンヒバ坐剤、アルピニー坐剤）

【参考】総合感冒薬の分類と含まれる成分（☞ 表8-8）

- ●ピリン系配合剤（商品名サリドン錠、セデスG、サリイタミン顆粒、トーワサール顆粒など［いずれも販売中止］）；イソプロピルアンチピリン（ピリン系）、フェナセチン（アニリン系）含有
  SG配合顆粒：イソプロピルアンチピリン（ピリン系）、アセトアミノフェン（アンリン系）含有
- ●非ピリン系配合剤（PL配合顆粒、ペレックス配合顆粒など）；サリチルアミド（サリチル酸系）、アセトアミノフェン（アニリン系）含有

❸ アミノグリコシド系薬

ストレプトマイシン硫酸塩（硫酸ストレプトマイシン注射用）、カナマイシン一硫酸塩（カナマイシン）、フラジオマイシン硫酸塩（点眼・点鼻用リンデロンA液に含有）、アミカシン硫酸塩（アミカシン硫酸塩注射液）、パロモマイシン硫酸塩（アメパロモ）、ゲンタマイシン硫酸塩（ゲンタシン注）

❹ イミダゾール系薬　…… イミダゾール環を有する薬剤

（☞図5-4）

シメチジン（タガメット）、チザニジン塩酸塩（テルネリン）

アゾール系（☞❶）

ベンズイミダゾール系（PPI）：オメプラゾール（オメプラゾン）、ランソプラゾール（タケプロン）、ラベプラゾールナトリウム（パリエット）、エソメプラゾールマグネシウム水和物（ネキシウム）

❺ ACE阻害薬

カプトプリル（カプトリル）、エナラプリルマレイン酸塩（レニベース）、アラセプリル（セタプリル）、デラプリル塩酸塩（アデカット）、シラザプリル水和物（インヒベース）、リシノプリル水和物（ゼストリル、ロングス）、ベナゼプリル塩酸塩（チバセン）、イミダプリル塩酸塩（タナトリル）、テモカプリル塩酸塩（エースコール）、トランドラプリル（オドリック、プレラン）、キナプリル塩酸塩（コナン）、ペリンドプリルエルブミン（コバシル）

❻ SU薬（スルホニル尿素系経口糖尿病用薬；☞表2-1）

SU薬　$R-C_6H_4-SO_2-NH-C(=O)-NH-R$

トルブタミド（ヘキストラスチノン）、クロルプロパミド（アベマイド）、トラザミド、アセトヘキサミド（ジメリン）、グリベンクラミド（オイグルコン、ダオニール）、グリクラジド（グリミクロン）、グリクロピラミド（デアメリンS）、グリメピリド（アマリール）

7 NSAIDs（非ステロイド抗炎症薬；☞ 表 8-9）

【参考】

① アニリン系、ピリン系には抗炎症作用はほとんどないが、相互作用、副作用発現にはNSAIDsと多くの共通点がある。

② ピリン系感冒薬（イソプロピルアンチピリン、フェナセチン含有）は、フェナセチンによる腎障害のため販売中止。

③ 非ピリン系感冒薬は、サリチルアミド（サリチル酸系）、アセトアミノフェン（アニリン系）含有。

---

8 カテコールアミン（CA）（☞ 図 7-3）

カテコールアミン系　R−(ベンゼン環, R)−CH(R)−CH(R)−NH−R

CA……アドレナリン（ボスミン）、ノルアドレナリン、ドパミン塩酸塩（イノバン）、イソプレナリン塩酸塩（別名イソプロテレノール；プロタノール、ストメリン［外用合剤］）、ドブタミン塩酸塩（ドブトレックス）

CA 系……☞ **表 7-15**

---

9 Ca 拮抗薬

パパベリン系……ベラパミル塩酸塩（ワソラン）

ベンゾチアゼピン系……ジルチアゼム塩酸塩（ヘルベッサー）

ジヒドロピリジン系……ニフェジピン（アダラート）、ニカルジピン塩酸塩※1（ペルジピン）、ニルバジピン※1（ニバジール）、ベニジピン塩酸塩（コニール）、ニソルジピン（バイミカード）、ニトレンジピン（バイロテンシン）、マニジピン塩酸塩（カルスロット）、バルニジピン塩酸塩（ヒポカ）、フェロジピン（ムノバール）、アラニジピン（ベック）、アムロジピンベシル酸塩（ノルバスク、アムロジン）、エホニジピン塩酸塩エタノール付加物（ランデル）、アゼルニジピン（カルブロック）、シルニジピン（アテレック）

ピペラジン系……シンナリジン※1、フルナリジン塩酸塩※1、マニジピン塩酸塩（カルスロット）、ロメリジン塩酸塩（ミグシス、テラナス）

その他……ベプリジル塩酸塩水和物（ベプリコール；抗不整脈剤クラスⅠ、Ⅲ、Ⅳの作用；☞ **表 7-21**）

※1　脳循環改善作用あり。

10 キサンチン系薬（☞ 28、図 6-1）

キサンチン

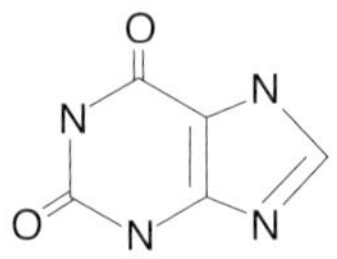

テオフィリン（テオドール、テオロング、スロービッド、ユニフィル LA）、アミノフィリン水和物（ネオフィリン）、コリンテオフィリン、ジプロフィリン（アストフィリン）、カフェイン、テオブロミン

11 キノロン系薬（☞ 図 5-15）

キノリン
(quinoline)

4-キノロン
(4-quinolone)

ピリドピリミジン系……ピロミド酸、ピペミド酸（ドルコール）

ナフチリジン系……ナリジクス酸（ウイントマイロン）、エノキサシン、トスフロキサシントシル酸塩水和物（オゼックス、トスキサシン）

キノリン系……ノルフロキサシン（バクシダール）、オフロキサシン（タリビッド）、塩酸シプロフロキサシン（シプロキサン）、ロメフロキサシン塩酸塩（ロメバクト）、フレロキサシン、スパルフロキサシン、レボフロキサシン水和物（クラビット）、パズフロキサシンメシル酸塩（パシル）、プルリフロキサシン（スオード）、モキシフロキサシン塩酸塩（アベロックス）、メシル酸ガレノキサシン水和物（ジェニナック）、シタフロキサシン水和物（グレースビット）

シンノリン系……シノキサシン

12 クマリン系薬

クマリン

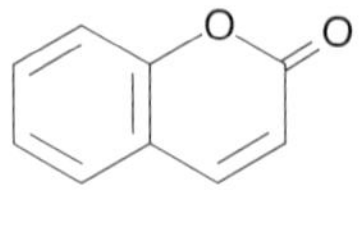

ワルファリンカリウム（ワーファリン）、ジクマロール

⑬ サリチル酸系薬（☞表8-9）

サリチル酸 COOH OH

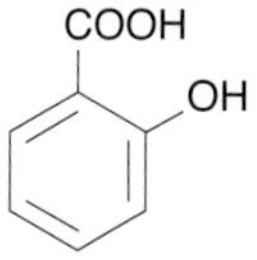

サリチル酸Na（サルソニン）、サリチル酸Na配合剤（カシワドール）、サリチル酸コリン、サザピリン、アスピリン（バファリン配合錠A81/A330、バイアスピリン100mg）、ジフルニサル、サリチルアミド※2（非ピリン系感冒薬のPL配合顆粒、ペレックス配合顆粒などに含有）

※2　サリチルアミドは代謝されてもサリチル酸を生じないが、アスピリンと類似の構造を有するので、ここに加えた。

⑭ サルファ剤 …… スルホンアミド系薬

サルファ剤 $H_2N-C_6H_4-SO_2-NH-R$

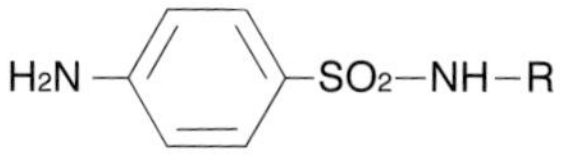

スルフイソミジン、スルファメチゾール、スルファメトキサゾール（ST合剤；バクタ配合錠）、スルファモノメトキシン水和物、スルファメトピラジン、スルファジメトキシン（アプシード）、ST合剤（バクタ配合錠、バクトラミン配合錠）

【参考】 糖尿病用薬のグリミジンNa、グリブゾール、利尿薬のアセタゾラミド（ダイアモックス）、抗てんかん薬・抗パーキンソン薬のゾニサミド（エクセグラン、トレリーフ）もスルホンアミド系である。

⑮ ジギタリス製剤 …… 強心配糖体（ステロイド骨格を有する）

ジゴキシン（ジゴシン）、ジギトキシン、メチルジゴキシン（ラニラピッド）、デスラノシド（ジギラノゲン）、ラナトシド、プロスシラリジン

⓰ ステロイド系薬……ステロイド骨格を有する

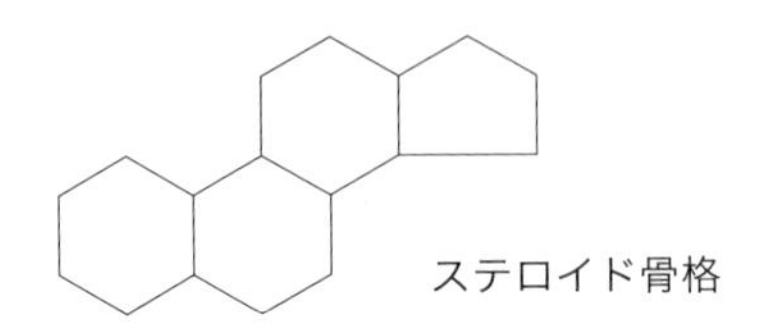

ジギタリス製剤（☞⓯）

グリチルリチン酸含有製剤……グリチロン、甘草含有漢方薬、つくしＡ・Ｍ散など

ホルモン製剤……副腎皮質ホルモン製剤：プレドニゾロン（プレドニン）、メチルプレドニゾロン（メドロール）、アルドステロン（鉱質コルチコイド）拮抗薬：スピロノラクトン（アルダクトンＡ）、経口避妊薬（卵胞、黄体ホルモン）、卵胞ホルモン（エストロゲン）製剤、黄体ホルモン（プロゲステロン）製剤、男性ホルモン（アンドロゲン）製剤

活性型ビタミンＤ製剤……アルファカルシドール（アルファロール、ワンアルファ）、カルシトリオール（ロカルトロール）

胆汁酸製剤……ケノデオキシコール酸（チノ）、ウルソデオキシコール酸（ウルソ）

非脱分極性筋弛緩薬……パンクロニウム臭化物、ベクロニウム臭化物（マスキュラックス）

⓱ 三環系抗うつ薬 …… ７員環を有する

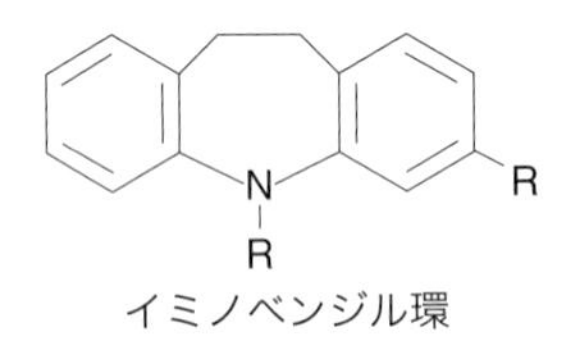

イミノベンジル環

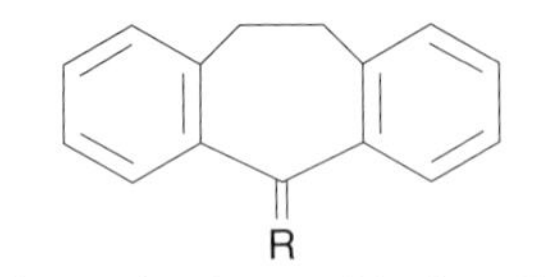

ジベンゾシクロヘプタジエン環

イミノベンジル環……イミプラミン塩酸塩（トフラニール）、塩酸デシプラミン、ロフェプラミン塩酸塩（アンプリット）

ジベンゾシクロヘプタジエン環……アミトリプチリン塩酸塩（トリプタノール）、ノルトリプチリン塩酸塩（ノリトレン）

ジベンゾオキサゼピン環……アモキサピン（アモキサン）

ジベンゾチエピン環……ドスレピン塩酸塩（プロチアデン）

【参考】 四環系抗うつ薬……マプロチリン塩酸塩（ルジオミール）、ミアンセリン塩酸塩（テトラミド）、セチプチリンマレイン酸塩（テシプール）

⑱ チアジド系薬 …… ベンゾチアジアジン系薬

チアジド系

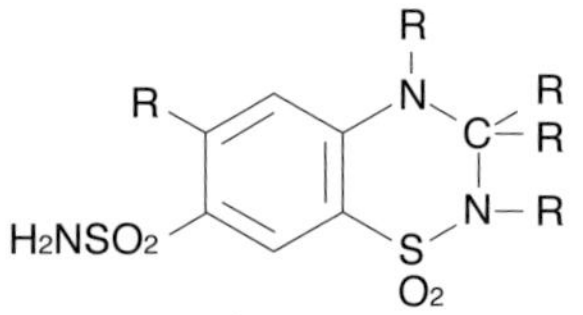

ヒドロクロロチアジド（エカード配合錠などに含有）、トリクロルメチアジド（フルイトラン）、ベンチルヒドロクロロチアジド（ベハイド）、ジアゾキシド（ジアゾキシド）、メチクロチアジド、シクロペンチアジド

⑲ テトラサイクリン系薬（☞図1-2）

テトラサイクリン系

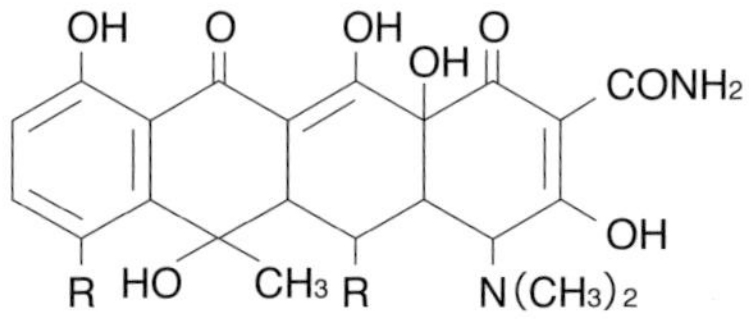

オキシテトラサイクリン塩酸塩（テラマイシン軟膏）、テトラサイクリン塩酸塩（アクロマイシン）、メタリン酸テトラサイクリン、デメチルクロルテトラサイクリン塩酸塩（レダマイシン）、ドキシサイクリン塩酸塩水和物（ビブラマイシン）、ミノサイクリン塩酸塩（ミノマイシン）

⑳ バルビツール酸系薬

バルビツール酸系

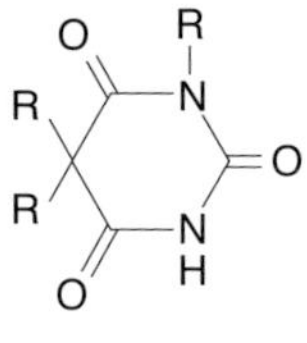

フェノバルビタール（フェノバール）、バルビタール（バルビタール）、プリミドン（プリミドン）、メタルビタール、ペントバルビタール Ca（ラボナ）、セコバルビタール Na（アイオナール・ナトリウム）、ヘキソバルビタール、アモバルビタール（イソミタール）、配合剤（複合アレビアチン、ヒダントール D/E/F）

【参考】

① ブコローム（パラミヂン；抗炎症・リウマチ薬、痛風治療薬）もバルビツール酸系に含まれる。

② 非バルビツール酸系（バルビツール酸系の副作用の軽減を目的として開発）：

　リルマザホン塩酸塩（リスミー；BZP 系；体内で BZP 環を形成）、ブロモバレリル尿素（ブロバリン）、ペルラピン、トリクロホス Na（トリクロリール）、抱水クロラール（エスクレ）

㉑ ヒダントイン系薬

ヒダントイン　フェニトイン

フェニトイン（アレビアチン、ヒダントール）、エトトイン（アクセノン）、配合剤（複合アレビアチン、ヒダントール D/E/F）

㉒ ヒドラジン系薬（☞ 図 5-6）

イソニアジド（イスコチン）、ヒドララジン塩酸塩（アプレゾリン）、塩酸トドララジン、ブドララジン、塩酸サフラジン（MAO 阻害薬）

㉓ ピペリジン系薬、ピペラジン系薬（☞ 図 7-9）

▶ ピペリジン系

抗ヒスタミン薬、抗アレルギー薬……シプロヘプタジン塩酸塩水和物（ペリアクチン）、チペピジンヒベンズ酸塩（アスベリン）、テルフェナジン、アステミゾール、エバスチン（エバステル）、フェキソフェナジン塩酸塩（アレグラ）、ロラタジン（クラリチン）

消化管賦活薬……シサプリド、ドンペリドン（ナウゼリン）

精神刺激薬……メチルフェニデート塩酸塩（コンサータ、リタリン）

ブチロフェノン系……ハロペリドール（セレネース）、ピモジド（オーラップ）、ドロペリドール（ドロレプタン；麻酔薬）など

フェノチアジン系（☞ ㉖）、プロピベリン塩酸塩（バップフォー）、ドネペジル塩酸塩（アリセプト）、ロペラミド塩酸塩（ロペミン）

▶ ピペラジン系

抗ヒスタミン薬、抗アレルギー薬……ホモクロルシクリジン塩酸塩（ホモクロミン）、塩酸メクリジン、ヒドロキシジンパモ酸塩（アタラックス-P）、セチリジン塩酸塩（ジルテック）

Ca 拮抗薬……シンナリジン、フルナリジン、マニジピン塩酸塩（カルスロット）、ロメリジン塩酸塩（ミグシス、テラナス）

フェノチアジン系（☞ ㉖）、キノロン系（☞ 図 5-15）、イトラコナゾール（イトリゾール；アゾール系）

㉔ ピラゾロン系薬

ピラゾリジン系

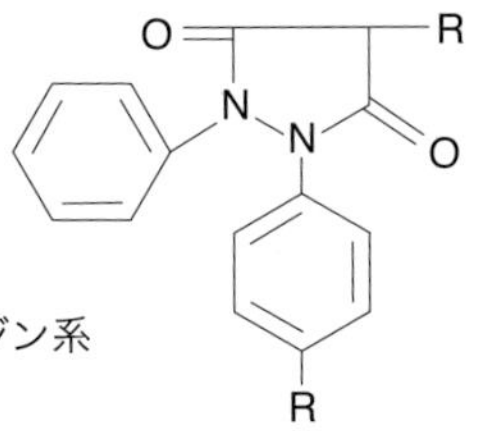

ピリン系

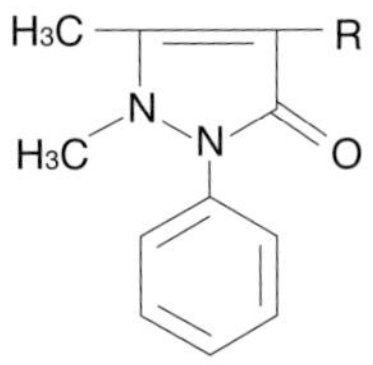

ピラゾリジン系……フェニルブタゾン、オキシフェンブタゾン、クロフェゾン、スルフィンピラゾン
ピリン系……アンチピリン、アミノピリン、スルピリン水和物（スルピリン）、イソプロピルアンチピリン（SG配合顆粒に含有）

㉕ フィブラート系薬 …… クロフィブラートとその誘導体

クロフィブラート

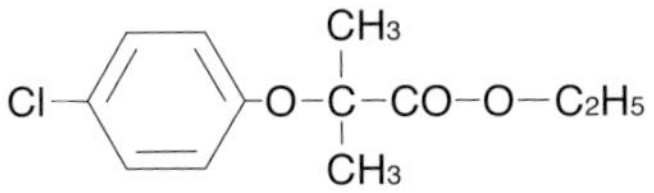

クロフィブラート（クロフィブラート）、クロフィブラートAl、シンフィブラート、クリノフィブラート（リポクリン）、ベザフィブラート（ベザトールSR）、フェノフィブラート（リピディル）

㉖ フェノチアジン系薬

フェノチアジン系

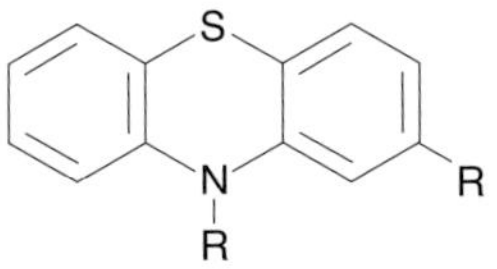

● 向精神薬

プロピルアミン側鎖……クロルプロマジン塩酸塩（ウインタミン、コントミン）、レボメプロマジン（ヒルナミン、レボトミン）、配合剤（ベゲタミン）
ピペラジン側鎖……ペルフェナジン（ピーゼットシー）、フルフェナジンマレイン酸塩（フルメジン）、フルフェナジンデカン酸エステル（フルデカシン）、トリフロペラジンマレイン酸塩、プロクロルペラジンメシル酸塩（ノバミン）
ピペリジン側鎖……プロペリシアジン（ニューレプチル）、塩酸チオリダジン

● 解熱鎮痛薬

ジメトチアジンメシル酸塩（ミグリステン）

◆ 抗ヒスタミン薬

プロメタジン塩酸塩（ヒベルナ）、アリメマジン酒石酸塩（アリメジン）、イソチペンジル塩酸塩

◆ フェノチアジン類似（向精神薬）

イミノジベンジル系……カルピプラミン塩酸塩水和物、クロカプラミン塩酸塩水和物（クロフェクトン）、モサプラミン塩酸塩（クレミン）

チエピン系……ゾテピン（ロドピン）

ジベンゾジアゼピン系……クロチアピン

チオキサンテン系……チオチキセン

【参考】

① フェノチアジン類似のイミノベンジル系、チエピン系、ジベンゾジアゼピン系、チオキサンテン系の薬剤も同様な相互作用を起こすことが多い。

② 鎮静作用（☞ **表 7-1**）、抗コリン作用（☞ **表 7-20**）、錐体外路作用（☞ **表 8-2**）の強弱は以下のようになる。

	プロピルアミン側鎖	ピペラジン側鎖	ピペリジン側鎖
鎮静	強	弱	中
抗コリン	中	弱	強
錐体外路	中	強	弱

---

27 ブチロフェノン系薬

ブチロフェノン系

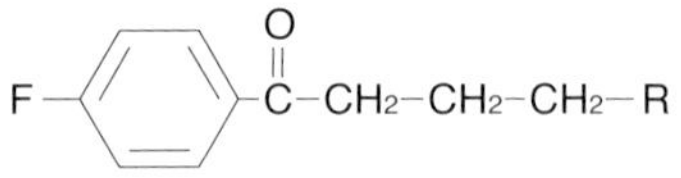

F　O　$C-CH_2-CH_2-CH_2-R$

ハロペリドール（セレネース）、ハロペリドールデカン酸エステル（ハロマンス、ネオペリドール）、ブロムペリドール（インプロメン）、チミペロン（トロペロン）、ピパンペロン塩酸塩（プロピタン）、スピペロン（スピロピタン）、モペロン塩酸塩、ピモジド（オーラップ）

---

28 プリン系薬（☞ 図 6-1）

プリン環

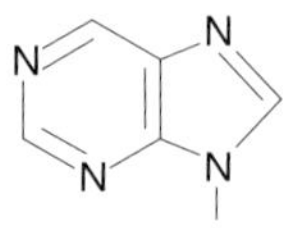

N　N　N　N

キサンチン系薬（☞ **10**）、チオプリン系……メルカプトプリン水和物（ロイケリン）、アザチオプリン（イムラン）、ビダラビン（アラセナ -A）

㉙ ベンズアミド系薬

ベンズアミド

スルピリド（ドグマチール、アビリット）、メトクロプラミド（プリンペラン）、ネモナプリド（エミレース）、スルトプリド塩酸塩（バルネチール）、チアプリド塩酸塩（グラマリール）

㉚ ベンゾジアゼピン系薬（作用機序が類似しているチエノジアゼピン系、シクロピロロン系、イミダゾール系も含む）

ベンゾジアゼピン（BZP）系

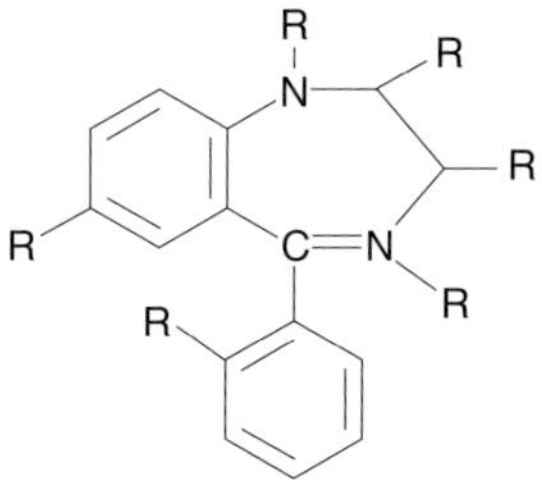

▶ 抗不安薬（作用が弱い薬剤より記載）

トフィソパム（グランダキシン）、クロチアゼパム（リーゼ）※3、オキサゾラム（セレナール）、メダゼパム（レスミット）、クロルジアゼポキシド（バランス、コントール）、フルタゾラム（コレミナール）※4、アルプラゾラム（コンスタン、ソラナックス）、ジアゼパム（セルシン）、フルジアゼパム（エリスパン）、プラゼパム、クロラゼプ酸二カリウム（メンドン）、メキサゾラム（メレックス）、エチゾラム（デパス）※3、ロラゼパム（ワイパックス）※4、ブロマゼパム（レキソタン）、フルトプラゼパム（レスタス）、クロキサゾラム（セパゾン）、ロフラゼプ酸エチル（メイラックス）など

▶ 催眠薬

ゾピクロン（アモバン）※5、ミダゾラム（ドルミカム、ミダフレッサ）、トリアゾラム（ハルシオン）、エチゾラム（デパス）※3、ブロチゾラム（レンドルミン）※3、ロラゼパム（ワイパックス）※4、ロルメタゼパム（ロラメット、エバミール）※4、フルニトラゼパム（ロヒプノール、サイレース）、ニメタゼパム（エリミン）、エスタゾラム（ユーロジン）、ニトラゼパム（ベンザリン、ネルボン）、フルラゼパム塩酸塩（ダルメート）、ハロキサゾラム（ソメリン）、クアゼパム（ドラール；BZP1受容体特異的）、ゾルピデム酒石酸塩（マイスリー；イミダゾール系）など

▶ 抗痙攣・てんかん薬

ニトラゼパム（ベンザリン、ネルボン）、ジアゼパム（ダイアップ坐）、クロナゼパム（リボトリール）、クロバザム（マイスタン）

【参考】リルマザホン塩酸塩（リスミー）は生体内で閉環されベンゾジアゼピン環となる。したがって、

※3 チエノジアゼピン系　※4 CYP P450で代謝（酸化）を受けない薬剤　※5 シクロピロロン系

BZP 系と考えてよい。

㉛ マクロライド系薬（☞図 5-7）、ケトライド系薬（販売中止）

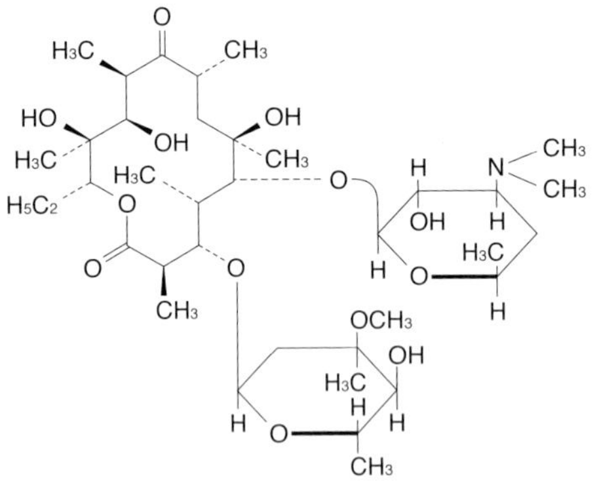

エリスロマイシン型（14 員環）

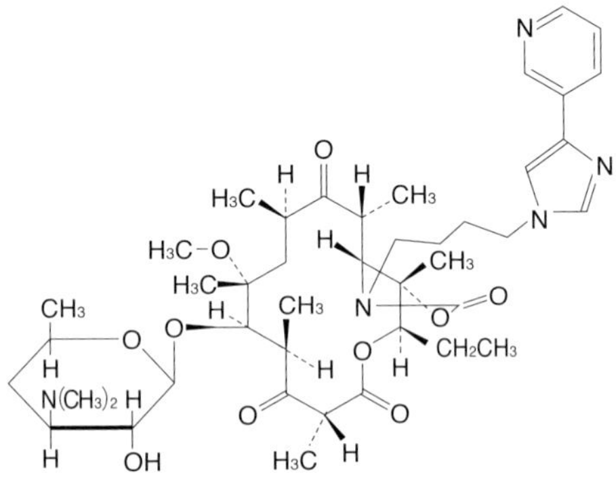

テリスロマイシン（ケトライド系）

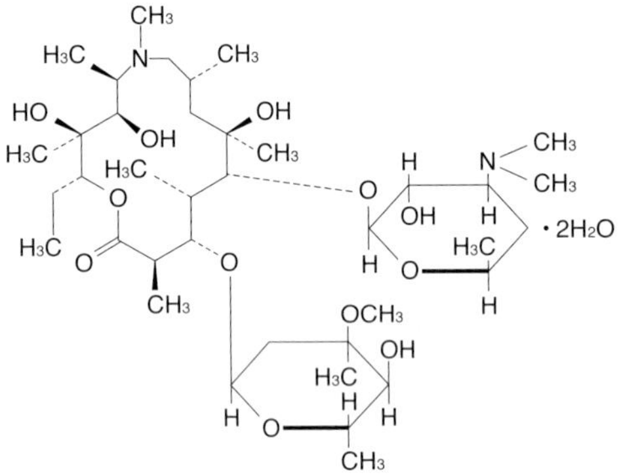

アジスロマイシン型（15員環）

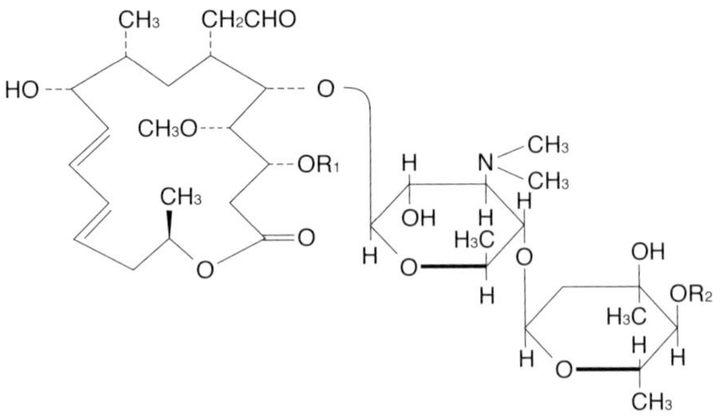

キタサマイシン型（16 員環）

14 員環……エリスロマイシン（エリスロシン）、リン酸オレアンドマイシン、クラリスロマイシン（クラリシッド、クラリス）、ロキシスロマイシン（ルリッド）

ケトライド系……テリスロマイシン

15 員環……アジスロマイシン水和物（ジスロマック）

16 員環……キタサマイシン、ロキタマイシン、ミデカマイシン酢酸エステル、ジョサマイシン（ジョサマイシン、ジョサマイ）、アセチルスピラノマイシン

マクロライド類似（リンコマイシン系）……リンコマイシン塩酸塩水和物（リンコシン）、クリンダマイシン塩酸塩（ダラシン）

発現機序別の併用禁忌・原則禁忌の一覧

薬剤師が最初に処方箋を受け付けたときには、直ちに併用禁忌の相互作用の有無を確認する必要がある。ここでは、発現機序別に「禁忌」「同時（服用）禁忌」「原則禁忌」となる薬剤併用の組み合わせを示す。いずれも、添付文書上の表現やそれに準じたものだが、「原則禁忌」は添付文書上では併用注意であり、併用禁忌ではない。また、同時（服用）禁忌は添付文書上、併用注意に含まれるが、服用間隔を空けることは重要であり、注意を喚起する意味でここに加えている。また、下記のような「原則禁忌」の表現が、添付文書中の「相互作用」には記載されていないが、「重要な基本的注意事項」に記載されている場合にも本書では原則禁忌とした（例；腎機能の臨床検査値に異常が認められる患者についてのスタチン系薬とフィブラート系薬との併用）。

併用禁忌：併用を避ける。

同時（服用）禁忌：同時に服用させないなど注意が必要。併用時には服用間隔を空ける（ことが望ましい、ことが推奨される）。一方の薬剤の服用時およびその前後に、他方を服用しないことが望ましい。

原則禁忌：併用を避けることが望ましいが、併用する場合は慎重に対処する。併用は治療上の有益性が危険性を上回るときのみで、やむを得ず併用する場合は注意する。

なお、この表では薬剤名（一般名）を省略形ではなく一般名称で記している。

★販売中止もしくは国内未発売

※アゾール系のケトコナゾール経口薬（国内未発売）はトリアゾラム、バルデナフィル塩酸塩水和物などとの併用が禁忌であるが、日本ではケトコナゾールは外用薬（ニゾラールクリーム）のみが販売されている。外用薬では皮膚から循環中への移行はほとんどなく問題ない。

第1部　薬動態学的相互作用

第1章　消化管吸収

発現機序	薬剤A（作用する薬剤）	薬剤B（作用を受ける薬剤）	併用	起こり得る結果	機序、報告されている事象、対処法など
金属錯体（キレートなど）☞表1-1	クエン酸含有製剤（ウラリット-U配合散など）	水酸化Alゲル（アルミゲル）	同時禁忌	Alの吸収増大	副作用増強（Al脳症、Al骨症の恐れ）。投与間隔を2時間以上空ける。
	Al、Mg、Fe、Ca、Zn含有製剤（ポラプレジンク［プロマック］など）	ビスホスホネート系薬：アレンドロン酸Na水和物（フォサマック、ボナロン）、リセドロン酸Na水和物（ベネット、アクトネル）、ミノドロン酸水和物（ボノテオ）、エチドロン酸二Na（ダイドロネル）	同時禁忌	B剤の吸収低下（薬効減弱）	水以外の飲食物（硬度600以上のミネラルウォーターを含む）や医薬品の微量金属とキレートを形成。アレンドロン酸、リセドロン酸、ミノドロン酸は、起床後に服用（服用後、30分間は水以外の飲食物の摂取を避ける）。エチドロン酸は服用の2時間前後に水以外の飲食物の摂取を避ける。
		ペニシラミン（メタルカプターゼ；3-メルカプト-D-バリン）	同時禁忌		服用間隔を2時間以上空ける。B剤は空腹時に服用。B剤による味覚障害誘発に注意。
		テトラサイクリン系薬：水溶性テトラサイクリン（テトラサイクリン塩酸塩［アクロマイシンV］）、脂溶性テトラサイクリン（ミノサイクリン塩酸塩［ミノマイシン］、ドキシサイクリン塩酸塩水和物［ビブラマイシン］）	同時禁忌		服用間隔を2～4時間以上空ける。水溶性テトラサイクリン（アクロマイシンV）は空腹時（乳製品、食事の影響のため）、脂溶性テトラサイクリンは食後服用（潰瘍誘発のため）。脂溶性テトラサイクリンは食事や乳製品の影響を受けにくい。
	Al、Fe、Ca、Zn含有製剤	甲状腺ホルモン製剤：レボチロキシンNa水和物（チラーヂンS；T_4）など	同時禁忌		B剤とMg含有製剤とのキレート形成は報告されていない。Al含有制酸剤では、制酸剤服用の8時間後、またはB剤服用の4時間以上後に他方を投与。炭酸CaではB剤との服用間隔を4時間以上空け、Fe剤、Zn含有製剤では服用間隔を2時間以上空ける。B剤は朝食の30分前（効果不良の場合は60分前）に服用。
	Al、Mg、Fe、Ca、Zn含有製剤	①キノロン系薬：ノルフロキサシン（バクシダール）、塩酸シプロフロキサシン（シプロキサン）、プルリフロキサシン（スオード）、シタフロキサシン水和物（グレースビット）、トスフロキサシントシル酸塩水和物（オゼックス）、メシル酸ガレノキサシン水和物（ジェニナック）	同時禁忌		B剤服用後、2時間以上空けてA剤を服用（ただし、レボフロキサシン水和物［クラビット］は1時間以上）、またはA剤服用後3～6時間空けてB剤を服用。 なお、キノロン系は金属の影響が①大きい、②中程度、③小さい、④全くない――の4群に分類される（☞表1-2）。
	Al、Mg、Fe、Zn含有製剤	②キノロン系薬：エノキサシン水和物、モキシフロキサシン塩酸塩（アベロックス）、ガチフロキサシン（経口薬は販売中止）、レボフロキサシン水和物（クラビット）、スパルフロキサシン★	同時禁忌		
	Al、Mg含有製剤	③キノロン系薬：ロメフロキサシン塩酸塩（ロメバクト）	同時禁忌		

発現機序	薬剤A（作用する薬剤）	薬剤B（作用を受ける薬剤）	併用	起こり得る結果	機序、報告されている事象、対処法など
つづき 金属錯体（キレートなど）☞表1-1	Al、Mg、Fe、Ca、Zn含有製剤	ミコフェノール酸モフェチル（セルセプト；免疫抑制剤）	同時禁忌	B剤の吸収低下（薬効減弱）	B剤の服用後2時間以上空ける。Fe剤ではB剤の $AUC_{0\text{-}12h}$ が約90％低下するため、特に注意。
	Al、Mg、Fe、Ca、Zn、Se含有製剤	エルトロンボパグオラミン（レボレード；TPO受容体作動薬）	同時禁忌		服用間隔を4時間以上空ける。食事の前後2時間を避けて、空腹時に服用。
	Al、Mg、Fe、Ca含有製剤	腎性貧血治療薬（ロキサデュスタット[エベレンゾ]、バダデュスタット[バフセオ]、モリデュスタット[マスーレッド]、エナロデュスタット[エナロイ]）	同時禁忌		酢酸カルシウム同時投与により、ロキサデュスタットCmax52％、AUC46％低下。クエン酸第一鉄ナトリウムとの併用でCmax51％、AUC55％低下。併用時は、服用間隔をロキサデュスタット、モリデュスタットでは1時間以上、バダデュスタットでは2時間以上、エナロデュスタットは投与後3時間又は投与前1時間空けること。
	Al、Mg、Fe、Ca含有製剤	ビクテグラビル（ビクタルビ配合錠）	同時禁忌		Al、Mgの投与2時間以上前にB剤投与推奨。
	Fe剤、Zn、Cu含有製剤	セフジニル（セフゾン）	原則禁忌		Fe剤の投与はB剤の服用後3時間以上空ける（ただし、3時間空けてもセフジニルAUC 36％低下）。Zn、Cuともキレートを形成しやすい。B剤単独で赤色便、赤色尿出現。
	Ca製剤（カルチコール、アスパラ-CAなど）	エストラムスチンリン酸エステルNa水和物（エストラサイト；前立腺癌治療薬）	同時禁忌		服用間隔を2時間以上空ける。B剤は食事の1時間前または2時間後に服用。牛乳、乳製品またはCa含量が多い外国産のミネラルウォーターとの同時服用も避ける。
	炭酸ランタン（La）水和物（ホスレノール；高リン血症治療薬）	テトラサイクリン系薬、キノロン系薬	同時禁忌		A剤服用後2時間以上空けてB剤を服用。なお、甲状腺ホルモン製剤（併用慎重）は服用間隔をできる限り空ける。
		エナロデュスタット（エナロイ；腎性貧血治療薬）	同時禁忌		A剤の投与後3時間または投与前1時間以上間隔を空けてB剤を投与。

発現機序	薬剤A（作用する薬剤）	薬剤B（作用を受ける薬剤）	併用	起こり得る結果	機序、報告されている事象、対処法など
吸着 ☞表1-3	Al、Mgを含有する制酸剤・吸着剤：水酸化Alゲル（アルミゲル、マーロックスなど）、水酸化Mg（マーロックスなど）、ショ糖硫酸エステルAl塩（スクラルファート水和物［アルサルミン］など）、メタケイ酸アルミン酸Mg（FK配合散など）、天然ケイ酸Al（アドソルビンなど；吸着剤）、市販の胃腸薬（☞表1-4）など	フェキソフェナジン塩酸塩（アレグラ）	同時禁忌		2時間以上服用間隔を空ける。B剤の$AUC_{0\text{-}3h}$、Cmaxが約40%低下。
		セフジニル（セフゾン）	同時禁忌		2時間以上服用間隔を空ける。B剤のAUCが約40%低下する。金属キレートの関与の可能性は低い。
		Fe剤	同時禁忌		2時間以上服用間隔を空ける。A剤に含まれる陰イオン（炭酸イオン、水酸イオン）がFeと結合、胃腸内のpH上昇によるFeの溶解性低下、ケイ酸によるFeの吸着なども関与。
		甲状腺ホルモン製剤	同時禁忌		B剤服用後4時間以上空けてAl製剤を服用。B剤とMg製剤との併用は問題ない。
		胆汁酸製剤（ウルソデオキシコール酸［ウルソ］など）	同時禁忌		胆汁酸製剤の作用減弱の恐れ。
		ガバペンチン（ガバペン）、ジフルニサル★（サリチル酸系NSAIDs）	同時禁忌		2時間以上服用間隔を空ける。
		ロスバスタチンCa（クレストール）	同時禁忌		機序は不明だが、血中濃度50%低下例もあるため同時禁忌とした方がよい（2時間空ける）。
	Al含有製剤（制酸剤など）	イソニアジド（イスコチン）	同時禁忌		2時間以上服用間隔を空ける。キレートまたは吸着の可能性。
	タンニン酸アルブミン（収れん薬）	Fe剤	禁忌		タンニン酸鉄を形成するためA剤とB剤の双方の作用が減弱。
	球形吸着炭（クレメジン）	全ての薬剤	同時禁忌		他剤の服用後30分～1時間空けてA剤を投与。

発現機序	薬剤A (作用する薬剤)	薬剤B (作用を受ける薬剤)	併用	起こり得る結果	機序、報告されている事象、対処法など
結合による吸収阻害 ☞**表1-5**	陰イオン交換樹脂(コレスチミド[コレバイン]、コレスチラミン[クエストラン])	イオパノ酸★	禁忌	B剤の吸収低下	B剤は、A剤が完全に排泄された後(4日後)に使用する。
		・酸性薬剤 :フェニルブタゾン★、ワルファリンカリウム(ワーファリン)、利尿薬(フロセミド[ラシックス]、トリクロルメチアジド[フルイトラン]、スピロノラクトン[アルダクトンA]など) ・テトラサイクリン系薬 ・甲状腺ホルモン製剤(レボチロキシンNa水和物[チラーヂンS]、リオチロニンNa[チロナミン]など) ・ステロイド系薬:ジギタリス製剤、胆汁酸製剤(ウルソデオキシコール酸[ウルソ]) ・ペマフィブラート(パルモディア;フィブラート系薬) ・クリノフィブラート★ ・エゼチミブ(ゼチーア) ・カンデサルタン(ブロプレス)	同時禁忌	B剤の吸収低下(薬効減弱)	A剤服用前1時間(コレスチラミンの場合は4時間)もしくは服用後4〜6時間以上、またはできる限り間隔を空けてB剤を服用。コレスチミドでは吸着率50%以上(ただし、ワルファリンは14%)、コレスチラミンでは吸着率70%以上。
	コレスチラミン(クエストラン)	・酸性薬剤:バルビツール酸系薬、スタチン系薬(プラバスタチンNa[メバロチン]、シンバスタチン[リポバス]、フルバスタチンNa[ローコール]、アトルバスタチンCa[リピトール]など)、ニコチン酸系薬、NSAIDs、メトトレキサート(リウマトレックスなど)、サラゾスルファピリジン(サラゾピリン)など ・プロプラノロール塩酸塩(インデラル)、フィブラート系(ベザトールSRなど)、セファクロル(ケフラール)、副腎皮質ホルモン製剤、ミコフェノール酸モフェチル(セルセプト)、ロミタピド(ジャクスタピッド;高コレステロール血症治療薬)	同時禁忌		A剤服用前4時間もしくは服用後4〜6時間以上、またはできる限り間隔を空けてB剤服用。吸着率70%以上。
	陰イオン交換樹脂(セベラマー塩酸塩[レナジェル;透析中の慢性腎不全における高リン血症改善薬])	抗てんかん薬、抗不整脈薬などの安全性・有効性に臨床上重大な影響を与える可能性のある薬剤	同時禁忌		できる限り服用間隔を空ける。米国添付文書には、「セベラマーの服用1時間前および服用3時間後に投与するか、TDM実施を考慮すべきである」との記載あり。
		腎性貧血治療薬(ロキサデュスタット[エベレンゾ]、エナロデュスタット[エナロイ])	同時禁忌		服用間隔をロキサデュスタットでは1時間以上、エナロデュスタットは投与後3時間または投与前1時間空ける。

発現機序	薬剤A（作用する薬剤）	薬剤B（作用を受ける薬剤）	併用	起こり得る結果	機序、報告されている事象、対処法など
つづき 結合による吸収阻害 ☞表1-5	ビキサロマー（キックリン；透析中の慢性腎不全における高リン血症治療薬）	腎性貧血治療薬（ロキサデュスタット［エベレンゾ］、エナロデュスタット［エナロイ］）	同時禁忌	B剤の吸収低下（薬効減弱）	服用間隔をロキサデュスタットでは1時間以上、エナロデュスタットは投与後3時間または投与前1時間空ける。
	炭酸ランタン（ホスレノール）	エナロデュスタット（エナロイ；腎性貧血治療薬）			併用時は服用間隔をA剤の投与後3時間または投与前1時間空けること。
	チオ硫酸Na水和物注（デトキソール注；シアン解毒剤）	ヒドロキソコバラミン注（シアノキット注；シアン解毒剤）	同時禁忌	相互に作用減弱	チオ硫酸-コバラミン化合物形成による。同じ静脈ラインでの同時投与を避ける。
胃排出時間遅延 ☞表1-8	GLP-1受容体作動薬：エキセナチド（バイエッタ）、リキシセナチド（リキスミア）	吸収遅延で薬効が減弱する薬剤（抗菌薬全般、経口避妊薬など）	同時禁忌	B剤の吸収遅延（薬効発現遅延）	A剤服用1時間前にB剤を服用すること。A剤のGLP-1を介する胃排出遅延作用は強力。
消化管内のpH変化 ☞表1-9、1-11、1-14	PPI	アタザナビル硫酸塩（レイアタッツ;HIVプロテアーゼ阻害薬）、リルピビリン塩酸塩（オデフシィ配合錠、エジュラント；非ヌクレオシド系抗HIV薬）	禁忌	B剤の溶解性低下（吸収低下）	A剤の胃酸分泌抑制作用により消化管のpHが上昇。
	H_2拮抗薬、制酸剤		同時禁忌		アタザナビルとH_2拮抗薬の併用時は必ずリトナビルを併用し投与間隔を空ける。アタザナビル服用の2時間後に制酸剤服用。リルピビリン服用の4時間以上後にA剤服用。
	ジダノシン錠★（抗HIV薬）	HIVプロテアーゼ阻害薬（アタザナビル硫酸塩［レイアタッツ］、リトナビル［ノービア］、インジナビル硫酸塩エタノール付加物★）、デラビルジンメシル酸塩★	同時禁忌		A剤に含まれる緩衝剤によりpHが上昇。2～2.5時間以上服用間隔を空ける。デラビルジンメシル酸塩では1時間以上空ける。なお、販売中のジダノシンカプセル（ヴァイデックスECカプセル）には緩衝剤が含まれていないため併用は問題ない。
	PPI、H_2拮抗薬、制酸剤、ジダノシン錠★	イトラコナゾール（イトリゾール；アゾール系薬）	同時禁忌		PPIは併用を避けた方が賢明。H_2拮抗薬併用時はイトラコナゾールを昼食後に服用することで相互作用を回避（海外では酸性飲料での服用を推奨）。ジダノシン錠併用時はB剤の血中濃度が測定限界以下に低下。
	PPI、H_2拮抗薬	ダサチニブ（スプリセル；チロシンキナーゼ阻害薬）	推奨されない	B剤の溶解性低下（吸収低下）	制酸剤への代替考慮。
	制酸剤		同時禁忌		2時間以上服用間隔を空ける。
	PPI、H_2拮抗薬、制酸剤	アカラブルチニブ（カルケンス；チロシンキナーゼ阻害薬）	同時禁忌	B剤の血中濃度低下	PPIは可能な限り避ける。H2拮抗薬併用時はアカラブルチニブを2時間前に投与。制酸剤併用時は投与間隔を2時間以上空ける。
	制酸剤（Al、Mg含有）	リオシグアト（アデムパス；可溶性グアニル酸シクラーゼ［sGC］刺激薬）	同時禁忌	B剤のBA低下	A剤により消化管内pH上昇。制酸剤はリオシグアト投与後1時間以上経過してから服用。PPI、H_2拮抗薬との併用は添付文書中に記載なし。
	制酸剤（Al、Mg含有）、PPI、H_2拮抗薬	セフポドキシム プロキセチル（バナン）	同時禁忌	B剤の血中濃度低下	作用減弱。機序不明だが、pH上昇による溶解性低下の可能性

発現機序	薬剤A（作用する薬剤）	薬剤B（作用を受ける薬剤）	併用	起こり得る結果	機序、報告されている事象、対処法など
つづき 消化管内のpH変化 ☞**表1-9、1-11、1-14**	PPI	ボスチニブ水和物（ボシュリフ;チロシンキナーゼ阻害薬）、パゾパニブ塩酸塩（ヴォトリエント；キナーゼ阻害薬）、ダコミチニブ（ビジンプロ）、カプマチニブ（タブレクタ）、パゾパニブ（ヴォトリエント）	原則禁忌	B剤の血中濃度低下	作用減弱。併用は可能な限り避ける。
	PPI、H_2拮抗薬	デラビルジンメシル酸塩*	長期原則禁忌	作用減弱	長期併用は推奨されない。
	PPI、H_2拮抗薬	レジパスビル・ソホスブビル配合薬（ハーボニー配合錠）	同時服用推奨	B剤の作用減弱	PPI併用時、空腹時に同時服用すること。H_2拮抗薬併用時、同時服用またはB剤と12時間空ける。
	PPI、H_2拮抗薬	ソホスブビル・ベルパタスビル（エプクルーサ配合錠；抗HCV薬）	同時禁忌（PPI併用時）、同時服用（H_2拮抗薬併用時）	B剤作用減弱	PPI併用時、B剤服用後4時間の間隔を空けてPPI服用。H_2拮抗薬服用時、同時服用または12時間間隔を空けて服用。
	酸性飲料（コーラ、ジュース、コーヒー、炭酸飲料など）	ニコチンガム製剤（ニコレット）	同時禁忌	ニコチンの吸収低下（薬効減弱）	酸性飲料による口腔内のpH低下。炭酸飲料などを飲んだ後はニコチンガムの使用をしばらく避ける（☞**表1-11**）。
	制酸剤、牛乳、乳製品	腸溶錠（アデノシン三リン酸二Na水和物［アデホス］、PPI、アスピリン［バイアスピリン］、商品名コーラックなど）、pH依存性徐放製剤（ニフェジピン［セパミット-R細粒］ほか）など	同時禁忌	腸溶性・徐放性の消失	消化管内pHの上昇による。1時間以上間隔を空ける。牛乳との同時服用も避けた方がよい（☞**表1-14**）。
	牛乳、乳製品	テオフィリン徐放性製剤（テオドールなど）	同時禁忌	B剤の溶出遅延（薬効減弱）	牛乳摂取後30分～1時間以上空けてB剤服用（☞**表1-14**）。
その他 ☞**表1-17**	ヒマシ油	サントニン（サントニン；駆虫薬）	禁忌	B剤の徐放性の消失	副作用増強の恐れ
	エタノール（飲酒）	ガバペンチンエナカルビル（レグナイト；レストレスレッグス症候群治療薬）	同時禁忌	B剤の吸収促進	服用中は飲酒を避ける。

第2章　分布

発現機序	薬剤A（作用する薬剤）	薬剤B（作用を受ける薬剤）	併用	起こり得る結果	報告されている事象、対処法など
血漿タンパク結合置換 ☞表2-4	スルフィンピラゾン★（尿酸排泄促進薬）	サリチル酸系薬；アスピリン・ダイアルミネート（バファリン配合錠A330）など	禁忌	遊離型サリチル酸の増大（B剤の副作用増強）	尿酸排泄拮抗・腎分泌競合も関与。

第3章　腎排泄

発現機序	薬剤A（作用する薬剤）	薬剤B（作用を受ける薬剤）	併用	起こり得る結果	報告されている事象、対処法など
尿酸排泄（薬力学的相互作用；拮抗） ☞表3-3	スルフィンピラゾン★（尿酸排泄促進薬）	サリチル酸系薬；アスピリン・ダイアルミネート（バファリン配合錠A330）など	禁忌	尿酸値上昇	スルフィンピラゾンの尿酸排泄作用にB剤拮抗。血漿タンパク結合置換・腎分泌競合も関与。
近位尿細管での抗菌薬（アミノグリコシド系）の再吸収促進 ☞表3-4	ループ系薬；フロセミド（ラシックス）、エタクリン酸★など	アミノグリコシド系薬	原則禁忌	B剤の再吸収促進	副作用増強（内耳神経障害・腎毒性誘発、死亡例）。腎障害の協力関与（☞表8-20）。
尿pH変化 ☞表3-5	尿アルカリ化剤（クエン酸Na・クエン酸K水和物配合剤［ウラリット-U］など）	ヘキサミン（ヘキサミン；抗菌薬）	禁忌	B剤の作用減弱	尿アルカリ性下では抗菌作用を発揮しない。

発現機序	薬剤A（作用する薬剤）	薬剤B（作用を受ける薬剤）	併用	起こり得る結果	報告されている事象、対処法など
消化管トランスポーター（P-gp）☞**表4-11**	イトラコナゾール（イトリゾール；P-gp阻害経口薬）	ダビガトランエテキシラートメタンスルホン酸塩（プラザキサ；直接トロンビン阻害薬）	禁忌	B剤の吸収促進で活性代謝物（ダビガトラン）血中濃度上昇（出血の危険性増大）	血中濃度上昇は主に消化管のP-gp阻害によるため、添付文書上、B剤と併用禁忌のA剤は経口薬に限定されているが、腎P-gpも関与すると思われる（☞**表4-28**）。
		アリスキレンフマル酸塩（ラジレス；直接的レニン阻害薬）	禁忌	B剤の血中濃度上昇	A剤によるP-gp阻害。B剤のCmax 5.8倍、AUC 6.5倍に上昇。
	HIVプロテアーゼ阻害薬、アゾール系抗真菌薬（フルコナゾールを除く）	リバーロキサバン（イグザレルト；活性化第X因子［FXa］阻害薬）	禁忌	B剤の血中濃度上昇	A剤によるP-gp阻害、CYP3A4阻害。Bは主に腎排泄のため腎P-gp阻害も関与。
	シクロスポリン（サンディミュン、ネオーラル）	アリスキレンフマル酸塩（ラジレス；直接的レニン阻害薬）	禁忌	B剤の吸収促進	A剤によるP-gp阻害によりB剤のAUC 5倍、Cmax2.5倍上昇例。肝P-gp阻害関与。高K血症の可能性。
	P-gp阻害薬（キニジン硫酸塩水和物［硫酸キニジン］、ベラパミル塩酸塩［ワソラン］、エリスロマイシン［エリスロシン］、シクロスポリン［サンディミュン、ネオーラル］など）	エドキサバントシル酸塩水和物（リクシアナ；FXa阻害薬）	原則禁忌（併用は治療上の有益性が危険性を上回る場合のみ）	B剤の血中濃度上昇	P-gp阻害薬はB剤の血中濃度を上昇させる可能性が高いため。併用時にはエドキサバンは減量（を考慮）するが、P-gp阻害薬の種類やエドキサバンの適応症によって減量基準が異なるため注意。
	アゾール系薬（フルコナゾール［ジフルカン］を除く）、HIVプロテアーゼ阻害薬（リトナビル［ノービア］など）	アピキサバン（エリキュース；FXa阻害薬）	原則禁忌（併用は治療上の有益性が危険性を上回る場合のみ）	B剤の血中濃度上昇	A剤によるP-gp阻害とCYP3A4阻害に起因。併用時は通常用量の半量に減量する。
	イトラコナゾール（イトリゾール）、ケトコナゾール★	トルバプタン（サムスカ；V_2-受容体拮抗薬）	原則禁忌（CYP3A4阻害薬との併用は避けることが望ましい）	B剤の血中濃度上昇	ケトコナゾール併用時AUC 5.4倍上昇。腎・肝P-gp阻害、肝CYP3A4阻害関与。併用時にはトルバプタン減量あるいは低用量投与を考慮。
	P-gp誘導薬（リファンピシン［リファジン］、カルバマゼピン［テグレトール］、フェニトイン［アレビアチン］、SJW含有食品）	抗HCV薬（ソホスブビル［ソバルディ、エプクルーサ配合錠］、レジパスビルアセトン付加物・ソホスブビル［ハーボニー配合錠］）	禁忌	B剤の吸収低下（薬効減弱）	A剤による消化管P-gp誘導。ソホスブビル（主に尿中排泄）は腎P-gp誘導、レジパスビル（胆汁中排泄）は肝P-gp誘導も関与。
	リファンピシン（リファジン）、セイヨウオトギリソウ（SWJ含有食品）	テノホビル・アラフェナミドフマル酸（ベムリディ：抗HBV薬）	禁忌	B剤の血中濃度低下（薬効減弱）	A剤による消化管、肝、腎のP-gp誘導も関与と考察。
	リファンピシン（リファジン）	グレカプレビル・ピブレンタスビル（マヴィレット配合錠：抗HCV薬）	禁忌	B剤の血中濃度低下（薬効減弱）	A剤によるP-gp誘導。B剤は主に糞中排泄のため肝P-gp誘導の関与も考えられる。

発現機序	薬剤A（作用する薬剤）	薬剤B（作用を受ける薬剤）	併用	起こり得る結果	報告されている事象、対処法など
つづき 消化管トランスポーター（P-gp） ☞表4-11	リファンピシン（リファジン）、カルバマゼピン（テグレトール）、フェニトイン（アレビアチン）、フェノバルビタール（フェノバール）、SJW含有食品	ソホスブビル、ベルパタスビル（エプクルーサ配合錠；抗HCV薬）	禁忌	B剤の血中濃度低下	ベルパタスビルは主に糞中排泄されるため、消化管および肝P-gpの関与。
	エファビレンツ（ストックリン）、HIVプロテアーゼ阻害薬；CAR活性化	抗HCV薬（グラゾプレビル★、エスバスビル★）	禁忌	B剤の血中濃度低下（薬効減弱）	A剤によるP-gp誘導。グラゾプレビル、エスバスビルは主に糞中排泄のため肝P-gp誘導の関与も考えられる。なお、CYP3A4誘導も関与。
	セイヨウオトギリソウ（セント・ジョーンズ・ワート；SJW）含有食品	P-gpの基質となる薬剤 ☞**表4-10**	原則禁忌	B剤の吸収低下（薬効減弱）	A剤によるP-gp誘導。CYP450誘導、MRP誘導にも注意（☞**表5-50**）。
	PXR活性化薬（リファンピシン［リファジン］、フェニトイン［アレビアチン］、カルバマゼピン［テグレトール］、フェノバルビタール［フェノバール］、SJW含有食品）	アピキサバン（エリキュース；FXa阻害薬）	原則禁忌（静脈血栓塞栓症患者の場合のみ原則禁忌）	B剤の血中濃度低下	A剤によるP-gp誘導。CYP 3A誘導も関与。
	リファブチン（ミコブティン）、フェニトイン（アレビアチン）、抗HIV薬（エファビレンツ［ストックリン］、ホスアンプレナビル［レクシヴァ］）	ポサコナゾール（ノクサフィル）	原則禁忌	B剤の吸収低下（薬効減弱）	A剤によるP-gp誘導。UGT1A4誘導も関与。エファビレンツおよびホスアンプレナビルは、主に胆汁排泄のため肝のP-gp誘導も関与。
消化管BCRP阻害 ☞**表4-14**	シクロスポリン（サンディミュン、ネオーラル；BCRP/OATP2阻害）	ロスバスタチンCa（クレストール）	禁忌	B剤の血中濃度上昇	A剤によるBCRP阻害、併用によりロスバスタチンのAUC7.1倍、Cmax10.6倍に上昇。横紋筋融解症の恐れ。シクロスポリンによる肝BCRP阻害とOATP2阻害も関与。
肝OATP2阻害（肝分布抑制） ☞**表4-20**	HIVプロテアーゼ阻害薬	アスナプレビル★	禁忌	B剤の血中濃度上昇	肝有害事象の増加または重症化の恐れ。
	アタザナビル（レイアタッツ）	グレカプレビル（マヴィレット配合錠；抗HCV薬）	禁忌	B剤の肝取り込み抑制、血中濃度上昇	A剤による肝OATP2阻害によりB剤の血中濃度が上昇する恐れ。ALT（GPT）上昇のリスクが増加。機序不明。
	グレカプレビル（マヴィレット配合錠；抗HCV薬）	アトルバスタチン（リピトール）	禁忌	B剤の肝取り込み抑制、血中濃度上昇	A剤による肝OATP2およびBCRP阻害によりアトルバスタチンのAUC8.28倍、Cmax22倍に上昇。
	リファンピシン（リファジン）	ペマフィブラート（パルモディア）	禁忌	B剤の肝取り込み抑制、血中濃度上昇	併用単回投与ではA剤の肝OATP2、OATP8阻害によりB剤のAUCは10.9倍上昇。ただし、A剤の反復投与後の併用ではA剤のCYP450誘導によりB剤のAUCは0.22倍に低下。

発現機序	薬剤A （作用する薬剤）	薬剤B （作用を受ける薬剤）	併用	起こり得る 結果	報告されている 事象、対処法など
つづき 肝OATP2阻害 （肝分布抑制） ☞**表4-20**	リファンピシン （リファジン）	バニプレビル★	禁忌	B剤の肝取り込み抑制、血中濃度上昇	併用単回投与ではA剤の肝OATP2、OATP8阻害によりB剤の血中濃度上昇。一方、A剤の反復投与後の併用ではA剤のCYP3A誘導によりB剤の代謝亢進の恐れ。
	シクロスポリン（サンディミュン、ネオーラル）、HIVプロテアーゼ阻害薬（アタザナビル［レイアタッツ］、ロピナビル・リトナビル［カレトラ］）、エルトロンボパグ（レボレード；TPO受容体作動薬）		禁忌	B剤の肝取り込み抑制、血中濃度上昇	A剤による肝OATP2、OATP8阻害によりB剤の血中濃度上昇。悪心、嘔吐、下痢の発現増加。
	リファンピシン	グラゾプレビル★ （抗HCV薬）	禁忌	B剤の肝取り込み抑制、血中濃度上昇	併用初期にOATP2/8阻害によりB剤の肝取り込み抑制（血中濃度上昇）。一方、併用継続ではCYP3Aが誘導されB剤のの代謝亢進の恐れ。
	シクロスポリン、HIVプロテアーゼ阻害薬（アタザナビル、ダルナビル、ロピナビル。リトナビル、サキナビル）	グラゾプレビル★ （抗HCV薬）	禁忌	B剤の肝取り込み抑制、血中濃度上昇	肝OATP2/8阻害によりB剤の血中濃度上昇。
	シクロスポリン （サンディミュン、ネオーラル）	アスナプレビル（スンベプラ;抗HCV薬）	禁忌	B剤の肝取り込み減少（薬効減弱）	肝OATP2、OATP8阻害。
		スタチン系薬（ピタバスタチンCa［リバロ］、ロスバスタチンCa［クレストール］のみ）	禁忌	B剤の血中濃度上昇（横紋筋融解症発現）	A剤によるOATP2阻害でB剤の肝分布抑制。プラバスタチンNa（メバロチン）、アトルバスタチンCa水和物（リピトール）も併用を避けた方がよい。
		ペマフィブラート （パルモディア）	禁忌	B剤の血中濃度上昇	A剤のOATP2、OATP8、CYP2C8、2C9、3Aの阻害作用によりB剤のCmaxが約8.9倍、AUCが約14倍に上昇。
		ボセンタン水和物（トラクリア；エンドセリン拮抗薬）	禁忌	B剤の肝分布が抑制され血中濃度上昇	A剤によるOATP2阻害。A剤によるCYP3A4阻害（☞**表5-29**）、両剤によるBSEP阻害（肝毒性発現；以下参照）も関与。
肝P-gp阻害 （胆汁排泄阻害） ☞**表4-21**	イトラコナゾール（イトリゾール）、シクロスポリン（サンディミュン、ネオーラル）	アリスキレンフマル酸塩（ラジレス；直接的レニン阻害薬）	禁忌	B剤の胆汁排泄阻害	A剤によるP-gp阻害によりB剤のAUC 5～6.5倍、Cmax 2.5～5.8倍上昇例。消化管P-gp阻害関与。シクロスポリンでは高K血症の可能性。
	P-gp阻害薬：シクロスポリン（サンディミュン、ネオーラル）、イトラコナゾール（イトリゾール）、クラリスロマイシン（クラリス）、HIVプロテアーゼ阻害薬、テラプレビル★（抗HVC薬）など	コルヒチン （コルヒチン）	禁忌 （肝・腎障害のある場合）	B剤の血中濃度上昇 （コルヒチン中毒）	肝・腎障害があり、強いCYP3A阻害薬またはP-gp阻害薬を服用している患者への投与禁忌。肝・腎障害のない場合、減量あるいは低用量で開始するなど注意して投与。CYP3A4阻害も関与。

発現機序	薬剤A （作用する薬剤）	薬剤B （作用を受ける薬剤）	併用	起こり得る結果	報告されている事象、対処法など
つづき 肝P-gp阻害 （胆汁排泄阻害） ☞表4-21	P-gp/BCRP阻害薬：アゾール系薬（ケトコナゾール［経口薬・注射薬未発売］、イトラコナゾール［イトリゾール］）、HIVプロテアーゼ阻害薬	リオシグアト（アデムパス;sGC刺激薬;肺高血圧症治療薬）	禁忌	B剤および主代謝物（M-1；薬理活性あり）の血中濃度上昇（作用増強）	アゾール系では、ケトコナゾールと同様な阻害効果を有するイトラコナゾール（腎・胆汁排泄）、ボリコナゾール（主に腎排泄）のみが併用禁忌。ただし、ボリコナゾールはP-gp/BCRP阻害薬ではない。
	P-gp阻害薬（キニジン硫酸塩水和物［硫酸キニジン］、ベラパミル塩酸塩［ワソラン］、エリスロマイシン［エリスロシン］、シクロスポリン［サンディミュン、ネオーラル］など）	エドキサバントシル酸塩（リクシアナ；FXa阻害薬）	原則禁忌 （併用は治療上の有益性が危険性を上回る場合のみ）	B剤の血中濃度上昇	P-gp阻害薬はB剤の血中濃度を上昇させる可能性が高いため。併用時にはエドキサバンは減量（を考慮する）が、P-gp阻害薬の種類やエドキサバンの適応症によって減量基準が異なるため注意。
	アゾール系薬（フルコナゾール［ジフルカン］を除く）、HIVプロテアーゼ阻害薬（リトナビル［ノービア］など）	アピキサバン（エリキュース；FXa阻害薬）	原則禁忌 （併用は治療上の有益性が危険性を上回る場合のみ）	B剤の血中濃度上昇	A剤によるP-gp阻害とCYP3A4阻害に起因。併用時は通常用量の半量に減量する。
	イトラコナゾール（イトリゾール）、ケトコナゾール★	トルバプタン（サムスカ；V_2-受容体拮抗薬）	原則禁忌 （CYP3A4阻害薬との併用は避けることが望ましい）	B剤の血中濃度上昇	ケトコナゾール併用時AUC 5.4倍上昇。消化管・腎P-gp阻害、肝CYP3A4阻害関与。併用時にはトルバプタン減量あるいは低用量投与を考慮。
	P-gp阻害薬（イトラコナゾール、クラリスロマイシン）	ギルテリチニブ（ゾスパタ）	原則禁忌	B剤の血中濃度上昇	イトラコナゾールによりCmax1.2倍、AUC2.2倍上昇。A剤によるP-gp阻害とCYP3A4阻害に起因。
肝P-gp誘導 ☞表4-22	核内受容体PXR活性化薬（リファンピシン［リファジン］、カルバマゼピン［テグレトール］、フェニトイン［アレビアチン］、SJW含有食品など）	レジパスビルアセトン付加物・ソホスブビル（ハーボニー配合錠］；抗HCV薬）	禁忌	B剤の血中濃度低下（薬効減弱）	消化管P-gp誘導に起因するとされるが、レジパスビルは主に中排泄のため肝P-gp誘導、ソホスブビルは主に尿中排泄のため、腎P-gp誘導の関与が考えられる。
	エファビレンツ（ストックリン、抗HIV薬;CAR活性化）	抗HCV薬（グラゾプレビル★、エスバスビル★）	禁忌	B剤の血中濃度低下（薬効減弱）	A剤によるP-gp誘導。消化管P-gp誘導も考えられる（☞**表4-11**）。CYP3A4誘導も関与（☞**表5-53**）。
	抗HIV薬（エファビレンツ［ストックリン］、ホスアンプレナビル［レクシヴァ］）	ポサコナゾール（ノクサフィル；深在性真菌症治療薬）	原則禁忌	B剤の血中濃度低下（薬効減弱）	エファビレンツにより、ポサコナゾールのCmax45％、AUC50%低下。
	核内受容体PXR活性化薬（リファンピシン［リファジン］、フェニトイン［アレビアチン］、カルバマゼピン［テグレトール］、フェノバルビタール［フェノバール］、SJW含有食品など）	アピキサバン（エリキュース）	原則禁忌（静脈血栓塞栓症患者の場合のみ）	B剤の血中濃度低下（薬効減弱）	A剤のP-gp誘導によりB剤の血中濃度が低下。CYP3A誘導も関与。

発現機序	薬剤A (作用する薬剤)	薬剤B (作用を受ける薬剤)	併用	起こり得る結果	報告されている事象、対処法など
つづき 肝P-gp誘導 ☞表4-22	リファンピシン(リファジン)、カルバマゼピン(テグレトール)、フェニトイン(アレビアチン)、フェノバルビタール(フェノバール)、SJW含有食品	ソホスブビル、ベルパタスビル(エプクルーサ配合錠；抗HCV薬)	禁忌	B剤の血中濃度低下	ベルパタスビルは主に糞中排泄されるため、消化管および肝P-gpの関与。
肝BCRP阻害 ☞表4-23	シクロスポリン(サンディミュン、ネオーラル；BCRP/OATP2阻害)	ロスバスタチンCa(クレストール)	禁忌	B剤の血中濃度上昇	A剤によるBCRP阻害。併用によりロスバスタチンのAUC、Cmax、7.1倍、10.6倍に上昇。横紋筋融解症の恐れ。シクロスポリンによる消化管BCRP阻害と肝OATP2阻害も関与。
	BCRP/P-gp阻害薬：アゾール系薬(ケトコナゾール★、イトラコナゾール[イトリゾール])、HIVプロテアーゼ阻害薬	リオシグアト(アデムパス；sGC刺激薬)	禁忌	B剤および主代謝物M-1の血中濃度上昇(薬効増強)	ケトコナゾールとの併用によりB剤のAUC150%、Cmax 46%上昇。CYP450阻害も関与。
肝BSEP阻害(胆汁酸排泄阻害) ☞表4-24	ボセンタン水和物(トラクリア；エンドセリン拮抗薬)	グリベンクラミド(オイグルコン；SU薬)	禁忌	胆汁酸が肝に蓄積し肝障害誘発	A・B剤によるBSEP阻害。肝機能障害の発現率が2倍に上昇。
		シクロスポリン(サンディミュン、ネオーラル)	禁忌		A・B剤によるBSEP阻害のほか、B剤によるOATP2阻害、CYP3A4阻害も関与。
腎P-gp阻害 ☞表4-28	イトラコナゾール(イトリゾール；P-gp阻害経口薬)	ダビガトランエテキシラートメタンスルホン酸塩(プラザキサ；直接トロンビン阻害薬)	禁忌	B剤の血中濃度上昇(出血の危険性増大)	B剤の活性代謝物(ダビガトラン)の腎排泄抑制。血中濃度上昇は主に消化管のP-gp阻害によるため、添付文書上、B剤と併用禁忌のA剤は経口薬に限定されているが、腎P-gpも関与すると思われる。
	HIVプロテアーゼ阻害薬、アゾール系抗真菌薬(フルコナゾールを除く)	リバーロキサバン(イグザレルト；FXa阻害薬)	禁忌	B剤の血中濃度上昇	リトナビル併用時にB剤のAUCが2.5倍上昇、ケトコナゾール併用時に2.6倍上昇。消化管P-gp阻害、CYP3A4阻害も関与。
	P-gp/BCRP阻害薬：アゾール系薬(ケトコナゾール★、イトラコナゾール[イトリゾール])、HIVプロテアーゼ阻害薬	リオシグアト(アデムパス；sGC刺激薬)	禁忌	B剤と主代謝物(M-1；薬理活性あり)の血中濃度上昇	ケトコナゾール併用時、リオシグアトのAUC、Cmaxが150%、46%増加。アゾール系薬のボリコナゾール(ブイフェンド)も併用禁忌であるが、P-gp/BCRP阻害薬でない。
	P-gp阻害薬(キニジン硫酸塩水和物[硫酸キニジン]、ベラパミル塩酸塩[ワソラン]、エリスロマイシン[エリスロシン]、シクロスポリン[サンディミュン、ネオーラル]など)	エドキサバントシル酸塩(リクシアナ；FXa阻害薬)	原則禁忌(併用は治療上の有益性が危険性を上回る場合のみ)	B剤の血中濃度上昇	P-gp阻害薬はB剤の血中濃度を上昇させる可能性が高いため。併用時にはエドキサバンは減量(を考慮する)が、P-gp阻害薬の種類やエドキサバンの適応症によって減量基準が異なるため注意。
	アゾール系薬(フルコナゾール[ジフルカン]を除く)、HIVプロテアーゼ阻害薬(リトナビル[ノービア]など)	アピキサバン(エリキュース；FXa阻害薬)	原則禁忌(併用は治療上の有益性が危険性を上回る場合のみ)	B剤の血中濃度上昇	A剤によるP-gp阻害とCYP3A4阻害に起因。併用時は通常用量の半量に減量する。

発現機序	薬剤A（作用する薬剤）	薬剤B（作用を受ける薬剤）	併用	起こり得る結果	報告されている事象、対処法など
つづき 腎P-gp阻害 ☞**表4-28**	イトラコナゾール（イトリゾール）、ケトコナゾール★	トルバプタン（サムスカ；V_2-受容体拮抗薬）	原則禁忌（CYP3A4阻害薬との併用は避けることが望ましい）	B剤の血中濃度上昇	ケトコナゾール併用時AUC 5.4倍上昇。消化管、肝P-gp阻害、CYP3A4阻害関与。併用時にはトルバプタン減量あるいは低用量投与を考慮。
	P-gp阻害薬（イトラコナゾール、クラリスロマイシン）	ギルテリチニブ（ゾスパタ）	原則禁忌	B剤の血中濃度上昇	イトラコナゾールによりCmax1.2倍、AUC2.2倍上昇。A剤によるP-gp阻害とCYP3A4阻害に起因。
腎P-gp誘導 ☞**表4-29**	P-gp誘導薬（PXR活性化薬；リファンピシン［リファジン］、カルバマゼピン［テグレトール］、フェニトイン［アレビアチン］、セイヨウオトギリソウ［SJW］含有食品）	ソホスブビル（ソバルディ、ハーボニー配合錠、エプクルーサ配合錠；抗HCV薬）	禁忌	B剤の血中濃度低下（効果減弱）	消化管P-gp誘導に加え、腎P-gp誘導に起因する可能性大。ただし、リファブチン（ミコブティン）、フェノバルビタール（フェノバール）とは併用慎重。
	P-gp誘導薬（PXR活性化薬：リファンピシン［リファジン］、カルバマゼピン［テグレトール］、フェニトイン［アレビアチン］、フェノバルビタール［フェノバール］、セイヨウオトギリソウ［SJW］含有食品	ソホスブビル・ベルパタスビル（エプクルーサ配合錠；抗HCV薬）	禁忌	B剤の血中濃度低下。	ベルパタスビルはわずかに腎排泄（0.4%）。消化管・肝のP-gp誘導が主に関与。
	セイヨウオトギリソウ（SJW）含有健康食品	P-gpの基質となる薬剤：ジゴキシン（ジゴシン）、シクロスポリン（サンディミュン、ネオーラル）など	原則禁忌	A剤によるP-gp誘導によりB剤の排泄促進（効果減弱）	CYP450誘導にも注意。
	核内受容体PXR活性化薬（リファンピシン［リファジン］、フェニトイン［アレビアチン］、カルバマゼピン［テグレトール］、フェノバルビタール［フェノバール］、SJW含有食品など）	アピキサバン（エリキュース）	原則禁忌（静脈血栓塞栓症患者の場合のみ）	A剤によるP-gp誘導によりB剤の排泄促進（効果減弱）	CYP3A誘導も関与。
近位尿細管分泌（陰イオン輸送系；OAT）阻害 ☞**表4-33**	スルフィンピラゾン★（尿酸排泄促進薬）	サリチル酸系薬；アスピリン・ダイアルミネート（バファリン配合錠A330）など	禁忌	サリチル酸の腎分泌阻害（B剤の副作用増強）	尿酸排泄作用に拮抗、血漿タンパク結合も関与。

発現機序	薬剤A（作用する薬剤）	薬剤B（作用を受ける薬剤）	併用	起こり得る結果	報告されている事象、対処法など
複数のCYP450阻害 ☞**表5-7**	複数のCYP450分子種（CYP1A1、3Aなど）およびP-gp/BCRPを阻害するアゾール系薬：ケトコナゾール★、イトラコナゾール（イトリゾール）、ボリコナゾール（ブイフェンド）、HIVプロテアーゼ阻害薬：リトナビル（ノービア）、インジナビル硫酸塩エタノール付加物★、アタザナビル硫酸塩（レイアタッツ）、サキナビルメシル酸塩★	リオシグアト（アデムパス；sGC刺激薬；肺高血圧症治療薬）	禁忌	B剤の代謝阻害、血中濃度上昇	ケトコナゾール併用時、リオシグアトAUC150％、Cmax46%上昇。アゾール系薬では、イトラコナゾール、ボリコナゾールのみが併用禁忌。
CYP450阻害 ☞**表5-16**	シメチジン（タガメット）	シロリムス（ラパリムス）	原則禁忌	B剤の代謝阻害	血中濃度上昇の恐れ。
CYP450阻害 ☞**表5-17**	アゾール系薬※；イトラコナゾール（イトリゾール）、ミコナゾール（フロリードF）	ピペリジン系薬（テルフェナジン★、アステミゾール★、シサプリド★、ピモジド［オーラップ］）、キニジン硫酸塩水和物（硫酸キニジン）、ベプリジル塩酸塩水和物（ベプリコール）	禁忌	B剤の代謝阻害	副作用増強（QT延長・心室性不整脈）。ピペリジン系は☞**図7-6**。
		エルゴタミン製剤：ジヒドロエルゴタミンメシル酸塩（ジヒデルゴット）、エルゴタミン酒石酸塩（クリアミン配合錠）、エルゴメトリンマレイン酸塩（エルゴメトリンマレイン酸塩）、メチルエルゴメトリンマレイン酸塩（メテナリン）	禁忌	B剤の代謝阻害	血管攣縮、四肢虚血などの可能性
		トリアゾラム（ハルシオン）	禁忌	B剤の代謝阻害	催眠鎮静作用延長および増強。AUC 22倍、血中半減期7倍例。
		アゼルニジピン（カルブロック；Ca拮抗薬、ニソルジピン（バイミカード；Ca拮抗薬）	禁忌	B剤の血中濃度上昇	低血圧などの恐れ。アゼルニジピンAUC 2.8倍上昇例。ケトコナゾール併用でニソルジピンAUC 24倍上昇例。
		シンバスタチン（リポバス）	禁忌	B剤の代謝阻害（横紋筋融解症発現）	AUC 19倍上昇例。
		バルデナフィル塩酸塩水和物（レビトラ；PDE5阻害薬）	禁忌	B剤の代謝阻害	AUC 10倍、Cmax 4倍上昇例。

発現機序	薬剤A（作用する薬剤）	薬剤B（作用を受ける薬剤）	併用	起こり得る結果	報告されている事象、対処法など
つづき CYP450阻害 ☞表5-17	アゾール系薬※；イトラコナゾール（イトリゾール）、ミコナゾール（フロリードF）	肺動脈性肺高血圧症治療PDE5阻害薬（シルデナフィルクエン酸塩28mg［レバチオ錠20mg］、タダラフィル20mg［アドシルカ錠20mg］）	禁忌	B剤の代謝阻害（血中濃度上昇）	イトラコナゾールとの併用のみ禁忌。しかし、ミコナゾールも同様に注意。シルデナフィルクエン酸塩25mg·50mg（バイアグラ）、タダラフィル5mg·10mg·20mg（シアリス）では併用注意。
		エプレレノン（セララ；選択的アルドステロンブロッカー）	禁忌	B剤の血中濃度上昇	イトラコナゾールとの併用のみが禁忌だが、ミコナゾールも同様に注意。
		ブロナンセリン（ロナセン；DSA）	禁忌	B剤の代謝阻害	AUC 17倍、Cmax 13倍上昇例（ケトコナゾール経口薬との併用時）。
		コルヒチン（コルヒチン）	禁忌（肝・腎障害があり、強いCYP3A4阻害薬またはP-gp阻害薬を服用の場合）	B剤の血中濃度上昇（コルヒチン中毒）	肝・腎障害のない場合、減量あるいは低用量で開始など注意して投与。CYP3A4阻害も関与。
	イトラコナゾール、ポサコナゾール（ノクサフィル；深在性真菌症治療薬）	スボレキサント（ベルソムラ；オレキシン受容体拮抗薬）	禁忌	B剤の顕著な血中濃度上昇	ケトコナゾールと併用時にAUC179%上昇。イトラコナゾールのみ併用禁忌である。
	ポサコナゾール（ノクサフィル）	エルゴタミン製剤（麦角系）：ジヒドロエルゴタミン（ジヒデルゴット）、エルゴタミン（クリアミン配合錠）、エルゴメトリン（子宮収縮薬）、メチルエルゴメトリン	禁忌	B剤の血中濃度上昇	麦角中毒を引き起こす恐れ。
		シンバスタチン（リポバス）、アトルバスタチン（リピトール ）			横紋筋融解症を引き起こす恐れ。
		ピモジド（オーラップ）、キニジン（硫酸キニジン）			QT延長・心室頻拍等の心血管系の重篤な副作用を引き起こす恐れ。
		ベネトクラクス（ベネクレクスタ）［［再発又は難治性の慢性リンパ性白血病の用量漸増期］］			腫瘍崩壊症候群の発現を増強させる恐れ。
		トリアゾラム、ルラシドン塩酸塩（ラツーダ）、ブロナンセリン			これら薬剤の作用を増強させる恐れ。
	強力CYP3A阻害薬；イトラコナゾール（イトリゾール）、ボリコナゾール（ブイフェンド）	チカグレロル（ブリリンタ；抗血小板薬）	禁忌	B剤の血中濃度上昇	A剤によるCYP3A阻害。
	ミコナゾール（フロリードゲル経口、F注、口腔用）	ワルファリン（ワーファリン）	禁忌	B剤の作用増強	中止後も作用が遷延。出血、INR上昇。

発現機序	薬剤A（作用する薬剤）	薬剤B（作用を受ける薬剤）	併用	起こり得る結果	報告されている事象、対処法など
つづき CYP450阻害 ☞表5-17	強・中等度のCYP3A阻害薬；イトラコナゾール（イトリゾール）、ボリコナゾール（ブイフェンド）、ミコナゾール（フロリード）、フルコナゾール（ジフルカン）、ホスフルコナゾール（プロジフ）など	ロミタピド（ジャクスタピッド；高コレステロール血症治療薬）	禁忌	CYP3A阻害によりB剤の血中濃度上昇	ケトコナゾール併用時AUC27.25倍、Cmax14.82倍。
	アゾール系抗真菌薬（経口薬、注射薬）	アスナプレビル★（抗HCV薬）	禁忌	B剤の血中濃度上昇	肝関連有害事象発現。中程度のCYP3A阻害薬（エリスロシン、ジルチアゼム、ベラパミル）との併用も禁忌。
	イトラコナゾール（イトリゾール）、ボリコナゾール（ブイフェンド）	バニプレビル★	禁忌	B剤の血中濃度上昇	バニプレビルでは高用量時に悪心、嘔吐、下痢など発現増加。
		イバブラジン（コララン；HCNチャネル遮断薬）		B剤の血中濃度上昇	ケトコナゾールと併用時にCmaxおよびAUC0-∞は3.5倍および7.1倍に上昇。
		リオシグアト（アデムパス；SGC刺激薬；肺高血圧症治療薬）	禁忌	B剤の血中濃度上昇	ケトコナゾール併用時、AUC150％上昇。
	アゾール系抗真菌薬（フルコナゾール［ジフルカン］、ホスフルコナゾール［プロジフ静注液］を除く）	リバーロキサバン（イグザレルト；FXa阻害薬）	禁忌	B剤の代謝阻害	腎・消化管のP-gp阻害も関与。
	フルコナゾール（ジフルカン）、ホスフルコナゾール注（プロジフ注）	ピモジド（オーラップ）、キニジン硫酸塩水和物（硫酸キニジン）、エルゴタミン製剤、トリアゾラム（ハルシオン）、アゼルニジピン（カルブロック）、ブロナンセリン（ロナセン；DSA）	禁忌	CYP3A4阻害によりB剤の血中濃度上昇	ホスフルコナゾールはフルコナゾールのプロドラッグ。
	ボリコナゾール（ブイフェンド）	スボレキサント（ベルソムラ）、ピモジド（オーラップ）、キニジン硫酸塩水和物（硫酸キニジン）、エルゴタミン製剤、トリアゾラム（ハルシオン）、アゼルニジピン（カルブロック、レザルタス配合錠）、ブロナンセリン（ロナセン；DSA）、エファビレンツ（ストックリン）、リファブチン（ミコブティン）	禁忌	CYP3A4阻害によりB剤の血中濃度上昇	リファブチンによるCYP3A4誘導によりボリコナゾールのAUCが78％低下との報告あり。
	CYP3A4を強く阻害する薬剤：アゾール系薬（イトラコナゾール［イトリゾール］、ボリコナゾール［ブイフェンド］、ミコナゾール［フロリード］、フルコナゾール［ジフルカン］、ホスフルコナゾール［プロジフ］、ポサコナゾール［ノクサフィル］）	ルラシドン（ラツーダ；抗精神病薬/双極性障害のうつ症状治療薬）	禁忌	B剤の代謝阻害（血中濃度上昇）	ケトケトコナゾール併用により、Cmax6.8倍、AUC9.3倍上昇

発現機序	薬剤A（作用する薬剤）	薬剤B（作用を受ける薬剤）	併用	起こり得る結果	報告されている事象、対処法など
つづき CYP450阻害 ☞表5-17	強力CYP3A4阻害薬	ベネトクラクス（ベネクレクスタ）再発または難治性の慢性リンパ性白血病（小リンパ球性リンパ腫を含む）の用量漸増期	禁忌	B剤の血中濃度上昇	ケトコナゾール併用でCmax2.3倍、AUC2.7倍上昇
	アゾール系薬（フルコナゾール［ジフルカン］を除く）	アピキサバン（エリキュース；FXa阻害薬）	原則禁忌（併用は治療上の有益性が危険性を上回る場合のみ）	B剤の血中濃度上昇	A剤によるCYP3A4（およびP-gp）阻害によりB剤の代謝抑制。併用時にはアピキサバン投与量を通常用量の半量に減量する。
	イトラコナゾール（イトリゾール）、フルコナゾール（ジフルカン）、ホスフルコナゾール（プロジフ注）、ケトコナゾール★	トルバプタン（サムスカ；V_2-受容体拮抗薬）	原則禁忌（CYP3A4阻害薬との併用は避けることが望ましい）	B剤の血中濃度上昇	ケトコナゾール併用時AUC 5.4倍上昇。P-gp阻害関与；併用時にはトルバプタン減量あるいは低用量投与考慮。
	フルコナゾール（ジフルカン）、ミコナゾール（フロリード）	スボレキサント（ベルソムラ）	原則禁忌	B剤の血中濃度上昇	傾眠、疲労、入眠時麻痺、睡眠時随伴症、夢遊病などの恐れ。併用する際には、1日1回10mgへの減量を考慮するとともに、患者の状態を慎重に観察する。
	強力CYP3A阻害薬：アゾール系薬（イトラコナゾール［イトリゾール］、ボリコナゾール［ブイフェンド］、ケトコナゾール★など	分子標的治療薬（エベロリムス［アフィニトール］、シロリムス［ラパリムス］、テムシロリムス［トーリセル点滴静注液］、ボスチニブ水和物［ボシュリフ］、ダサチニブ水和物［スプリセル］、エヌトレクチニブ［ロズリートレク］）	原則禁忌	B剤の代謝が強く阻害	AUC5倍以上上昇。強いCYP3A阻害薬とエベロリムスの併用は治療上の有益性が危険性を上回る場合のみ。
		分子標的治療薬（アキシチニブ［インライタ］、セリチニブ［ジカディア］、ギルテリチニブ［ゾスパタ］、ブリグチニブ［アルンブリグ］、エンコラフェニブ［ビラフトビ］、オラパリブ［リムパーザ］、アカラブルチニブ［カルケンス］、ラロトレクチニブ［ヴァイトラックビ］）		B剤の代謝が中等度に阻害	AUC2～5倍上昇。
		分子標的治療薬（パノビノスタット乳酸塩［ファリーダック］、アレクチニブ塩酸塩［アレセンサ］、スニチニブリンゴ酸塩［スーテント］、パゾパニブ塩酸塩［ヴォトリエント］、ダブラフェニブ［タフィンラー］、ペミガチニブ［ペマジール］、ポラツズマブ［ポライビー点滴静注用］、レゴラフェニブ水和物［スチバーガ］）		B剤の代謝が軽度に阻害	AUC1.25～2倍上昇。
		カバジタキセルアセトン付加物（ジェブタナ点滴静注；タキソイド系薬）		B剤の代謝阻害	ケトコナゾール併用時、クリアランスが20%低下。

発現機序	薬剤A（作用する薬剤）	薬剤B（作用を受ける薬剤）	併用	起こり得る結果	報告されている事象、対処法など
つづき CYP450阻害 ☞**表5-17**	ボリコナゾール（ノクサフィル；深在性真菌症治療薬）、フルコナゾール、ポサコナゾール	イブルチニブ（イムブルビカ；分子標的治療薬）	原則禁忌	B剤の代謝が強く阻害	ボリコナゾールによりCmax6.7倍、AUC5.7倍上昇
	ポサコナゾール（ノクサフィル）	ビンカアルカロイド系抗悪性腫瘍薬（ビンクリスチン、ビンブラスチン	原則禁忌	B剤の血中濃度上昇	神経毒性、痙攣発作等の重篤な副作用を引き起こす恐れ。
		CYP3A4で代謝されるベンゾジアゼピン系薬（ミダゾラム［ドルミカム］、トリアゾラム［ハルシオン］、アルプラゾラム［ソラナックス］）		B剤の血中濃度上昇	ミダゾラム静注との併用でCmax1.6倍、AUC6.2倍上昇。鎮静の延長や呼吸抑制の恐れ。
	CYP2C9かつCYP3A中程度阻害薬（フルコナゾール［ジフルカン］など）	シポニモド（メーゼント；多発性硬化症治療薬）	原則禁忌	B剤血中濃度上昇	フルコナゾールによりAUC2倍上昇。
CYP450阻害 ☞**表5-20**	塩酸サフラジン★（MAO阻害薬）	フェノチアジン系薬（カルピプラミン★なども含む）、三環系抗うつ薬、ペチジン塩酸塩（オピスタン）、セレギリン塩酸塩（エフピー）	禁忌	B剤の代謝阻害（作用増強；死亡例あり）	MAO阻害薬は臨床ではほとんど使用されていないが、中枢神経系用薬の薬効を著明に増強するので併用は避けた方がよい。
CYP450阻害 ☞**表5-21**	強力CYP3A阻害薬（クラリスロマイシン［クラリス］）	ベネトクラクス（ベネクレクスタ）<再発または難治性の慢性リンパ性白血病（小リンパ球性リンパ腫を含む）の用量漸増期>	禁忌	B剤の代謝阻害	腫瘍崩壊症候群の発現が増強される恐れ。
	クラリスロマイシン（クラリス）	イブルチニブ（イムブルビカ）	禁忌	B剤の代謝阻害	副作用が増強される恐れ。
	14員環マクロライド系；クラリスロマイシン（クラリス、クラリシッド）、エリスロマイシン（エリスロシン）、ヘリコバクター・ピロリ除菌パック製剤：ランサップ（ランソプラゾール・アモキシシリン水和物・クラリスロマイシン）、ラベキュアパック（ラベプラゾールナトリウム・アモキシシリン・クラリスロマイシン）、ボノサップパック（ボノプラザンフマル酸塩・アモキシシリン・クラリスロマイシン）	抗HCV薬（アスナプレビル★、バニプレビル★）	禁忌	B剤の代謝阻害（血中濃度上昇）	アスナプレビルでは肝関連有害事象発現、バニプレビルでは高用量時に悪心、嘔吐、下痢など発現増加の恐れ。アスナプレビルでは中程度のCYP3A阻害薬（エリスロシン、ジルチアゼム塩酸塩、ベラパミル塩酸塩）との併用も禁忌。
		ピペリジン系薬（テルフェナジン★、アステミゾール★、シサプリド★、ピモジド［オーラップ］）	禁忌	B剤の代謝阻害	副作用増強（QT延長・不整脈誘発、死亡例）。
	14員環マクロライド系薬、16員環マクロライド系薬（ジョサマイシン［ジョサマイ］、ミデカマイシン★）	エルゴタミン製剤：ジヒドロエルゴタミンメシル酸塩（ジヒデルゴット）、エルゴタミン酒石酸塩（クリアミン配合錠）	禁忌	B剤の代謝阻害	併用開始後、数日以内で重篤な麦角中毒（四肢虚血）誘発。

発現機序	薬剤A (作用する薬剤)	薬剤B (作用を受ける薬剤)	併用	起こり得る結果	報告されている事象、対処法など
つづき CYP450阻害 ☞表5-21	クラリスロマイシン(クラリス)	タダラフィル20mg(アドシルカ錠20mg;PDE5阻害薬)	禁忌	B剤の代謝阻害	肺動脈性肺高血圧症患者における併用の経験が少ない。他の14員環マクロライド系薬も併用は避けた方がよい。
		コルヒチン(コルヒチン)	禁忌 (肝・腎障害のある場合)	B剤の血中濃度上昇(コルヒチン中毒)	肝・腎障害のない場合、減量あるいは低用量で開始など注意して投与。肝P-gp阻害も関与。
		スボレキサント(ベルソムラ;オレキシン受容体拮抗薬)	禁忌	B剤の顕著な血中濃度上昇	ケトコナゾール以外の強いCYP3A4阻害薬との併用経験はない。
	タクロリムス水和物(プログラフ)	シクロスポリン(サンディミュン、ネオーラル)	禁忌	B剤の代謝阻害(作用・副作用増強)	腎毒性関与。A剤はマクロライド構造を有する。ただし14員環マクロライド系薬とシクロスポリンとの併用は禁忌でない。
	強力CYP3A阻害薬(クラリスロマイシン[クラリス])	イバブラジン(コララン;HCNチャネル遮断薬;慢性心不全治療薬)	禁忌	B剤の血中濃度上昇	16員環であるジョサマイシンとの併用でCmaxおよびAUC0-∞は3.7倍および7.5倍に上昇。
	クラリスロマイシン(クラリス)	ルラシドン(ラツーダ;DSA;抗精神病薬/双極性障害のうつ症状治療薬)	禁忌	B剤の代謝阻害(血中濃度上昇)	血中濃度が上昇し、作用が増強される恐れ。エリスロマイシンと併用する際は、ルラシドンの用量を通常の半量に減じるなど慎重に投与する。
	強力CYP3A阻害薬(クラリスロマイシン[クラリス])	チカグレロル(ブリリンタ;抗血小板薬)	禁忌	B剤の血中濃度上昇	A剤によるCYP3A阻害。
	CYP3A阻害薬	トルバプタン(サムスカ;V_2-受容体拮抗薬)	原則禁忌	B剤の代謝阻害	併用時にはB剤の減量あるいは低用量投与を考慮。P-gp阻害も関与。
	14員環マクロライド系;クラリスロマイシン(クラリス、クラリシッド)、エリスロマイシン(エリスロシン)	分子標的治療薬(スニチニブリンゴ酸塩[スーテント]、アキシチニブ[インライタ]、ダサチニブ水和物[スプリセル]、ボスチニブ水和物[ボシュリフ]、シロリムス[ラパリムス]、パノビノスタット乳酸塩[ファリーダック]、ギルテリチニブ[ゾスパタ]、ブリグチニブ[アルンブリグ]、エヌトレクチニブ[ロズリートレク]、アカラブルチニブ[カルケンス]、ダブラフェニブ[タフィンラー]、エンコラフェニブ[ビラフトビ]、オラパリブ[リムパーザ]、ペミガチニブ[ペマジール]、ラロトレクチニブ[ヴァイトラックビ]、ポラツズマブ[ポライビー点滴静注用;☞**表S-8**])	原則禁忌	B剤の代謝阻害	血中濃度上昇し副作用が強く現れる恐れ。
		カバジタキセルアセトン付加物(ジェブタナ点滴静注;タキソイド系薬)			

発現機序	薬剤A (作用する薬剤)	薬剤B (作用を受ける薬剤)	併用	起こり得る結果	報告されている事象、対処法など
つづき CYP450阻害 ☞**表5-21**	エリスロマイシン(エリスロシン)	イブルチニブ(イムブルビカ;分子標的治療薬)	原則禁忌	B剤の代謝阻害	血中濃度が上昇し副作用が増強される恐れ。
CYP450阻害 ☞**表5-22**	テリスロマイシン★;ケトライド系	ピペリジン系薬 (テルフェナジン★、シサプリド★、ピモジド[オーラップ])	禁忌	B剤の代謝阻害(QT延長・心室性不整脈誘発)	ケトライド系は14員環ラクトン環の8位の側鎖に中性糖がなくケトン基を有する。マクロライド系と同様にCYP3A4を阻害するが、その阻害機序は不明。
		タダラフィル20mg (アドシルカ錠20mg)	禁忌	B剤の代謝阻害	肺動脈性肺高血圧症患者における併用の経験が少ない。
		コルヒチン(コルヒチン)	禁忌 (肝・腎障害のある場合)	B剤の血中濃度上昇(コルヒチン中毒)	肝・腎障害のない場合、減量あるいは低用量で開始など注意して投与。肝P-gp阻害も関与。
		主にCYP3A4で代謝されるスタチン系薬(シンバスタチン[リポバス]、アトルバスタチンCa水和物[リピトール])	原則禁忌	B剤の代謝阻害(横紋筋融解症誘発)	12時間以上間隔を空ける。テリスロマイシン(800mg)を5日間投与し、その最終日にシンバスタチンの同時投与でCmax、$AUC_{0\text{-}\infty}$が7.7倍、8.4倍に上昇するが、12時間投与間隔を空けるとCmax、$AUC_{0\text{-}\infty}$が3.4倍および3.8倍になる。
CYP450阻害 ☞**表5-30**②	ゲムフィブロジル★	エンザルタミド(イクスタンジ;前立腺癌治療薬)	原則禁忌	B剤の未変化体と活性代謝物の血中濃度上昇	強力なCYP2C8阻害薬との併用は避けるが、併用時は減量を考慮。
		ダブラフェニブ(タフィンラー)	原則禁忌	B剤の血中濃度上昇	ダブラフェニブのAUCが48%上昇。副作用の発現・増強に注意。
		ベキサロテン(タルグレチン)	原則禁忌	B剤の血中濃度上昇	ベキサロテンのトラフ濃度が約4倍上昇。ベキサロテンの減量を考慮すると共に副作用の発現に十分注意。
CYP450阻害 ☞**表5-30**⑤	CYP2D6で代謝される薬剤(三環系抗うつ薬、β遮断薬、SSRI、フレカイニド酢酸塩[タンボコール]など)、CYP2D6阻害作用を有する薬剤(☞**表5-5**)	チオリダジン★ (フェノチアジン系薬)	禁忌	B剤の血中濃度上昇(QT延長・心室性不整脈誘発)	代謝競合による。チオリダジンはピペリジン系であり、フェノチアジン系で最も心毒性が強い。

★ 販売中止

発現機序	薬剤A （作用する薬剤）	薬剤B （作用を受ける薬剤）	併用	起こり得る結果	報告されている事象、対処法など
CYP450阻害 ☞表5-30⑥	ベラパミル塩酸塩（ワソラン）、ジルチアゼム（ヘルベッサー）	アスナプレビル（スンベプラ；抗HCV薬）	禁忌	B剤の血中濃度上昇	代謝競合。強力または中等度のCYP3A阻害薬との併用も禁忌。
		ロミタピド（ジャクスタピッド）	禁忌	B剤の血中濃度上昇	血中濃度が著しく上昇する恐れ。
		イバブラジン（コララン；HCNチャネル遮断薬；慢性心不全治療薬）	禁忌	B剤の血中濃度上昇	ベラパミルと併用時にCmaxおよびAUC0-12は1.86倍および2.14倍に上昇。ジルチアゼムと併用時にはCmaxおよびAUC0-12は3倍に上昇。陰性変時作用の協力も関与（☞**表7-34**）。
		スボレキサント（ベルソムラ；オレキシン受容体拮抗薬）	原則禁忌	B剤の血中濃度上昇	代謝競合。傾眠、疲労、入眠時麻痺、睡眠時随伴症、夢遊病などの恐れ。併用する際には、1日1回10mgへの減量を考慮するとともに、患者の状態を慎重に観察する。
		分子標的治療薬（ブリグチニブ[アルンブリグ]、エンコラフェニブ[ビラフトビ]、エヌトレクチニブ[ロズリートレク]、イブルチニブ[イムブルビカ]、オラパリブ[リムパーザ]、ペミガチニブ[ペマジール]）	原則禁忌	B剤の血中濃度上昇	代謝競合。やむを得ず併用する際には副作用発現に注意。
	選択的NK₁受容体拮抗型制吐薬；アプレピタント（イメンド）、ホスアプレピタント（プロイメンド点滴静注）；原則としてコルチコステロイドおよび抗5-HT₃制吐薬と併用して使用	ピモジド（オーラップ）、ロミタピド（ジャクスタピッド；ホモ接合体家族性高コレステロール血症治療薬）	禁忌	B剤血中濃度上昇（QT延長・心室性不整脈の恐れ）	代謝競合。A剤は軽度から中程度の用量依存性のCYP3A4阻害効果（ジルチアゼムと同程度）を示す。A剤のCYP2C9・3A4誘導作用にも注意。
		イブルチニブ（イムブルビカ；分子標的治療薬）	原則禁忌	B剤の血中濃度上昇	B剤の血中濃度が上昇し副作用が増強される恐れ。
	ラパチニブトシル酸塩水和物（タイケルブ；チロシンキナーゼ阻害薬）	治療域が狭くCYP3A4で代謝される薬剤；ビンカアルカロイド系薬（ビノレルビン酒石酸塩[ナベルビン]など）、パクリタキセル（タキソール）など	原則禁忌	B剤の血中濃度上昇	代謝競合。やむを得ず併用する場合、副作用に注意し減量など考慮。A剤はCYP2C8阻害作用もあるためCYP2C8/3A4で代謝されるパクリタキセルは要注意。
	リトナビル	ダブラフェニブ（タフィンラー）、エンコラフェニブ（ビラフトビ）、オラパリブ（リムパーザ）、ポラツズマブ（ポライビー点滴静注用）	原則禁忌	B剤の血中濃度上昇	CYP3A阻害のない薬剤への代替を考慮する。やむを得ず併用する際は副作用の発現に注意する。
	シクロスポリン（サンディミュン、ネオーラル）、タクロリムス水和物（プログラフ）	ボセンタン水和物（トラクリア；エンドセリン拮抗薬）	禁忌	B剤血中濃度上昇	CYP3A4競合。B剤の血中濃度2～3倍上昇（約30倍例あり）。シクロスポリンではOATP2、BSEP阻害も関与（☞**表4-20、4-24**）。

発現機序	薬剤A （作用する薬剤）	薬剤B （作用を受ける薬剤）	併用	起こり得る結果	報告されている事象、対処法など
つづき CYP450阻害 ☞表5-30⑥	タクロリムス水和物 （プログラフ）	シクロスポリン （サンディミュン、ネオーラル）	禁忌	B剤血中濃度上昇。副作用（腎障害など）が相互に増強	代謝競合。タクロリムスによるB剤代謝阻害（☞表5-21）、腎毒性の協力も関与（☞表8-20）。
	シクロスポリン（サンディミュン、ネオーラル）、HIVプロテアーゼ阻害薬、テラプレビル★（抗HCV薬）など	コルヒチン（コルヒチン）	禁忌 （肝・腎障害のある場合）	B剤の血中濃度上昇（コルヒチン中毒）	肝・腎障害のない場合、減量あるいは低用量で開始するなど注意して投与。肝P-gp阻害も関与。
	シクロスポリン（サンディミュン、ネオーラル）	ペマフィブラート（パルモディア；フィブラート系薬）	禁忌	B剤の血中濃度上昇	シクロスポリンによる3A4、2C8、2C9、OATP2、OATP8阻害も関与。
	・テラプレビル★（抗HCV薬） ・HIVプロテアーゼ阻害薬：リトナビル（ノービア）、アタザナビル硫酸塩（レイアタッツ）、インジナビル硫酸塩エタノール付加物★、サキナビルメシル酸塩★、ダルナビルエタノール付加物（プリジスタ）など ・コビシスタットを含有する製剤（スタリビルド配合錠；抗HIV薬）	ピペリジン系薬（テルフェナジン★、アステミゾール★、シサプリド★、ピモジド［オーラップ］）、アミオダロン塩酸塩（アンカロン）、ベプリジル塩酸塩水和物（ベプリコール）、フレカイニド酢酸塩（タンボコール）、キニジン硫酸塩水和物（硫酸キニジン）、プロパフェノン塩酸塩（プロノン）	禁忌	B剤の血中濃度上昇（QT延長・心室性不整脈誘発）	代謝競合。HIVプロテアーゼ阻害薬は、CYP3A4に対する親和性が高く、その程度は、リトナビル>アタザナビル＝インジナビル★>アンプレナビル★>サキナビルの順となる。特に、リトナビルはCYP3A4に対する親和性が高い（競合的阻害効果が強い）ため、CYP3A4で部分的またはわずかに代謝されるNSAIDs（ピロキシカムなど；CYP2C9で主に代謝）、フレカイニド、プロパフェノン（CYP2D6で主に代謝）などの代謝をも阻害すると考えられる。また、リトナビルはCYP3A4ほどではないが、CYP2C9および2D6も阻害するほか、CYP450誘導作用を持つ（☞表5-54）。
		BZP系薬：ミダゾラム（ドルミカム、ミダフレッサ）、トリアゾラム（ハルシオン）	禁忌	B剤の血中濃度上昇（過度の鎮静や呼吸抑制）	
		・エルゴタミン製剤：ジヒドロエルゴタミンメシル酸塩（ジヒデルゴット）、エルゴタミン酒石酸塩（クリアミン配合錠）、エルゴメトリンマレイン酸塩（エルゴメトリンマレイン酸塩）、メチルエルゴメトリンマレイン酸塩（メテナリン） ・エレトリプタン臭化水素酸塩（レルパックス；5-HT$_{1B/1D}$作動薬）	禁忌	B剤の血中濃度上昇（末梢循環不全）	
		アゼルニジピン （カルブロック；Ca拮抗薬）	禁忌	B剤の血中濃度上昇	低血圧など
		バルデナフィル塩酸塩水和物（レビトラ；PDE5阻害薬）	禁忌	B剤の血中濃度上昇	低血圧、視覚異常、持続性勃起症など
		肺動脈性肺高血圧症治療PDE5阻害薬（シルデナフィルクエン酸塩28mg［レバチオ錠20mg］、タダラフィル20mg［アドシルカ錠20mg］）	禁忌	B剤の血中濃度上昇	低血圧や不整脈の恐れ。

発現機序	薬剤A（作用する薬剤）	薬剤B（作用を受ける薬剤）	併用	起こり得る結果	報告されている事象、対処法など
つづき CYP450阻害 ☞表5-30⑥	つづき ・テラプレビル★（抗HCV薬） ・HIVプロテアーゼ阻害薬：リトナビル（ノービア）、アタザナビル硫酸塩（レイアタッツ）、インジナビル硫酸塩エタノール付加物★、サキナビルメシル酸塩★、ダルナビルエタノール付加物（プリジスタ）など ・コビシスタットを含有する製剤（スタリビルド配合錠；抗HIV薬）	リオシグアト（アデムパス；sGC刺激薬；肺高血圧症治療薬）	禁忌	B剤の血中濃度上昇	HIVプロテアーゼ阻害薬のみ併用禁忌。
		ブロナンセリン（ロナセン；DSA）	禁忌	B剤の血中濃度上昇	代謝阻害による。
		コルヒチン（コルヒチン）	禁忌（肝・腎障害のある場合）	B剤の血中濃度上昇（コルヒチン中毒）	肝・腎障害がない場合、減量あるいは低用量で開始など注意して投与。肝P-gp阻害も関与。
		リバーロキサバン（イグザレルト；FXa阻害薬）	禁忌	B剤の代謝阻害	腎・消化管のP-gp阻害も関与。
		スボレキサント（ベルソムラ；オレキシン受容体拮抗薬）	禁忌	B剤の著明な血中濃度上昇	B剤の作用を著しく増強する恐れ。
		ロミタピド（ジャクスタピッド；高コレステロール血症治療薬）	禁忌	B剤の血中濃度上昇	強・中等度のCYP3A阻害薬との併用禁忌。
		イブルチニブ（イムブルビカ；分子標的治療薬）	原則禁忌	B剤の血中濃度上昇	B剤の血中濃度が上昇し副作用が増強される恐れ。
	リトナビル（ノービア；HIVプロテアーゼ阻害薬）	オキシカム系NSAIDs（ピロキシカム［バキソ］、アンピロキシカム［フルカム］）	禁忌	B剤の血中濃度上昇（NSAIDs副作用）	代謝競合による。リトナビルはCYP3A4に対する親和性が高い（競合的阻害効果が強い）ため、CYP3A4で部分的またはわずかに代謝されるNSAIDs（ピロキシカムなど；CYP2C9で主に代謝）、フレカイニド、プロパフェノン（CYP2D6で主に代謝）などの代謝をも阻害すると考えられる。また、リトナビルはCYP3A4ほどではないが、CYP2C9および2D6も阻害するほか、CYP450誘導作用を持つ（☞表5-54）。
		プロパフェノン塩酸塩（プロノン）、フレカイニド酢酸塩（タンボコール）	禁忌	B剤の血中濃度上昇（不整脈誘発の）	
		キニジン硫酸塩水和物（硫酸キニジン）、ベプリジル塩酸塩水和物（ベプリコール；Ca拮抗薬）、アミオダロン塩酸塩（アンカロン）	禁忌	B剤の血中濃度上昇（QT延長・心室性不整脈誘発）	
		BZP系薬：クアゼパム（ドラール）、ジアゼパム（セルシン）、クロラゼプ酸二カリウム（メンドン）、フルラゼパム塩酸塩（ダルメート）、エスタゾラム（ユーロジン）	禁忌	B剤の血中濃度上昇（過度の鎮静や呼吸抑制）	
		エプレレノン（セララ；選択的アルドステロンブロッカー）	禁忌	B剤の血中濃度上昇	
		シルデナフィルクエン酸塩28mg（レバチオ錠20mg；シルデナフィルとして20mg含有；肺動脈性肺高血圧症治療PDE5阻害薬）	禁忌	B剤の血中濃度上昇	ただし、シルデナフィルを25、50mg含むバイアグラ錠は禁忌でない。
		ベネトクラクス（ベネクレクスタ；再発または難治性の慢性リンパ性白血病［小リンパ球性リンパ腫を含む］の用量漸増期）	禁忌	B剤の血中濃度上昇	腫瘍崩壊症候群の発現が増強される恐れ。

発現機序	薬剤A（作用する薬剤）	薬剤B（作用を受ける薬剤）	併用	起こり得る結果	報告されている事象、対処法など
つづき CYP450阻害 ☞表5-30⑥	アタザナビル硫酸塩（レイアタッツ；HIVプロテアーゼ阻害薬）	インジナビル硫酸塩エタノール付加物★	禁忌	B剤の血中濃度上昇	インジナビルでは併用試験は行われていない。シンバスタチン併用で横紋筋融解症の可能性。
		シンバスタチン（リポバス）	禁忌		
	インジナビル硫酸塩エタノール付加物★（HIVプロテアーゼ阻害薬）	BZP系薬（アルプラゾラム［ソラナックス、コンスタン］）	禁忌	B剤の血中濃度上昇	副作用発現の恐れ。
		シルデナフィルクエン酸塩28mg（レバチオ錠20mg；シルデナフィルとして20mg；肺動脈性肺高血圧症治療PDE5阻害薬）	禁忌	B剤の血中濃度上昇	CYP3A4代謝競合による。B剤は1日3錠（分3）であり禁忌であるが（シルデナフィル60mg/日）、シルデナフィルを25、50mg含むバイアグラ錠（勃起不全治療薬）は1日1回経口投与であり禁忌ではない。
	サキナビルメシル酸塩★（HIVプロテアーゼ阻害薬）	キニジン（硫酸キニジン）、トラゾドン（デジレル）	禁忌	B剤の血中濃度上昇	QT延長の可能性。
		シンバスタチン（リポバス）	禁忌	B剤の血中濃度上昇（横紋筋融解症などの恐れ）	代謝競合による。横紋筋融解症の恐れ。
	中等度のCYP3A4阻害薬；クリゾチニブ（ザーコリ）、ホスアンプレナビル（レクシヴァ）、イマチニブ（グリベック）、トフィソパム（グランダキシン）	ロミタピド（ジャクスタピッド；高コレステロール血症治療薬）	禁忌	B剤の血中濃度上昇	血中濃度が著しく上昇する恐れ。
	テラプレビル★（抗HCV薬）	シンバスタチン（リポバス）、アトルバスタチン（リピトール）	禁忌	B剤の血中濃度上昇	代謝競合による。横紋筋融解症の恐れ。
		イバブラジン（コララン；HCNチャネル遮断薬）			過度の徐脈が表れることがある。
	コビシスタットを含有する製剤（スタリビルド配合錠、ゲンボイヤ配合錠、プレジコビックス配合錠、シムツーザ配合錠；抗HIV薬）	ピモジド（オーラップ）、BZP薬（トリアゾラム［ハルシオン］、ミダゾラム［ドルミカム、ミダフレッサ］）、エルゴタミン製剤、アゼルニジピン（カルブロック）、PDE5阻害薬（シルデナフィルクエン酸塩［レバチオ］、バルデナフィル塩酸塩水和物［レビトラ］、タダラフィル［アドシルカ］）、ブロナンセリン（ロナセン）、シンバスタチン（リポバス）、リバーロキサバン（イグザレルト）、抗HCV薬（アスナプレビル［スンベプラ］、バニプレビル★、ベネトクラクス（ベネクレクスタ；再発または難治性の慢性リンパ性白血病［小リンパ球性リンパ腫を含む］の用量漸増期）	禁忌	B剤の血中濃度上昇	A剤（コビシスタット）のCYP3A4阻害作用による。薬効および副作用増強の恐れ。

発現機序	薬剤A（作用する薬剤）	薬剤B（作用を受ける薬剤）	併用	起こり得る結果	報告されている事象、対処法など
つづき CYP450阻害 ☞**表5-30⑥**	強力CYP3A阻害薬 ・HIVプロテアーゼ阻害薬（リトナビル［ノービア］、ロピナビル・リトナビル配合剤［カレトラ］、ネルフィナビル★、ダルナビル［プリジスタ］、アタザナビル［レイアタッツ］、ホスアンプレナビル［レクシヴァ］ ・コビシスタットを有する製剤（スタリビルド配合錠など）	チカグレロル（ブリリンタ；抗血小板薬）	禁忌	B剤の血中濃度上昇	A剤のCYP3A阻害による。
		アスナプレビル（スンベプラ；抗HCV薬）	禁忌	B剤の血中濃度上昇	肝関連有害事象増加、重症化。HIVプロテアーゼ阻害薬では、肝OATP2阻害も関与（☞**表4-20**）。
		バニプレビル★	禁忌	B剤の血中濃度上昇	高用量投与時、悪心、嘔吐、下痢発現増加。
		イバブラジン（コララン；HCNチャネル遮断薬；慢性心不全治療薬）	禁忌	B剤の血中濃度上昇	過度の徐脈が表れることがある。
		ルラシドン（ラツーダ；DSA；抗精神病薬/双極性障害のうつ症状治療薬）	禁忌	B剤の血中濃度上昇	血中濃度が上昇し、作用が増強される恐れ。
CYP450阻害 ☞**表5-34③**	アミオダロン塩酸塩（アンカロン）	エリグルスタット酒石酸塩（サデルガ；ゴーシェ病治療薬）	禁忌	B剤の代謝阻害	A剤のCYP2D6、3A阻害作用による。QT延長作用の協力も関与。
		イブルチニブ（イムブルビカ；分子標的治療薬）	原則禁忌	B剤の血中濃度上昇	B剤の血中濃度が上昇し副作用が増強される恐れ。CYP3A阻害作用のない薬剤への代替を考慮。やむを得ず併用する際にはB剤の減量を考慮すると共に副作用の発現に注意。
CYP450阻害 ☞**表5-34⑤**	SSRI（フルボキサミンマレイン酸塩［デプロメール、ルボックス］、パロキセチン塩酸塩水和物［パキシル］）	ピペリジン系薬（ピモジド［オーラップ］、テルフェナジン★、アステミゾール★、チオリダジン★）	禁忌	B剤の代謝阻害（QT延長・心室性不整脈誘発）	A剤は非特異的にCYP450を阻害するが、パロキセチンはCYP2D6、フルボキサミンはCYP1A2阻害効果が強い。
		シサプリド★	原則禁忌		
	塩酸セルトラリン（ジェイゾロフト；SSRI）	ピモジド（オーラップ）	禁忌	B剤の代謝阻害（QT延長）	AUCとCmaxがいずれも1.4倍増加。
	フルボキサミンマレイン酸塩（デプロメール、ルボックス）	チザニジン塩酸塩（テルネリン；α_2刺激；筋弛緩薬）	禁忌	B剤の血中濃度上昇	α_2刺激作用が増強し過度の血圧低下（収縮期血圧が平均80mmHg以下）。B剤のAUC、Cmaxが平均33倍、12倍上昇。A剤はCYP1A2阻害効果が強く、B剤は主にCYP1A2で代謝。
		メラトニン受容体アゴニスト（ラメルテオン［ロゼレム］、メラトニン［メラトベル］）	禁忌	B剤の著明な血中濃度上昇	CYP1A2および2C19阻害による。ラメルテオンのCmaxが27倍、AUCが82倍に上昇。メラトニンのCmaxが11倍、AUCが16倍上昇。

発現機序	薬剤A （作用する薬剤）	薬剤B （作用を受ける薬剤）	併用	起こり得る結果	報告されている事象、対処法など
CYP450阻害 ☞**表5-34**⑥	エファビレンツ（ストックリン；非ヌクレオシド系HIV逆転写酵素阻害薬）	ピペリジン系薬 （テルフェナジン★、アステミゾール★、シサプリド★）	禁忌	B剤の血中濃度上昇（QT延長・心室性不整脈誘発）	代謝阻害による。エファビレンツはCYP2C9・2C19・3A阻害作用があるが、CYP3A阻害効果が最も強いと考えられる。また、エファビレンツはCYP3A誘導薬であり、二相効果（☞**表5-58**）を示すので注意。
		BZP系薬：ミダゾラム（ドルミカム、ミダフレッサ）、トリアゾラム（ハルシオン）	禁忌	B剤の血中濃度上昇（過度の鎮静や呼吸抑制）	
		エルゴタミン製剤：ジヒドロエルゴタミンメシル酸塩（ジヒデルゴット）、エルゴタミン酒石酸塩（クリアミン配合錠）、メチルエルゴメトリンマレイン酸塩（メテナリン）	禁忌	B剤の血中濃度上昇（末梢循環不全）	
	デラビルジンメシル酸塩★（非ヌクレオシド系HIV逆転写酵素阻害薬）	エルゴタミン製剤 （商品名ジヒデルゴット、クリアミン配合錠）	禁忌	B剤の血中濃度上昇	代謝阻害による。重篤あるいは生命に危険な事象の恐れ。
		ミダゾラム（ドルミカム　ミダフレッサ；BZP系）			
CYP450阻害 ☞**表5-34**⑩	ラパチニブトシル酸塩水和物（タイケルブ；チロシンキナーゼ阻害薬）	治療域が狭くCYP3A4または2C8で代謝される薬剤（ビノレルビン［ナベルビン；ビンカアルカロイド系］など）	原則禁忌	B剤の血中濃度上昇	代謝阻害による。併用時には副作用の発現・増強に注意し減量を考慮。
CYP450阻害 ☞**表5-36**①	塩酸シプロフロキサシン（シプロキサン；キノロン系）	チザニジン塩酸塩 （テルネリン；α_2刺激；筋弛緩薬）	禁忌	B剤血中濃度上昇（血圧低下など）	CYP1A2阻害による。AUC 10倍上昇、Cmax 7倍上昇。
CYP450阻害 ☞**表5-36**③	中等度CYP2C9阻害薬：プロブコール（ブコロール）等	シポニモド（メーゼント；多発性硬化症治療薬）	原則禁忌	B剤の代謝阻害	シポニモドの暴露量が上昇。
CYP450阻害 ☞**表5-36**④	ミラベグロン（ベタニス；β_3刺激；OAB治療薬）、アスナプレビル（スンベプラ；抗HCV薬）	フレカイニド酢酸塩（タンボコール；Ⅰc群）、プロパフェノン塩酸塩（プロノン；Ⅰc群）	禁忌	B剤の血中濃度上昇（QT延長、心室性不整脈の恐れ）	CYP2D6阻害による。催不整脈作用の協力も関与。
CYP450阻害 ☞**表5-36**⑤	キヌプリスチン・ダルホプリスチン（シナシッド；ストレプトグラミン系抗菌薬）	ピペリジン系薬（ピモジド［オーラップ］、テルフェナジン★、アステミゾール★、シサプリド★）、キニジン硫酸塩水和物（硫酸キニジン）	禁忌	B剤の血中濃度上昇（QT延長、心室性不整脈の）	代謝阻害による。
	レテルモビル（プレバイミス；抗CMV薬）	ピモジド★、エルゴタミン酒石酸塩・無水カフェイン・イソプロピルアンチピリン（クリアミン配合錠）、ジヒドロエルゴタミン、メチルエルゴメトリン（パルタンM）、エルゴメトリン	禁忌	B剤の血中濃度上昇	ピモジドでは、QT延長、心室性不整脈、麦角アルカロイドでは、麦角中毒の恐れ。

発現機序	薬剤A（作用する薬剤）	薬剤B（作用を受ける薬剤）	併用	起こり得る結果	報告されている事象、対処法など
☞**表5-37**	塩酸シプロフロキサシン（シプロキサン）	ロミタピド（ジャクスタピッド；高コレステロール血症治療薬）	禁忌	B剤の血中濃度上昇	B剤の血中濃度が著しく上昇する恐れ。B剤と強力および中等度のCYP3A阻害薬との併用は禁忌。
		イブルチニブ（イムブルビカ；分子標的治療薬）	原則禁忌	B剤の血中濃度上昇	B剤の血中濃度が上昇し、副作用が増強される恐れ。
CYP450阻害 ☞**表5-41④**	イグラチモド（ケアラム、コルベット；抗リウマチ薬）	ワルファリンカリウム（ワーファリン）	禁忌	B剤の代謝抑制（機序不明）	A剤および主代謝物のCYP2C9阻害作用が関与。2013年5月安全性速報（ブルーレター）。併用により出血またはPT-INR増加が9例（うち、重篤3例［死亡例を含む］）。
CYP450阻害 ☞**表5-44**	アルコール（飲酒；急性摂取）	肝で代謝される中枢神経系用薬	原則禁忌	B剤の代謝阻害（薬効増強）	慢性的摂取では逆に肝代謝促進（薬効減弱）。中枢神経抑制協力も関与。
CYP450阻害 ☞**表5-44**	Ca拮抗薬（ジルチアゼム塩酸塩［ヘルベッサー］、ベラパミル塩酸塩［ワソラン］など）、抗癌剤（イマチニブメシル酸塩［グリベック］など）、アプレピタント（イメンド）、トフィソパム（グランダキシン）、塩酸シプロフロキサシン（シプロキサン）	ボスチニブ水和物（ボシュリフ；チロシンキナーゼ阻害薬；分子標的治療薬）	原則禁忌	B剤の代謝阻害（薬効増強）	血中濃度上昇。
	シクロスポリン（サンディミュン、ネオーラル）、Ca拮抗薬（ジルチアゼム塩酸塩［ヘルベッサー］、ニカルジピン塩酸塩［ペルジピン］、ベラパミル塩酸塩［ワソラン］）、抗真菌薬（フルコナゾール［ジフルカン］など）、マクロライド系薬（エリスロマイシン［エリスロシン］など）、塩酸メトクロプラミド（プリンペラン）、ブロモクリプチンメシル酸塩（パーロデル）、シメチジン（タガメット）、ダナゾール（ボンゾール）	シロリムス（ラパリムス；mTOR阻害薬；分子標的治療薬）	原則禁忌	B剤の代謝阻害（薬効増強）	血中濃度上昇。
	クリゾチニブ（ザーコリ；チロシンキナーゼ阻害薬；分子標的治療薬）	CYP3Aの基質となる薬剤（ミダゾラムなど）	原則禁忌	B剤の代謝阻害（薬効増強）	ミダゾラムのAUCおよびCmaxはそれぞれ3.7倍および2.0倍。

発現機序	薬剤A（作用する薬剤）	薬剤B（作用を受ける薬剤）	併用	起こり得る結果	報告されている事象、対処法など
CYP450誘導 **☞表5-47～5-50**	PXR活性化薬（リファンピシン［リファジン］など）	CYP3Aで代謝される抗HCV薬（ダクラタスビル★、テラプレビル★）、抗HIV薬（エルビテグラビルまたはコビシスタット含有製剤［スタリビルド配合錠など］、ビクテグラビル・テノホビルアラフェナミド含有製剤［ビクタルビ配合錠など］）、HIVプロテアーゼ阻害薬（インジナビル★、アンプレナビル★、ホスアンプレナビルCa水和物［レクシヴァ］、サキナビル★、アタザナビル［レイアタッツ］、ネルフィナビル★）、非ヌクレオシド系抗HIV薬（デラビルジンメシル酸塩★、リルピビリン塩酸塩［エジュラント、オデフシィ配合錠］）	禁忌	B剤の代謝促進（作用減弱）	B剤の血中濃度が著しく低下。
		アメナメビル（アメナリーフ；抗ヘルペスウイルス薬）	禁忌		
		ボリコナゾール（ブイフェンド；アゾール系薬）	禁忌		
		プラジカンテル（ビルトリシド；吸虫駆除剤）	禁忌		
		アルテメテル・ルメファントリン（リアメット配合；抗マラリア薬）	禁忌		
	PXR活性化薬（リファンピシン、バルビツール酸系薬、フェニトイン［アレビアチン］、カルバマゼピン［テグレトール］など）	タダラフィル20mg（アドシルカ錠20mg、肺動脈性肺高血圧症治療PDE5阻害薬）、マシテンタン（オプスミット；エンドセリン受容体拮抗薬）、ルラシドン（ラツーダ；DSA；抗精神病薬/双極性障害のうつ症状治療薬）、チカグレロル（ブリリンタ；抗血小板薬）、ロルラチニブ（ローブレナ；分子標的治療薬）	禁忌	B剤の代謝促進（作用減弱）	
	強力なCYP3A誘導薬（リファンピシン、フェノバール、フェニトイン、カルバマゼピン、エンザルタミド［イクスタンジ；抗アンドロゲン薬］、ミトタン［オペプリム］、SJW）	ドラビリン（ピフェルトロ；非ヌクレオシド系抗HIV薬）	禁忌	B剤の代謝促進	リファンピシン併用時、ドラビリンAUC88%、Cmax57%低下。
	PXR活性化薬（リファンピシン［リファジン］など）	エサキセレノン（ミネブロ；選択的ミネラルコルチコイドブロッカー；アルドステロン阻害作用）	原則禁忌		B剤のAUC、Cmaxが0.31倍、0.66倍に低下。
		トルバプタン（サムスカ；V_2-受容体拮抗薬）	原則禁忌	B剤の代謝促進（作用減弱）	B剤のAUCが1/8に低下。P-gp誘導も関与。

発現機序	薬剤A（作用する薬剤）	薬剤B（作用を受ける薬剤）	併用	起こり得る結果	報告されている事象、対処法など
つづき CYP450誘導 ☞**表5-47～5-50**	つづき PXR活性化薬（リファンピシン［リファジン］など）	イリノテカン塩酸塩水和物（カンプト；抗悪性腫瘍薬）	原則禁忌	B剤の代謝促進で活性型の血中濃度低下（作用減弱）	CYP3A4によるB剤の無毒化が促進する分、SN-38（活性型）の生成減少。
	PXR活性化薬（リファンピシン、バルビツール酸系薬、フェニトイン、カルバマゼピン）	分子標的治療薬（スニチニブリンゴ酸塩［スーテントカプセル］、ダサチニブ水和物［スプリセル］、レゴラフェニブ［スチバーガ］、エベロリムス［アフィニトール］、ラパリムス［シロリムス］、パノビノスタット乳酸塩［ファリーダック］、セリチニブ［ジカディア］、ロルラチニブ［ローブレナ］、ブリグチニブ［アルンブリグ］、アカラブルチニブ［カルケンス］、ペミガチニブ［ペマジール］、ラロトレクチニブ［ヴァイトラックビ］；**表S-8**）	原則禁忌	B剤の代謝促進（作用減弱）	CYP3A4誘導作用の強い薬剤の併用は推奨されない。 ※ただしセリチニブはバルビツールとフェニトイン、ロルラチニブはバルビツールとカルバマゼピン、ブリグチニブとアカラブルチニブとペミガチニブはバルビツールが記載されていない。ラロトレクチニブはカルバマゼピンが記載なし。
		カバジタキセルアセトン付加物（ジェブタナ点滴静注；タキソイド系薬）			
		アピキサバン（エリキュース；FXa阻害薬）		B剤の代謝促進（作用減弱）	静脈血栓塞栓症患者のみ原則禁忌。AUC、Cmaxが54％、42％低下。
		クロピドグレル（プラビックス）		B剤の代謝促進（作用増強）	クロピドグレルの血小板阻害作用が増強されることにより出血のリスクが高まる恐れ。強力なCYP2C19誘導薬との併用は避けることが望ましい。
	PXR、CAR活性化薬（リファンピシン、バルビツール酸系薬、フェニトイン、カルバマゼピン、リトナビル製剤［ノービア、カレトラ］、エファビレンツ［ストックリン;抗HIV薬］など）	CYP3Aで代謝される抗HCV薬（ダクラタスビル★、シメプレビルナトリウム★、アスナプレビル［スンベプラ］、バニプレビル★、パリタプレビル・リトナビル★、グラゾプレビル★、エルバスビル★）	禁忌	B剤の代謝促進（作用減弱）	ボリコナゾールとヒダントイン系薬（フェニトインなど）は併用禁忌でないが、併用しない方がよい。p-gp誘導も関与。バニプレビル、グラゾプレビルとの併用初期にリファンピシンの肝OATP2/8阻害により血中濃度上昇。
	PXR活性化薬（リファンピシン［リファジン］、カルバマゼピン［テグレトール］、フェニトイン［アレビアチン］、フェノバルビタール［フェノバール］）	ソホスブビル・ベルパタスビル（エプクルーサ配合錠；抗HCV薬）	禁忌	B薬剤の代謝促進（作用減弱）。	ソホスブビルおよびベルパタスビルの血中濃度低下。P-gp誘導作用も関与。

発現機序	薬剤A (作用する薬剤)	薬剤B (作用を受ける薬剤)	併用	起こり得る結果	報告されている事象、対処法など
つづき CYP450誘導 ☞表5-47～5-50	リファブチン (ミコブティン)	ボリコナゾール(ブイフェンド;アゾール系薬)、抗HCV薬(シメプレビル★、アスナプレビル★、バニプレビル★、ダクラタスビル★、グラゾプレビル★、エルバスビル★)、マシテンタン(オプスミット)、チカグレロル(ブリリンタ)	禁忌	B剤の代謝促進(作用減弱)	ボリゴナゾールではAUC 78 %、Cmax 69 % 低下(A剤のAUC 331%、Cmax 195%上昇)。
		エベロリムス(アフィニトール)、シロリムス(ラパリムス)、パノビノスタット乳酸塩(ファリーダック)	原則禁忌	B剤の代謝促進(作用減弱)	治療上の有益性が危険性を上回る場合にのみ併用。やむを得ず併用する場合は、B剤の有効性減弱の可能性を考慮。
CYP450誘導 ☞表5-51～5-52	セイヨウオトギリソウ(SJW)含有健康食品 ☞表5-51	キサンチン系薬(テオフィリン[テオドール]、アミノフィリン水和物[ネオフィリン]、コリンテオフィリン)、ワルファリンカリウム(ワーファリン)、フェニトイン(アレビアチン)、バルビツール酸系薬、カルバマゼピン(テグレトール)、抗不整脈薬・局所麻酔薬(キニジン硫酸塩水和物、リドカイン塩酸塩[キシロカイン]、アミオダロン塩酸塩[アンカロン]、ジソピラミド[リスモダン]、プロパフェノン塩酸塩[プロノン])、タクロリムス水和物(プログラフ)、ステロイド系(ジギタリス製剤、経口避妊薬)、シクロスポリン(サンディミュン、ネオーラル)、HIVプロテアーゼ阻害薬、非ヌクレオシド系抗HIV薬、イリノテカン塩酸塩水和物(カンプト)、CYP3Aで代謝される抗HCV薬(ダクラタスビル★、シメプレビル★、アスナプレビル★、バニプレビル★、パリタプレビル★、ソホスブビル・ベルパタスビル[エプクルーサ配合錠])、エルビテグラビルまたはコビシスタットを含有する製剤(スタリビルド配合錠;抗HIV薬)、マシテンタン(オプスミット)、チカグレロル(ブリリンタ)、分子標的治療薬(エベロリムス[アフィニトール]、スニチニブ[スーテント]、ラパリムス[シロリムス]、イブルチニブ[イムブルビカ]、アカラブルチニブ[カルケンス]、ラロトレクチニブ[ヴァイトラックビ]、セリチニブ[ジカディア]、ブリグチニブ[アルンブリグ])	原則禁忌 (B剤服用時にはA食品を摂取しないよう注意)	B剤の代謝促進(作用減弱)	SJWはCYP1A2、3A群を誘導する。したがって、B剤に記載していない薬剤でもCYP1A2、3A群で代謝される薬剤の服用時にはSJW含有食品を摂取しないよう注意すべきである。CYP2C群で代謝される薬剤(ワルファリンなど)でも同様に注意。 SJWにはP糖タンパク質を誘導する作用もあると考えられるため、P糖タンパク質の基質となる薬剤(シクロスポリン、HIVプロテアーゼ阻害薬など;☞**表4-10**)、MRPの基質となる薬剤(☞**表4-1**)の投与時にもSJW含有食品を摂取しないよう注意すべきである。 抗HCV薬(ダクラタスビル、アスナプレビル、バニプレビル、パリタプレビル・リトナビル)、エルビテグラビルまたはコビシスタットを含有する製剤(スタリビルド配合錠;抗HIV薬)、リルピビリン(エジュラント;非ヌクレオシド系抗HIV薬)、マシテンタンでは併用禁忌。

発現機序	薬剤A （作用する薬剤）	薬剤B （作用を受ける薬剤）	併用	起こり得る結果	報告されている事象、対処法など
つづき CYP450誘導 ☞表5-51～5-52	副腎皮質ホルモン製剤 ☞表5-52	リルピビリン塩酸塩（エジュラント）、抗HCV薬（アスナプレビル［スンベプラ］、ダクラタスビル★）	禁忌	B剤の代謝促進（作用減弱）	デキサメタゾン（デカドロンなど）全身投与時のみ禁忌（ただし、リルピビリンの併用禁忌については、デキサメタゾン単回投与を除く）。
		分子標的治療薬：スニチニブリンゴ酸塩（スーテント）、ダサチニブ水和物（スプリセル）、パノビノスタット乳酸塩（ファリーダック）、ロルラチニブ（ローブレナ）	原則禁忌	B剤の代謝促進（作用減弱）	CYP3A4に影響を及ぼす薬剤との併用は可能な限り避けること（スニチニブ）。CYP3A4誘導作用の強い薬剤との併用は推奨されない（ダサチニブ）。デキサメタゾンとの併用でパノビノスタットのAUCは20%減少する傾向。
CYP450誘導 ☞表5-53	ネビラピン（ビラミューン；非ヌクレオシド系HIV逆転写酵素阻害薬）	経口避妊薬、ケトコナゾール経口薬（国内未発売）	禁忌	B剤の代謝促進（作用減弱）	ネビラピンはCYP3Aで代謝されるが、CYP3Aも誘導する。ケトコナゾールとの併用ではネビラピンのCYP3A4の代謝が抑制され血中濃度が上昇する場合あり。
	リトナビル（ノービア；PXR活性化薬）、リトナビル含有製剤（カレトラなど）、エファビレンツ（ストックリン；AR活性化薬）	ボリコナゾール（ブイフェンド；アゾール系薬）	禁忌	B剤の代謝促進（作用減弱）	リトナビル併用時にB剤Cmax、AUCが66%、82%低下。エファビレンツ併用時ではCmax、AUCが61%、77%低下（注意；ボリコナゾールによるエファビレンツCmax、AUCが38%、44%上昇）
	非ヌクレオシド系抗HIV薬（リルピビリン塩酸塩［エジュラント］を除く）、モダフィニル（モディオダール）、ボセンタン水和物（トラクリア）	アスナプレビル（スンベプラ；抗HCV薬）	禁忌	B剤の代謝促進（作用減弱）	A剤の強力または中等程度のCYP3A誘導作用による。
	強力CYP3A誘導薬（エンザルタミド［イクスタンジ；抗アンドロゲン薬］、ミトタン［オペプリム；副腎皮質ホルモン合成阻害］）	ドラビリン（ピフェルトロ；非ヌクレオチド系抗HIV薬）	禁忌	B剤の代謝促進（作用減弱）	B剤の血中濃度低下。
	ミトタン（オペプリム）	ペントバルビタール（ラボナ）	禁忌	B剤の作用減弱	機序不明
	エファビレンツ（ストックリン）	抗HCV薬（シメプレビル★、パリタプレビル・リトナビル配合錠★、エルバスビル★、グラゾプレビル★）	禁忌	B剤の代謝促進（作用減弱）	CYP3A4誘導作用による。エルバスビル、グラゾプレビルは消化管、肝P-gp誘導も考えられる。

発現機序	薬剤A（作用する薬剤）	薬剤B（作用を受ける薬剤）	併用	起こり得る結果	報告されている事象、対処法など
つづき CYP450誘導 ☞**表5-53**	リトナビル（ノービア；PXR活性化薬）	イリノテカン（カンプト）	原則禁忌	B剤の代謝促進（作用減弱）	B剤活性代謝物（SN-38）の血中濃度が低下（薬効減弱）。
	モダフィニル（モディオダール）	ロルラチニブ（ローブレナ）	原則禁忌	B剤の代謝促進	CYP3A誘導による

第6章　その他の薬物代謝酵素（系）

発現機序	薬剤A（作用する薬剤）	薬剤B（作用を受ける薬剤）	併用	起こり得る結果	報告されている事象、対処法など
その他の代謝酵素（系）☞表6-1～6-7	ソリブジン★ ☞**表6-1**	フッ化ピリミジン系薬（FU系［5-FU］、テガフール［フトラフール］など）	禁忌	B剤の代謝阻害（薬効増強；死亡例）	A剤はウラシル脱水素酵素を非可逆的に阻害。
	テガフール・ギメラシル・オテラシルK配合剤（ティーエスワン） ☞**表6-1**	フッ化ピリミジン系薬（FU系［カペシタビン〈ゼローダ〉］、フルシトシン［アンコチル；抗真菌薬］）	禁忌	A剤に含まれるギメラシルによるB剤の代謝抑制（著しいFUの血中濃度上昇）	ギメラシルはウラシル脱水素酵素を可逆的に阻害する。A剤中止後も少なくとも7日間は投与しない。
	非プリン骨格XOD阻害薬（フェブキソスタット［フェブリク］、トピロキソスタット［ウリアデック、トピロリック］） ☞**表6-2**	チオプリン系薬（6-MP［ロイケリン；抗白血病薬］、アザチオプリン［アザニン、イムラン；免疫抑制剤］）	禁忌	B剤の代謝阻害（6-MP血中濃度上昇；骨髄毒性などの副作用増強）	XOD阻害薬のアロプリノール（プリン骨格）ではB剤との併用は投与量減量（1/3～1/4）の目安があるため禁忌でない。
	アルデヒド脱水素酵素阻害作用を有する薬剤（メトロニダゾール［フラジール］、チニダゾール［チニダゾール］、プロカルバジン塩酸塩［塩酸プロカルバジン］、シアナミド［シアナマイド］、ジスルフィラム［ノックビン］、MTT基含有セフェム系薬、カルモフール★） ☞**表6-3**	アルコール（飲酒）、エタノール含有製剤	禁忌（禁酒）	アルコール代謝阻害	アンタビュース効果発現（顔面紅潮、頭痛、呼吸困難、血圧低下、悪心、嘔吐）。
	アタザナビル硫酸塩（レイアタッツ；HIVプロテアーゼ阻害薬） ☞**表6-4**	イリノテカン塩酸塩水和物（カンプト；抗悪性腫瘍薬）	禁忌	A剤によるSN-38（B剤の活性代謝物）のグルクロン酸抱合阻害（重篤副作用発現の可能性；下痢、骨髄抑制など）	B剤の活性代謝物（SN-38）は肝UGT1A1によりグルクロン酸抱合体となり排泄されるが、A剤はUGT1A1阻害作用を有する。
	ジフルニサル★（サリチル酸系NSAIDs） ☞**表6-4**	インドール酢酸系NSAIDs（インドメタシン［インテバン］、プログルメタシンマレイン酸塩［ミリダシン］、スリンダク［クリノリル］、アセメタシン［ランツジール］）	禁忌	A剤によるB剤のグルクロン酸抱合阻害（作用増強；胃腸出血、死亡例）	血中インドメタシン濃度40％上昇、AUC 2～3倍上昇。
	ジドブジン（レトロビル；抗HIV薬） ☞**表6-4**	イブプロフェン（ブルフェン）	禁忌	A剤によるグルクロン酸抱合阻害・競合により副作用（骨髄抑制など）が相互に増強	血友病患者で出血傾向が増強することがある。
	サリチルアミド（PL配合顆粒、ペレックス配合顆粒などに含有） ☞**表6-4**	ペンタゾシン塩酸塩（ソセゴン）	原則禁忌	グルクロン酸抱合競合（作用増強）	B剤のCmaxが2倍上昇、A剤のCmaxが2.5倍上昇。

発現機序	薬剤A（作用する薬剤）	薬剤B（作用を受ける薬剤）	併用	起こり得る結果	報告されている事象、対処法など
つづき その他の代謝酵素（系） ☞**表6-1〜6-7**	カルバペネム系薬：注射剤（パニペネム・ベタミプロン［カルベニン］、メロペネム［メロペン］、イミペネム・シラスタチンNa［チエナム］、ビアペネム［オメガシン］、トリペネム水和物［フィニバックス］）、経口薬（テビペネムピボキシル［オラペネム小児用］） ☞**表6-4**	バルプロ酸Na（デパケン）	禁忌	A剤によるB剤のグルクロン酸抱合体の生成促進または分解抑制（作用減弱；B剤の血中濃度が低下し、痙攣発作頻度上昇）	A剤は肝UDP-グルクロン酸量を増加、抱合体の加水分解酵素を阻害。A剤によるB剤の消化管吸収阻害の報告あり。
	リファンピシン（リファジン） ☞**表6-4**	ビクテグラビル（ビクタルビ配合錠）	禁忌	B剤の血中濃度低下	A剤のUGT1A1誘導によりビクテグラビルのAUCが75％低下。CYP3A4、P-gpも関与。
	非選択的MAO阻害薬（塩酸サフラジン★） ☞**表6-7**	MAOの基質となる薬剤：ドパミン塩酸塩（イノバン）、レボドパ（ドパストン；ドパミン前駆体）	禁忌	B剤の代謝抑制（作用増強）	高血圧クリーゼ誘発。
	MAO-A阻害薬★ ☞**表6-7**	A型MAO（MAO-A）で代謝される5-HT$_{1B/1D}$作動薬：トリプタン系薬（ゾルミトリプタン［ゾーミッグ］、スマトリプタンコハク酸塩［イミグラン］、リザトリプタン安息香酸塩［マクサルト］）	禁忌	B剤の代謝抑制（作用増強）	B剤は主にMAO-Aで代謝。A剤投与中止2週間はB剤を投与しない。エレトリプタン臭化水素酸塩（レルパックス）、ナラトリプタン塩酸塩（アマージ）はMAO-Aで代謝されない。
	プロプラノロール塩酸塩（インデラル；β遮断薬） ☞**表6-7**	MAO-Aで代謝される5-HT$_{1B/1D}$作動薬：トリプタン系（リザトリプタン安息香酸塩［マクサルト］、ゾルミトリプタン［ゾーミッグ］、スマトリプタンコハク酸塩［イミグラン］）	禁忌	B剤の代謝阻害（作用増強）	A剤およびB剤はともにMAO-Aで代謝。A剤以外のβ遮断薬、またトリプタン系のエレトリプタン臭化水素酸塩（レルパックス）はMAO-Aで代謝されないため併用は問題ない。リザトリプタン安息香酸塩以外のトリプタン系では禁忌となっていないが、相互作用は同様に起こるため本書では禁忌とした。

発現機序	薬剤A （作用する薬剤）	薬剤B （作用を受ける薬剤）	併用	起こり得る 結果	報告されている 事象、対処法など
つづき その他の代謝酵素（系） ☞ **表 6-1 ～ 6-7**	リファブチン（ミコブティン）、フェニトイン（アレビアチン）、抗HIV薬（エファビレンツ［ストックリン］、ホスアンプレナビル［レクシヴァ］）	ボサコナゾール（ノクサフィル；深在性真菌症治療薬）	原則禁忌	B剤の血中濃度低下	リファブチン併用時、B剤Cmax43 %、AUC49 %低下。リファブチンによるUGT1A4誘導および消化管P-gp誘導に起因。ボサコナゾールのCYP3A阻害によりリファブチンAUC1.7倍、Cmax1.3倍上昇。エファビレンツ、ホスアンプレナビルは主に胆汁排泄のため肝P-gp誘導も関与。

第7章　薬の作用に起因する相互作用

発現機序	薬剤A	薬剤B	併用	起こり得る結果	報告されている事象、対処法など
第1節　中枢神経系					
中枢神経系（CNS）作用の拮抗 ☞**表7-3（1）**	ナルメフェン（セリンクロ；飲酒量低減薬；μオピオイド受容体拮抗作用あり）	オピオイド系μ受容体作動薬（鎮痛、麻酔）（ただし、緊急事態により使用する場合を除く）；モルヒネ（MSコンチン等）、フェンタニル（フェントス等）、フェンタニル・ドロペリドール（タラモナール）、レミフェンタニル（アルチバ等）、オキシコドン（オキシコンチン等）、メサドン（メサペイン）、ブプレノルフィン（ノルスパン等）、タペンタドール（タペンタ）、トラマドール（トラマール等）、トラマドール・アセトアミノフェン（トラムセット）、ペチジン、ペチジン・レバロルファン（ペチロルファン）、ペンタゾシン（ソセゴン等）、ヒドロモルフォン（ナルサス等）	禁忌	B剤の作用減弱（拮抗作用）	オピオイドμ受容体の競合的阻害。オピオイド系薬剤の鎮痛作用減弱、必要投与量が増加する恐れ。緊急手術などでオピオイド受容体作動薬を使用する場合、同薬の投与量は漸増し、呼吸抑制などのCNS抑制症状に注意。事前にオピオイド受容体作動薬の使用が分かる場合、少なくとも1週間前にナルメフェンの使用を中止。
中枢神経系（CNS）抑制の協力 ☞**表7-3（2）a**	抗精神病薬：フェノチアジン系、ブチロフェノン系、イミノジベンジル系、ベンズアミド系（ネモナプリド［エミレース］、スルトプリド塩酸塩［バルネチール］）、チエピン系（ゾテピン［ロドピン］、SDA、MARTA、DSS）	CNS抑制薬（バルビツール酸誘導体など）の強い影響下にある患者	禁忌	過度のCNS抑制	—
	向精神薬	アルコール（飲酒）	原則禁忌	相互に作用増強	原則として飲酒禁止。フェノチアジン系薬ではアンタビュース効果あり。
	BZP系薬	アルコール（飲酒）	原則禁忌	相互に作用増強（一過性健忘、もうろうなど）	急性飲酒では代謝阻害も関与。
		CNS抑制薬	原則禁忌	相互に作用増強	フェノチアジン系では抗コリン作用協力関与。バルビツール酸系では抗痙攣作用増強など。
	ゾピクロン（アモバン）、エスゾピクロン（ルネスタ）	CNS抑制薬、筋弛緩薬	原則禁忌	相互に作用増強	急性飲酒では代謝阻害も関与。
	スボレキサント（ベルソムラ；オレキシン受容体拮抗薬）	アルコール（飲酒）	原則禁忌	相加的な精神運動機能の低下	服用時の飲酒は控えさせる。
	パリペリドン製剤（インヴェガ、ゼプリオン水懸筋注；SDA）	リスペリドン製剤（リスパダール、リスパダールコンスタ筋注用；SDA）	原則禁忌	抗精神病作用・副作用の増強	パリペリドン（9-ヒドロキシリスペリドン）はリスペリドンの主活性代謝物である（CYP2D6関与）。

発現機序	薬剤A	薬剤B	併用	起こり得る結果	報告されている事象、対処法など
中枢神経系（CNS）興奮の協力 ☞**表7-3（2）b）**	リスデキサンフェタミン（ビバンセ；抗AD/HD薬；アンフェタミン系薬）	メチルフェニデート（コンサータ；抗AD/HD薬；アンフェタミン系薬）	原則禁忌	相互に作用増強（CNS興奮）	相加的にCNS興奮。
第2節　末梢神経系					
交感神経刺激作用の協力 ☞**表7-17**	カテコールアミン（CA）、（メチル）エフェドリン塩酸塩（メチエフなど）	Ad、NAd、ドロキシドパ（ドプス）	禁忌	相互に作用増強（不整脈誘発、心停止、死亡例）	—
		$\beta_{1/2}$刺激薬（イソプレナリン塩酸塩［プロタノール］など）、（メチル）エフェドリン塩酸塩	禁忌	相互に作用増強（心悸亢進、不整脈、死亡例）	β_2刺激薬は禁忌ではない。
	レセルピン★	テトラベナジン（コレアジン；非律動性不随意運動治療薬；モノアミン枯渇薬）	禁忌	作用増強	両剤は類似した作用機序を有する（☞**表7-16**；NAd枯渇薬）。投与初期には高血圧（NAd作用協力）。投与継続では低血圧（NAd枯渇作用協力）。
	アンフェタミン系薬（メチルフェニデート塩酸塩［コンサータ、リタリン］、リスデキサンフェタミン［ビバンセ］；抗AD/HD薬）	MAO阻害薬（セレギリン［エフピー］、ラサギリン［アジレクト］、サフィナミド［エクフィナ］☞**表7-29**）	禁忌	B剤の作用増強（高血圧発現）	アンフェタミン系薬（Nad遊離促進）はCA感受性を増大させる。また、併用により神経外モノアミン濃度上昇の恐れあり。
交感神経刺激作用の拮抗 ☞**表7-18**	三環系抗うつ薬	NAd枯渇薬（降圧薬）；硫酸グアネチジン★、硫酸ベタニジン★	禁忌	B剤の降圧作用減弱	三環系抗うつ薬によるグアネチジン、ベタニジンの神経終末への取り込み阻害のため。
	α_1遮断薬；フェノチアジン系薬、ブチロフェノン系薬（ピモジド［オーラップを除く］）、SDA、MARTA、DSS、DSA、クロザピン（クロザリル）、ルラシドン（ラツーダ；DSA；抗精神病薬/双極性障害のうつ症状治療薬）、キナゾリン系降圧薬（ドキサゾシンメシル酸塩［カルデナリン］、プラゾシン塩酸塩［ミニプレス］、ブナゾシン塩酸塩［デタントール］、テラゾシン塩酸塩水和物［ハイトラシン］など）	Ad（$\beta>\alpha$）（Ad配合局所麻酔薬）（アナフィラキシーの救急治療に使用する場合を除く）	禁忌	Adの昇圧作用が逆転し低血圧誘発	α遮断作用によりAdのβ_2作用（血管拡張）が増強するため。
抗コリン作用の協力 ☞**表7-24**	フェノチアジン系薬	BZP系薬	原則禁忌	抗コリン作用増強（口渇・目のかすみなど）	中枢性抗コリン徴候（幻覚・錯乱・記憶障害）を誘発することがある。

発現機序	薬剤A	薬剤B	併用	起こり得る結果	報告されている事象、対処法など
コリン作動作用の協力 ☞**表7-24**	ドネペジル塩酸塩（アリセプト）、ガランタミン臭化水素酸塩（レミニール）、リバスチグミン（リバスタッチパッチ、イクセロンパッチ）	アセチルコリンエステラーゼ（AChE）阻害作用を有するアルツハイマー型認知症治療薬	禁忌	相加的にコリン作動性副作用発現の可能性	AChE阻害作用を有するアルツハイマー型認知症治療薬の併用はしない。
筋弛緩作用の協力 ☞**表7-27**	AChE阻害型筋弛緩薬：アンベノニウム塩化物（マイテラーゼ）、ネオスチグミンメチル硫酸塩（ワゴスチグミン）、ジスチグミン臭化物（ウブレチド）、ピリドスチグミン臭化物（メスチノン）	スキサメトニウム塩化物水和物（スキサメトニウム；脱分極性）	禁忌	脱分極性筋弛緩作用の協力	遅延性無呼吸（持続性呼吸麻痺）の可能性。AChE阻害薬によるスキサメトニウム代謝抑制も関与（☞**表6-8**）。B剤の添付文書では併用注意。
	筋弛緩薬	ゾピクロン（アモバン）、エスゾピクロン（ルネスタ）	原則禁忌	A剤の筋弛緩作用増強	相加的に作用増強。
第3節　MAO阻害					
中枢神経作用の協力（MAO阻害薬は中枢神経系用薬の作用を増強） ☞**表7-29**	塩酸サフラジン★（非選択的MAO阻害薬）	アルコール（飲酒）、フェノチアジン系薬、三･四環系抗うつ薬、カルバマゼピン（テグレトール）	禁忌	興奮、高熱、痙攣、昏睡誘発	A剤によるB剤の肝代謝阻害も関与（フェノチアジン系薬、三環系抗うつ薬）。
		デキストロメトルファン臭化水素酸塩水和物（メジコン）、ペチジン塩酸塩（オピスタン）	禁忌	興奮、低血圧、吐き気、めまい、昏睡誘発。ペチジン塩酸塩では死亡例	A剤によるB剤の肝代謝阻害も関与（ペチジン塩酸塩）。
		オキシペルチン（ホーリット；脳内NAd遊離）	禁忌	B剤の大量投与で中枢神経興奮	—
		5-HT$_{1B/1D}$作動薬（トリプタン系薬；ゾルミトリプタン［ゾーミッグ］、リザトリプタン安息香酸塩［マクサルト］、スマトリプタンコハク酸塩［イミグラン］）	禁忌	セロトニン作用増大	B剤はMAO-Aで代謝。エレトリプタン臭化水素酸塩（レルパックス）、ナラトリプタン塩酸塩（アマージ）は併用禁忌でない。
		BZP系薬；トフィソパム（グランダキシン）を除く	原則禁忌	クロルジアゼポキシド（バランス）で舞踏病の報告	—

発現機序	薬剤A	薬剤B	併用	起こり得る結果	報告されている事象、対処法など
☞表7-29	MAO-B阻害薬（セレギリン［エフピー］、ラサギリン［アジレクト］、サフィナミド［エクフィナ］）	ペチジン塩酸塩（オピスタン）、トラマドール塩酸塩（トラマール）、タペンタドール（タペンタ）	禁忌	高度の興奮、精神錯乱	5-HT作動作用の協力（B剤は神経系への5-HT取り込みを阻害）。
		三・四環系抗うつ薬	禁忌	高血圧、失神、不全収縮、発汗、てんかん、動作・精神障害の変化および筋強剛（死亡例）	モノアミン作用増強。
		SSRI：フルボキサミンマレイン酸塩（デプロメール、ルボックス）、パロキセチン塩酸塩水和物（パキシル）、塩酸セルトラリン（ジェイゾロフト）、エスシタロプラム（レクサプロ）	禁忌	セロトニン症候群（錯乱、発熱、ミオクローヌス、振戦、協調異常、発汗などの症状。昏睡状態、急性腎不全［死亡例］）	5-HT作動作用の協力。
		SNRI：ミルナシプラン塩酸塩（トレドミン）、デュロキセチン塩酸塩（サインバルタ）、シブトラミン★、ベンラファキシン（イフェクサー）			
		NaSSA：ミルタザピン（レメロン、リフレックス）			
		ボルチオキセチン（トリンテリックス；セロトニン再取り込み阻害・セロトニン受容体調節薬）			
		アトモキセチン塩酸塩（ストラテラ；NAd再取り込み阻害薬）			
		抗AD/HD薬；アンフェタミン系薬（メチルフェニデート［リタリン、コンサータ］、リスデキサンフェタミン［ビバンセ］）	禁忌	高血圧クリーゼ、死亡に至る恐れ	神経外モノアミン濃度上昇。MAO阻害薬を投与中あるいは投与中止後2週間以内の患者にはB剤を投与しない。
		非選択的MAO阻害薬（塩酸サフラジン★）	禁忌	高度の起立性低血圧	MAO阻害の協力。

発現機序	薬剤A	薬剤B	併用	起こり得る結果	報告されている事象、対処法など
交感神経刺激作用の協力 ☞表7-29	塩酸サフラジン★（非選択的MAO阻害薬）	CA系；チラミン、NAd、Ad、ドパミン塩酸塩（イノバン）、ドブタミン塩酸塩（ドブトレックス）、イソプレナリン塩酸塩（プロタノール）、レボドパ（ドパストン；ドパミン前駆体）	禁忌	急激な高血圧、不整脈	MAO阻害薬投与により神経終末に蓄積していたNAdがB剤投与により急激に遊離するため。A剤によるB剤（モノアミン）の代謝阻害も関与。 メチルフェニデートはMAO阻害薬（セレギリン［エフピー］、ラサギリン［アジレクト］、サフィナミド［エクフィナ］）との併用も禁忌（☞**表7-17**）。
		α刺激薬（直接型）：ナファゾリン硝酸塩（プリビナ）、オキシメタゾリン塩酸塩（ナシビン）、硝酸テトラヒドロゾリン★、トラマゾリン塩酸塩（トラマゾリン）	禁忌	急激な高血圧	
		CA遊離促進薬（間接型）；チラミン、アンフェタミン系（メタンフェタミン塩酸塩★、マジンドール［サノレックス］、メチルフェニデート塩酸塩［コンサータ、リタリン］、ペモリン［ベタナミン］）	禁忌	高血圧クリーゼ（頭痛、悪心、嘔吐、動悸、痙攣、躁状態、錯乱など）	
		CA枯渇薬：硫酸グアネチジン★、硫酸ベタニジン★	禁忌	高血圧クリーゼ（B剤投与初期にはNAd遊離促進）	
		抗AD/HD薬；アンフェタミン系薬（メチルフェニデート［リタリン、コンサータ］、リスデキサンフェタミン［ビバンセ］）	禁忌	高血圧クリーゼ、死亡に至る恐れ	神経外モノアミン濃度上昇。MAO阻害薬を投与中あるいは投与中止後2週間以内の患者にはB剤を投与しない。
抗コリン作用協力 ☞表7-29	塩酸サフラジン★（非選択的MAO阻害薬）	抗コリン薬、ジメンヒドリナート（ドラマミン；抗ヒスタミン薬）、臭化ヘキサメトニウム★（神経-節遮断薬）	禁忌	抗コリン作用増強	
モノアミンが関与するテトラベナジンの相互作用 ☞表7-30	セレギリン塩酸塩（エフピー；MAO-B阻害薬）	テトラベナジン（コレアジン；非律動性不随意運動治療薬）	禁忌	A剤の作用増強	B剤投与初期にはシナプス間隙のモノアミンが増大するため。ただし、B剤投与継続ではドパミン作用が拮抗すると考えられる。
	レセルピン★		禁忌	相互に作用増強	類似したメカニズムを有する。

<table>
<tr><th>発現機序</th><th>薬剤A</th><th>薬剤B</th><th>併用</th><th>起こり得る結果</th><th>報告されている事象、対処法など</th></tr>
<tr><td colspan="6">第5節　心機能</td></tr>
<tr><td rowspan="6">徐脈（陰性変時）作用の協力
☞表7-34</td><td>注射用ベラパミル塩酸塩（ワソラン静注）</td><td>静注用β遮断薬（プロプラノロール塩酸塩［インデラル注射液］）</td><td rowspan="3">禁忌</td><td>陰性変時作用増強（徐脈）</td><td>経口薬では併用注意。</td></tr>
<tr><td>ベラパミル（ワソラン）、ジルチアゼム（ヘルベッサー）</td><td>イバブラジン（コララン；HCNチャネル遮断薬；慢性心不全治療薬）</td><td>過度の徐脈</td><td>心拍数減少作用を相加的に増強。また、A剤による中等度のCYP3A阻害作用も関与する（☞表5-30⑥）。</td></tr>
<tr><td>シポニモド（メーゼント；多発性硬化症治療薬）</td><td>クラスIa・クラスIII群の抗不整脈薬、ベプリジル塩酸塩（ベプリコール）</td><td>重篤な不整脈（Torsades de points等）発現</td><td>A剤により心拍数が減少するため、併用により不整脈を増強する恐れ。</td></tr>
<tr><td>シポニモド（メーゼント；多発性硬化症治療薬）</td><td>心拍数を低下させる可能性のある薬剤：ジゴキシン（ジゴシン）等
心拍数減少作用のあるCa拮抗薬：ベラパミル（ワソラン）、ジルチアゼム（ヘルベッサー）等
不整脈原性を有することが知られているQT延長作用のある薬剤</td><td>原則禁忌</td><td>徐脈性不整脈（徐脈、QT延長、房室ブロックなど）</td><td>心拍数の減少に起因。シポニモドは心拍数減少に対して潜在的な相加作用がある。</td></tr>
<tr><td>アミオダロン塩酸塩（アンカロン）</td><td>レジパスビルアセトン付加物・ソホスブビル配合錠（ハーボニー配合錠；抗HCV薬）</td><td>原則禁忌</td><td>徐脈、心停止（死亡例）、心房性不整脈（機序不明）</td><td>多くのケースでβ遮断薬が投与されていたが、徐脈の多くはHCV治療中止後に消失。</td></tr>
<tr><td>セリチニブ（ジカディア；分子標的治療薬）</td><td>β遮断薬、非ジヒドロピリジン系Ca拮抗薬、クロニジン</td><td>原則禁忌</td><td>陰性変時作用増強（徐脈）</td><td>可能な限り併用しないこと。併用する場合は定期的に心拍数を測定するなど患者の状態に注意する。</td></tr>
<tr><td>強心作用（陽性変力）・徐脈（陰性変時）の協力
☞表7-34</td><td>ジギタリス製剤</td><td>注射用Ca製剤（グルコン酸Ca［カルチコール注］、塩化Ca注など）</td><td>禁忌</td><td>強心作用増強、徐脈・心室性期外収縮・房室ブロックなどのジギタリス中毒の誘発</td><td>急激にCa^{2+}濃度を上昇させるようなB剤の使用法は避ける。Ca^{2+}はジギタリスの作用を増強。経口Ca製剤では併用慎重。</td></tr>
<tr><td rowspan="2">QT延長の誘発（協力）
☞表7-34</td><td>テルフェナジン★、アステミゾール★、塩酸チオリダジン★</td><td>抗不整脈薬（β遮断薬を除く）、向精神薬（フェノチアジン系、ブチロフェノン系、三環系・四環系抗うつ薬など）、プロブコール（シンレスタール、ロレルコ）、利尿薬、スパルフロキサシン★、シサプリド★</td><td>禁忌</td><td>QT延長・心室性不整脈誘発</td><td>ピペリジン系はQT延長などの心電図異常を引き起こすことが多い（☞図7-6）。
チオリダジン★はβ遮断薬との併用も禁忌（☞表5-29）。</td></tr>
<tr><td>スパルフロキサシン★</td><td>ジソピラミド（リスモダン）、アミオダロン塩酸塩（アンカロン）、キヌプリスチン・ダルホプリスチン（シナシッド；ストレプトグラミン系抗菌薬）、テルフェナジン★、アステミゾール★</td><td>禁忌</td><td>QT延長・心室性不整脈</td><td>他のキノロン系薬によるQT延長誘発は不明。</td></tr>
</table>

発現機序	薬剤A	薬剤B	併用	起こり得る結果	報告されている事象、対処法など
つづき QT延長の誘発（協力） ☞表7-34	モキシフロキサシン塩酸塩（アベロックス；キノロン系）、バルデナフィル塩酸塩水和物（レビトラ；PDE5阻害薬）、トレミフェンクエン酸塩（フェアストン；抗エストロゲン薬）、フィンゴリモド塩酸塩（イムセラ、ジレニア；多発性硬化症治療薬）	クラスⅠa群・クラスⅢ群の抗不整脈薬；Ⅰa群（キニジン硫酸塩水和物［硫酸キニジン］、プロカインアミド塩酸塩［アミサリン］、ジソピラミド［リスモダン］など）、クラスⅢ群（アミオダロン塩酸塩［アンカロン］、ソタロール塩酸塩［ソタコール］、ニフェカラント塩酸塩［シンビット］など）	禁忌	QT延長・心室性不整脈	バルデナフィルはα遮断薬（☞**表7-35**）、CYP3A4阻害薬（イトラコナゾール［イトリゾール］、リトナビル［ノービア］、インジナビル硫酸塩エタノール付加物★；☞**表5-16、5-29**⑥）との併用も禁忌。
	テラプレビル★ （抗HCV薬）	キニジン硫酸塩水和物（硫酸キニジン：Ⅰa）、フレカイニド酢酸塩（タンボコール：Ⅰc）、プロパフェノン塩酸塩（プロノン：Ⅰc）、アミオダロン塩酸塩（アンカロン：Ⅲ）、ベプリジル塩酸塩水和物（ベプリコール：Ⅳ）、ピモジド（オーラップ）	禁忌	QT延長作用が相加的に増強	CYP3A4阻害関与。
	アミオダロン塩酸塩注射剤（アンカロン注150）	クラスⅠa・クラスⅢ群の抗不整脈薬、 ベプリジル塩酸塩水和物（ベプリコール；Ⅳ群）、 エリスロマイシンラクトビオン酸塩注射剤（エリスロシン点滴静注用）、ペンタミジンイセチオン酸塩（ベナンバックス）	禁忌	QT延長・心室性不整脈	アミオダロン塩酸塩経口薬（アンカロン錠100）については併用注意。
	アミオダロン塩酸塩経口薬（アンカロン錠100）	シルデナフィルクエン酸塩（バイアグラ［勃起不全治療薬；PDE5阻害薬］）	禁忌	QT延長	アミオダロン塩酸塩注射剤（アンカロン注150）とシルデナフィル（バイアグラ、レバチオ）及びアンカロン錠100とレバチオ（肺動脈性高血圧症治療薬）の組み合わせについては併用注意。
	クラスⅠa群（キニジン［硫酸キニジン］、プロカインアミド［アミサリン］など）、クラスⅢ群（アミオダロン［アンカロン］、ソタロール［ソタコール］など）、ベプリジル（ベプリコール：Ⅳ）	エリグルスタット酒石酸塩（サデルガ；ゴーシェ病治療薬）	禁忌	QT延長	アミオダロンのCYP2D6、3A阻害作用によるB剤の代謝阻害も関与。
	メフロキン塩酸塩（メファキン；抗マラリア薬；キニーネ類）	グルコン酸キニーネ（キニマックス；抗マラリア薬）および類似化合物（キニジン硫酸塩水和物（硫酸キニジン）、リン酸クロロキン［アンブロクロール；抗マラリア薬］など）	禁忌	心毒性発現	キニーネ投与後12時間はA剤を初回投与しない。また心毒性発現が高まるため、メフロキン塩酸塩投与後2週間はキニーネを慎重に投与する。キニーネとキニジンは異性体で、QT延長を誘発する可能性あり。

発現機序	薬剤A	薬剤B	併用	起こり得る結果	報告されている事象、対処法など
つづき QT延長の誘発（協力） ☞**表7-34**	ミラベグロン（ベタニス；β_3刺激薬；OAB治療薬）	フレカイニド酢酸塩（タンボコール；Ic群）、プロパフェノン塩酸塩（プロノン；Ic群）	禁忌	QT延長・心室性不整脈	A剤のCYP2D6阻害関与。Ⅰa群（キニジン、プロカインアミドなど）、Ⅲ群（アミオダロン、ソタロール）との併用は注意。
	SSRI（エスシタロプラムシュウ酸塩［レクサプロ］、塩酸セルトラリン［ジェイゾロフト］）、スルトプリド塩酸塩（バルネチール；ベンズアミド系薬）	ピモジド（オーラップ）	禁忌	QT延長	エスシタロプラムのラセミ体（シタロプラム）併用時にQT延長出現。
	パノビノスタット（ファリーダック；ヒストン脱アセチル化酵素阻害薬）	抗不整脈薬：アミオダロン塩酸塩（アンカロン）、ジソピラミド（リスモダン）、プロカインアミド塩酸塩（アミサリン）、キニジン硫酸塩水和物、ソタロール塩酸塩（ソタコール）など	原則禁忌	相加的なQT延長誘発	併用を避けることが望ましい。
	バンデタニブ（カプレルサ；チロシンキナーゼ阻害薬）	抗不整脈薬：ジソピラミド（リスモダン）、プロカインアミド塩酸塩（アミサリン）、キニジン硫酸塩水和物など QT延長を起こす他の薬剤：オンダンセトロン塩酸塩水和物（ゾフラン）、クラリスロマイシン（クラリス）、ハロペリドール（セレネース）	原則禁忌	QT延長誘発・悪化	QT延長を起こし得る薬剤は、治療上の有益性が危険性を上回ると判断される場合にのみ併用。
	ジギタリス製剤	スキサメトニウム塩化物水和物（スキサメトニウム）	原則禁忌	重篤な不整脈（torsades de pointes）発現	B剤による高K血症（☞**表8-5**）またはCA放出促進が原因と考えられる。
第6節　血管拡張・収縮					
血管拡張作用の協力 ☞**表7-37**	硝酸薬、一酸化窒素（NO）供与薬（ニトログリセリン、亜硝酸アミル、一硝酸イソソルビド［アイトロール］、ニコランジル［シグマート］など）、ニプラジロール（ハイパジール；非選択的β遮断薬）	PDE5阻害薬（シルデナフィルクエン酸塩［バイアグラ、レバチオ］、バルデナフィル塩酸塩水和物［レビトラ］、タダラフィル［シアリス］）	禁忌	c-GMPを介した作用増強（血管拡張）	死亡例あり（ニプラジロールを除く）。NO、ニプラジロールはc-GMPの産生を刺激し、PDE5阻害薬はc-GMPの分解を阻害するため。 心筋梗塞誘発（死亡例）にも注意。
	リオシグアト（アデムパス；sGC刺激薬、肺高血圧症治療薬）	硝酸薬およびNO供与薬、PDE5阻害薬	禁忌	降圧作用増強。	c-GMP産生の協力により細胞内c-GMP濃度が上昇。リオシグアト単回投与後にニトログリセリン舌下投与した際、収縮期血圧の有意な低下。PDE5阻害薬の併用時、症候性低血圧の発症。

発現機序	薬剤A	薬剤B	併用	起こり得る結果	報告されている事象、対処法など
つづき 血管拡張作用の協力 ☞**表7-37**	ジピリダモール（ペルサンチン）	アデノシン注（アデノスキャン注；心臓疾患診断補助薬）	禁忌	相互にアデノシン血中濃度上昇（血圧低下、心停止など）	A剤投与後、12時間以上空けてB剤を投与。
	ACE阻害薬	ARNI（アンジオテンシン受容体ネプリライシン阻害薬；サクビトリルバルサルタン［エンレスト］）	禁忌	血管浮腫があらわれる恐れ。	併用により相加的にブラジキニンの分解を抑制し、血管浮腫のリスクを増加させる。ACE阻害薬は、サクビトリルバルサルタン投与開始36時間前に中止すること。またサクビトリルバルサルタン投与終了後にACE阻害剤を投与する場合は、サクビトリルバルサルタン最終投与から36時間後までは投与しないこと。
	アリスキレンフマル酸塩（ラジレス）（糖尿病患者に投与する場合）	ARNI（サクビトリルバルサルタン［エンレスト］）	禁忌	非致死性脳卒中、腎機能障害、高K血症、低血圧のリスク増加	併用により、レニン-アンジオテンシン-アルドステロン（RAA）系阻害作用が増強される恐れ。
	アリスキレン（ラジレス；直接レニン阻害薬）（糖尿病患者を除く）	ARNI（サクビトリルバルサルタン［エンレスト］）を服用中の腎機能障害患者（eGFRが60mL/min/1.73m^{2}未満では治療上やむを得ない場合を除き併用は避ける）	原則禁忌	腎機能障害（腎前性急性腎障害）高K血症、低血圧の恐れ	併用により、RRA系阻害作用が増強される。
	AT_1拮抗薬	ARNI（サクビトリルバルサルタン［エンレスト］）	原則禁忌	腎機能障害、高カリウム血症、低血圧	併用により、RAA系阻害作用が増強される恐れ。
	アリスキレンフマル酸塩（ラジレス）	ACE阻害薬、AT_1拮抗薬を服用中の糖尿病患者（ただし、降圧治療薬による血圧コントロールが著しく不良の患者を除く）。	原則禁忌	低血圧、高K血症、腎機能障害、非致死性脳卒中発症リスク増加	レニン-アンジオテンシン（RA）系阻害の協力。
血管収縮作用の協力 ☞**表7-37**	麦角系薬：エルゴタミン製剤；ジヒドロエルゴタミンメシル酸塩（ジヒデルゴット）、エルゴタミン酒石酸塩（クリアミン配合錠）、エルゴメトリンマレイン酸塩（エルゴメトリンマレイン酸塩）、メチルエルゴメトリンマレイン酸塩（メテナリン）	麦角系薬（エルゴタミン製剤）	禁忌	相互に作用増強（四肢虚血など）	24時間以内に投与しない。
		5-$HT_{1B/1D}$作動薬（トリプタン系：ゾルミトリプタン［ゾーミッグ］、エレトリプタン臭化水素酸塩［レルパックス］、スマトリプタンコハク酸塩［イミグラン］、リザトリプタン安息香酸塩［マクサルト］、ナラトリプタン塩酸塩［アマージ］）	禁忌	相互に作用増強（血圧上昇、血管攣縮増強）	
	5-$HT_{1B/1D}$作動薬	他の5-$HT_{1B/1D}$作動薬	禁忌	相互に作用増強（血圧上昇、血管攣縮増強）	

発現機序	薬剤A	薬剤B	併用	起こり得る結果	報告されている事象、対処法など
血管拡張作用の拮抗 ☞表7-37	アデノシン注(アデノスキャン注;心臓疾患診断補助薬)	メチルキサンチン系薬:カフェイン、テオフィリン、カフェイン含有飲食物(コーヒー、紅茶、日本茶、コーラ、チョコレートなど)	禁忌	A剤の血管拡張作用にB剤が拮抗(A剤による診断に影響)	B剤はアデノシン受容体に拮抗。B剤投与後、12時間以上空けてA剤を投与。
第7節　血液凝固抑制・促進					
凝固抑制作用の協力 ☞表7-42	ワルファリンカリウム(ワーファリン)	イグラチモド(ケアラム、コルベット;抗リウマチ薬)	禁忌	ワルファリンの作用増強	死亡例。機序不明だが、イグラチモドのPG生合成阻害(TXA_2合成阻害)により血小板凝集抑制が関与する可能性。
	ジドブジン(レトロビル)	イブプロフェン(ブルフェン)	禁忌	出血増大	作用機序不明。
	インドメタシン(インテバン)、アセメタシン(ランツジール)、プログルメタシンマレイン酸塩(ミリダシン)	ジフルニサル★	禁忌	NSAIDs副作用増大(胃腸出血など)	グルクロン酸抱合関与。
	ストレプトキナーゼ・ストレプトドルナーゼ★	血液凝固阻止薬(抗凝固薬)	禁忌	相互に作用増強	
凝固促進作用の協力 ☞表7-42	メドロキシプロゲステロン酢酸エステル200mg(ヒスロンH錠200mg)	ステロイドホルモン製剤(黄体、卵胞、副腎皮質ホルモンなど)	禁忌	血栓誘発	A剤2.5mg(プロベラ錠2.5mg)、5mg(ヒスロン錠5)の場合は併用慎重。
	トロンビン(同名)	抗プラスミン薬(トラネキサム酸[トランサミン]、アベロチニン含有製剤、ベリプラストPコンビセット組織接着用]、イプシロンアミノカプロン酸★)、ヘモコアグラーゼ(レプチラーゼ;蛇毒酵素)	禁忌	血栓誘発	相加的に血栓形成傾向。
	アプロチニン含有製剤(ベリプラストPコンビセット組織接着用)、トロンビン(同名)	凝固促進薬(蛇毒製剤)、抗プラスミン薬、アプロチニン含有製剤	禁忌	血栓傾向増大	アプロチニン(カリクレイン不活性化作用)には抗プラスミン作用あり。
拮抗作用 ☞表7-42	ワルファリンカリウム(ワーファリン)	メナテトレノン(グラケーカプセル15mg;ビタミンK_2製剤)、ビタミンK含有食品(納豆、クロレラ、青汁、緑黄色野菜の大量摂取)	禁忌	A剤の作用減弱	ビタミンK欠乏時に使用するメナテトレノン(ケイツーカプセル5mg)では併用注意。

発現機序	薬剤A	薬剤B	併用	起こり得る結果	報告されている事象、対処法など
第8節　血糖値低下・上昇					
血糖値変化 ☞**表7-45**	MARTA：オランザピン（ジプレキサ）、クエチアピンフマル酸塩（セロクエル）	糖尿病用薬：インスリン、SU薬、速効型インスリン分泌促進薬、ビグアナイド系、αグルコシダーゼ阻害薬、インスリン抵抗性改善薬など	禁忌	高血糖（死亡例あり）	A剤は「糖尿病の患者あるいはその既往歴のある患者への投与は禁忌」 ☞**p.480❹「非定型抗精神病薬と糖尿病」**
	ガチフロキサシン★（キノロン系；経口薬は販売中止）	糖尿病用薬：インスリン、SU薬、速効型インスリン分泌促進薬、ビグアナイド系、αグルコシダーゼ阻害薬、インスリン抵抗性改善薬など	禁忌	高血糖、低血糖の出現。	A剤は「糖尿病患者への投与禁忌」。A剤はATP依存性K^+チャネル遮断作用で血糖値を降下させるが、高血糖の発現機序は不明。
	速効型インスリン分泌促進薬：ナテグリニド（スターシス、ファスティック）、ミチグリニドCa水和物（グルファスト）、レパグリニド（シュアポスト）	SU薬	禁忌	A剤、B剤ともに同じ作用点でインスリン分泌促進	併用に起因する臨床効果、安全性は確認されていない。
	糖尿病用薬	非選択的β遮断薬（プロプラノロール塩酸塩［インデラル］）	原則禁忌	B剤が低血糖助長、低血糖症状の頻脈をマスク	併用を避けることが望ましい。

第8章　薬の副作用に起因する相互作用

発現機序	薬剤A	薬剤B	併用	起こり得る結果	報告されている事象、対処法など
第1節　痙攣					
痙攣誘発 ☞**表8-1**	フェンブフェン★、フルルビプロフェンアキセチル（ロピオン）、フルルビプロフェン（フロベン）	プルリフロキサシン（スオード）、エノキサシン水和物、ノルフロキサシン（バクシダール）、ロメフロキサシン塩酸塩（ロメバクト）	禁忌	大発作痙攣、顔面チアノーゼ、意識消失	B剤がGABAの受容体結合を阻害して痙攣を誘発することに加えて、A剤のNSAIDsがその阻害をさらに増強。
	ケトプロフェン（カピステン、アネオール）	塩酸シプロフロキサシン（シプロキサン）	禁忌	強直性痙攣、眼球上転、意識消失	
	フェニル酢酸系NSAIDs、プロピオン酸系NSAIDs	ノルフロキサシン（小児用バクシダール）	禁忌		
第2節　低K・高K血症					
高K血症誘発 ☞**表8-5**	タクロリムス水和物（プログラフ）	K保持性利尿薬：スピロノラクトン（アルダクトンA）、トリアムテレン（トリテレン）	禁忌	高K血症発現	Kの過剰摂取を行わないこと。
	エプレレノン（セララ；選択的アルドステロンブロッカー）	K製剤、K保持性利尿薬、エサキセレノン（選択的ミネラルコルチコイドブロッカー）	禁忌		
	エサキセレノン（ミネブロ；選択的ミネラルコルチコイドブロッカー；アルドステロン阻害作用）	K製剤、K保持性利尿剤、エプレレノン（セララ）	禁忌		
	シクロスポリン（サンディミュン、ネオーラル）	アリスキレンフマル酸塩（ラジレス；直接的レニン阻害薬）	禁忌	高K血症の可能性、B剤のAUC 5倍	肝・消化管のP-gp阻害が主に関与。
	アリスキレンフマル酸塩（ラジレス）	ACE阻害薬、AT_1拮抗薬（eGFRが60mL/min/1.73m^2未満の腎機能障害患者では治療上やむを得ない場合を除き併用を避ける）	原則禁忌	血清K値、血清クレアチニン値上昇の恐れ	RA系阻害の協力。ACE阻害薬やAT_1拮抗薬にA剤を併用しても有益性が認められず、強力なRA系阻害による有害事象のリスクが増加。
		ACE阻害薬、AT_1拮抗薬を服用中の糖尿病患者（ただし、降圧薬による血圧コントロールが著しく不良の患者を除く）	原則禁忌	高K血症、低血圧、腎機能障害、非致死性脳卒中発症リスク増加	
	スキサメトニウム塩化物水和物（スキサメトニウム）	ジギタリス製剤	原則禁忌	重篤な不整脈発現（☞**表7-34**）	A剤による高K血症またはCA放出促進が原因と考えられる。

発現機序	薬剤A	薬剤B	併用	起こり得る結果	報告されている事象、対処法など
第3節　血液障害					
血液障害誘発 ☞**表8-7**	ペニシラミン（メタルカプターゼ）	金製剤（オーラノフィン［リドーラ］、金チオリンゴ酸Na［シオゾール］）	禁忌	骨髄抑制、発疹	—
	クロラムフェニコール系薬、クロザピン（クロザリル；治療抵抗性統合失調症治療薬）	骨髄を抑制する薬剤	禁忌	骨髄抑制、赤血球減少	—
	カルモフール★	ソリブジン★	禁忌	死亡例	—
	ピラゾロン系薬★	抗リウマチ薬（DMARDs）	禁忌		—
第4節　NSAIDsによる副作用					
胃腸障害（消化管出血作用）誘発 ☞**表8-12**	インドール酢酸系NSAIDs（インドメタシン［インテバン］、アセメタシン［ランツジール］、プログルメタシンマレイン酸塩［ミリダシン］）	ジフルニサル★（サリチル酸系）	禁忌	胃腸出血、死亡例	B剤によるA剤のグルクロン酸抱合阻害が関与。
腎障害誘発 ☞**表8-13**	インドメタシン（インテバン）、ジクロフェナクNa（ボルタレン）	トリアムテレン（トリテレン）	禁忌	急性腎不全（B剤の腎毒性を防御するPGE合成阻害）	B剤の利尿効果はNSAIDsと拮抗する可能性がある。
第5節　その他の副作用					
横紋筋融解症誘発 ☞**表8-18**	スタチン系薬；フルバスタチンNa（ローコール）、シンバスタチン（リポバス）、プラバスタチンNa（メバロチン）、アトルバスタチンCa水和物（リピトール）、ピタバスタチンCa（リバロ）、ロスバスタチンCa（クレストール）、セリバスタチンNa★	フィブラート系薬；ベザフィブラート（ベザトールSR）、フェノフィブラート（リピディル、トライコア）など	原則禁忌（腎機能に関する臨床検査値に異常が認められる場合）	フィブラート系は主に腎で排泄されるため、腎機能異常では血中濃度が上昇し、スタチン系との併用で横紋筋融解症が発現しやすい	やむを得ず併用する場合、定期的に腎機能検査を実施。プラバスタチンで報告されている横紋筋融解症のほとんどがフィブラート系薬との併用。
肝機能障害誘発 ☞**表8-19、第5章［第3節❹］**	アセトアミノフェン（カロナールなど）	アセトアミノフェンを含む他の医療用・一般用医薬品	禁忌	過量投与による重篤な肝障害（警告あり）	1日総量1500mg超す高用量で長期投与する場合、定期的な肝機能検査を実施するなど慎重に投与。
	リファンピシン	ロルラチニブ（ローブレナ；分子標的治療薬）	禁忌	AST、ALT上昇の恐れ	中等度から重度の可逆的な薬剤性肝障害が認められた。
腎障害、内耳神経（第8脳神経）障害誘発 ☞**表8-20**	インドメタシン（インテバン）、ジクロフェナクNa（ボルタレン）	トリアムテレン（トリテレン）	禁忌	上記参照（NSAIDsによる副作用）	上記参照。
	タクロリムス水和物（プログラフ）	シクロスポリン（サンディミュン、ネオーラル）	禁忌	腎毒性	肝代謝抑制関与。 ☞**表5-20、5-29**⑥
	ペンタミジンイセチオン酸塩（ベナンバックス；カリニ肺炎治療薬）	ホスカルネットNa水和物（ホスカビル；抗CMV薬）	禁忌	腎毒性、低Ca血症	—

発現機序	薬剤A	薬剤B	併用	起こり得る結果	報告されている事象、対処法など
つづき 腎障害、内耳神経（第8脳神経）障害誘発 ☞**表8-20**	リン酸Na塩配合錠（ビジクリア配合錠；経口腸管洗浄剤）	降圧薬	高齢者で併用禁忌	急性腎不全、急性リン酸腎症が発症しやすい	「警告」あり。
	腎・聴器毒性を有する薬剤；バンコマイシン塩酸塩［同名］、エンビオマイシン硫酸塩（ツベラクチン）、白金誘導体抗悪性腫瘍薬（シスプラチン［ランダ］、カルボプラチン［パラプラチン］、ネダプラチン［アクプラ］）、ループ系薬など	アミノグリコシド系薬（ゲンタマイシン硫酸塩［ゲンタシン注］）	原則禁忌	腎毒性・内耳神経障害、死亡例	ループ系ではB剤の腎再吸収促進が関与（☞**表3-4**）。
	血液代用薬（デキストラン〈デキストランなど〉、ヒドロキシエチルデンプン［サリンヘス輸液ほか］など）	アミノグリコシド系薬（ゲンタマイシン硫酸塩［ゲンタシン注］）	原則禁忌	腎毒性	カナマイシン一硫酸塩（カナマイシン；アミノグリコシド系）との併用は原則禁忌でない。
	アリスキレンフマル酸塩（ラジレス；直接レニン阻害薬）	ACE阻害薬、AT_1拮抗薬（ARNIも含む）を服用中の糖尿病患者（ただし、降圧治療薬による血圧コントロールが著しく不良の患者を除く）	禁忌（ARNIとの併用時）、原則禁忌	糸球体濾過圧低下による腎障害、低血圧、高K血症、非致死性脳卒中発症などのリスク増加	RA系阻害の協力。ACE阻害薬やAT_1拮抗薬にA剤を併用しても有益性が認められず、強力なRA系阻害による有害事象のリスクが増加。（☞**表7-37**）
		ACE阻害薬、AT_1拮抗薬（ARNIも含む）を服用中の腎機能障害患者（eGFR 60mL/min/1.73m^{2}未満では治療上やむを得ない場合を除き併用は避ける）	原則禁忌	血清K値、血清クレアチニン値上昇の恐れ	
	テリパラチド製剤（合成ヒトPTH製剤；テリボン、フォルテオ）	活性型ビタミンD_3製剤	原則禁忌	高Ca血症の恐れ	高Ca血症および活性型ビタミンD_3製剤による腎毒性。☞**p.598「注意」**
間質性肺炎誘発 ☞**表8-22**	小柴胡湯	インターフェロンα、β	禁忌	死亡例	

分子標的治療薬の原則禁忌・併用禁忌例 ☞付録C表S-8

発現機序	薬剤A	薬剤B	併用	起こり得る結果	報告されている事象、対処法など
消化管吸収低下	ダコミチニブ（ビジンプロ）	PPI	原則禁忌	A剤↓	ラベプラゾールによりCmax51%、AUC39%低下。
CYP3A4代謝阻害	イマチニブ（グリベック）	ロミタピド（ジャクスタピッド）	併用禁忌	B剤↑	ロミタピドの代謝が阻害され血中濃度が著しく上昇する恐れがある。
CYP3A/P-gp阻害	ギルテリチニブ（ゾスパタ）	強力なCYP3A4代謝阻害およびP-gp阻害薬	原則禁忌	A剤↑	イトラコナゾールによりCmax1.2倍、AUC2.2倍上昇。
CYP3A4代謝阻害	クリゾチニブ（ザーコリ）	ロミタピド（ジャクスタピッド）	併用禁忌	B剤↑	ロミタピドの代謝が阻害され血中濃度が著しく上昇する恐れがある。
CYP3A代謝阻害	セリチニブ（ジカディア）	CYP3A代謝阻害薬	原則禁忌	A剤↑	ケトコナゾール反復投与との併用でCmax1.2倍、AUC2.9倍上昇。
CYP3A代謝亢進		CYP3A誘導薬	原則禁忌	A剤↓	リファンピシン反復投与との併用でCmax44%、AUC70%低下。
徐脈作用の協力		徐脈を起こすことが知られている薬剤	原則禁忌	A剤↑、B剤↑	併用する際は定期的に心拍数を測定するなど患者の状態に注意。
肝機能障害誘発	ロルラチニブ（ローブレナ）	リファンピシン	禁忌	A剤↑、B剤↑	AST、ALT上昇による中等度から重度の可逆的な薬剤性肝障害の恐れ。
CYP3A代謝亢進		フェニトイン、モダフィニル、デキサメタゾンなど	原則禁忌	A剤↓	CYP3A誘導作用のない薬剤への代替を考慮。
CYP3A代謝阻害	ブリグチニブ（アルンブリグ）	強いまたは中程度のCYP3A阻害薬	原則禁忌	A剤↑	イトラコナゾール併用によりAUC101%、Cmax21%上昇。A剤の減量を考慮すると共に副作用発現に十分注意する。
CYP3A代謝亢進		強いまたは中程度のCYP3A誘導薬	原則禁忌	A剤↓	リファンピシンによりCmax60%、AUC80%低下。併用を避け、CYP3A誘導のない、または弱い薬剤への代替を考慮する。
CYP3A代謝阻害	エヌトレクチニブ（ロズリートレク）	CYP3A代謝阻害薬	原則禁忌	A剤↑	イトラコナゾールによりCmax1.7倍、AUC6.0倍上昇。やむを得ず併用する際は、副作用の発現に十分注意する。
CYP3A代謝阻害	イブルチニブ（イムブルビカ）	ケトコナゾール、イトラコナゾール、クラリスロマイシン	併用禁忌	A剤↑	ケトコナゾールによりCmax29倍、AUC24倍上昇。
CYP3A代謝阻害		上記以外のCYP3A代謝阻害薬	原則禁忌	A剤↑	ボリコナゾールによりCmax6.7倍、AUC5.7倍上昇。
消化管吸収低下	アカラブルチニブ（カルケンス）	PPI	原則禁忌	A剤↓	オメプラゾールによりCmax79%、AUC57%低下。
消化管吸収低下		H2拮抗薬、制酸剤	同時禁忌	A剤↓	H2拮抗薬を併用する場合は、A剤を2時間前に投与。制酸剤を併用する場合は、投与間隔を2時間以上空ける。
CYP3A代謝阻害		強いまたは中程度のCYP3A阻害薬	原則禁忌	A剤↑	イトラコナゾールによりCmax3.9倍、AUC5.0倍上昇。
CYP3A代謝亢進		強いまたは中程度のCYP3A誘導薬	原則禁忌	A剤↓	リファンピシンによりCmax68%、AUC79%低下。

発現機序	薬剤A	薬剤B	併用	起こり得る結果	報告されている事象、対処法など
CYP3A代謝阻害	ダブラフェニブ(タフィンラー)	CYP3A代謝阻害薬	原則禁忌	A剤↑	ケトコナゾールによりCmax約71%、AUC約33%上昇。
CYP2C8代謝阻害	ダブラフェニブ(タフィンラー)	CYP2C8代謝阻害薬:ゲムフィブロジルなど	原則禁忌	A剤↑	ゲムフィブロジルによりCmaxは変化ないが、AUC約48%上昇。
CYP3A代謝阻害	エンコラフェニブ(ビラフトビ)	CYP3A代謝阻害薬	原則禁忌	A剤↑	ポサコナゾールによりCmax68%、AUC183%上昇。ジルチアゼムによりCmax45%、AUC83%上昇。やむを得ず併用する際は、エンコラフェニブの減量を考慮すると共に副作用の発現に十分注意する。
消化管吸収低下	カプマチニブ(タブレクタ)	PPI	原則禁忌	A剤↓	溶解性がpHに依存。ラベプラゾールによりCmax37%、AUC25%低下。
CYP3A代謝阻害	ベネトクラクス(ベネクレクスタ)〈再発又は難治性の慢性リンパ性白血病(小リンパ球性リンパ腫を含む)の用量漸増期〉	CYP3A代謝阻害薬	併用禁忌	A剤↑	ケトコナゾールによりCmax2.3倍、AUC2.7倍上昇。リトナビル併用でCmax2.3倍、AUC8.1倍上昇。腫瘍崩壊症候群の発現増強の恐れ。
機序不明	ベネトクラクス(ベネクレクスタ)〈再発又は難治性の慢性リンパ性白血病(小リンパ球性リンパ腫を含む)の用量漸増期〉	アジスロマイシン	原則禁忌	A剤↓	アジスロマイシンによりCmax25%、AUC35%低下。
CYP3A代謝阻害	オラパリブ(リムパーザ)	強いまたは中程度のCYP3A阻害薬	原則禁忌	A剤↑	イトラコナゾールによりCmax1.4倍、AUC2.7倍上昇。CYP3A阻害作用のない、または弱い薬剤への代替を考慮する。やむを得ず併用する際は、オラパリブの減量を考慮すると共に副作用の発現に十分注意する。
CYP3A代謝阻害	ペミガチニブ(ペマジール)	強いまたは中程度のCYP3A阻害薬	原則禁忌	A剤↑	イトラコナゾールによりCmax17%、AUC88%上昇。やむを得ず併用する際は、ペミガチニブの減量を考慮すると共に副作用の発現に十分注意する。
CYP3A代謝亢進	ペミガチニブ(ペマジール)	強いまたは中程度のCYP3A誘導薬	原則禁忌	A剤↓	リファンピシンによりCmax62%、AUC85%低下。ペミガチニブの有効性が減弱する恐れ。
CYP3A代謝阻害	ラロトレクチニブ(ヴァイトラックビ)	強いまたは中程度のCYP3A阻害薬	原則禁忌	A剤↑	イトラコナゾールによりCmax2.8倍、AUC4.3倍上昇。やむを得ず併用する際は、ラロトレクチニブの減量を考慮すると共に副作用の発現に十分注意する。
CYP3A代謝亢進	ラロトレクチニブ(ヴァイトラックビ)	強いまたは中程度のCYP3A誘導薬	原則禁忌	A剤↓	リファンピシンによりCmax71%、AUC81%低下。ラロトレクチニブの有効性が減弱する恐れ。
ビタミンA過剰症	ベキサロテン(タルグレチン)	ビタミンA製剤(チョコラAなど)	併用禁忌	A剤↑、B剤↑	ビタミンA過剰症(嘔吐、下痢、頭痛、皮膚の痒みなど)の恐れ。
CYP2C8代謝阻害	ベキサロテン(タルグレチン)	CYP2C8代謝阻害薬:ゲムフィブロジルなど	原則禁忌	A剤↑	ゲムフィブロジルにより血中トラフ値が約4倍上昇。CYP2C8阻害作用のない、または弱い薬剤への代替を考慮する。やむを得ず併用する際は、ベキサロテンの減量を考慮すると共に副作用の発現に十分注意する。
CYP3A代謝阻害	ポラツズマブ(ポライビー)	強いCYP3A代謝阻害薬	原則禁忌	A剤↑	ポラツズマブを構成するモノメチルアウリスタチンE(MMAE)は主にCYP3A4で代謝される。生理学的薬物動態モデルに基づいたシミュレーションにおいて、ケトコナゾール併用時のMMAEのCmaxは18%、AUCは48%上昇すると推定された。

発現機序	薬剤A	薬剤B	併用	起こり得る結果	報告されている事象、対処法など
CYP3A代謝阻害	クリゾチニブ（ザーコリ）	CYP3Aの基質	原則禁忌	B剤↑	ミダゾラムのAUC 3.7倍、Cmax 2.0倍。
CYP3A代謝阻害	アレクチニブ塩酸塩（アレセンサ）	CYP3A阻害薬	原則禁忌	A剤↑	ポサコナゾール（国内未承認）によりAUC 75%、Cmax 18%上昇、主要活性代謝物のAUC 25%、Cmax 71%低下。
CYP3A4代謝阻害	スニチニブリンゴ酸塩（スーテント）	CYP3A4阻害薬	原則禁忌	A剤↑	ケトコナゾールによりCmax 59%、AUC 74%上昇、一方、N-脱エチル体はそれぞれ29%、12%低下。スニチニブとN-脱エチル体を合わせたCmax 49%、AUC 51%上昇。A剤の用量を減量するとともに副作用発現に十分注意。
CYP3A4代謝亢進		CYP3A4誘導薬	原則禁忌	A剤↓	リファンピシンにより、Cmax 1/3、AUC 1/5に低下。CYP3A4誘導作用が弱い薬剤への代替を考慮。
CYP3A4/5代謝阻害	アキシチニブ（インライタ）	CYP3A4/5阻害薬	原則禁忌	A剤↑	ケトコナゾールによりCmaxおよびAUCがそれぞれ50%および106%上昇。A剤の減量を考慮するとともに副作用発現に十分注意。
消化管吸収低下	パゾパニブ塩酸塩（ヴォトリエント）	PPI	原則禁忌	A剤↓	エソメプラゾールにより、AUC約40%、Cmax約42%低下。パゾパニブの溶解性はpHに依存。
CYP3A4代謝阻害		CYP3A4阻害薬	原則禁忌	A剤↑	AUC約66%、Cmax45%上昇。副作用発現・増強に注意し減量等を考慮する。GFJを摂取しない。
CYP3A4代謝亢進		CYP3A4誘導薬	原則禁忌	A剤↓	カルバマゼピン、フェニトインなどとの併用によりAUC約54%、Cmax35%低下。CYP3A4誘導作用のない/弱い薬剤への代替を考慮。
消化管吸収低下	ダサチニブ水和物（スプリセル）	PPI、H_2拮抗薬	原則禁忌	A剤↓	オメプラゾール併用によりCmaxおよびAUCはそれぞれ42%および43%低下。制酸剤（投与間隔を2時間以上空ける）の代替を考慮。
		制酸剤（水酸化Al・水酸化Mg含有製剤）	同時禁忌	A剤↓	両剤の投与間隔を2時間以上空ける。
CYP3A4代謝阻害		CYP3A4阻害薬	原則禁忌	A剤↑	ケトコナゾールによりCmax 4倍、AUC 5倍上昇。併用が避けられない場合、有害事象の発現に注意し、投与量の減量を考慮。
CYP3A4代謝亢進		CYP3A4誘導薬	原則禁忌	A剤↓	リファンピシンによりCmax 81%、AUC 82%低下。
消化管吸収低下	ボスチニブ水和物（ボシュリフ）	胃内pHに影響を及ぼす薬剤：PPI	原則禁忌	A剤↓	ランソプラゾールによりAUC 26%、Cmax 46%低下。
CYP3A代謝阻害		CYP3A阻害薬	原則禁忌	A剤↑	ケトコナゾールとの併用でCmax 5.2倍、AUC 8.6倍上昇。A剤の減量を考慮するとともに副作用発現に十分注意。
CYP3A4代謝阻害	ルキソリチニブリン酸塩（ジャカビ）	強力なCYP3A4阻害薬	原則禁忌	A剤↑	ケトコナゾールによりCmax 33%、AUC 91%上昇、半減期は3.7時間から6.0時間に延長。A剤の減量を考慮するとともに有害事象の発現に十分注意。

発現機序	薬剤A	薬剤B	併用	起こり得る結果	報告されている事象、対処法など
CYP2C8および3A4阻害	ラパチニブトシル酸塩水和物（タイケルブ）	治療域が狭くCYP3A4またはCYP2C8で代謝される薬剤：ビノレルビン酒石酸塩（ナベルビン注、ロゼウス静注）など	原則禁忌	B剤↑	これらの薬剤の血中濃度が上昇する可能性。副作用発現・増強に注意し減量等考慮。
CYP3A4代謝阻害	レゴラフェニブ水和物（スチバーガ）	CYP3A4阻害薬	原則禁忌	A剤↓	ケトコナゾールにより、未変化体AUCおよびCmaxはそれぞれ33%および40%上昇。M-2およびM-5のAUCはそれぞれ94%、93%低下し、Cmaxはそれぞれ97、および94%低下。
CYP3A4代謝亢進		CYP3A4誘導薬	原則禁忌	A剤↓	リファンピシンにより未変化体AUC50%、Cmax20%低下。主活性代謝物M-2のAUCは変化ないがCmaxは1.6倍上昇し、活性代謝物M-5のAUC3.6倍、Cmax4.2倍上昇。
免疫抑制	エベロリムス（アフィニトール）、テムシロリムス（トーリセル点滴静注用）、シロリムス（ラパリムス）	生ワクチン：乾燥弱毒生麻疹ワクチン、乾燥弱毒風疹ワクチン、経口生ポリオワクチン、乾燥BCGなど	併用禁忌	B剤↑	免疫抑制下で生ワクチンを接種すると増殖し、病原性を示す可能性。
CYP3A4代謝阻害	エベロリムス（アフィニトール）	アゾール系薬：イトラコナゾール（イトリゾール）、ボリコナゾール（ブイフェンド）、フルコナゾール（ジフルカン）など	原則禁忌	A剤↑	ケトコナゾールによりCmax 3.9倍、AUC 15倍上昇し、半減期は1.9倍延長。エベロリムスを減量することを考慮するとともに副作用発現に十分注意。
CYP3A4代謝亢進		リファンピシン（リファジン）、リファブチン（ミコブティン）	原則禁忌	A剤↓	リファンピシンによりCmax 58%、AUC 63%低下。低用量のエベロリムス（サーティカン；免疫抑制剤）にはリファブチンの記載がない。
CYP3A4代謝阻害	シロリムス（ラパリムス）	CYP3A4阻害薬	原則禁忌	A剤↑	エリスロマイシンによりCmaxおよびAUCは約4倍上昇、Tmaxは40%上昇し、エリスロマイシンのCmax、TmaxおよびAUCがそれぞれ63%、29%および69%上昇。本剤を減量することを考慮するとともに副作用発現に十分注意する。
CYP3A4代謝亢進		リファンピシン（リファジン）、リファブチン（ミコブティン）、抗てんかん薬：カルバマゼピン（テグレトール）、フェノバルビタール（フェノバール）、フェニトイン（アレビアチン）	原則禁忌	A剤↓	リファンピシンによりCmax 71%、AUC 82%低下。本剤を併用するのは治療上の有益性が危険性を上回る場合のみ。
機序不明	ボリノスタット（ゾリンザ）	バルプロ酸ナトリウム（デパケン）	原則禁忌	B剤↑	消化管出血、血小板減少、貧血等の副作用が増強。
CYP3A代謝亢進	パノビノスタット乳酸塩（ファリーダック）	強いCYP3A誘導薬	原則禁忌	A剤↓	シミュレーションではリファンピシンによりAUC約70%減少と推定。デキサメタゾンによりAUC 20%減少する傾向。

発現機序	薬剤A	薬剤B	併用	起こり得る結果	報告されている事象、対処法など
QT延長作用増強	パノビノスタット乳酸塩（ファリーダック）、バンデタニブ（カプレルサ）	抗不整脈薬、QT延長を起こす他の薬剤	原則禁忌	A剤↑ B剤↑	QT間隔延長作用を起こすまたは悪化させる恐れ。
機序不明	ブレンツキシマブベドチン（アドセトリス点滴静注）	ブレオマイシン塩酸塩（ブレオ）	併用禁忌	B剤↑	肺毒性（間質性肺炎等）が発現する恐れ。

その他の併用禁忌例

発現機序	薬剤A	薬剤B	併用	起こり得る結果	報告されている事象、対処法など
協力作用	レチノイド製剤：エトレチナート（チガソン）、トレチノイン（ベサノイド：ATRA）、タミバロテン（アムノレイク）、ベキサロテン（タルグレチン）	ビタミンA（VA）剤：レチノールパルミチン酸エステル（チョコラA他）、VA含有輸液・経腸用液（エルネオパなど）ビタミンA含有医薬品・健康食品（カワイ肝油ドロップ、チョコラADなど）	禁忌	ビタミンA過剰症に類似した副作用（口唇炎、そう痒、倦怠感、肝腫大など）☞**表5-56**	エトレチナートの併用時には血中VA濃度が正常であっても発症。レチノイド製剤のVA過剰症患者への投与は禁忌。タミバロテンはATRAよりも強力にRARαを活性化。
	ACE阻害薬	デキストラン硫酸セルロースを用いた吸着器によるアフェレーシスの施行（LDLアフェレーシスなど）、アクリロニトリルメタリルスルホン酸Na膜（AN69）を用いた透析	禁忌	ブラジキニンの血中濃度が上昇し、ショック、アナフィラキシー様症状が発現	A剤によるブラジキニン分解阻害と陰性に荷電したB剤によるブラジキニン産生刺激の協力。
	ジノプロスト（プロスタルモン・F）、オキシトシン（アトニン-O）	ジノプロストン（プロスタグランジンE_2）、オキシトシン	同時禁忌	過強陣痛	分娩前後に使用する場合は分娩監視を行い慎重に投与。
	テリスロマイシン*（ケトライド系；☞**表8-21**）	テオフィリン（テオドール）	同時禁忌	消化器系（悪心、嘔吐など）の副作用発現	両剤の投与間隔を1時間以上空ければ問題ない。
拮抗作用	エリスロマイシン（エリスロシン）	リンコマイシン塩酸塩水和物（リンコシン）、クリンダマイシン塩酸塩（ダラシン）	禁忌	B剤の作用減弱	リボソーム結合部位の競合（A剤の親和性の方が強い）。
	生ワクチン	副腎皮質ホルモン製剤、多発性硬化症治療薬（フィンゴリモド［ジレニア］、シポニモド［メーゼント］）、免疫抑制剤（シクロスポリン［サンディミュン、ネオーラル］、タクロリムス水和物［プログラフ］、アザチオプリン［イムラン］、ミコフェノール酸モフェチル［セルセプト］など）	禁忌	ウイルス病原性増悪	—
	スピロノラクトン（アルダクトンA；抗アルドステロン薬）	ミトタン（オペプリム；副腎皮質ホルモン合成阻害薬）	禁忌	B剤の作用減弱	B剤の薬効をA剤が阻害するとの報告がある。
	ミトタン（オペプリム）	ペントバルビタールCa（ラボナ）	禁忌	睡眠作用減弱	

発現機序	薬剤A	薬剤B	併用	起こり得る結果	報告されている事象、対処法など
その他	生物学的製剤（遺伝子組換え製剤；DMARDs）相互の併用：アバタセプト（オレンシア；T細胞選択的共刺激調節薬）、トシリズマブ（アクテムラ；抗IL6製剤）、抗TNF製剤（インフリキシマブ［レミケード］、エタネルセプト［エンブレル］、アダリムマブ［ヒュミラ］、ゴリムマブ［シンポニー］）		禁忌	生物学的製剤の相互の併用は不可	アバタセプトは併用による効果の増強は示されず、感染症・重篤感染症の発現率が抗TNF薬単独より高いことが示されている。
	ミラベグロン（ベタニス；β_3刺激薬；OAB治療薬）	5α還元酵素阻害薬、OAB治療抗コリン薬	原則禁忌	安全性、有効性の確認がされていない	—
	ペントスタチン（コホリン；抗悪性腫瘍薬；アデノシンデアミナーゼ阻害）	アルキル化薬（シクロホスファミド水和物［エンドキサン］、イホスファミド［イホマイド］）	禁忌	心毒性発現（死亡例）	機序不明。
		フルダラビンリン酸エステル（フルダラ）	禁忌	致命的肺毒性発現	機序不明。
		ビダラビン（アラセナ-A）	禁忌	B剤の血中濃度上昇（腎・肝不全、神経毒性発現）	B剤の代謝に関与するアデノシンデアミナーゼ阻害に起因。
		ネララビン（アラノンジー）	原則禁忌	B剤の作用減弱	ネララビンはアデノシンデアミナーゼによりAra-G（グアノシン）となり抗腫瘍効果を発揮するため。
	ペンタミジンイセチオン酸塩（ベナンバックス；カリニ肺炎治療薬）	ザルシタビン*；ヌクレオシド系抗HIV薬	禁忌	劇症膵炎で死亡例	機序不明。ペンタミジン投与時はザルシタビンを休薬する。
	アムホテリシンB注射用（ファンギゾン注射用）	白血球輸注	禁忌	急性肺機能障害	機序不明。同時投与はできるだけ避けるか、肺機能をモニタリングする。
	持効性抗精神病薬：ハロペリドールデカン酸エステル（ハロマンス）、フルフェナジンデカン酸エステル（フルデカシン）、リスペリドン持効性懸濁液（リスパダールコンスタ）、パリペリドンパルミチン酸エステル持効性懸濁注射液（ゼプリオン）、アリピプラゾール水和物持続性注射剤（エビリファイ持続性水懸筋注用）	クロザピン（クロザリル；治療抵抗性統合失調症治療薬）	禁忌	B剤の副作用に対して速やかに対応できない	A剤が血中から消失するまでB剤を投与しない。

序

1 薬物相互作用とは

薬物相互作用とは、複数の薬剤を併用した場合に、薬の作用が増減したり、副作用が増強したり、添付文書に記載されていない新たな副作用が出現したり、原疾患が増悪したりすることをいう（下図）。日常業務で目にする処方箋には、多くの場合、単一の薬剤ではなく、複数の薬剤が記されている。2剤以上の薬剤が処方されているときは、必ず薬物相互作用の有無を考えなくてはならない。

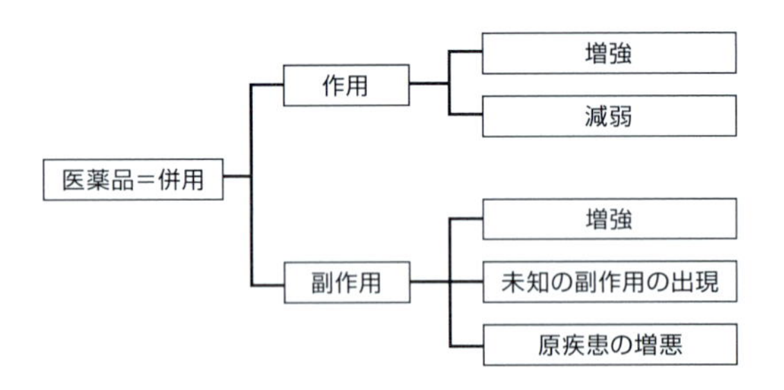

薬物相互作用は、その仕組み（発現機序）によって、大きく「薬動態学的相互作用」と「薬力学的相互作用」の2つに分けられる。

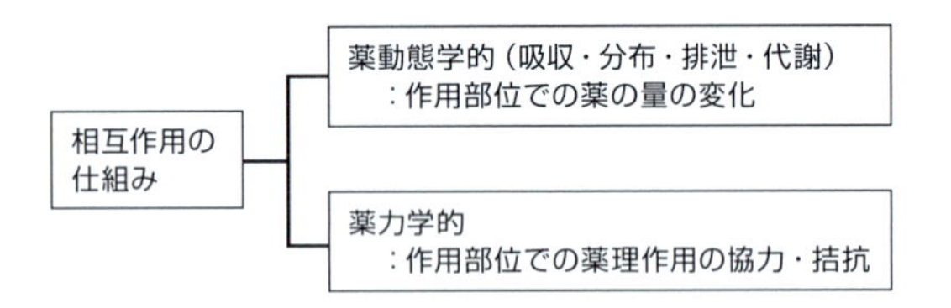

薬動態学的相互作用には、生体内での薬の輸送と代謝が関与する。具体的には、①消化管における薬の吸収、②薬の組織分布、③薬の排泄、④肝臓などにおける薬の代謝――の各過程で起こる。これらの過程で変化が生じると、結果的に作用部位（標的組織、受容体など）での薬物濃度の増減を引き起こし、併用薬の作用を変化させる。

一方、薬力学的相互作用は、作用部位における薬の薬理作用に起因するものであり、同一作用の薬剤の併用によって作用が増強したり（協力作用）、作用が相反する薬の併用によって薬効が減弱したりする（拮抗作用）ことを指す。

相互作用の発現機序として頻度が高いのは、代謝変化および薬力学的相互作用であり、複数の機序が重なって相互作用を生じる場合もある。薬剤師は、処方箋や薬剤服用歴管理記録、患者が所持するお薬手帳などを基に、これらの発現機序に起因する相互作用がないかどうか、常に気を配らなくてはならない。

2 相互作用に注意すべき薬剤

相互作用を引き起こす薬剤は非常に多い。中でも、特に注意すべき薬剤を**表1**に示す。

まず、薬物治療の指標に薬物血中濃度モニタリング（therapeutic drug monitoring：TDM）を必要とする薬剤は注意が必要である。これらの薬剤は、①治療域濃度（有効血中濃度）の幅が狭い、②体内動態が病態や個人によって異なる、③薬動態学的相互作用を受けやすい、④重篤な副作用を発現する可能性が高い――ためである。多くは特定薬剤治療管理料の対象薬剤にもなっている。これらの薬剤と、第1部で述べる動態学的変化を引き起こす薬剤を併用する際は特に注意が必要である。参考までに、テオフィリン（テオドール）の血中濃度と非有効域、有効域、中毒域を**図1**に示す。有効血中濃度の幅が10～20μg/mLと狭いことが分かる。

一方、TDMを実施しても薬効を評価するのが難しい薬剤として、抗血栓薬のワルファリンカリウム（ワーファリン）がある。

図2は、健常成人3人がwarfarin 1.5mg/kgを服用した際の、ワルファリン血中濃度とその抗凝固作用（プロトロンビン時間で評価）、および年齢層別半減期を示している。投与後の最高血中濃度は24時間以内に認められる一方、薬効は投与後の12～24時間で現れ始め、薬効持続時間が4日～1週間以上に及ぶケース（N-3）もある。また、別の研究では、半減期が低年齢層で37時間、高年齢層で44時間と長いことも報告されている（**表2**）。非常に多くの薬剤がワルファリンの薬効に影響を与えることが知られているが、ワルファリンの

表1　相互作用に注意すべき薬剤

① 薬物血中濃度モニタリング（therapeutic drug monitoring：TDM）を必要とする薬剤	
中枢神経系用薬	・抗てんかん薬： フェニトイン（アレビアチン）、バルプロ酸（デパケン）、カルバマゼピン（テグレトール）、フェノバルビタール（フェノバール）、ゾニサミド（エクセグラン）
	・抗精神病薬： ハロペリドール（セレネース）、炭酸リチウム（リーマス）
循環器系用薬	・ジギタリス製剤：ジゴキシン（ジゴシン）
	・抗不整脈薬： プロカインアミド（アミサリン）、キニジン（硫酸キニジン）、ジソピラミド（リスモダン）、アプリンジン（アスペノン）、リドカイン（キシロカイン）、プロプラノロール（インデラル）
	・気管支拡張薬：テオフィリン（テオドール）
抗菌薬	・クロラムフェニコール系：クロラムフェニコール（クロロマイセチン）
	・アミノグリコシド系： ゲンタマイシン（ゲンタシン）、トブラマイシン（トブラシン）、アミカシン（硫酸アミカシン）
	・グリコペプチド系：バンコマイシン（塩酸バンコマイシン）
抗リウマチ薬	サリチル酸
抗癌剤	メトトレキサート（メソトレキセート）、シクロホスファミド（エンドキサン）、フルオロウラシル（5-FU）
免疫抑制剤	シクロスポリン（サンディミュン）、タクロリムス（プログラフ）
② 血液凝固能のモニタリングを必要とする薬剤	
抗血栓薬	ワルファリン（ワーファリン）
③ 薬力学的相互作用を引き起こす薬剤（第2部参照）	
・薬物アレルギー（薬疹、皮膚粘膜眼症候群、中毒性表皮壊死症、光アレルギー、間質性肺炎など）を引き起こす薬剤 ・QT延長を引き起こす薬剤（☞**表7-21**）　・横紋筋融解症を引き起こす薬剤（☞**表8-18**）	
※ 高齢者に高い頻度で副作用を生じるとされる薬剤（カッコ内は副作用）： NSAIDs（消化性潰瘍・出血）、ワルファリン（出血）、ジゴキシン（ジギタリス中毒；期外収縮など）、降圧薬（降圧作用増強、起立性低血圧）、アミノグリコシド系（腎・聴覚障害）、テトラサイクリン系（腎障害）、BZP系、モルヒネ系（鎮静作用増強）、三環系抗うつ薬（起立性低血圧、抗コリン作用増強）、抗パーキンソン薬（起立性低血圧）、甲状腺ホルモン製剤（心悸亢進；不整脈、狭心症）	
④ 併用禁忌の薬剤と同系統または同作用を有する薬剤（特に死亡例の報告がある併用について）	

作用が減弱すると血栓や塞栓症を誘発し、逆に作用が増強すると出血傾向を助長して、致命的にもなり得る。

このように、ワルファリンの効果にはかなりの個人差があり、血中濃度の上昇が抗凝固作用に直接結びつかない。投与量の決定には、患者ごとに定期的に血液凝固能検査（トロンボテストなど）を行うことが原則であり、他剤と併用する場合には凝固能の変動に十分に注意する。

そのほか、本書の第2部で述べるような作用や副作用を有する薬剤にも留意が必要である。例えば、重篤なものでは、小柴胡湯やゲフィチニブ（イレッサ）、レフルノミド（アラバ）、メトトレキサート（メソトレキセート、リウマトレックス）による間質性肺炎、チクロピジン塩酸塩（パナルジン）やメトトレキサートによる血液障害の誘発（死亡例もある）などが報告されている。また、ピペリジン系などのQT延長誘発薬剤は、突然死を引き起こす可能性があるため、併用禁忌の薬剤が多い。

日常業務においては、これらの重篤な副作用以外にも、①心・血管系に作用する薬剤（交感神経に作用する薬剤や血管拡張薬など）による血圧変動、末梢血管拡張作用に伴う動悸、頭痛、めまい、ふらつき、吐き気、顔面紅潮など、②抗コリン作用を有する薬剤による便秘、口渇、目のかすみなど、③抗ヒスタミン薬や抗アレルギー薬による眠気、

図1　テオフィリンの血中濃度と臨床効果および副作用の関係

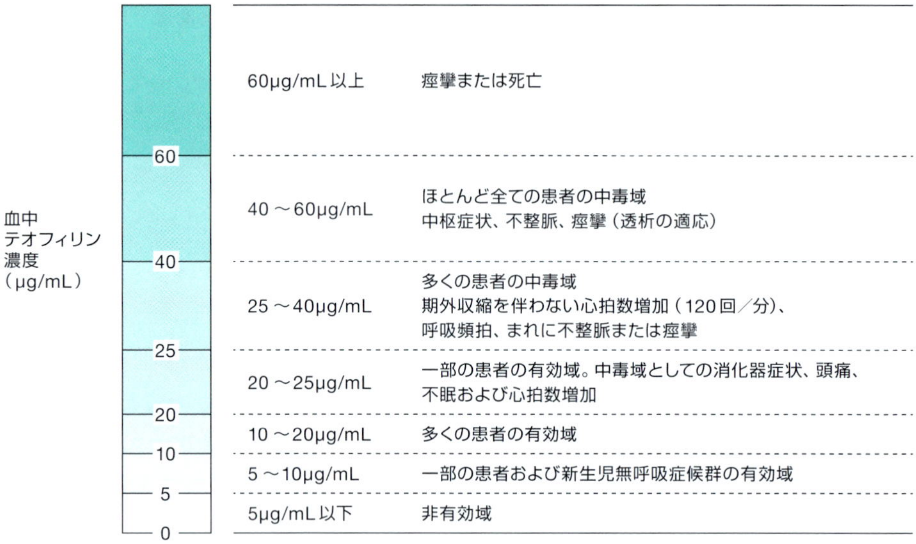

血中
テオフィリン
濃度
（μg/mL）
60
40
25
20
10
5
0
60μg/mL以上
痙攣または死亡
40～60μg/mL
ほとんど全ての患者の中毒域
中枢症状、不整脈、痙攣（透析の適応）
25～40μg/mL
多くの患者の中毒域
期外収縮を伴わない心拍数増加（120回／分）、
呼吸頻拍、まれに不整脈または痙攣
20～25μg/mL
一部の患者の有効域。中毒域としての消化器症状、頭痛、
不眠および心拍数増加
10～20μg/mL
多くの患者の有効域
5～10μg/mL
一部の患者および新生児無呼吸症候群の有効域
5μg/mL以下
非有効域

（洞井由起夫、石崎高志. Pharma Medica. 1988；6：55-61.）

図2　健常成人におけるワルファリン血中濃度の変化

血中濃度（mg/L）
60
40
20
10
8
6
4
2
N-1
N-2
N-3
プロトロンビン時間（秒）
60
40
30
20
14
12
プロトロンビン活性（%）
12
18
35
66
100
0
24
48
72
96
120
144
168（時間）

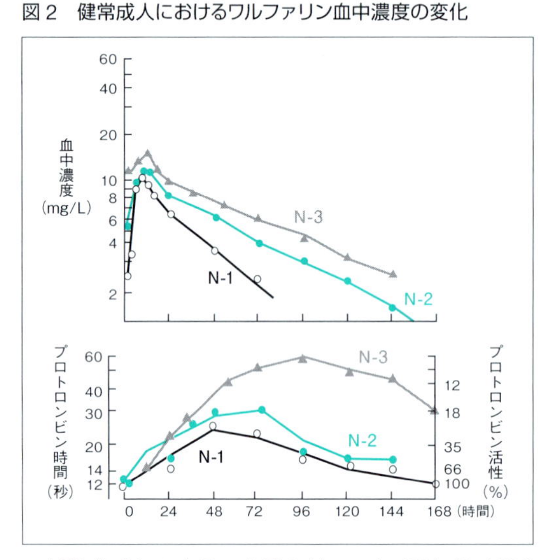

（O'Reilly RA. et al. Thromb Diath Haemorrh. 1964；11：1-22.）

表2　年齢層別のワルファリンの半減期

低年齢層（20～40歳）		
半減期	分布容積	総クリアランス
37時間	130mL/kg	3.81mL/kg/時

高年齢層（65～94歳）		
半減期	分布容積	総クリアランス
44時間	200mL/kg	3.26mL/kg/時

（Crooks J. et al. Clin Pharm. 1976；1：280-96.）

④糖尿病用薬によるふらつき、手足の震え、発汗といった低血糖症状、⑤痙攣、パーキンソン症候群、低カリウム血症などを誘発する薬剤によるしびれや振戦、⑥非ステロイド抗炎症薬（NSAIDs）による胃腸障害、⑦薬物アレルギー症状——などを訴える患者によく遭遇する。これらの副作用は必ずしも重篤ではないが、患者の生活の質（QOL）に支障を来す場合もあるため、薬剤情報提供文書などの書面に記載して注意を促すべきである。なお、**表1**に付記した、高齢者で高頻度に副作用を生じるとされる薬剤も参考にしてほしい。

最後に、死亡例が報告されている薬剤や、併用禁忌薬剤と同系統または同一作用を有する薬剤を併用する場合には、たとえ併用慎重とされている

図3　処方箋を受け付けた際の薬剤師の対処法

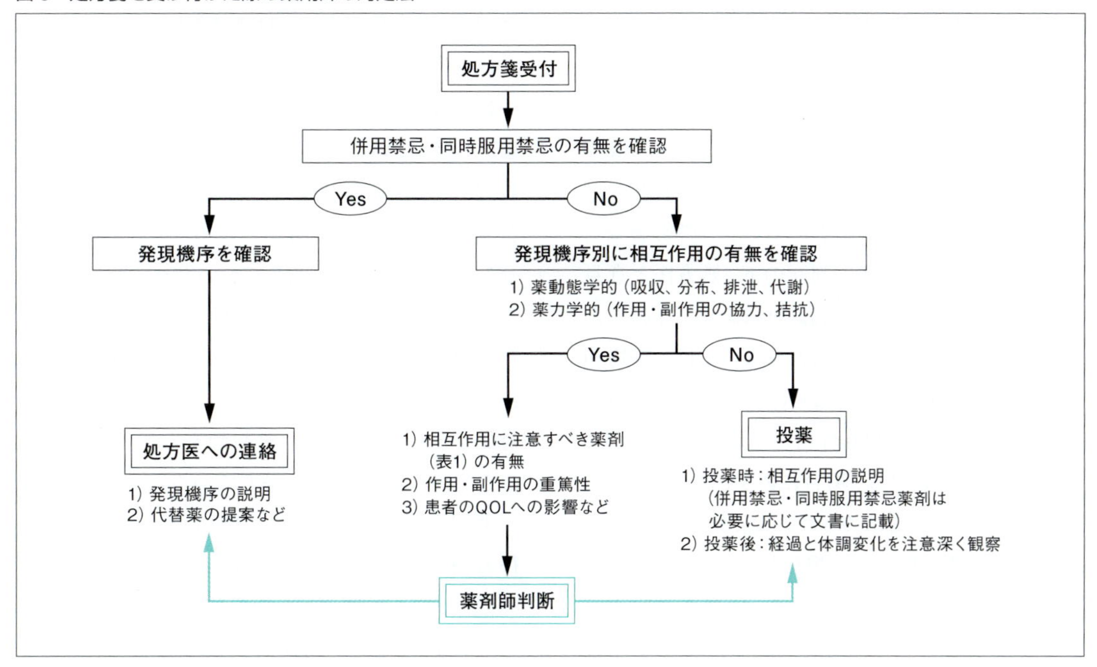

場合でも注意すべきであることを付け加えておく。

3 薬剤師としてどう対処すべきか

処方箋を受け付けた際の相互作用の考え方と対処法は、個々の薬剤師によって様々であるが、ここでは筆者の経験に基づき、薬局薬剤師の立場から述べてみたい（**図3**）。

(1) 処方箋を受け付けたとき

まず、巻頭の「発現機序別の併用禁忌・原則禁忌薬剤の一覧」を使って、併用禁忌の有無を確認する。併用禁忌薬剤が処方されている場合には、直ちに処方医に疑義照会を行うことは薬剤師としての義務である。もちろん、服用時点を変更することで相互作用を回避できる場合（同時服用禁忌；キレート形成による消化管吸収の低下に起因する相互作用など）には、変更の理由を医師に説明し了解を得た上で投薬する。

原則禁忌（併用を避けることが望ましいが、併用する場合には慎重にする）の場合は、併用禁忌ではないため必ずしも連絡する必要はない。ただし、**図3**に示す手順で、薬剤師の判断で特に慎重に対処する。また投薬時には、併用禁忌や同時服用禁忌の薬剤が処方されていなくても、薬学的管理および指導の観点から、「飲み合わせの悪い薬」「一緒に服用できない薬」といった平易な言葉とともに、具体的な薬剤名や薬効分類名（例：金属を含む胃腸薬、抗真菌薬、抗菌薬、利尿薬など）を文書やお薬手帳に記載して渡すようにしたい。加えて、投薬時には「なぜ飲み合わせが悪いのか」を分かりやすく説明すべきである。

一方、薬剤師が最もよく経験するのは、併用禁忌薬剤がないケースである。その場合には、本書に記載されている相互作用の発現機序を念頭に置いて、相互作用の有無を確認する。具体的には、薬動態学的相互作用（吸収、分布、排泄、代謝）、薬力学的相互作用（協力、拮抗作用）である。発現機序から相互作用の有無をチェックするのは、類似の薬が処方されている場合に応用できるためである。単に薬剤の組み合わせを記憶して判断しているのでは、代替薬を医師に提案したり、予測可能な相互作用による薬害を未然に防いだりすることは難しい。

発現機序から見て相互作用が考えられる場合には、①影響を受ける薬剤が、**表1**に示したような注意を要する薬剤かどうか、②発現し得る作用・副作用の頻度や重篤性、患者のQOLへの影響など──を考慮し、薬剤師の判断の下、処方医と意見を交わすことになる。薬剤師は医師への連絡をためらいがちだが、両者の協力がなくては、薬物相互作用に伴う薬害を防ぐことはできない。処方医に相談する際には、相互作用の発現機序を簡潔に説明するよう心掛ける。場合によっては、他剤への変更について意見を求められることもある。医師の薬剤師に対する信頼感を損なわないためにも、相互作用を回避するための具体策（代替薬や服用時点の変更など）を提案できるよう、あらかじめ準備しておくようにしたい。

薬剤師は一般的に、相互作用によって作用が増強するケースに意識が向く傾向がある。しかし、作用が低下する可能性についても、当然留意しておかなければならない（例：薬物代謝酵素の誘導など）。期待した効果が得られない場合や、予測不能な逆の効果を認めた場合などに、処方医が薬剤師に問い合わせることもある。一方で、作用機序の異なる降圧薬を併用したり、ブコローム（パラミヂン）とワルファリンを併用したりする（☞**表2-2**）など、相互作用によって生じる作用・副作用の変化をあえて治療に利用する場合もある。薬剤師には、処方内容からそれを判断する力も求められる。

（2）患者への投薬

患者に過度の恐怖心を与えないよう、相互作用によって起こり得る副作用などについて文書で分かりやすく説明したり、気になる症状が現れた際は軽度でも医師や薬剤師に相談するよう伝えたりすることが重要である。重篤な変化がみられた場合には直ちに服用を中止して医療機関を受診するよう指導することも欠かせない。実際に筆者は、副作用が発現したものの、薬剤師の事前の指導によって患者自身が素早く対処できたケースを経験している。

残念ながら、薬剤師を単に「薬を渡すだけの人」としか思っていない患者も少なくない。医師への疑義照会や調剤、鑑査などで待ち時間が長くなると、苦情を言われることもあるだろう。しかし、待たせる理由を事前に説明しておいたり、薬が変更になった場合に、作用などを記した文書を渡して丁寧に説明すれば、患者自身の不利益を防ぐためであると理解してくれるものである。患者がこれらの対処をきっかけとして、薬剤師や医師に対する信頼を深めることも多いと感じている。

薬局薬剤師は、投薬後に患者の臨床データを得る機会はほとんどないのが実情である。そのため、投薬時や再度来局した際に、患者とのコミュニケーションを図り、副作用症状の発現の有無などを確認するしか方法はない。相互作用は、併用開始から数週間経って初めて発現することもあるし、これまで報告されていない予期せぬ相互作用が起こることもある。診察時にわずかな体調変化を医師に打ち明けることができず、臨床上重要な症状が薬局で発覚するケースもまれではない。薬剤師は、「薬は人体にとって異物である」ことを常に念頭に置き、来局した患者に対して、相互作用による副作用や、普段と異なる症状が発現していないかどうか、積極的に尋ねることが肝要である。

また、実際に患者に説明した内容はもちろん、たとえ患者に説明しなかった場合でも、引き続き注意すべき相互作用は、薬歴に詳しく記載しておくことを勧める。筆者は、これまでに相互作用の報告はないものの、注意する必要があると考えた場合にも、薬歴に記載するようにしている。そうすれば、患者と接する際に、常に相互作用に気を配ることができるためである。

もっとも、医師にとって最も悩ましいのは多剤併用の場合であり、全ての相互作用を考えて処方するのは事実上、不可能に近い。一方で、併用禁忌を除けば、多くの相互作用は薬剤師でも十分に対処できるものである。薬剤の効能・効果や副作用、相互作用といった情報を患者に提供し、患者の安全を確保することは薬剤師の責務である。リフィル処方箋が導入され、薬剤師は治療経過中の患者の体調変化や副作用、相互作用などについて、これまで以上に注意深く観察、確認し、医師へフィードバックすることが求められている。つまり、薬剤師は医師と患者をつなぐ重要な役割も果たしている。

ここ最近の調剤報酬改定を遡ると、2016年度の改定では、薬学管理料の1つとしてかかりつけ薬剤師指導料が新設されたほか、重複投薬・相互作用等防止加算の報酬も引き上げられた。また、2022年度の改定では、薬局が地域支援体制加算2～4を算定するための9項目の実績要件の1つに「処方箋1万枚当たり年40回以上の重複投薬・相互作用等防止加算など」の実績が組み込まれている。同時に処方されている併用薬だけでなく、他科処方やOTC薬、健康食品や嗜好品なども含めて、患者が服用している薬剤や食品を一元的に把握し、薬物相互作用に起因する患者の不利益を回避することは元来、薬剤師の責務であり、その重要性はますます高まっている。医療に携わる薬剤師としての真価が常に問われているといえるだろう。

第1部

薬動態学的相互作用

薬動態学的相互作用（pharmacokinetic drug interaction）は、吸収、分布、代謝、排泄の過程で起こり、薬剤の体内動態が影響を受ける。近年、薬物トランスポーター（輸送タンパク質）が関与する相互作用も注目されている。各過程における相互作用の発現機序や、注意すべき薬剤、相互作用を回避するための対処法などについて解説する。

はじめに

薬動態学的相互作用は、吸収、代謝、分布、排泄といった薬物の体内動態の過程で起こる（**図4**）。例えば、2種類の薬剤（A剤とB剤）を併用した場合、A剤によって、併用したB剤の体内動態に変化が起こると、結果的に作用部位におけるB剤の濃度が変化し、B剤の薬効が増強したり減弱したりする。すなわち、薬動態学的相互作用をもたらす薬剤の組み合わせは、「作用する薬剤（A剤）」と「作用を受ける薬剤（B剤）」に必ず分けられる。具体的には、A剤の併用によって、B剤の吸収増大、代謝抑制、分布促進、排泄抑制が起こった場合、一般的にB剤の作用が増強することになる。

相互作用の中でも最も発現頻度が高いのは、薬物代謝酵素の抑制に起因する相互作用である。近年では、吸収、分布、排泄に関わる薬物トランスポーターを介した相互作用も注目されている（☞**第4章**）。

薬動態学的相互作用の留意点

この分野では、体内動態の変化を受ける薬剤の作用・副作用の発現頻度や重篤度を考慮する必要がある。特に、不整脈、持続的な鎮静、呼吸抑制といった、生命に危険を及ぼすような重篤な副作用が出現する可能性がある薬剤については、注意しなければならない。また、作用を受ける薬剤が序論で挙げた薬物血中濃度モニタリング（TDM）を必要とする薬剤（☞**表1**）やワルファリンカリウム（ワーファリン）の場合、併用時には、できる限りTDMや血液凝固能検査を実施した方がよい。薬剤師は、これらの検査の実施状況を日ごろから処方医、患者に確認しておくが、検査が実施されていない場合は、問題であると考えられる相互作用があれば、全て処方医に疑義照会した方がよいだろう。

薬動態学的相互作用の基本的な回避策は、①他剤への変更、②投与量の減量、③投与間隔を空ける、④投与中止――のいずれかである。①については、動態変化を引き起こす薬剤（A剤）、または動態変化を受ける薬剤（B剤）のいずれかを他剤に変更する。例えば、肝代謝を阻害するH_2拮抗薬のシメチジン（タガメット）を、肝代謝抑制作用

図4　体内薬物動態の模式図

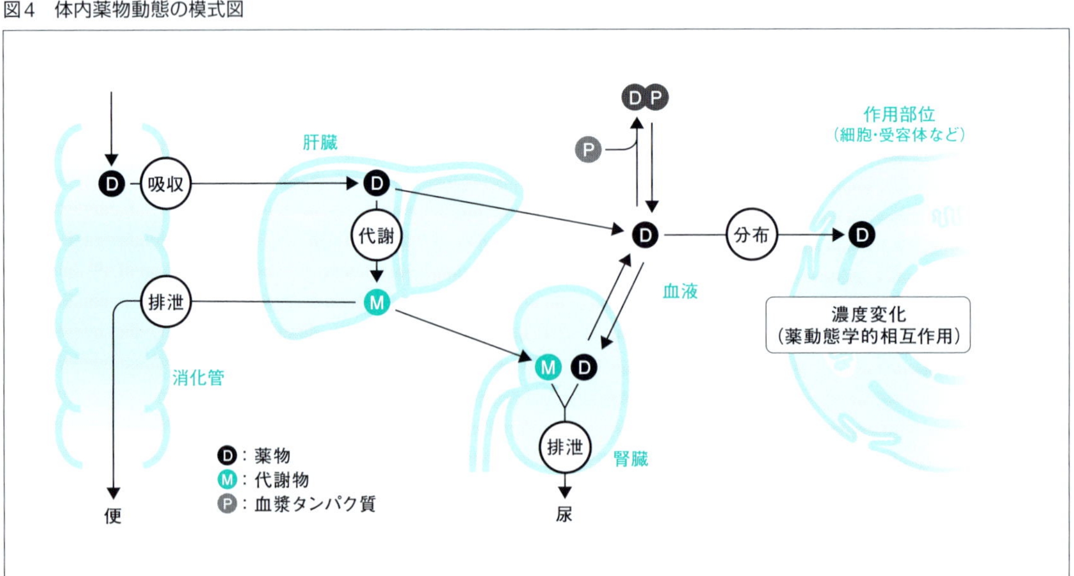

の弱いラニチジン塩酸塩（ザンタック）やファモチジン（ガスター）に変更したり、逆に、肝代謝を受けるβ遮断薬やベンゾジアゼピン（BZP）系薬を、肝代謝を受けにくい同一系統の薬剤に変更するといったケースが考えられる（☞**第5章**）。

②投与量の減量は、やむを得ず併用する場合（原則禁忌など）の対処法だが、A剤・B剤のどちらを減量するかは症例によって異なり、医師との相談で決めることになる。ただし、副作用が発現しやすい薬剤を減量するのが一般的であると思われる。また、③投与間隔を空けるのは、服用時点を変えることで相互作用が避けられる場合であり、金属キレート形成や結合、消化管運動、消化管内pHなどによる吸収変化に起因する相互作用がこれに該当する。なお、服用時点を変更する際には、処方医に了解を得た上で投薬する。

薬動態学的な相互作用は、併用開始から数週間経って初めて発現したり、逆に、投与を中止した後も数カ月にわたって継続する場合がある。相互作用が起こる可能性がある薬剤をやむを得ず併用する場合は、あらかじめ文書で患者に説明するほか、投与後も体調変化がないかどうか、常に気を配ることが肝要である。また、医療用医薬品以外の薬剤や食品などについても、相互作用が問題となると判断される場合には、必要に応じて説明することも忘れてはならない。

参考

作用部位での薬物濃度の評価

薬動態学的相互作用は、作用部位での薬物濃度の変化が起こり、薬効に影響を及ぼすものである。しかし、作用部位における薬物濃度を測定することは不可能であり、通常は薬物血中濃度を指標にして、薬効を相対的に判断する。これは、薬物血中濃度と作用部位に到達する薬物量が相関することに基づいている。TDMは、薬物の血中濃度を至適範囲内に維持することで、安全かつ効果的な薬物治療を行う方法である（☞**表1**）。

薬物の血中濃度を時間ごとに測定すると、**図5**のような血中濃度－時間曲線が得られる。循環血液中の薬物量を評価する指標として、この曲線から得られる血中濃度曲線下面積（area under the curve：AUC）、最高血中濃度（Cmax）、Cmaxに達する時間（Tmax）、半減期（$t_{1/2}$：各組織［血中、肝、腎など］において薬物の血中濃度が半減するのに要する時間）、クリアランス（CL：消失する薬物量の速度）などがよく用いられる。

相対的ではあるが、薬動態学的相互作用の程度を把握する際も、これらの指標を用いる。例えば、相互作用によって薬剤のAUCが20%上昇する場合と80%上昇する場合を比較した場合、後者の方が薬効増強の程度は大きく、肝・腎クリアランスに関しては、値が大きくなるほど薬効が低下すると判断できる。

このほか、薬効を評価する指標として、生物学的利用率（bioavailability：BA）がある。これは、投与した薬物のうち、体循環血液中に入る成分の割合を指し、製剤間の有効性の差異を評価する相対的な指標である。一般的に、BAは、完全に吸収される基準製剤（静

図5　経口薬の投与後時間と血中濃度の関係

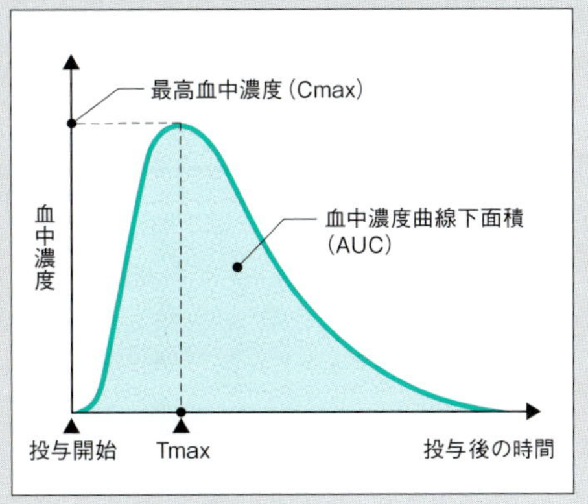

脈注射剤や経口水溶製剤など）を同量投与した場合のAUCを対照として、以下の式で算出できる。

BA（%）＝（試験製剤のAUC／基準製剤のAUC）×100

BAは薬の体内動態によって変化するため、相互作用の評価にも用いられる。例えば、薬のBAが動態学的相互作用により上昇する場合は、血中濃度の上昇が示唆され、薬効が増強しやすいと判断される。

第１章 消化管吸収

経口摂取された薬物は、まず胃内で溶解され、主に腸で吸収される。複数の薬剤を併用したり飲食物を摂取したりすると、薬剤の吸収に影響を与えることがある。消化管吸収の過程で起こる薬物相互作用について、発現機序別に解説する。

多くの経口薬は腸で吸収されるが、その過程には様々な因子が関与している。薬物の消化管吸収および吸収に影響を与える因子を**図 1-1** にまとめた。一般に、薬物は胃で溶解し胃排出された後に、腸で吸収されるが、吸収速度は非イオン型の方がイオン型に比べて大きい。

経口薬の消化管吸収における相互作用の発現機序は、主に①物理化学的変化（錯体形成、吸着、結合）、②抗菌薬による腸内細菌叢の変化（生物学的変化）、③消化管運動の変化、④消化管内 pH の変化、⑤トランスポーター、⑥その他――に起因する。

注意

吸収率と吸収速度

消化管吸収の過程で起こる相互作用の発現には、吸収率（量）が変化を受ける（AUC が変化）場合と、吸収速度が変化を受ける（Cmax・Tmax が変化、AUC は不変）場合の２通りがある。具体的には、①物理化学的変化、②抗菌薬による腸内細菌叢の変化では、吸収率すなわち量が変化し、③消化管運動の変化、④消化管内 pH の変化では、吸収率（量）または吸収速度が影響を受ける。

吸収率（量）が変化を受ける場合には薬効の増強または減弱が起こる。一方、吸収速度（時間）の場合は、全吸収量は変化せず吸収時間が延長または短縮することになるため、速効性と作用持続時間が影響を受けるだけで、長期服用する薬の場合にはあまり問題にならないと考えられる。しかし、有効血中濃度域の狭い薬剤（例えば、TDM を要するキニジン硫酸塩水和物［硫酸キニジン］、フェニトイン［アレビアチン］、カルバマゼピン［テグレトール］など）では、後述のように、吸収速度の変化でも血中濃度が上昇し中毒を誘発する可能性があるため注意が必要である。

第１節
物理化学的変化

複数の薬剤間の物理化学的反応が、in vitro と同様に消化管内で起こり、吸収量が変化する相互作用である。本節では、①金属との錯体形成、②吸着、③結合（イオン交換、酸塩基結合など）に分類して解説する。特に、近年は金属含有の健康食品や総合ビタミン剤などを服用している患者が多く、物理化学的変化に起因する相互作用を理解しておく重要性は増している。

1 金属との錯体（キレートなど）形成

薬物が消化管内で金属イオンとキレート（キレー

1 消化管吸収

図 1-1　消化管吸収の模式図

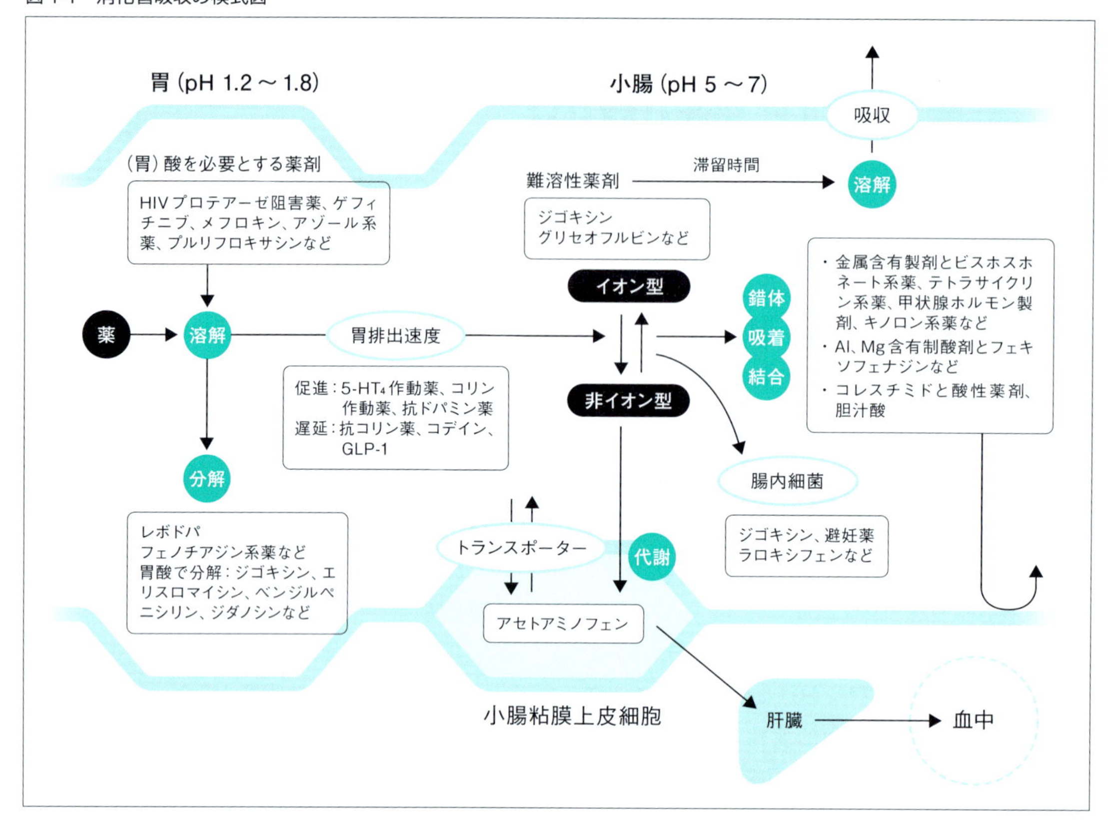

（1）錯体形成・吸着・結合による吸収阻害

・金属含有製剤とビスホスホネート系薬、ペニシラミン、テトラサイクリン系薬、甲状腺ホルモン製剤、キノロン系薬、ミコフェノール酸モフェチル、セフジニル、エストラムスチンなど

・Al、Mg 含有制酸剤とフェキソフェナジン、セフジニル、Fe 剤、甲状腺ホルモン製剤、胆汁酸など、酸性薬剤とコレスチミドなど
（注意：クエン酸製剤と Al 含有製剤との併用では Al の吸収促進）

（2）抗菌薬による腸内細菌叢の変化

マクロライド系薬とジゴキシン（吸収増大）など

（3）消化管運動の変化

消化管運動が亢進すると小腸滞留時間が短縮し、難溶性薬剤の吸収が低下する。一方、分解性薬剤は消化管運動の低下により胃内での分解が促進され、吸収が低下する。

（4）消化管内 pH の変化

制酸剤、抗コリン薬、H_2 拮抗薬、PPI などにより消化管内の pH が上昇して、弱塩基性薬剤（キニジン、アセタゾラミド、エフェドリン含有製剤など）の吸収が促進されたり、弱酸性薬剤（フェニトイン、グリチルリチン酸含有製剤など）の吸収が遅延する。また、胃内の pH を上昇させる薬剤は胃酸量を低下させるため、胃酸を必要とする薬剤は併用によって吸収量が低下するが、胃酸で分解される薬剤は吸収量が増加する。さらに製剤特性（腸溶性、徐放性など）の変化も起こる。一方、カフェイン含有品や炭酸飲料などは、胃酸分泌を促進し消化管内 pH を低下させるため、弱塩基性薬剤の吸収遅延、弱酸性薬剤の吸収促進を招き、（胃）酸を必要とする薬剤の吸収量を増加させる。

（5）トランスポーター

小腸粘膜上皮細胞の細胞膜（消化管腔側膜あるいは血液側膜）に存在するトランスポーター（主に、管腔側膜に存在する P-gp、MRP2、アミノ酸トランスポーター、PEPT1、OATPs など）の阻害・誘導などにより以下の相互作用が起こる。

① P-gp の基質となる薬剤を併用すると、競合阻害が起こり消化管吸収量が増大する。一方、P-gp 誘導作用を有するセント・ジョーンズ・ワート（SJW）、リファンピシン、副腎皮質ホルモン製剤などと、P-gp の基質となる薬剤を併用すると吸収量は低下する。また P-gp の阻害と活性化の両方の作用を持つグレープフルーツジュースの摂取により、P-gp の基質となる薬剤の吸収量が増減する。PXR 活性化薬（リファンピシン）による MRP2 誘導なども注意。

② アミノ酸トランスポーターを、高タンパク食中の L- アミノ酸とレボドパとが競合することで、レボドパの吸収量が低下する。

③ PEPT1 を、セファレキシンとセファドロキシルが競合することで、セファドロキシルの吸収量が低下する。

④ OATPs 阻害作用を有する果実ジュース（グレープフルーツ、オレンジ、アップルなど）により、基質となる薬剤（フェキソフェナジンなど）の吸収量が低下する。同時飲用は避ける。

ト環を持つ錯体の総称)などの錯体を形成し、不溶性あるいは可溶性の金属塩となることで、薬物の吸収量が変化する場合がある。一般に、−OH（水酸基)、−COO−（カルボキシル基)、>C=O（カルボニル基、ケトン基)、$-OPO_3^{2-}$（リン酸基)、−SH（チオール基)、−S−S−（ジスルフィド基)、$-NH_2$（アミノ基)、>NH（2級アミン）などの形で存在するO、SおよびNは、金属と結合しやすい（配位結合)。また、Al、MgはOに、重金属（Cu、Zn、Hg、Pb） はS、Nに、FeはN、Oに、CaはOに親和性が高いと考えられる。そのため、分子内にこれらの官能基を有する薬剤、特に金属との結合によって5員環や6員環を形成（キレート）するような構造を持つ薬物は、金属への親和性が高い。

表1-1に、金属の錯体形成に起因する内服薬の相互作用をまとめた。また、**図1-2**は金属と結合しやすい薬剤の化学構造を示している。これらの薬剤は、それぞれ以下に示すような官能基が存在するため、金属とキレートを形成しやすい。

- クエン酸：カルボキシル基、水酸基
- ビスホスホネート系薬：炭素原子を中央にして両側に2つのリン酸基
- ペニシラミン：チオール基、アミノ基、カルボキシル基
- テトラサイクリン系薬：フェノール性水酸基とカルボニル基
- 甲状腺ホルモン製剤（T_4）：フェノール性水酸基、カルボキシル基、アミノ基
- キノロン系薬：4-oxo-3-カルボキシル基※1
- ミコフェノール酸モフェチル（セルセプト；免疫抑制剤）：3-oxo-4-水酸基
- ロキサデュスタットおよびバダデュスタット（腎性貧血治療薬）：フェノール性水酸基とカルボニル基
- エルビテググラビル（抗HIV薬）：4-oxo-3-カルボキシル基
- セフジニル：7位の側鎖にアミド基（−CONH−)、オキシム基（>C＝N−OH)、アミノチアゾール環

また、エストラムスチンリン酸エステルナトリウム水和物（エストラサイト）にはリン酸基があり、Caと特異的に錯体を形成する。そのほか、NSAIDsやレボドパ、カプトプリルといった金属と結合しやすい薬剤にも、これらの官能基を持つものが多い。

A 吸収促進

クエン酸は、消化管内でCaおよびAlとキレートを形成し、CaおよびAlの吸収量を増加させ、蓄積症のAl脳症（認知症など)、Al骨症（骨粗鬆症など)、貧血※2などを誘発する可能性がある（☞ **コラム1**)。そのため、**表1-1**に示すように、クエン酸製剤とAl含有の制酸剤や健胃消化剤との同時服用は禁忌であり、併用する場合は両剤の服用間隔を2時間以上空けるように指導する。なお、Al含有の制酸剤や健胃消化剤などは、単独投与でもAl脳症・骨症を誘発する恐れがあるため、Al排泄能が低い腎機能障害のある患者では慎重投与、透析を受けている患者では投与禁忌とされている。

Al含有の胃腸薬には、アルミゲル（乾燥水酸化Alゲル)、マーロックス（乾燥水酸化Alゲル、水酸化Mg)、アルサルミン（スクラルファート水和物；ショ糖硫酸エステルAl塩)、FK配合散（メタケイ酸アルミン酸Mg；Al、Mg含有）のほか、市販薬も含めるとかなり多数ある（☞ **表1-4**)。また、クエン酸は、医薬品だけでなく、多くの健康食品や柑橘類の果実・果物ジュースにも含まれているため（オレンジジュースがAl吸収を10倍にするとの報告もある)、Al含有胃腸薬を服用している患者には、これらの飲食物との同時摂取も避けるように指導した方がよい。金属錯体形成に起因する相互作用のほとんどが消化管吸収の低下を引き起こすのに対して、クエン酸とAlとの併用は、逆の結果（吸収促進）になる点を押さえておきたい。

※1　oxoは酸素の付加を示す接頭語で，しばしば系統的命名法におけるketo-の代わりに用いる．keto-はケトン基からなる化合物を示す連結形。

※2　アルミニウム中毒症状の一つとして報告されている貧血は、血中Al濃度が上昇し、Fe欠乏を伴わずに低色素性・小球性貧血を示す。機序として、AlとFeがトランスフェリン（鉄輸送タンパク質）との結合を競合することや、ヘム代謝の阻害作用などが推測されている。

表 1-1　金属錯体（キレートなど）形成による併用慎重例（経口薬）（**太字**は同時禁忌薬剤）

（1）吸収促進

作用する薬剤	作用を受ける薬剤	起こり得る事象など
クエン酸含有製剤（ウラリット、健康食品など）	**Al含有製剤**：アルミゲル（乾燥水酸化Alゲル）、マーロックス（乾燥水酸化Alゲル、水酸化Mg）、アルサルミン（スクラルファート；ショ糖硫酸エステルAl塩）、FK配合散（メタケイ酸アルミン酸Mg；Al、Mg含有）、市販のAl含有胃腸薬など	Al吸収促進。Al脳症（アルツハイマー病など）・骨症（骨粗鬆症など）を誘発する恐れがある。両剤の服用間隔を2時間以上空ける。

（2）吸収阻害

作用する薬剤	作用を受ける薬剤	起こり得る事象など
Al、Mg、Fe、Ca、Zn含有製剤	**ビスホスホネート系薬**	水以外の全ての飲食物（硬度600以上のミネラルウォーターも含む）や医薬品に含まれる微量の金属とキレートを形成。アレンドロン酸（フォサマック、ボナロン）、リセドロン酸（ベネット、アクトネル）、ミノドロン酸（ボノテオ）は、起床後に水で服用し、服用後少なくとも30分間は水以外の飲食物や多剤の服用を避ける。但し、イバンドロン酸は服用後少なくとも60分間は水以外の飲食物や他剤の服用を避ける。エチドロン酸（ダイドロネル）では、服用2時間前後に水以外の飲食物あるいは他剤の服用を避ける。
	ペニシラミン（メタルカプターゼ）	ペニシラミンは、金属含有医薬品、健康食品、総合ビタミン剤などとの同時服用は避け、空腹時に服用する。やむを得ず併用する場合は、投与間隔を2時間以上空ける。 味覚障害の誘発に注意。
	テトラサイクリン系薬	水溶性テトラサイクリン系（テトラサイクリン、デメチルクロルテトラサイクリン）は空腹時服用、脂溶性テトラサイクリン系（ミノサイクリン、ドキシサイクリン）は食中または食直後服用。金属含有の医薬品、健康食品、総合ビタミン剤などの同時服用は避ける（ただし脂溶性テトラサイクリン系はCaを多く含む牛乳や乳製品の影響を受けにくい）。やむを得ず併用する場合は、服用間隔を2～4時間以上空ける。
	甲状腺ホルモン製剤®（レボチロキシン［チラーヂンS］など）	朝食の30分前（効果不良の場合は60分前）に服用。Mg以外の金属を含有する医薬品、健康食品、総合ビタミン剤などの同時服用は避ける。やむを得ず併用する場合は、Al含有制酸剤では制酸剤投与後の8時間後または甲状腺ホルモン製剤投与後の4時間後に他方を投与する。炭酸Caでは甲状腺ホルモン製剤との服用間隔を4時間以上空け、Fe剤とZn含有製剤では服用間隔を2時間以上空ける。Mg含有製剤とのキレート形成の報告はなく、現在のところ同時服用は問題ないとされる。
	キノロン系薬	キノロン系の中でも、金属の影響が①大きい②中程度③小さい④全くない─に分類される（☞**表1-2**）。やむを得ず併用する場合は、キノロン系投与後2時間以上空けて制酸剤などの金属含有製剤を投与（ただしレボフロキサシン［クラビット］では1時間以上）、または金属含有製剤の投与後3～6時間空けてキノロン系を投与する。
	ミコフェノール酸モフェチル（セルセプト；免疫抑制剤）	Fe剤との併用ではミコフェノール酸 $AUC_{0\text{-}12h}$ が約90%低下、ポリカルボフィルCa（コロネル）では $AUC_{0\text{-}12h}$ が50%低下、水酸化Alゲルや水酸化Mg含有制酸剤（マーロックス）では $AUC_{0\text{-}24h}$ とCmaxがそれぞれ15%および37%低下する。やむを得ず併用する場合は、ミコフェノール酸投与後に2時間以上空けて金属含有製剤を投与。
	エルトロンボパグ（レボレード；TPO受容体作動薬）	金属を多く含む制酸剤、乳酸品、サプリメントなどの摂取は、本剤服用の前4時間、後2時間以上空ける。エルトロンボパグは食事の前後2時間を避けて、空腹時に服用する。
	腎性貧血治療薬（**ロキサデュスタット**［エベレンゾ］、**バダデュスタット**［バフセオ］、**エナロデュスタット**［エナロイ］、**モリデュスタット**［マスーレッド］）	酢酸カルシウム同時投与により、ロキサデュスタットCmax52%、AUC46%低下。クエン酸第一鉄ナトリウムとの併用でバダデュスタットCmax51%、AUC55%低下。併用時は、服用間隔をロキサデュスタット、モリデュスタットでは1時間以上、バダデュスタットでは2時間以上、エナロデュスタットでは投与後3時間または投与前1時間以上空けて投与する。
	エルビテグラビル（スタリビルド配合錠、ゲンボイヤ配合錠など；抗HIV薬）	錯体（キレート）形成による血中濃度低下の可能性。2時間以上間隔をあける。
Al、Mg、Fe、Ca含有製剤	**ビクテグラビル**（ビクタルビ配合錠；抗HIV薬）	キレート形成。Al、Mgの投与2時間以上前に投与推奨。Fe、Caと併用する場合はビクテグラビルの食後投与を推奨。

Fe剤、Zn、Cu含有製剤	**セフジニル**（セフゾン）	Fe剤と同時投与でセフジニルの吸収が約1/10まで低下。基本的にFe剤との併用は避ける（原則禁忌）。やむを得ず併用する場合は、セフジニルの投与後3時間以上空けてFe剤を投与（ただし、セフジニルのAUCが36%低下）。他の遷移金属との相互作用の報告はないが、Zn製剤、Cu含有品との同時服用も避けた方がよい。セフジニル単独でも赤色便・赤色尿の出現に注意。
	デフェラシロクス（ジャドニュ；鉄キレート剤）	3価Feイオンに選択的だが、Al含有制酸剤との併用で相互に薬効減弱（吸収低下）。
	デフェロキサミン（デスフェラール）、ドロキシドパ（ドプス）のほか、アセトアミノフェン、アンピシリン、インドメタシン、サリチル酸、レボドパ、カプトプリル、エタンブトール、リファンピシン、葉酸などでも可能性がある。	
Ca製剤（カルチコール、アスパラ-CAなど）	**エストラムスチン**（エストラサイト）	食事の1時間前または2時間後に服用。Caを含む医薬品、健康食品、総合ビタミン剤、牛乳、乳製品またはCa含量が多い外国産のミネラルウォーターとの同時服用は避ける。やむを得ず併用する場合は、2時間以上の間隔を空ける。
炭酸ランタン（La）（ホスレノール；高リン血症治療薬）	**テトラサイクリン系薬、キノロン系薬**	難溶性複合体を形成。ランタン（La）投与後2時間以上空けて抗菌薬を投与する。甲状腺ホルモン製剤は、投与間隔をできるだけ空けるなど慎重に投与する。
	エナロデュスタット（エナロイ：腎性貧血治療薬）	併用により作用が減弱する恐れがある。併用時には、投与後3時間または投与前1時間以上間隔を空けて貧血治療薬を投与すること。

※ 甲状腺ホルモン製剤は，Mgとのキレート形成の報告はない。太字は同時服用禁忌。

B 吸収阻害

表1-1に示したように、金属イオンと錯体などを形成し消化管吸収が低下すると考えられる薬剤には、**a** Al、Mg、Fe、Ca、Znなどの全ての金属イオンとキレートを形成すると考えられるビスホスホネート系薬、ペニシラミン、テトラサイクリン系薬、甲状腺ホルモン製剤※、キノロン系薬、ミコフェノール酸モフェチル、エルトロンボパグオラミン、腎性貧血治療薬（HIF-PH阻害薬；ダプロデュスタットを除く）、その他、**b** Fe、Zn、Cuなどの遷移金属とキレート結合をするセフジニル、**c** Caと特異的に錯体を形成するエストラムスチン、**d** La（ランタン）と難溶性複合体を形成するテトラサイクリン系薬、キノロン系薬、甲状腺ホルモン製剤—がある。これらは、金属と容易に結合し消化管吸収が著しく抑制されると考えられるため（薬効減弱）、各金属含有製剤とは同時服用禁忌である。

また、ビスホスホネート系薬、ペニシラミン、水溶性テトラサイクリン系、甲状腺ホルモン製剤、エストラムスチンは、食事に含まれる微量の金属とも錯体を形成し、消化管吸収が低下することが報告されている。そのため、これらの薬剤は、空腹時（食前1時間または食後2時間など）に投与した方がよい（☞ **表1-15**）。

a Al、Mg、Fe、Ca、Znとキレートを形成する薬剤

非特異的に金属カチオンと結合すると考えられる薬剤では、ビスホスホネート系薬＞ペニシラミン＞テトラサイクリン系薬＞甲状腺ホルモン製剤＞キノロン系薬の順序で金属錯体を形成しやすいと考えられる。近年販売されたHIF-PH阻害薬（腎性貧血治療薬）にも、実証されてはいないが金属キレートを形成する可能性がある。以下に、金属含有医薬品との服用が同時禁忌である薬剤を順に見ていく。

ビスホスホネート系薬

ビスホスホネート系薬は、生物学的利用率が0.6～6%と非常に低く、金属カチオンと容易にキレートを形成し不溶性となるため、消化管吸収率（量）

が低下しやすい。水以外の飲食物（コーヒー、紅茶、日本茶、ジュース、ミネラルウォーターなど）や医薬品に含まれる微量の金属とも不溶性の錯体を形成し、吸収が低下するのは、ビスホスホネート系薬のみである。

現在わが国で使用されている経口ビスホスホネート系薬は5種類ある。そのうち、アレンドロン酸Na水和物（フォサマック、ボナロン）、リセドロン酸Na水和物（ベネット、アクトネル）、ミノドロン酸水和物（ボノテオ、リカルボン）は、起床後、最初の飲食前に十分量（約180mL）の水で服用し、かつ服用後少なくとも30分以上は水以外の飲食物（Ca、Mgなどの含有量の高いミネラルウォーターも含む）や全ての薬剤（市販薬、健康食品なども含む）の摂取・服用を避ける。なお、イバンドロン酸Na水和物（ボンビバ）では起床後に水で服用し、服用後少なくとも60分間は水以外の飲食物や他剤の服用を避ける。また、エチドロン酸二Na（ダイドロネル）では、服用2時間前後の水以外の飲食物あるいは他剤の服用を避ける。

日本の水道水の水質基準は、硬度300以下とされており、わが国で市販されているミネラルウォーターのほとんどは硬度600以下（Ca＝1.08mmol/180mL以下）である（硬度は、水に溶けているMgイオンとCaイオンの量を、炭酸Ca［分子量100］に換算した場合に1L中に含まれるmg数で示した値。国内の各都市の水道水の硬度は100以下。硬度100の水1Lに含まれるCaは1mmolである）。ただし、ビスホスホネート系薬は硬度600のミネラルウォーターでも金属とキレートを形成する（リセドロン酸では、約10%が不溶性金属キレートを形成）ため、ビスホスホネート系薬を服用する場合には、できる限り水道水で服用するように指導する。やむを得ずミネラルウォーターで服用する場合は、外国産などのCa、Mgなどを多く含むものは避けさせた方がよい。（☞ **コラム2**）

注意

ビスホスホネート系薬による顎骨壊死

ビスホスホネート系薬剤による治療を受けている患者において、顎骨壊死・顎骨骨髄炎があらわれることがある。報告された症例の多くが抜歯等の顎骨に対する侵襲的な歯科処置や局所感染に関連して発現している。リスク因子としては、悪性腫瘍、化学療法、血管新生阻害薬、コルチコステロイド治療、放射線療法、口腔の不衛生、歯科処置の既往等が知られている。 従って、ビスホスホネート系薬剤の投与開始前は口腔内の管理状態を確認し、必要に応じて、患者に対し適切な歯科検査を受け、侵襲的な歯科処置をできる限り済ませておくよう指導し、投与中に侵襲的な歯科処置が必要になった場合にはビスホスホネート系薬剤の休薬等を考慮する必要がある。また、口腔内を清潔に保つこと、定期的な歯科検査を受けること、歯科受診時に本剤の使用を歯科医師に告知して侵襲的な歯科処置はできる限り避けることなどを患者に十分説明し、異常が認められた場合には、直ちに歯科・口腔外科を受診するように指導することが重要である。

ペニシラミン

ペニシラミン（メタルカプターゼ、化学名3−メルカプト−D−バリン）はαアミノ酸で、分子内にSH基を有する強力なキレート化剤である（☞ **図1-2**）。血液中の重金属と可溶性キレートを形成し腎で排泄されるため、血中重金属濃度を低下させる。Cu、Hg、Pbなどの金属中毒やCuが過剰に沈着するウィルソン病（肝のセルロプラスミン合成不全）に適応があるほか、細胞性免疫調節作用があるため関節リウマチにも使用される。

図 1-2　金属アニオンと錯体を形成しやすい薬剤の構造式

1）クエン酸

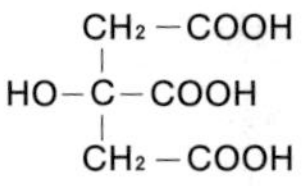

2）ビスホスホネート系薬

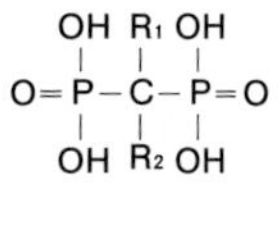

3）ペニシラミン（メタルカプターゼ）

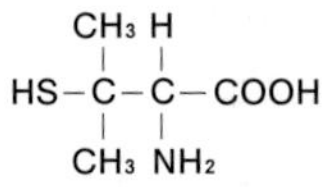

4）テトラサイクリン系薬

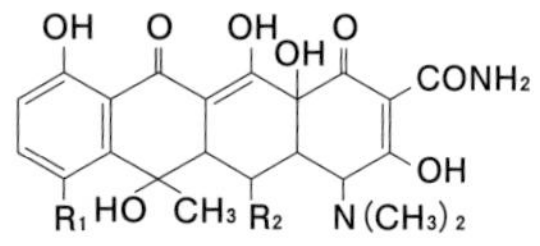

5）レボチロキシン Na 水和物（チラーヂン S；合成 T_4 製剤）

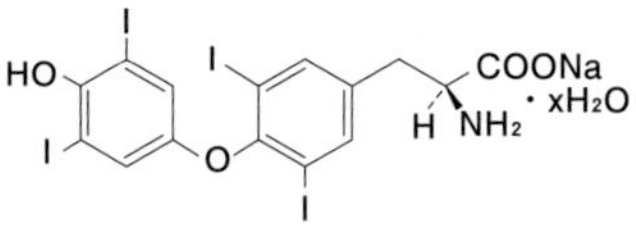

6）ノルフロキサシン（バクシダール；キノロン系薬）（図5-15参照）

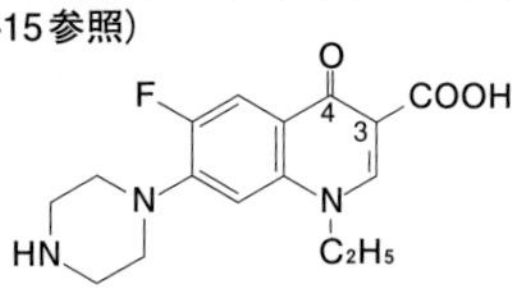

7）ミコフェノール酸モフェチル（セルセプト）

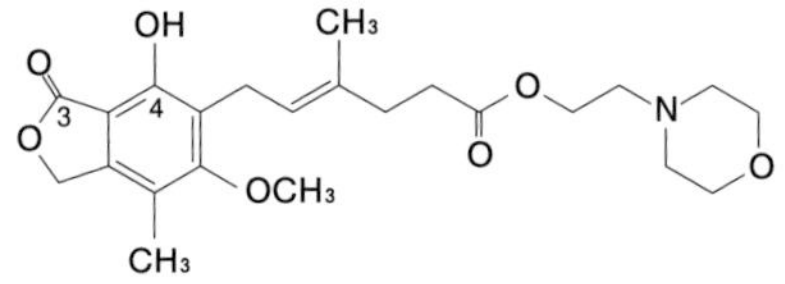

8）エルトロンボパグオラミン（レボレード）

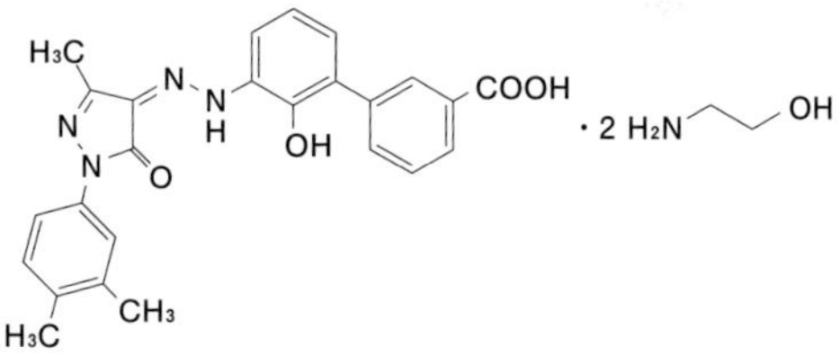

9）ロキサデュスタット（エベレンゾ）

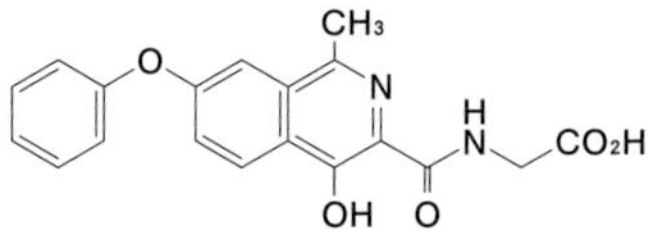

10）エルビテグラビル（スタリビルド配合錠など）

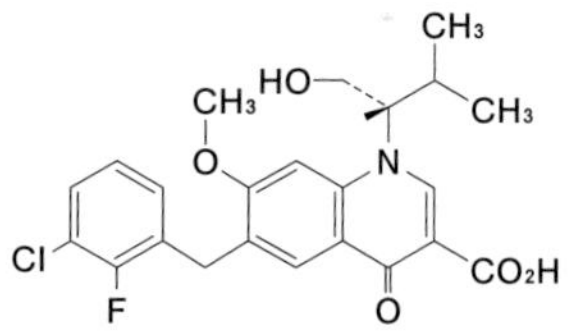

11）セフジニル（セフゾン）

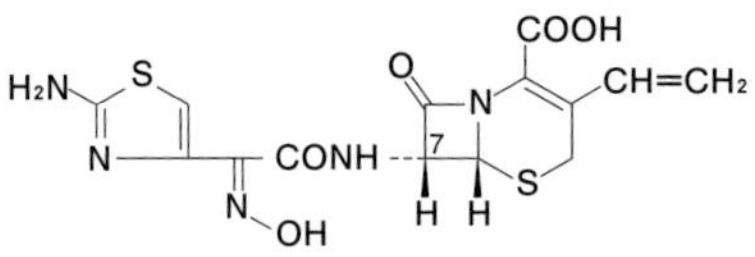

12）エストラムスチンリン酸エステル Na 水和物（エストラサイト）

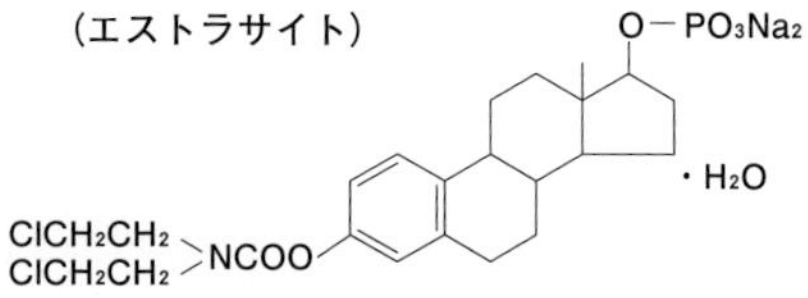

ペニシラミンはチオール基、カルボキシル基、アミノ基を有することから、全ての金属カチオンとキレートを形成すると考えられる。消化管内で容易に金属キレートを形成し、吸収量が低下するため(薬効減弱)、金属含有医薬品との同時服用は禁忌である。キレートによる吸収低下の機序は明確でないが、ペニシラミンはバリンを含んでいるため、アミノ酸トランスポーターによって能動的に吸収されていると仮定すると(☞表4-15)、キレート形成によってトランスポーターが基質として認識できなくなることで、吸収が低下する可能性がある。相互作用例では、水酸化Alおよび水酸化Mgを含有する制酸剤、またはFe剤との同時併用で、ペニシラミンのAUCがそれぞれ52%、93%低下することが示されている。

また、ペニシラミンは飲食物に含まれる微量の金属とも容易にキレートを形成すると考えられている。実際、食後にペニシラミンを服用した場合、空腹時服用に比べてペニシラミンのAUCが51%低下するという報告がある。

以上のことから、ペニシラミンは空腹時に服用し、金属含有医薬品(☞表1-4)や健康食品(Ca製剤、乳製品、Zn製剤なども含む)との同時服用を避ける。やむを得ず併用する場合は、投与間隔を2時間以上空けるよう指導する。また、服用にはなるべく水道水を使用し、ミネラルウォーターで服用する場合は、ビスホスホネート系薬と同様、外国産などのCa、Mgなどを多く含むものは避けるよう指導する。

注意

生体内における Znの役割と薬剤性味覚障害

ペニシラミン(メタルカプターゼ)の特徴的な副作用として、味覚障害がある。

味覚障害は、Zn欠乏の典型的症状の一つであり、薬剤性味覚障害の原因には、薬剤によるZnやCuのキレート形成やビタミンB_6欠乏などが関係すると考えられている。Znは生体に必須の微量元素であり、ヒトでの必要量は10〜15mg/日と、Feの必要量10〜18mg/日とほぼ同等である。ペニシラミンによるZn欠乏の発現機序は明確でないが、血液中のZnとキレートを形成し腎排泄を促進したり、消化管内でZnとキレートを形成しZnの吸収を阻害したりするといった機序が考えられている。

そのため、金属とキレートを形成しやすいビスホスホネート系、テトラサイクリン系、甲状腺ホルモン製剤、キノロン系、また遷移金属との親和性が高いセフジニルも、味覚障害を誘発する可能性がある。実際、テトラサイクリンで味覚障害の出現したラットにおいて、血清Zn値の低下が報告されている。そのほか、薬剤性味覚障害の原因としてZnキレート作用が指摘されている薬剤には、①ペニシラミンのようにチオール基を有するチアマゾール(メルカゾール)、グルタチオン(タチオン)、カプトプリル(カプトリル)など、②カルボニル基やアミノ基を有するメチルドパ水和物(アルドメット)、レボドパ製剤、フロセミド(ラシックス)など、③カルボニル基を有するキノロン系、NSAIDs、アンジオテンシン転換酵素(angiotensin converting enzyme:ACE)阻害薬など、④三級アミン類三環系抗うつ薬のイミプラミン塩酸塩(トフラニール)など——が知られている。このような官能基を有する他の薬剤でも、Zn欠乏による味覚障害が誘発され得る。

特に高齢者は味覚障害を起こしやすいため、チオール基、カルボニル基、アミノ基やアミンを持つ薬剤を服用している患者が食欲不振などを訴えた場合には、味覚障害の有無を確認し、薬剤師の判断によってZnの補給を勧めることも必要である。Znは、必要量の10倍くらいまでは長期摂取しても問題ない。臨床の現場では、味覚障害に対し、Zn含有製剤のポラプレジンク（プロマック）を用いることもある。Zn内服治療は、Zn欠乏症はもとより、原因不明の味覚障害にも約70%程度有効とされている。ただし、その効果が現れるのに3～6カ月かかることが多いことを説明する必要がある。

なお、全身麻酔薬のプロポフォール注射剤の1%ディプリバン注（キット）は、長期にわたって投与する場合、特に熱傷や下痢、重度の敗血症などのZn欠乏を来す恐れのある患者において、適宜Zn補充を行うよう添付文書に記載されている。これは、1%ディプリバン注（キット）には添加物であるエデト酸Na水和物が金属キレート作用を有するためである。

症例　50歳代女性Aさん。

［処方箋］

高血圧、狭心症のAさんは3年以上、①を服用中であるが、今回、食欲がないことから②ガナトン（イトプリド塩酸塩）が追加となった。上部消化管内視鏡検査では胃腸障害は認められていないが、Aさんの話をよく聞くと、味覚異常があることが発覚した。

薬剤師は、これまで服用してきた全ての薬に味覚異常を起こす可能性があることを説明し、医師に相談するように伝えたが、Aさんは医師への相談を拒否した。そこで薬剤師はZn不足の可能性を説明し、市販のZn製剤の摂取を提案したところ、Aさんは「試してみたい」と興味を示し、市販薬を購入した。1週間後、それまで感じられなくなっていた甘みが徐々に回復し、1カ月後には正常となった。3カ月後にZn製剤を一旦中止しても味覚障害の再発は認められなかったが、Aさんの希望によりZn製剤を継続した。

注意

Znによる薬物吸収阻害とCu欠乏症

ペニシラミンや甲状腺ホルモン製剤（レボチロキシンナトリウム水和物）は、消化管内でZnと容易にキレートを形成する。これらの薬剤とZn含有の医薬品（ポラプレジンク）や牡蠣肉エキスなどの健康食品を同時服用すると、吸収が低下し薬効が減弱する可能性があるため、同時服用禁忌である。

前述「注意」のように、ビスホスホネート系薬、テトラサイクリン系薬、キノロン系薬、セフジニルなどもZnとキレート形成すると考えられるため、Zn含有製剤との同時服用は避ける。やむを得ず併用する場合は、服用間隔を2時間以上空けるように指導する。また、Zn含有製剤は、同じ微量金属であるCuの吸収を阻害するため注意が必要である。Znの服用により、腸管粘膜上皮細胞において金属結合タンパク質メタロチオネインの産生が誘導されるが、CuはZnよりもメタロチオネインとの親和性が高いため、食事中のCuはメタロチオネインと優先的に結合し腸管粘膜細胞内にとどまる。そしてCuは吸収されずに腸管粘膜の細胞の剥落とともに糞便中に排出される。このように、Zn含有製剤は食事に含まれるCuの血液への移行を阻害することでCu欠乏症を引き起こすと考えられている。Zn含有製剤である酢酸亜鉛水和物（ノベルジン）は、ZnのCu吸収阻害作用によりCuの蓄積によって臓器障害を引き起こす先天性銅代謝異常症であるウィルソン病の治療薬として用いられる。

Cu欠乏症の代表的な症状は貧血である。FeはFe（Ⅲ）に変化することで輸送タンパク質トランスフェリンと結合し、骨髄まで運搬され、造血のために利用される。Fe（Ⅱ）

からFe（Ⅲ）の変換には、Cuを含む糖タンパク質セルロプラスミンによる触媒が必要とされるため、Cu欠乏ではFeは酸化されずトランスフェリンと結合できないため貧血を生じる。（亜鉛栄養治療2巻1号2011、p30-34、共済医報第57巻、第1号、2008）

テトラサイクリン系薬

経口テトラサイクリン系薬には、水溶性のテトラサイクリン塩酸塩（アクロマイシンV）およびデメチルクロルテトラサイクリン塩酸塩（レダマイシン）、半減期の長い脂溶性のミノサイクリン塩酸塩（ミノマイシン）およびドキシサイクリン塩酸塩水和物（ビブラマイシン）がある。いずれも、フェノール性水酸基やカルボニル基と金属カチオンとの結合によりキレートを形成すると考えられる（☞**図1-2**）。ほぼ全ての金属カチオンとキレートを形成して難溶性となるため、消化管吸収が阻害される（薬効減弱）。したがって、テトラサイクリン系薬と金属カチオン（Al、Mg、Fe、Ca、Zn）を含有している医薬品、健康食品、総合ビタミン剤などとの同時服用は禁忌である。

一般に、テトラサイクリン系薬のキレート形成による相互作用は、テトラサイクリン系薬と金属含有製品との服用間隔を2～4時間以上空けることで回避できる。これには、テトラサイクリン系薬のTmaxが2～4時間であることに起因すると考えられる。また、金属含有製剤の変更が不可能で、投与間隔を空けることが患者のコンプライアンスの低下を招く場合には、投与 回数が少ない脂溶性テトラサイクリン系薬を選択した方がよい。

一方、飲食物の影響に関しては、水溶性と脂溶性テトラサイクリン系薬で大きな違いがある。例えば牛乳は、わずかな量（1mmol=40mgのCa）でも、テトラサイクリンの生物学的利用率を50％にも低下させるが、脂溶性のミノサイクリンやドキシサイクリンでは、AUCをそれぞれ24％、21％低下させるのみで、臨床的な影響はほとんどないとされている。また、牛乳と同様、食事はテトラサイクリンのAUCを59％も低下させるが、ミノサイクリンとドキシサイクリンではほとんど影響を受けないことも報告されている。したがって、水溶性テトラサイクリン系薬（アクロマイシンV）では、牛乳、乳製品との同時服用を避け、空腹時（食事の1時間前または食事の2～3時間後）に服薬させるが、脂溶性テトラサイクリン系薬（ミノマイシン、ビブラマイシン）では、このような配慮は必要ない（ただし、脂溶性テトラサイクリン系薬は消化性潰瘍誘発のため、食中または食直後服用が推奨されている）。しかしながら牛乳、乳製品の脂溶性テトラサイクリン系薬への影響は完全に無視できるわけではないため、Ca製剤と同様、同時服用は避けるよう指導しても問題ない。また、ミネラルウォーターについては、ビスホスホネート系薬ほど注意する必要はないと思われるが、外国産などの特にCaを多く含むものは避けた方がよいだろう。

なお、テトラサイクリン系薬は、本来の感染症治療以外にも、好中球の遊走抑制や活性酸素生成抑制に起因する抗炎症効果を期待して、関節リウマチやベーチェット病、急性心筋梗塞などの炎症性疾患に投与する場合もある。

甲状腺ホルモン製剤

Al、Fe、Ca、Zn、La含有医薬品とレボチロキシンNa水和物（T_4、チラーヂンS）を同時服用すると、レボチロキシンの効果が減弱し、血清T_4濃度低下、血清TSH（甲状腺刺激ホルモン）濃度上昇などが起こる。この発現機序は明らかではないが、レボチロキシンが構造上、カルボキシル基、アミノ基、フェノール性水酸基を有し、金属とキレートを形成しやすいことや（☞**図1-2**）、水酸化Alによる吸着を受けやすいことなどから（☞**表1-3**）、消化管内での金属キレート形成や吸着によってレボチロキシンの吸収阻害が起こると考えられている。また、甲状腺ホルモンは腸肝循環により再吸収されるため、これらの金属含有製剤による血清 T_4 濃度低下の原因には、服用後の消化管吸収阻害のみならず、T_4 の腸肝循環阻害も関与している可能性がある（☞ **図 1-5**）。

これまでに、レボチロキシンの吸収を阻害すると報告されている薬剤は、Al 含有制酸剤（水酸化 Al、スクラルファート）、Fe 剤、炭酸 Ca（1 ～ 3.75g）、Zn 含有製剤のポラプレジンク（プロマック）であるが、これより低用量の金属を含有している他の医薬品や健康食品、Mg 含有製剤の影響は不明である。ただし、甲状腺ホルモン製剤の投与量は少なく（例えば、レボチロキシンでは 1 回投与量が 25μg［0.031μmol］以上）、微量の金属でも影響を受ける可能性がある。そのため、Al、Fe、Ca、Zn を含有している他の医薬品や健康食品、総合ビタミン剤などと甲状腺ホルモン製剤との同時服用は避けるように指導した方がよい。

相互作用を回避する方法として、以下の報告がある。すなわち、① Al 含有制酸剤では、制酸剤投与の 8 時間後または甲状腺ホルモン製剤投与の 4 時間後に他方を投与する、②炭酸 Ca では甲状腺ホルモン製剤との服用間隔を 4 時間以上空ける、③ Fe 剤や Zn 含有製剤は、服用間隔を 2 時間以上空ける――などである。

Al 含有制酸剤において、服用間隔が空くことで患者のコンプライアンス低下が懸念される場合は、金属を含有しない H_2 拮抗薬や PPI などに変更するとよいだろう。

なお、in vitro において、水酸化 Mg はレボチロキシンをほとんど吸着しないことが示されており（機序不明）、今のところ、Mg のみを含有する医薬品との同時服用は問題ないと思われる。

飲食物の影響については、食事がレボチロキシンの生物学的利用率を約 20％低下させることや、小麦、大豆、青汁などの繊維質がレボチロキシンの吸収・効果発現を遅延させることが知られている。これは、食事中に含まれる金属とのキレート形成や食物繊維によるレボチロキシンの吸着などに起因すると考えられる。このような飲食物の影響を避けるため、甲状腺ホルモン製剤は朝食前 30 ～ 60 分に投与することが推奨されている（☞ **表 1-15**；朝食 30 分前の服用で効果が無効な場合、朝食 60 分前にすると効果が得られることがある）。

図 1-3　金属含有製剤の同時服用によるレボフロキサシン血中濃度の変化

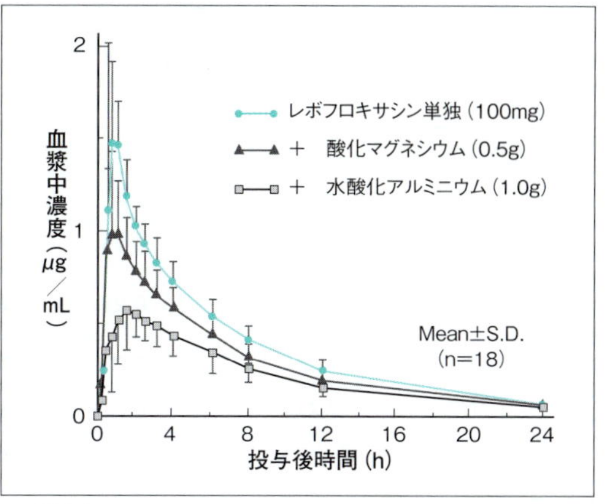

（柴孝也ほか. Antimicrob Agents Chemother. 1992；36：2270.）

症例　40 歳代女性 A さん。

市販のかぜ薬を購入するため初めて薬局に来た A さん。数年前に甲状腺癌の手術を受けた後、チラーヂン S 錠 100μg（レボチロキシン Na 水和物）1 錠を 1 日 1 回朝食後に服用しているとのことだった。健康食品の摂取の有無を尋ねると、数年前から市販のビタミン・ミネラル配合錠（商品名ドックマン）を 1 日 1 回朝食後に同時服用していることが判明。ドックマンに含まれる Fe がキレートを形成し、甲状腺ホルモンの吸収が低下すると考えられたが、現在、定期的に甲状腺機能モニタリングを行っており、その結果には全く異常がないとのことであった。

そこで、担当薬剤師は、服用時点を変えることはせず、これまで通りドックマンとチラーヂン S を同時服用するよう指導した。また、ドックマンを中止した場合に、甲状腺ホルモンの効果が増強する恐れがあることも説明し、今後、他の医薬品や健康食品などを摂取する場合は、必ず薬剤師か医師に相談するよう伝えた。

表 1-2　キノロン系薬の吸収に対する金属含有製剤の影響

キノロン系薬（カッコ内は商品名）	成分量100mgのモル数（mmol）	Al	Mg	Fe	Ca	牛乳	牛乳摂取時の留意点
		数字はAUC低下率（%）					
① 影響が大きい							
ノルフロキサシン（バクシダール）	0.31	●97	●	●	●	★	牛乳で40%↓
シプロフロキサシン（シプロキサン）	0.26	●88	●	●	●30	▲	牛乳で33%↓
プルリフロキサシン（スオード）	0.21	●85	●58	●75	●65	○	牛乳の同時摂取は避けた方がよい
シタフロキサシン（グレースビット）	0.22	●75	●50	●55	●28	○	
トスフロキサシン（オゼックス）	0.17	●73	●54	●16	●42	○	
ガレノキサシン（ジェニナック）	0.19	●58※	●	●	●	○	
② 中程度							
エノキサシン★	0.29	●85	●	●51	○	○	問題ない
モキシフロキサシン（アベロックス）	0.23	●59※	●	●39	○	○	
ガチフロキサシン★	0.25	●46	●	●25	○	○15	
レボフロキサシン（クラビット）	0.27	●44	●22	●20	○	○	
スパルフロキサシン★	0.26	●35	●	●28	○	○	
③ 影響が小さい							
ロメフロキサシン（ロメバクト、バレオン）	0.26	●35	●	○	○	○	問題ない
④ 全く影響がない							
フレロキサシン★	0.27	○17	○	○	○	○	問題ない

同時禁忌（●）、原則同時禁忌（★）、注意（▲）、記載なし（○）を表している。キノロン系薬のAUCの低下率（%）は各薬剤のインタビューフォームを参考にした。

水酸化Alゲル1g = Al 7.8mmol、酸化Mg 0.5～1g = Mg 12.4～24.8mmol、硫酸Fe徐放剤50～160mg = Fe 0.89～2.83mmol、炭酸Ca 1g = Ca 10mmol、牛乳・ヨーグルト・凝乳100mL = Ca約120mg = 3mmolとした。

※ AlおよびMg含有制酸剤と同時投与した場合のAUC低下率

★ 販売中止。ただし、ガチフロキサシン点眼液（ガチフロ）のみが販売中であるが、金属含有製剤との相互作用はない。

キノロン系薬

キノロン系薬の構造式にある4-oxo-3-カルボキシル基（抗菌活性に必要）は、様々な金属カチオンとキレートを形成するが（☞ **図1-2**）、キレート形成の起こりやすさはAl＞Cu＞Zn＞Mg＞Fe＞Caの順であると考えられている。**図1-3**は、キノロン系の中でもわが国で最も使用頻度の高いレボフロキサシン水和物（クラビット）について、健常男性が金属含有製剤（Al、Mg、Fe）と同時服用した場合のレボフロキサシンの血漿中濃度の変化を示している。レボフロキサシンのAUCは水酸化Al、酸化Mgとの併用で約44%、22%低下している。また、**図1-3**には示していないが、Fe剤との併用では20%低下する。ただし、炭酸Caとレボフロキサシンとの併用ではAUCが約4%低下するだけであり、Caとの同時服用は問題ないとされている。つまり、キノロン系薬の金属とのキレート形成能には大小がある。

各キノロン系薬の添付文書に記載されている金属カチオンとの相互作用を**表1-2**に示す。キノロン系薬は金属の影響の程度によって4群に分類できる。キレート形成能に差異がある原因については明らかではないが、金属の影響が最も大きいキノロン系薬は、テオフィリン（テオドール）と併用した場合にテオフィリンの血中濃度を大きく上昇させる作用がある（☞ **表5-36** ①）。つまり、CYP450中にはヘムFeがあることから、キノロン系薬による

CYP1A2 酵素阻害作用に、キレート形成能の大小が関わっている可能性もある（☞ **p.26「注意」**）。

表 1-2 に示したように、金属の影響が大きいキノロン系薬は全ての金属カチオン含有製剤、中程度のキノロン系薬は Ca を除く金属カチオン製剤、金属の影響が小さいロメフロキサシン塩酸塩（ロメバクト、バレオン）では Al、Mg 含有製剤との同時服用を避ける。特に Al、Mg 含有製剤は、フレロキサシンを除く全てのキノロン系薬とキレートを形成しやすいため同時服用を避ける。これらの金属を含有する他の医薬品や健康食品、総合ビタミン剤なども同様に対処する。

一方、飲食物については、金属の影響が大きいキノロン系薬は、牛乳・乳製品の同時飲食は避けた方がよい。また、Ca、Mg などを多く含むミネラルウォーターも牛乳と同様とみなすべきである。Ca、Mg 含量の高いウイキョウ実は、シプロフロキサシンの生物学的利用率を半減することが報告されているが、これまでのところ、乳製品を含まない食事は、キノロン系薬の吸収に影響を与えないとされている。

以上のように、キノロン系薬の投与時には、金属含有の医薬品、市販薬、健康食品、総合ビタミン剤、牛乳・乳製品、ミネラルウォーターなどの摂取状況を把握しておく必要がある（☞ **表 1-4、付 E**）。

一般に、これらの相互作用は、キノロン系薬の投与後 2 時間以上空けて金属含有製剤を投与するか（ただし、レボフロキサシン［クラビット］では 1 時間以上）、金属含有製剤の投与後 3 ～ 6 時間空けてキノロン系薬を投与することで回避できる。これは、キノロン系薬の Tmax が 1 ～ 2 時間であり、Al、Mg 含有制酸剤などは胃・腸からほとんど吸収されず、結腸に到達するまでに 4 時間程度かかるとされているためである。したがって、金属含有製剤が食後投与の場合、キノロン系薬を食前に投与した方がよい。特にレボフロキサシンについては金属含有製剤との服用間隔を 1 時間以上空ければよいので、食前服用でもコンプライアンスを良好に保てると考えられる。また、服用回数が 1 日 1 回と少ない薬剤（モキシフロキサシン塩酸塩［アベロックス］、メシル酸ガレノキサシン水和物［ジェニナック］、高用量レボフロキサシン水和物［クラビット錠 250mg・500mg、細粒 10%］）は相互作用を回避しやすい（☞ **コラム 3**）。

症例①　50 歳代男性 A さん。

［処方箋］

A さんは、アルサルミン（スクラルファート水和物）や酸化マグネシウムを服用していたところ、クラビット（レボフロキサシン水和物）が 3 日分追加された。相互作用を避けるためには、クラビットの服用時点をアルサルミンなどの服用の 1 時間前にするか、3 時間後にする必要がある。聞くと、A さんは日ごろ食後 30 分以降に薬剤を服用しているというので、毎食前 30 分にクラビットを服用するよう指導した。このようにクラビットは金属含有製剤服用の前に 1 時間の間隔を置けばよいので、服用タイミングをコントロールしやすい。

なお本症例は 2005 年の実例であり、現在ではクラビット錠 100mg は販売されていないが、後発品のレボフロキサシン錠 100mg が販売されている。

症例②　70 歳代女性 B さん。

［処方箋］

B さんは、フェロミア（クエン酸第一鉄）、バファリン配合錠 A81（Al、Mg 含有）などをルーチン薬として服用中に、スオード（プルリフロキサシン）が追加になった。また B さんは普段、味覚障害のため OTC の Zn 製剤を朝食後に服用し、新キャベジンコーワ S 錠（Mg、Ca 含有）を時折服用。毎朝牛乳も飲んでいた。

さらに、ルーチン薬の服用時刻は午前 7 時と午後 7 時、起床は午前 5 時、就寝は午後 9 時であった。担当薬剤師は、ルーチン薬の服用時点と就寝時間を変えないためにはスオードを午前 5 時、午後 5 時に服用する必要があると説明。B さんの理解を得ることができたため、薬袋に服用時刻を記入して渡した。そのほか、Zn 製剤はこれまで通り服用し、牛乳は朝食後に飲むよう指導した。キャベジンについては、スオード服用前3時間および服用後2時間は避けるよう説明したが、実行が難しいと判断されたためスオードの服用中は中止することにした。

注意

キノロン系薬のキレート形成能とCYP1A2阻害能

キノロン系薬はCYP1A2阻害作用を持ち、テオフィリンの代謝を抑制するが、CYP1A2阻害能は薬剤によって異なる（☞**表5-36**①、**コラム43**）。例えば、エノキサシン、ピペミド酸水和物（ドルコール）、シプロフロキサシン（シプロキサン）、トスフロキサシントシル酸塩水和物（オゼックス）、ノルフロキサシン（バクシダール）、プルリフロキサシン（スオード）は、テオフィリン代謝を強く抑制する。興味深いことに、CYP1A2阻害効果の強いこれらのキノロン系は、いずれもエノキサシン以上の強い金属キレート能を持つ（**表1-2**）。CYP1A2阻害機構については明らかにされていないが、CYP450にはヘム鉄を含むことから、金属キレート能とCYP1A2阻害能は相関している可能性がある。ただし、ガレノキサシン（ジェニナック）は例外であるほか、シタフロキサシン水和物（グレースビット）のCYP1A2阻害能は軽度である。

参考

キノロン系薬と相互作用を起こす金属量

表1-2に示したキノロン系薬の動態学的変化は、金属カチオンの1回投与量が0.33～24.8mmolに相当する薬剤を同時服用した結果である。しかし、臨床的に使用頻度の高いキノロン系薬の経口投与に際して、金属カチオンを含む医薬品や健康食品の摂取量の許容範囲は明確ではない。

in vitroでは、キレートはキノロン系薬：金属カチオン＝1：1の割合で形成された後、さらに2：1、3：1とキレート化が進むことが示されている（金属カチオン1molに対して3molの薬剤が結合し得る）。通常、キノロン系薬の1回投与量は100mg（0.17～0.31mmol）以上であるため（**表1-2**）、同時投与した金属カチオンの全てがキレートを形成すると仮定すると、その1/3である0.057～0.1mmol以上の金属を含む医薬品や健康食品を同時服用してしまうと、投与した全てのキノロン系薬が金属キレートを形成すると考えられる。一方、投与したキノロン系薬の20%がキレートを形成しても薬効に影響がないと仮定すれば、0.011～0.021mmol（[0.17～0.31mmol]×20%×1/3）以下の金属を含有する薬剤などは、キノロン系薬と同時服用しても全く問題ないことになる。

もっとも、理論上は上記のようになるが、実際には、投与した金属の全てが消化管内でキノロン系薬とキレートを形成することはあり得ない。現在、キノロン系薬やテトラサイクリン系薬などとのキレート結合について添付文書上に記載がある金属含有製剤のうち、1回投与量に含まれる金属の量が1mmol以下である薬剤には、グルコン酸Ca水和物（カルチコール末；0.33g中にCa 0.74mmol）、硫酸鉄徐放剤（スローフィー錠［販売中止］；50mg中にFe 0.89mmol）、アスピリン・ダイアルミネート（バファリン配合錠A81；1錠中にジヒドロキシAlアミノアセテート11mg［Al 0.08mmol］および炭酸Mg 22mg［Mg 0.26mmol］含有）などがある。

さらに、Mg をわずか 0.047mmol を含有しているキナプリル塩酸塩（コナン錠、１錠中に炭酸 Mg 4mg 含有）の添付文書上には、テトラサイクリン系薬が併用注意となっているが、キノロン系薬については報告がないため記載されていない（キナプリル 5mg、10mg とテトラサイクリンを併用した場合、テトラサイクリンの AUC はそれぞれ 28%、37%低下することが報告されているが、投与間隔を２～３時間空ければ問題ない）。

キナプリルの例から判断すると、臨床において、キノロン系薬投与時には、0.047mmol（Al = 1.5mg、Mg = 1.4mg、Fe = 3.2mg、Ca = 2.3mg）以下の金属量を含む医薬品や健康食品、総合ビタミン剤などとの同時服用は問題ないが、0.048mmol 以上を含む場合は、キノロン系薬の効果が減弱する可能性があると考えられる。

ミコフェノール酸モフェチル

Fe 剤、Ca 含有製剤、Al、Mg 含有製剤との同時服用によるミコフェノール酸モフェチル（mycophenolate mofetil：MMF、商品名セルセプト；免疫抑制剤）の消化管吸収低下の可能性が報告されている。MMF は加水分解されミコフェノール酸（MPA）となり活性を示すが、これらの金属含有製剤を同時服用すると、吸収低下により MPA の AUC が低下する。例えば、Fe 剤では MPA の $AUC_{0\text{-}12h}$ が約 90％低下、Ca を含有するポリカルボフィル Ca（コロネル）では $AUC_{0\text{-}12h}$ が 50％低下、また水酸化 Al ゲルと水酸化 Mg を含有する制酸剤（マーロックス）では $AUC_{0\text{-}24h}$、Cmax がそれぞれ 15％、37％低下する。発現機序は明確ではないが、MMF の 3-oxo-4- 水酸基が、金属とキレートを形成するためと考えられている（☞ **図 1-2**）。

その他の金属含有製剤については報告がなく影響は不明であるが、MMF は全ての金属カチオンとキレートを形成する可能性がある。同薬の免疫抑制剤としての効果減弱の可能性を考慮すると、金属を含有している他の医薬品や健康食品、総合ビタミン剤などとの同時服用も避けた方がよい。Ca を含む乳製品なども同様だが、特に Fe 剤では血中濃度の低下が著しく、注意を要する。

これらの相互作用を避けるためには投与間隔を空ければよいが、具体的な投与間隔についての検討はなされていない。ただし、わが国の承認用量である 1000mg、1500mg の MMF を腎移植患者に反復投与した場合の MPA の Tmax は１～２時間と報告されていることから、MMF の投与後２時間以上空けて金属含有製品を投与すれば問題ないだろう。

エルトロンボパグオラミン

エルトロンボパグオラミン（レボレード；TPO 受容体作動薬）は、Al、Mg、Fe、Ca、Zn、Se などの多価陽イオン金属とキレートを形成するため、同時服用すると消化管吸収が妨げられ、血中濃度が低下する。例えば、Al、Mg 含有制酸剤との併用によって血中濃度は約 70％低下することや、乳製品

図 1-4　金属含有製剤の同時服用によるセフジニル血中濃度の変化

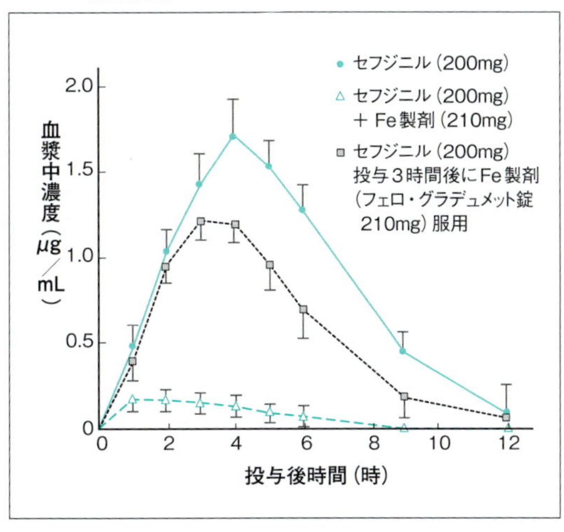

（Ueno K, et al. Clin Pharmacol Ther. 1993：54(5)：473-5.）

を含む高カロリー・高脂肪食（Ca 427mg 含有）を同時に摂取した場合、空腹時に比較して約 60%も血中濃度が低下することが示されている。

このように金属キレート能は強力であるため、エルトロンボパグは、食事の前後 2 時間を避けて空腹時に服用させる必要がある。やむを得ず金属イオンを多く含む制酸剤、乳製品、健康食品などを摂取する場合は、服用間隔をエルトロンボパグ服用の前 4 時間及び後 2 時間以上は空けるよう指導する。

HIF-PH 阻害薬

現在、HIF-PH 阻害経口薬（腎性貧血治療薬）には、ロキサデュスタット（エベレンゾ）、バダデュスタット（バフセオ）、エナロデュスタット（エナロイ）、モリデュスタット Na（マスーレッド）、ダプロデュスタット（ダーブロック）の５種類が使用されている。このうち、ダプロデュスタットを除く HIF-PH 阻害薬は、多価陽イオン金属（Al、Mg、Fe、Ca など）を含む経口薬と同時服用した場合、消化管吸収が抑制され血中濃度が低下し、効果が減弱する恐れがあり同時服用が禁忌である。ロキサデュスタットでは1時間以上、バダデュスタットでは２時間以上、エナロデュスタットでは投与後３時間または投与前１時間、モリデュスタットでは１時間以上の間隔を空けて服用するように指導する。

吸収阻害の発現機序は明らかにされていないが、金属とのキレート形成の可能性が考えられている。まず、ロキサデュスタットでは酢酸 Ca の同時併用で血中濃度が低下することが知られており、検証はされてないが不溶性の複合体（キレート）の形成が推測されている。同様にバダデュスタットでは Fe 剤との併用で血中濃度が低下することから、金属とのキレート形成が関与すると考えられている。両剤の構造には、テトラサイクリン系薬と同様にフェノール性水酸基、カルボニル基があることから（**図 1-2**）、金属イオンとキレートを形成する可能性が極めて高い。

また、エナロデュスタットでは、リン（P）吸着剤（セベラマー塩酸塩；陰イオン交換樹脂）との同時服用による血中濃度の低下は報告されているが、多価イオン金属との相互作用に関しては根拠がないにも関わらず同時服用が禁忌となっている。本剤の構造にもフェノール性水酸基、カルボニル基が存在することから、金属とキレートを形成する可能性はある。

一方、モリデュスタットでは、多価陽イオン金属製剤（硫酸 Fe、酢酸 Ca、酸化 Al、水酸化 Mg）との併用で血中濃度が低下することが実証されている。本剤の構造にはフェノール性水酸基、カルボニル基はないが、キレートを含めた不溶性物質の形成が推測されている（Eur J Clin Pharmcol. 2020;76:185-97.）。

腎性貧血は慢性腎障害（CKD）の早期から認められる典型的な合併症であり、CKD の患者では貧血治療薬として Fe 剤、高 P 血症の治療薬（炭酸 Ca、P 吸着薬）、下剤として酸化 Mg を内服している場合が少なくないため、キレート形成による相互作用は、特に注意すべきである。

注意

HIF-PH 阻害薬（腎性貧血治療薬）

腎性貧血に適応のある HIF-PH 阻害薬は、2019 年以降から急速に普及し始め、2022 年ではロキサデュスタット、バダデュスタット、エナロデュスタット、モリデュスタット Na、ダプロデュスタットの５種類が使用されている（上記参照）。本薬剤は赤血球産生を促進する腎エリスロポエチン（EPO：erythropoietin）の転写因子である低酸素誘導因子 (HIF：hypoxia-inducible factor：ヒフ）の分解酵素（HIF-PH：HIF-プロリン水酸化酵素 [PH]) を阻害することにより、EPO の転写、発現を促進して内因性 EPO の産生を増加するばかりでなく、Fe の利用を亢進する遺伝子の転写、発現も促進させるため、併せて赤血球造血を促して腎性貧血を改善させると考えられている。

相互作用では、既に述べたように、ダプロデュスタットを除くHIF-PH阻害薬は、金属と錯体（キレート）形成の可能性があり、同時服用が禁忌である（**表1-1**）。またロキサデュスタット、エナロデュスタットはカルボキシル基（陰イオン；COO^-）を持つためP吸着（高P血症治療薬；炭酸ランタン［La］、陰イオン交換樹脂［セベラマー塩酸塩、ビキサロマー］）と結合して吸収が低下するおそれがあり、同時服用が禁忌となっている（**表1-1、表1-5**）。添付文書中に記載はないが、バダデュスタットにも同様にカルボキシル基があるため、P吸着薬と相互作用を起こす可

表1-3　吸着による併用慎重例（経口薬）

作用する薬剤	作用を受ける薬剤	報告されている事象など
AlおよびMg含有製剤 水酸化Alゲル（アルミゲル、マーロックス）、水酸化Mg（マーロックス）、ショ糖硫酸エステルAl塩（スクラルファート［アルサルミン］）、メタケイ酸アルミン酸Mg（FK配合散）、天然ケイ酸Al（アドソルビン）、市販の胃腸薬など	**フェキソフェナジン**（アレグラ）	フェキソフェナジンの$AUC_{0\text{-}3h}$およびC_{max}が単剤投与に比較して約40%も低下。
	セフジニル（セフゾン）	セフジニルのAUCが約40%低下することが報告されているが、金属キレートの関与の可能性は低い。
	Fe剤	Fe吸収低下。制酸剤に含まれる陰イオン（炭酸イオン、水酸イオン）がFeと結合、胃腸内のpH上昇によるFeの溶解性低下、ケイ酸によるFeの吸着などが関与。
	甲状腺ホルモン製剤	水酸化Alに吸着されやすい（水酸化Mgはほとんど吸着しない）。甲状腺ホルモン製剤投与後、4時間以上空ける。
	胆汁酸製剤（ウルソデオキシコール酸［ウルソ］など）	胆汁酸製剤の作用減弱の恐れ。
	ガバペンチン※（ガバペン）、**ロスバスタチン**※（クレストール）、スルピリド（ドグマチール）、テオフィリン徐放性製剤（テオドール）、ジフルニサル★（サリチル酸系NSAIDs）、ジギタリス製剤（ジゴキシン）、ワルファリン（ワーファリン）、フェニトイン（アレビアチン）、β遮断薬、ラベプラゾール（パリエット）、イソニアジド（イスコチン）、アスピリン（バファリン配合錠）、フェノチアジン系薬（クロルプロマジン［コントミン］など）、デラビルジン★など	ガバペンチンCmax、AUCが17%、20%低下（2時間以上服用間隔を空けることが望ましい）、ロスバスタチンでは血中濃度50%低下。スルピリドではスクラルファート同時服用でBA 40%低下、スクラルファートを2時間前に服用してもスルピリドBA 25%低下。テオフィリン徐放性製剤では、スクラルファート同時投与によりテオフィリンCmax、AUCが23.2%、9.3%低下（吸着の関与不明）。ジギタリス製剤ではジゴキシンの吸収が約25～55%低下。ラベプラゾールAUCが8%低下（機序不明）。
Al含有製剤 （制酸剤など）	**イソニアジド**（イスコチン）	イソニアジド効果減弱の恐れ。同時服用させないなど注意が必要。Alとキレート形成または吸着し吸収阻害。
タンニン酸アルブミン （収れん薬）	**Fe剤**、ロペラミド（ロペミン）など	Fe剤ではFe吸収低下のため、**併用禁忌**。
球形吸着炭 （クレメジン）	**全ての薬剤**	他剤の服用後30分～1時間空けて球形吸着炭を投与。球形吸着炭は分子量数百から数千の低分子物質を選択的に吸着（消化酵素はほとんど吸着されない）。
ポリスチレンスルホン酸Ca（カリメート）、ポリスチレンスルホン酸Na（ケイキサレート）	甲状腺ホルモン製剤	甲状腺ホルモン製剤効果減弱の恐れ。服用時間をずらすなど注意する。

いずれも薬効減弱の恐れがあるため併用慎重。太字は同時禁忌または併用禁忌。同時禁忌の場合、服用間隔を２時間以上空ける。
※ 機序は不明だが、キレート形成の可能性もあるため、Al・Mg含有製剤も同時禁忌とした方がよい。
★ 販売中止

表1-4　Al、Mgを含有する主な医療用医薬品と市販薬

制酸剤	ケイ酸Al、水酸化Al、ケイ酸Mg、酸化Mg、炭酸Mg、ミルマグ、マーロックス懸濁用配合顆粒
下剤・浣腸剤	硫酸Mg、セチロ配合錠、酸化マグネシウム「NP」原末など
健胃消化剤	つくしA・M散、FK配合散、TM配合散、ピーマーゲン配合散、リーダイ配合錠、YM散「イセイ」など
消化性潰瘍治療薬	アルジオキサ、アルサルミン、メサフィリン配合散、コランチル配合顆粒、エピサネートG配合顆粒など
その他	キナプリル（コナン；酸化防止剤として炭酸Mg含有）、アスピリン・ダイアルミネート（バファリン配合錠）、ポリカルボフィルCa（コロネル）、イブプロフェン配合頭痛薬（イブクイック頭痛薬）など

（参考：田部和久ほか. 化学療法の領域. 1991；7：2382. を一部改変）

能性がある。

その他、ロキサデュスタットはCYP2C8、UGT1A9、BCRP、OATP2（OATP1B1）、OAT1、3の基質でありBCRP、OATP2阻害作用が、バダデュスタットはOAT1、3の基質であり、BCRP、OAT3阻害作用が、またバダデュスタット代謝物であるO-グルクロン酸抱合体はOAT3の基質および阻害作用があり、ダプロデュスタットは主にCYP2C8により代謝されることが示されている。これらトランスポーター（第4章）、代謝酵素（第5章）に起因する相互作用にも留意する。

一方、副作用では、血栓塞栓症（脳梗塞、心筋梗塞、肺塞栓など）、高血圧症、悪性腫瘍、網膜出血などの発症の懸念があり、これらの副作用が関与する相互作用にも注意する。特に血栓塞栓症では死亡に至る可能性があり、添付文章中では**【警告】**が記載されている（第7章［第7節］、**表7-41**参照）。また悪性腫瘍や網膜出血は、HIFの標的遺伝子である血管内皮増殖因子（VGEF）の転写、発現が促進することにより、血管新生や血管透過性が亢進するために発症すると推測されている。今のところ、これらVGEFが関係する副作用の増加は認められてないが、長期使用臨床成績には、今後も引き続き注意が必要である。

その他

抗HIV薬のエルビテグラビル（EVG：スタリビルド配合錠、ゲンボイヤ配合錠）も、Al・Mg金属含有製剤との同時投与により、EVGのCmax47%、AUC45%低下することが示されている。EVGはキノロン系薬と同様に4-oxo-3-カルボキシル基を有しており、金属カチオン（Al、Mg、Fe、Ca、Znなど）とキレートを形成することが知られている。併用する場合には、2時間以上の間隔を空けて投与することが望ましいとされている（同時禁忌）。

なお、抗HIV薬のビクテグラビル（ビクタルビ配合剤錠）も多価陽イオン金属とキレートを形成するため、消化管吸収が抑制され血中濃度が低下する。ただし、Al・Mg含有製剤（制酸剤）の併用時には制酸剤投与の2時間以上前のビクタルビル投与が推奨され、またFe剤、Ca含有剤（サプリメントなど）の併用時にはビクテグラビルの食後投与が推奨されている（同時禁忌）。

b Fe、Zn、Cuとキレートを形成する薬剤

セフジニル

セフジニル（セフゾン）はセファロスポリン系抗菌薬である。構造上、7位の側鎖にアミド基（−CONH−）、オキシム基（>C=N−OH）、アミノチアゾール環（N含有）といった、金属イオンとキレートを形成しやすい官能基を持つため（☞図

1-2)、全ての金属イオンとキレートを形成する可能性がある。

セフジニルは、特にFeと安定なキレートを形成する。**図1-4**に示すように、徐放性Fe剤である硫酸鉄(フェロ・グラデュメット錠)との同時服用では、セフジニルの消化管吸収が約1/10まで阻害される(フェロ・グラデュメット錠105mgは、1錠中に硫酸鉄を105mg[Fe 1.9mmol]含有し、Tmax 6～12時間である)。一方、乾燥水酸化Alゲルや重質酸化Mg、乳酸Caなどは、同時投与してもセフジニルの吸収には影響しないという報告(動物実験)がある。

セフジニルがFeとキレート形成しやすい理由として、Feはセフジニルとの親和性が高く安定度定数が大きいのに対して、Mg、Caはセフジニルとの親和性が低くキレートを形成しにくいことが考えられている。また、Alとセフジニルのキレート化合物は大きな安定度定数を示すが、そのキレート形成速度は非常に遅いことも起因すると考えられている(出口収平ら. 医薬品研究 1994;25:751-6.)。したがって、マーロックス(乾燥水酸化Alゲル、水酸化Mg含有)との同時投与でセフジニルのAUCが約40%低下することが報告されているが、金属キレートの関与の可能性は低い(☞ **本節2**)。

一方、セフジニルとFeのキレート形成によって消化管吸収が低下する機序は明確でない。ただしセフジニルはアミド基を有するペプチド類似物質であり、消化管のオリゴペプチドトランスポーター(PEPTファミリー☞ **表4-3**)によって吸収されると考えられる。そのため、キレート形成によりPEPTがセフジニルを基質として認識できなくなることで、吸収が低下する可能性が指摘されている。

徐放型Fe剤(硫酸鉄[フェロ・グラデュメット錠])を使用した実験結果(**図1-4**)から、セフジニルはごく微量のFeとキレートを形成すると判断できる。したがって、セフジニルとFe剤との併用は、基本的に避けた方がよい(原則禁忌)。やむを得ず併用する場合には、**図1-4**に示すようにセフジニルの投与後3時間以上空けてFe剤を投与する。これはセフジニルのTmaxが4時間であることに基づいているが、3時間空けた場合でもセフジニルのAUCが36%低下することに留意しておかなくてはならない。

一方、Fe以外の遷移金属については、セフジニルとの相互作用の報告はないが、セフジニルはZn、Cuなどの遷移金属にも親和性が強く、Feと同様に安定なキレートを形成しやすいため、Zn、Cuを含有する健康食品などとの同時併用も避けるように指導した方がよいだろう。

c Caと錯体を形成する薬剤

エストラムスチンリン酸エステルNa水和物

エストラムスチンリン酸エステルNa水和物(エストラサイト)は、Ca含有製品を同時に服用すると消化管吸収が著しく抑制され、効果が減弱する(同時服用禁忌)。これは、同薬のリン酸基が特異的にCaと結合して難溶性の錯体となるためである(☞ **図1-2**)。エストラムスチンは、in vitroにおいて、Ca濃度が40mg/L(＝1mM)という非常に低い溶液でも沈殿を生じ、また牛乳によって生物学的利用率(BA)が60%も低下するため、微量のCaを含む飲食物でさえ問題となり得る。実際、牛乳を含まない朝食の摂取でもAUCが30%以上低下することが知られている。したがって、エストラムスチンは、空腹時に服用し、Caを含む医薬品や健康食品、総合ビタミン剤、牛乳・乳製品またはCa含量の多い外国産のミネラルウォーターとの同時服用は避ける。また、やむを得ず服用・摂取する場合は、2時間以上の間隔を空けるよう指導する。

d Laと難溶性複合体を形成する薬剤

炭酸La水和物(ホスレノール;高リン血症治療薬)は、消化管内で食物由来のリン酸イオンと結合して不溶性のリン酸Laを形成し、腸管からのリン(P)吸収を抑制して薬効を発揮するが、Laは

表 1-5　結合による吸収阻害（経口薬）

	作用する薬剤	作用を受ける薬剤	相互作用の発現機序、対処法など
（1）陰イオン交換樹脂との結合			
併用禁忌	陰イオン交換樹脂（コレスチミド［コレバイン］、コレスチラミン［クエストラン］）	イオパノ酸★（非イオン性尿路・血管造影剤）	コレスチラミン投与中止から4日後に胆嚢造影剤を服用させること。
同時禁忌	コレスチミド（コレバイン）、コレスチラミン（クエストラン）	酸性薬剤： フェニルブタゾン★、ワルファリン、利尿薬（フロセミド［ラシックス］、トリクロルメチアジド［フルイトラン］、スピロノラクトン［アルダクトンA］など）、バルビツール酸系薬	コレスチミドでは吸着率50%以上（ただしワルファリンは14%）、コレスチラミンでは吸着率70%以上。カンデサルタンはコレスチミドのみ同時禁忌
		テトラサイクリン系薬、甲状腺ホルモン製剤（チラーヂンS、チロナミンなど）、ジギタリス製剤、胆汁酸製剤（ウルソデオキシコール酸［ウルソ］）、フィブラート系薬（ペマフィブラート［パルモディア］、クリノフィブラート★、エゼチミブ（ゼチーア）、カンデサルタン（ブロプレス）	
	コレスチラミン（クエストラン）	酸性薬剤： スタチン系薬、ニコチン酸系、NSAIDs、抗リウマチ薬（メトトレキサート［リウマトレックス］、サラゾスルファピリジン［サラゾピリン］）など	
		プロプラノロール（インデラル）、フィブラート系薬（ベザフィブラート［ベザトールSR］など）、セファクロル（ケフラール）、副腎皮質ホルモン製剤、ミコフェノール酸モフェチル（セルセプト）、ロミタピド（ジャクスタピッド）	
	セベラマー（レナジェル、フォスブロック；透析中の慢性腎不全における高リン血症治療薬）	抗てんかん薬、抗不整脈薬など安全性・有効性に臨床上重大な影響を与える可能性のある薬剤	可能な限り間隔を空ける。米国の添付文書には、「セベラマーの服用1時間前および服用3時間後に投与するか、TDM実施を考慮すべきである」との記載あり。
		腎性貧血治療薬（ロキサデュスタット［エベレンゾ］、エナロデュスタット［エナロイ］）	同時投与でロキサデュスタットCmax 66%、AUC67%低下。併用時は、服用間隔をロキサデュスタットでは1時間以上、エナロデュスタットは投与後3時間又は投与前1時間空けて投与すること。
	ビキサロマー（キックリン：透析中の慢性腎不全における高リン血症治療薬）	腎性貧血治療薬（ロキサデュスタット［エベレンゾ］、エナロデュスタット［エナロイ］）	併用時は、服用間隔をロキサデュスタットでは1時間以上、エナロデュスタットは投与後3時間又は投与前1時間空けて投与すること。
	炭酸ランタン（ホスレノール）	エナロデュスタット（エナロイ；腎性貧血治療薬）	併用時は、服用間隔を投与後3時間又は投与前1時間空けてエナロデュスタットを投与すること。
併用慎重	コレスチミド（コレバイン）、コレスチラミン（クエストラン）	脂溶性ビタミン（D、A、K、E）、葉酸（カルボキシル基を2つ有する）	脂溶性ビタミンは、吸収に胆汁酸を要するため、葉酸は酸性のため。長期服用ではビタミン剤補給を考慮。
		ラロキシフェン（エビスタ；選択的エストロゲン受容体モジュレーター）	コレスチラミンはラロキシフェンおよびラロキシフェンのグルクロン酸抱合体と結合。
		アカルボース（グルコバイ）	吸着率はコレスチミドで16%、コレスチラミンで29%。
		脂溶性薬剤、酸性薬剤、デフェラシロクス（ジャドニュ；Feキレート剤）、Fe剤、アセトアミノフェン、フレカイニド（タンボコール）、トログリタゾン★など	吸収遅延、減少により作用減弱の恐れ。

表1-5（つづき）　結合による吸収阻害（経口薬）

併用慎重	セベラマー（レナジェル、フォスブロック）	全ての薬剤	吸収遅延あるいは減少の可能性。
		シプロフロキサシン（シプロキサン）	生物学的利用率（BA）が約50％低下（15例報告）。
		胆汁酸製剤、コレステロール	吸着による総コレステロールおよびLDLの低下。
		脂溶性ビタミン、葉酸	長期投与の際には補給を考慮。ビタミンK低下による出血傾向、ビタミンD低下による低Ca血症に注意。
		甲状腺ホルモン製剤	レボチロキシン（チラーヂンS）の併用により甲状腺刺激ホルモン（TSH）濃度上昇および甲状腺ホルモンの吸収低下の可能性。
	ビキサロマー（キックリン；透析中の慢性腎不全における高リン血症治療薬）	エナラプリル（レニベース）、アトルバスタチン（リピトール）、AT_1拮抗薬（バルサルタン［ディオバン］、カンデサルタン［ブロプレス］、テルミサルタン［ミカルディス］、オルメサルタン［オルメテック］、イルベサルタン［イルベタン］）、シプロフロキサシン（シプロキサン）、甲状腺ホルモン製剤	吸収遅延、減少により作用減弱の恐れ。エナラプリルのCmax、AUCが約80％に低下。アトルバスタチンのCmax、AUCが約70～80%に低下。バルサルタンのCmax、AUCが約30～40%に低下。
（2）陽イオン交換樹脂との結合			
併用慎重	陽イオン交換樹脂（ポリスチレンスルホン酸Ca［カリメート］、ポリスチレンスルホン酸Na［ケイキサレート］）	Al、Mg、Ca含有製剤	高K血症改善効果の減弱。
（3）その他の結合			
同時禁忌	チオ硫酸Na水和物（デトキソール；シアン解毒剤）	ヒドロキソコバラミン（シアノキット；シアン解毒剤）	チオ硫酸－コバラミン化合物の形成が起こり、相互に解毒作用を減弱させるため、同時に投与しないこと。同じ静脈ラインでの同時投与は避ける。
併用慎重	ヘパリン	塩基性薬剤（抗ヒスタミン薬、テトラサイクリン系、フェノチアジン系など）	結合して沈殿。
	バルビツール酸系薬	グリセオフルビン★（白癬治療薬）	結合して沈殿。バルビツール酸系の消化管蠕動運動促進による吸収低下も関与。

★ 販売中止もしくは国内未発売

テトラサイクリン系薬、キノロン系薬、甲状腺ホルモン製剤とも難溶性複合体を形成して吸収を阻害するため、これらの薬剤の効果を減弱させる恐れがある。例えば、Laはシプロフロキサシン（シプロキサン；キノロン系）のAUC、Cmaxをそれぞれ54%、56%低下させることが示されている。相互作用を回避するためには、La製剤服用後、2時間以上空けて、テトラサイクリン系薬やキノロン系薬を投与しなければならない（同時服用禁忌）。

また、腎性貧血治療薬のエナロデュスタット（エナロイ）とLa製剤を同時投与した場合でも、消化管吸収が低下して抗貧血作用が減弱する恐れがあるため、併用時にはLa製剤投与後3時間または投与前1時間以上間隔を空けてエナロデュスタットを投与する必要がある。

一方、甲状腺ホルモン製剤では、La製剤との投与間隔をできる限り空けるなど慎重に投与する（慎重投与）。

2 吸着

消化管吸収の過程における相互作用には、薬物の「吸着」に起因するものがある。

水酸化Alゲル（アルミゲル、マーロックス）、水酸化Mg（マーロックス）、ショ糖硫酸エステルAl塩（スクラルファート水和物［アルサルミン］）、メタケイ酸アルミン酸Mg（FK配合散）、天然ケイ酸Al（アドソルビン；吸着剤）といった、Al、Mgを含有する制酸剤・吸着剤は、非特異的に薬物を吸着する作用を持ち、併用薬の消化管吸収を低下させる（薬効減弱）。

この相互作用による併用慎重例と、Al、Mgを含有する制酸剤・吸着剤を**表1-3**、**1-4**にまとめた。例えば、フェキソフェナジン塩酸塩（アレグラ）の服用15分前にAl、Mg含有の制酸剤を経口投与すると、フェキソフェナジンの$AUC_{0\text{-}3h}$およびCmaxが単独投与に比べて約40%も低下するため、同時服用は禁忌である。セフジニル（セフゾン）やFe剤、胆汁酸製剤なども、Al、Mg含有制酸剤との同時服用は禁忌である。吸着の関与は明らかではないが、ガバペンチン（ガバペン）ではAl、Mg含有制酸剤との同時服用は望ましくないとされており、またロスバスタチンCa（クレストール）の血中濃度も単独投与に比べて50%も低下することが報告されているため、Al、Mg含有制酸剤との同時服用は避けた方がよい。なお、錯体形成の項で述べたように、甲状腺ホルモン製剤も水酸化Alによって吸着されやすいため、同時服用は禁忌である（甲状腺ホルモン製剤投与後、4時間以上空ける）。また、高K血症治療薬であるポリスチレンスルホン酸Ca（カリメート）、ポリスチレンスルホン酸Na（ケイキサレート）は消化管内で甲状腺ホルモン製剤を吸着するため、服用間隔を空けるなど注意する。

同時禁忌以外の薬剤については特に注意しなくてもよいが、TDMを必要とする薬剤（ジギタリス製剤、フェニトイン［アレビアチン］）、ワルファリンなどを服用中の患者には、場合によっては投与間隔を空けるように指示した方がよい。一般的に、これらの吸着に起因する相互作用は、互いの服用間隔を2時間以上空けることで回避できる。ただし、球形吸着炭（クレメジン）の場合は、他剤服用後30分以上空けて投与する。

なお、Al、Mgを含有する薬剤には、消化器系のほか、バファリン配合錠やキナプリル塩酸塩（コナン）などもある（**表1-4**）。また、牛乳・乳製品、Fe・Ca含有ウエハースや健康補助食品（青汁、クロレラ、牡蠣肉エキスなど）、総合ビタミン剤などにも金属を含有するものがあるので注意する（☞ **付E**）。

一方、Al、Mgを含有していないタンニン酸アルブミン（タンナルビン；収斂剤）にも、薬剤を非特異的に吸着する作用がある。タンニン酸アルブミンとFe剤を併用すると、タンニン酸鉄を形成して消化管吸収が低下し、両剤の作用が減弱するため、併用禁忌である。またタンニン酸アルブミンとロペラミド塩酸塩（ロペミン）との同時服用にも注意を要する。

尿毒症治療薬の球形吸着炭（クレメジン）は、多孔質の炭素からなる球形微粒子の経口吸着薬であり、同時服用した経口薬を吸着し薬効を減弱させる可能性が高いため、全ての経口薬との同時服用は禁忌である。吸着を避けるためには、経口薬を服用後、30分以上空けて球形吸着炭を服用しなくてはならない（☞ **コラム4**）。

注意

制酸剤・牛乳と腸溶剤・徐放性製剤の併用

制酸剤と同時禁忌である薬剤として、腸溶剤や、pH依存性徐放性製剤もある。いずれも、制酸剤によって消化管内のpHが上昇し、腸溶性や徐放性といった製剤特性が損なわれるためである（☞ **表1-14**）。また、腸溶剤やテオフィリン徐放性製剤と制酸作用のある牛乳とを同時服用すると、牛乳の弱酸性（pH6.4～6.8）により腸溶性被膜が壊れたり、消化管内のpHの変動で放出性が変化するなど、薬効が変動する可能性があるため、同時服用は避け、服用間隔を1～2時間以上空けるよう指導する（☞ **付E**）。

3 結合（イオン交換、酸塩基結合など）

薬剤相互の直接的な結合による主な相互作用は、陰イオン交換樹脂であるコレスチラミン（クエストラン）、コレスチミド（コレバイン）、セベラマー塩酸塩（レナジェル、フォスブロック）、ビキサロマー（キックリン）の併用によって起こる（**表1-5**）。これらは陰イオン交換樹脂であり、陰イオン性薬剤（酸性薬剤）やステロイド骨格を有する薬剤などと結合し、消化管吸収を低下させる。また、陰イオン交換樹脂は胆汁酸とも結合するため、吸収に胆汁酸を必要する脂溶性薬剤（ビタミンKなど）の併用にも注意が必要である（☞ **コラム5、コラム6**）。

セベラマーは、透析中の慢性腎不全患者における高リン血症の治療薬である。消化管内で食物から遊離したリン酸イオン（陰イオン）と結合した後、吸収されることなく糞便中に排泄され、リンの体内吸収を抑制することで高リン血症を改善する。in vitroの相互作用試験では、慢性腎不全患者に汎用される薬剤や、他の陰イオン交換樹脂と相互作用のある薬剤、有効性に臨床上重大な影響を与える薬剤など46の薬剤について、セベラマーとの吸着率が検証された。その結果、リン非共存下ではセベラマーとカルボキシル基、水酸基を有する薬剤との吸着率は高値であったが、リン共存下ではほぼ全ての薬剤との吸着率が低下することが示されている。

また、健康成人を対象とした検討でも、セベラマーとの併用により、シプロフロキサシン（シプロキサン）の生物学的利用率（BA）が約50%低下することが報告されている。ただし、ジゴキシン、ワルファリン、エナラプリルマレイン酸塩（レニベース）、メトプロロール酒石酸塩（セロケン、ロプレソール）、Fe剤の吸収に対しては、何ら影響がないことも示されている。さらに海外では市販後、フェニトイン（アレビアチン）の血中濃度減少の報告が1例あるものの、因果関係は明らかとされていない。すなわち、セベラマーとの相互作用で吸収が低下する薬剤はシプロフロキサシン以外に特定されていない。しかし、陰イオン交換樹脂は、一般的に併用薬の吸収を低下させる恐れがあるため、セベラマーの添付文書では、シプロフロキサシンを含む全ての薬剤が併用慎重とされ、特に抗てんかん薬や抗不整脈薬といった、安全性・有効性に臨床上重大な影響を与える可能性のある経口薬は、念のため同時禁忌となっている。

ビキサロマー（キックリン）もセベラマー同様、高リン血症治療薬であるが、セベラマーと比較して、水分吸収による膨張の程度が小さい特性を有しており、腹部膨満、便秘などの消化器症状の副作用を起こしにくい。さらに、構造上の特徴として塩酸塩を有さず、Caや金属を含まないため、アシドーシス、高Ca血症、金属の組織への蓄積毒性の心配がない。相互作用では、健康成人を対象とした薬物相互作用試験において、エナラプリル（レニベース）、アトルバスタチン（リピトール）、バルサルタン（ディオバン）のそれぞれの併用で血中濃度低下が確認されている。また、その他の AT_1 拮抗薬においてもビキサロマーの吸着が認められている（in vitro 実験）。そのため、これらの薬剤とビキサロマーを併用する場合は作用減弱に注意する必要がある。また、シプロフロキサシン、甲状腺ホルモン製剤、抗てんかん薬や抗不整脈薬等との併用に関してもセベラマーと同様に注意する。

なお、腎性貧血治療薬のロキサデュスタット、エナロデュスタットは、セベラマーとの併用により血中濃度が低下したとの報告があるため、P 吸着薬（高 P 血症治療薬；炭酸ランタン［La］、陰イオン交換樹脂［セベラマー塩酸塩、ビキサロマー］）との同時服用が禁忌となっている。両薬剤ともに構造にカルボキシル基（陰イオン；COO^-）を持つため、P 吸着薬と結合すると考えられる。バダデュスタット（腎性貧血治療薬）と P 吸着薬との併用を検討した報告はないが、構造には同様にカルボキシル基があることから、P 吸着薬と相互作用を起こす可能性があり注意する。

陰イオン交換樹脂との同時服用が禁忌である薬剤を併用する場合は、併用薬の服用時間をずらすことで対処する。コレスチラミン（クエストラン）では、同薬の服用前 4 時間または服用後 4 ～ 6 時間以上の間隔を空けて併用薬を投与する（ただし、エゼチミブ［ゼチーア］はコレスチラミン服用前 2 時間、スタチン系ではコレスチラミン服用後 3 時間以上空ける）。またコレスチミド（コレバイン）では、服用前 1 時間または服用後 4 ～ 6 時間以上の間隔を空けて併用薬を投与する。コレスチミドは、コレスチラミンに比べて薬剤の吸着率が低く、同時服用禁忌の薬剤も少ない。そのため、同時禁忌ではない薬剤（高コレステロール治療薬［スタチン系、ニコチン酸系］、β遮断薬［プロプラノロール塩酸塩］など）の併用は問題ないが、コレスチラミンでは同時禁忌でない薬剤との併用でも服用間隔を空けた方が賢明であろう。

一方、セベラマーとの同時服用が禁忌である薬剤は、可能な限り間隔を空けて投与することとされているが、正確な時間間隔は指定されていない。なお、海外の添付文書には、「セベラマーの服用 1 時間前および服用 3 時間後に投与するか、TDM 実施を考慮すべきである」と記載されているので、参考にするとよいだろう。

このほか、結合による相互作用には、陽イオン交換樹脂（高 K 血症改善薬）と Al、Mg、Ca を含有する薬剤の併用、ヘパリンと塩基性薬剤の併用などがある。前者では陽イオン金属である Al、Mg、Ca と樹脂との結合によって K イオンとの結合が阻害され、陽イオン交換樹脂の血清 K 値の低下作用が減弱する。一方、後者については、ヘパリンが酸性のムコ多糖類として塩基性薬剤と酸塩基結合を作り、不溶性の塩を形成するために起こると考えられる。なお、シアン解毒注射剤のチオ硫酸 Na 水和物（デトキソール）とヒドロキソコバラミン（シアノキット）との同時投与は、チオ硫酸-コバラミン化合物を形成するため同時禁忌である。また難溶性のグリセオフルビンは、バルビツール酸系と不溶性の沈殿物を形成するが、その形成機序は明らかでない。

注意

ビタミン K および インドメタシンファルネシルと 胆汁酸

一般に、脂溶性薬剤の吸収には胆汁酸が必要である。特にメナテトレノン（ビタミン K_2；止血剤としてケイツー、骨粗鬆症にはグラケー）およびインドメタシンファルネシル（インフリー）の消化管吸収には胆汁酸を要する。ビタミン K は脂溶性が高く、インドメタシンファルネシルは脂溶性のファルネソールがインドメタシンに結合しているためである。

空腹時にメナテトレノン（グラケー）を経口投与すると、胆汁酸分泌がほとんどないために消化管吸収が低下し、Cmaxおよび$AUC_{0\text{-}12h}$がそれぞれ91%、85%も低下するので、必ず食後に服用させる。

インドメタシンファルネシルも同様で、鎮痛薬ではあるが、頓用でも空腹時を避けて食後に服用させる。以下に消化管吸収に胆汁酸を必要とする脂溶性薬剤を示す。これらの薬剤も、空腹時での服用は吸収低下による薬効減弱、高脂肪食などで胆汁酸分泌が亢進している場合には吸収促進による薬効増強が問題となることがある（☞ **表1-15、付E**）。

消化管吸収に胆汁酸を必要とする主な脂溶性薬剤：

インドメタシンファルネシル（インフリー）、グリセオフルビン、サルファ剤、脂溶性ビタミン（D、A、K、E）、EPA製剤（イコサペント酸エチル［エパデール］）、ポリエンホスファチジルコリン（EPL：リン脂質）、シクロスポリン（サンディミュン）、イトラコナゾール（イトリゾール：アゾール系）、エトレチナート（チガソン：合成レチノイド）、クアゼパム（ドラール）、ロラタジン（クラリチン：抗アレルギー薬）、プロブコール（ロレルコ）、アゼルニジピン（カルブロック：Ca拮抗薬）など

（中性）脂肪の消化にも胆汁酸（石鹸様物質）が必要であるが、これは、中性脂肪がリパーゼの作用を受けるには胆汁酸による乳化が必要であることにも起因している（☞ **コラム6**）。

コラム1

Al 脳症・骨症

Al 含有製剤による脳症・骨症のリスク回避は、重要な課題である。厚生労働省は 2002 年 6 月、Al を含有する市販の胃腸薬についても、使用上の注意を改訂するよう指示した。具体的には、Al 脳症・骨症のリスク回避のため、「してはいけないこと」として「透析治療を受けている患者への投与」「長期連用」を追記し、「相談すること」として「腎臓病の人は服用前に医師、薬剤師に相談する必要がある」旨を追記するよう指示している。この改訂における医療用医薬品との大きな違いは、Al を含有している市販の胃腸薬を、健常人に長期連用することが禁忌とされた点である。

一方、配合剤として Al を微量に含有する低用量アスピリン製剤（アスピリン・ダイアルミネート［バファリン配合錠 A81］）などについては、脳梗塞患者が微量の Al を長期連用すると、アルツハイマー病のリスクが高まるという興味深い研究成果が報告されている※。それによると、低用量アスピリンは、その血小板凝集抑制作用により、脳梗塞や心筋梗塞などの虚血性脳・心血管障害の再発予防に用いられる一方、Al を含有する低用量アスピリンを長期投与した場合、アルツハイマー病の発症リスクが高くなる可能性が示唆されている。

そもそも、Al は人体にとって不可欠な物質でなく、またダイアルミネート（Al グリシネート・炭酸 Mg）はアスピリンによる胃粘膜障害を軽減する目的で配合されており、アスピリンの主作用とは関係性がない。したがって、虚血性心・脳血管障害の患者に Al 含有の低用量アスピリン製剤を長期投与することは避けた方が賢明である。長期投与する場合は、アルツハイマー病誘発のリスクを考慮し、Al を含有しないアスピリン製剤（局方品や腸溶錠［バイアスピリンなど］など）を選択した方がよいだろう。

以上のように、Al 含量の多少にかかわらず、Al 含有製剤の投与による Al 蓄積症（脳症、骨症、貧血など）の誘発には、常に注意してほしい。特に、高齢者、腎・脳障害、骨粗鬆症の患者に Al 含有医薬品を長期投与することは避け、Al を含有しない他剤に変更するなどの対処が必要である。

※ ①松崎伸介ほか「アルミニウムにより誘導されるスプライシング異常と孤発性アルツハイマー病の関連性」（第 107 回日本解剖学会総会・全国学術集会、2002）②中村美紀. Mebio. 2002；19：136.

コラム2

ビスホスホネートとスタチンによるプレニル化阻害

ビスホスホネート系薬は、①側鎖にアミノ基を含有しないエチドロン酸（ダイドロネル）、②側鎖にアミノ基を含有するアレンドロン酸（フォサマック、ボナロン）、リセドロン酸（ベネット、アクトネル）、ミノドロン酸（ボノテオ、リカルボン）、イバンドロン酸（ボンビバ）――に分類される。いずれも骨に特異的に沈着し、破骨細胞に取り込まれて骨吸収活性（骨の溶出）を抑制して、骨代謝を改善するが、その作用機序は両者で異なる。

まず、①の側鎖にアミノ基がない薬剤では、ピロリン酸（二リン酸）と構造が似ていることから、破骨細胞内でアデノシン三リン酸（adenosine triphosphate：ATP）アナログ（類似物）に代謝される。その結果、破骨細胞の機能が低下するとともにアポトーシスを誘導し、効果を発現すると考えられている（ただし、動物においてこのような ATP アナログは検出されていない）。

一方、②の側鎖にアミノ基がある薬剤の場合は、以下に述べるように細胞内のコレステロール合成と細胞膜の維持を阻害することが明らかになっている。

コレステロールは、「HMG-CoA $\xrightarrow{\text{HMG-CoA 還元酵素}}$ メバロン酸→→ゲラニルピロリン酸（C_{10}）→ファルネシルピロリン酸（farnesyl PP、C_{15}）→スクワレン→コレステロール」という経路で合成される。この合成経路の中で、②の側鎖にアミノ基を持つビスホスホネート系は、メバロン酸から farnesyl PP への変換を阻害し、プレニル基（C_5）の供給源である

farnesyl PPの生成を抑制する。また、farnesyl PPからゲラニルゲラニルピロリン酸（geranylgeranyl PP、C_{20}）を生成する別の経路も阻害する。プレニル化は細胞骨格タンパクを細胞膜に固着させるために不可欠であり、細胞の形態を維持する作用を持つ。そのため、farnesyl PPやgeranylgeranyl PPの生成が低下すると、破骨細胞膜波状縁構造が崩壊し骨吸収能が障害されるとともに、細胞をアポトーシスに導くと考えられている。

なお、エチドロン酸は３カ月に２週間のみ使用するサイクルを継続して行う必要がある。これは骨代謝の過度の抑制、破骨細胞の過度の機能障害、骨の石灰化抑制に配慮が必要なためである。

一方、マクロファージは破骨細胞と同じ前駆細胞から分化することから、側鎖にアミノ基を含有しているビスホスホネート系薬が、破骨細胞と同様にマクロファージのアポトーシスを引き起こし、リウマチ患者の関節炎を抑えることも報告されている。また、HMG-CoA還元酵素阻害薬であるスタチン系薬にも骨吸収抑制作用が報告されているが、これも同様の機序に起因すると考えられる。ただし、スタチン系薬の大部分は肝臓で作用し、循環血液中の量はわずかであるため、ビスホスホネート系薬ほどの効果は期待できないと思われる。

近年、スタチン系薬によるマクロファージ増殖抑制効果（抗炎症効果）が、急性冠症候群（不安定狭心症、急性心筋梗塞、心臓突然死）の発症抑制に有効であることも報告されている（☞付D）。また、プレニル化の促進は心肥大の誘発とも関連するため、スタチン系薬が慢性心不全に有効である可能性も指摘されている。逆に、脂溶性スタチン系薬は容易に心筋に取り込まれ、ミトコンドリア内膜の電子伝達系の成分であるユビキノンの合成を阻害するため、心筋収縮力の悪化を助長する可能性も指摘されている。

一方、脂溶性スタチン系薬のアトルバスタチンCa水和物（リピトール）は、脂肪細胞のプレニル化を抑制して糖尿病の発症や悪化（HbA1c上昇）などを招くことが示唆されている（Nakata M, et al. Diabetologia. 2009；49：1881-92.）。これは、アトルバスタチンが脂肪細胞に容易に取り込まれて、プレニル化を介したGLUT4（glucose transporter 4）、ペルオキシソーム増殖因子活性化受容体γ（PPARγ）などのタンパク質の発現を抑制し、脂肪細胞での糖の取り込みや、前駆細胞から成熟小型脂肪細胞への分化などを阻害するためと考えられている。生活習慣病である脂質異常症（高脂血症）と糖尿病は合併することが多いため、アトルバスタチンを投与する場合には注意が必要である。

以上のように、プレニル化は細胞膜に存在するタンパク質の機能発現に必要であり、特に破骨細胞、マクロファージ、心筋細胞、脂肪細胞におけるプレニル化の阻害は、骨量増加、炎症抑制、急性冠症候群抑制、慢性心不全抑制、血糖値上昇に関係することを覚えておくようにしたい。なお、スタチン系薬は肝細胞では酵素（有機アニオン輸送ポリペプチド２［organic anion transporting polypeptide 2：OATP2］）の働きによって水溶性・脂溶性を問わず容易に取り込まれるが、それ以外の細胞ではOATP2が存在しないため脂溶性スタチン系薬のみが取り込まれやすく、これが脂溶性スタチン系薬の副作用発現の要因である可能性も指摘されている。

コラム３

高用量抗菌薬とPK-PD理論

従来、レボフロキサシン水和物（クラビット；キノロン系薬）は100mgを１日３回、アジスロマイシン水和物（ジスロマック；15員環マクロライド系）は500mg（力価）を１日１回（３日間）服用するという用法・用量であったが、2009年、１回投与量を大幅に増すための高用量製剤が販売された。クラビット錠250mg・500mgおよびクラビット細粒10%（１日１回500mg投与）、ジスロマックSR成人用ドライシロップ2g（アジスロマイシンとして2gを単回投与［効果は１週間持続］）である。増量の目的は、抗菌効果の増強および耐性化の防止であるが、これは、抗菌薬の効果が理論上、Cmax、AUCなどの

表1-6 PK-PD理論に基づく抗菌薬の分類

抗菌薬	抗菌効果増強	効果的な投与方法
①キノロン系薬、アミノグリコシド系薬	濃度依存的（Cmax/MIC、AUC/MICに依存）	1回の投与量を増やす
②マクロライド系薬、テトラサイクリン系薬	投与量に依存（AUC/MICに依存）	投与回数に関係なく投与量を増やす
③βラクタム系薬	時間依存的（MIC以上の時間に依存）	1日の投与回数を増やす

体内動態（pharmacokinetics：PK）と、最小発育阻止濃度（minimum inhibitory concentration：MIC；細菌発育を阻止できる抗菌薬の最低濃度）の薬力学（pharmacodynamics：PD）によって決まることに基づいている（PK-PD理論）。この理論によると、抗菌薬を**表1-6**のように3つのタイプに分類できる。

つまり、キノロン系、マクロライド系は投与量を増量することで抗菌効果が増強する。

また、高用量投与は、耐性を獲得し始めた耐性菌をも完全に殺菌でき、耐性化を防ぐことができると考えられる。例えば、キノロン系薬では肺炎球菌に対してCmax/MICが5以上、かつAUC/MICが30以上であれば、100%に近い臨床効果が得られ、耐性菌の出現を抑えるとされる。レボフロキサシンの100mg 1日3回投与と500mg 1日1回投与をシミュレーションすると、AUC/MICはいずれも70以上であるが、Cmax/MICではそれぞれ4、11となる。つまり、100mg 1日3回投与では十分な殺菌ができず、耐性化の恐れがある。

コラム4

尿毒症毒素（ウレミックトキシン）のインドキシル硫酸

ウレミックトキシンは、尿毒症症状（食欲不振、口臭、そう痒感など）を引き起こす物質の総称である。腎不全になると排泄が低下し体内に蓄積し、尿毒症症状を引き起こすだけでなく、腎に対して過剰な負荷をかけ、腎機能をさらに悪化させることから、慢性腎不全の進展と深く関わっていることが示唆されている。

ウレミックトキシンと考えられる物質は多数あるが、その中には、腸内細菌で産生され、腸肝循環で腸管内に分泌されるタンパク質の代謝産物も含まれる。

代表的なのはインドキシル硫酸である。インドキシル硫酸は、食事中のタンパク質由来のトリプトファンが、大腸菌などの腸内細菌によって代謝されインドールとなり消化管吸収された後、肝臓で硫酸抱合を受けて生成される。通常は腎臓から尿中排泄されるため毒性を示さないが、慢性腎不全患者では腎排泄が低下し、血清インドキシル硫酸濃度が著明に増加する。例えば、インドキシル硫酸の血清濃度は、健康な人では0.064mg/dLだが、腎機能軽度低下例で0.12mg/dL（1.9倍）に上昇し、さらに、保存期慢性腎不全患者では1.8mg/dL（28倍）、血液透析患者では透析前5.3mg/dL（83倍）、透析後3.5mg/dL（55倍）と、著明に上昇することが示されている。

そのため、慢性腎不全に対する治療として、インドキシル硫酸などのウレミックトキシンの生成量を低下させることが重要となる。低タンパク食と球形吸着炭（クレメジン）投与の有用性が示されているが、これは、低タンパク食療法によるトリプトファン供給量の低下や、球形吸着炭によるインドールの吸着作用などにより、インドキシル硫酸の生成量が低下するためと考えられている。

コラム5

高コレステロール血症治療薬の作用機序

陰イオン交換樹脂のコレスチラミン（クエストラン）とコレスチミド（コレバイン）は、高コレステロール血症の治療に用いられる。同薬は、消化管内で塩素イオンを胆汁酸の陰イオンと交換することで結合し、胆汁酸の小腸からの再吸収を阻害して排泄を促進させる。これにより、肝の胆汁酸量が減少するため、コレステロールから胆汁酸への転換が促進し、肝臓のコレステロールのプールが低下する。このプールを保つため、コレステロール含有の高い低比重リポタンパク質（low density lipoprotein：LDL）の肝への運搬が亢進し、LDL受容体が増加して血中コレステロールを低下させる。

この考え方は、肝のコレステロール合成を阻害する同効薬のスタチン系薬（HMG-CoA還元酵素阻害薬）の作用発現機序と同じであるが（☞ **第8章［第5節❶］**）、陰イオン交換樹脂には外因性コレステロールの直接の吸着あるいは胆汁酸ミセル形成阻害によるコレステロール吸収阻害作用もある。

なお、コレステロール吸収を阻害するその他の薬剤として、小腸コレステロールトランスポーター（Niemann-Pick C1-like 1 protein：NPC1L1）阻害薬のエゼチミブ（ゼチーア）があるが、同薬はコレステロールの吸収のみを特異的に阻害するため、陰イオン交換樹脂のような酸性薬剤や脂溶性物質などの吸収低下作用（☞ **表1-5**）は認められていない。

コラム6

脂質の消化・吸収における胆汁酸の役割

胆汁酸は脂溶性物質の消化・吸収に不可欠な役割を果たしている。胆汁酸塩は水の表面張力を著しく低下させる界面活性作用を持ち、水に不溶性の脂溶性物質を乳化し※、水溶性にする。

脂質の消化過程では、まず、タンパク質分解酵素やアミラーゼによる消化酵素の作用を受けつつある食物と胆汁（胆汁酸塩、胆汁色素、脂肪酸［塩］、コレステロール、無機質などを含有）が十分に混合することで、脂質同士が集まり油滴となる。この状態では消化酵素（リパーゼなど；水溶性）の作用を受けにくいが、油滴は胆汁酸塩（タウリンおよびグリシン抱合体）による乳化作用を受け、直径300～1000nmの細かいエマルジョンとなるため、脂質消化酵素の作用を容易に受けるようになる（なお、膵液中のリパーゼは胆汁酸によって活性化されることも知られている）。

一方、脂質の消化によって生成した脂溶性成分であるモノグリセリド、脂肪酸、コレステロール、リゾレシチンなどの吸収過程にも、胆汁酸塩による混合ミセル（直径2～10nmの胆汁酸ミセル）の形成が必要である。ミセル形成によって、小腸の絨毛表面を薄く被っている水の層（不動水層）を容易に通過したり、小腸表面にあるムコタンパク質（糖タンパク質）に吸着されないようになる。ミセルが絨毛表面に到達すると、ミセルは壊れ、溶解していた脂質成分が小腸粘膜上皮細胞内に入る。

つまり、中性脂肪（トリグリセリド）の大部分は胆汁の存在下でリパーゼによって脂肪酸とグリセロールに加水分解され、生じた脂肪酸は胆汁酸とミセル化して腸管から吸収されている。肥満治療薬のセチリスタット（オブリーン）は、リパーゼを阻害することにより、中性脂肪の分解を阻害して腸管からの脂肪酸の吸収を抑制して効果を発揮する。

※ 乳化…相互に混合しない2液体の一方に他方が微細に分散すること。

第2節
抗菌薬による腸内細菌叢の変化

腸内細菌は、食物や腸管に分泌された生体成分を分解・代謝することにより、栄養の消化吸収、ビタミンやタンパク質の産生、便通の調節といった多様な役割を担っている（☞ **コラム7**）。また薬物の代謝や吸収においても腸内細菌は重要な働きを持つため、抗菌薬の静菌・殺菌作用によって腸内細菌叢が乱れると、薬物の腸管吸収や腸肝循環での再吸収が変化を受け、薬効に影響を与えることがある（☞ **図1-1**）。

特に、ステロイド骨格を持つジゴキシン（ジゴシン）やメチルジゴキシン（ラニラピッド）、経口避妊薬のほか、ラロキシフェン塩酸塩（エビスタ；選択的エストロゲン受容体モジュレーター［selective estrogen receptor modulator：SERM］）、ミコ

表1-7　抗菌薬による腸内細菌叢の変化に関連する経口薬の併用慎重例

作用する薬剤	作用を受ける薬剤	報告されている事象など
（1）腸管吸収増大		
マクロライド系薬、ケトライド系薬（テリスロマイシン★）、テトラサイクリン系薬、ガチフロキサシン経口薬★（キノロン系薬）、キヌプリスチン・ダルホプリスチン（注射用シナシッド；ストレプトグラミン系薬）など	ジゴキシン（ジゴシン）、メチルジゴキシン（ラニラピッド）	薬効増強。服用患者の1割において、ジゴキシンの約40%が腸内細菌により不活化されているため、抗菌薬の使用によりこれが抑制され血中濃度が上昇する。マクロライド系（エリスロマイシンなど）で血中ジゴキシン濃度2倍、テトラサイクリン系で30%上昇、ケトライド系でジゴキシンCmaxおよび$AUC_{0\text{-}\infty}$がそれぞれ1.7倍、1.4倍に上昇するとの報告がある。なお、抗菌薬の影響は数カ月に及ぶことがある。マクロライド系などでは腎P-gp阻害も関与（☞ **表4-28**）。
（2）腸管再吸収低下		
リファンピシン（リファジン）、ペニシリン系薬、テトラサイクリン系薬、セフェム系薬など	経口避妊薬（黄体・卵胞ホルモン製剤）、ラロキシフェン（エビスタ）	薬効減弱。抗菌薬によりグルクロニダーゼ産生菌が抑制され、腸肝循環での再吸収が低下。リファンピシンの肝代謝促進作用にも注意（☞ **表5-47**）。
抗菌薬（リファンピシン［リファジン］、アンピシリン［ビクシリン］、シプロフロキサシン［シプロキサン］、アモキシシリン・クラブラン酸［クラバモックス］など）	ミコフェノール酸モフェチル（セルセプト）	薬効減弱。活性体のミコフェノール酸（MPA）血中濃度低下。リファンピシン8日間投与後、MPAの$AUC_{0\text{-}12h}$およびトラフ値がそれぞれ17.5%、48.8%低下するとの報告がある。腸肝循環の時間帯である投与後6～12時間の$AUC_{6\text{-}12h}$は32.9%低下。リファンピシンによるグルクロニダーゼ産生菌の抑制によって、MPAの再吸収が低下するためと考えられる。小腸で再吸収されたMPAがUGT1A7、8、9により直ちにMPA-Gへと変換されることに起因すると考えられているが、肝MRP2競合による消化管分泌阻害の可能性もある（腸肝循環阻害；☞ **表4-22、6-4**）。シプロフロキサシン（シプロキサン）またはアモキシシリン・クラブラン酸（クラバモックス）併用3日以内にMPAのトラフ値が約50%低下するが、抗菌薬投与中止後3日以内に正常値に戻ったとの報告がある。
	サラゾスルファピリジン（サラゾピリン）	薬効減弱。サラゾスルファピリジンは腸内細菌によって活性化されるため、抗菌薬によりこれが抑制され活性代謝産物（5-アミノサリチル酸）の吸収量が低下する。
（3）その他（ビタミンK供給低下）		
広域スペクトルペニシリン系薬、セフェム系薬、テトラサイクリン系薬、クロラムフェニコール系薬、アミノグリコシド系薬	ワルファリン（ワーファリン）、抗血栓薬	薬効増強（出血）。腸内細菌によるビタミンKの供給低下。ワルファリン代謝阻害（☞ **表5-25**）、薬力学的相互作用（☞ **表7-40**）にも注意。

フラジオマイシン（アミノグリコシド系、わが国では外用剤のみ）とジギタリス製剤の併用では、直接的な消化管吸収阻害に起因する薬効減弱に注意が必要。併用する場合は投与間隔を6時間以上空ける。
★ 販売中止

フェノール酸（ミコフェノール酸モフェチル［セルセプト］の活性体）、サラゾスルファピリジン（サラゾピリン）は、腸内細菌叢の変化に伴う相互作用が問題となる（**表 1-7**）。

例えば、ジゴキシン服用中の約 1 割の患者では、経口投与された同薬の約 40％が腸内細菌により不活性化されることが知られている。このため、抗菌薬などによって腸内細菌叢が乱れると、ジゴキシンの腸管吸収が増大し、血中濃度が上昇する可能性がある（薬効増強）。一方、経口避妊薬やラロキシフェン、ミコフェノール酸は、グルクロン酸抱合体として肝から胆汁中へ排泄された後、腸内細菌由来のグルクロニダーゼによる加水分解を受けて腸管から再吸収されるため、腸内細菌叢が乱れると腸肝循環での再吸収が阻害され、血中濃度が低下する（薬効減弱；☞ **コラム 8**）。

また、サラゾスルファピリジンは腸内細菌により還元を受けて活性代謝産物の 5- アミノサリチル酸となり吸収されて効果を発揮している。そのため、腸内細菌叢が乱れると、この活性化が抑制され、5- アミノサリチル酸の吸収量が低下する（薬効減弱）。

一方、腸内細菌叢にはビタミン K を産生する働きもあるため、抗菌薬の服用によって腸内細菌叢が乱れると、ビタミン K の供給が低下する可能性がある。ビタミン K は肝での血液凝固因子合成に必要であることから、抗菌薬とワルファリンカリウム（ワーファリン）や抗血栓薬を併用した場合、抗凝固作用が増強される可能性がある（☞ **表 7-40**）。

腸内細菌叢の変化に関わる相互作用では、併用禁忌となる薬剤はないが、ジゴキシンへの抗菌薬の影響は数カ月に及ぶことがある点に留意する。この理由については明らかでないが、一般に腸内細菌叢の変化は抗菌薬投与後の 48 時間以内に始まり、中止後も数週間程度にわたって起こるとされている。つまり、腸内細菌叢の変化のみならず、他の要因も関与すると考えられる。例えば、マクロライド系薬では肝代謝や P 糖タンパク質（P-glycoprotein：P-gp）活性抑制作用も関与すると考えられる（☞ **表 4-27、4-28、5-21**）。一方、リファンピシン（リファジン）では肝代謝や P-gp 活性促進作用（☞ **表 5-47**）が関与することにも注意が必要である。

基本的には、抗菌薬を併用する場合、ジギタリス製剤では TDM を実施し、経口避妊薬では、効果減弱のため別の避妊法を検討する。一方、ワルファリンと抗菌薬との併用による相互作用にも代謝抑制が関与する場合があるため（☞ **表 5-41**）、併用の際には凝固能検査を実施した方がよい。また、腸内細菌叢の乱れが起こらないように、抗菌薬に耐性のある細菌製剤を併用して様子を見てもよいだろう（☞ **コラム 9**）。

なお、フラジオマイシン硫酸塩（わが国では外用剤のみ）の経口薬とジギタリス製剤（ジゴキシン、メチルジゴキシン、ジギトキシン）との併用では、ジギタリス製剤の効果が減弱する。これは、フラジオマイシンによる腸内細菌叢の変化よりも、ジギタリス製剤の消化管吸収の直接的な阻害に起因すると考えられている。併用する場合は、できる限り間隔を空けるようにする（6 時間以上）。

また、マクロライド系やアミノグリコシド系とナドロール（ナディック；β遮断薬）との併用では、ナドロールの作用が増強することがある。これは腸内細菌によるナドロールの加水分解が抑制されるためであるが、臨床上はあまり問題ないとされる。

50 歳代男性 A さん。

［処方箋］

①ジゴシン錠 0.25mg　1 錠
　1 日 1 回　朝食後　14 日分
②バナン錠 100mg　2 錠
　1 日 2 回　朝夕食後　5 日分
③PL 配合顆粒　3g
　アスベリン錠 20mg　3 錠
　1 日 3 回　毎食後　5 日分

A さんは、ジゴシン（ジゴキシン）を 3 カ月前から服用していたところ、上気道感染症でバナン（セフポドキシムプロキセチル）などが追加処方された。

A さんには、いつもジギタリス中毒の発現には注意するよう伝えているが、今回、バナンによる腸内細菌叢の変化でジゴキシンの血中濃度が上昇して中毒を発症する可能性が高くなることを説明。吐き気、頭痛、徐脈（脈拍数50回/分以下）などの症状が出現したら直ちに主治医に連絡するよう指導した。その後、中毒の誘発は認められなかったが、当薬局ではいつもこのような説明で、患者に注意を促すようにしている。

症例② 30歳代女性Bさん。

[処方箋]
クラビット錠100mg　3錠
ポラキス錠2　3錠
**　1日3回　毎食後　5日分**

初めて当薬局を訪れたBさんは、急性膀胱炎の治療のためにクラビット（レボフロキサシン水和物）とポラキス（オキシブチニン塩酸塩）が5日間処方された。膀胱炎の慢性化を防ぐためにクラビットの服用を厳守するよう指導したが、他科受診の有無を確認したところ、婦人科から経口避妊薬（低用量ピル）を処方されていることが判明。Bさんには、クラビット服用によりピルの効果が減弱し、妊娠リスクが上昇する可能性があることを説明した。

一般にピルは28日間を1周期（うち7日間は休薬）として服用する。重要な注意点は、2日以上連続して飲み忘れると避妊効果が低下するので、その周期はピルの服用を中止し、他の避妊法を選択することである。Bさんにも、今周期が終わるまで念のために他の避妊法を選択し、次の月経の第1日目から服用を再開するよう指導した。

なお、本症例は2005年当時の実例である。

コラム 7

アレルギーに対する プロバイオティクスの効果

プロバイオティクス（probiotics）は、健常者の腸内に常在する菌のうち、ヒトの疾病の予防や栄養の改善に有用な、生きたあるいは不活化された微生物である。代表的なものとして、ラクトバチルス菌やビフィズス菌などがある。

近年、腸内細菌叢の変化と即時型（Ⅰ型）アレルギー発症（気管支喘息、アレルギー性鼻炎、アトピー性皮膚炎、蕁麻疹、花粉症など）との関連が示唆され、プロバイオティクスによるアレルギーの予防・治療が注目されている。例えば、アトピー患者の腸内細菌叢は、アレルギー疾患の発症以前の乳児期早期から非アトピー健康児と異なり、ラクトバチルス菌やビフィズス菌が少ないこと[※1]や、ラクトバチルス菌を妊婦および新生児に投与すると、2 歳時のアトピー性皮膚炎発症率が半減すること[※2]などが示されている。

プロバイオティクスによるアレルギー抑制機序は明らかでないが、アレルギー疾患では Th1 サイトカインの産生が減少するために、Th1 サイトカインと Th2 サイトカイン産生のバランスが Th2 優位[※3]であることや、プロバイオティクス投与によって抑制性サイトカイン（インターロイキン［interleukin：IL］10、トランスフォーミング増殖因子［transforming growth factor：TGF］- βなど）の産生を高めることが示されている。したがって、プロバイオティクスが Th1 サイトカインや抑制性サイトカインの産生を促進し、Th2 サイトカイン優位な即時型アレルギーを抑制すると考えられる。なお、抗アレルギー薬のスプラタストトシル酸塩（アイピーディ）は Th2 サイトカイン阻害薬である。

※1　Björkstén B. et al. Clin Exp Allergy. 1999；29：342-6.

※2　Kalliomäki M. et al. Lancet. 2001；357：1076-9.

※3　ヘルパー T 細胞は、主として IL2、インターフェロン（interferon：IFN）- γなどの Th1 サイトカインを産生する Th1 細胞と、IL4 ～ 6、10、13 などの Th2 サイトカインを産生する Th2 細胞に分類される。Th1 サイトカインの IFN- γなどがマクロファージを活性化し貪食を促進させるのに対して、Th2 サイトカインの IL4、IL13 などは B 細胞に作用して免疫グロブリン（immunogloblin：Ig）E 産生を誘導し、IL5 は好酸球の活性や浸潤を引き起こす。すなわち、IgE 抗体により媒介される即時型アレルギーでは、Th1 サイトカインと Th2 サイトカイン産生のバランスが Th2 優位であると考えられている。また、IL10、TGF- βなどのサイトカインは抑制性サイトカインと呼ばれ、免疫反応が過剰にならないように Th1、Th2 両者のサイトカイン産生を抑制する。近年、即時型アレルギーは増加傾向にあるが、これは、感染因子への曝露の低下により、Th1 反応の誘導が不十分であるため Th2 反応が優位になっていることに起因すると考えられている。

コラム 8

腸肝循環と腸内細菌

胆汁中に排泄された薬物が胆管を経て十二指腸に分泌され、腸管から再び吸収されて肝臓に戻るサイクルを「腸肝循環」という（**図 1-5**）。肝臓から胆汁中に排泄される薬物は、比較的分子量の大きいものや、色素・金属が多い。また、グルクロン酸抱合を受けた薬物のうち、分子量 150 以上の場合は主に胆汁中に排泄されるという報告がある。

腸肝循環の流れを、ヘモグロビンの分解産物であるビリルビンを例に説明する。まず、ビリルビンは肝でグルクロン酸抱合を受けて水溶性の直接ビリルビン[※]となり、胆汁中に排泄される。胆嚢に貯えられた直接ビリルビンは、必要に応じて胆管を通って腸管内へ分泌された後、腸内細菌により還元されてウロビリノーゲンとなる。その大部分は腸管から再吸収されて肝に戻る。これが、「腸肝循環」の経路である。一方、ウロビリノーゲンが腸内細菌により酸化されるとウロビリンとなり、糞便中に排泄される。このように、腸

図 1-5　腸肝循環の模式図

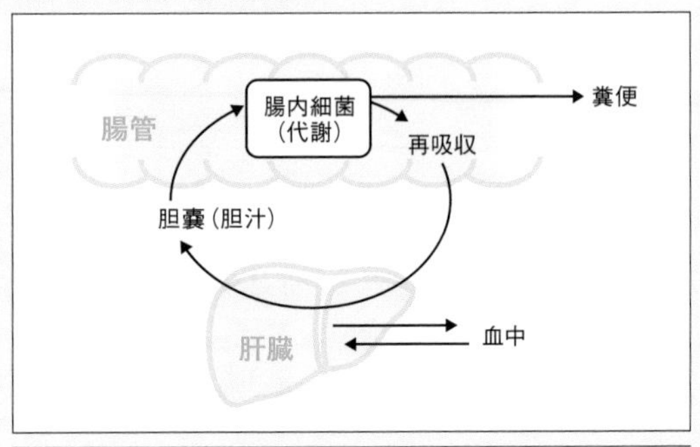

※　血中において、ビリルビンはアルブミンおよびα_1- グロブリンと結合して運搬されており、間接ビリルビンと呼ばれる。

肝循環には腸内細菌による代謝が深く関わっている。

コラム9

耐性乳酸菌製剤と酪酸菌製剤

抗菌薬による殺菌・静菌作用により腸内細菌叢が乱れ、下痢などの副作用が現れることがある。そのため、エンテロノン-R散、ビオフェルミンR散、ラックビーR散、耐性乳酸菌散10%「JG」、レベニン散（いずれも商品名）といった、抗菌薬に耐性がある耐性乳酸菌製剤が投与されることがある。

ただし、耐性乳酸菌製剤の適応となる抗菌薬は、ペニシリン系、セファロスポリン系、アミノグリコシド系、マクロライド系、テトラサイクリン系、ナリジクス酸のみである（ただし、ラックビーRのみテトラサイクリン系の記載はない）。これは、耐性乳酸菌がニューキノロン系（ノルフロキサシン以降のキノロン系）やホスホマイシン（ホスミシン）といった抗菌薬に対して耐性がなく、失活するためである。

一方、ニューキノロン系の存在下でも増殖し整腸作用を示す菌として、酪酸菌製剤（宮入菌製剤；ミヤBM）が知られている。これは、宮入菌が極めて高い耐久性を持つ芽胞を細胞内に形成するためであり、ニューキノロン系と併用した場合でも、酪酸菌製剤の単独投与と同様に発芽・増殖することが確認されている。すなわち酪酸菌製剤は、抗菌薬による腸内細菌叢の異常の改善に最も適した整腸剤といえる。

第3節
消化管運動の変化

抗コリン作用を有する薬剤（☞**表7-20**）や中枢性鎮痛・鎮咳薬（モルヒネ、コデインリン酸塩水和物など；☞**表7-1**）、グルカゴン様ペプチド（glucagon-like peptide：GLP）1受容体作動薬（特にエキセナチド［バイエッタ］）などは、消化管運動を抑制する作用を持つ※1。

一方、バルビツール酸系薬や、コリン作動薬、消化管運動賦活作用を有する薬剤（5-HT_4作動薬のシサプリド※2やモサプリドクエン酸塩水和物［ガスモチン］、抗ドパミン薬のメトクロプラミド［プリンペラン］やドンペリドン［ナウゼリン］、スルピリド［ドグマチール］など）、コリン作動薬のイトプリド塩酸塩（ガナトン）、モチリン作用を有する薬剤（14員環マクロライド系薬、スピラノマイシン）などでは、逆に消化管運動が亢進する（☞**表7-22、8-2、付A**）。したがって、これらの薬剤を併用した場合、消化管運動の変化によって併用薬の消化管吸収が増減することがある。

表1-8に示すように、消化管運動に関わる相互作用の発現は、①難溶性薬剤の溶解性、②胃排出時間と小腸粘膜上皮細胞での初回通過効果、③薬剤の分解—の各過程での変化に起因する（☞**図1-1**）。これらの相互作用は、一般に服用時間を2～3時間程度ずらすことで回避できる。

❶ 難溶性薬剤の溶解

ジギタリス製剤（ジゴキシン［ジゴシン］、メチルジゴキシン［ラニラピッド］、ジギトキシン）やグリセオフルビン（吸収に20～30時間以上かかる）などの難溶性薬剤を、消化管運動を亢進させる薬と併用すると、消化管内での難溶性薬剤の滞留時間が短縮するため、溶解性が低下し、消化管吸収が減少する（薬効減弱）。一方、抗コリン作用を有する薬剤と併用すると、逆に消化管運動が抑制されるため、滞留時間が延長し溶解性が高まり、吸収量が増大する（薬効増強）。また、経口β遮断薬（アテノロール［テノーミン］など）も同様な作用を受けると考えられる。

特に、ジギタリス製剤※2はTDMを必要とするため注意が必要だが、投与間隔を2～3時間ずらすことで相互作用を回避できる。ただし、抗ドパミン薬には制吐作用があるので、併用時にはジギタリス中毒の消化器症状を不顕化させることに留意する。一方、ジギタリス製剤やβ遮断薬を抗コリン薬と併用すると、消化管吸収が増大し薬効が増強すると考えられるが、薬理作用の観点からすると心臓に対する作用が拮抗する（抗コリン薬は頻脈作用、ジギタリス製剤やβ遮断薬は徐脈作用を持つ）ため、ジギタリス製剤やβ遮断薬の徐脈作用を減弱させることにも注意する。

❷ 胃排出時間と初回通過効果

溶解性が問題とならない薬剤は、消化管運動が亢進して薬物の胃排出速度が促進すると、吸収部位（小腸）への到達が速まり、吸収速度が増大する。吸収量は変化しないと考えられるので、薬の速効性（効果発現までの時間）と作用持続時間が影響を受けることになる。

一般的に、カルバマゼピン（テグレトール）や抗痙攣薬（抗てんかん薬）、シクロスポリン（サンディミュン、ネオーラル）といった有効血中濃度域が狭くTDMを必要とする薬剤では、中毒症状などが現れる恐れがあるが、TDMを必要としない有効血中濃度域の広い薬剤の長期投与では、あまり問題はないと思われる。また、抗菌薬や経口避妊薬など、有効性が血中濃度に依存する薬剤についても注意が必要である。

図1-6は、ニフェジピン徐放錠（アダラートL）

※1 アルコールの急激摂取により消化管運動が抑制されることもある。
※2 抗コリン薬投与により、胃酸分泌が抑制されpHが上昇し、胃内のジゴキシンの分解が抑制されて血中濃度が上昇する可能性もある（☞**本章［第4節］**）。

表 1-8　消化管運動の変化が関わる併用慎重・同時服用禁忌例（経口薬）

（1）難溶性薬剤の溶解性

作用する薬剤	作用を受ける薬剤	報告されている事象など
（a）溶解低下（吸収低下）		
メトクロプラミド（プリンペラン；消化管運動賦活薬）	ジゴキシン（ジゴシン）、メチルジゴキシン（ラニラピッド）	ジゴキシンの血中濃度が36%低下。ジギタリス中毒の不顕性化にも注意（☞ **第8章［第1節］**）。投与時間を2～3時間ずらす。
バルビツール酸系薬（フェノバルビタール［フェノバール］など；腸蠕動運動促進）	グリセオフルビン*	消化管吸収が約40%低下。複合体形成関与（☞ **表1-5**）。
	ワルファリン（ワーファリン）	吸収低下の可能性がある。肝代謝促進（誘導）関与（☞ **表5-48**）。
スピラマイシン（スピラマシン；16員環マクロライド）	レボドパ・カルビドパ配合錠（ネオドパストン）	レボドパの血中濃度低下、作用減弱の恐れ。スピラマイシンのモチリン作用により消化管運動が亢進し、カルビドパの吸収が阻害される可能性（Clin Neuropharmacol.1992;15:229-35.）。
抗コリン薬（プロパンテリン［プロ･バンサイン］など）	ジゴキシン（ジゴシン）、メチルジゴキシン（ラニラピッド）	ジゴキシン血中濃度が30%上昇。溶解速度の遅いジゴキシン血中濃度が41%上昇するとの報告。投与時間を2～3時間ずらす。
	アテノロール（テノーミン；β遮断薬）	アテノロール血中濃度が36%上昇。
三環系抗うつ薬（イミプラミン［トフラニール］など）	ワルファリン（ワーファリン）	クマリン系（ワルファリン）の血中$t_{1/2}$が延長。

（2）胃排出速度（初回通過効果）

作用する薬剤	作用を受ける薬剤	報告されている事象など
（a）胃排出速度亢進（吸収促進）		
シサプリド*	ニフェジピン徐放錠（アダラートL）	吸収増大。投与3時間後のニフェジピン血中濃度最大で2倍上昇。臨床的意義は不明。
	ジアゼパム（セルシン）	小腸吸収増大（実際はほとんど影響しないと思われる）。
	その他（特に抗痙攣薬）	吸収が変化を受ける可能性がある．抗痙攣薬との併用で痙攣発作を起こした例がある（☞ **表8-1**）。
メトクロプラミド（プリンペラン）	カルバマゼピン（テグレトール）	血中濃度上昇、神経中毒（不随意運動など）。機序は不明だが吸収増大もしくは肝代謝抑制（☞ **表5-42**）が関与する可能性。
	ワルファリン（ワーファリン）、レボドパ製剤（ドパストン）、エタノールなど	血中濃度上昇の可能性。
	シクロスポリン（サンディミュン、ネオーラル）	吸収率が約30%上昇。
	アセトアミノフェン（カロナール）	吸収増大（血中濃度上昇）、初回通過効果。アセトアミノフェンCmaxが1.5倍に上昇。
（b）胃排出速度低下（吸収低下）		
胃排出能を抑制する薬剤（経口モルヒネなど）	メキシレチン（メキシチール）、クロピドグレル（プラビックス）	効果遅延。モルヒネによる吸収遅延、メキシレチンの血中濃度40%低下、メトクロプラミド（プリンペラン）投与で効果逆転。
モルヒネ	チカグレロル（ブリリンタ；抗血小板薬）	チカグレロルの血中濃度低下（吸収遅延）。チカグレロル、主代謝物（AR-C124910XX）のAUCが36%、37%低下。機序不明であるが、モルヒネの消化管運動抑制が関与。

表 1-8（つづき）　消化管運動の変化が関わる併用慎重・同時服用禁忌例（経口薬）

GLP-1受容体作動薬：エキセナチド（バイエッタ）、リキシセナチド（リキスミア）、持続性エキセナチド（ビデュリオン）、デュラグルチド（トルリシティ；持効性）	吸収遅延で薬効が減弱する薬剤（抗菌薬全般、経口避妊薬など）	**同時服用禁忌**（エキセナチド、リキシセナチド併用時）。エキセナチドによる吸収の遅延で薬効発現が遅延する可能性。経口避妊薬のTmaxが約３～４時間延長との報告がある（AUC変化なし）。エキセナチド投与１時間前、リキシセナチド投与１時間前または投与11時間以上後に吸収遅延薬剤を服用すること。
	スタチン系薬	エキセナチド、持続性エキセナチド併用時に効果減弱（血中濃度低下）。エキセナチド併用時にロバスタチン（国内未承認）のAUCが40％低下、Tmaxが４時間延長。
	ワルファリン（ワーファリン）	効果増減。エキセナチド併用時にワルファリンTmaxが約２時間遅延（作用減弱の可能性）、時に出血を伴うINR増加（作用増強）。デュラグルチド併用時にワルファリンTmaxが４～5.5時間遅延。

（３）分解促進（吸収低下）

抗コリン薬、抗パーキンソン薬（トリヘキシフェニジル［アーテン］；中枢性抗コリン薬、アマンタジン［シンメトレル］；ドパミン作動薬など）	レボドパ製剤（ドパストンなど）	分解促進（薬効低下）。抗コリン薬のホマトロピン（経口薬★）を使用していた患者で、中止後にレボドパ作用が増強した（舞踏病様のアテトーゼ誘発）との報告がある。溶解性の低下（☞**表1-9**）や、中枢性抗コリン徴候誘発の可能性も関与。
	フェノチアジン系薬（クロルプロマジン［コントミン］）	分解促進（薬効低下）。死亡例もある（☞**表7-24**）。溶解性の低下（☞**表1-9**）や、抗コリン作用の協力も関与。

★ 販売中止

とシサプリドを併用した際のニフェジピンの血中濃度の変化を示している。投与３時間後に血中濃度が最大となり、ニフェジピン徐放錠単独投与時の約２倍にまで上昇している。シサプリドによる消化管運動亢進によって、ニフェジピンの吸収速度が増大したためと考えられるが、臨床的に問題となることは少ないだろう。

なお、頓服薬など単回投与で効果を発現する薬の場合、吸収速度の低下は、速効性の低下と効果の延長を引き起こす。臨床的にほとんど問題になることはないが、留意しておく必要がある。

一方、消化管の初回通過効果※の大きいアセトアミノフェン（カロナール）では、消化管運動の亢進に伴い腸管吸収が亢進すると、小腸粘膜上皮細胞内の薬物濃度が急速に高くなり、チトクロームP450（CYP450）酵素によるアセトアミノフェンの代謝が飽和してしまう（☞**第５章**）。それにより、代謝を受けずに血中に移行する薬物量が増え、結果的に血中濃度が上昇し、予測以上に薬効が増強することがある（☞**図1-1**）。ニフェジピン、カルバマゼピン、シクロスポリン、メキシレチン塩酸塩（メキシチール）、クロピドグレル、チカグレロルもCYP450により代謝を受けるので、同様の効果を受ける可能性がある。

また、有効性が血中濃度に依存する抗菌薬や経

図 1-6　シサプリドによるニフェジピン血中濃度への影響

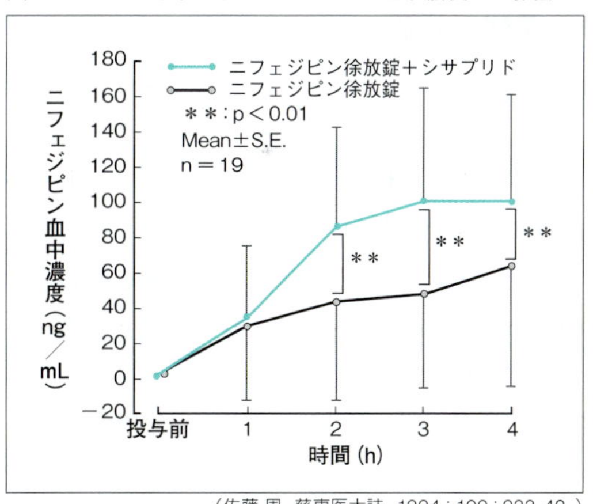

（佐藤 周. 慈恵医大誌. 1994；109：933-42.）

※ 初回通過効果（first pass effect）とは、代謝されやすい薬剤を経口投与した場合に、消化管吸収（小腸粘膜上皮細胞における代謝）や肝通過の過程で、薬剤の一部が代謝されるために生じる効果のこと（☞**第５章**）。

口避妊薬などは、GLP-1受容体作動薬のような胃排出速度を低下させる薬剤を併用すると吸収が遅延し、作用発現が遅れる可能性がある。特に、エキセナチド（バイエッタ）、リキシセナチド（リキスミア）との同時併用は禁忌である。併用時には、エキセナチド投与1時間前、リキシセナチド投与1時間前または投与11時間後に服用させる。また、エキセナチド、持続性エキセナチド（ビデュリオン）はスタチン系の効果減弱、ワルファリンの抗凝固作用の増強・減弱などを招く可能性があるため、これらの薬剤との併用時も注意が必要である。他のGLP-1受容体作動薬（リラグルチド［ビクトーザ］）やジペプチジルペプチダーゼ（dipeptidyl peptidase：DPP）4阻害薬の添付文書には本相互作用に関する記載はないことから、エキセナチド、リキシセナチドによる胃内容物の排出遅延作用は強力であると考えられる。

❸ 薬剤の分解

抗パーキンソン薬のレボドパ製剤（ドパストン；ドパミン作動薬）やフェノチアジン系薬（抗ドパミン薬）は、胃内で分解を受けやすい（☞表7-20）。そのため、抗コリン薬や抗コリン作用を持つ抗パーキンソン薬などの消化管運動を抑制する薬剤を併用すると胃内での分解が促進し、吸収が低下する（薬効減弱）。一方、パーキンソン病では消化管運動の低下によるレボドパの分解が起こる可能性があるため、これを避けるために消化管運動賦活薬が併用される場合がある。

これらの薬剤の併用においては、抗パーキンソン作用（ドパミン作動作用）の協力・拮抗といった薬力学的相互作用にも注意しなくてはならない。また、レボドパおよびフェノチアジン系薬はいずれも抗コリン作用を有することから、抗コリン作用の協力による副作用（中枢性抗コリン徴候、麻痺性イレウス、便秘など）の発現頻度も高くなる恐れがある（☞表7-21）。

したがって、抗パーキンソン薬とフェノチアジン系との併用はなるべく避けた方がよい。ただし、フェノチアジン系による薬剤性パーキンソニズムを防ぐ目的で抗パーキンソン薬を併用する場合があることに留意しておく（☞表7-24）。これらの薬剤を併用する場合には、薬効強弱や抗コリン副作用による患者の体調変化に十分に注意を払う。

参考

ビタミン B_{12} の吸収

シアノコバラミン（ビタミン B_{12}）はDNAの合成に必須で、不足すると悪性貧血や末梢神経障害を引き起こす。

食物中のビタミン B_{12}（B_{12}）は、まず胃の酸性環境に放出され、唾液中に含まれるRタンパクと結合して複合体（B_{12}-Rタンパク質）を形成する。その後、複合体は小腸で膵酵素により切断されて B_{12} を遊離し、胃粘膜の壁細胞から分泌される内因子（糖タンパク質）と結合して複合体となり、下部回腸から吸収される。

B_{12} の欠乏症は通常、消化管吸収の不足に起因するが、高齢者では胃酸分泌の減少による吸収不全が多い。また薬剤では、H_2 拮抗薬による内因子の分泌阻害作用が知られている。H_2 拮抗薬を長期投与している患者や、胃手術後、胆嚢・膵疾患といった胃腸障害がある患者では、内因子の不足や B_{12} の吸収低下により、貧血や手足のしびれ、痛みなどが起こることがある（☞図6-3）。

なお、リボフラビン（ビタミン B_2）は十二指腸の特定部位からのみ吸収される。そのため、消化管運動を抑制する薬剤を併用すると、特定部位での滞留時間が延長するため、吸収が増加する。

第4節

消化管内のpH変化

AlやMgなどの金属を含有する薬剤や制酸剤（炭酸Ca、炭酸水素Naなど）、抗コリン薬、消化性潰瘍治療薬（H_2拮抗薬、プロトンポンプ阻害薬［PPI］、プロスタグランジン［prostaglandin：PG］E製剤）などの薬剤は、胃酸の中和や、胃酸の分泌を抑制し、消化管内のpHを上昇させる。また、牛乳・乳製品にも制酸作用がある。消化管内のpHを**図1-7**に示したが、食事摂取によっても胃内のpHは上昇する。

一方、カフェイン含有飲食物や炭酸飲料は胃酸分泌を促進し、消化管内のpHを低下させる（☞付E）。酸性飲料は、口腔内のpHも低下させることがある。

これらの薬剤や飲食物による消化管内のpH変化は、併用薬の①胃内での溶解性の変化（**表1-9**）、②解離度（イオン型および非イオン型濃度）の変化（**表1-11**）、③酸による分解や析出、苦味の出現※（**表1-13**）、④製剤特質の変化（**表1-14**）―を引き起こす。基本的には、このような消化管内のpH変化に起因する相互作用は服用時間を2～3時間ずらすことで回避できる。

図1-7　消化管内pH

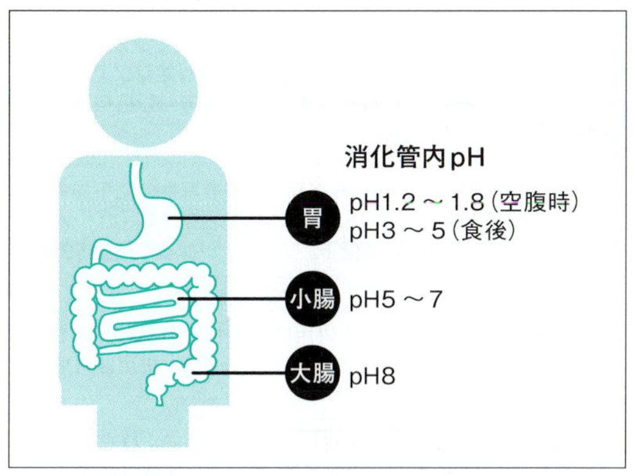

なお、一般的に腸における薬物吸収速度は、溶解後の胃排出速度に比例し、非イオン型の薬物濃度に依存して増大する。非イオン型が吸収されやすいのは、非イオン型が脂溶性であり、イオン型に比べて膜を通過しやすいからである（腎における再吸収も同様；☞第3章［第5節］）。

❶ 胃内での溶解性の変化

胃排出時間は、薬の胃内での溶解性と密接に関係している。一般に、胃内（酸性）でよく溶ける薬剤、すなわち塩基性薬剤の胃排出時間は短い。胃内のpHが上昇すると、塩基性薬剤の溶解性が低下して胃排出時間が遅延し、腸での吸収速度が低下（作用減弱）することがある。

胃内（pH1.2～5）でよく溶ける薬剤には、ヒト免疫不全ウイルス（human immunodeficiency virus：HIV）プロテアーゼ阻害薬、非ヌクレオシド系抗HIV薬（リルピビリン塩酸塩［エジュラント、オデフシィ配合錠］、デラビルジンメシル酸塩）、イトラコナゾール（イトリゾール；アゾール系薬）、（チロシン）キナーゼ阻害薬（ダサチニブ水和物［スプリセル］、アカラブルチニブ［カルケンス］、ボスチニブ［ボシュリフ］、ダコミチニブ［ビジンプロ］、カブマチニブ［ダブレクタ］、パゾパニブ［ヴォトリエント］、ゲフィチニブ［イレッサ］、ニロチニブ塩酸塩水和物［タシグナ］、エルロチニブ塩酸塩［タルセバ］など）、セリチニブ（ジカディア）、リオシグアト（アデムパス）、セフポドキシムプロキセチル（バナン；セフェム系薬）、プルリフロキサシン（スオード；キノロン系薬）、レボドパ製剤（ドパストン）、レジパスビル（ハーボニー配合錠；抗HCV薬）、ベルパタスビル（エプクルーサ配合錠；抗HCV薬）などがある。in vitroにおけるこれら塩基性薬剤の溶解度、溶出率を**表1-10**に示す。

特に、HIVプロテアーゼ阻害薬（アタザナビル硫酸塩［レイアタッツ］、リトナビル［ノービア］、イ

※ 苦味の出現は薬動態学的相互作用ではないが、消化管内のpH変化に起因し、患者のコンプライアンスの低下を招くため、ここで述べた。

表 1-9　消化管内 pH 変化に起因する相互作用：溶解性

	作用する薬剤	作用を受ける薬剤	報告されている事象など
併用禁忌	PPI	アタザナビル（レイアタッツ；HIV プロテアーゼ阻害薬）	作用減弱。PPIによる持続的な胃酸分泌阻害のため消化管内pHが上昇し、アタザナビルの溶解性低下（吸収抑制）。4割の患者で有効血中濃度に達せず。
		リルピビリン塩酸塩（エジュラント、オデフシィ配合錠;非ヌクレオシド系抗HIV薬）	作用減弱。PPIによる胃内pHの上昇により吸収が低下。オメプラゾール併用時にリルピビリンCmax、AUCが約40%低下。
同時服用禁忌	H_2拮抗薬、制酸剤	アタザナビル（レイアタッツ）	作用減弱。①H_2拮抗薬併用時：必ずリトナビルを併用し、投与間隔を可能な限り空ける。②制酸剤併用時：アタザナビル服用の2時間後または1時間前に制酸剤服用。
		リルピビリン（エジュラント、オデフシィ配合錠；非ヌクレオシド系抗HIV薬）	作用減弱。①H_2拮抗薬併用時：リルピビリン服用12時間以上前、または4時間以上後にH_2拮抗薬服用。②制酸剤併用時：リルピビリン服用2時間以上前、または4時間以上後に制酸剤服用。
	ジダノシン錠★（pH緩衝剤が含まれている錠剤）	HIV プロテアーゼ阻害薬（アタザナビル［レイアタッツ］、リトナビル［ノービア］、インジナビル★、サキナビル★、ネルフィナビル★、アンプレナビル★）、デラビルジン★（非ヌクレオシド系抗HIV薬）	作用減弱。ジダノシン錠に含まれるAl、Mg含有緩衝剤によるpH上昇で溶解性低下。併用する場合は、HIV プロテアーゼ阻害薬では服用間隔を2～2.5時間以上、デラビルジンでは1時間以上空ける。ジダノシンカプセル（ヴァイデックスECカプセル）には緩衝剤が含まれていないため併用は問題ない。
	PPI、H_2拮抗薬、制酸剤、ジダノシン錠★（pH緩衝剤が含まれている錠剤）	イトラコナゾール（イトリゾール；アゾール系薬）	作用減弱。 ① PPI併用時：オメプラゾール（オメプラール）との併用でAUC 60%、Cmax 66%低下との報告。併用は避けた方が賢明。H_2拮抗薬などに変更するか、併用時は酸性飲料で服用する。 ② H_2拮抗薬併用時：ファモチジン（ガスター、40mg/日・朝夕食後）とイトラコナゾール（100mg/日・朝食直後）との併用でAUC 33%、Cmax 30%、血中濃度50%低下との報告がある。イトラコナゾールの昼食後投与により回避できる。海外では併用時に酸性飲料での服用が推奨されている。 ③制酸剤併用時：AUC、Cmaxが66%、70%減少との報告。 ④ジダノシン錠併用時：測定限界以下に血中濃度低下。
		ダサチニブ※（スプリセル；チロシンキナーゼ阻害薬）	作用減弱。 ① PPI、H_2拮抗薬併用時：推奨されない。制酸剤（投与間隔を2時間以上空ける）の代替を考慮する。 ② 制酸剤併用時：両剤の投与間隔を2時間以上空ける。
	PPI、H_2拮抗薬、制酸剤	アカラブルチニブ※（カルケンス；チロシンキナーゼ阻害薬）	作用減弱。 ① PPI併用時：オメプラゾールによりCmax79%、AUC57%低下。併用は可能な限り避ける。 ② H_2拮抗薬併用時：アカラブルチニブを2時間前に投与。 ③ 制酸剤併用時：投与間隔を2時間以上空ける。
	制酸剤（Al、Mg含有）	リオシグアト（アデムパス；可溶性グアニル酸シクラーゼ［sGC］刺激薬）	消化管内pH上昇によりリオシグアトのBA低下。リオシグアトAUC、Cmaxが34%、56%低下。制酸剤はリオシグアト投与後1時間以上経過してから服用すること。PPI、H_2拮抗薬との併用は添付文書中に記載なし。
	制酸剤（Al、Mg含有）、PPI、H_2拮抗薬	セフポドキシム（バナン）	作用減弱（機序不明だが、pH上昇による溶解性の低下が考えられる）。乾燥水酸化Alゲル・水酸化Mg配合剤（マーロックス）でCmax39%、AUC40%低下。ファモチジンでCmax50%、AUC40%低下。
原則禁忌	PPI	ボスチニブ※（ボシュリフ；チロシンキナーゼ阻害薬）、ダコミチニブ※（ビジンプロ）、カプマチニブ※（タブレクタ）	作用減弱。ランソプラゾール併用によりボスチニブのAUCおよびCmaxがそれぞれ26%および46%低下。併用は可能な限り避ける。
		パゾパニブ※（ヴォトリエント；キナーゼ阻害薬）	作用減弱。エソメプラゾール併用によりAUCおよびCmaxがそれぞれ約40%および約42%低下。併用は可能な限り避ける。

★ 販売中止　　※ 分子標的治療薬の相互作用については**付録Cの表 S-8** 参照

表1-9（つづき）　消化管内pH変化に起因する相互作用：溶解性

長期原則禁忌	PPI、H_2拮抗薬	デラビルジン★	作用減弱。長期併用は推奨されない。
併用慎重	消化管内のpHを上昇させる薬剤（抗コリン薬、H_2拮抗薬、PPI、制酸剤、ジダノシン錠★など）	チロシンキナーゼ阻害薬※（ゲフィチニブ[イレッサ]、ニロチニブ[タシグナ]、エルロチニブ[タルセバ]、セリチニブ[ジカディア]）、プルリフロキサシン（スオード；キノロン系）、エノキサシン★、レボドパ製剤（ドパストン）	作用減弱（溶解性低下）。投与間隔をできる限り空ける。左記のキノロン系薬とAl、Mg含有制酸剤との併用は同時禁忌（3表1-2）。ニロチニブでは、①PPI併用時：エソメプラゾール（ネキシウム）との併用でAUC34%、Cmax27%低下の報告。ファモチジン（ガスター）を併用する場合、ニロチニブ投与10時間前または2時間後にファモチジンを投与し、制酸剤を併用する場合、投与間隔を2時間以上空けることでAUC、Cmaxは影響を受けないとの報告。
	炭酸飲料（コーラ、サイダー、ビールなど）、カフェイン含有飲食物（コーヒー、緑茶など）、酸性飲料（果実ジュース、レモン水など）	イトラコナゾール（イトリゾール）	作用増強。胃酸分泌促進による吸収促進のため（コーラで血中濃度が2倍上昇）、炭酸飲料での服用は避ける（ただしPPIとH_2拮抗薬の併用時には、逆に酸性飲料で服用することあり）。イトラコナゾールは吸収性を高めるため食直後服用。
		レボドパ製剤（ドパストン）	作用増強。溶解性が上昇し吸収促進。no on/delayed on現象（レボドパの効果発現が見られなかったり遅れたりする現象）が生じた際、吸収性を高めるためレモン水に溶かして服用したり、空腹時に服用することがある。
同時服用推奨	PPI、H_2拮抗薬	レジパスビル・ソホスブビル配合薬（ハーボニー配合錠；抗HCV薬）	作用減弱の可能性。①PPI併用時：ハーボニー配合錠服用前にPPIを服用しないこと。併用する場合は、空腹時に同時服用すること。②H_2拮抗薬併用時：併用する場合は、同時服用するか、ハーボニー配合錠と12時間空けて服用すること。
		ソホスブビル・ベルパタスビル（エプクルーサ配合錠；抗HCV薬）	ベルパタスビルの作用減弱。①PPI併用時：エプクルーサ配合錠服用後、4時間の間隔を空けてPPI服用。②H2拮抗薬併用時：同時に服用またはエプクルーサ配合錠服用後12時間間隔を空けて服用すること。

★ 販売中止　　※ 分子標的治療薬の相互作用については**付録Cの表S-8**参照

表1-10　塩基性薬剤の溶解度および溶出率（in vitro 実験）

塩基性薬剤	溶解度（mg/mL）または溶出率※
アタザナビル（レイアタッツ）	pH1.9で溶解度5.2、pH3.0で0.77、pH4.3で0.001。
デラビルジン★	pH1で溶解度2.949、pH2で0.295、pH7.4で0.00081。
ゲフィチニブ（イレッサ）	pH4～6の間で溶解度は大きく低下し、pH6以上でほとんど溶けない。
ニロチニブ（タシグナ）	pH上昇とともに溶解度は低下し、pH4.5以上でほとんど溶けない。
ダサチニブ（スプリセル）	水にはほとんど溶けない。
エルロチニブ（タルセバ）	水に極めて溶けにくい。
ボスチニブ（ボシュリフ）	水にほとんど溶けない。
パゾパニブ（ヴォトリエント）	pH1に溶けにくく、pH7.0にほとんど溶けない。
プルリフロキサシン（スオード）	pH2.2で溶解度2.93、pH3.0で0.33、pH4で0.0232
イトラコナゾール（イトリゾール）	60分間の溶出率はpH1.2では76%、pH4では2.6%、pH6.5では1.7%。
セフポドキシム（バナン）	pH1.2で溶解度11.1、pH4で0.24、pH6.8で0.20。
レボドパ（ドパストンなど）	pH1.2で溶解度18、pH4で5.0、pH6.8で5.1。
レジパスビル・ソホスブビル配合錠（ハーボニー配合錠）	レジパスビルはpH2.3で溶解度1.1、pH4.0以上で0.01未満。
ベルパタスビル（エプクルーサ配合錠；抗HCV薬）	ベルパタスビルはpH1.2（水）で溶解度36より大（やや溶けやすい）、pH5.0（酢酸ナトリウム緩衝液）で0.1未満（ほとんど溶けない）。
アカラブルチニブ（カルケンス）	水にほとんど溶けない。pH3で溶解度100以上、pH4で3.9、pH5で0.34。
ダコミチニブ（ビジンプロ）	水にほとんど溶けない。
セリチニブ（ジカディア）	水に極めて溶けにくい。

溶けにくい＝溶解度 10mg/mL～1mg/mL　極めて溶けにくい＝溶解度 1mg/mL～0.1mg/mL　ほとんど溶けない＝溶解度 0.1mg/mL 以下
※ 日局溶出試験法第2法（パドル法）による　★ 販売中止

ンジナビル硫酸塩エタノール付加物★、サキナビルメシル酸塩［インビラーゼ］、ネルフィナビルメシル酸塩［ビラセプト］、アンプレナビル）、およびデラビルジンは酸性下で溶解するため、胃内pHの上昇で溶解性が著しく低下し、吸収が抑制される。ただし、インジナビルでは食事による胃内のpH上昇によっても吸収が抑制されるため注意する（☞表1-15）。

相互作用では、PPIとアタザナビル（pH4.3でほとんど溶けない）およびリルピビリン（pH変化時の溶解度不明）との併用は、持続的な胃酸分泌抑制に伴うpH上昇によりアタザナビル、リルピビリンの吸収が低下する恐れがあるため禁忌である。また、HIVプロテアーゼ阻害薬やデラビルジン（抗HIV薬）と、ジダノシン錠（抗HIV薬）とを併用すると、ジダノシン錠に含まれる緩衝剤の作用でpHが上昇し、前者の吸収が低下する可能性があるため、同時服用が禁忌である（☞本節❸）。なお、デラビルジンは、PPIあるいはH_2拮抗薬との長期併用も推奨されない（長期原則禁忌）。

一方、イトラコナゾール（イトリゾール）の溶解性もpH上昇により低下するため、消化管内のpHを上昇させる薬剤（抗コリン薬、H_2拮抗薬、PPI、制酸剤など）との併用時には、イトラコナゾールの消化管吸収が低下する可能性が高い。例えばオメプラゾール（オメプラゾン；PPI）との併用ではイトラコナゾールのAUC、Cmaxが60%、66%低下する例、またファモチジン（ガスター；H_2拮抗薬）との併用ではAUC、Cmaxが33%、30%低下する例や血中濃度が50%低下する例、制酸剤との併用ではAUC、Cmaxが66%、70%低下する例が報告されている。また胃酸分泌が少ない空腹時にイトラコナゾールを投与した場合、Cmaxは食直後投与時の約40％となることから、通常、イトラコナゾールは吸収性を高めるため食直後に経口投与する必要がある。これは、イトラコナゾールが脂溶性かつ塩基性であり、塩酸塩となって吸収されるためである。

PPIの胃酸分泌抑制作用が24時間継続し、かつ胃内pHが常に4以上であると推定すると（☞ **p.57「重要」**）、pH4でのイトラコナゾールの溶出率は2.6％と極めて低く、服用時点をずらしても相互作用は回避できないと考えられる。併用時には、吸収を増加させるため酸性飲料でイトラコナゾールを服用することも可能だが、基本的にはPPIとイトラコナゾールとの併用は避けた方がよい。

H_2拮抗薬と併用する場合は、イトラコナゾールを昼食直後に服用する。これは、ファモチジン（ガスター）との併用の場合、朝食後同時投与でイトラコナゾールのAUCは33％低下するが、「イトラコナゾール昼食後投与＋ファモチジン朝・夕食後投与」および「イトラコナゾール昼食後投与＋ファモチジン就寝前投与」ではイトラコナゾールの吸収に有意な変化が認められないためである。

また、制酸剤と併用する場合、添付文書には、投与間隔の指定はないが、同時服用は避けた方がよい。イトラコナゾールの$t_{1/2}$が約4時間程度であることから、イトラコナゾール服用後、4時間程度空けて制酸剤を服用すれば問題ないかと思われる。

一方、コーラなどの炭酸飲料で服用すると、胃酸分泌の促進によりイトラコナゾールの吸収が促進し、血中濃度が2倍にも上昇する例などがあるため、炭酸飲料によるイトラコナゾールの服用は避ける（☞ **付E**）。また、オレンジジュースなど炭酸以外の酸性飲料でもイトラコナゾールの吸収が高まることが報告されている。ただし、海外のイトラコナゾールの添付文書では、「H_2拮抗薬併用時には、吸収低下を避けるために酸性飲料（コーラ、オレンジジュースなど）で服用すること」を推奨している。

また、（チロシン）キナーゼ阻害薬では、ダサチニブ水和物（スプリセル）、ボスチニブ水和物（ボシュリフ）、パゾパニブ塩酸塩（ヴォトリエント）、ゲフィチニブ（イレッサ）、ニロチニブ塩酸塩水和物（タシグナ）、エルロチニブ塩酸塩（タルセバ）と、消化管内pHを上昇させる薬剤との併用も注意する。特にボスチニブとパゾパニブはPPIとの併用を可能な限り避ける（原則禁忌）。さらに、ダサチニブでは、H_2拮抗薬やPPIとの併用は推奨されないため、制酸剤への変更などを考慮する必要がある（制酸剤併用時には2時間以上間隔を空ける）。また、ニロチニブではエソメプラゾール（PPI）との併用でAUC、Cmaxが低下するとの報告があり、H_2拮抗薬（ファモチジン［ガスター］）または制酸剤との併用では、投与間隔を空けることで（H_2拮抗薬併用時にはニロチニブの投与10時間前および投与2時間後にH_2拮抗薬投与。制酸剤併用時には2時間以上間隔を空ける）、AUC、Cmaxに影響はなかったとの報告がある。なお、分子標的治療薬の相互作用については付C表S-8を参照してほしい。

また、リオシグアト（アデムパス；グアニル酸シクラーゼ刺激薬）は、消化管遠位部（小腸遠位部、結腸）における中性領域pHで溶解性が低下し、消化管吸収が減少する可能性が示されている。制酸剤との同時服用によって消化管内pHが上昇し、リオシグアトのAUCおよびCmaxが低下することから、制酸剤はリオシグアト投与後1時間以上経過してから投与する（同時禁忌）。一方、オメプラゾールの併用ではAUCおよびCmaxの低下はそれぞれ26％および35％であり、制酸剤と比較してその吸収阻害効果はやや弱い。リオシグアトの添付文書上は、PPIやH_2拮抗薬との相互作用について記載はないが、併用時には血中濃度が低下して薬効が減弱する可能性があり注意する。

さらに、セフェム系抗生物質のセフポドキシムプロキセチル（バナン）とAlまたはMg含有制酸剤を併用すると、セフポドキシムの吸収が阻害されるため同時服用禁忌である。機序不明だが、胃内

pHの上昇によりセフポドキシムの溶解性が低下すると考えられる。Al、Mg含有制酸剤のほか、PPIやH_2拮抗薬などの消化管内pHを上昇させる薬剤との併用も同様に注意した方がよい。

そのほか、キノロン系薬のプルリフロキサシン（スオード）、エノキサシン（販売中止）は、それぞれpH4以上、pH5.3以上でほとんど溶けないため、胃内のpHを上昇させる薬剤との併用で薬効が減弱する可能性がある。例えば、エノキサシンのBA（生物学的利用率）がラニチジン塩酸塩（ザンタック；H_2拮抗薬）により26％低下したり、プルリフロキサシンのAUCがシメチジン（タガメット；H_2拮抗薬）により40％低下した例がある。つまり、PPIやH_2拮抗薬を服用中の患者にこれらのキノロン系を投与する場合は投与量の増量などを考慮する。また、キノロン系はAl、Mgとのキレート形成能も高いため、Al、Mg含有制酸剤との併用時には同時服用を避け、キノロン系の投与後2時間以上空けて制酸剤を投与することも忘れないようにする（☞ **表1-2**）。

レボドパ製剤（ドパストンなど）の消化管吸収もpHの上昇により低下する可能性がある。一般にレボドパ製剤は、胃腸障害を避けるため、消化管内pHが上昇する食後に服用させるが、レボドパ長期投与時に起こるno on/delayed on現象の発現時などに効果増強を図る場合は、胃内のpHが低下する空腹時や食前に服用させたり、レモン水などの酸性飲料に溶かして服用させることがある。

一方、抗HCV薬のハーボニー配合錠（レジパスビルアセトン付加物・ソホスブビル［LDV・SOF］配合錠）に含有されているLDVは、胃内pHの上昇により溶解性が低下し、消化管吸収が減少すると考えられる。同配合錠とH_2拮抗薬を併用する場合は、同時投与または12時間の間隔を空けて投与すること、またPPIを併用する場合には、同時に投与することが推奨されている（制酸剤との併用時は投与制限の記載はない）。これは、LDV・SOF配合錠とファモチジン（ガスター）またはオメプラゾール（オメプラゾン）を併用した以下の海外臨床試験の結果に基づいている。

LDV・SOF配合錠とファモチジンを同時に単回投与または12時間の時間差で単回投与した結果、SOFのCmaxが同時投与で15％増加したが、SOFとGS-331007（SOFの主要代謝物）の薬物動態パラメーター比の90％信頼区間は同等性の範囲内（70～143％）だった。またLDVのCmaxは時間差投与で17％、同時投与で20％減少したが、AUC比は同等性の範囲内であることが示されている。つまり、同時投与および12時間の間隔を空けて投与すれば併用は問題ないとされている。

一方、オメプラゾールを5日間反復投与した後、6日目にLDV・SOF配合錠と同時投与した場合、SOFとGS-331007のAUC比およびCmax比は同等性の範囲内であったほか、LDVのCmax、AUCの減少は約11％、4～8％とわずかだった。つまり、同時投与すれば併用は問題ないとされている。

ハーボニー配合錠の添付文書には、「本剤投与前にPPIを投与しないこと」と記載されている。これは、オメプラゾールを5日間反復投与した後、6日目のオメプラゾール投与後の2時間後に「製造したLDV錠」を単独投与した場合、LDVのAUCおよびCmaxが42～48％減少するためである。インタビューフォームでは、「PPIの制酸作用は服用後1時間以内に発現し、2時間以内に最大効果が現れることから、本剤をPPIと時間をずらして服用した場合、LDVの血漿中濃度を低下させる可能性があるため推奨されない」と記載されている。

しかし、本試験では、オメプラゾールは6日間連続投与されているため定常状態に達しており、1日1回投与によってその制酸作用は24時間持続していると考えられること、またPPIの効果はその血中濃度より分泌細管内の濃度に依存すること―などを考慮すると、「PPIの制酸作用が服用後1時間以内に発現し、2時間以内に最大効果が現れる」ことによって、LDVの血中濃度低下を説明することは難しいと考えられる。

オメプラゾール連続投与後の2時間後にLDV・

SOF配合錠を投与した場合の臨床試験は実施されていない。いずれにせよ、臨床試験の結果を踏まえて、本配合錠とPPIを併用する際は同時投与すべきであろう。

なお、ベルパタスビルはLVDと同様に胃内PHが上昇すると溶解性が低下し、消化管吸収が減少するため、同配合錠（エプクルーサ配合錠）とPPIおよびH2拮抗薬を併用する場合はハーボニー配合錠と同様に注意が必要である。

表1-9に示した薬剤のほか、ミコフェノール酸モフェチル（セルセプト）、抗パーキンソン薬（ブロモクリプチンメシル酸塩［パーロデル］、ペルゴリドメシル酸塩［ペルマックス］など）、メフロキン塩酸塩（メファキン；キニーネ類、pH5.5以上で溶解性低下）、フェノチアジン系薬、ドンペリドン（ナウゼリン）、リファンピシン（リファジン；腸内アルカリ化で溶解性低下）、テトラサイクリン系薬、ラニチジン塩酸塩（ザンタック）や、pK値（酸塩基解離定数）が5以上の塩基性薬剤も、胃内pHが上昇すると溶解性が低下する可能性がある（☞**表1-15**）。

重要

PPI、H_2拮抗薬による胃内pHの変化

PPIやH_2拮抗薬による胃内pH上昇の程度を把握することは、相互作用発現を判断する上で極めて重要である。ポータブルpH記録装置を用いた実験によると、健常人の胃内pHは、食事摂取時に一過性にpH4前後となるが、食後30分頃から低下し、食間はpH2前後、夜間はpH3前後で推移する。

一方、H_2拮抗薬は、用法（1日2回または就寝時1回投与）にかかわらず夜間のpHを6前後と著明に上昇させる。ただし、日中の胃酸分泌にはヒスタミンの関与が少なく、日中の効果は軽度と考えられている（ただし、ラフチジン［プロテカジン］はカプサイシン感受性知覚神経を刺激し、胃酸分泌促進作用のあるガストリン分泌を抑制するため、日中にも効果があると推測されている）。

PPIは夜間にH_2拮抗薬と同等の効果を示すだけでなく、日中も胃内pHを2前後上昇させる。そのため、PPIを投与すると、胃内のpHは終日4以上に保たれ、pH4以上で溶解度や溶出率が著しく低下する薬剤との相互作用は、服用時点をできる限り空けても回避できないと考えられる。PPIと併用禁忌の薬剤はアタザナビルのみだが、デラビルジン（販売中止）、プルリフロキサシン、イトラコナゾールなども併用を避けた方が賢明である。

70歳代女性Aさん。

［処方箋］
①モービック錠5mg　1錠
　　1日1回　朝食後　14日分
②ガスター錠20mg　2錠
　　1日2回　朝夕食後　14日分
③イトリゾールカプセル50mg　2カプセル
　　1日2回　朝夕食直後　7日分

Aさんは1年前からH_2拮抗薬のガスター（ファモチジン）、半年前からモービック（メロキシカム）を服用しており、今回、爪白癬のためイトリゾール（イトラコナゾール）が処方された。

担当薬剤師は、イトリゾールの薬効が減弱する可能性があることを処方医に連絡し、回避策として、イトリゾールの①用法変更（1日1回100mgを昼食直後投与）、②用量変更（投与量を2倍）、③酸性飲料での服用、④同効薬（ラミシール［テルビナフィン塩酸塩］）への変更または、ガスターの防御因子増強剤への変更、⑤7日間ガスターの中止—を提案したところ、①が選択された。

爪白癬に対するイトラコナゾールのパルス療法では、通常、1回200mgを1日2回（400mg/日）食直後に1週間服用し、その後3週間休薬するサイクルを3回繰り返す（有効

率 84.6%)。用量は必要に応じて適宜減量する。1日1回投与のパルス療法では 200mg までの臨床成績(有効率 63.8%)が示されているが、200mg を超える用量については検討されていない。

症例② 50 歳代男性 B さん。

[処方箋]
①パリエット錠 10mg　1 錠
　1日1回　就寝前　28 日分
②ガストローム顆粒 66.7%　3g
　1日2回　朝食後、就寝前　28 日分
③イレッサ錠 250　1 錠
　1日1回　朝食後　隔日投与　14 日分

逆流性食道炎でパリエット(ラベプラゾール Na)を1年前から服用していた B さんは、肺癌治療のためイレッサ(ゲフィチニブ)が隔日で追加された。消化器症状は再燃しやすくパリエットを中止することは難しい。薬剤師は念のため、PPI によりイレッサの効果が減弱する可能性があることを処方医に疑義照会したが、処方変更はなかった。PPI とイレッサは同時服用ではなく、著しい低胃酸状態も持続していないと判断されたためと考えられる。現在も同処方は継続中である。

❷ 解離度の変化

経口投与された薬剤は、消化管内で溶解した後、一部が解離してイオン型となる。イオン型と、解離していない非イオン型とは平衡を保っているが、非イオン型はイオン型よりも脂溶性が高いため、消化管から吸収されやすい。したがって、消化管内における非イオン型とイオン型の濃度比は、薬剤の吸収速度を左右することになる。

イオン型と非イオン型の濃度は、薬物固有の解離定数と、溶解している消化管内の pH によって決まる(☞ **コラム 10**)。例えば、消化管内の pH が上昇すると、塩基性薬剤では非イオン型が増え、吸収速度が促進する。一方、酸性薬剤では逆にイオン型が増え、吸収速度が減弱する(**図 1-8**)。特に、弱酸・弱塩基性薬剤の全てが、この作用を受けると考えられる(☞ **コラム 11**)。

解離度に起因する相互作用では、薬剤の速効性と作用時間が影響を受ける(**表 1-11**)。そのため、フェニトイン(アレビアチン;酸性)やキニジン硫酸塩水和物(硫酸キニジン;塩基性)などの TDM を必要とする薬剤や、アセタゾラミド(ダイアモックス)、マオウ含有漢方薬などのエフェドリン含有製剤(塩基性;葛根湯など;☞ **表 8-24**)以外の薬剤では、特に問題とならないと考えられる。ただし、単回投与の酸性薬剤(頓服薬など)と消化管内 pH を上昇させる薬剤との併用は、薬の速効性の低下と作用持続時間の延長を起こす可能性がある。具体的には、解熱鎮痛薬のアスピリンや NSAIDs(速効性の低下)、バルビツール酸系の催眠薬(作用時間の延長)などが問題となる。

一方、口腔内 pH の変化が薬剤の解離度に影響を与え、吸収量を変化させることもある。その代表例が禁煙補助剤のニコチンガム製剤(ニコレット)である。ニコチンガムは、陽イオン交換樹脂と結合したニコチンを含有しており、約 30 ~ 60 分間断続的にかむことでニコチン(塩基性)が溶出し、口腔粘膜から吸収されて効果を発揮する。しかし、コーヒーや炭酸飲料により口腔内 pH が低下すると、非イオン型のニコチン量が減り、吸収が低下して薬効が減弱する。

ニコチンガムの添付文書には、「コーヒーや炭酸飲料などを飲んだ後、しばらく本剤を使用しない」と記載されているが、具体的な服用間隔は明記されていない(同時服用禁忌;☞ **付 E**)。一般に口腔内の pH は中性付近に保たれているが、食後は酸性に傾き、約 3 ~ 20 分間で pH4 付近まで下がる。その後、唾液の作用で中性付近に戻るまでに 40 分もかかる。酸性飲料の摂取後も同様に、口腔内が一旦酸性に傾くと回復には時間がかかるとされていることから、酸性飲料の摂取後約 40 分間は、ニコチンガムを使用しないよう指導するとよいだろう。食後も同様に対処するが、食後に喫煙欲

図 1-8　消化管内 pH と薬剤の解離度の関係

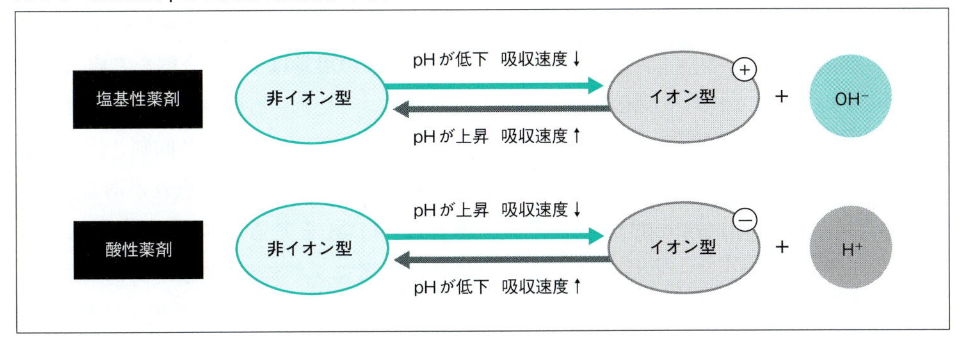

表 1-11　消化管内 pH の変化に起因する相互作用：解離度

	作用する薬剤	作用を受ける薬剤	報告されている事象など
併用慎重	消化管内の pH を上昇させる薬剤（抗コリン薬、H_2 拮抗薬、PPI、制酸剤など）	弱塩基性薬剤（キニジン［硫酸キニジン］、アセタゾラミド［ダイアモックス］、エフェドリン含有製剤［マオウ含有漢方薬；葛根湯、薏苡仁湯］など；☞ **表 8-24**）	吸収促進（薬効増強）。食後の消化管の pH 上昇によるエフェドリン吸収増大に注意（☞ **表 1-15**）
		弱酸性薬剤（フェニトイン［アレビアチン］）、グリチルリチン含有製剤（カンゾウなど；☞ **表 8-24**）	吸収低下（薬効減弱）。
同時服用禁忌	酸性飲料（ジュース、コーヒー、炭酸飲料など）	ニコチンガム（ニコレット）	薬効減弱。口腔内 pH の低下により、ニコチン（弱塩基性）吸収量低下。酸性飲料の摂取後しばらくは（30 ～40 分間）ニコチンガムの使用を避ける。

求が高まった場合は、多少効果が減弱してもニコチンガムを使用させた方がよい。なお、飲食後のブラッシングは口腔内 pH を速やかに中性付近へと戻すため、ブラッシング後のガムの使用は問題ない。参考までに各種飲料の pH を**表 1-12** に示す。（☞ **コラム 12**）

症例①　60 歳代女性 B さん。

［処方箋］
①ツムラ葛根湯エキス顆粒（医療用）　7.5g
　　1 日 3 回　毎食前　3 日分
②アムロジン OD 錠 5mg　1 錠
　タケプロン OD 錠 15mg　1 錠
　　1 日 1 回　朝食後　14 日分

B さんには高血圧にアムロジン（アムロジピンベシル酸塩）、逆流性食道炎にタケプロン（ランソプラゾール）がルーチンで処方されていたが、今回、かぜを引いたため葛根湯が追加された。葛根湯 7.5g 中にはマオウ 3.0g の乾燥エキスが

表 1-12　主な飲食物の pH

飲食物	pH
コーラ	2.3 ～2.8
オロナミン C	3.0
ワイン	3.0 ～3.8
ファイブミニ（プラス）	3.1（2.7 ～3.1）
グレープジュース	3.2
カルピス	3.3 ～3.5
ポカリスエット	3.5
オレンジジュース	3.8 ～3.9
アップルジュース	3.9
しょうゆ	3.9
ビール	4.0 ～4.6
明治ブルガリアヨーグルト	4.3 ～4.4
コーヒー	4.9 ～5.5
牛乳※（中性飲料）	6.4 ～6.8

※ 牛乳には胃酸の中和作用、制酸作用、また食道、胃、腸の内面に被膜を作り胃酸攻撃から守る作用などがあり、胃内の pH は上昇する［福岡県薬会報. 2001；14：557.］

含まれている。担当薬剤師は、必ず食前に服用するように指導した上で、タケプロンにより漢方薬成分のマオウに含まれるエフェドリンの消化管吸収が増加する可能性を説明。もし動悸、震え、血圧上昇、不眠などの思わぬ症状が現れた場合には、すぐに病院へ行くよう伝えた。結局、葛根湯の服用で交感神経刺激に起因する副作用は認められなかったが、当薬局では常時このような説明を行い、患者に注意を促している。

症例② 50歳代男性Aさん。

購入したOTC薬：ニコレット

Aさんには高血圧と軽度の狭心症があり、ヘルベッサーR（ジルチアゼム塩酸塩）を服用中である。たばこを1日1箱吸っているが、禁煙を決意してニコレット（ニコチンガム）を購入した。

薬剤師が飲食物摂取状況を尋ねると、コーヒーの飲用後にたばこを吸いたくなるとのことだった。そこで、コーヒーなどの酸性飲料を摂取後にニコチンガムを使用すると、口腔内での吸収が低下して十分な効果を得られない恐れがあることを説明。禁煙中はできる限りコーヒーの飲用を避け、飲用した場合は30～40分待つか、歯磨きを行ってからニコチンガムを使用するように指導した。また、食後に最も喫煙したくなるとAさんが話したため、まずは食後のガム使用を勧め、可能であれば食後にブラッシングも行うように伝えた。その後、本人の強い意志もあり、徐々にガムの使用量が減って、約3カ月後には禁煙に成功した。

❸ 酸による分解、析出、苦味発現

a 胃酸分解

消化管内のpHに影響を与える薬剤や飲食物は、酸で分解される薬剤の効果に影響を与える可能性がある（**表1-13**）。

例えば、ジギタリス製剤のジゴキシン（ジゴシン）やメチルジゴキシン（ラニラピッド）は、胃酸で一部が加水分解されて不活性代謝物へと変換される（ジギトキシンは加水分解を受けない）。ジギタリス製剤の用量は、この分解を考慮に入れて設定されているため、消化管内pHを上昇させる薬剤を併用すると、加水分解が抑制されて血中濃度が上昇し、薬効が増強する恐れがある。併用する場合は、TDMを実施すべきだが、実施が難しい場合は患者にジギタリス中毒の症状（頭痛や吐き気、徐脈など）を伝えて注意を促す必要がある。

このほか、トリアゾラム（ハルシオン）、スチリペントール（ディアコミット）、エリスロマイシンステアリン酸塩（エリスロシン）、ベンジルペニシリンカリウム（PCG）、アンピシリン水和物（ABPC；ビクシリン）、ジダノシン（ヴァイデックスECカプセル；抗HIV薬）なども胃酸で分解される。これらの薬剤では、薬効低下を避けるため、胃酸分泌を促進するカフェイン含有飲食物や炭酸飲料などで服用しないよう指導する。なお、PCGの改良型であるベンジルペニシリンベンザチン水和物顆粒（バイシリンG顆粒）は、ベンザチン塩となっているため胃酸分解されにくい。また、ジダノシン錠（販売中止）にはジダノシンの酸分解を防ぐため、pHを上昇させるAl、Mg含有緩衝剤が含まれていた。

b 酸による析出、分解、苦味発現

剤形の観点では、ドライシロップ（DS）製剤や細粒にも注意が必要である。例えば、ペミロラストカリウムDS（ペミラストンDS）は、酸性飲料に溶解すると、酸により主成分が析出して白濁し、薬効が減弱する。アンピシリン水和物DS（ビクシリンDS）も、前述のように、酸によって分解し薬効が減弱するため、酸性飲料での同時服用は避け、水に溶かして速やかに服用させる。エリスロマイシンのうちステアリン酸塩（エリスロシン錠）は酸に不安定であるが、エチルコハク酸エステル型（エリスロシンDS、W顆粒20%）やクラリスロマイシン（クラリス）、ミデカマイシン酢酸エステルは、エリスロマイシンのラクトン環の6位の水酸基（−OH）がO-メチル基（$-OCH_3$）に置換されているため、酸分解による薬効減弱の可能性は少ないとされている。

表1-13　消化管内pHの変化に起因する相互作用：酸による分解・析出・苦味出現

	作用する薬剤	作用を受ける薬剤	報告されている事象など
a 胃酸分解			
併用慎重	消化管内のpHを上昇させる薬剤・飲食物	ジゴキシン（ジゴシン）、メチルジゴキシン（ラニラピッド）	薬効増強。ジゴキシンの胃酸分解抑制（血中濃度上昇の可能性）。PPIによりジゴキシンAUC 10～20%上昇。ジギタリス中毒症状（頭痛、吐き気、徐脈）注意。抗コリン薬では消化管運動抑制によるジゴキシンの溶解性の促進も関与（☞**表1-8**）。PPIではP-gp阻害も関与（☞**表4-11**）。ジギトキシン★は胃酸分解を受けない。
併用慎重	ラニチジン（ザンタック）	トリアゾラム（ハルシオン）	薬効増強。ラニチジン75mg、150mg併用によりトリアゾラムのAUCがそれぞれ10%、28%（19～60歳）、31%、28%（61～78歳）上昇するとの報告もある。ラニチジンによる胃内pH上昇によりトリアゾラムの開環（不活性化）が抑制されるため。
併用慎重	炭酸飲料（コーラ、サイダー、ビールなど）、カフェイン含有飲食物（コーヒー、緑茶など）	エリスロマイシン（エリスロシン）、アンピシリン（ビクシリン）	胃酸で分解し薬効減弱。
併用慎重	酸性飲料（果実ジュース、炭酸飲料、カフェイン含有飲料）、牛乳、乳製品（ヨーグルト、クリームチーズ）	スチリペントール（ディアコミット；抗てんかん薬）	薬効減弱。これら食品・飲料とともに服用しないこと。酸性環境空腹時の胃内における胃酸への曝露などで速やかに分解。必ず食事中または食直後に服用。
b 酸性で苦味出現・分解・析出			
併用慎重	酸性飲料（果実ジュース、乳酸菌飲料、スポーツドリンク、コーヒー、炭酸飲料など）、酸性服薬補助ゼリー（ペースト状のオブラート）など	ペミロラストDS（ペミラストンDS）	主成分析出（薬効減弱）。
併用慎重	〃	アンピシリンDS（ビクシリンDS）	酸分解（薬効減弱）、苦味の発現。
併用慎重	〃	マクロライド系DS（エリスロマイシンDS［エリスロシンDS；14員環］、クラリスロマイシンDS［クラリスDS;14員環］、アジスロマイシン細粒［ジスロマック細粒；15員環］、ロキタマイシンDS★［16員環］、ミデカマイシンDS★［16員環］、スルタミシリン細粒（ユナシン細粒）	苦味出現。苦味を抑える特殊な加工が酸により消失するため。
併用慎重	〃	セフカペンピボキシル細粒（フロモックス細粒）	苦味出現、薬効減弱。苦味を抑える加工が施されているため、細粒をつぶしたり溶かしたりしない。やむを得ず水、酸性飲料、牛乳などで懸濁する場合には、懸濁後できるだけ速やかに服用する（時間が経過すると苦味出現や力価低下の可能性）。

★販売中止

一方、苦味が強い薬剤のDS製剤や細粒には、苦味を避けるために製剤上の工夫が施されている。具体的には、マクロライド系DS（エリスロマイシンエチルコハク酸エステルDS［エリスロシンDS；14員環］、クラリスロマイシンDS［クラリスDS；14員環］、アジスロマイシン水和物細粒［ジスロマック細粒；15員環］、ロキタマイシンDS［販売中止；16員環］、ミデカマイシン酢酸エステルDS；16員環）、スルタミシリントシル酸塩水和物細粒（ユナシン細粒）などがある。

特に苦味が強いクラリスロマイシンのDS製剤は、pH5以下で溶解する胃溶性高分子を配合したワックスで主薬を包み込み、その周りを高分子被膜でコートし、さらにアルカリ性物質や甘味成分、香料を表面に付着させている。つまり、口腔内のpHは中性付近であるため、主薬の溶出が強く抑制されている。苦味の強さを0～4の5段階で評価すると、主薬の苦味強度は3であるのに対し、DS製剤では1まで苦味が軽減される。

また、アジスロマイシン細粒は、それ自体に苦味抑制効果のあるアルカリ性物質のL-アルギニン（塩基性アミノ酸）を製剤のコーティングに使用している。つまり、水で懸濁した際や口腔内では弱アルカリ性となるため、主薬（塩基性）の溶出が抑制され、さらにL-アルギニン自体が持つ効果も加わり、著しく苦味が軽減される（苦味強度0）。

このように苦味を抑える工夫が施されている製剤を酸性飲料で服用すると、酸により製剤中の胃溶性高分子や高分子皮膜、コーティングが溶出したり、アルカリ性物質の作用が消失するといった変化が生じ、主薬が急激に溶出して強い苦味が出現する恐れがある。そのため、これらの薬剤は酸性飲料による服用を避け、口の中でかまずに、水または牛乳などの中性飲料で服用するよう指導する。また、これらの薬剤の服用時には、「ペースト状のオブラート」などの酸性の服薬補助ゼリーの使用も避ける。

セフカペンピボキシル塩酸塩水和物細粒（フロモックス細粒；苦味強度1以下）も、乳糖などによるコーティングが施してあるため、細粒をつぶしたり、溶かしたりしないよう注意する。さらにフロモックス細粒は、水や牛乳などの中性飲料に懸濁すると、室温では時間とともに苦味が出現するだけでなく、力価が低下して効果が減弱する可能性も示されている。そのため、水や酸性飲料、牛乳などで懸濁して服用する場合は、懸濁後速やかに服用するよう指導する。

70歳代女性Aさん。

[処方箋]
①ラニラピッド錠0.1mg　1錠
　ノルバスク錠5mg　1錠
　ブロプレス錠8　1錠
　　1日1回　朝食後　14日分
②タケプロンOD錠15　1錠
　　1日1回　朝食後　7日分

Aさんは、ラニラピッド（メチルジゴキシン）を5年以上服用中だったが、逆流性食道炎のためPPIのタケプロンOD（ランソプラゾール）が追加された。相互作用の確認のため、医師はタケプロンの処方日数を7日分としていた。薬局では、タケプロンの胃酸分泌抑制作用によりラニラピッドの分解が抑制され、効果が増強する可能性があることを説明。ジギタリス中毒の典型的な症状を伝え、いつもと違った症状が出現したら直ちに処方医に連絡するように指導した。

7日後の受診時、Aさんに自覚症状はなかったものの、脈拍数が約50回/分と通常より約20回少なくなっていたため、ラニラピッドを半分に分割して服用するよう指示が出された。その後、脈拍数は70回/分前後で安定しており、ジギタリス製剤による中毒症状も認められていない。

10歳女児Bちゃん（体重32kg）。

[処方箋]
ジスロマック細粒小児用10%　3g
　1日1回　朝食後　3日分

1歳男児Cちゃん（体重10kg）。

[処方箋]
フロモックス小児用細粒100mg　0.9g
　1日3回　毎食後　3日分

いずれも、かぜのため小児用抗菌薬が処方され、保護者に用法の説明を行った症例である。Bちゃんにはジスロマック細粒（アジスロマイシン水和物）が処方されていたため、保護者に対し、苦みを防ぐためのコーティングがなされている製剤であることを伝え、①コーティングがはがれる恐れがあるので、服用時にかまない、②コーティングは酸に弱いので、酸性飲料では飲ませない—ことを指導した。コーティングに甘みがあるので水や白湯、牛乳で服用させやすく、アイスクリームやプリンなどに混ぜて摂取させても差し支えないことも説明した。

一方、Cちゃんに処方されたフロモックス細粒（セフカペンピボキシル塩酸塩水和物）にも苦みを防ぐ工夫が施されているが、同薬は酸性飲料に限らず溶解すると、苦みが次第に強くなり、薬効も減弱する恐れがある。そこで、細粒を溶かしたり、つぶしたりせずに、そのまま水で飲ませるよう指導した。しかし、水では飲ませにくいと保護者が訴えたため、アイスクリームや牛乳、ヨーグルト、ジュース類に溶かしてもいいが、混合後はできるだけ速やかに飲ませるよう指導した。

　このような服薬指導の結果、薬剤の苦みの出現により服薬コンプライアンスが低下した事例はほとんど生じていない。

❹ 製剤特性の変化

　腸溶性製剤や（pH依存性）徐放性製剤は、pHの低い胃内では溶けずに、pHの高い腸内で主成分が溶出するようなコーティングが施されているため、胃内pHを上昇させる薬剤や飲食物と同時に服用すると、製剤機能が失われる恐れがある（**表1-14**）。特に、制酸剤や牛乳・乳製品は、服用・摂取により直ちに胃酸を中和して胃内pHを上昇させることから、原則としてこれらの製剤との同時服用は避けて、服用間隔を1時間以上空けることが一般的である。

　薬剤を腸溶化したり徐放化したりする主な目的には、①酸分解を抑制し薬効低下を防ぐ、②胃粘膜障害を軽減する、③副作用を軽減して薬効を持続させる——などがある。したがって、胃酸分泌を抑制して消化管内pHを上昇させる薬剤（PPIやH_2拮抗薬、抗コリン薬など）との併用可否を判断する際は、これらの製剤化の目的にどのような影響を及ぼすかを考慮する必要がある。

　例えば、PPIやH_2拮抗薬と腸溶性製剤を同時服用した場合、腸溶性は損なわれるが、腸溶化の目的が①や②であれば、胃酸分泌は抑制されるため、大きな問題はない。アスピリンによる胃粘膜障害を避ける目的で腸溶化されたバイアスピリンに関しても、PPIとの併用で腸溶性が損なわれても胃酸分泌促進による胃障害は抑制される。しかし、薬剤の効果持続を目的に腸溶化が施されている③の場合は、持続性が失われ、血中濃度の急激な上昇とそれに伴う副作用誘発の恐れがある。なお、H_2拮抗薬は夜間、PPIは夜間および日中の胃内pHを上昇させるため、服用間隔を空けても相互作用を回避できない。特にPPIの使用時には、胃内pHが終日上昇している可能性があるため、③の薬剤との併用は避けた方がよい。

　①～③の薬剤と制酸剤との同時服用は原則として避けるが、①の目的で腸溶化されているPPI（ボノプラザン［タケキャブ］を除く）については、制酸剤との同時服用は問題ないと思われる。これは制酸剤との同時服用により、ラベプラゾールNa（パリエット）のAUCが8％低下する例、ランソプラゾール（タケプロン）のCmaxが27％低下する（絶食時との比較）が、AUCには変化が認められない例、また制酸剤投与の1時間後にラベプラゾールを服用した場合のAUC低下は6％程度である例などが報告されているためである。

　なお、テオフィリン徐放性製剤（テオドールなど）を牛乳・低脂肪乳で服用すると、テオフィリンの溶出が遅延し、血中濃度が低下する可能性が示されている（高橋 明ら. 病院薬学. 2000；26：550-4.）。テオフィリン徐放性製剤と牛乳・乳製品との同時服用は避け、水で服用するように指導した方がよい。

　このほか、腸溶性製剤ではないが、ポリカルボフィルカルシウム（コロネル）も、胃内pHの上昇によって製剤機能が損なわれることが知られている。同薬は酸性条件下でCaが脱離して効果を発揮するためであり、制酸剤や牛乳の服用・摂取は、ポリカルボフィル服用時点から1時間以上空けるように指導する。また、PPIやH_2拮抗薬が処方された場合は疑義照会を行うが、併用が避けられないときは薬効の減弱がないかを確認し、必要に応じてポリカルボフィルの増量などを処方医に提案する。

40歳代女性Aさん。

［処方箋］
①L-ケフラール顆粒　1.5g
　　1日2回　朝夕食後　3日分
②マーロックス懸濁用配合顆粒　2.4g
　　1日2回　朝夕食後　14日分

　Aさんは半年間マーロックス（水酸化アルミニウムゲル・水酸化マグネシウム）を服用していた

表 1-14　消化管内 pH の変化に起因する相互作用：製剤特性の消失

	作用する薬剤	作用を受ける薬剤	報告されている事象など
同時服用禁忌	制酸剤、牛乳、乳製品	腸溶性製剤・pH 依存性徐放性製剤（以下の①〜③を目的として製剤化されている医薬品）	腸溶性、徐放性が損なわれるため、原則として同時服用を避ける。併用時には服用時点を1時間ずらす。
		①酸分解抑制： ATP 製剤（アデホスコーワ）、プロトポルフィリン（プロトポルト）、酵素製剤（カリジノゲナーゼ［カリクレイン］、エラスターゼ製剤［エラスチーム］、プロナーゼ［ガスチーム］、セラペプターゼ★、配合剤［エクセラーゼ、ベリチーム］など）	ただし、PPI（腸溶性製剤）、H_2 拮抗薬では胃酸による分解が抑制されるため、これらの薬剤との併用は問題ないと考えられる。
		②胃障害軽減： アスピリン腸溶剤（バイアスピリン）、ビサコジル（コーラックなど）、エチニルエストラジオール（プロセキソール）、テガフール製剤など	ただし、PPI、H_2 拮抗薬は胃酸分泌抑制作用により胃障害が軽減されるため、併用は問題ないと考えられる。
		③薬効持続・副作用軽減： セファクロル複合顆粒（L-ケフラール顆粒）、セファレキシン複合顆粒（L-ケフレックス顆粒）、プロキシフィリン・エフェドリン塩酸塩・フェノバルビタール配合腸溶剤※（アストモリジン配合腸溶錠）、ニフェジピン持効性製剤（セパミット-R；pH 依存性徐放製剤）	PPI、H_2 拮抗薬の併用は、服用間隔を空けても薬効・副作用に影響を与える可能性が高いため避けた方がよい（以下参照）。
	牛乳、乳製品	テオフィリン徐放性製剤（テオドールなど）	血中濃度低下。牛乳の含有成分により、徐放性製剤からのテオフィリン溶出が遅延する可能性。水で服用するように指導し、やむを得ず牛乳を摂取した場合は、30 分〜1時間以上空けて服用する。
併用慎重	制酸剤、牛乳、乳製品	PPI；腸溶性製剤 （ボノプラザンフマル酸塩［タケキャブ］は腸溶性製剤ではない；p245「参考」参照）	PPI 効果減弱の可能性。制酸剤との同時服用で、ラベプラゾール（パリエット）の AUC が 8％低下、ランソプラゾール（タケプロン）の Cmax が 27％低下（絶食時との比較）。ただしランソプラゾールの AUC 変化はなく、また制酸剤投与の1時間後にラベプラゾールを服用した場合の AUC 低下も 6％であることから、併用は問題ないと思われる。
	胃酸分泌抑制薬（PPI、H_2 拮抗薬、抗コリン薬など）	薬効持続・副作用軽減を目的とした腸溶性製剤・pH 依存性徐放性製剤（上記参照）	持続性が損なわれ、副作用が増強する可能性。PPI との併用は避けた方がよい。
	消化管内の pH を上昇させる薬剤（抗コリン薬、H_2 拮抗薬、PPI、制酸剤など）・飲食物（牛乳など）	ポリカルボフィル（コロネル）	ポリカルボフィルの薬効減弱。

★ 販売中止
※ アストモリジン配合胃溶錠がある。胃の方が腸より早く吸収されるため、速効性を目的とする場合に胃溶錠が使用される。つまり、制酸剤などとの併用により胃溶錠の速効性が失われる可能性がある。

が、細菌感染のため L- ケフラール顆粒（セファクロル複合顆粒）が追加された。同薬には薬効を持続させる目的で腸溶性顆粒が含まれるため、服用時にかみ砕かないように伝え、マーロックスとの服用時点を 1 時間以上空けるよう指導した。

なお、このような症例で PPI が処方されている場合には、胃内の pH が終日 pH4 以上に保たれて持続性が失われる可能性が高いため、処方医に疑義照会を行い、L- ケフラール顆粒の変更を提案するようにしている。

症例②　10 歳代女性 B さん。

購入した OTC 薬：コーラック

便秘症のため来局した B さんは、コーラック（ビサコジル）を購入した。牛乳や乳製品の摂取習慣があったため、便秘薬は空腹時や寝る前に服用する薬であることを説明した上で、コーラックは胃障害を防ぐために腸で溶けるように工夫された薬なので、かまずに服用するよう指導。さらに、牛乳や乳製品と一緒に服用すると、胃の中で薬が溶けてしまう可能性があるので、1 時間以上間隔を空けて服用するよう指導した。

参考

腸溶化が損なわれても問題ない薬剤

腸溶化の主な目的を 3 つ提示したが、腸溶性製剤の中には、腸溶性が損なわれても臨床上、全く問題のない薬剤がある。例えば、センノシド錠 12mg「フソー」は 1960 年代の開発当初、センノシドが胃で分解されやすく、腸で吸収され大腸で分泌し作用すると考えられて腸溶化されたが、現在では胃・小腸で吸収されることなく大腸に達することが判明している。また、浸潤性下剤のベンコール配合錠（ジオクチルソジウムスルホサクシネート・カサンスラノール）は、発売初期に胃刺激成分が含まれていたため腸溶化されたが、現在ではその成分は含まれていない。ジベトン S 腸溶錠は、1960 年代の開発時に、ブホルミン塩酸塩による胃粘膜障害を避けるため腸溶化されたが、現在ではその可能性が極めて低いことが判明している。

注意

食事の影響を受ける経口薬

飲食物の摂取は、薬物の吸収に対して様々な影響を及ぼす。食事をすると胃酸分泌が促進される一方、一過性に胃内の pH は上昇する（☞**図 1-7**）。加えて、食事は消化管運動や胆汁酸分泌なども促進する。ただし、食事による吸収速度の変化が問題となることは少ない。

食事による胃内 pH の変化の影響を受ける薬剤を**表 1-15** にまとめた。イトラコナゾール（イトリゾール）は食直後に服用させるほか、ビタミン K 製剤のメナテトレノン（グラケー、ケイツー）やインドメタシンファルネシル（インフリー）といった、消化管吸収に胆汁酸が必須な脂溶性薬剤は、空腹時には服用させない。食事により吸収が著しく低下する薬剤（リファンピシン［リファジン］、ジダノシン［ヴァイデックス EC カプセル］、インジナビル硫酸塩エタノール付加物★、ビスホスホネート系薬など）は、空腹時（食事の 1 時間前または食後 2 時間以降）に服用させる

【参考】日本薬局方の腸溶性製剤の試験法では、胃液に相当する第 1 液（pH1.2）において 2 時間の試験を行った後、第 2 液（pH6 〜8）に移し、60 分以内に崩壊すれば適合となる。現在販売されている全ての腸溶性製剤はこの条件を満たしているが、一部の後発品では、ロットにより本条件を満たさないことも報告されており、注意が必要である。

（☞ **表1-1**）。

また、クアゼパム（ドラール；選択的BZP1作動）は食事により吸収量が増大し、Cmax、AUCが空腹時服用の2～3倍上昇するため、食物との併用が禁忌となっているが、食事との間隔を2時間以上空ければ問題ないと思われる。一方、ラメルテオン（ロゼレム）、スボレキサント（ベルソムラ）、エスゾピクロン（ルネスタ）などの催眠薬では、食事により吸収量が低下して薬効が減弱するため、食事と同時または食直後の服用は避ける。つまり、食後1時間以上空けた就寝前に服用させる。その他、デスモプレシンも食事の影響を受けて吸収量が低下するが、これは消化酵素による分解促進が関与している。夜尿症では1日1回就寝時（食後2h～3h後）に服用し、中枢性尿崩症では効果減弱を避けるため、1日3回食直後を避けて食後服用を継続しなければならない。また、塩基性のエフェドリン含有製剤（マオウ含有漢方薬など）も空腹時に服用した方がよい。これは、制酸剤などとの相互作用と同様、食直後にエフェドリンを服用すると、消化管内のpH上昇によって非イオン型エフェドリンが増えて吸収速度が上昇し、血中濃度が上昇するため、交感神経刺激作用の副作用が発現しやすくなる恐れがあるからである（☞ **表1-11**）。

なお、シクロスポリン（サンディミュン）は脂溶性薬剤のため、消化管吸収には胆汁酸が必須であるが、マイクロエマルジョン化したシクロスポリン（ネオーラル）は胆汁酸分泌量や食事の影響を受けにくいことが示されている。

その他、酢酸亜鉛は胃腸障害を誘発しやすいため低亜鉛血症時には食後に服用させるが、ウィルソン病では亜鉛の吸収量が増大する空腹時に服用させる。

表 1-15　食事の影響を受ける経口薬

対象薬	備考
（1）食直後服用	
● 吸収低下を避けるため： イトラコナゾール（イトリゾール）など	イトラコナゾールの吸収には胃酸が必要。
（2）食後服用（空腹時に服用させない方がよい）	
● 吸収低下を避けるため： 脂溶性薬剤（脂溶性ビタミンK・A・E、インドメタシンファルネシル［インフリー］、グリセオフルビン★、EPA製剤（イコサペント酸エチル［エパデール］）、ポリエンホスファチジルコリン［EPL］、ロラタジン［クラリチン］、プランルカスト［オノン］、プロブコール［ロレルコ］、アゼルニジピン［カルブロック］、ブロナンセリン（ロナセン；DSA）、分子標的治療薬※（ボスチニブ［ボシュリフ］、レゴラフェニブ［スチバーガ］）など（☞ p.36「注意」）	ブロナンセリンの食後投与では、空腹時投与に比べて $AUC_{0\text{-}12h}$ が2.7倍上昇。
● 胃腸障害を避けるため： 脂溶性テトラサイクリン（ミノサイクリン［ミノマイシン］、ドキシサイクリン［ビブラマイシン］）、NSAIDs、クロピドグレル（プラビックス）、レボドパ製剤（ドパストン）、麦角系ドパミン作動薬（ブロモクリプチン［パーロデル；食直後］、ペルゴリド［ペルマックス；食直後］、カベルゴリン［カバサール；食後］）、酢酸亜鉛［ノベルジン；低亜鉛血症適用時のみ；ただしウィルソン病適用時では空腹時服用］など	
● 薬効減弱を防ぐため： セチリスタット（オブリーン；リパーゼ阻害薬；肥満症治療薬）	総脂肪量の累積糞便中排泄量は食直前と比較して食直後投与で約1.7倍増加。同薬はリパーゼ阻害作用により中性脂肪の消化を阻害し脂肪酸吸収を抑制する。
（3）空腹時服用（食事の1時間前または2～3時間後など）	
● 吸収低下を避けるため： 錯体を形成する薬剤（ビスホスホネート系薬、ペニシラミン、水溶性テトラサイクリン系薬、甲状腺ホルモン製剤、エストラムスチン［エストラサイト］；☞ **表 1-1**）、ジダノシン★（食間投与）、インジナビル★（HIVプロテアーゼ阻害薬）、リファンピシン（リファジン）、レボドパ製剤（ドパストン）、ホリナート・テガフール・ウラシル療法、エルトロンボパグ（レボレード；TPO受容体作動薬）、アファチニブ※（ジオトリフ；チロシンキナーゼ阻害薬）、イキサゾミブ※（ニンラーロ）、ダブラフェニブ※（タフィンラー）、酢酸亜鉛［ノベルジン；ウィルソン病適用時］）など	ジダノシンカプセルでは食事の影響で吸収率が20％低下、リファンピシンは食後の腸内のアルカリ化により溶解性が低下する。レボドパ製剤では、no on/delayed on現象時の効果増強（吸収増大）を図るため。エルトロンボパグは食事前後2時間の服用を避けて空腹時に服用する。酢酸亜鉛を亜鉛が欠乏するウィルソン病患者に投与する場合は空腹時に服用する。これは空腹時服用では胃腸障害を発症しやすいが、亜鉛の吸収量を最大にすることが優先されるためである。なおフィチン酸はイノシトール-6-リン酸であり、米糠や小麦などの穀類、豆類などに多く含まれており、ミネラル（Cu、Zn、Fe、Caなど）と複合体を形成する性質がある。したがって、酢酸亜鉛を食後に服用すると消化管内で亜鉛と結合しその吸収を遅延する。
● 吸収低下を避けるため： クアゼパム（ドラール；選択的BZP1受容体作動薬）、エフェドリン含有製剤（マオウ含有漢方薬など）、エファビレンツ（ストックリン；非ヌクレオシド系抗HIV薬）、分子標的治療薬※（ラパチニブ［タイケルブ］、エルロチニブ［タルセバ］、ニロチニブ［タシグナ］、アレクチニブ［アレセンサ］、パゾパニブ［ヴォトリエント］）、カボザンチニブ※（カボメティクス）、チラブルチニブ※（ベレキシブル）、アビラテロン（ザイティガ；前立腺癌治療薬）	エフェドリン含有製剤では食後のpH上昇により非イオン型が増加。エファビレンツは食事の有無に関わらず投与できるが、食物との併用により副作用の発現頻度が増加する恐れがあるため、空腹時、可能な限り就寝時の服用が望ましい。ラパチニブは食後に服用すると $AUC_{0\text{-}\infty}$ が空腹時に比較して低/高脂肪食で3倍/4倍に上昇するため、食事の前後1時間以内の服用は避ける。アビラテロンは高脂肪食でCmax、AUCが17倍、10倍上昇するため、食事の1時間前から食後2時間までの間の服用を避ける。
● 薬効減弱を防ぐため： エベロリムス※（アフィニトール；抗癌剤［1日投与量は10mg］）	高脂肪食摂取でCmax、AUCが54％、22％低下、低脂肪食摂取でCmax 42％、AUC 32％低下。ただし、同じエベロリムス（サーティカン；免疫抑制剤）は、下記（4）の服用方法。
（4）食後または食前（空腹時）のいずれかに決めて服用	
● 一定の効果を得るため： アリスキレン（ラジレス；直接的レニン阻害薬）、 エベロリムス※（サーティカン；免疫抑制剤［1日投与量は3mg］）	アリスキレンは、食後投与ではCmax、AUCが75％、55％低下。原則として毎日同じ条件で服用する（空腹時投与は食後投与に比べ血中濃度および降圧効果が高まるため、開始時には食後投与を考慮する）。エベロリムスは、高脂肪食摂取でCmax、AUCが60％、16％低下するが、効果のばらつきを最小限にするため食後もしくは空腹時の一定条件下で服用する。

(5) 食事と同時または食直後の服用は避ける	
● 血中濃度の低下を避けるため： ラメルテオン（ロゼレム；メラトニン受容体アゴニスト）、 スボレキサント（ベルソムラ；オレキシン受容体拮抗薬）、 エスゾピクロン（ルネスタ）	食後1時間以上空けた就寝前に服用。
● 血中濃度の低下および効果減弱を避けるため デスモプレシン（ミニリンメルト）	夜尿症の場合は寝る前（夕食後2～3時間後）に服用、中枢性尿崩症の場合は、効果減弱を防ぐため1日3回食後服用を継続する。

★ 販売中止
※ 分子標的治療薬の相互作用については **付録C表S-8** 参照

コラム10

ヘンダーソン・ハッセルバルヒ式

多くの薬剤は、弱酸性か弱塩基性である。このようなイオン性薬剤の非イオン型・イオン型の濃度とpHの関係を示すのがヘンダーソン・ハッセルバルヒ（Henderson-Hasselbalch）式である。この式は、以下のように求められる。

弱酸性薬剤（HA）は水溶液中で、以下のように解離して平衡状態を保っている。

$$HA \underset{\kappa_2}{\overset{\kappa_1}{\rightleftarrows}} H^+ + A^-$$

HAが解離する速度をv_1、速度定数をκ_1、H^+とA^-が結合する速度をv_2、速度定数をκ_2とすると、

$$v_1 = \kappa_1 [HA]$$

$$v_2 = \kappa_2 [H^+]\cdot[A^-]$$

弱酸性薬剤が溶液中に溶解すると、解離および結合が平衡を保つので、$v_1 = v_2$となる。つまり、

$$\kappa_1 [HA] = \kappa_2 [H^+]\cdot[A^-]$$

定数は不変なので、

$$\kappa_1 / \kappa_2 = [H^+]\cdot[A^-] / [HA]$$

κ_1/κ_2は薬剤に固有の定数（解離定数）なのでKと定義し、$[H^+]$に対する式にすると、

$$[H^+] = K([HA] / [A^-])$$

対数をとって、

$$\log [H^+] = \log K + \log([HA] / [A^-])$$

$pH = -\log [H^+]$、pK（解離指数）$= -\log K$なので、

$$-\log [H^+] = -\log K - \log([HA] / [A^-])$$

$$\therefore pH = pK + \log([A^-] / [HA])$$

すなわち、

pH=pK＋log（［イオン型］/［非イオン型］）

となり弱酸性薬剤のヘンダーソン・ハッセルバルヒ式が得られる。

pK値は［イオン型］=［非イオン型］となるときのpHを示し、薬剤固有の定数である。したがって、この式に従うと、溶液のpHが上昇すると、弱酸性薬剤では［イオン型］＞［非イオン型］となる。

一方、弱塩基性薬剤（$B\text{-}NH_2$）では、以下のように解離して平衡状態を保っている。

$$B\text{-}NH_3^+ \rightleftarrows H^+ + B\text{-}NH_2$$

ここから、同様な考え方で弱塩基性薬剤のヘンダーソン・ハッセルバルヒ式が得られる。

$$pH = pK + \log([B\text{-}NH_2] / [B\text{-}NH_3^+])$$

すなわち、弱塩基性薬剤では、

pH=pK＋log（［非イオン型］/［イオン型］）

となり、pHが上昇すると、［イオン型］＜［非イオン型］となり、弱酸性の薬剤とは逆となる。

コラム11

弱酸性・弱塩基性薬剤の判別と相互作用

弱酸性・弱塩基性の薬剤の判別は、薬動態学的な相互作用を考える上で重要である。例えば本節では、pH変化による消化管吸収が酸性・塩基性薬剤で相反することを説明したが、後述する消化管・血液脳関門・肝・腎のトランスポーターでは、MRP、OATファミリーが酸性薬剤を、P-gp、OCTファミリーが塩基性薬剤を主な基質としていることを述べる。また次章では、酸性薬剤同士が血漿タンパク結合置換の相互作用を起こしやすいことや、尿のpHの変化による腎再吸収も消化管と同様、酸と塩基性薬剤では相反して吸収されることを解説する。さらに第5章では、肝CYP450酵素の一つであるCYP2C9が酸性薬剤を、CYP2D6は塩基性薬剤を主に代謝していることに言及する。加えて第2章では、血液脳関門・胎盤関門では酸性薬剤よりも塩基性薬剤が通過しやすいことを説明する。

表1-16に代表的な弱酸性・弱塩基性薬剤をまとめた。主な酸性薬剤は、NSAIDs、スルホニル尿素（SU）薬、メトトレキサート、ワルファリン、フェニトイン、バルビツール酸系、ループ系、チアジド系、尿酸関係の薬剤などである。一方、塩基性薬剤には神経系の薬剤、降圧薬、抗不整脈薬などがある。酸にも塩基にもなり得るスルホンアミド系は、血中では酸性、尿中では塩基性と存在様式が異なると考えられるため、注意が必要である（☞**p.82参考、表3-5**）。

表1-16 (弱)酸性および(弱)塩基性の薬剤

❶ (弱)酸性薬剤(有機酸)

- ニフェジピン(アダラート;Ca拮抗薬、非イオン性だが有機酸)
- クマリン系(ワルファリンカリウム)
- メトトレキサート(メソトレキセート、リウマトレックス)
- スルホニル尿素(SU)薬
- NSAIDs
- グリチルリチン酸、グリチルレチン酸(☞ **表8-5**)
- 抗てんかん薬:バルビツール酸系薬(チオペンタールNa[ラボナール]、フェノバルビタール[フェノバール])、ヒダントイン系薬(フェニトイン[アレビアチン])、バルプロ酸Na(デパケン)、フェニル尿素系(アセチルフェネトライド[クランポール])
- 抗菌薬:酸性ペニシリン系薬(☞ **表4-32**)、酸性キノロン系薬(ナリジクス酸[ウイントマイロン])、セフェム系薬(☞ **表4-32**)
- 抗ウイルス薬:ジドブジン(レトロビル)
- 利尿薬:チアジド系薬(トリクロルメチアジド[フルイトラン])、ループ系薬(フロセミド[ラシックス]、エタクリン酸★、ブメタニド[ルネトロン])
- 尿酸排泄促進薬:スルフィンピラゾン★、プロベネシド(ベネシッド)
- 尿酸合成阻害薬:アロプリノール(ザイロリック)
- スタチン系薬:プラバスタチンNa(メバロチン)
- フィブラート系薬
- 酸性抗アレルギー薬:ペミロラストカリウム(ペミラストン、アレギサール)、レピリナスト★、クロモグリク酸Na(インタール)、トラニラスト(リザベン)

❷ (弱)塩基性薬剤(塩基的)

- ACE阻害薬
- β遮断薬
- Ca拮抗薬:ベラパミル塩酸塩(ワソラン)、ジルチアゼム塩酸塩(ヘルベッサー)、ニカルジピン塩酸塩(ペルジピン)、マニジピン塩酸塩(カルスロット)、ベニジピン塩酸塩(コニール)
- 冠拡張薬:ジピリダモール(ペルサンチン)
- 抗不整脈薬:リドカイン塩酸塩(キシロカイン)、キニジン硫酸塩水和物、ジソピラミド(リスモダン)、プロパフェノン塩酸塩(プロノン)、アプリンジン塩酸塩(アスペノン)、アミオダロン塩酸塩(アンカロン)、プロカインアミド塩酸塩(アミサリン)、フレカイニド酢酸塩(タンボコール)、シベンゾリンコハク酸塩(シベノール)など
- 中枢性筋弛緩薬
- 麻薬性鎮痛薬(オピオイド):モルヒネ塩酸塩水和物(同名)、コデインリン酸塩水和物(コデインリン酸塩)、ペチジン塩酸塩(オピスタン)
- 交感神経系用薬(エフェドリンなど)
- 抗精神病薬:ブチロフェノン系薬、フェノチアジン系薬、ベンズアミド系薬
- 抗コリン薬(アトロピン系、四級アンモニウム塩、三級アミン)
- コリン作動薬
- HIVプロテアーゼ阻害薬
- 抗ドパミン薬
- 抗ヒスタミン薬(H_1・H_2拮抗薬)
- 塩基性抗アレルギー薬:ケトチフェンフマル酸塩(ザジテン)、アゼラスチン塩酸塩(アゼプチン)、オキサトミド(セルテクト)、エピナスチン塩酸塩(アレジオン)
- 抗菌薬:テトラサイクリン系薬、マクロライド系薬、アミノグリコシド系薬、塩基性ペニシリン系、塩基性キノロン系薬(ロメフロキサシン塩酸塩[ロメバクト]、塩酸シプロフロキサシン[シプロキサン]、トスフロキサシントシル酸塩水和物[オゼックス、トスキサシン])
- ビグアナイド系薬:ブホルミン塩酸塩(ジベトス)、メトホルミン塩酸塩(メトグルコ)
- Fe剤
- ラミブジン(ゼフィックス;抗HBV薬)
- ビタミンB_{12}(メチコバール)
- トリメトプリム(ST合剤[バクタ配合錠]に含有)
- エタンブトール塩酸塩(エサンブトール;抗結核薬)

❷ (弱)塩基性薬剤(塩基的)

- スルホンアミド系薬:アセタゾラミド(ダイアモックス)、サルファ剤
- アシクロビル(ゾビラックス)、バラシクロビル塩酸塩(バルトレックス)

★販売中止

コラム12

アジスロマイシンの作用機序と解離度

15員環マクロライド系抗菌薬のアジスロマイシン水和物（ジスロマック）は、他のマクロライド系に比べて極性が高く、肝で代謝を受けずに未変化体として胆汁中に排泄される。しかし、炎症組織内での半減期は長く、3日間の経口投与で約7日間の抗菌効果を発揮するとされている。これは、アジスロマイシン（AZM）がヒト多核白血球およびマウスマクロファージなどの食細胞へ高濃度に取り込まれるためである。さらにin vitro実験では、AZMの細胞内移行比は、エリスロマイシン（EM）の約10倍であることが報告されている。

また、AZMは14員環マクロライド系薬のクラリスロマイシン（CAM）に比べて、感染病巣への移行は極めて良好で、病巣内濃度は高く、かつ持続性を示す。マウスを使った実験では、CAM投与後の感染病巣内濃度と非感染組織内濃度はほぼ同値で、投与後48時間に検出限界となる。一方、AZMでは、感染病巣内濃度は高値で維持され、投与後145時間（約6日）の感染病巣内濃度は非感染組織に比べ約19倍高いことが示されている。これは、AZMが食細胞によって感染病巣へ運ばれ、細菌の貪食の際に遊離され効果を発揮するためである。

この特徴的なAZMの体内動態には、解離度の変化が関与している（**図1-9**）。AZMはEMの14員環に窒素原子を導入したものであり、アルカリ性条件下では非イオン型、酸性条件下ではイオン型で存在する（塩基性；pK値は15員環Nが8.1、アミノ糖が8.8）。生体内のpHは、細胞外7.4、細胞内7.2、細胞のリソソーム内4.5～6.0に保たれている。そのため、細胞外の非イオン型のAZMが細胞膜を通過すると、細胞外に比べて細胞内はイオン型の割合が高くなる。さらに、非イオン型のAZMがリソソーム膜を通過すると、リソソーム内はpHがさらに低いため、多くのAZMがイオン型で存在することになる。イオン型のAZMは生体膜を通過で

図1-9　アジスロマイシンの食細胞への取り込み

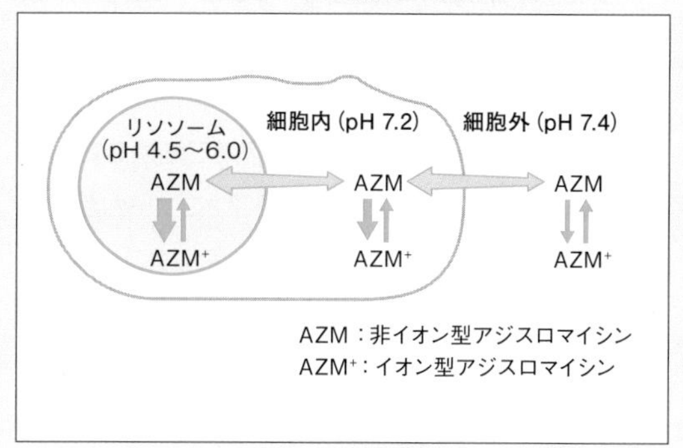

図1-10　感染病巣における食細胞からのアジスロマイシンの遊離

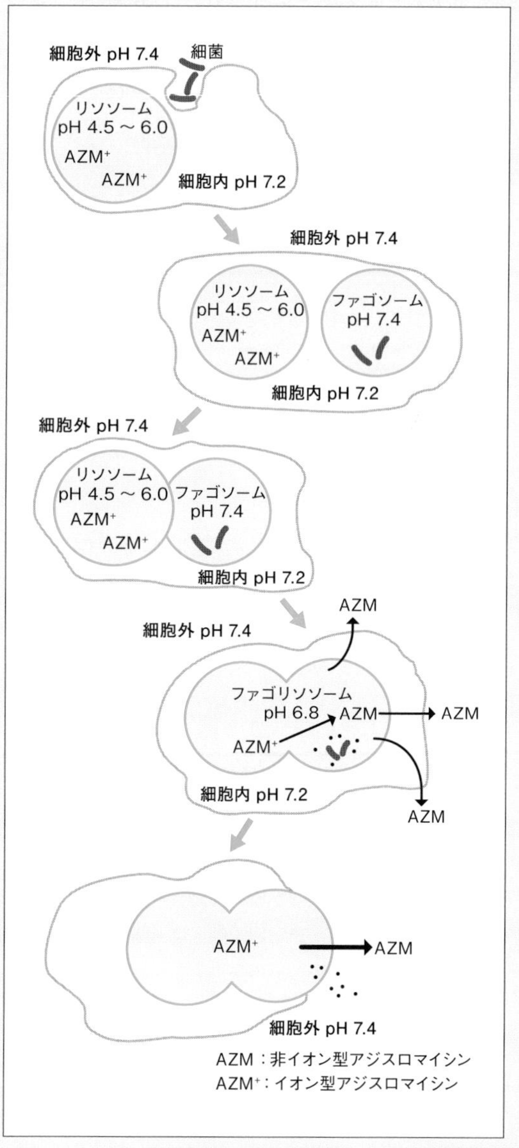

ジスロマックのインタビューフォームを基に作成。

きないため、結果的に細胞内やリソソーム内に集積される。食細胞にはリソソームが多く存在するため、AZM が蓄積しやすい。

一般に、食細胞が遊走し、感染病巣で細菌を貪食すると、細菌を取り込んだ小胞であるファゴソームが食細胞内に形成され、リソソームと融合してファゴリソソームとなり、最終的に細菌を溶解し細胞外に排出する（**図 1-10**）。この過程において、ファゴソーム内の pH は 7.4 だが、リソソーム（pH4.5～6.0）と融合したファゴリソソーム内の pH は約 6.8 となる。すなわち、食細胞に取り込まれた AZM は、リソソーム内では主にイオン型で存在するが、ファゴリソソーム内では非イオン型が増える。その結果、食細胞からの遊離が促進され、感染病巣内での濃度が高くなると考えられる。

第５節
消化管粘膜上皮細胞膜のトランスポーター

トランスポーターは、薬物の消化管吸収のみならず、分布や排泄にも深く関与しているため、第４章「薬物トランスポーター」でまとめて述べる。

第６節
消化管吸収に関わるその他の相互作用

消化管吸収に関わるその他の相互作用を**表1-17**にまとめた。油性下剤のヒマシ油は脂溶性毒物（サントニンなど）の消化管吸収を促進し、作用・副作用を増強するため禁忌となる。ロペラミド（ロペミン）の消化管運動抑制によりデスモプレシン（ミニリンメルト）の吸収が増進し、血中濃度が約３倍にも上昇する恐れがある。活性型ビタミン D_3 製剤（カルシトリオール［ロカルトロール］など）では胃腸薬などに含まれる Mg の吸収を促進し、高 Mg 血症（呼吸抑制、意識障害、不整脈、消化器症状、振戦、筋力低下、疲労など）を誘発する可能性がある。ビタミン D_3 製剤との相互作用によるものではないが、酸化 Mg 製剤の長期投与による副作用として重篤な高 Mg 血症（死亡例あり）が報告されており、特に注意を要する（☞ **コラム75**）。

また、カフェインにはエルゴタミン酒石酸塩（クリアミン配合錠）の消化管吸収を増大させる作用がある。またジゴキシン（ジゴシン）の血中濃度は、テルミサルタン（ミカルディス）の併用により上昇する恐れがある一方で、アカルボース（グルコバイ）やミグリトール（セイブル）、選択的セロトニン再取り込み阻害薬（selective serotonin reuptake inhibitor : SSRI；パロキセチン塩酸塩水和物［パキシル］など）の併用では低下する可能性がある。

ガバペンチンエナカルビル（レグナイト；レストレスレッグス症候群治療薬）は、ガバペンチン薬物動態を改良した徐放性のプロドラッグであるが、in vitro 溶出試験にてアルコール存在下で徐放錠から成分が急速に溶出するとの報告があるため、ガバペンチンエナカルビル服用中は飲酒を避けることになっている（同時服用禁忌）。キサンチン系薬や抗癌剤の併用により、フェニトイン（アレビアチン）の吸収阻害が生じることにも留意しておく。

表 1-17　消化管吸収が関与するその他の相互作用（経口薬）

（1）吸収促進作用（薬効増強）

	作用する薬剤	作用を受ける薬剤	報告されている事象など
併用禁忌	ヒマシ油	サントニン（サントニン；回虫駆除薬）	サントニン吸収促進。
併用注意	ロペラミド（ロペミン）	デスモプレシン（ミニリンメルト；脳下垂体ホルモン薬）	ロペラミドの消化管運動抑制作用により、デスモプレシンの消化管吸収増加の恐れ。デスモプレシンのAUCが3.1倍、Cmaxが2.3倍上昇。
	活性型ビタミンD_3製剤（カルシトリオール［ロカルトロール］など）	Mg含有製剤（制酸剤、酸化Mg製剤など）	Mg吸収促進。高Mg血症（呼吸抑制、意識障害、不整脈、心停止、血圧低下、嘔吐、下痢、振戦、筋力低下、疲労、皮膚潮紅など）の恐れ。
	カフェイン（☞ **コラム53**）	麦角系ドパミン作動薬（エルゴタミン製剤；クリアミン配合錠など）	エルゴタミン吸収促進。カフェインとエルゴタミンの複合体形成またはカフェインによるエルゴタミンの溶解性上昇のため。クリアミン配合錠は、主成分であるエルゴタミンの吸収を促進するため無水カフェインを含有。血管収縮作用の協力も関与（アデノシン受容体競合；☞ **表7-37**）。
	テルミサルタン（ミカルディス；胆汁排泄型AT_1拮抗薬）	ジゴキシン（ジゴシン）	併用7日後のジゴキシンAUC、Cmax、Cminがそれぞれ22%、50%、13%上昇。投与後3～4時間（Tmax付近）でジゴキシン血中濃度が最も高くなることから、吸収速度の上昇が関与する可能性が大きい。
	アルプラゾラム（コンスタン、ソラナックス；BZP系薬）	ジゴキシン（ジゴシン）	ジゴキシンの血中濃度が1.6－1.8ng/mLから4.3ng/mLに上昇。機序不明であるが、アルプラゾラムにより消化管運動が抑制され、ジゴキシンの溶解性が高まる可能性。
	消化管内のpHを上昇させる薬剤（PPI、H_2拮抗薬など）	フルバスタチン（ローコール）	フルバスタチンの血中濃度上昇。胃内pH変化による影響が考えられる。
	エリスロマイシン（エリスロシン）	シクロスポリン（サンディミュン、ネオーラル）	肝代謝抑制も関与。血中濃度が147から1125ng/mLに上昇。
	シメチジン（タガメット）	エタノール（飲酒）	アルコール中毒。シメチジンによるアルコール脱水素酵素阻害作用も関与。
	イブプロフェン（ブルフェン）	アデホビル（ヘプセラ；抗HBV薬、ラミブジンと併用）	高用量（800mg×3回/日）のイブプロフェン投与によりアデホビルCmaxおよびAUCが33%、23%上昇。腎排泄に起因するものではない。
	食物の摂取	ニフェジピン徐放剤（アダラートL）	吸収量増大。pH上昇・胆汁酸分泌で溶解性上昇のため（明らかではない）。

（2）吸収阻害作用（薬効減弱）

	作用する薬剤	作用を受ける薬剤	報告されている事象など
同時禁忌	エタノール（飲酒）	ガバペンチンエナカルビル（レグナイト；レストレスレッグス症候群治療薬）	服用中は飲酒を避ける。アルコールとの同時服用により徐放性が失われるため。徐放性は、症状が出現しやすい夜間に高濃度を維持するため、また、1日1回（夕食後）投与によるコンプライアンスの向上のため。
併用注意	アカルボース（グルコバイ）	ジゴキシン（ジゴシン）、メチルジゴキシン（ラニラピッド）	ジゴキシンAUCおよびCmaxが16%、26%低下。アカルボースにより消化管運動が亢進しジゴキシン吸収が抑制される可能性。併用する場合は、ジゴキシン服用の6時間後にアカルボースを服用すべきとする報告もある。ジゴキシンの血中濃度上昇の報告もある。
	ミグリトール（セイブル）	ジゴキシン（ジゴシン）	ミグリトール50mg、100mgの併用で、定常状態のCmin（最低血中濃度）19%、28%低下、尿中排泄量19%、33%低下。
		プロプラノロール（インデラル）	ミグリトール50mg、100mgの併用でAUCが30%、40%低下。
		ラニチジン（ザンタック）	AUCおよびCmaxが40%、47%低下。

表1-17（つづき）　消化管吸収が関与するその他の相互作用（経口薬）

（2）吸収阻害作用（薬効減弱）

併用注意	サルファ剤（サラゾスルファピリジン［サラゾピリン］など）、SSRI（パロキセチン［パキシル］など）	ジゴキシン（ジゴシン）	ジゴキシン血中濃度低下。SSRIは5-HT作動作用により**消化管運動が亢進**し、ジゴキシンの溶解性が低下する可能性。
	サラゾスルファピリジン（サラゾピリン）	葉酸	葉酸吸収が低下し、大赤血球症、汎血球減少症などを起こすことがあるため、葉酸補給を考慮。サラゾスルファピリジンは大部分が腸内細菌により5-アミノサリチル酸とスルファピリジンに分解され吸収される。
	フェニトイン（アレビアチン）	カルバマゼピン（テグレトール）、シクロスポリン（サンディミュン、ネオーラル）	肝代謝促進も関与。
	バルビツール酸系薬（フェノバルビタール［フェノバール］、プリミドン［プリミドン］）	カルバマゼピン（テグレトール）	肝代謝促進も関与。
	アセタゾラミド（ダイアモックス）	プリミドン（プリミドン）	薬効減弱の可能性。くる病・骨軟化症誘発に注意。（☞ **コラム16、第5章［第3節］**）
	グリセオフルビン★	ワルファリン（ワーファリン）	肝代謝促進も関与。
	食物の摂取	カプトプリル（カプトリル；ACE阻害薬）、ニフェジピンカプセル	吸収率低下（胃吸収低下？）。空腹時服用は低血圧を招く可能性。
	キサンチン系薬（テオフィリン［テオドール］など）	フェニトイン（アレビアチン）	フェニトインAUC 21%低下。テオフィリン中止時にフェニトイン血中濃度の上昇に注意。併用時には服用間隔を2時間空ける。フェニトインによるテオフィリン代謝促進にも注意（☞ **表5-49**）。
	抗癌剤（ビンカアルカロイド系、シスプラチン、ブレオマイシンなど）	フェニトイン（アレビアチン）	抗癌剤による嘔吐、胃腸上皮細胞損傷などが可逆的なフェニトイン吸収阻害（約1/3低下）を招き、痙攣を誘発する恐れ。フェニトインTDM実施。フェニトインによる抗癌剤の代謝促進にも注意（☞ **表5-49**）。
	Al、Mg含有製剤（制酸剤など）	アジスロマイシン（ジスロマック；15員環マクロライド系薬）	制酸剤（マーロックス）との併用でアジスロマイシンCmaxが24%減少、$AUC_{0-\infty}$には変化なし。
	テリスロマイシン★（ケトライド系薬）	セレコキシブ（セレコックス；COX2選択的阻害薬）	セレコキシブCmaxが約40%低下、AUCは不変（機序不明）。
	持続性ソマトスタチンアナログ（オクトレオチド［サンドスタチン］、ランレオチド［ソマチュリン］、パシレオチド［シグニフォー］）	シクロスポリン（サンディミュン、ネオーラル）	血中濃度が低下することがある。ソマトスタチンアナログは消化液分泌を抑制し、胆汁の分泌を抑制するため、脂溶性薬剤であるシクロスポリンの消化管からの吸収を阻害。
	母乳、乳製品	フレカイニド（タンボコール）	フレカイニドの吸収低下（機序不明）。特に乳幼児に使用する場合には十分注意。摂取中止時にはフレカイニド血中濃度上昇に注意。フレカイニドの溶解度（pH1.2で9.8mg/mL、pH4で63.8mg/mL）からは説明不可能。
	セチリスタット（オブリーン；リパーゼ阻害薬；肥満症治療薬）	シクロスポリン（サンディミュン、ネオーラル）	薬効減弱（血中濃度低下）の可能性。類薬（オルリスタット；リパーゼ阻害薬；国内未発売）との併用でシクロスポリン血中濃度低下、レボチロキシン効果減弱。吸収低下？
		レボチロキシン（チラーヂンS）	
		脂溶性ビタミン（ビタミンD、A、K、E）、βカロチン（ワルファリン併用時は注意）	・吸収低下の可能性。類薬（オルリスタット）には脂溶性ビタミン、βカロチン吸収低下作用があるため。 ・ビタミンK吸収（供給）低下によりワルファリンの抗凝固作用増強の可能性（プロトロンビン時間延長；オルリスタット併用時）。ワルファリンと長期併用時には凝固能変化に注意。
	イトラコナゾール（イトリゾール；アゾール系薬）	メロキシカム（モービック；オキシカム系）	メロキシカムのCmax、AUCが64%、34%減少（機序不明）。

？ 明らかでない
★ 販売中止

第2章 分布

経口摂取した薬剤は消化管から吸収された後、主に肝臓やリンパ管を経由して血液中を流れ、最終的に様々な臓器に分布して効果を発揮する。本章では、血漿タンパク結合、血液組織関門、血流量が関与する薬物相互作用について解説する。

経口摂取した薬剤は、消化管から吸収された後、主に肝臓やリンパ管を経由して血液中を流れ、最終的に様々な臓器に分布することで効果を発揮する。この「血液から臓器への薬剤の分布」に起因する相互作用には、血漿タンパク結合や血液組織関門、血流量、肝分布などが関与している。血液組織関門の血液脳関門、胎盤関門や肝分布にはトランスポーターが関与している相互作用も多いが、詳しくは第4章「薬物トランスポーター」で述べる。

第1節 血漿タンパク結合

薬剤の分布に起因する相互作用の中で、最も発現頻度が高いのが、血漿タンパク結合に起因する相互作用である。

薬剤の多くは、血液中ではアルブミンなどの血漿タンパクと結合している。この結合は可逆的であるため、血中では血漿タンパクに結合した薬剤（結合型）と結合していない薬剤（遊離型、非結合型）が存在する。結合型は分子量が大きく細胞膜を通過できないので、遊離型のみが細胞内に吸収されて薬効を発揮することになる。したがって、組織への薬剤の分布は、遊離型の量に依存して増加する。

血漿タンパクとの結合力は薬剤によって異なる。このため、結合力の弱い薬剤と結合力の強い薬剤を併用すると、結合力の強い薬剤が弱い薬剤を追い出して血漿タンパクに結合するようになる（**図2-1**）。この相互作用を「血漿タンパク結合置換」と呼ぶが、その結果、結合力の弱い薬剤の遊離型が増え、一般には単剤で使用した場合よりも作用が増強する。

この相互作用が報告されている薬剤を、血漿タンパクへの結合力で分類してまとめたのが**表2-1**である。主として酸性薬剤の血漿タンパク結合の強弱が関与する。

血漿タンパクとの結合力が強いA剤と、結合力が弱いB剤を併用すると、B剤の作用（副作用）が増強することになるが、この相互作用が臨床的に問題となるのは、B剤の血漿タンパク結合率が80％以上の場合である。これは、血漿タンパク結合率が高い薬剤では、わずかな結合置換でも遊離型が相対的に増加し、組織分布が大きく変動するためである。B剤にはワルファリンカリウム（ワーファリン）のほか、TDMを必要とするフェニトイン（アレビアチン）やメトトレキサート（リウマトレックス）が含まれており、注意を要する（☞ **コラム13、コラム14**）。

相互作用のうち、ワルファリンの血漿タンパク結合を置換する併用慎重薬を**表2-2**に、スルホニル尿素（sulfonylurea：SU）薬、ナテグリニド（スターシス）、ミチグリニドCa水和物（グルファスト）、メトトレキサート、フェニトインの血漿タンパク結合を置換する薬剤を**表2-3**にまとめた。基本的に、ワルファリンの使用時は血液凝固能検査、

図 2-1　血漿タンパク結合置換

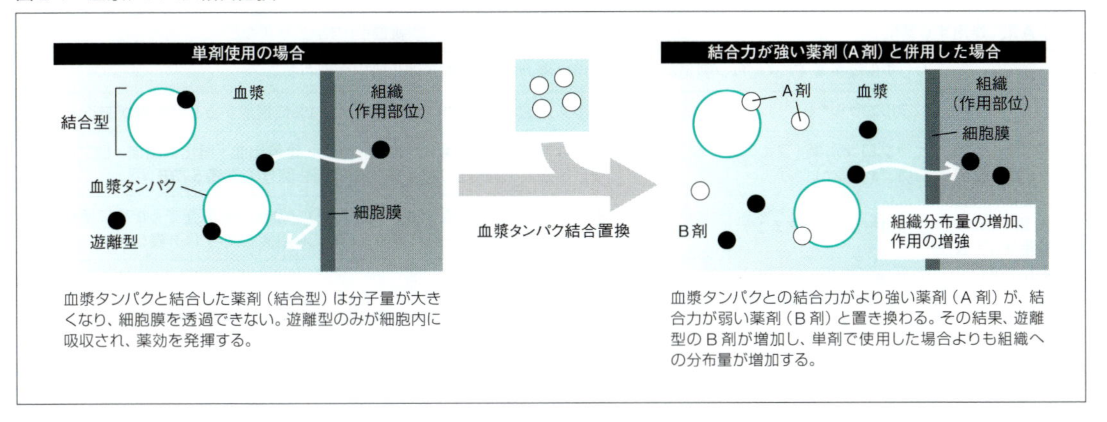

血漿タンパクと結合した薬剤 (結合型) は分子量が大きくなり、細胞膜を透過できない。遊離型のみが細胞内に吸収され、薬効を発揮する。

血漿タンパクとの結合力がより強い薬剤 (A剤) が、結合力が弱い薬剤 (B剤) と置き換わる。その結果、遊離型のB剤が増加し、単剤で使用した場合よりも組織への分布量が増加する。

表 2-1　薬剤の血漿タンパク結合の強弱

A剤 (結合強い) ; 作用する薬剤	B剤 (結合弱い) ; 作用を受ける薬剤
・**ほとんど全ての酸性NSAIDs** (☞ **表8-5**) : サリチル酸系薬 (アスピリン製剤 [バファリン配合錠、バイアスピリン]、ジフルニサル★) ピラゾロン系薬 (フェニルブタゾン★) ・**スルフィンピラゾン★ ; 尿酸排泄促進薬** ・**フィブラート系薬** : クロフィブラート (クロフィブラート)、シンフィブラート★、ベザフィブラート (ベザトールSR)、フェノフィブラート (リピディル) ・**サルファ剤 (スルホンアミド系薬)** : ST合剤 (バクタ配合錠)、サラゾスルファピリジン※1 (サラゾピリン; 持続性サルファ剤) など	・**ワルファリン** (ワーファリン) ・**第1世代SU薬**※2 : トルブタミド (ヘキストラスチノン)、クロルプロパミド (アベマイド)、トラザミド★、アセトヘキサミド (ジメリン) など ・**速効型インスリン分泌促進薬**※3 : ナテグリニド (スターシス、ファスティック)、ミチグリニド (グルファスト) ・**メトトレキサート** (リウマトレックス、メソトレキセート) ・**フェニトイン** (アレビアチン)
A剤およびB剤の血漿タンパク結合の強さは、以下のようになることが多い。 A剤 : ピラゾロン系薬 (フェニルブタゾン、スルフィンピラゾン) ＞サリチル酸系＞NSAIDs＞サルファ剤 B剤 : SU薬、フェニトイン＞ワルファリンK、メトトレキサート	

【参考】
① フェニトイン (アレビアチン)、ミチグリニド (グルファスト) 以外の表中の薬剤は、全て腎OAT酵素の基質となる (☞ **表4-32**)。また、スルフィンピラゾン、フィブラート系薬、サルファ剤はCYP2C9の特異的阻害薬であり (☞ **表5-35、図5-13**)、メトトレキサート、ミチグリニド以外のNSAIDs、ワルファリン、SU薬、ナテグリニド、フェニトインはCYP2C9で代謝される (☞ **表5-1**)。
② 選択的COX2阻害薬では血漿タンパク結合に起因する相互作用の報告はないが、セレコキシブ (セレコックス) およびメロキシカム (モービック) の血漿タンパク結合率はそれぞれ97%、99%以上であり、非選択的NSAIDsと同様に注意した方がよい。

★　販売中止

※1　サラゾスルファピリジンは腸内細菌により5-アミノサリチル酸とスルファピリジン (スルホンアミド系) に分解される。

※2　第二世代のSU薬であるグリベンクラミド (オイグルコン、ダオニール)、グリクラジド (グリミクロン)、第三世代のグリメピリド (アマリール) はいずれも非イオン型だが、同様に注意すべきである。

※3　速効型インスリン分泌促進薬のナテグリニド (スターシス、ファスティック)、ミチグリニド (グルファスト) はSU薬と同じ作用点に働き、インスリン分泌を促進する。血漿タンパク結合置換の相互作用もSU薬と同様と考えてよい。ただし、同じグリニド系のレパグリニド (シュアポスト) では血漿タンパク結合置換の相互作用の報告がない。

フェニトイン、メトトレキサートについてはTDMを実施した方がよい。また、ワルファリンでは出血傾向、フェニトインは中毒症状 (嘔気・嘔吐、眼振、運動失調、歩行困難、傾眠、意識障害など)、メトトレキサートでは毒性 (間質性肺炎、肝障害、血液障害、消化器症状、脱毛など)、SU薬とナテグリニド、ミチグリニドでは低血糖といった症状の発現に注意する。

血漿タンパク結合により併用薬の作用を増強させる薬剤としてはNSAIDsが多い。SU薬やワルファリンとNSAIDsを併用する場合には、1日量が少なく有効なNSAIDsを選択した方がよい (☞ **表8-11**)。ただし、SU薬とオキシカム系NSAIDsの併用では、例外的にSU薬 (トルブタ

表 2-2　ワルファリンの血漿タンパク結合を置換する併用慎重薬剤

(1) A剤；作用する薬剤		報告されている事象など
NSAIDs（血小板機能抑制、凝集抑制、消化管出血作用も関与；☞**表7-40、7-41**）	サリチル酸系薬（アスピリン製剤など）	併用は極力避ける。脳・消化管出血例もある。
	ジフルニサル★	ワルファリン遊離型が1.02%から1.34%に増加するとの報告がある。
	ピラゾロン系薬（フェニルブタゾン★、クロフェゾン★）	併用は極力避ける。紫斑・血尿・吐血・重篤出血・消化管出血・低プロトロンビン血症の報告がある。肝代謝抑制も関与（☞**表5-36**③）。
	ブコローム（パラミヂン）	併用は極力避ける。ただし、ワルファリンの作用を増強するために使われることもある。ブコロームによるCYP2C9阻害も関与（☞**表5-41**）。
	その他：メフェナム酸（ポンタール）、ジクロフェナク（ボルタレン）、オキサプロジン（アルボ）、アセトアミノフェンなど	メフェナム酸とワルファリンの併用で血尿が生じたとの報告がある。
スルフィンピラゾン★（ピラゾロン系薬）		併用は極力避け、他の痛風治療薬（ベンズブロマロン［ユリノーム］やアロプリノール［ザイロリック］など）に変更する。併用1週間後に重篤な消化管出血を生じた例がある。ワルファリン投与量を平均46%減量例。血小板機能抑制（☞**表7-42**）や代謝抑制（☞**表5-36**③）も関与。
フィブラート系薬（クロフィブラート［同名］、シンフィブラート★）		併用は極力避ける。死亡例（65歳）の報告もある。ビタミンK代謝（☞**表7-40**）が関与。
サルファ剤		ST合剤（バクタ配合錠）との併用は極力避ける。肝代謝抑制（☞**表5-28**）、ビタミンK（☞**表1-7、7-42**）供給も関与。
(2) B剤；作用を受ける薬剤		
フェニトイン（アレビアチン）		薬効変動。ワルファリン作用増強（血漿タンパク結合置換のため。後腹膜出血で死亡例の報告もある）、フェニトイン中毒（肝代謝競合の関与のため；☞**表5-30**③）、ワルファリン作用減弱（フェニトインによる肝CYP450誘導のため；☞**表5-49**）。
SU薬、ナテグリニド（スターシス、ファスティック）		薬効変動。ワルファリン作用増強（血漿タンパク結合置換）。相互に作用増強（肝代謝競合のため；☞**表5-30**③）、ワルファリン作用減弱（SU薬の肝CYP450誘導によるワルファリン代謝促進；☞**表5-53**）、SU薬作用増強（腎分泌抑制とワルファリンによるSU薬の代謝抑制；☞**表4-34**）。SU薬の作用増強例として、ジクマロールとの併用により、トルブタミド（ヘキストラスチノン）の半減期が4.9から17.5時間に延長、クロルプロパミド（アベマイド）の血中濃度が2倍に上昇との報告がある。ナテグリニドも同様に注意。
(3) その他		
デュロキセチン（サインバルタ；SNRI）		相互に作用増強。投与量を減量するなど注意する。
ビカルタミド（カソデックス；前立腺癌治療薬）		血液凝固能検査などを行い、慎重に投与する。CYP450阻害も関与（☞**表5-34**⑧）。
アゾール系薬（ミコナゾール［フロリード］など）		舌の真菌症にミコナゾールゲルを塗布したところ、11日後に小出血を呈したケースがある。肝代謝阻害も関与（☞**表5-18**）。
Ca拮抗薬（ベラパミル［ワソラン］、ニフェジピン［アダラート］）		ベラパミルは塩基性、ニフェジピンは非イオン型。
バルプロ酸（デパケン、バレリン）		ワルファリン作用増強の恐れ。
キノロン系薬（モキシフロキサシン［アベロックス］、レボフロキサシン［クラビット］など）		肝代謝抑制の可能性（☞**表5-36**①）、ビタミンK供給の関与（☞**表1-7、7-40**）。
トリクロル酢酸（抱水クロラール［エスクレ］の代謝物）		開始2～3日でワルファリンの作用が増強。
トリクロホス（トリクロリール）		ワルファリン投与量を30～50%減量する。トリクロホスは胃内で加水分解されて抱水クロラールになる。
エタクリン酸（利尿薬）★		エタクリン酸はアルブミンの構造変化を引き起こすが、臨床では問題にならない。
その他：ベンズブロマロン（ユリノーム）、トリベノシド（ヘモクロン；経口痔核治療薬）、イプリフラボン（オステン）		血液凝固能の変動に十分注意しながら投与。

いずれもワルファリンの作用が増強する。
★ 販売中止もしくは国内未発売

表 2-3　SU 薬、速効型インスリン分泌促進薬、メトトレキサート、フェニトインの血漿タンパク結合を置換する併用慎重薬剤

SU 薬、ナテグリニド（スターシス、ファスティック）、ミチグリニド（グルファスト）の作用を増強する薬剤

（1）A 剤		
NSAIDs（☞ **表 4-34**）	サリチル酸系薬（アスピリン製剤；バファリン配合錠など）	クロルプロパミド（アベマイド）の作用増強で血糖値 33％低下の報告。腎分泌競合、薬理作用も関与（☞ **表 7-45**）。
	フェニルブタゾン★（ピラゾロン系薬）	SU 薬の半減期が 4.38 時間から 7.5 時間に延長したとの報告や、急性低血糖例もある。腎分泌阻害、薬力学的相互作用も関与。
	その他：ナブメトン（レリフェン）、スリンダク（クリノリル）、ナプロキセン（ナイキサン）など	
スルフィンピラゾン★（ピラゾロン系薬）		トルブタミドの半減期が 7.3 時間から 13.2 時間に延長、クリアランス 40％低下。腎分泌阻害、肝代謝抑制も関与（☞ **表 4-34、5-36** ③）。
フィブラート系薬（クロフィブラート［同名］など）		クロフィブラートの併用によりクロルプロパミドの半減期 35.6 時間から 47 時間に延長との報告。腎分泌阻害、薬力学的相互作用（☞ **表 4-34、7-45**）も関与。
サルファ剤		低血糖の恐れ。代謝阻害も関与（☞ **表 5-28**）。
オキシカム系薬（ピロキシカム［バキソ］、テノキシカム★）		【例外】SU 薬が血漿タンパク結合を置換する（NSAIDs の作用増強）。トルブタミド（ヘキストラスチノン）併用時にテノキシカムの作用が増強。テノキシカムのタンパク結合率が 95.3 から 89.6％に低下（in vitro）。トルブタミドの血漿タンパク結合力はオキシカム系より強いと考えられる。
（2）その他		
胆汁酸製剤（ウルソデオキシコール酸［ウルソ］、ケノデオキシコール酸［チノ］）		ウルソデオキシコール酸は血清アルブミンとトルブタミドとの結合を阻害するとの報告。
アゾール系薬（ミコナゾール［フロリード］、フルコナゾール［ジフルカン］など）		肝代謝抑制も関与（☞ **表 5-18**）

メトトレキサート（リウマトレックスなど）の作用を増強する薬剤

（1）A 剤	
NSAIDs；ジクロフェナク（ボルタレン；フェニル酢酸系）、フェンブフェン★（フェニル酢酸系）、フェニルブタゾン★など	メトトレキサートの副作用が増強。骨髄抑制、肝・腎・血液・消化管障害などの報告。死亡例。腎糸球体濾過低下・腎分泌抑制も関与。
スルホンアミド系薬；サルファ剤	メトトレキサートの副作用が増強。
（2）B 剤	
フェニトイン（アレビアチン）	メトトレキサートの副作用が増強。
（3）その他の薬剤	
抗菌薬（クロラムフェニコール系薬、テトラサイクリン系薬、ナリジクス酸［ウイントマイロン］；キノロン系）	メトトレキサートの副作用が増強。
バルビツール酸系薬（フェノバルビタール［フェノバール］）	メトトレキサートの副作用が増強。脱毛出現例あり。

フェニトイン（アレビアチン）の作用を増強する薬剤

（1）A 剤		
NSAIDs	フェニルブタゾン★	フェニトイン中毒症状の報告。血中総フェニトイン量（結合型＋遊離型）に対する遊離型の割合が 6.7 から 11.7％に上昇したり、血中濃度 1.4 倍上昇・半減期 1.6 倍延長した例もある。肝代謝抑制も関与。
	サリチル酸系薬（バファリン配合錠）など	タンパク結合フェニトインを置換。フェニトインの総濃度減少。
（2）その他の薬剤		
バルプロ酸（デパケン、バレリン）		代謝も関与（☞ **表 5-34** ④）。CYP 誘導作用によりフェニトイン血中濃度が低下することもある（☞ **表 5-58**）。
エトレチナート（チガソン；合成レチノイド）		フェニトイン血中濃度上昇（作用増強）。

★ 販売中止もしくは国内未発売

ミド［ヘキストラスチノン］）の結合力の方が強いため、オキシカム系NSAIDsの作用が増強すると考えられる。

一方、血漿タンパクへの結合力の強い薬剤（A剤）同士の併用による相互作用例を**表2-4**にまとめた。スルフィンピラゾンと高用量アスピリン・ダイアルミネート（バファリン配合錠A330）との併用は禁忌であるが、これには、後述する血漿タンパク結合置換以外の発現機序（腎分泌阻害；☞**表4-34**、尿酸排泄拮抗；☞**表3-3**）も関与している。

なお、**表2-2〜2-4**に示したように、分岐脂肪酸であるバルプロ酸Na（デパケン、バレリン）は、血漿タンパク（アルブミン）結合に起因する相互作用を引き起こしやすい。血漿タンパク結合はサリチル酸系よりは弱いが、ワルファリン、フェニトイン、カルバマゼピン、BZP系より強いと考えられるため、併用時にはこれらの薬剤の作用を増強させる可能性がある。なお、バルプロ酸にはCYP2C、3A4阻害、CYP450誘導作用もあるため注意が必要である（☞**表5-34**④、**5-58**）。

一方、血漿タンパク結合置換によって遊離型の血中濃度が上昇しても、薬効が減弱する場合がある。**表2-4**に示したサリチル酸系と他のNSAIDsの併用がそれに当たる。つまり、アルブミンへの結合力はサリチル酸系よりも他のNSAIDsの方が弱いため、血中の遊離型NSAIDsは増加するが、血中からのクリアランスが20〜30％高まることから、逆に総血中濃度は低下して薬効は減弱する。これは、遊離型のみが腎糸球体の濾過作用を受けるため、遊離型NSAIDsの腎排泄が促進されたことに起因すると考えられる（☞**図3-1**）。サリチル酸系とフェニトインとの併用でも同様で、フェニトイン総血中濃度が減少することがある（☞**表2-3**）。

経口避妊薬を長期間服用している患者では、血漿タンパク質の濃度変化に注意する。つまり、性ステロイドは血漿タンパク質であるアルブミンや性ホルモン結合グロブリン（sex hormone binding globulin：SHBG）、コルチコステロイド結合グロブリン（corticosteroid binding globulin：CBG）などのグロブリンと結合するが、経口避妊薬（卵胞ホルモン・黄体ホルモン）に含まれるエチニルエストラジオールは血中のSHBG、CBG量を上昇させる。**表2-4**に示すように、経口避妊薬と、ヒドロコルチゾン、プレドニゾロンといった副腎皮質ホルモン製剤とを併用すると、CBG上昇のため結合型の副腎皮質ホルモン量が増え、遊離型の腎排泄が低下し、血中濃度が高く維持されることになる。すなわち、経口避妊薬は副腎皮質ホルモンの排泄を遅れさせ、その活性を増加させる恐れがある。また、経口避妊薬と副腎皮質ホルモンがアルブミンまたはCBGとの結合を競合する結果、遊離型の副腎皮質ホルモン量が増えて作用が著しく増強されるとの報告もある。

50歳代女性Aさん。

[処方箋]

① ベイスンOD錠0.2mg　2錠
　1日2回　朝昼食直前　28日分
② オイグルコン錠1.25mg　2錠
　1日2回　朝昼食後　28日分
③ ベザトールSR錠200mg　2錠
　1日2回　朝夕食後　28日分
④ ロルカム錠4mg　3錠
　ムコスタ錠100mg　3錠
　1日3回　毎食後　5日分

Aさんは、2型糖尿病と高トリグリセリド血症のため以前より①〜③の薬剤を服用しているが、今回、膝痛がひどかったため、④のロルカム（ロルノキシカム）がムコスタ（レバミピド）とともに追加された。

ロルカムとSU薬のオイグルコン（グリベンクラミド）とを併用すると、オイグルコンの作用が増強して低血糖を起こすリスクが高くなるため、具体的な症状を伝えて対処法を指導する必要がある。ただ、Aさんに対しては、フィブラート系薬のベザトールSR（ベザフィブラート）との併用によってもオイグルコンの作用増強が起こり得るため、以前から症状と対処法の説明を行ってきた。また、市販の解熱鎮痛薬や頭痛薬でも同

表 2-4　血漿タンパク結合置換が関与するその他の相互作用

(1) A剤同士を併用する場合

	併用薬の組み合わせ	報告されている事象
併用禁忌	スルフィンピラゾン★>サリチル酸系薬(アスピリン製剤;バファリン配合錠、バイアスピリンなど)	遊離型サリチル酸の増加の可能性。スルフィンピラゾンの尿酸排泄作用に拮抗・腎分泌阻害も関与(☞**表3-3、4-34**)。
併用慎重	サリチル酸系薬>NSAIDs	遊離型NSAIDsの増加。ただし、NSAIDsのAUCは低下(薬効減弱)
	①アスピリン製剤(バファリン配合錠、バイアスピリン)>オキシカム系薬(ピロキシカム[バキソ]、アンピロキシカム[フルカム])	遊離型オキシカム系薬の増加の可能性。ピロキシカムAUCが20%低下(薬効減弱)。消化管出血や痙攣などのNSAIDsの副作用が増強する恐れ。
	②サリチル酸系薬(アスピリン製剤など)>ジクロフェナク(ボルタレン)	相互に作用減弱。ジクロフェナクのAUCが1/2に低下。NSAIDs副作用増強の可能性。サリチル酸系による代謝酵素誘導も関与(☞**表5-53**)。
	③アスピリン製剤>テノキシカム★;オキシカム系	テノキシカム結合型が96.6%から87.7%に低下(in vitro)。
	ピラゾロン系薬(フェニルブタゾン★、クロフェゾン★)>他のピラゾロン系(アミノピリン★)	ピリン系の薬効増強。逆に、フェニルブタゾンによる肝代謝促進(誘導)でピリン系薬剤の作用減弱。
	スルフィンピラゾン★(ピラゾロン系薬)>サルファ剤	腎分泌阻害も関与。

(2) その他(いずれも併用慎重)

併用薬の組み合わせ	報告されている事象
アスピリン大量投与>炭酸脱水酵素阻害薬(スルホンアミド系、アセタゾラミド[ダイアモックス]、ドルゾラミド[トルソプト点眼液]など)	遊離型アセタゾラミドが3～8%から37.1%に増加。アセタゾラミド副作用誘発(嗜眠、錯乱、過呼吸・代謝性アシドシーシス)。尿酸値上昇の可能性。【注】炭酸脱水酵素阻害によるアシドーシスで血液pHが低下し、サリチル酸の血漿から組織への移行を促進する可能性。
グロブリンとの結合競合が関与	
①シメチジン(タガメット)>リドカイン※1(キシロカイン)	遊離型リドカインが18.3%増加。肝代謝抑制も関与(☞**表5-16**)。
②アミオダロン(アンカロン)>キニジン(硫酸キニジン)	心室性頻拍のtorsades de pointesの誘発。キニジン投与量を1/3～1/2に減量する。
③経口避妊薬>副腎皮質ホルモン製剤	副腎皮質ホルモンの作用が著しく増強。CBG結合競合。代謝阻害が関与(☞**表5-23**)。他の避妊法に変更する。
④フェニトイン(アレビアチン)>甲状腺ホルモン製剤(レボチロキシン[チラーヂンS])	TBG結合競合により遊離型甲状腺ホルモンが増えて排泄促進(作用減弱)。フェニトインによる代謝酵素誘導でT_4(チロキシン)の作用減弱もある(☞**表5-49**)。
バルプロ酸※2(デパケン、バレリン;分岐脂肪酸)が関与	
①バルプロ酸>カルバマゼピン(テグレトール)	薬効変動。カルバマゼピン効果増強。肝代謝抑制・促進(☞**表5-34**④、**5-50**)の関与。
②バルプロ酸>BZP系薬(ジアゼパム[セルシン]など)	BZP系作用増強の可能性。
③サリチル酸系薬(アスピリン製剤など)>バルプロ酸	バルプロ酸中毒(血液凝固障害、傾眠、振戦、鎮静、攻撃性、高アンモニア血症、過血糖)誘発に注意。代謝阻害も関与(☞**表5-44**)。
④遊離脂肪酸>バルプロ酸	遊離脂肪酸濃度上昇により遊離型バルプロ酸濃度上昇(バルプロ酸濃度を低めにコントロール)。
その他	
サリチル酸系薬(アスピリン製剤など)>TXA_2拮抗薬(セラトロダスト[ブロニカ]、ラマトロバン[バイナス])	in vitroでサリチル酸によりセラトロダストの非結合型濃度が26%上昇、ラマトロバンの非結合型分率が1.3～1.9倍上昇。
遊離脂肪酸>ジギトキシン★	ジギトキシンはジゴキシンより血漿タンパク結合率が高い(**表2-5**)。
【参考】	
抗リウマチ薬(DMARDs;ロベンザリット[カルフェニール]、ブシラミン[リマチル])	結合率が高く、併用剤の作用が増強または減弱する可能性。
シナカルセト(レグパラ;高PTH製剤、二次性副甲状腺機能亢進症治療薬)	結合率が高く、ジギトキシン、ジアゼパム(セルシン)などの併用でシナカルセト血中濃度に影響。結合タンパク質はアルブミンが考えられる。

血漿タンパクへの結合力の強弱を不等号で示している。　★ 販売中止または国内未発売
※1 抗不整脈薬　※2 バルプロ酸はアルブミンと結合し、血漿タンパク結合置換に起因する相互作用を起こしやすい。

様に低血糖を起こしやすくなる恐れがあるため、服用前に医師や薬剤師に相談するよう指導してきた。

今回、追加された痛み止めによって低血糖を起こしやすくなる恐れがあることを担当薬剤師が説明すると、スムーズな理解が得られた。そこで、①冷や汗や動悸、手足の震え、異常な空腹感や目のちらつき、頭痛などの低血糖症状が現れた場合には、これまで通りブドウ糖の摂取で対処する、②頻繁に症状が現れる場合は医療機関を受診する——の2点について、改めて指導した。Aさんにはロルカムの服用によって低血糖症状が現れることはなく、現在も時折、ロルカムを服用している。

 50歳代男性Bさん。

[処方箋]
ワーファリン錠1mg　2錠
ワルファリンK錠0.5mg「NP」　0.5錠
パラミヂンカプセル300mg　1カプセル
　1日1回　朝食後　28日分

転院により当薬局に初めて来局したBさん。肺梗塞のため、数年前からワーファリン（ワルファリンカリウム）とパラミヂン（ブコローム）を服用しているとのことだった。担当薬剤師が処方医に問い合わせた結果、パラミヂンは消炎・鎮痛や高尿酸血症の是正のためではなく、ワルファリンの作用を増強させる目的で併用されていることを確認した。

Bさんには、パラミヂンはワルファリンの作用を増強するための処方であることを説明した上で、①凝固能検査を定期的に受ける、②歯茎からの出血や内出血、吐血・下血（胃腸障害）などが現れた場合や、けがなどで出血が止まらない場合は、直ちに医療機関を受診する、③歯科受診の予定がある場合は事前に相談する——の3点を指導した。現在までのところ、軽度な内出血は時折あるものの、経過は良好である。

参考

スルホンアミド系が関与する相互作用

サルファ剤やアセタゾラミド（ダイアモックス）はスルホンアミド系であり、酸（陰イオン）にも塩基（陽イオン）にもなると考えられる（☞ **表1-16**）。例えば、血中（pH7.45）では酸としてアルブミンと結合し、腎では尿細管上皮細胞の血液側膜に存在する陰イオン輸送系（OAT）の基質となる（☞ **表4-32**）。一方、消化管（小腸：pH5以上）や尿中（pH4.5以上）では塩基として存在するため、消化管内および尿が酸性化すると非イオン型が減少し、消化管吸収・腎再吸収が抑制されて薬効が減弱すると考えられる。

したがって、アセタゾラミドと消化管内pHを上昇させる薬剤を併用すると、アセタゾラミドの消化管吸収が促進し薬効が増強するが、尿酸性化剤との併用では腎再吸収が抑制され薬効が減弱する（☞ **表1-11、3-5**）。

コラム13

血漿タンパク結合と薬剤の極性

血中でイオン型薬物を運搬するのは、主としてアルブミンとグロブリンである。酸性薬剤はアルブミンと、塩基性薬剤はグロブリンの一種であるα_1-グロブリン（酸性糖タンパク質）と結合していることが多い。**表2-2～2-4**に示した相互作用の多くは酸性薬剤同士の併用であり、アルブミンとの結合に起因する。これは、弱酸性薬剤が血中（pH 7.4）で主にイオン型（陰イオン）として存在するためと考えられる。

一方、性ステロイド、副腎皮質ホルモン、甲状腺ホルモンなどはSHBG、CBGやチロキシン結合グロブリン（thyroxine binding globulin：TBG）といった特異的なグロブリンとも結合する。また、三環系抗うつ薬、フェノチアジン系薬、マクロライド系薬、抗不整脈薬（リドカイン塩酸塩［キシロカイン］、キニジン硫酸塩水和物［硫酸キニジン］、ジピリダモール［ペルサンチン］、ジソピラミド［リスモダン］）、β遮断薬、H_2拮抗薬といった塩基性薬剤は、α_1-グロブリンと結合する。これらの薬剤の血漿グロブリン結合置換による相互作用にも注意する必要がある

表2-5　薬剤の血漿タンパク結合率と分布容積

薬剤	血漿タンパク結合率（%）	分布容積（L/kg）
ワルファリン（ワーファリン）	97	0.15
フェニトイン（アレビアチン）	88～99	0.4～0.8
トルブタミド（ヘキストラスチノン）	95	0.15
クロルプロパミド（アベマイド）	90	0.15
NSAIDs	80～99	0.1～0.2
クロフィブラート（同名）	95～98	0.09
エタクリン酸★	90	0.1
アセタゾラミド（ダイアモックス）	95	0.2
ケトコナゾール内服薬★	84～99	0.36
バルプロ酸（デパケン）	80～95	0.15
レボチロキシン（チラーヂンS）	99	0.2
ヒドロコルチゾン（コートリル）	90～55	0.4～0.7
オメプラゾール（オメプラゾン）	95	0.19～0.48
クロルジアゼポキシド（バランス）	95	0.3
プラゾシン（ミニプレス）	97	0.5～0.6
フロセミド（ラシックス）	91～99	0.2～0.3
ベンズブロマロン（ユリノーム）	96～98	–
プロベネシド（ベネシッド）	75	0.16
シスプラチン（ランダ）	90	0.3～1.15
ジギトキシン★	90～97	–
（ジゴキシン［ジゴシン］）	（23）	–
セラトロダスト（ブロニカ）	99.1～99.4	–
プランルカスト（オノン）	97以上	–
メナテトレノン（グラケー）	97	–
タクロリムス（プログラフ）	98.8以上	–

★販売中止もしくは国内未発売

（☞表 2-4）。

ただし、実際には多くの薬剤がアルブミンにもグロブリンにも結合する。例えば、ニフェジピン（アダラート）は非イオン型、ベラパミル塩酸塩（ワソラン）は塩基性であるが、ワルファリンの血漿タンパク結合を置換する（☞**表 2-2**）ことから、これらのCa 拮抗薬はアルブミンと結合すると考えられる。また、アルブミンはCa やビリルビンとも結合する。グロブリンでも同様で、例えば甲状腺ホルモンは主にTBG※と結合して血中を循環しているが（結合率99.9%以上）、フェニトイン（アレビアチン）やサリチル酸系、フェニルブタゾンなどの酸性薬剤や、ジアゼパム（セルシン）、ミトタン（オペプリム）、フルオロウラシル（fluorouracil：FU）系（5-FU など）とグロブリンとの結合を競合する。

TBG を増加させるものとしてエストロゲン製剤、また減少させるものとして糖質コルチコイド、男性ホルモンなどが知られている（☞**コラム 70**）。

コラム 14

血漿タンパク結合置換による相互作用の起こりやすさ

血漿タンパク結合置換による相互作用を起こしやすい薬剤には、①血漿タンパク結合率が高い（80%以上）、②分布容積※が小さい（0.5L/kg 以下）――という特徴がある。**表 2-5** に代表的な薬剤の血漿タンパク結合率・分布容積をまとめた。これらの値は通常、薬剤のインタビューフォーム（IF）に記載されているので、各薬剤の IF を確認し、①②の条件に近い場合には、これまでに報告がなくても注意しておくことが重要である。

また、**表 2-6** に示すように、アルブミンには数カ所の薬物結合部位がある。ワルファリンの結合部位は非常に広範囲であるため、相互作用を受けやすいと考えられる。この表は血漿タンパク結合置換による相互作用を予測する重要な指標となり得るが、残念ながら1981 年のデータであり、現在はどこまで研究が進展しているのか明らかではない。

※ 分布容積（distribution volume）：薬の体内動態には、投与量や尿排泄量といった「量」と、血中濃度や唾液濃度といった「濃度」が関与する。両者の関係を説明するために考えられた換算係数が分布容積であり、［量＝分布容積×濃度］で示される。したがって、分布容積が小さい薬剤ほど組織に分布しにくく、血漿タンパク結合のわずかな変化で分布が大きく影響を受けると考えられる。

表 2-6 ヒト血清アルブミンの薬物結合部位

範囲（area）、部位（site）	結合する薬剤、物質
（1）ワルファリン・アザプロパゾン結合範囲	
ワルファリン結合領域	ワルファリン（ワーファリン）、スルファジメトキシン（アプシード；サルファ剤）
アザプロパゾン結合領域	アザプロパゾン★、フェニルブタゾン★（ピラゾロン系）、グリベンクラミド（オイグルコン）
（2）インドール・ベンゾジアゼピン結合部位	トリプトファン、ジアゼパム（セルシン）、ナプロキセン（ナイキサン；プロピオン酸系）、フルルビプロフェン（フロベン；プロピオン酸系）、イオパノ酸★（胆嚢造影剤）
（3）ジギトキシン結合部位	コール酸（胆汁酸）、ジゴキシン（ジゴシン）、アセチルジギトキシン★
（4）ビリルビン結合部位	ビリルビン
（5）脂肪酸結合部位	脂肪酸

（1）は非常に広い結合範囲である。ジクマロール、インドメタシン、トルブタミドなどは、（1）と（2）の両方に結合すると考えられている。
（Fehske K, et al. Biochm Pharmacol. 1981；30：687-92. を基に作成）。

★ 販売中止もしくは国内未発売

第 2 節
血液組織関門

❶ 血液脳関門（BBB）

薬物が血中から中枢（脳、脊髄）へと移行するためには、血液脳関門（blood-brain barrier : BBB）を通過しなければならない。

BBB は脳毛細血管上皮細胞同士の強固な結合（tight junction）とグリア細胞によって形成される。つまり、非イオン型（脂溶性）薬剤は消化管吸収や腎再吸収と同様、内皮細胞の脂質膜を受動的に拡散するため、イオン型薬剤に比較して BBB を通過しやすい。血液の pH は 7.4 と弱アルカリ性であるため、血中では弱酸性薬剤よりも弱塩基性薬剤が非イオン型として存在する。例えば、アニリンやアミノピリン、チオペンタール Na、レボドパ（ドパストン）、第 1 世代抗ヒスタミン薬、抗アレルギー薬、β遮断薬や三級アミン（局所麻酔薬など）などは塩基性物質（薬剤）であり、BBB を通過しやすい。

一方、血漿タンパクに結合している薬剤は分子量が大きく、BBB を通過しにくい。また四級アンモニウム塩（抗コリン薬など）、スルピリド（ドグマチール；低濃度の場合）、ドパミン、5-HT（セロトニン）、カルビドパ水和物（ネオドパストンに含有）、ベンセラジド塩酸塩（イーシー・ドパールに配合）といった薬剤や物質も、塩基性ではあるが中枢へ移行しにくいことが知られている（☞表 7-20）。

BBB への通過性が変化する相互作用では、薬剤の脳内濃度が増減する結果、主に中枢性の効果や副作用に影響が現れる。特に BBB への通過性が関与する相互作用は、①レボドパ代謝酵素（**表 2-7**）、② BBB に存在するトランスポーター（アミノ酸トランスポーター、P-gp、多剤耐性関連タンパク質［multidrug resistance-associated protein : MRP］）――に起因している。なお、②については第 4 章「薬物トランスポーター」で詳しく述べる。

A レボドパ代謝酵素（ドパ脱炭酸酵素）

レボドパは、BBB の中性アミノ酸トランスポーターを介して脳内へ移行し、脳内のドパ脱炭酸酵素によってドパミンへと変換されることで、脳内ドパミン量を増加させ薬効を発揮する（**図 2-2**）。したがって、同薬は、脳内ドパミン量の減少により発症すると考えられるパーキンソン病の治療に用いられている。ドパミン自体は、塩基性であるが BBB を通過しにくい。

レボドパで注意すべき相互作用の一つは、ビタミン B_6 との併用によりレボドパの薬効が減弱することである。これは、ドパ脱炭酸酵素がビタミン B_6 を補酵素とし、脳以外の末梢組織にも多く存在することによる。つまり、レボドパを服用中の患者がビタミン B_6 を摂取すると、ドパ脱炭酸酵素が活性化され、特に末梢でのレボドパからドパミンへの変換が促進されるため、レボドパの脳内移行量が減少する。したがって、レボドパによって良好なコントロールが得られているパーキンソン病患者にビタミン B_6 を投与すると、薬効が減弱しパーキンソン病の悪化を招く恐れがある。レボドパ服用時に

表 2-7　レボドパ代謝酵素（ドパ脱炭酸酵素）が関与する相互作用

	作用する薬剤	作用を受ける薬剤	結果
併用慎重	ビタミン B_6 含有製剤（商品名ビタメジン、ノイロビタン、アリナミンAなど）	レボドパ（ドパストン；ドパミン前駆体）	抗パーキンソン作用減弱。ビタミン B_6 が末梢のドパ脱炭酸酵素を活性化し、レボドパからドパミンへの変換を促進、レボドパの BBB 通過量減少。
併用慎重	イソニアジド（イスコチン）	レボドパ製剤（レボドパ配合剤［ネオドパストン、イーシー・ドパールなど］、レボドパ［ドパストン］など）	抗パーキンソン作用減弱。BBB を通過したイソニアジドが脳内のドパ脱炭酸酵素を阻害し、レボドパからドパミンへの変換を抑制する。

図 2-2　血液脳関門が関わるレボドパの相互作用のイメージ

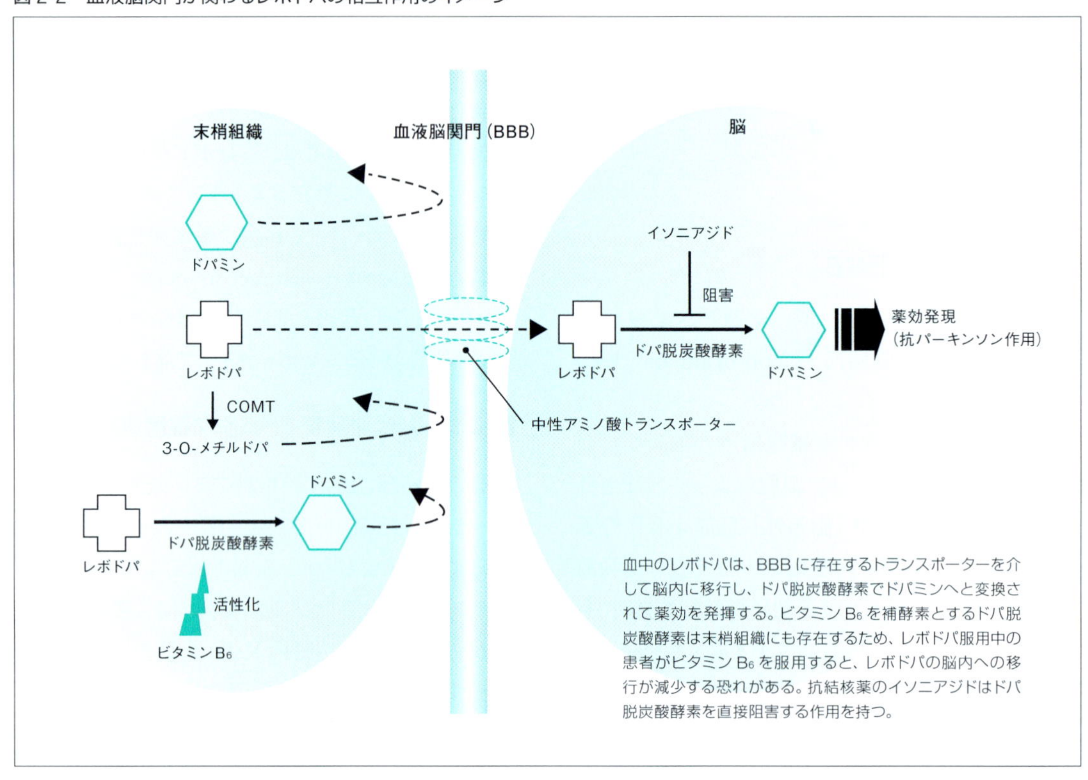

は、市販のビタミン剤も含め、ビタミン B_6 の摂取を控えるよう指導する。

ただし、レボドパとカルビドパ水和物の配合剤（ネオドパストン配合錠）、レボドパとベンセラジド塩酸塩の配合剤（イーシー・ドパール配合錠）では、ビタミン B_6 を併用しても薬効が減弱しないとされている。これは、カルビドパおよびベンセラジドが末梢のドパ脱炭酸酵素阻害作用を持ち、かつBBB を通過しないためである。

また、抗結核薬のイソニアジド（イスコチン）との併用によってもレボドパ製剤（レボドパ配合剤、レボドパ）の薬効が減弱する可能性がある。これは、カルビドパやベンセラジドが BBB を通過できないのに対し、イソニアジドは BBB を通過し、脳内のドパ脱炭酸酵素を阻害することに起因している。なお、一般的にイソニアジドはビタミン B_6 欠乏症を引き起こすが、イソニアジドとビタミン B_6 を同時投与しても、レボドパの効果は同様に減弱することから、ドパ脱炭酸酵素の阻害は補酵素の欠乏に起因するわけではない。すなわち、イソニアジドによるドパ脱炭酸酵素阻害は、直接的な酵素阻害作用に起因すると考えられる。なお、イソニアジドは、モノアミン酸化酵素（monoamine oxidase : MAO）や CYP450 などの酵素に対しても直接的な阻害作用を有することが知られている（☞ **表 5-20、6-7、7-29**）。

末梢におけるレボドパの代謝は、主にドパ脱炭酸酵素によるドパミンへの変換のほか、副経路としてカテコール -O- メチル基転移酵素（COMT）によるカテコール環水酸基のメチル化も知られている（☞ **第 6 章 5 節**）。上述のように、パーキンソン病の薬物治療に主に用いられているレボドパと、ドパ脱炭酸酵素阻害薬のカルビドパやベンセラジドとの配合剤が主に使用されているため、末梢でのレボドパ代謝の主経路は COMT となる。レボドパ・ドパ脱炭酸酵素配合剤の使用時に見られる症状の日内変動（wearing off 現象）は、レボドパの効果持続時間が短縮したために起こると考えられるが、COMT阻害薬はレボドパの脳移行を促進して、その効果持続時間を延長する可能性が期待できる。エンタカポン（コムタン）は、BBBをほとんど通過せずに末梢のCOMTを阻害し、レボドパ・カルビドパおよびレボドパ・ベンセラジドの投与時に見られる症状の日内変動（wearing off 現象）を改善する。なお、レボドパ・カルビドパ・エンタカポンの配合剤であるスタレボ配合錠が2014年12月に発売されている。

症例　70歳代男性Aさん。

[処方箋]

① ドパストンカプセル250mg　3カプセル
　1日3回　毎食後　14日分
② バイアスピリン錠100mg　1錠
　ノルバスク錠2.5mg　1錠
　1日1回　朝食後　14日分
③ トレドミン錠15mg　2錠
　1日2回　朝夕食後　14日分

Aさんはパーキンソン病を患い、5年前からドパストン（レボドパ）を服用していた。日常生活では、ドパストンの効果が減弱しないように、過食を避けてバランスのよい規則正しい食事をすること、また市販の健康食品などを服用する場合には相談するように指導していた。

ある日、Aさんは薬剤師に対し、「体力の衰えを防止するため、どうしても総合ビタミン剤を服用したい」と要望した。そこで市販薬や医療用のビタミン剤に含まれるピリドキシン塩酸塩（ビタミンB_6）の1日量を調べたところ、ポポンSに8mg、新キューピーコーワゴールドに5～10mg、アリナミンEXプラスに66～100mg、ビタメジン配合カプセルに75～100mg、ノイロビタン配合錠に40～120mg含まれていることが判明。Aさんには、ビタミンB_6含有量が最も少ないポポンSを薦めた。しかし、少量でもビタミンB_6を服用することになるため、ドパストンの効果が減弱してパーキンソン症状が悪化した場合は、直ちに受診するよう指導するとともに、処方医に総合ビタミン剤の購入について連絡した。以降、経過を観察中であるが、病状悪化は認められていない。

B BBBに発現するトランスポーター

トランスポーターは、薬剤の脳分布のみならず、他の組織における吸収、分布、排泄にも深く関与しているため、第4章「薬物トランスポーター」でまとめて述べる。

❷ 肝分布

トランスポーターは、薬剤の肝分布、胆汁排泄のみならず、他の組織における吸収、分布、排泄にも深く関与しているため、第4章「薬物トランスポーター」でまとめて述べる。

第3章 腎排泄

薬物の腎排泄の過程は、糸球体濾過、尿細管分泌、尿細管再吸収からなる。薬剤による糸球体濾過量の変化やトランスポーターの阻害・競合、再吸収・分泌の変化が相互作用の原因となる。注意すべき薬剤などについて発現機序別に解説する。

生体内に投与された薬物は、投与部位から血液中への吸収、各臓器への分布、代謝を経て、最終的に胆汁および尿に排泄される（代謝を受けない場合もある）。薬物の腎排泄動態には、糸球体濾過、尿細管から血管側への再吸収、血管側からの尿細管への分泌が関わっている（**図3-1**）。

腎排泄における薬物相互作用は、未変化体の薬物の腎排泄が抑制（促進）されることで、血中濃度が上昇（低下）し、薬効が増強（減弱）するというものである。その機序は、①NSAIDsによる腎血流量の減少（糸球体濾過量の低下）、②トランスポーターの阻害・競合、③尿酸の再吸収・分泌の変化、④近位尿細管でのリチウム（Li）、抗菌薬の再吸収、⑤尿pHの変化、⑥その他——の6つに分けられる。なお、高頻度に認められる相互作用は②の「トランスポーターの阻害・競合」による作用増強だが、詳しくは第4章「薬物トランスポーター」で述べる。

図3-1　薬物の腎排泄の模式図

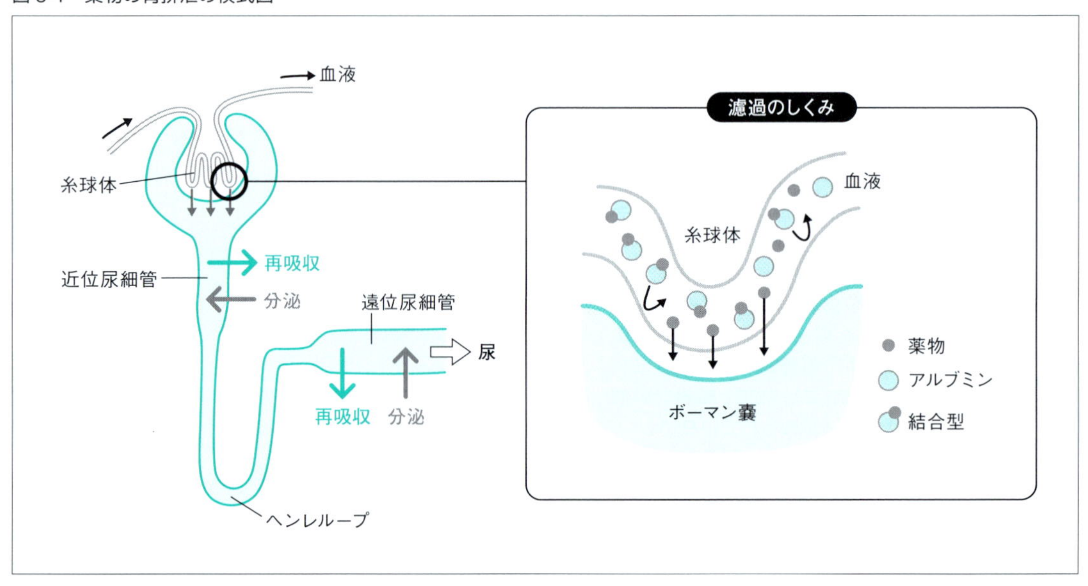

第１節

NSAIDs による糸球体濾過量の減少

NSAIDs は、炎症部位におけるプロスタグランジン（PG）合成を阻害することで抗炎症作用を発揮する。しかし、同時に生体機能の維持に必要な PG 合成も阻害するため、様々な副作用を引き起こす（☞ **表 8-12 ～ 8-14**）。

腎においては、PGE は腎血流量を増加させて腎機能を維持しているが、NSAIDs はこの PGE の合成阻害を介して糸球体濾過量を減少させる。例えばアスピリンは、腎血流量を 60 ～ 70％にも低下させることが知られている。そのため、NSAIDs と腎で濾過される薬剤を併用すると、糸球体濾過量が減少して薬効が増強する可能性が高くなる（☞ **コラム 29**）。特に、TDM を必要とする炭酸リチウム（リーマス）、メトトレキサート（リウマトレックス）、ジギタリス製剤（中でも腎排泄されるジゴキシン）は、NSAIDs の併用によって糸球体濾過量が減少し、これらの薬剤の中毒を誘発する恐れがある（**表 3-1**）。併用は避けた方がよいが、やむを得ない場合は TDM を実施して慎重に対処する。

なお、尿細管上皮細胞の管腔側膜には薬物トランスポーターである MRP2 が存在し、陰イオン型薬剤の尿細管分泌を行っており、NSAIDs はこの MRP2 を阻害し、メトトレキサートの腎排泄を抑制して血中濃度を上昇させる（薬効増強）ことも知られている（☞ **第４章**）。

注意

NSAIDs による腎機能への影響

PG（主に PGE_2、PGI_2）の腎における生理作用として、①腎の輸入細動脈血管を拡張して腎血流量の増加や糸球体濾過率（glomerular filtration rate：GFR）の上昇、②近位尿細管（間接的）およびヘンレループ（直接的）での Na 再吸収抑制、③遠位尿細管での抗利尿ホルモン（antidiuretic hormone

表 3-1　NSAIDs による糸球体濾過量減少の影響を受ける薬剤

	NSAIDs	作用を受ける薬剤（作用増強）	報告されている事象
併用慎重	フェニルブタゾン★（ピラゾロン系薬）	炭酸リチウム（リーマス）	Li 中毒。Li 血中濃度２倍上昇。
	ジクロフェナク（ボルタレン）		Li 血中濃度 26％、4 倍上昇。クリアランス 23％低下。
	インドメタシン（インテバン）、インドメタシンファルネシル（インフリー）、アセメタシン（ランツジール）などのインドール酢酸系薬		Li 腎クリアランス 31％低下、血中濃度 30 ～ 60％上昇例。
	ピロキシカム（バキソ、フェルデン；オキシカム系薬）		Li 血中濃度が約２倍に上昇例。
	セレコキシブ（セレコックス；COX2 選択的阻害薬）		Li Cmax、AUC が 16％、17％上昇例。リチウムを開始または中止する場合は十分に患者をモニターする。
	サリチル酸系薬、フェニルブタゾン★、インドメタシン、ジクロフェナク（ボルタレン）、フェンブフェン★、ケトプロフェン（カピステン、アネオール）など	メトトレキサート（リウマトレックスなど）	メトトレキサートの作用・副作用増強。間質性肺炎、昏睡、骨髄抑制、死亡例。腎分泌抑制、血漿タンパク結合置換、腎 MRP2 阻害も関与。
	ジクロフェナク（ボルタレン）	ジギタリス製剤（ジゴキシン［ジゴシン］、メチルジゴキシン［ラニラピッド］）	ジギタリス中毒誘発。ジゴキシン血中濃度が 29％上昇例。

★ 販売中止

：ADH；バソプレシン）作用抑制、④糸球体でのレニン分泌増加（アンジオテンシンⅡ［AngⅡ］生成増加）――などが示されている。

したがって、PG産生を抑制するNSAIDsを服用すると、腎血流量の減少とそれに伴う糸球体濾過量の減少、Naおよび水分の貯留（浮腫、体重増加、血圧上昇など）、腎毒性誘発、高K血症などに起因する副作用や相互作用が起こる恐れがある。例えば利尿薬やACE阻害薬、AngⅡ受容体タイプ1（AT_1）拮抗薬などは、NSAIDsを併用すると降圧利尿効果の拮抗や腎障害誘発の危険性が増すため、慎重に併用する（☞**表8-13、8-20**）。

第2節
トランスポーターの阻害・競合

トランスポーターは腎における薬剤の再吸収・分泌のみならず、他の組織における吸収、分布、排泄にも深く関与しているため、第4章「薬物トランスポーター」でまとめて述べる。

第3節
尿酸の再吸収・分泌の変化

本節では、尿酸の腎排泄を動態学的に変化させる薬剤について述べた後、それらの尿酸排泄に関係する相互作用について解説する。尿酸排泄の拮抗・協力作用に基づく薬力学的な相互作用についても言及している点に留意されたい。

糸球体を通過した尿酸は、近位尿細管でほぼ100％再吸収された後、遠位尿細管で分泌・再吸収され、最終的には糸球体濾過量の約10%が尿中に排泄されると考えられている（**図3-2**；近年では尿酸トランスポーターによる再吸収・分泌が示されている；☞ **第4章［第5節］❺近位尿細管の尿酸トランスポーター**）。チアジド系やループ系の利尿薬には、高尿酸血症の副作用があるが、これは、利尿薬によって体液量が減少すると、これに対応して遠位尿細管における尿酸の再吸収が亢進するためと考えられている（**表3-2**；カリウム保持性利尿薬の尿酸値上昇作用は弱い）。すなわち、利尿薬は尿酸の排泄を動態学的に抑制する。一方、尿酸排泄促進薬のスルフィンピラゾン、プロベネシド（ベネシッド）、ベンズブロマロン（ユリノーム）などは、遠位尿細管で尿酸の再吸収を抑制する作用を持つ。そのため、利尿薬とこれらの尿酸排泄促進薬を併用すると、尿酸の再吸収に対する作用が拮抗する（**表3-3**）。基本的に、高尿酸血症・痛風患者への利尿薬の使用は慎重投与となる。

一方、遠位尿細管で尿酸分泌を競合する薬剤には、アスピリン（バファリン配合錠）、ピラジナミド（ピラマイド）、利尿薬、乳酸などがある。これらは尿酸の分泌を動態学的に阻害し、尿酸値を上昇させることがある。そのため、尿酸排泄促進薬のスルフィンピラゾン、プロベネシドなどとの併用は、作用が拮抗するため避けた方がよい。スルフィンピラゾンと高用量アスピリンとの併用は禁忌である。

図 3-2　尿酸の腎排泄の過程と利尿薬・尿酸排泄促進薬の作用点

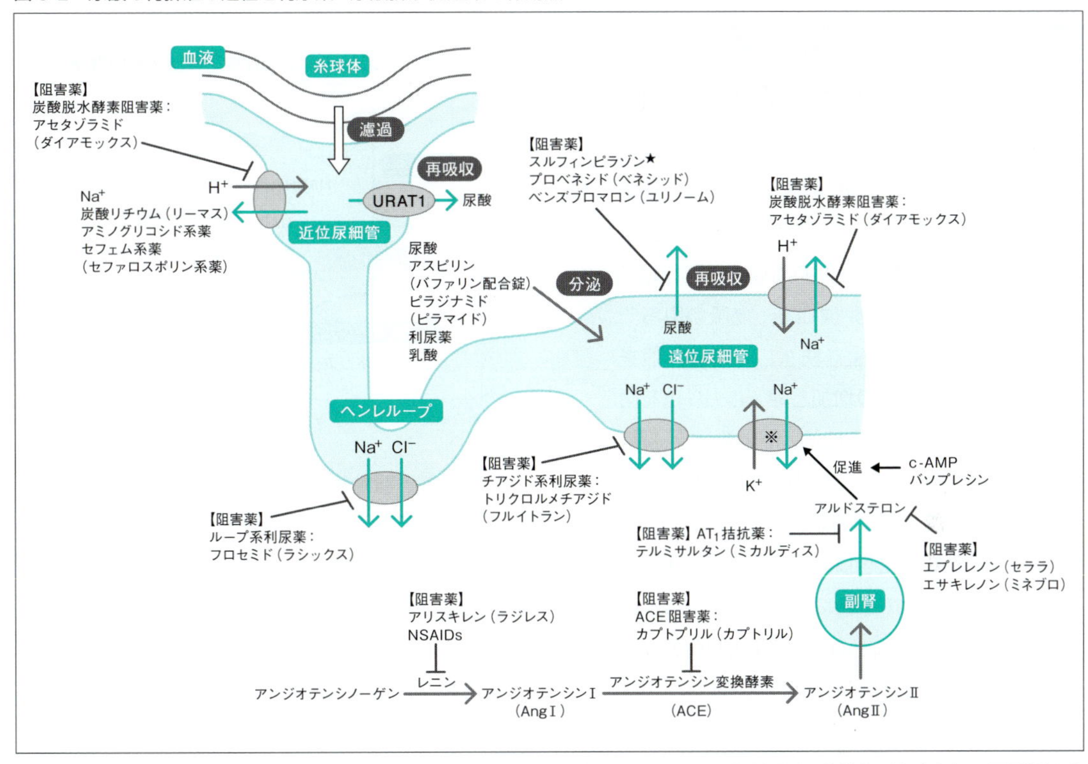

※ Na-K-ATPase は腎尿細管上皮細胞の血液側膜に存在し、Na^+ を血液側（細胞外）へとくみ出すため、上皮細胞内は陰性（マイナス）となり、尿細管腔から Na^+ が流入する。　★販売中止

表 3-2　尿酸値を上昇させる薬剤

（a）尿酸の再吸収を促進させる薬（利尿薬）
ループ系薬、チアジド系薬、アセタゾラミド（ダイアモックス）など

<table>
<tr><th colspan="2">（b）尿酸分泌を競合する薬剤</th></tr>
<tr><td>サリチル酸系薬；アスピリン製剤（バファリン配合錠、バイアスピリン）など</td><td>大量投与で血清尿酸値は低下（サリチル酸は高濃度になるとURAT1［☞第 4 章］を尿酸と競合して阻害するためと考えられる）。</td></tr>
<tr><td>ピラジナミド（ピラマイド；抗結核薬）</td><td>高尿酸血症・痛風患者への投与は禁忌。</td></tr>
<tr><td colspan="2">・ループ系薬：フロセミド（ラシックス）、エタクリン酸※など
・チアジド系薬：トリクロルメチアジド（フルイトラン）、ジアゾキシド（ジアゾキシド；高インスリン血性低血糖症治療薬）など
・クエン酸・乳酸</td></tr>
</table>

表 3-3　尿酸排泄拮抗による薬力学的相互作用

<table>
<tr><th></th><th>作用する薬剤</th><th>作用を受ける薬剤</th><th>起こり得る事象</th></tr>
<tr><td>併用禁忌</td><td>スルフィンピラゾン★
（尿酸排泄促進薬）</td><td>サリチル酸系薬（アスピリン製剤［バファリン配合錠、バイアスピリン］など）</td><td>血漿タンパク結合置換（☞表 2-4）・腎分泌阻害（☞表 4-34）も関与。</td></tr>
<tr><td rowspan="4">併用慎重</td><td rowspan="4">尿酸排泄促進薬
（スルフィンピラゾン★、プロベネシド［ベネシッド］、ベンズブロマロン［ユリノーム］）</td><td colspan="2">ループ系利尿薬：フロセミド（ラシックス）、エタクリン酸★など</td></tr>
<tr><td colspan="2">チアジド系利尿薬：トリクロルメチアジド（フルイトラン）など</td></tr>
<tr><td>サリチル酸系薬（アスピリン製剤［バファリン配合錠、バイアスピリン］など）</td><td>プロベネシドでは腎分泌阻害（☞表 4-33）、グルクロン酸抱合阻害（☞ 表 6-4）も関与。</td></tr>
<tr><td>ピラジナミド（ピラマイド）</td><td>併用は避けた方がよい。</td></tr>
</table>

★ 販売中止

注意

高尿酸血症患者への食事指導

尿酸は難溶性の酸性物質で、各組織に沈着、析出する。特に酸性化しやすい尿（正常尿 pH は通常 5.8 以下）では、尿酸が析出して結石となり、血尿や腎疝痛などを引き起こす。したがって、高尿酸血症・痛風の患者では、尿酸結石の産生を防止して尿酸排泄を促すために、尿量の増加と尿アルカリ化を図る必要がある。患者には、十分な水分の補給（1 日 2 L）に加え、尿の pH をアルカリ性に保つために野菜や海草、果物、乳製品などのアルカリ性食品を積極的に摂取するよう指導する。酸性尿の改善に用いられるクエン酸塩製剤（ウラリット -U；尿アルカリ化薬；尿 pH が 6.2 ～ 6.8 になるよう調節）は、代謝産物の重炭酸塩が塩基として作用する（☞**表 3-5**）。特に尿酸排泄促進薬を服用中の患者では、尿酸の尿中排泄が増えて尿が酸性となり、尿酸結石が産生されやすいため、クエン酸塩製剤を併用するケースが多い。

なお、高尿酸血症はアルコール、肉、レバー、魚干物、乾物など、プリン体含量の多い飲食物の過剰摂取に起因することが多い。また、膵臓はプリン体を多く含有するため、主にブタの膵液から精製されるパンクレアチン製剤（膵消化酵素製剤 [リパクレオン]、エクセラーゼなど）を極度に大量服用した場合も、高尿酸血症が誘発される可能性がある。

ただし、アルコールによる尿酸値上昇・痛風悪化には、プリン体含量だけでなく、乳酸値上昇（乳酸アシドーシス）も関与している（☞**第 6 章第 2 節**）。エタノール代謝酵素であるアルコール脱水素酵素は NAD を補酵素とするが、エタノールが代謝されると $NADH_2$ が増加し、乳酸脱水素酵素による乳酸合成を促進する（**図 3-3**）。その結果、増加した乳酸が尿酸と腎分泌を競合し、尿酸値が上昇すると考えられる。なおアルコールのプリン体含量はビールが最も多く、ウイスキーは少なく、焼酎はほとんど含有しない。どうしても禁酒できない痛風患者にはビールを避け、焼酎を薦める。

図 3-3　アルコールによる血中尿酸値上昇の機序

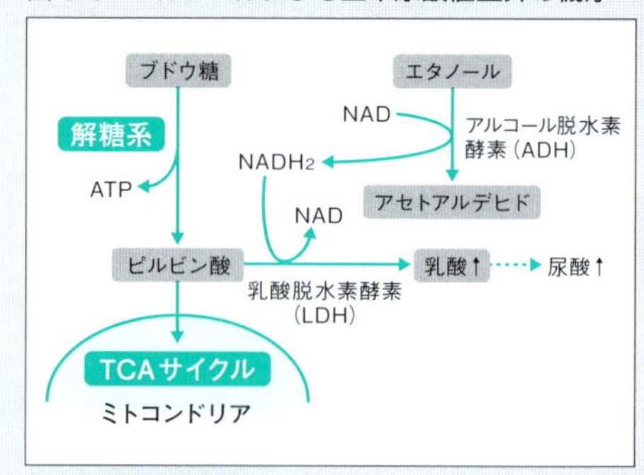

遠位尿細管で尿酸と乳酸が分泌競合し、血中尿酸値が上昇。

50 歳代男性 A さん。

[処方箋]
リピディル錠 53.3mg　2 錠
1 日 1 回　朝食後　14 日分

B さんは、脂質異常症でベザトール SR（ベザフィブラート）を服用していたが、今回からリピディル（フェノフィブラート）に変更された。血液検査の結果、中性脂肪は正常域であったものの、血清尿酸値が 8mg/dL と上昇したためである。

B さんには、リピディルはこれまでの薬と同等の効果を持ち、腎臓からの尿酸排泄を促進する作用がある（☞**第 4 章**）ことを説明した。尿酸値の上昇の原因は、お酒の飲み過ぎだったため、週に 2 回ほど休肝日を作り、アルコールの量を半分程度に減らし、徐々に 1 日の適切量（日本酒 1 合程度、ビール中ビン 1 本、ウイスキーシングル 2 杯、焼酎 0.4 合）にするように指導した。

一方、B さんは「焼酎はプリン体をほとんど含まないので問題ないのでは」と質問した。これに対して、アルコール摂取自体が乳酸の産生を増やし、その結果、尿酸の腎排泄が抑制され、血清尿酸値を上げることを説明した。ただし実際には適切量を守れない患者が少なくないので、どうしても飲む場合には、焼酎の方がよいと伝えている。

第４節
近位尿細管でのリチウム・抗菌薬の再吸収

Naと同様、近位尿細管で血管側へ再吸収される薬剤には、リチウム（Li）と抗菌薬（セフェム系［セファロスポリン系］、アミノグリコシド系）がある（☞図3-2）。これらの薬剤と、Naの再吸収に影響を与える利尿薬やACE阻害薬などを併用すると、腎排泄が変化を受ける（表3-4）。

この相互作用を理解するためには、利尿薬、ACE阻害薬、AT_1拮抗薬の作用および主作用部位を把握しておく必要がある。

まず利尿薬は、腎尿細管からのNaの再吸収を抑制することにより、尿量を増加させる。またACE阻害薬はアンジオテンシンⅡ（AngⅡ）の合成を阻害し、AT_1拮抗薬はAngⅡ作用を阻害するため、両者ともに抗アルドステロン作用を示し、結果的にはNa再吸収を抑制して利尿作用を示す（Naが水分を伴って移行するためと考えればよい）。

しかし、各薬剤の主作用部位は下表のように異なる。この差異がLiと抗菌薬の再吸収に対し、異なる影響をもたらす。

薬剤	主作用部位
ループ系薬；フロセミド（ラシックス）、エタクリン酸	ヘンレ係蹄（ヘンレループ）
チアジド系薬；トリクロルメチアジド（フルイトラン）	遠位尿細管
ACE阻害薬、AT_1拮抗薬、アルドステロン拮抗薬	遠位尿細管（アルドステロン作用部位）
炭酸脱水酵素阻害薬；アセタゾラミド（ダイアモックス）	近位および遠位尿細管

つまり、ループ系薬、チアジド系薬、ACE阻害薬、AT_1拮抗薬、アルドステロン拮抗薬の主作用部位は近位尿細管ではないため、長期間投与すると代償的に近位尿細管でのNaの再吸収が増加してしまう。したがって、Liや抗菌薬も同様に再吸収が増加して腎からの排泄が抑制される（作用増強）。一方、炭酸脱水酵素阻害薬の作用部位は、近位および遠位尿細管であるため、Naと同様に近位尿細管でのLiの再吸収も抑制されて、腎排泄が増大する（作用減弱）。

ループ系薬とアミノグリコシド系薬との併用は、腎毒性誘発とも関係するが原則禁忌である（☞表8-20）。また、炭酸リチウムについては、チアジド系薬、ループ系薬、ACE阻害薬、AT_1拮抗薬との併用によってLiの血中濃度が著明に上昇する場合があるため、併用する際にはLiのTDMを実施すべきである。Liとアミノグリコシド系薬はいずれもTDMを必要とする薬剤であり、副作用も重篤なので、できる限りTDMを実施した方がよい。

（☞コラム15、コラム16）

表 3-4　近位尿細管でのリチウムと抗菌薬の再吸収に関与する相互作用

（1）リチウムおよび抗菌薬の再吸収促進（作用増強）

	作用する薬剤	作用を受ける薬剤	起こり得る事象など
原則禁忌	ループ系薬 （フロセミド［ラシックス］、エタクリン酸★など）	アミノグリコシド系薬	聴力障害・腎毒性誘発（☞**表8-20**）、死亡例もある。
併用慎重	チアジド系薬 （トリクロルメチアジド［フルイトラン］、ヒドロクロロチアジド［ニュートライド］、シクロペンチアジド★など）	炭酸リチウム （リーマス）	血中Li濃度1.4～2倍上昇。Li中毒発現。
	ループ系薬 （フロセミド［ラシックス］、エタクリン酸★、ピレタニド［アレリックス］など）	炭酸リチウム （リーマス）	フロセミドで血中Li濃度5倍上昇。Li中毒発現。
		セフェム系薬	フロセミドによりセファロリジンの半減期25%延長、腎毒性誘発（☞**表8-20**）。セファロチン（コアキシン注）との併用でBUN 24から124mg/dLに上昇例。
	ACE阻害薬（カプトプリル［カプトリル］、エナラプリル［レニベース］など）、AT_1拮抗薬（テルミサルタン［ミカルディス］など）	炭酸リチウム （リーマス）	エナラプリルとの併用でLi血中濃度3.75倍上昇し、Li中毒、腎機能障害発現。
	エプレレノン （セララ）	炭酸リチウム （リーマス）	Li中毒の可能性。

（2）リチウムの再吸収抑制（作用減弱）

	作用する薬剤	作用を受ける薬剤	起こり得る事象など
併用慎重	炭酸脱水酵素阻害薬 （アセタゾラミド［ダイアモックス］）	炭酸リチウム （リーマス）	Liの再吸収抑制（薬効減弱）。中毒時にLi排泄を促進させる目的でアセタゾラミドの使用も有効。
	トピラマート（トピナ）	炭酸リチウム （リーマス）	Liの$AUC_{0\text{-}8h}$は12%低下。機序不明であるが、トピラマートには炭酸脱水酵素阻害作用あり。一方、高用量Li（600mg/日）でLiの$AUC_{0\text{-}12h}$が26%上昇の報告（機序不明）。

★ 販売中止

コラム 15

利尿薬と血清 K・Ca 値

アルドステロンは、遠位尿細管で Na 再吸収と K 分泌を促進する（Na-K 交換系の促進）。したがって、抗アルドステロン作用を有する薬剤（ACE 阻害薬、AT_1 拮抗薬、直接的レニン阻害薬［アリスキレンフマル酸塩；ラジレス］、スピロノラクトン［アルダクトン A］、エプレレノン［セララ；選択的アルドステロン拮抗薬］）は高 K 血症を引き起こしやすい。

トリアムテレン（トリテレン）はアルドステロンとは異なる遠位尿細管部位で Na 再吸収、K 分泌を抑制するが、同様に高 K 血症を誘発する。また NSAIDs は、PGE_2、PGI_2（傍糸球体装置で産生）によるレニン分泌促進作用を抑制するため、抗アルドステロン作用を示して高 K 血症を誘発する。したがって、これらの K 保持性利尿薬、NSAIDs、K 製剤の併用による高 K 血症誘発に注意する（☞ **表 8-5**）。

一方、ループ系薬、チアジド系薬、アセタゾラミドは、Na の再吸収を抑制するので、代償的にアルドステロン作用部位の Na-K 交換系が促進し、血中の K が尿細管に排泄されるため、これらの利尿薬では低 K 血症が起こりやすくなる。なお、ループ系薬のトラセミド（ルプラック）は、抗アルドステロン作用を併せ持つため、低 K 血症を引き起こしにくいとされている。

併用禁忌	● K保持性利尿薬（スピロノラクトン［アルダクトンA］、トリアムテレン［トリテレン］など）と タクロリムス（プログラフ）
	● エプレレノン（セララ）とK保持性利尿薬、K製剤
併用慎重	● K保持性利尿薬（スピロノラクトン［アルダクトンA］、トリアムテレン［トリテレン］など）と K製剤（スローケーなど）
	● NSAIDs（インドメタシン［インフリー］、ジクロフェナク［ボルタレン］など）と K保持性利尿薬、抗アルドステロン薬（エプレレノン［セララ］など）、Ang II作用阻害薬※（ACE阻害薬、AT_1拮抗薬）、シクロスポリン（サンディミュン、ネオーラル）

※ Ang II作用阻害薬の併用時は、腎障害リスク増大にも注意（☞**第8章［第5節］**）。

一方、チアジド系利尿薬は、Ca の尿中排泄を減少させ、血清 Ca 値を上昇させる可能性があるため、高 Ca 血症を誘発する薬剤（活性型ビタミン D_3 製剤など）との併用には注意が必要である。

特に、尋常性乾癬治療に使用される活性型ビタミン D_3 製剤は、外用であっても慎重に併用する。例えば、タカルシトール水和物（ボンアルファハイ軟膏、ローション 20 μg/g）やカルシポトリオール（ドボネックス軟膏 50 μg/g）などは、チアジド系利尿薬と併用すると、血清 Ca 値が上昇する恐れがある。

また、これらの乾癬治療薬と腎毒性のある薬剤（シクロスポリンなど；☞ **表 8-20**）を併用すると、高 Ca 血症および腎機能低下を引き起こす危険性が高くなるため、定期的に血液検査を行う必要がある。

これは、腎機能低下によってさらに血清 Ca 値が上昇し、高 Ca 血症に伴う重篤な腎機能障害（急性腎不全など）を来す恐れがあるためである。腎毒性のある薬剤（シクロスポリンなど）と高 Ca 血症を誘発する薬剤を併用する場合は、常に腎毒性の誘発に注意する（☞ **第 8 章［第 5 節］**）。

コラム 16

アセタゾラミドの作用機序

スルホンアミド系薬のアセタゾラミド（ダイアモックス）は、体内に存在する炭酸脱水酵素を阻害する作用を持ち、眼圧低下（緑内障の寛解）、中枢神経系の刺激伝達抑制（てんかん発作の抑制）、呼吸賦活（呼吸性アシドーシス、睡眠時無呼吸の改善）やメニエール病の改善（内耳水腫の除去作用）、利尿など、様々な効果を発揮する。

腎において、アセタゾラミドは、炭酸脱水酵素（$H_2CO_3 \Leftrightarrow H^+ + HCO_3^-$）を阻害し、水素イオンの供給を抑制することで、近位・遠位尿細管の Na-H 交換系（Na 再吸収・H 分泌）を抑制して利尿作用を発現する（☞ **図 3-2**）。すなわち、H^+が尿中へ移行しないために尿はアルカリ性となり、逆に体液は酸性（代謝性アシドーシス）となりやすい。尿中へのアンモニア排泄が抑制されることから※1、乳酸 Na などのアシドーシス改善薬との併用では作用が拮抗することになる。また、アシドーシスに加え、腎障害や腎・尿路結石※2も引き起こしやすい。さらに、Caの尿中排泄増加に伴うくる病や骨軟化症のほか、低K血症、骨髄抑制なども誘発することが知られている（☞ **表8-5、8-7**）。したがって、副腎皮質ホルモン、アスコルビン酸（ビタミンC）、炭酸脱水酵素阻害作用を有する薬剤（トピラマート［トピナ］）、抗てんかん薬（バルビツール酸系薬［フェノバルビタール〈フェノバール〉］、ヒダントイン系薬［フェニトイン〈アレビアチン〉］、アセチルフェネトライド［クランポール］など）との併用には注意する。また、ゾニサミド（エクセグラン［100mg錠；抗てんかん薬］、トレリーフ［25mg錠；レボドパ賦活型抗パーキンソン薬］）もスルホンアミド基を有し、アセタゾラミドの1/100の活性ではあるが炭酸脱水酵素を阻害するため、アシドーシスを起こすと考えられている。

アセタゾラミドの主な併用慎重薬

薬剤	内容
乳酸Na（乳酸Na補正液）	作用拮抗
トピラマート（トピナ）	腎・尿路結石の恐れ
抗てんかん薬、抗痙攣薬	くる病、骨軟化症の誘発（☞ **第5章［第3節］**）
副腎皮質ホルモン製剤	低K血症（☞ **表8-5、8-17**）
ビタミンC（アスコルビン酸）	結石の誘発（☞ **付E**）

※1 アセタゾラミドは肝硬変患者への投与は禁忌である。
※2 クエン酸、Mgの尿中排泄が低下し、尿中のリン酸Caの析出が増加する。

コラム17

AT_1拮抗薬と利尿薬の配合剤およびレニン阻害薬の効果

利尿薬は、Ca拮抗薬やACE阻害薬と同様に、心血管イベントの抑制効果があることがThe Antihypertensive and Lipid-Lowering Treatment to Prevent Heart Attack Trial（ALLHAT）試験で示されている（JAMA. 2002；288：2981-97.）。しかし、投与量を増やすと尿酸値上昇や糖尿病悪化などの副作用が生じる恐れがあるため、従来から高血圧症における利尿薬の使用を懸念する声が多かった。

2006年以降に発売された、AT_1拮抗薬（ロサルタンカリウム、カンデサルタンシレキセチル、バルサルタン、テルミサルタン）とサイアザイド系利尿薬（ヒドロクロロチアジド）の配合剤（プレミネント、エカード、コディオ、ミコンビ）では、1錠中の利尿薬含量が6.25～12.5mgと、単剤の用量25mgの半分から4分の1に抑えられているため、このような副作用は少ない。イルトラ（イルベサルタンとトリクロルメチアジドの配合剤）も同様である。

さらに、AT_1拮抗薬の長期投与は、アルドステロン部位でのNa再吸収を抑制するため、代償的に他の部位でのNa再吸収が亢進し体液量が増え、降圧効果が次第に減弱する欠点がある。それに対し、利尿薬は腎でのNa再吸収を抑制するため、配合剤では降圧効果が安定し、かつ増強する。このように、AT_1拮抗薬と利尿薬の配合剤は、単剤投与よりも安全性・有効性に優れた降圧薬として期待されている。

また、ACE阻害薬やAT_1拮抗薬の長期投与は、レニン-アンジオテンシン-アルドステロン（renin-angiotensin-aldosterone：RAA）系を代償的に活性化する結果、AngⅡのみならずレニン、アルドステロンの血漿濃度を上昇させ（エスケープ現象）、降圧効果を減弱させることも知られている。RAA系の律速酵素はレニンであるため、この代償性フィードバックは主にレニン上昇に起因すると考えられる。つまり、直接的レニン阻害薬のアリスキレンフマル酸塩（ラジレス）により、レニン上昇を介したエスケープ現象を回避できる可能性があり、ACE阻害薬やAT_1拮抗薬との併用療法の有用性が示唆されていた。しかしながら、その後の大規模臨床試験の結果、RA系阻害薬同士の併用には有益性が認められず副作用のリスクが増大することが明らかとなっている（☞ **表7-37、表8-5（2）、コラム69**）。また、なお、アリスキレンとフロセミド（ラシックス）との併用（空腹時）では、フロセミドのCmax 49%、AUC 28%の低下が報告されているが、その発現機序は不明である（☞ **コラム60**）。

第 5 節
尿 pH の変化

消化管吸収と同様、非イオン型薬剤はイオン型薬剤に比べ、尿細管で再吸収されやすい。そのため、尿 pH（正常尿の pH は通常 5.8 以下）が変化すると、ヘンダーソン・ハッセルバルヒ式に従ってイオン型と非イオン型の濃度が変動し、尿細管における再吸収が増減する（☞ **コラム 10**）。

具体的には、尿をアルカリ性に傾ける薬剤（尿アルカリ化剤）を服用すると、尿の pH が上昇するため、併用薬が酸性薬剤の場合は、非イオン型が減少し再吸収速度が低下する。一方、弱塩基性薬剤では非イオン型が増えるので、再吸収速度が上昇する。尿を酸性に傾ける薬剤では、全く逆となる。

このような尿 pH の変化に起因する相互作用を**表 3-5** に示す。薬物の再吸収速度が影響を受けるため、長期に投与する薬ではあまり問題とならないが、尿アルカリ化剤と弱塩基のペチジン塩酸塩（オピスタン）、メサドン（メサペイン）、キニジン硫酸塩水和物（硫酸キニジン）、メキシレチン塩酸塩（メキシチール）、メマンチン塩酸塩（メマリー）との併用では薬効増強に、また、尿酸性化剤とアセタゾラミド（ダイアモックス；スルホンアミド系；☞ **表 1-16**）との併用では薬効減弱に注意する。

なお、尿路感染症の治療に使われるヘキサミンは酸性尿（pH が 5.5 以下）中で分解され、抗菌作用を示すホルムアルデヒドを産生し薬効を示す。そのため、尿をアルカリ性に傾ける薬剤との併用で薬効が減弱するため併用禁忌である。

表 3-5　尿 pH が関わる相互作用

（1）再吸収促進（薬効増強）

	尿pHを変える薬剤	再吸収が変化する薬剤	起こり得る事象
併用慎重	尿アルカリ化剤 （ウラリット-Uなど）	オピオイド系鎮痛薬（塩基性麻薬；ペチジン［オピスタン］、メサドン［メサペイン］）	オピオイド系鎮痛薬の再吸収促進。
	尿アルカリ化剤 （制酸剤、果実ジュースなど）	キニジン （弱塩基性）	キニジン再吸収促進。血中濃度25μg/mL例（中毒域6μg以上）。服用間隔を2～3時間ずらす。
		メキシレチン（メキシチール）	メキシレチン再吸収促進。
		メマンチン （メマリー；NMDA受容体拮抗薬）	メマンチン再吸収促進。
併用注意	尿アルカリ化剤 （炭酸水素ナトリウムなど）	リスデキサンフェタミン （ビバンセ；抗ADHD薬）	活性体であるd-アンフェタミンの腎排泄が抑制され、半減期が延長。同薬は弱塩基性の薬剤であるため、アルカリ条件下では非イオン型となり再吸収促進される。

（2）再吸収低下（薬効減弱）

	尿pHを変える薬剤	再吸収が変化する薬剤	起こり得る事象
併用慎重	尿アルカリ化剤 （制酸剤：アセタゾラミドなど）	バルビツール酸系薬（フェノバルビタール［フェノバール；弱酸性］など）	乳酸Naとの併用でバルビツール酸系薬の再吸収低下。
		サリチル酸系薬（アスピリン製剤［バファリン配合錠、バイアスピリン；弱酸性］など）	アスピリン再吸収低下。
	尿酸性化剤 （塩化アンモニウムなど）	アセタゾラミド （ダイアモックス；尿中では弱塩基性）	アセタゾラミド再吸収低下。
		メキシレチン（メキシチール）	メキシレチン再吸収低下。
併用注意	尿酸性化剤 （アスコルビン酸など）	リスデキサンフェタミン （ビバンセ；抗ADHD薬）	活性体であるd-アンフェタミンの腎排泄が促進され、半減期が短縮。酸性条件下において、イオン型となるため同薬の再吸収低下。

なお、尿がアルカリ性になると弱塩基性薬剤の再吸収は促進するが、弱酸性薬剤では逆となる。

尿酸性化剤には、ビタミンC、アスピリン製剤などがある。また、尿アルカリ化剤には、水酸化Al・Mg含有剤（制酸剤など）、クエン酸Mg（マグコロール）、乳酸Na（乳酸Na補正液）、クエン酸K・Na水和物（ウラリット-U）、炭酸水素Na・Ca、チアジド系利尿薬（トリクロルメチアジド［フルイトラン］など）、炭酸脱水酵素阻害薬（アセタゾラミド［ダイアモックス］）などがある。

（3）その他

	尿pHを変える薬剤	影響を受ける薬剤	起こり得る事象
併用禁忌	炭酸水素ナトリウム（重曹）	ヘキサミン（ヘキサミン静注）	ヘキサミンは酸性尿（pH5.5以下）中で抗菌作用を発現するが、尿をアルカリ性にする薬剤は作用を減弱させる。

第 6 節
腎排泄に関わるその他の相互作用

腎排泄に関与すると考えられるその他の相互作用を**表 3-6** にまとめた。興味深い相互作用は、鉄キレート剤のデフェロキサミンメシル酸塩（デスフェラール；鉄排泄促進薬）と悪性腫瘍・炎症性疾患診断薬のクエン酸ガリウム（^{67}Ga）注射薬（放射性医薬品）との併用である。デフェロキサミンは、生体内の 3 価鉄イオンをキレートして水溶性のフェリオキサミン B（赤褐色）となり、尿から鉄の排泄を促進するが、クエン酸ガリウムとも水溶性キレートを形成して尿中排泄を促進するため、^{67}Ga のシンチグラムによる診断ができなくなる恐れがある。したがって、クエン酸ガリウムの投与前には、デフェロキサミンをあらかじめ中止しておく必要がある。

なお、腎排泄とは関係しないが、ヘキサミン（ヘキサミン）は pH5.5 以下の酸性尿において抗菌力を発揮するため、尿がアルカリ性になると作用が減弱する恐れがあり、尿アルカリ化剤（制酸剤、ウラリット -U）との併用は禁忌である。

参考

薬剤による尿着色

薬剤によっては、副作用ではないが、尿を着色するものがある。尿を着色するのみの主な薬剤をその色調別に示した。これらについては、服用前に患者に説明しておく必要がある。また、尿潜血や副作用（横紋筋融解症の場合の赤～褐色尿［☞**表 8-18**］など）との判別に注意する。

黒	メチルドパ（アルドメット）、レボドパ製剤（ドパストン）、プリマキン（プリマキン；抗マラリア薬）、含糖酸化鉄（フェジン）
赤	メトロニダゾール（フラジール）、セフジニル（セフゾン）、チペピジンヒベンズ酸塩（アスベリン）、エパルレスタット（キネダック）、センナ（アローゼン、ヨーデルS）、ダイオウ（大黄）、アンチピリン、フェニトイン（アレビアチン）、フェノバリン（販売中止）、チメピジウム臭化物水和物（セスデン）、デフェロキサミンメシル酸塩（デスフェラール；鉄排泄促進剤）、エンタカポン（コムタン）
黄～黄赤	サラゾスルファピリジン（サラゾピリン）
青	インジゴカルミン（インジゴカルミン；腎機能検査注射剤）、エグアレン（アズロキサ）
青緑	トリアムテレン（トリテレン）
青緑黄	ビタミンB_2類（リボフラビン、FAD、FMN）、メトカルバモール（ロバキシン）
黄	カルバゾクロムスルホン酸Na（アドナ）
黄緑	フルタミド（オダイン）
橙	クロルゾキサゾン（クロルゾキサゾン）
無色	人工着色料

3
腎排泄

表 3-6　腎排泄に関わるその他の相互作用

（1）腎排泄抑制（薬効増強）

	腎排泄を阻害する薬剤	排泄阻害を受ける薬剤	起こり得る事象
併用慎重	オメプラゾール（オメプラゾン）	ジアゼパム（セルシン）、フェニトイン（アレビアチン）、ワルファリン（ワーファリン）	肝代謝抑制も関与。
	プロベネシド（ベネシッド）	ガンシクロビル（デノシン）、バルガンシクロビル（バリキサ；ガンシクロビルのプロドラッグ）	おそらくプロベネシドによる腎分泌阻害作用（☞ **表4-33**）。
	甲状腺ホルモン製剤（レボチロキシン[チラーヂンS]）、抗甲状腺薬（チアマゾール[メルカゾール]、プロピルチオウラシル[チウラジール]）	ジギタリス製剤（ジゴキシン[ジゴシン]、メチルジゴキシン[ラニラピッド]）	ジゴキシンの作用増減、甲状腺機能低下（亢進）でジゴキシンの排泄抑制（促進）。甲状腺ホルモン低下によるジギタリス中毒誘発に注意。甲状腺ホルモンによるP-gp誘導で腎排泄促進の可能性も（☞ **表4-29**）。
	ジアゼパム（セルシン）	ジギタリス製剤	ジゴキシン作用増強。
	トラゾドン（デジレル）	ジギタリス製剤	ジギタリス中毒症状（吐き気など）。ジゴキシン血中濃度2.8ng/mL（治療域は2ng/mL以下）。
	利尿薬（チアジド系薬、カリウム保持性）	アマンタジン（シンメトレル）	アマンタジンの副作用（錯乱、幻覚、失調、ミオクローヌスなど）が増強（機序不明）。利尿薬によるアマンタジンの腎分泌抑制か？
	ヒドロクロロチアジド（ニュートライド）	トピラマート（トピナ；抗てんかん薬）	トピラマート$AUC_{0\text{-}12h}$が29%上昇。機序不明だが両剤ともに主に腎排泄型。
	トピラマート（トピナ）	メトホルミン（メトグルコ）	メトホルミン$AUC_{0\text{-}12h}$が25%上昇。機序不明だが両剤ともに主に腎排泄型。
	メトロニダゾール（フラジール）	炭酸リチウム（リーマス）	Li中毒（血中濃度上昇）。機序不明。
	ヨード造影剤（イオパミドール[イオパミロン]、イオヘキソール[オムニパーク]、イオメプロール[イオメロン]など）	メトホルミン（メトグルコ）	乳酸アシドーシス誘発。造影剤による腎機能低下作用によりメトホルミン腎排泄低下の可能性。造影剤併用時はメトホルミン投与を一時的に中止（ただし緊急造影検査時は除く）。抗菌薬併用時はメトホルミン投与を一時的に減量・中止するなど適切な処置を行う。

（2）腎排泄促進（薬効減弱）

	腎排泄を促進する薬剤	排泄促進を受ける薬剤	起こり得る事象
併用慎重	副腎皮質ホルモン製剤	サリチル酸系薬（バファリン配合錠など）	コルチゾン中止時にサリチル酸血中濃度3.4倍に上昇。副腎皮質ホルモン製剤は糸球体濾過を促進する可能性がある。肝代謝促進（誘導）も関与（☞ **表5-52**）。
		フェニルブタゾン★	オキシ型の排泄増加。肝代謝促進（誘導）も関与。逆に、フェニルブタゾンの酵素誘導でコルチゾンの作用減弱の可能性。
	デフェロキサミン注射薬（デスフェラール;鉄排泄剤／鉄キレート剤）	クエン酸ガリウム（^{67}Ga）注射薬（放射性医薬品／悪性腫瘍・炎症性疾患診断薬）	Ga尿中排泄促進（診断不能となる恐れ）。デフェロキサミンとクエン酸ガリウムがキレートを形成し、急速に尿中に排泄されるため、ガリウムによるシンチグラムが得られない。クエン酸ガリウム投与前にはデフェロキサミン投与をあらかじめ中止。
	リファンピシン（リファジンなど）	リネゾリド（ザイボックス；オキサゾリジノン系抗菌薬）	Cmax、AUCがそれぞれ21%、32%低下。機序不明。リネゾリドはCYP450で代謝されず主に尿中排泄。
	メマンチン（メマリー；NMDA受容体拮抗薬）	ヒドロクロロチアジド（ニュートライド）	ヒドロクロロチアジドCmax、AUCが約80%低下。機序不明だが、両剤ともに主に腎排泄型。
	シプロフロキサシン（シプロキサン）	フェニトイン（アレビアチン）	10日間の併用でフェニトイン血中濃度が6.2%に低下。94%低下した例も。機序不明だが、フェニトインは腎排泄型であり、フェニトインの尿細管からの再吸収をシプロフロキサシンが阻害するとの報告（動物実験）。

いずれも併用慎重。　★ 販売中止

第４章 薬物トランスポーター

薬物トランスポーターは、薬物の吸収、分布、排泄などの過程で重要な役割を担っており、その阻害・誘導に起因する相互作用が多数報告されている。発現部位と機能に焦点を当てながら、トランスポーターが関与する相互作用について解説する。

生体膜に存在し、薬物の輸送を行う酵素を「薬物トランスポーター」という。トランスポーターの構造・機能は多岐にわたり、薬物の吸収、分布、排泄などの過程で極めて重要な働きを持つ。

近年、種々のトランスポーターの分子レベルでの解析が進むにしたがって、各臓器でトランスポーターを介して起こる様々な薬物相互作用の可能性が推測できるようになってきた。第４章ではまず、代表的な薬物トランスポーターを①ABCトランスポーター、②有機イオントランスポーター（SLCトランスポーター）、③ペプチドトランスポーター（PEPT）――の３つに大きく分類し、その局在、機能、役割を概説する（**表4-1～4-3**）。以降は、トランスポーターが関与する相互作用について、第２節：消化管吸収、第３節：血液組織関門（血液脳関門［BBB］、血液胎盤関門）、第４節：肝分布・胆汁中排泄、第５節：腎排泄――の順に詳しくみていく。

図4-1　トランスポーターの発現部位と機能

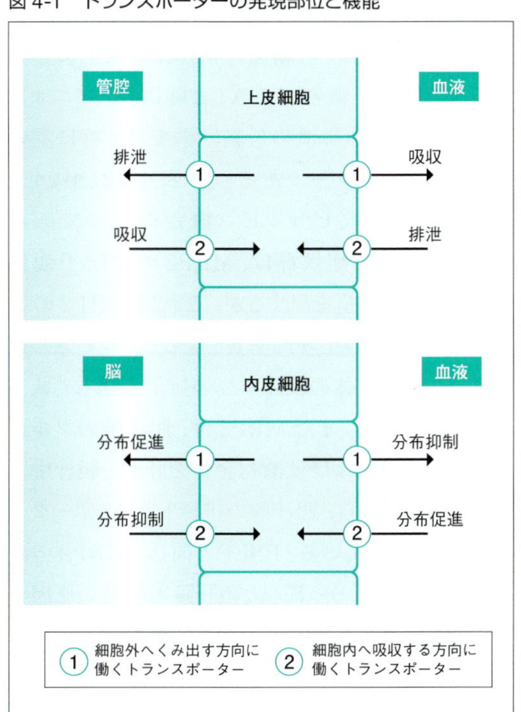

第１節 トランスポーターの分類

トランスポーターをその機能から分類すると、薬物を①細胞外へくみ出す（排出する）もの、②細胞内へ吸収するもの――の２種類に分けられる（**図4-1**）。①はABCトランスポーターとMATE（☞**コラム18**）、②はSLCトランスポーターとPEPTが当てはまる。

生体内における薬物トランスポーターの役割を理解するためには、まず、各トランスポーターが細胞膜の血液側と管腔側（組織側など）のどちらに発現しているのかを把握することが重要である。すなわち、①の働きを持つトランスポーターが消化管上皮細胞や尿細管上皮細胞、肝細胞などの管腔（消化管、尿細管、胆管）側の細胞膜上に存在すれば、細胞に移行した薬物を管腔へ排出することになり、薬物の体外への排泄や消化管吸収バリア（吸収抑制）として機能することになる。逆に、①のトランスポーターが血液側膜上に発現すれば、細胞から血液中への薬物移行（吸収増加）に働くことになる。

一方、②のトランスポーターが管腔（消化管、尿細管、胆管）側の細胞膜上に存在すれば、薬剤の管腔から細胞内への移行に働き、消化管吸収・尿細管再吸収を媒介することになるが、血液側膜上に発現すれば、血液から細胞内への移行に働き、薬物の消化管・尿細管排泄（分泌）や臓器分布を促進することになる。

BBBにおいても、脳毛細血管内皮細胞の血液側膜に①のタイプのトランスポーターが存在すれば、脳分布が抑制されるが、脳細胞側膜に存在すれば、逆に脳移行を促進することになる。

このように、トランスポーターが血液側膜または管腔側膜・脳細胞側膜のどちら側に発現するかによって、トランスポーターの役割は逆になる。

❶ ABCトランスポーター（ABCB、ABCC）

ABCトランスポーターは、生体内のATPの加水分解エネルギーを利用して、細胞内から細胞外へ薬物をくみ出す膜酵素群である。抗癌剤を代表とする薬剤への耐性化の原因タンパク質として発見された（☞**図4-5**）。

このファミリーには、P糖タンパク質（P-gp、別名MDR1、ABCB1）や、多剤耐性関連タンパク質（MRP）ファミリー（MRP1～6、別名ABCC1～6）、胆汁酸塩排泄トランスポーター（BSEP、別名ABCB11）などが属している（**表4-1**）。P-gpの基質認識特異性は極めて広く、中性・カチオン（陽イオン）性の高脂溶性薬剤を代表的な基質とする（☞**表4-10**）。これに対して、MRPファミリーはアニオン（陰イオン）性の高脂溶性薬剤（各種抱合体も含む）を基質とする。代表的なP-gp阻害薬には、イトラコナゾール（イトリゾール）、ベラパミル塩酸塩（ワソラン）、アミオダロン塩酸塩（アンカロン）、キニジン硫酸塩水和物（硫酸キニジン）、タクロリムス水和物（プログラフ）、シクロスポリン（サンディミュン、ネオーラル）、14員環マクロライド系薬（エリスロマイシン［エリスロシン］）などがあり、またMRPの阻害薬としては、プロベネシド（ベネシッド）などが知られている。

P-gpおよびMRP2は、消化管・尿細管上皮細胞と肝細胞においては、細胞膜の管腔（消化管、尿細管、胆管）側膜上に発現しているため、細胞から管腔への薬物排出に働く。一方、脳毛細血管内皮細胞（BBB）では血液側膜に発現し、細胞から薬物を血液中にくみ出す、脳移行のバリアとして働いている。

すなわち、P-gpおよびMRP2は、①小腸における吸収のバリア（吸収抑制）、②肝・腎における薬物の胆汁中・尿中排泄促進、③血液組織関門（BBB、血液胎盤関門など）における薬物の組織分布抑制――において薬動態学的に重要な役割を担っている。そのため、ABCトランスポーターの阻害は、薬物の血中濃度上昇（薬効増強）や、脳内移行の促進（中枢性作用・副作用増強：☞**表4-16**）、胎盤移行の促進を招くと考えられる。

MRPの中では、肝細胞の胆管腔側膜上に存在するMRP2は、別名cMOATと呼ばれ、アニオン性薬剤の胆汁中排泄の最終段階で働く特に重要なトランスポーターである（☞**表4-22、4-24**）。ヒトの先天性高ビリルビン血症の一つであるDubin-Johnson症候群は、MRP2の遺伝子変異により発症し黄疸を呈するが、これはMRP2の欠損によって、その生理的基質となるビリルビンのグルクロン酸抱合体の胆汁中への排泄が著しく低下するためである。またMRP2は、胆汁酸のグルクロン酸抱合体および硫酸抱合体を肝から胆汁中に排泄することから、胆汁酸の排泄トランスポーターとしても知られている。BSEPと同様、MRP2の阻害が薬剤性胆汁うっ滞などの肝障害誘発の原因の一つであると考えられている（☞**表4-24**）。

MRP2の阻害薬として、グリベンクラミド（オイグルコン）やシクロスポリン（サンディミュン、ネ

表 4-1　ABC トランスポーターの分類

トランスポーター名（カッコ内は別名）	阻害薬と代表的な基質	局在、役割など（細胞内から細胞外へくみ出す）
1）**P-gp**（P糖タンパク質、MDR1；ABCB1）	【阻害薬】 アミオダロン（アンカロン）、カプトプリル（カプトリル）、ベラパミル（ワソラン）、カルベジロール（アーチスト）、アジスロマイシン（ジスロマック）、クラリスロマイシン（クラリシッド、クラリス）、エリスロマイシン（エリスロシン）、シクロスポリン（サンディミュン、ネオーラル）、ジルチアゼム（ヘルベッサー）、フェロジピン（ムノバール）、イトラコナゾール（イトリゾール）、ケトコナゾール★、ロピナビル・リトナビル（カレトラ）、リトナビル（ノービア）、抗HCV薬（パリタプレビル★、エルバスビル★）、グレカプレビル・ピブレンタスビル（マヴィレト配合錠）、ケルセチン（フラボノイドの一種）、キニジン（硫酸キニジン）、ヒドロキシクロロキン（プラケニル；免疫調整薬）、ポサコナゾール（ノクサフィル）（腸管での阻害作用の可能性）、チカグレロル（ブリリンタ；抗血小板薬）、バンデタニブ※4（カプレルサ）、オシメルチニブ※4（タグリッソ）、カプマチニブ※4（タブレクタ）、テポチニブ※4（テプミトコ）、ベネトクラクス※4（ベネクレクスタ）、アベマシクリブ※4（ベージニオ）、ロミタピド（ジャクスタピッド；高コレステロール血症治療薬）、ベルパタスビル（エプクルーサ配合錠；抗HCV薬）など 【基質；中性・カチオン（陽イオン）性高脂溶性薬剤（☞ **表4-10**）】 アリスキレン（ラジレス）、アンブリセンタン（ヴォリブリス）、コルヒチン（コルヒチン）、ダビガトラン（プラザキサ）、チカグレロル（ブリリンタ；抗血小板薬）、活性化第Ⅹ因子（FXa）阻害薬（リバーロキサバン［イグザレルト］、アピキサバン［エリキュース］）、ジゴキシン（ジゴシン）、エベロリムス（アフィニトール、サーティカン）、フェキソフェナジン（アレグラ）、ニロチニブ（タシグナ）、シロリムス（ラパリムス）、シタグリプチン（グラクティブ、ジャヌビア）、サキサグリプチン（オングリザ）、マラビロク（シーエルセントリ）、トルバプタン（サムスカ）、ノギテカン※1（ハイカムチン）、抗HCV薬（パリタプレビル・リトナビル・オムタスビル★）、ポサコナゾール［ノクサフィル］、グラゾプレビル★、エルバスビル★、チカグレロル［ブリリンタ］）、セレキシパグ（ウプトラビ；肺動脈性高血圧症治療薬）、ミラベグロン（ベタニス）、アトルバスタチン（リピトール）、グレカプレビル・ピブレンタスビル（マヴィレット配合薬）、テノホビル（スタリビルド配合錠）、ベルパタスビル（エプクルーサ配合錠；抗HCV薬）、レテルモビル（プレバイミス；抗CMV薬）など 分子標的治療薬※4（イマチニブ［グリベック］、ラパチニブ［タイケルブ］、ギルテリチニブ［ゾスパタ］、エヌトレクチニブ［ロズリートレク］、アカラブルチニブ［カルケンス］、チラブルチニブ［ベレキシブル］、ダブラフェニブ［タフィンラー］、エンコラフェニブ［ビラフトビ］、カプマチニブ［タブレクタ］、テポチニブ［テプミトコ］、ベネトクラクス［ベネクレクスタ］、オラパリブ［リムパーザ］、ロミデプシン［イストダックス］、ラロトレクチニブ［ヴァイトラックビ］） 【誘導薬】 カルバマゼピン（テグレトール）、フェニトイン（アレビアチン）、リファンピシン（リファジン）、ロルラチニブ（ローブレナ）、SJWなど	① 消化管・腎尿細管上皮細胞の管腔側膜：消化管吸収抑制（吸収バリア）、尿細管分泌（排泄促進）（☞ **表4-11、4-13、4-28**）。 ② 肝細胞の胆管側膜：胆汁中排泄促進（☞ **表4-21、4-22**）。 ③ BBB（脳毛細血管内皮細胞）、血液胎盤関門（胎盤トロホブラスト細胞）の血液側膜：脳、胎盤分布抑制（血液組織関門バリア（☞ **表4-16**）。

表 4-1（つづき） ABC トランスポーターの分類

トランスポーター名（カッコ内は別名）	阻害薬と代表的な基質	局在、役割など（細胞内から細胞外へくみ出す）
2）MRP（多剤耐性関連タンパク質）ファミリー： MRP1～6（ABCC1～6）	【阻害薬】 ・MRP阻害薬：プロベネシド（ベネシッド）、バニプレビル★ ・MRP2阻害薬：シメプレビル★、シクロスポリン（サンディミュン、ネオーラル）、グリベンクラミド（オイグルコン）など（☞**表4-24**） 【基質；アニオン（陰イオン）性高脂溶性薬剤（抱合体を含む）】 ・グルタチオン抱合体：アントラサイクリン系薬（ダウノルビシン［ダウノマイシン］；抗癌剤）、ビンカアルカロイド系（ビンクリスチン［オンコビン］；抗癌剤）、メトトレキサート（メソトレキセート、リウマトレックス）、ベラパミル（ワソラン）、ラロキシフェン（エビスタ；抱合体および本体）など ・グルクロン酸抱合体：ビリルビン、グリチルリチン（酸）、NSAIDs、エトポシド（ベプシド；抗癌剤）、胆汁酸など ・硫酸抱合体：トログリタゾン★、胆汁酸など ・抗菌薬、抗ウイルス薬：リファンピシン（リファジン）、ペニシリン系薬（アンピシリン［ビクシリン］）、セフェム系薬（セフトリアキソン［ロセフィン］、セフォジジム［ケニセフ］）、マクロライド系薬（エリスロマイシン［エリスロシン］、アジスロマイシン［ジスロマック］など）、キノロン系薬（オフロキサシン［タリビッド］、パズフロキサシン［パシル、パズクロス］、スパルフロキサシン★など）、HIVプロテアーゼ阻害薬（リトナビル［ノービア］、インジナビル★）、ジドブジン（レトロビル） ・抗てんかん薬：フェニトイン（アレビアチン）、バルプロ酸（デパケン）、カルバマゼピン（テグレトール） ・抗癌剤：メトトレキサート（メソトレキセート、リウマトレックス）、シスプラチン（ランダ、ブリプラチン）、SN-38（イリノテカン［カンプト、トポテシン］の活性代謝物）、タキソイド系、エトポシド（ベプシド）、ビンブラスチン（エクザール）など ・その他：グリベンクラミド（オイグルコン）、プラバスタチン（メバロチン）、アゼルニジピン（カルブロック）、ラロキシフェン（エビスタ）、フルオレセイン（フルオレサイト；蛍光眼底造影剤）、テモカプリル（エースコール）、AT_1拮抗薬（テルミサルタン［ミカルディス］、オルメサルタン［オルメテック］、バルサルタン［ディオバン］）、カナグリフロジン（カナグル；SGLT2阻害薬） ・炎症誘発物質：ロイコトリエンC_4（LTC_4）、プロスタグランジン（PG）、過酸化脂質分解産物（aldehyde 4-hydrooxynonenalなど）	MRP1（いずれも血液側膜） ① 消化管・尿細管上皮細胞：消化管吸収促進、尿細管再吸収促進。 ② 脈絡叢上皮細胞：髄液中への分布抑制（バリア）。 ③ BBB（脳毛細血管内皮細胞）：脳分布抑制。 ④ 肝細胞の血液側膜：血中移行促進（各抱合体の尿中排泄促進、薬物解毒に関与）。 MRP2 ① 消化管・腎尿細管上皮細胞の管腔側膜：消化管吸収低下（吸収バリア）、尿細管分泌（排泄）促進（再吸収を阻止するバリア）。 ② 肝細胞の胆管側膜：胆汁中排泄促進。 ③ BBB（脳毛細血管内皮細胞）の血液側膜：脳分布抑制。 MRP3 ① 小腸上皮細胞の血液側膜：吸収促進（血中移行促進）。 ② 胆汁うっ滞時に肝細胞の胆管側膜に誘導：胆汁酸の胆汁中排泄促進 ③ 肝細胞の血液側膜：抱合胆汁酸の毒物（過酸化脂質分解産物、LT、PGなど）の血中移行促進（☞**コラム28**）。

表4-1（つづき）　ABCトランスポーターの分類

トランスポーター名（カッコ内は別名）	阻害薬と代表的な基質	局在、役割など（細胞内から細胞外へくみ出す）
3）**BSEP**（**胆汁酸塩排泄トランスポーター、**ABCB11）	【阻害薬】 抗HCV薬（シメプレビル★、バニプレビル★）シクロスポリン（サンディミュン、ネオーラル）、グリベンクラミド（オイグルコン）、ボセンタン（トラクリア）、ロサルタン（ニューロタン）、プラバスタチン（メバロチン）、フルバスタチン（ローコール）など（☞**表4-24**） 【基質】 1価（次）胆汁酸※2（タウロコール酸、タウロケノデオキシコール酸、タウロウルソデオキシコール酸、コール酸、グリココール酸など）	・肝細胞の胆管側膜：胆汁酸を肝から胆汁中へ排泄。 ・BSEP阻害では胆汁酸が肝に過剰蓄積し、肝障害を誘発（☞**表4-24**）。
4）**BCRP**（**乳癌耐性タンパク質**、ABCG2）	【阻害薬】 アゾール系薬※3（ケトコナゾール［経口薬・注射剤未発売］、イトラコナゾール［イトリゾール］）、HIVプロテアーゼ阻害薬※3、シクロスポリン（サンディミュン、ネオーラル）、エルトロンボパグ（レボレード）、分子標的治療薬※4（ゲフィチニブ［イレッサ］、ラパチニブ［タイケルブ］、アファチニブ［ジオトリフ］、アレクチニブ［アレセンサ］、パゾパニブ［ヴォトリエント］、ルキソリチニブ［ジャカビ］、レゴラフェニブ［スチバーガ］、レンバチニブ［レンビマ］、バンデタニブ［カプレルサ］、オシメルチニブ［タグリッソ］、エヌトレクチニブ［ロズリートレク］、アカラブルチニブ［カルケンス］、ダブラフェニブ［タフィンラー］、カプマチニブ［タブレクタ］、アベマシクリブ［ベージニオ］、エンコラフェニブ［ビラフトビ］、ベネトクラクス［ベネクレクスタ］）、前立腺癌治療薬（エンザルタミド［イクスタンジ］、ダロルタミド［ニュベクオ］）、抗HCV薬（ダクラタスビル★、リトナビル・パリタプレビル★、グラゾプレビル★、エルバスビル★、グレカプレビル［マヴィレット配合錠］）、腎性貧血治療薬（ロキサデュスタット［エベレンゾ］、バダデュスタット［バフセオ］）、ベルパタスビル（エプクルーサ配合錠）、ベルパタスビル（エプクルーサ配合錠）、レテルモビル（プレバイミス；抗CMV薬）など 【基質】 分子標的治療薬※4（ラパチニブ［タイケルブ］、アファチニブ［ジオトリフ］、パゾパニブ［ヴォトリエント］、ボスチニブ［ボシュリフ］、レゴラフェニブ［スチバーガ］、レンバチニブ［レンビマ］、エヌトレクチニブ［ロズリートレク］、アカラブルチニブ［カルケンス］、ダブラフェニブ［タフィンラー］、ベネトクラクス［ベネクレクスタ］、ラロトレクチニブ［ヴァイトラックビ］）、抗癌剤（ノギテカン※5［ハイカムチン］、メトトレキサート［メソトレキセート、リウマトレックス］、ミトキサントロン［ノバントロン；アントラサイクリン系］）、スタチン系薬（アトルバスタチン［リピトール］、ロスバスタチン［クレストール］、ピタバスタチン［リバロ］）、活性化第X因子（FXa）阻害薬（リバーロキサバン［イグザレルト］、アピキサバン［エリキュース］）、プラゾシン（ミニプレス）、エルトロンボパグ（レボレード；TPO受容体作動薬）、抗HCV薬（ソホスブビル［ソバルディ］、レジパスビル・ソホスブビル［ハーボニー配合錠］、パリタプレビル）、グレカプレビル［マヴィレット配合錠］）、SGLT2阻害薬：カナグリフロジン（カナグル）、エンパグリフロジン（ジャディアンス）、リオシグアト（アデムパス；可溶性グアニル酸シクラーゼ刺激薬；肺高血圧症治療薬）、ロキサデュスタット（エベレンゾ；腎性貧血治療薬）、尿酸、テノホビル（スタリビルド配合錠）、ベルパタスビル（エプクルーサ配合錠）、レテルモビル（プレバイミス；抗CMV薬）	・肺癌などの多くの腫瘍に発現。消化管・腎尿細管上皮細胞の管腔側膜、肝細胞の胆管側膜、BBBに存在。 ・消化管上皮細胞のBCRPは尿酸の消化管排泄促進（BCRP機能低下により高尿酸血症誘発）。 ・相互作用ではエルトロンボパグ（OATP2/BCRP阻害薬）とロスバスタチン（OATP2とBCRPの双方の基質）との併用によるロスバスタチン血中濃度上昇などがある。おそらく主に肝BCRP阻害（☞**表4-23**）、肝OATP2阻害（☞**表4-20**）によるロスバスタチンの胆汁中排泄と肝分布の抑制が関与。

（参考：P-gpの阻害薬、基質、誘導薬は米国医薬食品局［FDA］の製薬企業向けドラフトガイダンス［2012年2月］）

★ 販売中止または国内未発売

※1　国際的一般名はトポテカン。

※2　胆汁酸（コール酸、ケノデオキシコール酸）の多くは、肝臓内でタウリン抱合やグリシン抱合を受けて、それぞれタウロ型やグリコ型の一次胆汁酸となる。BSEPにより胆汁中へ排泄された一次胆汁酸の一部は、腸内細菌によって脱抱合、水酸化され二次胆汁酸であるデオキシコール酸、リトコール酸となる。腸内に分泌された胆汁酸のほとんど（98～99%）が回腸から吸収され肝臓へ戻る（腸肝循環）。

※3　リオシグアトの添付文書による。

※4　分子標的治療薬の相互作用については**付録C 表S-8**参照。

表 4-2　有機イオントランスポーターの分類

	トランスポーター名（カッコ内は別名）	阻害薬と代表的な基質	局在、役割など（細胞内へ吸収の方向）
カチオントランスポーター	1）**有機カチオントランスポーター（OCT）ファミリー**：OCT1～3	【阻害薬】 キニーネ OCT2：シメチジン（タガメット）、キニジン、ダブラフェニブ※4（タフィンラー）、エンコラフェニブ※4（ビラフトビ）、ビクテグラビル（ビクタルビ配合錠：抗HIV薬）、ドルテグラビル（テビケイ；抗HIV薬）、バンデタニブ※4（カプレルサ） 【OCT2の基質；カチオン（陽イオン）性低脂溶性薬剤】 アマンタジン（シンメトレル）、シメチジン（タガメット）、ドパミン、ファモチジン（ガスター）、メマンチン（メマリー）、メトホルミン（メトグルコ）、ピンドロール（カルビスケン）、プロカインアミド（アミサリン）、ラニチジン（ザンタック）、バレニクリン（チャンピックス）、オキサリプラチン（エルプラット）	① OCT2、OCT3は腎尿細管上皮細胞の血液側膜：尿細管分泌促進（☞ **表4-30、4-31**）。 ② OCT1、OCT3は肝細胞の血液側膜：血液から肝細胞への取り込み促進。
	2）**カルニチン有機カチオントランスポーター（OCTN）ファミリー**：OCTN1・OCTN2（腎、腸）※1	【阻害薬】 ☞ **表4-8c** 【基質】 カルニチン、スルピリド（ドグマチール）、キニジン（硫酸キニジン）、ベラパミル（ワソラン）など	① カルニチンの腎尿細管再吸収促進。 ② 腎尿細管上皮細胞の管腔側膜：尿細管分泌促進。 ③ 消化管上皮細胞の管腔側膜；吸収促進。
アニオントランスポーター	1）**有機アニオントランスポーター（OAT、SLC22）ファミリー**：OAT1～4、URAT1	【阻害薬】 OAT1/3：プロベネシド（ベネシッド）、ファビピラビル（アビガン；抗インフルエンザ治療薬）および代謝物、ダブラフェニブ※4（タフィンラー）、エンコラフェニブ※4（ビラフトビ） OAT2：☞ **表4-20（4）** OAT3：シメチジン（タガメット）、ジクロフェナク（ボルタレン）、バダデュスタット（バフセオ；腎性貧血治療薬）およびそのO-グルクロン酸抱合体 【基質；アニオン（陰イオン）性低脂溶性薬剤】 OAT1：アデホビル（ヘプセラ）、カプトプリル（カプトリル）、フロセミド（ラシックス）、ラミブジン（ゼフィックス）、メトトレキサート（メソトレキセート、リウマトレックス）、オセルタミビル（タミフル）、テノホビル（テノゼット）、ザルシタビン★、ジドブジン（レトロビル）、尿酸、腎性貧血治療薬（ロキサデュスタット［エベレンゾ］、バダデュスタット［バフセオ］） OAT2：☞ **表4-20（4）** OAT3：アシクロビル（ゾビラックス）、ブメタニド（ルネトロン）、シプロフロキサシン（シプロキサン）、ファモチジン（ガスター）、フロセミド（ラシックス）、メトトレキサート（メソトレキセート、リウマトレックス）、ジドブジン（レトロビル）、オセルタミビル（タミフル）、ペニシリンG、プラバスタチン（メバロチン）、ロスバスタチン（クレストール）、シタグリプチン（ジャヌビア、グラクティブ）、尿酸、腎性貧血治療薬（ロキサデュスタット［エベレンゾ］、バダデュスタット［バフセオ］およびそのO-グルクロン酸抱合体） 【URAT1の基質】 尿酸、オキシプリノール、サリチル酸	・OAT1、OAT3は腎尿細管上皮細胞の血液側膜：尿細管分泌促進、尿酸分泌促進。 ・OAT2、OAT4は腎尿細管上皮細胞の管腔側膜、OAT2は主に肝細胞の血液側膜、URAT1は近位尿細管上皮細胞の管腔側膜：尿細管再吸収促進（☞ **表4-33、4-34、4-35**）。

★ 販売中止または国内未発売

※1　OCTN2は腎尿細管再吸収（細胞内への吸収方向）にも分泌（細胞外への排泄方向）にも働くと考えられている。
※2　フェキソフェナジンはOATP-A（OATP1A2）に基質特異性が高いことが示されている（in vitro）（☞ **表4-15**）。
※3　エストロン（エストロゲン製剤）、エストラジオール17β-グルクロン酸、アルドステロン、ジゴキシンはOATP2の基質にならない。
※4　分子標的治療薬の相互作用については**付録C 表S-8**参照。
※5　OATP2の基質にもなる。

表 4-2（つづき）　有機イオントランスポーターの分類

	2）**OATPファミリー**	アニオン（陰イオン）性高脂溶性薬剤	
アニオントランスポーター	**OATPs** （OATP-A ～ F）	【阻害飲食物】 果実ジュース 【基質】 フェキソフェナジン※2（アレグラ）、甲状腺ホルモン、ステロイド系薬（ジゴキシン［ジゴシン］、胆汁酸、アルドステロンなど）、ステロイド抱合体（デヒドロエピアンドロステロン［アンドロゲン］、エストロン［エストロゲン］、エストラジオール17 β-グルクロン酸など）、プロスタノイド（TXA_2、PGE_1、PGE_2、LTC_4など）	・OATPsは消化管粘膜上皮細胞の管腔側膜：消化管吸収促進。果実ジュースはOATPsを強く阻害する。 ・OATP-B（OATP2B1）はヒトの消化管粘膜上皮細胞に存在し、アニオン性化合物の吸収に重要であると考えられている。
	トランスポーター名 （カッコ内は別名）	阻害薬と代表的な基質	局在、役割など （細胞内へ吸収の方向）
アニオントランスポーター	**OATP2**※3 （OATP-C、OATP1B1、LST1）	【阻害薬】 HIVプロテアーゼ阻害薬、シクロスポリン（サンディミュン、ネオーラル）、ゲムフィブロジル★、リファンピシン（リファジン）、クロピドグレル（プラビックス）、分子標的治療薬※4（ラパチニブ［タイケルブ］、パゾパニブ［ヴォトリエント］）、エヌトレクチニブ（ロズリートレク）、ダブラフェニブ（タフィンラー）、オラパリブ（リムパーザ）、エンコラフェニブ（ビラフトビ）、ベネトクラクス（ベネクレクスタ）、前立腺癌治療薬（アビラテロン［ザイティガ］、ダロルタミド［ニュベクオ］）、カバジタキセル（ジェブタナ点滴静注；タキソイド系抗悪性腫瘍薬）、エルトロンボパグ（レボレード；TPO受容体作動薬）、抗HCV薬（テラプレビル★、シメプレビル★、アスナプレビル★、ダクラタスビル★、パリタプレビル★、グレカプレビル・ピブレンタスビル［マヴィレット配合錠］）、サクビトリル（エンレスト；アンジオテンシン受容体ネプリライシン阻害薬）、Sacubitrilat（サクビトリル活性代謝物）、ロキサデュスタット（エベレンゾ；腎性貧血治療薬）、レテルモビル（プレバイミス；抗CMV薬）、ベルパタスビル（エプクルーサ配合錠；抗HCV薬） 【基質】 ペマフィブラート（パルモディア；フィブラート系薬）、スタチン系薬、エゼチミブ（ゼチーア）、グリベンクラミド（オイグルコン）、ボセンタン（トラクリア；非選択的ET拮抗薬）、アンブリセンタン（ヴォリブリス；選択的ET_A拮抗薬）、バルサルタン（ディオバン）、Sacubitrilat（サクビトリル活性代謝物）、オルメサルタン（オルメテック）、甲状腺ホルモン、マクロライド系薬（エリスロマイシン［エリスロシン］）、リファンピシン（リファジン）、速効型インスリン分泌促進薬（レパグリニド［シュアポスト］、ナテグリニド［スターシス、ファスティック］）、メトトレキサート（メソトレキセート、リウマトレックス）、エンパグリフロジン（ジャディアンス；SGLT2阻害薬）、胆汁酸、デヒドロエピアンドロス　テロン（アンドロゲン）、ビリルビン、抗HCV薬（テラプレビル★、シメプレビル★、アスナプレビル★、バニプレビル★、パリタプレビル★、グラゾプレビル★、グレカプレビル［マヴィレット配合錠］）、カスポファンギン（カンサイダス；キャンディン系薬）、ACE阻害薬（エナラプリル［レニベース］、テモカプリル［エースコール］）、フェキソフェナジン（アレグラ）、SN-38（イリノテカン活性代謝物）、ロキサデュスタット（エベレンゾ；腎性貧血治療薬）、チラブルチニブ※4（ベレキシブル）、セレキシパグ（ウプトラビ；肺動脈性高血圧症治療薬）、レテルモビル（プレバイミス；抗CMV薬）	・OATP2は肝細胞の血液側膜に特異的に発現：血液から肝細胞への取り込み促進（肝分布促進）（☞**表4-20**）。

	OATP8 （OATP1B3、LST2）	**【阻害薬】** HIV プロテアーゼ阻害薬、シクロスポリン（サンディミュン、ネオーラル）、リファンピシン（リファジン）、抗HCV薬（アスナプレビル★、ダクラタスビル★、パリタプレビル★、グレカプレビル［マヴィレット配合錠］、ベルパタスビル［エプクルーサ配合錠］）、ダロルタミド（ニュベクオ；前立腺癌治療薬）、サクビトリル（エンレスト）、Sacubitrilat（サクビトリル活性代謝物）、ダブラフェニブ※4（タフィンラー）、エンコラフェニブ※4（ビラフトビ）、レテルモビル（プレバイミス；抗CMV薬） **【基質】** ジゴキシン、ペマフィブラート（パルモディア；フィブラート系薬）、コレシストキニンオクタペプチド（CCK-8）、テストステロン、テルミサルタン（ミカルディス）、バルサルタン※5（ディオバン）、Sacubitrilat（サクビトリル活性代謝物）、オルメサルタン※5（オルメテック）、エナラプリル（レニベース）、アンブリセンタン※5（ヴォリブリス）、ボセンタン（トラクリア）、メトトレキサート※5（メソトレキセート、リウマトレックス）、タキソイド系薬（ドセタキセル［タキソテール］、パクリタキセル［タキソール］）、イマチニブ※4（グリベック）、チラブルチニブ※4（ベレキシブル）、SN-38（イリノテカン［カンプト］活性代謝物）、エンパグリフロジン（ジャディアンス；SGLT2阻害）、グリベンクラミド（オイグルコン、ダオニール）、ナテグリニド（スターシス、ファスティック）、スタチン系薬（アトルバスタチン［リピトール］、ロスバスタチン［クレストール］、ピタバスタチン［リバロ］）、抗HCV薬（バニプレビル★、パリタプレビル★、グラゾプレビル★、グレカプレビル［マヴィレット配合錠］）、マクロライド系薬（エリスロマイシン［エリスロシン］）、フェキソフェナジン（アレグラ）、セレキシパグ（ウプトラビ；肺動脈性高血圧症治療薬）、レテルモビル（プレバイミス；抗CMV薬）	・OATP2と同様に肝細胞の血液側膜に特異的に発現：血液から肝細胞への取り込み促進（肝分布促進）。 ・リファンピシンとペマフィブラートの併用禁忌（☞ **表4-20**）。

表 4-3　ペプチドトランスポーターの分類

トランスポーター名（カッコ内は別名）	代表的な基質	細胞内へ吸収の方向
PEPTファミリー； PEPT1（小腸、腎）、PEPT2（腎）など	ペプチド類似薬物： ・スルピリド（ドグマチール） ・バラシクロビル（バルトレックス；アシクロビルのL-バリンエステル） ・経口βラクタム系抗菌薬 ・ACE阻害薬 ・ウベニメクス（ベスタチン；抗腫瘍薬） ・プロチレリン（TRH；甲状腺刺激ホルモン［TSH・プロラクチン］放出ホルモン）など	①PEPT1は消化管上皮細胞の管腔側膜：消化管吸収促進（☞ **表4-15**）。 ②PEPT1・PEPT2は腎尿細管上皮細胞の管腔側膜：尿細管再吸収促進（☞ **本章［第5節❹］**）。

オーラル）などが知られている。

一方、MRP1は、多くの組織で上皮細胞および肝細胞の血液側膜に発現することから、他のABCトランスポーターとは逆の機能を有すると考えられている。具体的には、MRP1は上皮細胞から血中へ薬物を輸送することで消化管吸収や尿細管再吸収に働くが、肝細胞では様々な薬物の抱合体を血液中にくみ出し、腎における尿中排泄を促進するため、解毒に関与することも示されている。また、MRP1欠損マウスではエトポシドの髄液中濃度が上昇することから、脈絡叢上皮細胞でもMRP1は血液側膜に存在し、髄液中への薬物侵入を防ぐバリアとしても働くと考えられている。さらにMRP1は、BBBなどの内皮細胞でも血液側膜に存在するため、P-gpと同様、脳への分布を抑制するバリアとして機能すると考えられる。

MRP3については、胆汁うっ滞時に肝細胞の胆管側膜に誘導されるため、病的な条件下で胆汁酸および薬物の胆汁中排泄に関与している。しかし、動物実験の結果であるが、MRP3が肝細胞の血液側膜にも常に発現し、胆汁酸の尿中排泄を促進する、あるいは薬剤性肝障害を防御するトランスポーターとして機能する可能性が示されている（Moffit JS, et al. J Pharmacol Exp Ther. 2006；317：537-45.）。これは、MRP3が肝に存在する抱合胆汁酸を血中へくみ出して腎における胆汁酸の尿中排泄を促進したり、PPAR α刺激薬（フィブラート系薬）により肝MRP3を誘導すると、肝毒性を有するアセトアミノフェンや四塩化炭素などから生成する炎症誘発物質のaldehyde 4-hydroxynonenalやロイコトリエン（leukotriene：LT）C_4などが、肝から血液中にくみ出されるためである。一方、消化管では、上皮細胞の血管側膜にもMRP3が発現することが確かめられており、薬物の消化管吸収に働くと考えられる。

MRP4については、主に誘導によって肝細胞の血液側膜に発現し、MRP3と協調して炎症誘発物質などを肝から血液中にくみ出し、肝障害を軽減することが示されている。なお、プロスタグランジンはMRP4の基質である（☞ **コラム28**）。

一方、BSEPは肝細胞の胆管腔側膜上に発現する胆汁酸トランスポーターである。生理的基質である1価胆汁酸（タウロコール酸、グリココール酸など）を、肝臓から胆汁中へと排泄する。そのためBSEPの阻害は、肝細胞内に過剰の胆汁酸塩を蓄積させて肝障害を誘発すると考えられる。BSEPの欠損を原因とする疾患には、肝移植の適応となる進行性家族性肝内胆汁うっ滞症が知られている。

BSEPの基質となる薬剤には、ボセンタン水和物（トラクリア；非選択的エンドセリン拮抗薬）およびその代謝産物（Ro48-5033）がある。また、グリベンクラミド（オイグルコン）、シクロスポリン（サンディミュン、ネオーラル）、ロサルタンカリウム（ニューロタン）、プラバスタチンNa（メバロチン）、フルバスタチンNa（ローコール）は本酵素を競合的に阻害することが示されている。したがって、これらの薬剤を併用する際には、肝障害の発現に注意する必要がある（☞ **表4-24**）。特に、ボセンタンとグリベンクラミドおよびシクロスポリンとの併用は肝毒性のため禁忌である（シクロスポリンでは肝OATP2阻害も関与；☞ **表4-20**）。トログリタゾンは、重篤な肝機能障害による死亡例が続発し販売中止になったが、その原因として、同薬の硫酸抱合体によるBSEP阻害の関与が指摘されている。

BCRPについては、多くの癌細胞に発現しているが、生理的にも消化管、腎、肝、脳などに存在している。特に、小腸においては小腸上皮細胞の管腔側膜に発現して尿酸の消化管排泄に働いている。高尿酸血症の誘因として、腸BCRPの変異が報告されている（☞ **コラム24**）。

❷ 有機イオントランスポーター

カチオン（陽イオン）トランスポーターには、有機カチオントランスポーター（OCT）ファミリーおよびカルニチン有機カチオントランスポーター（OCTN）ファミリーがある。また、アニオン（陰イオン）トランスポーターとしては、有機アニオントランスポーター（OAT）ファミリーおよび有機アニオントランスポーティングポリペプチド（OATP）ファミリーがある（**表 4-2**）。

A カチオン（陽イオン）トランスポーター

OCT ファミリーには OCT1 ～3 のアイソフォームがあり、腎、肝、骨格筋、心筋、胎盤などに存在している。特に、腎においては OCT2 および OCT3 が尿細管上皮細胞の血液側膜に発現し、有機カチオン性薬剤（シメチジン［タガメット］、プロカインアミド塩酸塩［アミサリン］など）の血液側から上皮細胞内への輸送を行い、尿細管分泌に働いている（☞ **表 4-30**）。また、OCT1、OCT3 は肝細胞の血液側膜に発現し、有機カチオン性薬剤の血液側から肝細胞への取り込みを媒介している。

OCTN ファミリーには OCTN1 ～3 が存在する。中でも、腎に存在する OCTN2 は、カルニチン（活性脂肪酸［アシル CoA］のミトコンドリア通過に必要）の再吸収に働いている（☞ **コラム 19**）。一方、OCTN2 の欠損マウスでは、OCTN2 の基質であるテトラエチルアンモニウムの尿細管分泌クリアランスは約 50%に半減することから、有機カチオン性薬剤の尿細管分泌にも働くと考えられる。すなわち、腎の OCTN2 は、尿細管再吸収と分泌の両作用を有する、多機能性トランスポーターである。なお、OCTN2 遺伝子欠損症として、遺伝性全身カルニチン欠乏症が知られているが、OCTN2 の基質であるキニジン硫酸塩水和物（硫酸キニジン）やベラパミル塩酸塩（ワソラン）の投与によって、二次性カルニチン欠乏症が発症する可能性も指摘されている（いずれも脂肪蓄積を呈する）。

B アニオン（陰イオン）トランスポーター

一般に有機アニオン性薬物のうち、分子量が 500 以下のものは腎から、500 以上のものは肝から排泄されると考えられている。

OAT ファミリーには 4 つのアイソフォームがあり、腎、肝、脳、胎盤などに存在している。特に、腎においては OAT1、OAT3 が近位尿細管上皮細胞の血液側膜（基底側膜）に発現し、有機アニオン性薬剤の血液側から尿細管上皮細胞内への輸送を行い、尿細管分泌に働いている（☞ **表 4-32**）。また、OAT1、OAT3 は尿酸の尿細管分泌にも働いている。プロベネシド（ベネシッド）による尿細管分泌の阻害は、OAT1 を作用点とすることが強く示唆されている。そのほか、OAT2 は主に肝細胞の血液側膜に発現し、テオフィリン（テオドール）やエリスロマイシン（エリスロシン）などの肝分布に働く可能性が報告されている（☞ **表 4-20**）。

一方、OATP ファミリーには、ラット oatp1 ～3、ヒト OATPs（OATP-A ～E）、OATP2（LST1；肝特異的有機アニオントランスポーター）、プロスタグランジントランスポーター（PGT）などがある。比較的脂溶性が高い有機アニオン性薬剤などの細胞内取り込みを担っており、代表的基質として、胆汁酸、ステロイド抱合体などがある。

中でも OATPs は、消化管、脳などに存在し、消化管では消化管粘膜上皮細胞の管腔側膜上に発現して薬物の消化管から上皮細胞への取り込み（吸収）を担う。果実ジュースは、この OATPs を強く阻害する（☞ **表 4-15**）。

また、OATP2（OATP-C）および OATP8 は肝細胞の血液側膜に特異的に発現し、有機アニオン性薬剤の血液から肝細胞への取り込みを媒介し、肝への分布を制御している。OATP2 は、OATPs の基質であるジゴキシン（ジゴシン）、アルドステロン、エストラジオール 17 β-グルクロン酸、エストロン三硫酸塩などを基質とせず、特異的にスタチン系（プラバスタチン Na［メバロチン］、ピタバスタチン Ca［リバロ］、ロスバスタチン Ca［クレストール］、シンバスタチン［リポバス］、アトルバスタチン Ca 水和物［リピトール］、ロバスタチン［未発売］など）の肝細胞への取り込みを行う。シクロスポリン（サンディミュン、ネオーラル）と水溶性スタチン系（プラバスタチン、ピタバスタチン、ロスバスタチン）の相互作用の発現には、OATP2が深く関与している（☞ **表4-20**）。

❸ ペプチドトランスポーター

PEPTファミリーにはPEPT1とPEPT2のアイソフォームがあり、主に消化管（PEPT1）、腎（PEPT1、PEPT2）に存在してタンパク質の消化産物である小分子ペプチド（ジペプチドやトリペプチドなど）を輸送している。広範な基質認識・輸送特性を示し、ペプチド構造を持つβラクタム系薬、ACE阻害薬、ウベニメクス（ベスタチン；抗腫瘍薬）、プロチレリン酒石酸塩水和物（ヒルトニン；甲状腺刺激ホルモン［TSH］、プロラクチン分泌促進）、バラシクロビル塩酸塩（バルトレックス）などを基質とする（**表4-3**）。PEPTを活性化する物質としてインスリン、レプチン、FUの報告があるほか、阻害薬としては、上皮成長因子（epidermal growth factor：EGF）、トリヨードチロニン（T_3）、シクロスポリン［サンディミュン、ネオーラル］、ナテグリニド（スターシス、ファスティック）、SU薬などがin vitro実験で報告されている。

PEPT1は消化管粘膜上皮細胞の管腔側膜上に発現し、薬物の消化管から上皮細胞への取り込み（吸収）に働いている。また、PEPT2は小腸には発現しないが、腎に最も強く発現し、PEPT1と共に尿細管上皮細胞の管腔側膜上で尿細管の再吸収を担う。βラクタム系薬の相互の併用は、消化管のPEPT1競合（消化管吸収低下）や、腎のPEPT1、PEPT2競合（腎再吸収阻害）を起こし、血中濃度が低下することが示されている（☞ **表4-15、本章［第5節❹］**）。

注意

抗HCV薬の相互作用

抗HCV薬は、主にP-gp、BCRP、OATPの基質となり、トランスポーターやCYP450の阻害、誘導に起因する多くの相互作用が示されている。

トランスポーターが関与する相互作用では、これらのトランスポーターの阻害薬と抗HCV薬との併用に注意が必要である。特にOATP2阻害薬（HIVプロテアーゼ阻害薬、リファンピシン、シクロスポリンなど）とアスプレビル、バニプレビル、グラゾプレビル、グレカプレビルとの併用は禁忌である。また抗HCV薬は、これらのトランスポーターの基質との併用で競合阻害を起こす。なお、これらのトランスポーターの基質になりにくいが、阻害作用を持つ抗HCV薬もあることに留意する。

オムビタスビル、ソホスブビル、グラゾプレビルを除く抗HCV薬にはP-gp阻害効果が、レジパスビル、オムビタスビル、ソホスブビル、グラゾプレビル、エスバスビルを除く抗HCV薬にはOATP2阻害効果が、ダグラタスビル、レジパスビル、バニプレビル、パリタプレビル、グラゾプレビル、エスバスビル、グレカプレビル、ピブレンタスビルにはBCRP阻害効果があり、相互作用が示されている。またシメプレビル、バニプレビルにはMRPやBSEP阻害効果があり、相互作用による肝障害の誘発などに注意する。特にシメプレビルでは高ビリルビン血症による国内死亡例が報告されている（☞ **表4-25**）。

一方、トランスポーターの誘導に起因する相互作用もある。P-gp誘導薬（PXR活性化薬）の併用時、基質となる抗HCV薬の排泄が促進する。特にレジパスビル、ソホスブビル、グラゾプレビル、エスバスビルは血中濃度が著しく低下すると考えられるため、併用禁忌である。なお、ソホスブビルを除く抗HCV薬は胆汁排泄型であるため、これらの相互作用には主に肝・腸管に存在するトランスポーターが関与すると考えられる。

そのほか、CYP3Aの基質である抗HCV薬とCYP3A阻害・誘導薬との併用による血中濃度の増減に留意する。特に、強力なCYP3A誘導薬（PXR活性化薬；リファンピシンなど）との併用は禁忌であるほか、アスナプレビル、バニプレビルは、イトラコナゾールなどの強力なCYP3A阻害薬との併用が禁忌となる。また、テラプレビルのCYP3A4阻害、アスナプレビルのCYP2D6阻害に起

表4-4　抗HCV薬のトランスポーターとCYP450代謝

抗HCV薬	排泄経路	トランスポーター		CYP450		
		基質	阻害	基質	阻害	誘導
ダクラタスビル★	胆汁（肝）	P-gp	P-gp、BCRP、OATP2/8、OAT1/3、OCT2	3A4		
レジパスビル（ハーボニー配合錠に含有）	胆汁（肝）	P-gp、BCRP	P-gp、BCRP			
シメプレビル★	胆汁（肝）	P-gp、OATP2/8/B、BCRP、MRP2	P-gp、OATP2、MRP2、BSEP、NTCP	3A	3A	
アスナプレビル★	胆汁（肝）	P-gp、OATP2/B	P-gp、OATP2/8/B	3A	2D6	3A（弱）
バニプレビル★	胆汁（肝）	OATP2/8	P-gp、BCRP、OATP2/8、MRP1～4、BSEP	3A		
テラプレビル★	胆汁（肝）		P-gp、OATP2	3A4/5	3A4/5（強）	
パリタプレビル★	胆汁（肝）	P-gp、OATP2/8、BCRP、MRP2	P-gp、OATP2/8、BCRP、MRP2、BSEP	3A4（主）/5		
オムビタスビル※★	胆汁（肝）	P-gp				
グラゾプレビル★	糞中（肝）	P-gp、OATP2/8	腸管BCRP	3A	腸管3A	
エスバスビル★	糞中（肝）	P-gp	腸管P-gp、腸管BCRP	3A		
グレカプレビル（マヴィレット配合錠に含有）	糞中（肝）	P-gp、BCRP、OATP2/8	P-gp、BCRP、OATP2/8			
ピブレンタスビル（マヴィレット配合錠に含有）	糞中（肝）	P-gp	P-gp、BCRP、OATP2			
ベルパタスビル（エプクルーサ配合錠）	胆汁（肝）	P-gp、BCRP		2C8 2B6 3A4		
ソホスブビル（ソバルディ、ハーボニー配合錠に含有）	尿（腎）	P-gp、BCRP				

OATP2＝OATP1B1、OATP8＝OATP1B3、OATP-B＝OATP2B1
NTCP（Na^+-dependent taurocholate co-transporting peptide）：Na依存的胆汁酸トランスポーター
※UGT1A1阻害作用あり
★販売中止

因する併用禁忌もあるため注意を要する。

　また、アミオダロン（アンカロン）とレジパスビル・ソホスブビル配合錠（ハーボニー）との併用は、徐脈などの不整脈などが現れる恐れがある（機序不明）。死亡例も報告されていることから、可能な限り避ける必要がある（原則禁忌）。

　なお、現在は販売中止となっているヴィキラックス配合錠にはHIVプロテアーゼ阻害薬のリトナビルが含まれていた。これは、リトナビルのCYP3A4阻害効果により、同配合錠に含まれるパリタプレビルの血中濃度を上昇させる薬動態学的ブースターとして配合されていた。したがって、ヴィキラックス配合錠を使用する場合、リトナビルのCYP3A4、P-gp、BCRPが関与する相互作用に注意が必要であった。

　現在では、C型肝炎の治療は経口薬が中心となっているが、経口抗HCV薬の販売中止が続いている（☞**表4-4**）。製薬会社は副作用などの問題ではなく、「医療ニーズが大きく変化、低下したことを勘案し、販売を中止することにした」などとコメントしている。

コラム 18

アンカートランスポーター MATEが関与する相互作用

薬物の吸収から排泄に至る過程は、陸上競技のリレーに例えられる。すなわち、ランナー（トランスポーター）がバトン（薬物）を次々に手渡し、ゴール（尿・胆汁中排泄）を目指す。特に最終ランナーであるアンカートランスポーターは、薬物動態を制御する上で重要である。

アンカートランスポーターとしては、腎臓のP-gp、MRP2、BCRP、肝臓のP-gp、MRP2、BSEP、BCRPなどのABCトランスポーターのほか、MATE（multidrug and toxin extrusion）が知られている（**図4-2**）。MATEはプロトン（H^+）/有機カチオントランスポーターであり、ATP分解エネルギーを利用するABCトランスポーターとは異なる機序で薬剤をくみ出している。

MATEは1998年、腸炎ビブリオ菌におけるノルフロキサシンなどの薬物耐性因子として見いだされた[1]。H^+駆動性のアンカートランスポーターであり、細胞外から細胞内へのH^+移動と同時に、カチオン性（塩基性）薬剤を細胞内から細胞外にくみ出す。

MATEファミリーには、MATE1（SLC47A1）、MATE2（SLC47A2）、その変異体であるMATE2-Kなどがある。ヒトの腎、副腎、肝、骨格筋など様々な臓器に発現するが、特に腎近位尿細管上皮細胞の尿細管側膜（尿細管刷子縁膜、頂端膜）ではMATE1とMATE2-Kが、肝細胞の胆管側膜（微小胆管）ではMATE1が強く発現している。血中のカチオン性薬剤は、OCTにより細胞に取り込まれ、MATEにより尿・胆汁中に分泌（排泄）される。本稿では以下、MATE1とMATE2-KをMATEと呼ぶ。

MATEの基質と阻害薬

MATEの基質となる薬剤を**表4-5**に示す。このほか、パラコートなどの毒物、クレアチニン、カルニチン、コリン、セロトニンなどの生体内物質も基質となる。MATEと同様に腎尿細管・肝細胞胆管側膜に発現するP-gpは、主に分子量1000以上の高分子を認識するのに対し、MATEは分子量100～1000程度の比較的低分子の有機カチオンを基質として認識すると考えられている[2]。ただし、MATEの基質認識能はP-gpと同様に極めて広く、双極性のセフェム系薬や、アシクロビル（ゾビラックス）などのアニオン性薬剤まで及ぶ。また、P-gp、BCRP、MRPなどの基質であることも多く、MATEはこれらABCトランスポーターと協調して薬剤の尿・胆汁中排泄

図4-2　腎臓および肝臓に存在するトランスポーターの種類と発現部位

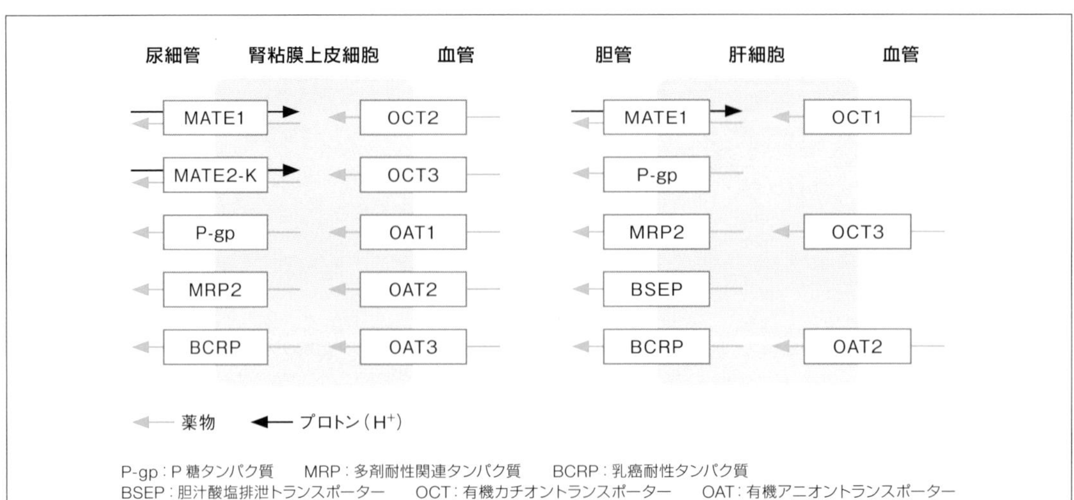

表4-5　MATE（MATE1、MATE2-K）の基質となる主な薬剤

カチオン性 （弱塩基性）	▶メトホルミン（メトグルコ：OCT1、OCT2）、▶バレニクリン（チャンピックス：OCT2）、▶不整脈薬：プロカインアミド（アミサリン：OCT3）、キニジン（キニジン硫酸塩：OCT1、OCT3、P-gp）、アミオダロン（アンカロン：P-gp）、ピルシカイニド※1（サンリズム：P-gp、OCT2）、▶キニーネ（塩酸キニーネ：OCT2）、▶ジルチアゼム（ヘルベッサー：P-gp）、▶コビシスタット※2（スタリビルド配合錠：OCT2）、▶ビクテグラビル（ビクタビル配合錠：OCT2）
	▶白金製剤：**シスプラチン**（ブリプラチン、ランダ：OCT2）、**オキサリプラチン**※3（エルプラット：OCT2）、▶**シメチジン**（タガメット：OCT1、OCT2、OAT1、P-gp、BCRP）
双極性※3 （酸、塩基双方の性質）	▶**セファレキシン**（ケフレックス：OAT1、OAT3、BCRP） ▶**レボフロキサシン**（クラビット：OAT3、P-gp、BCRP）
アニオン性 （弱酸性）	▶抗ウイルス薬：**バルガンシクロビル**（バリキサ：OAT1）、**アシクロビル**（ゾビラックス：OAT1、OAT2）、**バラシクロビル**（バルトレックス：OAT1、OAT2）
	▶フェキソフェナジン（アレグラ：OAT3、P-gp） ▶メスナ※4（ウロミテキサン：OAT1、OAT3、OAT4、P-gp、MRP2）

Int J Biochem Cell Biol.2013;45:2007-11. および Drug Metab Rev.2011;43:499-523. を基に作成。MATE以外のトランスポーターの基質にもなる薬剤はカッコ内にトランスポーター名を記載。下線はMATEに対する親和性が強いと考えられるMATE阻害薬。太字は急性または慢性腎不全を誘発し得る薬剤。なお、腎障害の患者に慎重投与すべきMATEの基質は、メトホルミン、白金製剤、バレニクリン、プロカインアミド、キニジン、シメチジン、ジルチアゼム、セファレキシン、レボフロキサシン、抗ウイルス薬である。

※1　ピルシカイニドはドルテグラビルナトリウム（テビケイ）の添付文書の「相互作用」の記載を基に、MATE1の基質と判断した。
※2　コビシスタットはOCT2の基質であるためカチオン性薬剤に分類。
※3　オキサリプラチンはMATE2-Kに、双極性薬剤はMATE1に高親和性を示す。　※4　J Clin Pharmacol.2012;52:530-42.

を担っていると考えられる。

一方、多くの薬剤がMATEへの阻害作用を示すことが報告されている（**表4-6**）。特にオンダンセトロン塩酸塩水和物（ゾフラン）や、H_2拮抗薬（ファモチジン［ガスター］＞シメチジン［タガメット］＞ラニチジン塩酸塩［ザンタック］）は阻害効果が強い。また、これらのMATE阻害薬の多くは、OCT（一部OAT）も阻害するため、尿・胆汁中排泄の抑制だけでなく、血液から腎や肝細胞への取り込み阻害にも留意する。なお、ピリメタミン（未発売）は特異的MATE阻害薬として、多くの研究に用いられている。

MATEが関与する相互作用は、主にMATE阻害薬による基質の腎排泄の低下に起因し、①基質の血中濃度上昇、②クレアチニンの血中濃度上昇、③薬剤の臓器への蓄積――などを引き起こし、薬効や副作用リスクの増大を招く（**表4-7**）。

①の代表例は、シメチジンによるメトホルミンの血中濃度上昇である。この相互作用は、OCT2よりもMATEの阻害に起因する可能性が高い[3)4)]。その他、シメチジンがアシクロビル、バレニクリンなどの血中濃度を上昇させることが報告されている。メトホルミンでは低血糖や乳酸アシドーシス、アシクロビルでは精神神経症状や腎障害（**症例1**）、バレニクリンでは精神神経症状の発症に注意する。

さらに、近年、ラットを用いた研究でアテノロール（テノーミン）によるMATE1の発現低下やメトホルミンの血中濃度および血中乳酸値の上昇が報告された。アテノロールとMATE1の基質薬剤の併用時は、薬効および副作用リスクの増大に注意する（**症例2**）。その他、慢性腎不全[5)]や急性腎不全[6)]、シスプラチンによる急性腎障害[7)]などにおいても、MATE1の発現低下が動物実験で示されている。

なお肝臓のMATE1に起因する相互作用として、ケトコナゾール（経口薬未発売）による新規トロンビン阻害薬AZD0837（未承認）の活性代謝物の血中濃度上昇が報告されている[8)]。

一方、クレアチニンの腎排泄はOCT2とMATEを介して行われるため、強いMATE阻害薬が、血清クレアチニン（SCr）値を上昇させることも報告されている。ただし、MATE阻害薬によるSCr値の上昇は見掛け上のものであり、腎機能を低下させるわけではない。米国食品医薬品局（FDA）は、MATE阻害薬を服用中の腎機能の指標としてSCrは不適であり、腎糸球体濾過量（GFR）や尿素窒素（BUN）な

表 4-6 MATE 阻害作用を示す主な薬剤（in vitro 実験）

IC50 値	
a）MATE1に対するIC50値	
強力（IC50値＜1 μ M）[1]	**オンダンセトロン**（ゾフラン［＜0.01］）、**イマチニブ**※（グリベック［0.04］）、**ファモチジン**※（ガスター［0.16］）、**ミトキサントロン**※（ノバントロン［0.19］）、アカラブルチニブ活性代謝物（ACP5862）［0.2］、カプマチニブ（タブレクタ）［0.28］
中程度（IC50値1～10 μ M）	**リトナビル**※（ノービア［1.34[3]、2.1[1]］）、**シメチジン**[3]※（1.46）、**インジナビル**[1]※★（1.9）、**コビシスタット**[3]※（1.87）、**トリメトプリム**[3]※（バクタ配合錠［3.31］）、**イリノテカン**[1]※（カンプト、トポテシン［4.3］）、**ドルテグラビル**[3]※（テビケイ［4.7］）、セファレキシン[2]※（6.50±1.34）
軽度（IC50値＞10 μ M）[2]	レボフロキサシン※（38.2±11.8）、シプロフロキサシン※（シプロキサン［231±57.3］）
b）MATE2-Kに対するIC50値[2]	レボフロキサシン※（81.7±23.1）、シプロフロキサシン※（98.7±14.1）
Ki値（MATE1、MATE2-K）[4]	
ファモチジン※（0.6、9.7）、**シメチジン**※（1.1、7.3）、ジルチアゼム（12.5、117.0）、**ラニチジン**※（ザンタック他［25.4、25.0］）、**ベラパミル**（ワソラン［27.5、32.1］）、**キニジン**（29.2、23.1）、**イミプラミン**（イミドール、トフラニール［42.0、182.9］）、タリペキソール（ドミン［66.0、119.5］）、**ジソピラミド**（リスモダン［83.8、291.6］）、**ジフェンヒドラミン**（トラベルミン配合錠［87.0、266.5］）、クロルフェニラミンマレイン酸塩（セレスタミン配合錠［87.6、191.2］）、**アマンタジン**（シンメトレル［111.8、1167.0］）、**プラミペキソール**（ビ・シフロール、ミラペックス［141.4、24.1］）、セチリジン（ジルテック［371.2、817.6］）、メトホルミン※（666.9、6515.7）	
%阻害効果	
a）MATE1に対する%阻害効果	
【70%以上】**キニジン**[5]、**キニーネ**[5]、ジルチアゼム[5]、**シメチジン**[6]※、**トリメトプリム**[6]※、**イミプラミン**[5]、**リトナビル**[6]※、**ケトコナゾール**[6]※、**ベラパミル**[5]、**ミトキサントロン**[6]※ 【50%以上70%未満】クロトリマゾール[6]（エンペシド）、シプロフロキサシン[6]※、**クロニジン**[5]（カタプレス）、**ジピリダモール**[6]（ペルサンチン）、**ラニチジン**[6]※、**プロベネシド**（ベネシッド）[6]、**ジフェンヒドラミン**[5] 【50%未満】**プロカインアミド**[5]、**アンプレナビル**[6]（レクシヴァ）	
b）MATE2-Kに対する%阻害効果	
【90%以上】**キニジン** 【70%以上90%未満】**ベラパミル**、**キニーネ** 【70%未満】**イミプラミン**、**プロカインアミド**、**クロニジン**、ジルチアゼム、**ジフェンヒドラミン**	

・IC50 値（μ M）および Ki 値（μ M）による分類。IC50 値は、MDCK Ⅱ [1)3)]、HEK293[2)]細胞を用いた in vitro 実験において MATE1 基質（メトホルミン[1)]、TEA[2)]、クレアチニン[3)]）の輸送を 100% とした場合、これを 50% 阻害する濃度。Ki 値は HEK293 細胞を用いた TEA の取り込みに関する in vitro 実験において、阻害薬と MATE1 の親和性を示し、数値が低いほど阻害効果が強い。%阻害効果は MATE1[5) 6)]、MATE2-K[5)]を発現させた HEK293 細胞[5)]または HeLa 細胞[6)]を用いた実験でシメチジン[5)]、メトホルミン[6)]の輸送を 100% とした場合の阻害効果（阻害薬の濃度はそれぞれ 0.2 μ M[5)]、25 μ M[6)]）。

・下線は米国食品医薬品局（FDA）が医薬品製造過程で相互作用を検討するよう推奨している薬剤。

・太字は OCT2 阻害作用も有する薬剤（シメチジン、プロベネシドは OAT 阻害作用もある）。

※血清クレアチニン（SCr）上昇の報告がある MATE 阻害薬

1）J Med Chem.2013;56:781-95.
2）Biochem Pharmacol.2007;74:359-71.
3）Kidney Int.2014;86:350-7.
4）J Pharmacol Exp Ther.2009;329:185-91.
5）J Pharm Pharm Sci.2009;12:388-96.
6）Am J Physiol Renal Physiol.2010;298:F997-F1005.

表4-7 MATE阻害薬が関与する相互作用

MATE阻害薬	影響を受ける基質	起こり得る事象など
(1) 血中濃度上昇(腎排泄低下=薬効・副作用増強)		
シメチジン(MATE、OCT2、OAT阻害)	メトホルミン*	メトホルミンAUC、Cmax が約40%、約60%上昇。相互に血中濃度上昇の恐れ。腎OCT2阻害も関与するが、主にMATE1阻害。
	バラシクロビル*、アシクロビル*	アシクロビルAUC27%上昇。腎OAT1、MATE1、MATE2-K阻害が関与。
	フェキソフェナジン	フェキソフェナジン腎クリアランス(CL)61%低下(AUC不変)[1]。腎MATE1阻害の可能性。臨床的意義は不明。シメチジンのMATE1阻害により細胞外へのフェキソフェナジン流出阻害(培養細胞)[2]。なお、プロベネシドによりフェキソフェナジンのAUC1.5倍上昇、腎クリアランス27%低下が認められるが、OAT3阻害作用に起因すると考えられる[2]。
	プロカインアミド*	プロカインアミド腎CL低下(近位尿細管輸送阻害による排泄遅延)。MATEの関与不明。
	バレニクリン	バレニクリン腎CL低下(全身曝露量増大の恐れ)[3]。MATEの関与不明。
プロベネシド(MATE1、OAT阻害)	バラシクロビル*、アシクロビル*	アシクロビルAUC48%上昇、半減期18%延長。腎OAT1、MATE1阻害が関与。バラシクロビルは肝でアシクロビルとなり腎排泄。
ドルテグラビル、ビクテグラビル(MATE1、OCT2阻害)	メトホルミン*	メトホルミンAUC、Cmaxが79%、66%上昇。OCT2阻害が関与、MATEの関与は低いとの報告あり。
	ピルシカイニド*	ピルシカイニド血中濃度上昇。心室頻拍、洞停止、心室細動の発現、重篤化の恐れ。OCT2およびMATE1阻害が関与。
スルファメトキサゾール・トリメトプリム配合剤(MATE1、OCT2阻害)	メトホルミン	メトホルミンAUC29.5%上昇、腎CL26.4%減少。OCT2、MATE1、MATE2-K阻害に起因[4]。
	ラミブジン(ゼフィックス、エピビル)	ラミブジン血中濃度上昇(AUC43%増加、腎CL35%低下)。MATE1、MATE2-K阻害(培養細胞実験)[5]、OCT阻害の関与の可能性。
	ガンシクロビル、バルガンシクロビル	ガンシクロビルの腎CL12.9%低下。$T_{1/2}$18.1%延長。機序不明だが、MATE阻害の関与の可能性。
アテノロール(MATE1発現抑制)	メトホルミン	メトホルミンAUC19.5%上昇、尿中排泄57%低下、乳酸値83.3%上昇。アテノロール長期(7日間)投与でラットMATE1発現低下[6]。
(2) 血清クレアチニン(SCr)値上昇(見掛け上の上昇で腎障害を伴わない)		
シメチジン、コビシスタット、ドルテグラビル、トリメトプリム、ピリメタミンなど	クレアチニン	見掛け上、SCr値10～30%上昇(腎毒性は認められない)。投与中止後、5～21日で正常値。OCT2よりも強いMATE阻害によるクレアチニン尿細管分泌抑制に起因。
(3) 腎組織中の薬物濃度上昇(腎毒性誘発)		
MATE阻害薬(ピリメタミン、オンダンセトロン、シメチジンなど)	シスプラチン、オキサリプラチン(いずれもOCT2を介して腎に蓄積)	併用により腎内白金濃度上昇(特にオキサリプラチン)、腎毒性の恐れ[7]。MATE1遺伝子欠損マウスにシスプラチンを投与すると、血中・腎内白金濃度上昇、腎毒性誘発[8](SCr、BUN上昇)。ピリメタミン[9]、オンダンセトロン[9]併用時、シスプラチン腎毒性誘発。なお、シメチジンは活性酸素産生抑制作用によりシスプラチン腎毒性を軽減(動物実験)[10]。
(4) 肝組織中の薬物濃度上昇(肝作用増強)		
MATE1阻害薬	メトホルミン	メトホルミンの肝作用の増強、低血糖や乳酸アシドーシス誘発の恐れ。MATE1遺伝子欠損マウスではメトホルミンの血中、肝臓・腎臓中濃度が15倍、69倍、44倍上昇[11]。MATE1発現が低下する遺伝子多型を持つ人でメトホルミンの薬効増強(AUC不変)[12]。

* 添付文書中の相互作用欄にトランスポーターの関与が記されている薬剤。

1) Clin Pharmacol Ther.2005;77:17-23.
2) Drug Metab Dispos.2009;37:555-9.
3) Drug Metab Pharmacokinet.2012;27:563-9.
4) Eur J Clin Pharmacol.2015;71:85-94.
5) Biochem Pharmacol.2013;86:808-15.
6) Eur J Pharm Sci.2015;68:18-26.
7) 薬学雑誌 2012;132:1281-5.
8) Toxicol Appl Pharmacol.2013;273:100-9.
9) Biochem Pharmacol.2010;80:1762-7.
10) Biol Pharm Bull.2010;33:1867-71.
11) Br J Pharmacol.2012;166:1183-91.
12) Clin Pharmacol Ther.2013;93:186-94.
13) J Acquir Immune Defic Syndr.2016:72:400.

どを用いる必要があるとしている。

また、腎臓や肝臓を標的とする薬剤の場合、MATE阻害薬との併用により臓器への蓄積が起こり、薬効や副作用リスクが増大する可能性がある。

例えば、MATE阻害薬のオンダンセトロンやピリメタミンの併用やMATE1遺伝子欠損などにより、シスプラチンの腎毒性が増強することが動物実験で報告されている。これは、MATE阻害によりシスプラチンの尿細管分泌（排泄）が抑制され、腎内濃度が上昇するためと考えられる。オキサリプラチン（エルプラット）もシスプラチンと同様、OCT2により腎に取り込まれるが、MATE2-Kによりかなり排泄されるため、シスプラチンに比べ腎毒性が弱い。したがって、MATE阻害薬の併用により、腎毒性が現れやすくなる恐れがある。

一方、メトホルミンは、主に肝臓を標的として作用し、血糖降下効果や乳酸アシドーシスを引き起こすことが知られている。近年、メトホルミンの主作用は、肝グリセロリン酸デヒドロゲナーゼ阻害による糖新生の抑制であるとの報告[9]もある。つまり、肝のMATEがメトホルミンの作用に影響を与える可能性がある。マウスを用いた実験で、ピリメタミン投与によりメトホルミンの肝臓への蓄積が認められている[10]。メトホルミンの胆汁中排泄量は極めて少なく、MATE阻害による肝蓄積の機序は不明だが、MATE1機能低下が肝臓から血液側へのメトホルミンの輸送に影響する可能性が考えられている[11]。

参考文献

1）Antimicrob Agents Chemother.1998;42:1778-82.
2）蛋白質核酸酵素 2008;53:52-8.
3）J Pharmacol Exp Ther.2012;340:393-403.
4）Clin Pharmacol Ther.2011;89:837-44.
5）Biochem Pharmacol.2007;73:1482-90.
6）Drug Metab Dispos.2008;36:649-54.
7）Pharm Res.2008;25:2526-33.
8）Mol Pharm.2013;10:4252-62.
9）Nature.2014;510:542-6.
10）Bioorg Med Chem.2013;21:7584-90.
11）Drug Metab Dispos.2013;41:1967-71.

80歳代女性Aさん。

［処方箋］
①ガスター錠10mg　2錠
　1日2回　朝夕食後　14日分
②バルトレックス錠500　2錠
　1日2回　朝夕食後　7日分

Aさんは慢性胃炎のためガスター（ファモチジン）を服用中であり、口唇ヘルペスのためバルトレックス（バラシクロビル塩酸塩）が追加された。肝・腎機能に異常はない。

バラシクロビルは肝でアシクロビルとなり、腎OAT、OCTによって取り込まれ、MATEにより尿中に排泄される。ファモチジンはH_2拮抗薬の中でも特に強いMATE阻害作用を持つため、アシクロビルの血中濃度上昇や腎内蓄積を起こし、精神神経症状（意識障害、せん妄、妄想、幻覚、痙攣など）や腎障害などの副作用を誘発する恐れがある。さらにAさんが高齢であり、ファモチジン自身の腎毒性や見掛け上のSCr上昇にも考慮する必要がある。薬剤師は、頭痛、めまい、眠気、手足の引きつけ、むくみ、尿が出にくいなどの症状が現れた場合は必ず相談するよう指導した。

60歳代男性Bさん。

［処方箋］
① アムロジン錠5mg　1錠
　テノーミン錠25　1錠
　1日1回　朝食後　14日分
② メトグルコ錠250mg　2錠
　1日2回　朝夕食後　14日分

Bさんは高血圧と糖尿病のため、アムロジン（アムロジピンベシル酸塩）、テノーミン（アテノロール）、メトグルコ（メトホルミン塩酸塩）を5年間服用している。肝・腎機能は正常。

アテノロールは、長期間服用するとMATEの発現を低下させる可能性がある。それにより、メトホルミンの腎排泄が抑制されて血中濃度が上昇し、血糖降下作用や副作用リスクを増大させる恐れがある。また、アテノロールのβ_1遮断作用は低血糖に伴う頻脈をマスクする可能性もある。

薬剤師は、発汗、動悸、振戦、急激な空腹感、頭痛、目のかすみなどの低血糖症状や、筋肉痛、全身倦怠感、吐き気、下痢などの乳酸アシドーシス症状の有無を確認している。

コラム19

カルニチン欠乏症を引き起こす薬剤と相互作用

カルニチン（3-hydroxy-4-N-trimethyl aminobutyric acid）は、リジンがメチル化されたアミノ酸誘導体で、脂肪酸をエネルギーとして利用するために必須の栄養素である。ヒトでは主に肝臓と腎臓で、リジンとメチオニンから合成される。生合成量は推定10～20mg/日で、生合成の際にはビタミンC、B_6、ナイアシン、鉄などを必要とする。また、カルニチンは牛や豚の赤身肉、鶏肉、魚肉、乳製品などの動物性食品の摂取によっても補われる。

通常、生体機能の維持に必要なカルニチンは体内で合成される上、カルニチン合成に必要な必須アミノ酸や微量元素は、バランスの取れた食事で十分摂取できるため、欠乏症は起こりにくい。しかし、摂取不足（厳格な菜食主義者など）、合成低下（肝・腎機能障害）、先天的代謝異常（プロピオン酸血症、メチルマロン酸血症、脂肪酸代謝異常症、カルニチントランスポーター［OCTN2］の遺伝子異常など）、血液透析や薬剤により、カルニチン欠乏症を発症することが知られている。

カルニチン欠乏症は、筋肉症状（筋肉痛、ミオパチー、筋肉壊死など）、低血糖、脂肪肝などの脂肪蓄積、脳症、高アンモニア血症（肝性脳症）、心筋症・心不全などを引き起こす。重篤な欠乏症では不可逆的な脳・臓器障害を来すことが多く、低血糖による昏睡などで死に至ることもある。一方で、欠乏症に対するレボカルニチン塩化物（エルカルチン）の有効性が示されている。そのため、カルニチン欠乏症を引き起こす薬剤を把握し、早期発見・治療を行うことが極めて重要である。

カルニチンの生理作用と体内動態

カルニチンは、長鎖脂肪酸をミトコンドリア内に輸送するために必須の物質である（**図4-3**）。細胞質に存在するアシルCoA（活性型脂肪酸）はミトコンドリア内膜を通過できないが、カルニチン存在下でアシルカルニチンに変換され、ミトコンドリア内膜を通過する。その後、アシルカルニチンはマトリックスでアシルCoAに再変換されてβ酸化が始まり、ATPや$NADH_2{}^+$が生成される。したがって、カルニチンが欠乏すると脂肪酸からのエネルギー（ATP）や$NADH_2{}^+$供給が滞り、中性脂肪蓄積、糖新生抑制、尿素サイクル抑制、筋肉障害などを引き起こす。

そのほか、カルニチンには、ミトコンドリア内の過剰な脂肪酸（アシルCoA）をアシルカルニチンとして細胞外に排泄する働きもある。アシルCoAは高濃度になるとミトコンドリア内膜の構造や機能に悪影響を及ぼすことから、カルニチンはミトコンドリア機能を保護しているといえる。また、この反応により遊離CoAが生じるため、カルニチンはミトコンドリア内の遊離CoA/アシルCoA比を調節する役割も担っている。

なお、カルニチンには赤血球を安定化する作用もあるため、カルニチンが不足すると、赤血球の破壊が亢進し腎性貧血を来すことがある。透析患者の腎性貧血や筋肉障害には、腎機能低下や透析、蛋白質摂取制限などによるカルニチン不足が関係すると考えられる。

カルニチンは、血液を介して各組織に到達、取り込まれる。生体の全ての細胞に存在しているが、体内総量（約20g）の98％は筋肉組織（骨格筋、心筋）に、残りは主に腎臓と肝臓（1.6％）、細胞外液（0.6％）に分布している。

余剰なカルニチンは主に腎臓から尿中へと排泄されるが、腎尿細管で再吸収が行われ、体内量が調節されている。なお、カルニチン、アセチルカルニチンは腎で再吸収されるが、アシルカルニチンや、バルプロ酸およびピバリン酸のカルニチン抱合体は再吸収されにくいことが知られている。

カルニチンの消化管吸収、血液から細胞への取り込み（分布）、腎臓での再吸収は、主に細胞膜に存在するNa^+依存的高親和性カルニチントランスポーターであるOCTN2（SLC22A5）を介して行われる。OCTN2は、カルニチン、アセチルカルニチンやカルニチン分子構造類似物質を特異的に認識する[1]。

OCTN2遺伝子欠損マウスでは、心筋症、脂肪肝、筋力低下、高アンモニア血症、低血糖などのカルニチン欠乏症が表れる。ヒトにおいても、OCTN2遺伝子異常を有する患者は、全身性（一次性）カルニチン欠乏症を起こすことが報告されている[2)]。

カルニチン欠乏症を誘発する薬剤

カルニチン欠乏症を引き起こす薬剤は、【A】カルニチン生合成阻害薬、【B】カルニチンと抱合（結合）して尿中に排泄される薬剤、【C】OCTN2阻害薬、【D】ミトコンドリア内遊離CoAや遊離CoA/アシルCoA比を減少させる薬剤——に分類できる（**表4-8**）。これらの薬剤の併用はカルニチン欠乏症の発症リスクを高めるほか、スタチン系薬や経口糖尿病薬と併用すると、筋肉障害や低血糖などが発症しやすくなる（**表4-9**）。

枝分かれ脂肪酸であるバルプロ酸は、様々な発現機序によりカルニチン欠乏症を引き起こす。まず、バルプロ酸はカルニチン生合成酵素であるブチロベタイン水酸化酵素の阻害薬である。また、カルニチン抱合を受けたバルプロイルカルニチンは、ミトコンドリア内膜を通過し、尿中に排泄され、OCTN2阻害効果も示す。バルプロイルカルニチンは再吸収されにくく、過剰に尿中に排泄されるとカルニチンが欠乏する。さらに、バルプロ酸の代謝物がミトコンドリア内のCoAと結合して遊離CoAを減少させることも報告されている。

また、カルニチンが欠乏すると、バルプロ酸の代謝はβ酸化からω酸化にシフトする。ω酸化による4-en-バルプロ酸（肝毒性誘発作用）やプロピオン酸

図4-3　生体内でのカルニチン動態の模式図（筆者まとめ）

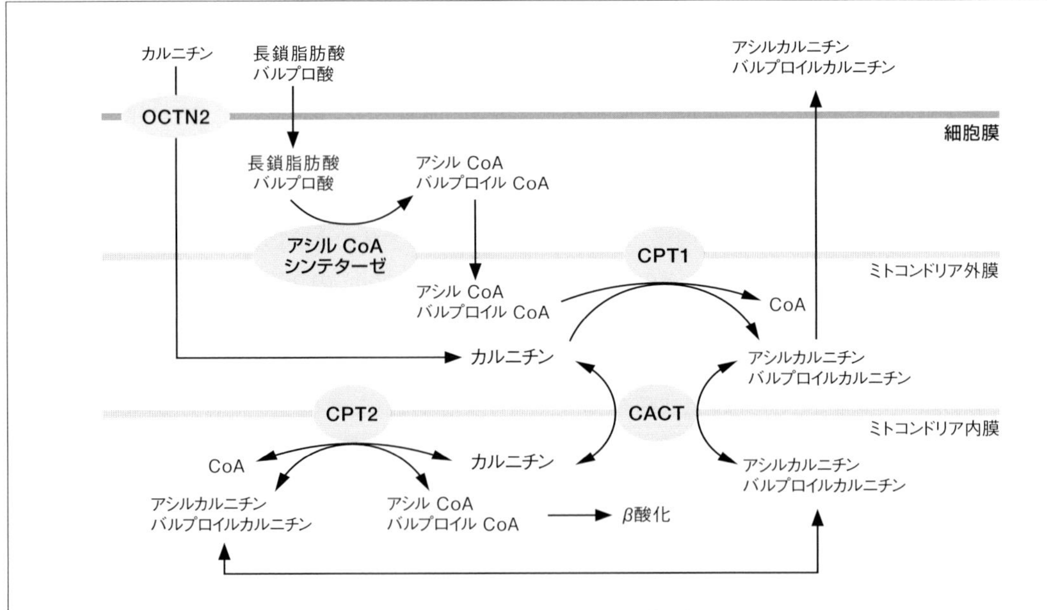

OCTN2（carnitine/organic cation transporters2）：カルニチン/有機カチオン輸送体2
CPT1（carnitine palmitoyl transferase 1）：カルニチンパルミトイルトランスフェラーゼ1
CPT2（carnitine palmitoyl transferase 2）：カルニチンパルミトイルトランスフェラーゼ2
CACT（carnitine acylcarnitine translocase）：カルニチンアシルカルニチントランスロカーゼ

カルニチンはOCTN2により細胞内に取り込まれる。長鎖脂肪酸はミトコンドリア外膜のアシルCoAシンテターゼによりCoAと結合しアシルCoAに活性化される。アシルCoAはミトコンドリア外膜を通過し、CPT1によりカルニチンと結合し、アシルカルニチンになる。CACTによりカルニチンと交換されてミトコンドリア内膜内（マトリックス）へ取り込まれたアシルカルニチンは、CPT2によりカルニチンとアシルCoAに分離し、アシルCoAはβ酸化を受ける。また、カルニチンはミトコンドリア内の余剰なアセチルCoAやアシルCoAと結合して、アセチルカルニチンやアシルカルニチンを生成し、ミトコンドリア外（細胞外）に排泄する作用も持つ。

表4-8　カルニチン欠乏症を引き起こし得る主な薬剤

【A】カルニチンの生合成を阻害する薬剤
バルプロ酸ナトリウム[1)]（デパケン、セレニカ）
【B】カルニチン抱合を受け尿中に排泄される薬剤
バルプロ酸[1)]、ピボキシル基を含有する抗菌薬[2)]（セフカペンピボキシル［フロモックス］、セフジトレンピボキシル［メイアクト］、セフテラムピボキシル［トミロン］、テビペネムピボキシル［オラペネム］、アデホビルピボキシル［ヘプセラ］）
【C】OCTN2阻害薬※
a）OCTN2活性を阻害する薬剤・物質 **【Ki値（μM）】** ビンブラスチン硫酸塩（エクザール：4.85[3)]）、リトナビル（ノービア：7.73[4)]）、カルベジロール（アーチスト：10.7[3)]）、シンバスタチン（リポバス：12.4[4)]）、ラロキシフェン（エビスタ：13.8[3)]）、ビンクリスチン（オンコビン：15.9[4)]）、ブロモクリプチン（パーロデル：16.6[4)]）、ベラパミル（ワソラン：17.6[3)]）、オメプラゾール（オメプラゾン、オメプラール：14.6[5)]、5.2[5)]）、プロパンテリン（プロ・バンサイン：20.4[3)]）、ビノレルビン（ナベルビン：26.8[4)]）、エゼチミブ（ゼチーア：29.3[4)]）、レセルピン（アポプロン：32.2[4)]）、バルプロイルカルニチン（41.6[6)]、458[7)]）、クロザピン（クロザリル：47.3[3)]）、プロクロルペラジン（ノバミン：51.3[3)]）、シサプリド（66.7[4)]）、ピバロイルカルニチン（70.0[8)]、90.4[6)]、282[7)]）、プロパフェノン（プロノン：74.2[4)]）、アムロジピン（アムロジン、ノルバスク：96.0[3)]）、デュロキセチン（サインバルタ：118[3)]）、リスペリドン（リスパダール：144[4)]）、ニザチジン（アシノン：183[4)]）、イリノテカン（カンプト、トポテシン：219[4)]）、ロキシスロマイシン（ルリッド：333[4)]）、ダウノルビシン（ダウノマイシン：502[4)]）、レボフロキサシン（クラビット：3000[9)]） **【IC50値（μM）】** オメプラゾール（5.7[5)]）、ジドブジン（レトロビル：6[10)]）、ベラパミル（ワソラン：25[11)]）、スピロノラクトン（アルダクトン：26[11)]）、セチリジン（ジルテック：27[12)]）、エトポシド（ベプシド、ラステット：55.0[13)]）、イプラトロピウム（アトロベント：95[12)]）、バルプロ酸（139[12)]）、シメチジン（カイロック、タガメット：336[12)]）、セフェピム（マキシピーム：1700[14)]）、ファモチジン（ガスター：1920[12)]）、メトホルミン（グリコラン、メトグルコ：4963[12)]） **b）OCTN2発現を抑制する薬剤** シスプラチン[15)16)]（アイエーコール、ブリプラチン、ランダ）、ドキソルビシン[17)]（アドリアシン、ドキシル）、シクロホスファミド[18)19)]（エンドキサン）、イホスファミド[18)19)]（イホマイド）
【D】ミトコンドリア内遊離CoA、遊離CoA/アシルCoA比の減少を引き起こす薬剤
バルプロ酸[1)]、ゲンタマイシン[20)]（ゲンタシン）、シクロホスファミド[21)22)]、イホスファミド[23)24)]

下線部はカルニチンの尿中排泄増加、血漿カルニチン低下、カルニチン欠乏症などが報告されている薬剤。

※ 培養細胞やリポソームなどを用いたin vitro実験結果による：MDCK(II)細胞[3)4)11)]、reconstituted liposomes[5)]、LLC-PK[6)]、HEK293細胞[7)13)]、L6細胞[8)]、BeWo細胞[9)]、C2C12細胞[10)]、Caki-1細胞[12)]、HeLa細胞[14)]。Ki値は阻害薬とOCTN2の親和性を示し、数値が低いほど阻害効果が強い。IC50値は、OCTN2基質（カルニチン、L-カルニチン）の輸送を100%とした場合に、これを50%阻害する濃度。

1）Crit Care.2005;9:431-40.
2）Biochem Pharmacol.1987;36:3405-9.
3）Pharm Res.2009;26:1890-900.
4）Mol Pharm.2010;7:2120-31.
5）Chem Biol Interact.2009;179:394-401.
6）Pharm Res.2006;23:1729-35.
7）Drug Metab Pharmacokinet.2008;23:293-303.
8）Chem Biol Interact.2009;180:472-7.
9）Int J Pharm. 2008;351:113-8.
10）Biochem Pharmacol.2003;65:1483-8.
11）Circulation.2006;28;113:1114-22.
12）Mol Pharm.2007;4:160-8.
13）Mol Cancer Ther.2012;11:921-9.
14）J Biol Chem.2000;275:1699-707.
15）Nephrol Dial Transplant.2010;25:426-33.
16）Clin Cancer Res.2010;16:4789-99.
17）Eur J Pharmacol.2010;25;640:143-9.
18）Oxid Med Cell Longev.2012;2012:452902.
19）Cardiovasc Toxicol.2014;14:232-42.
20）Nephrol Dial Transplant.2010;25:69-76.
21）Chemotherapy.2010;56:71-81.
22）Clin Exp Nephrol.2010;14:418-26.
23）Oxid Med Cell Longev.2010;3:266-74.
24）J Nephrol.2011;24:490-8.

（肝尿素サイクル阻害作用）の生成も、高アンモニア血症や肝障害の発症を助長すると考えられる。バルプロ酸の長期投与時や高用量投与時のほか、カルニチン欠乏症を起こし得る薬剤との併用時には、欠乏症の発症に注意すべきである（**症例1**）。

一方、ピボキシル基を有する抗菌薬では、重篤な低カルニチン血症に伴う低血糖、痙攣、脳症などを発症したケースが乳幼児を中心に報告されている。吸収後、腸管壁のカルボキシエステラーゼ（CES2；☞**第6章第10節**）によってピボキシル基から生じたピバリン酸（カルボン酸）はカルニチン抱合を受けてピバロイルカルニチンとなり、尿中へ排泄されるが、腎で再吸収されにくいため、結果的にカルニチン排泄が増加し、血漿・細胞中のカルニチンの減少を引き起こす。特に長期投与、小児投与で発症しやすいとされる[3)]が、投与翌日〜14日未満の発症例もあ

表4-9 カルニチン欠乏症を引き起こす相互作用

薬剤A	薬剤B	併用により起こり得る事象
カルニチン欠乏症を引き起こす薬剤(☞表4-8)	カルニチン欠乏症を引き起こす薬剤	カルニチン欠乏症のリスク増大。低血糖、痙攣、ミオパチー、筋力低下などの副作用に注意。バルプロ酸では高アンモニア血症、肝障害リスク増大(β酸化阻害によりω酸化亢進、肝毒性物質4-en-バルプロ酸生成。尿素サイクル阻害物質4-en-バルプロ酸、プロピオン酸生成)。
	低血糖を引き起こす薬剤(糖尿病用薬など)	低血糖リスク増大。痙攣、空腹、脱力感、発汗、手足の震えなどに注意。カルニチン欠乏症は糖新生も抑制。
	筋肉障害(横紋筋融解症、ミオパチー、筋力低下など)を引き起こす薬剤(スタチン系薬など)	筋肉障害リスク増大。ミオパチー、筋力低下、転倒などに注意。カルニチン欠乏症では筋組織でのエネルギー産生が低下、筋肉症状が出現。

る。

OCTN2阻害薬はカルニチン輸送を阻害

OCTN2を阻害する薬剤はカルニチンの輸送を特異的に阻害し、カルニチンの欠乏を引き起こす可能性がある。

シスプラチン(アイエーコール、ブリプラチン、ランダ)、ドキソルビシン(アドリアシン、ドキシル)、シクロホスファミド水和物(エンドキサン)、イホスファミド(イホマイド)などはOCTN2の遺伝子発現を抑制する。シスプラチンの腎毒性[4]、肝毒性[5]、心毒性[6]、ドキソルビシンの心毒性、シクロホスファミドやイホスファミドの心毒性や腎毒性は、カルニチン欠乏により増強することも知られているため、投与中は尿・血漿中のカルニチン値に注意する。また、4級窒素を有するβラクタム系薬のセフェピム塩酸塩水和物(マキシピーム)も阻害作用を示すことが報告されている。

強いOCTN2阻害作用を持つ薬剤の中には、カルベジロール(アーチスト)、シンバスタチン(リポバス)、ラロキシフェン塩酸塩(エビスタ)、ベラパミル塩酸塩(ワソラン)、オメプラゾール(オメプラゾン、オメプラール)、エゼチミブ(ゼチーア)など、日常診療でよく使用される薬剤もあるため注意が必要である(**症例2、症例3**)。特にオメプラゾールは、競合阻害(Ki = 14.6 μM)およびジスルフィド結合(共有結合)を形成する非競合阻害(IC50 = 5.7 μM、Ki = 5.2 μM)の2つの機序で、低濃度でも阻害効果が認められている。プロトンポンプの阻害様式もジスルフィド結合の形成であることから、他のプロトンポンプ阻害薬についてもOCTN2阻害に伴うカルニチン欠乏に留意すべきだろう。

なお、厳格な菜食主義者では、カルニチンの生合成能や腎での再吸収が高まり、カルニチン欠乏状態に陥りにくいが、筋肉組織でのOCTN2発現が低下しており[7]、カルニチン欠乏時には筋肉障害が起こりやすいとされる。

参考文献

1) Drug Metab Dispos.2009;37:330-7.
2) Biopharm Drug Dispos.2013;34:29-44.
3) Tohoku J Exp Med.2010;221:309-13.
4) Chemotherapy.2004;50:162-70.
5) Basic Clin Pharmacol Toxicol.2007;100:145-50.
6) Pharmacol Res.2006;53:278-86.
7) Am J Clin Nutr.2011;94:938-44.

症例① 70歳代女性Aさん

[処方箋]
デパケンR錠200mg　2錠
アテレック錠10　2錠
　1日2回　朝夕食後　28日分

てんかんと高血圧があるAさんは、10年前からデパケン（バルプロ酸ナトリウム）、数年前からアテレック（シルニジピン）を服用している。散歩やジョギングを取り入れ、肉をほとんど食べず野菜中心の食事を行っていたが、肥満はあまり改善しなかった。薬剤師は、来局のたびにバルプロ酸によるカルニチン欠乏症について説明し、筋肉障害（手足の突っ張り、筋肉痛、脱力感）、肝障害（吐き気、眠気、息切れ、引きつけ）、高アンモニア血症による意識障害に注意するとともに、定期的に血液検査を受けるよう指導していた。

ある時、Aさんは薬剤師の聞き取りに対し、「週に数回、特に運動時に手足の突っ張りが見られるようになった」と話した。処方医からは、肥満と運動不足による筋力低下が原因と説明されていた。薬剤師は、バルプロ酸によるカルニチン欠乏が脂肪蓄積（体重増加）や筋肉障害に関与している可能性を考え、まずは赤身肉や鶏肉、魚肉や乳製品などのカルニチン含有食品を少なくとも週に2～3回は摂取するよう提案した。約1カ月後の来局時、Aさんは、筋肉障害が完全に消失したと話した。

その後、Aさんには逆流性食道炎のためオメプラール（オメプラゾール）が追加された。OCTN2阻害効果を有するオメプラゾールの併用により、カルニチン欠乏症が発症しやすくなると考えられたため、薬剤師はこれまで以上に欠乏症状に注意するよう指導した。

 60歳代男性Bさん

[処方箋]
リポバス錠10　1錠
オメプラール錠10　1錠
　1日1回　朝食後　28日分

Bさんは脂質異常症のため3年前からリポバス（シンバスタチン）を、逆流性食道炎の維持療法のため1年前からオメプラール（オメプラゾール）を服用している。いずれもOCTN2阻害作用を有するが、特にスタチン系薬のシンバスタチンは、横紋筋融解症、クレアチンホスホキナーゼ（CPK）上昇を伴う筋肉痛（ミオパチー）などの筋肉障害を発症する恐れがあり、カルニチン欠乏を併発すれば筋肉障害が発症しやすくなると考えられる。薬剤師は筋肉症状に注意するよう指導している。

 60歳代男性Cさん

[処方箋]
① アマリール1mg錠　2錠
　1日2回　朝夕食後　28日分
② ブロプレス錠8　1錠
　1日1回　朝食後　28日分
③ アーチスト錠10mg　1錠
　1日1回　朝食後　14日分

Cさんは糖尿病と高血圧のため、数年前からアマリール（グリメピリド）とブロプレス（カンデサルタンシレキセチル）を服用していたが、今回、血圧上昇のため、$\alpha_1\beta$遮断薬のアーチスト（カルベジロール）が追加された。カンデサルタンなどのアンジオテンシンⅡ受容体拮抗薬（ARB）はインスリン抵抗性改善作用を持つため、低血糖には常に注意するように指導していた。

カルベジロールはOCTN2阻害作用を持つため、カルニチン欠乏により糖新生が抑制される恐れがある。また同薬のβ_2遮断作用が糖新生やグリコーゲン分解を抑制するほか、β_1遮断作用は低血糖に伴う頻脈をマスクする可能性もある。薬剤師は、カルベジロールの追加により低血糖のリスクが高まる恐れがあることを説明し、異常な空腹感や脱力感、発汗、手足の震え、目のちらつきなどの症状が現れたら、直ちにブドウ糖を摂取し、受診するように伝えた。

コラム 20

ヌクレオシドトランスポーターとは

ヌクレオシドトランスポーター（NTs；nucleoside transporters）は、ヌクレオシドおよび核酸塩基の細胞膜輸送を担うトランスポーターであり、ヌクレオチドの生合成におけるサルベージ経路において重要な役割を担うとともに、細胞内へのアデノシン取り込みや、抗腫瘍薬や抗ウイルス薬といったヌクレオシド誘導体（ゲムシタビン［ジェムザール；ピリジン系薬］、リバビリン［レベトール］など）の標的組織への取り込みに関与している。NTs はその輸送形態から受動輸送のプロセスをとる拡散型トランスポーター（ENT；equilibrative NTs；Na^{+}非依存性）と濃縮型トランスポーター（CNT；concentrative NTs；Na^{+}依存性）に大別される。主に 3 種類の CNT が知られており、CNT1 はピリミジンヌクレオシドを選択的に輸送し、CNT2 はプリンヌクレオシド選択性で、CNT3 は基質選択性が低いと考えられている。CNT1 は小腸上皮細胞の表面に存在し、トリフルリジンの吸収過程に関与している。その他、チミジン（CNT1 の基質）はトリフルリジンの取り込みを有意に阻害する。一方、ENT の基質にはアデノシンがあり、抗血小板薬のチカグレロルは ENT1 を阻害し、局所アデノシン濃度を上昇させることが示されている。

【NTs の基質】

CNT1 基質	トリフルリジン[1]、チミジン[2]
CNT1 阻害剤	チミジン[2]
ENTs 基質	アデノシン、トリフルリジン[1]
ENT1 阻害剤	チカグレロル（ブリリンタ）

【消化管ヌクレオシドトランスポーターの発現部位】

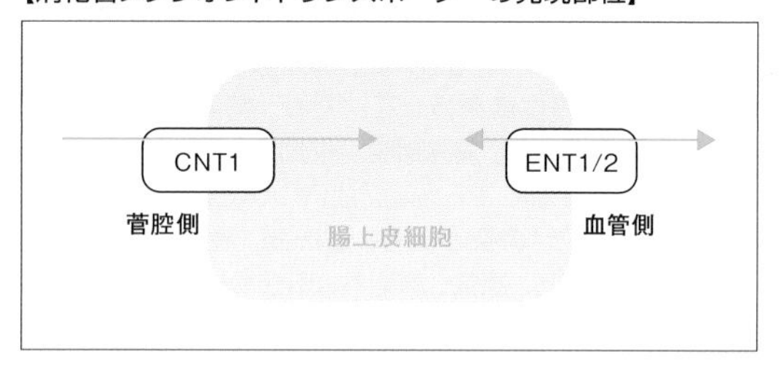

参考文献
1）Biopham Drug Dispos.2018;39:38-46.
2）JPET.2011;340:457-62.

コラム 21

注意すべきトランスポーターの臨床阻害薬および基質

トランスポーターによる相互作用で特に注意すべき阻害薬および基質をFDAのガイダンスを基に示しておくので参考にしていただきたい。

【注意すべきトランスポーターの阻害薬と基質】

トランスポーター	臨床阻害薬	臨床基質
P-gp	アミオダロン（アンカロン）、カルベジロール（アーチスト）、クラリスロマイシン（クラリス）、イトラコナゾール（イトリゾール）、ラパチニブ（タイケルブ）、ロピナビル・リトナビル配合錠（カレトラ）、プロパフェノン（プロノン）、キニジン（キニジン）、リトナビル（ノービア）、ベラパミル（ワソラン）	ダビガトランエテキシレート（プラザキサ）、ジゴキシン（ラニラピッド）、フェキソフェナジン（アレグラ）
BCRP	シクロスポリン（サンディミュン、ネオーラル）、エルトロンボパグ（レボレード）	ロスバスタチン（クレストール）、サラゾスルファピリジン（アザルフィジン）
OATP2、OATP8	クラリスロマイシン（クラリス）、シクロスポリン（サンディミュン、ネオーラル）、エリスロマイシン（エリスロシン）、ロピナビル・リトナビル配合錠（カレトラ）、リファンピシン（リファジン）、シメプレビル★	アトルバスタチン（リピトール）、ボセンタン（トラクリア）、ドセタキセル※1（タキソテール）、フェキソフェナジン（アレグラ）、ナテグリニド（スターシス）、パクリタキセル（タキソール）、ピタバスタチン※2（リバロ）、プラバスタチン（メバロチン）、レパグリニド（シュアポスト）、ロスバスタチン※2（クレストール）、シンバスタチン（リポバス）
OAT1、OAT3	プロベネシド（ベネシッド）	アデホビル※3（ヘプセラ）、セファクロル（ケフラール）、セフチゾキシム（エポセリン）、ファモチジン※4（ガスター）、フロセミド（ラシックス）、ガンシクロビル※3（バリキサ）、メトトレキサート（リウマトレックス）、オセルタミビル※4（タミフル）、ペニシリン※4（バイシリン）
OCT2、MATE1、MATE2-K	シメチジン（タガメット）、ドルテグラビル（ジャルカ配合錠など）、トリメトプリム（ダイフェン、バクタ）、バンデタニブ（カプレルサ）	メトホルミン（メトグルコ）

(Drug Development and Drug Interactions | Table of Substrates, Inhibitors and Inducers［2016年9月］を基に作成：https://www.fda.gov/drugs/drug-interactions-labeling/drug-development-and-drug-interactions-table-substrates-inhibitors-and-inducers)

臨床阻害薬の基準
- P-gp：ジゴキシンのAUCを2倍以上増加させる薬剤
- BCRP：スルファサラジンのAUCを1.5倍以上増加させる薬剤
- OATP2/OATP8：臨床基質である薬剤のAUCを2倍以上増加させる薬剤
- OAT1/OAT3：臨床基質である薬剤のAUCを1.5倍以上増加させる薬剤
- OCT2/MATE：メトホルミンのAUCを1.5倍以上増加させる薬剤

臨床基質の基準
- P-gp：ベラパミルまたはキニジンとの同時投与によりAUCが2倍以上増加する薬剤
- BCRP：遺伝子多型によりAUCが2倍以上増加する薬剤
- OATP2/OATP8：リファンピシンまたはシクロスポリンとの同時投与によりAUCが2倍以上増加する薬剤
- OAT1/OAT3：プロベネシドとの同時投与によりAUCが1.5倍以上増加する薬剤、および尿中未変化体率50%以上の薬剤
- OCT2/MATE：メトホルミンはカチオン輸送系の代表的な薬剤としてよく知られている。

※1　OATP2よりもOATP8の寄与が強い
※2　OATP8よりもOATP2の寄与が強い
※3　OAT3よりもOAT1の寄与が強い
※4　OAT1よりもOAT3の寄与が強い
★　販売中止

第2節
消化管吸収に関わるトランスポーター

消化管粘膜上皮細胞膜のトランスポーターは、薬物の消化管吸収を促進するものと抑制するものに分けられる（**図4-4**）。

例えば、小腸粘膜上皮細胞の消化管腔側（刷子縁側）膜に発現しているトランスポーターは、管腔から細胞へ薬物を輸送し、結果的に消化管吸収を促進する。このタイプのトランスポーターには、ヌクレオチドトランスポーター、グルコーストランスポーター、アミノ酸トランスポーター、オリゴペプチドトランスポーター（PEPT）ファミリー、有機アニオントランスポーティングポリペプチド（OATPs）ファミリーなどがある。また、小腸粘膜上皮細胞の血液側膜に発現するトランスポーターとしては、多剤耐性関連タンパク質（MRP）ファミリーのMRP3がある。MRP3は、細胞から血液へと薬物を輸送し、消化管吸収を促進する。

一方、上皮細胞に移行した薬物を消化管腔へくみ出すことで、消化管排泄を促進（吸収を抑制）し、消化管バリアとして働くトランスポーターには、消化管腔側（刷子縁側）膜に発現しているP糖タンパク質（P-gp）やMRP2、BCRPなどがある。BCRPは、主に尿酸のくみ出しに関わっている。

図4-4　消化管吸収に関わるトランスポーターの種類と発現部位

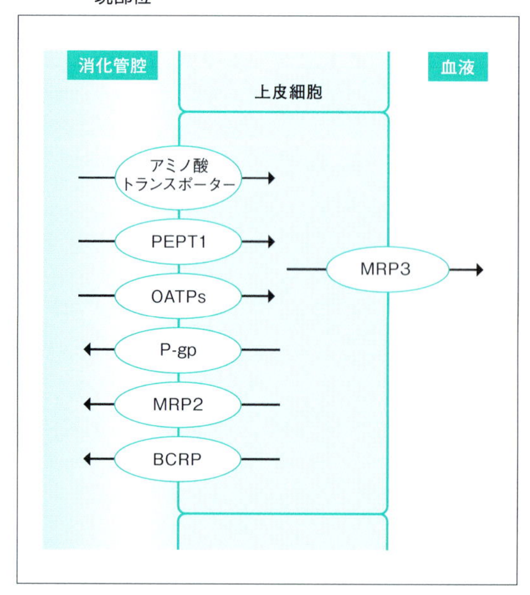

これらのトランスポーターのうち、現在までに相互作用が報告されている主なトランスポーターは、①P-gp、②MRP2、③BCPR、④アミノ酸トランスポーター、⑤PEPT1、⑥OATPs ―― である。以下、順に見ていく。

❶ P糖タンパク質（P-gp）

P-gpはABCトランスポーターの一つであり、比較的分子量の大きい中性・塩基性薬物を細胞内から細胞外へくみ出す（排出する）方向に働く。尿細管上皮細胞や肝細胞の管腔（尿細管、胆管）側膜上に発現し、腎分泌や胆汁中排泄を担っている。また、脳毛細血管内皮細胞（BBB）では血液側膜に発現し、内皮細胞に移行した薬物を血液中にくみ出す、脳移行のバリアとして機能する。

もともとP-gpは、抗癌剤に対する耐性を獲得した癌細胞が、ベラパミル塩酸塩（ワソラン）などのCa拮抗薬の処理によって、再び抗癌剤に感受性を示すようになるという研究結果から発見された（**図4-5**）。抗癌剤への耐性がある細胞ではP-gpの発現が過剰となり、抗癌剤の細胞外へのくみ出しが盛んになるため抗癌剤の作用が低下するが、ベラパミルを併用すると同薬のP-gp阻害作用によりくみ出しが抑制され、抗癌作用が回復する。

消化管では、P-gpは腸粘膜上皮細胞の管腔側膜上に存在し、上皮細胞に薬物を消化管腔へくみ出す（分泌する）ことで、消化管からの薬物吸収量を調節する「消化管吸収バリア」として機能している。

消化管のP-gpが関わる相互作用は、①P-gp阻害による吸収促進（薬効増強）、②P-gp活性化（誘導など）による吸収抑制（薬効減弱）―― に分けられる。

図4-5　多剤耐性癌細胞とP糖タンパク質

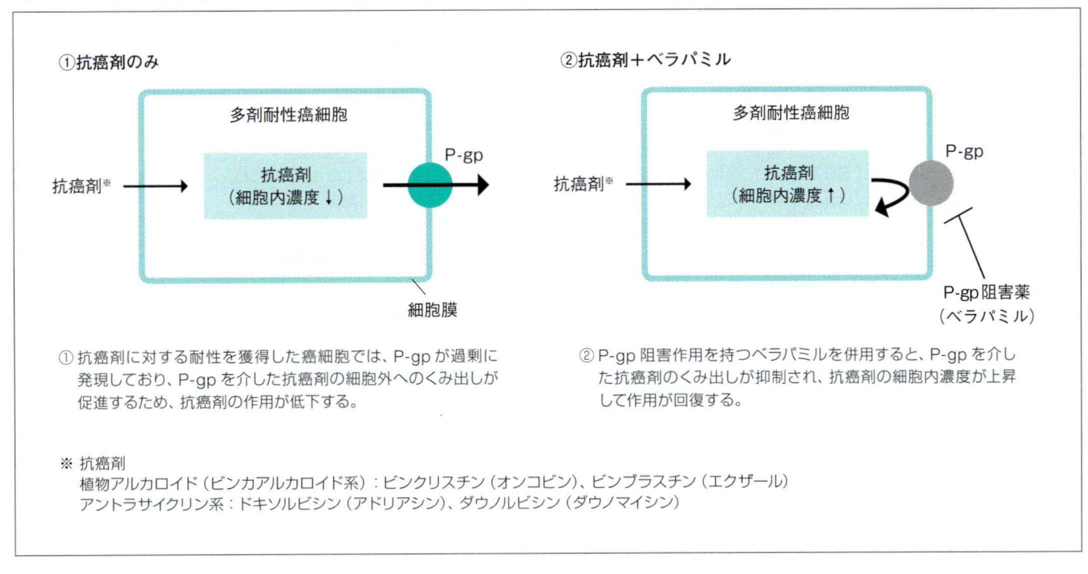

A P-gpの阻害・競合

P-gp阻害に起因する相互作用は、主にP-gpの基質になる薬剤（**表4-10**）を併用した場合に、P-gpによる輸送が競合して起こる。P-gpの基質となる薬剤は脂溶性が高く、比較的分子量の大きい塩基性薬剤（CYP2D6の基質など）や中性薬剤が多い。また、P-gpの基質はCYP3A4の基質と類似しており、薬物の解毒・体外排泄におけるP-gpとCYP450の協調性も注目されている。

この相互作用の機序は、P-gpと薬剤との親和性（結合力）の強弱に依存する。例えば、親和性の強い薬剤と親和性の弱い薬剤を併用した場合は、強い薬剤が弱い薬剤のP-gpによるくみ出し（分泌）を阻害し、消化管吸収を促進する。一方、親和性が同程度の薬剤を併用した場合は、消化管腔への分泌が相互に抑制され、血中濃度が共に上昇する（薬効増強）。いずれの場合も、P-gpに対する親和性の強い薬剤が弱い薬剤の消化管腔へのくみ出しを阻害し、血中濃度を上昇させる。

実際の相互作用の報告例（**表4-11**）を見ると、アゾール系薬（ケトコナゾール、イトラコナゾール［イトリゾール］）、HIVプロテアーゼ阻害薬、シクロスポリン（サンディミュン、ネオーラル）、キニジン硫酸塩水和物（硫酸キニジン）、ベラパミル塩酸塩（ワソラン）、アミオダロン塩酸塩（アンカロン）、タクロリムス水和物（プログラフ）、14員環マクロライド系薬などはP-gpに対する親和性が強い（☞ **コラム21**）。一方、ダビガトランエテキシラートメタンスルホン酸塩（プラザキサ）、アリスキレンフマル酸塩（ラジレス）、活性化第X因子（FXa）阻害薬（リバーロキサバン［イグザレルト］、エドキサバントシル酸塩水和物［リクシアナ］、アピキサバン［エリキュース］）、トルバプタン（サムスカ）、ジギタリス製剤、フェキソフェナジン塩酸塩（アレグラ）、ミラベグロン（ベタニス）、ロペラミド（ロペミン）、チカグレロル（ブリリンタ；抗血小板薬）などはP-gpに対する親和性が弱いと考察できる。

特に「消化管のP-gp阻害に起因する」と考えられる相互作用には、P-gp阻害薬とダビガトランまたはエドキサバンの併用、ベラパミルとエトポシドの併用、抗HCV薬（バニプレビル★、レジパスビル・ソホスブビル［ハーボニー配合錠］、ダクラタスビル、アスナプレビル、テラプレビル）とジゴキシンの併用、レジパスビルとテノホビル含有製剤（テノゼット、ベムリディ；抗HBV薬）との併用──などがある。

基本的にP-gpが関与する経口薬の相互作用に

表4-10　P-gpの基質となり得る主な薬剤

代謝するCYP分子種	P-gpの基質となり得る薬剤	
CYP1A2	・オランザピン（ジプレキサ）	
CYP2C8	・パクリタキセル（タキソール；タキソイド系薬）、ダブラフェニグ（タフィンラー）	
CYP2C9	・第1世代SU薬およびグリベンクラミド（オイグルコン）、グリメピリド（アマリール）※1 ・ヒダントイン系薬：フェニトイン（アレビアチン）	・ロサルタン（ニューロタン） ・スタチン系薬※2
CYP2C19	・バルビツール酸系	・プロトンポンプ阻害薬（PPI）
CYP2D6	・2・3級アミン類三環系抗うつ薬 ・ミアンセリン（テトラミド；四環系抗うつ薬） ・フェノチアジン系薬、ブチロフェノン系薬 ・リスペリドン（リスパダール） ・β遮断薬：カルベジロール（アーチスト）など ・モルヒネ系薬 ・エリグルスタット（サデルガ）	・抗5-HT$_3$薬：オンダンセトロン（ゾフラン）など ・抗不整脈薬：プロパフェノン（プロノン）、ピルシカイニド（サンリズム） ・ロラタジン（クラリチン） ・SSRI：パロキセチン（パキシル）、フルボキサミン※3（デプロメール、ルボックス）
CYP3A4群	・グリベンクラミド（オイグルコン、ダオニール） ・カルバマゼピン（テグレトール） ・抗不整脈薬・局所麻酔薬：キニジン（硫酸キニジン）、リドカイン（キシロカイン）、アミオダロン（アンカロン）、プロパフェノン（プロノン）、ベプリジル（ベプリコール）、フレカイニド（タンボコール） ・キニーネ類：メフロキン（メファキン；抗マラリア薬） ・脂溶性スタチン系薬※2 ・Ca拮抗薬※2 ・ピペリジン系：テルフェナジン★、ロペラミド（ロペミン）、ロラタジン（クラリチン） ・マクロライド系薬 ・ケトライド系薬 ・ステロイド系薬 ・シクロスポリン（サンディミュン、ネオーラル） ・エベロリムス（サーティカン、アフィニトール） ・分子標的治療薬※6：イマチニブ（グリベック）、ラパチニブ（タイケルブ）、ニロチニブ（タシグナ）、アファチニブ（ジオトリフ）、パゾパニブ（ヴォトリエント）、ボスチニブ（ボシュリフ）、レゴラフェニブ（スチバーガ）、ベムラフェニブ（ゼルボラフ）、シロリムス（ラパリムス）、レンバチニブ（レンビマ）、バンデタニブ（カプレルサ）、ギルテリチニブ（ゾスパタ）、エヌトレクチニブ（ロズリートレク）、チラブルチニブ（ベレキシブル）、ベネトクラクス（ベネクレクスタ）、オラパリブ（リムパーザ）、ロミデプシン（イストダックス）、ラロトレクチニブ（ヴァイトラックビ）、ブレンツキシマブ（アドセトリス点滴静注） ・抗癌剤：タキソイド系薬（カバジタキセル［ジェブタナ点滴静注］）、ビンカアルカロイド系薬、エトポシド（ベプシド注） ・β_3刺激薬：ミラベグロン（ベタニス、一部CYP3A4で代謝）、ビベグロン（ベオーバ）	・アリスキレン※4（ラジレス） ・DPP4阻害薬：シタグリプチン※4（グラクティブ、ジャヌビア）、テネリグリプチン（テネリア）、サキサグリプチン（オングリザ）、リナグリプチン※4（トラゼンタ） ・HIVプロテアーゼ阻害薬 ・活性化第X因子（FXa）阻害薬：リバーロキサバン（イグザレルト）、エドキサバン※4（リクシアナ）、アピキサバン（エリキュース） ・チカグレロル（ブリリンタ；抗血小板薬） ・トルバプタン（サムスカ） ・インダカテロール（オンブレス吸入、胆汁排泄型） ・抗HCV薬：テラプレビル★、シメプレビル★、アスナプレビル★、ダクラタスビル★、バリタプレビル★、グラゾプレビル★、エスバスビル★ ・ナルフラフィン※5（レミッチ） ・マラビロク（シーエルセントリ；CCR5阻害抗HIV薬） ・シロドシン（ユリーフ） ・イトラコナゾール（イトリゾール） ・ドンペリドン（ナウゼリン） ・コルヒチン ・ミダゾラム（ドルミカム、ミダフレッサ） ・アプレピタント（イメンド；選択的NK$_1$受容体拮抗薬） ・オピオイド系鎮痛薬：メサドン（メサペイン）、フェンタニル（アブストラル、イーフェン、デュロテップ、ワンデュロ、フェントス）

その他	・ダビガトランエテキシラート（プラザキサ） ・抗菌薬：トリメトプリム（ST合剤［バクタ配合錠］に含有）、ジクロキサシリン、キノロン系薬（スパルフロキサシン★、パズフロキサシン［パシル］など）、イミダゾール系薬（メトロニダゾール［フラジール］、シメチジン［タガメット］など）、セファロスポリン系薬 ・キナゾリン系薬：ドキサゾシン（カルデナリン）、プラゾシン（ミニプレス） ・ピペリジン系薬：フェキソフェナジン（アレグラ） ・セチリジン（ジルテック；ピペラジン系薬） ・抗癌剤※2：メトトレキサート（メソトレキセート、リウマトレックス）、メルカプトプリン（ロイケリン）、アクチノマイシンD、マイトマイシンC、アントラサイクリン系薬 ・レセルピン（アポプロン）	・ジドブジン（レトロビル） ・アシクロビル（ゾビラックス） ・メトクロプラミド（プリンペラン） ・スルピリド（ドグマチール） ・ラロキシフェン（エビスタ） ・テルミサルタン※1（ミカルディス） ・オルメサルタンメドキソミル※1（オルメテック） ・ラニチジン（ザンタック） ・パリペリドン（9-ヒドロキシリスペリドン;インヴェガ） ・DPP4阻害薬：ビルダグリプチン（エクア）、トレラグリプチン（ザファテック）、アナグリプチン（スイニー） ・SGLT2阻害薬（☞第7章［第8節］） ・抗HCV薬:ソホスブビル（ソバルディ）、レジパスビル・ソホスブビル配合錠（ハーボニー）

★ 販売中止　　※1　いずれも可能性あり。

※2　基質になる可能性の低い薬剤は、スタチン系では水溶性のプラバスタチン（メバロチン）、ピタバスタチン（リバロ）、ロスバスタチン（クレストール）、Ca拮抗薬ではアムロジピン（ノルバスク）、抗癌剤では白金誘導体（シスプラチン［ランダ、ブリプラチン］）、ピリミジン系、アルキル化薬である。

※3　フルボキサミンはP-gpの基質になる可能性が低いとされていたが、近年では、パロキセチンほどではないがP-gpを中程度に阻害すること（J Pharmacol Exp Ther.2003;305:197-204.）、また、P-gp遺伝子欠損マウスでは脳内濃度がパロキセチンと同程度に上昇すること（Drug Metab Dispos.2005;33:165-74.）が報告されており、フルボキサミンがP-gpの基質となる可能性が示唆されている。

※4　代謝はわずか。　※5　ナルフラフィンのP-gp輸送はケトコナゾール、ベラパミル、シクロスポリン、タクロリムス、セチリジンで阻害（in vitro）。

※6　分子標的治療薬の相互作用については**付録C 表S-8**参照。

表4-11　消化管粘膜上皮細胞のP-gpが関与する相互作用（経口薬）

A P-gp阻害または競合（分泌低下、吸収増加、薬効増強）			
	作用する薬剤	作用を受ける薬剤	起こり得る事象など
併用禁忌	P-gp阻害薬： イトラコナゾール （イトリゾール）	ダビガトランエテキシラート（プラザキサ；直接トロンビン阻害薬）	吸収促進により活性代謝物（ダビガトラン）の血中濃度が上昇（総ダビガトランの曝露量が最大約2.5倍増加）、出血の危険性が増大する。プラザキサのインタビューフォームでは、血中濃度上昇は主に消化管のP-gp阻害に起因するとしてP-gp阻害薬は経口薬に限定されているが、ダビガトランは主に腎排泄されるため、腎P-gp阻害も関与すると考えられる（☞**表4-28**）。ダビガトランはCYP450の代謝を受けない。
併用禁忌	P-gp阻害薬： イトラコナゾール （イトリゾール）	アリスキレン（ラジレス；直接的レニン阻害薬）	アリスキレン（胆汁中排泄）Cmaxが5.8倍、AUCが6.5倍に上昇（空腹時併用）。肝P-gp阻害も関与（☞**表4-21**）。
併用禁忌	HIVプロテアーゼ阻害薬、アゾール系抗真菌薬 （フルコナゾール［ジフルカン］を除く）	リバーロキサバン（イグザレルト；活性化第X因子［FXa］阻害薬）	P-gp（およびCYP3A4）阻害により、血中濃度が上昇し出血の危険性が増大する。リバーロキサバンのAUCがリトナビル併用時に2.5倍上昇、ケトコナゾール内服薬★併用時に2.6倍上昇し、抗凝固作用増強。リバーロキサバンは主に腎排泄されるため、腎P-gp阻害も関与（☞**表4-28**）するほか、CYP3A4阻害も関わっている。
併用禁忌	シクロスポリン （サンディミュン、ネオーラル）	アリスキレン （ラジレス）	アリスキレン（胆汁中排泄）のCmax2.5倍、AUC5倍上昇（空腹時併用）。肝P-gp阻害も関与（☞**表4-21**）。高K血症に留意（☞**表8-5**）。
原則禁忌	P-gp阻害薬：キニジン（硫酸キニジン）、ベラパミル（ワソラン）、エリスロマイシン（エリスロシン）、シクロスポリン（サンディミュン、ネオーラル） その他のP-gp阻害薬：アジスロマイシン（ジスロマック）、クラリスロマイシン（クラリス）、イトラコナゾール（イトリゾール）、ジルチアゼム（ヘルベッサー）、アミオダロン（アンカロン）、HIVプロテアーゼ阻害薬（リトナビルなど）	エドキサバン （リクシアナ；活性化第X因子［FXa］阻害薬）	出血の危険性が増大。エドキサバンのAUC 1.5～2倍上昇。P-gp阻害薬は、エドキサバンの血中濃度を上昇させる可能性が高いため、有益性がリスクを上回る場合に限って投与。キニジン、ベラパミル、エリスロマイシン、シクロスポリンの併用時はエドキサバンの減量が必要であるが、その他のP-gp阻害薬の併用時には減量を考慮する。ただし、P-gp阻害薬やエドキサバンの適応症によって減量基準が異なるため注意すること。リクシアナの添付文書では「消化管P-gp阻害に起因する」と記載されているが、エドキサバンは胆汁中・腎排泄されるため、肝・腎P-gp阻害も関与と考えられる（☞**表4-21、表4-28**）。エドキサバンは一部CYP3A4で代謝。

★ 販売中止もしくは国内未発売

表 4-11（つづき） 消化管粘膜上皮細胞のP-gpが関与する相互作用（経口薬）

原則禁忌	P-gp阻害薬:アゾール系薬（フルコナゾール［ジフルカン］を除く）、HIVプロテアーゼ阻害薬（リトナビル［ノービアなど］）	アピキサバン（エリキュース;FXa阻害薬）	血中濃度上昇の恐れ。P-gpおよびCYP3A4を同時に阻害するため。アピキサバン（胆汁・腎排泄）のAUC、Cmaxが2倍、1.6倍上昇（ケトコナゾール併用時）。併用時は、アピキサバン1回2.5mgを1日2回への減量（通常は1回5mgを1日2回）、あるいは治療上の有益性と危険性を十分に考慮し、併用が適切と考えられない場合は併用しない。肝腎のP-gp阻害も関与すると考えられる（☞**表4-21、表4-28**）。
	イトラコナゾール（イトリゾール）	トルバプタン（サムスカ;バソプレシンV_2-受容体拮抗薬）	ケトコナゾール内服薬*併用時にトルバプタン（胆汁・腎排泄）のAUCが5.4倍に上昇。添付文書には「CYP3A4阻害薬との併用は避けることが望ましい」と記載されているが、P-gp阻害も関与。併用時にはトルバプタンの減量あるいは低用量投与を考慮する。
併用慎重	P-gp阻害薬:ベラパミル（ワソラン）	アリスキレン（ラジレス）	アリスキレン（胆汁中排泄）CmaxおよびAUCが約2倍上昇（空腹時併用）。肝P-gp阻害も関与（☞**表4-21**）。
	ベラパミル（ワソラン）	ダビガトランエテキシラート（プラザキサ）	出血の危険性がかなり高い。直接トロンビン阻害薬を投与する1時間前にベラパミルを単回投与した場合、総ダビガトラン$AUC_{0\text{-}\infty}$2.43倍増加。併用時にはダビガトランエテキシラート（腎排泄）として1回110mg 1日2回投与を考慮する（通常は1回150mgを1日2回）。同時、もしくは新たにベラパミルの併用を開始する場合は、併用開始から3日間は、ベラパミル投与時点の2時間以上前に直接トロンビン阻害薬を投与する。
	P-gp阻害薬:アミオダロン（アンカロン）、キニジン（硫酸キニジン）、タクロリムス（プログラフ）、シクロスポリン（サンディミュン）、リトナビル（ノービア）、ネルフィナビル*、サキナビル*、ベルパタスビル（エプクルーサ配合錠;抗HCV薬）、グレカプレビル・ピブレンタスビル（マヴィレット配合錠）、テポチニブ（テプミトコ:分子標的治療薬）など		出血の危険性が高い。併用時、ダビガトランエテキシラート（腎排泄）として1回110mg 1日2回投与を考慮すること（通常は1回150mgを1日2回経口投与）。ベルパタスビル（エプクルーサ配合錠）では投与量の制限なし。ベルパタスビルは主に糞中排泄であるため、主に腸のP-gp阻害が関与。
	P-gp阻害薬:クラリスロマイシン（クラリシッド、クラリス）		上述のP-gp阻害薬のような著しい影響はないが、併用時には患者の状態を十分に観察。
	P-gp阻害薬:マクロライド系薬、フルコナゾール（ジフルカン）、ジルチアゼム（ヘルベッサー）	アピキサバン（エリキュース;FXa阻害薬）	血中濃度上昇の恐れ。アピキサバンAUC、Cmaxが1.4倍、1.3倍上昇（ジルチアゼム併用時）。併用時には患者の状態を十分に観察。CYP3A4阻害も関与。
	P-gp阻害薬:ナプロキセン（ナイキサン;NSAIDs）		アピキサバンAUC、Cmaxが1.5倍、1.6倍上昇。主に消化管のP-gp阻害に起因すると考えられている。協力作用による出血の危険性が増大する可能性。
	アトルバスタチン（リピトール）	ジゴキシン（ジゴシン）	ジゴキシンCmax、AUCが20%、15%上昇。
		アリスキレン（ラジレス）	アリスキレンCmax、AUCが1.5倍（空腹時併用）。肝P-gp阻害も関与。
	イストラデフィリン（ノウリアスト;アデノシンA_{2A}受容体拮抗薬）	アトルバスタチン（リピトール）	アトルバスタチン$AUC_{0\text{-}\infty}$1.54倍上昇、Cmax1.53倍上昇。肝P-gp阻害（☞**表4-21**;アトルバスタチンは主に胆汁排泄）、CYP3A4阻害（☞**表5-36**⑤）も関与。
	ベルパタスビル（エプクルーサ配合錠;抗HCV薬）	アトルバスタチン	アトルバスタチンCmaxおよびAUCが1.68、1.54倍に上昇。P-gp、BCRPおよびOATP2/8阻害も関与。
	分子標的治療薬:オシメルチニブ（タグリッソ）、テポチニブ（テプミトコ）	フェキソフェナジン（アレグラ）、ジゴキシン（ジゴシン）	オシメルチニブによりフェキソフェナジンのAUC56%、Cmax76%上昇。副作用の発現が増強される恐れ。

表 4-11（つづき）　消化管粘膜上皮細胞の P-gp が関与する相互作用（経口薬）

併用慎重	マクロライド系薬（エリスロマイシン［エリスロシン］、アジスロマイシン［ジスロマック］など）、ケトコナゾール内服薬★	フェキソフェナジン（アレグラ）	エリスロマイシンとの併用によりフェキソフェナジンAUCおよび血中濃度が2倍上昇。アジスロマイシン（ジスロマック）でAUC 67%上昇。ケトコナゾール内服薬では血中濃度が2倍上昇。P-gp阻害に起因するクリアランス（腎［☞ **表4-28**］・胆汁中［☞ **表4-21**］排泄）の低下も関与（フェキソフェナジン、アジスロマイシンは主に胆汁中排泄）。
	マクロライド系薬（クラリスロマイシン［クラリス、クラリシッド］）	PPI（オメプラゾール［オメプラゾン］、ランソプラゾール［タケプロン］など）	PPI血中濃度上昇。ピロリ除菌治療の際に注意。
	PPI	ジゴキシン（ジゴシン）	オメプラゾール併用でジゴキシンAUC 10%上昇。ラベプラゾール併用によりジゴキシン血中濃度20%上昇。胃酸分泌抑制によるジゴキシン分解抑制も関与。
	HIVプロテアーゼ阻害薬（ネルフィナビル★など）	アジスロマイシン（ジスロマック；15員環マクロライド系）	ネルフィナビル併用でアジスロマイシンAUCおよびCmaxが2倍上昇（抗菌力上昇）。ネルフィナビルとその代謝物（M8）の$AUC_{0-\infty}$はそれぞれ28%、24%減少するが、臨床上の抗ウイルス効果には影響しないと考えられる。また、ネルフィナビル単独投与で見られる胃腸障害は軽度になり、アジスロマイシンの抗菌力も上昇することから、併用の有用性も示唆されている。ネルフィナビル、リトナビル（ノービア）、サキナビル★ではP-gp阻害の報告があるが、インジナビル★とアジスロマイシンとの相互作用の報告はない。アジスロマイシンは主に胆汁中へ排泄されるため、肝細胞P-gp阻害による胆汁中への排泄阻害も関与する（☞ **表4-21**）。
	アジスロマイシン（ジスロマック）	ジギトキシン★	ジギトキシン血中濃度上昇。ジギトキシン、アジスロマイシンは主に胆汁排泄されるので、肝細胞P-gp阻害による胆汁中への排泄抑制の可能性が高い（☞ **表4-21**）。
	ベラパミル（ワソラン）、キニジン（硫酸キニジン）	エトポシド（ベプシド、ラステット）	ベラパミル、キニジンのP-gp阻害効果により、エトポシドの消化管吸収が増大。
	バルプロ酸（デパケン）	三環系抗うつ薬	アミトリプチリン（トリプタノール）および代謝産物であるノルトリプチリンの血中濃度上昇。
		パリペリドン（9-ヒドロキシリスペリドン；インヴェガ；SDA）	パリペリドン$AUC_{0-\infty}$が52％増加（機序不明）。パリペリドンはCYP450で代謝されにくいため（CYP3A4・2D6でわずかに代謝）、バルプロ酸のP-gp阻害によるパリペリドン消化管吸収・腎排泄阻害に起因する可能性がある。
	P-gp阻害薬：マクロライド系薬（エリスロマイシン［エリスロシン］）、アゾール系薬（イトラコナゾール［イトリゾール］）、HIVプロテアーゼ阻害薬（リトナビル［ノービア］など）	ミラベグロン（ベタニス；β_3刺激薬、OAB治療薬）	ミラベグロン血中濃度上昇（心拍数増加などの恐れ）。ケトコナゾール内服薬★でミラベグロン血中濃度が1.81倍上昇。腎・肝P-gp阻害、肝CYP3A4阻害も関与（ただし、ミラベグロンの一部がCYP3A4で代謝）。
	アゾール系薬（イトラコナゾール［イトリゾール］など）、抗HIV阻害薬（リトナビル［ノービア］など）	ビベグロン（ベオーバ；β_3刺激薬、OAB治療薬）	ケトコナゾール併用によりビベグロンのCmax2.2倍、AUC2.1倍上昇。腎・肝P-gp阻害、肝CYP3A4阻害も関与（ビベグロンはCYP 3A4の基質）。
	P-gp阻害薬： シクロスポリン（サンディミュン、ネオーラル）など	トルバプタン（サムスカ）	トルバプタン血中濃度上昇（作用増強）。腎・肝P-gp阻害、肝CYP3A4阻害効果も関与。添付文書には「CYP3A4阻害薬との併用は避けることが望ましい」と記載されているが、P-gp阻害も関与。併用時にはトルバプタンの減量あるいは低用量投与を考慮する。
	P-gp阻害薬： キニジン（硫酸キニジン）、リトナビル（ノービア）、イトラコナゾール（イトリゾール）など	ロペラミド（ロペミン）	キニジン併用により、ロペラミドCmax、AUCがそれぞれ141%、148%増加、リトナビル併用で83%、121%増加、イトラコナゾール併用で185%、285%増加。ロペラミドは主に糞便中に排泄されるため、肝P-gp阻害に起因する可能性が高い。イトラコナゾールではCYP3A4阻害も関与。

★ 販売中止もしくは国内未発売

表 4-11（つづき） 消化管粘膜上皮細胞の P-gp が関与する相互作用（経口薬）

併用慎重	抗HCV薬（バニプレビル★、レジパスビル［レジパスビル・ソホスブビル；ハーボニー配合錠］、ダクラタスビル★、アスナプレビル★、テラプレビル★、シメプレビル★、パリタプレビル・リトナビル★、グレカプレビル・ピブレンタスビル［マヴィレット配合錠］）、ベルパタスビル［エプクルーサ配合錠；抗HCV薬］）	ジゴキシン（ジゴシン）	腸管P-gp阻害によりジゴキシン血中濃度上昇の恐れ（TDM実施するなど慎重投与）。バニプレビル併用時、ジゴキシンAUCが1.63倍上昇。オムビタスビル・パリタプレビル・リトナビル★併用時、ジゴキシンAUC 1.364倍上昇。ソホスブビル・ベルパタスビル（エプクルーサ配合錠；抗HCV薬）併用時、Cmax1.88、AUC1.34倍に上昇。これらの抗HCV薬は主に胆汁中（糞中）排泄され、ジゴキシンは主に腎排泄されるため、消化管P-gp阻害の関与大。
	シメプレビル★	エリスロマイシン（エリスロシン）、Ca拮抗薬	血中濃度上昇、副作用発現の恐れ。エリスロマイシンAUC1.9倍上昇。エリスロマイシン、シメプレビルは主に胆汁排泄、Ca拮抗薬は尿、胆汁排泄のため、消化管、肝P-gp阻害の関与が推測される。①エリスロマシン併用時、相互血中濃度上昇。シメプレビルAUC7.5倍上昇（CYP3A4阻害も関与［☞**表5-29**］）。OATP2阻害［☞**表4-20**］も関与）。②Ca拮抗薬ではシメプレビルの肝P-gp阻害作用も関与（☞**表4-21**）。
	レジパスビル（レジパスビル・ソホスブビル配合錠;ハーボニー配合錠；抗HCV薬）	テノホビル含有製剤（テノゼット；抗HBV薬）	テノホビル血中濃度上昇。機序不明であるが、レジパスビルは主に胆汁排泄、テノホビルは腎排泄のため、レジパスビルの消化管P-gp阻害の関与大。消化管BCRP阻害の関与の可能性あり。
	シクロスポリン（サンディミュン、ネオーラル）	シメプレビル★	シメプレビル血中濃度上昇（副作用発現）。シクロスポリンのOATP2阻害、3A阻害も関与。シクロスポリン、シメプレビルは肝排泄型であるため、シクロスポリンの消化管、肝のP-gp阻害に起因と推測（☞**表4-21**）。シメプレビルによるCYP3A阻害によるシクロスポリン血中濃度上昇もある（☞**表5-30**⑥）。
	ヒドロキシクロロキン（プラケニル；免疫調整薬）	シクロスポリン（サンディミュン、ネオーラル）	シクロスポリンの血中濃度が上昇したとの報告がある。
	カプマチニブ（タブレクタ；分子標的治療薬）	タクロリムス（プログラフ、グラセプター）、ジゴキシン（ジゴシン）	ジゴキシンのCmaxが1.7倍、AUC1.5倍上昇。
	P-gp阻害薬：シクロスポリン（サンディミュン、ネオーラル）、タクロリムス（プログラフ、グラセプター）、リファンピシン（リファジン）	ベネトクラクス（ベネクレクスタ；分子標的治療薬）	副作用が増強される恐れがあるので、ベネトクラクスの減量を考慮する。
	P-gp阻害薬： シクロスポリン（サンディミュン、ネオーラル）、キニジンなど	チカグレロル（ブリリンタ；抗血小板薬）	チカグレロルの血中濃度が上昇する恐れ。チカグレロルのCmax130%、AUC183%増加。主代謝物（AR-C124910XX）のCmax15%低下、AUC32.5%増加。チカグレロルの血小板凝集抑制作用が増強される恐れ。シクロスポリンは主に胆汁排泄（90%以上）、チカグレロルは主に糞中（57%）および尿中（27%）排泄。消化管・肝P-gp阻害関与。
	チカグレロル（ブリリンタ；抗血小板薬）	ジゴキシン（ジゴシン）	ジゴキシンの血中濃度上昇。ジゴキシンのCmax75%、AUC28%増加。消化管・腎P-gp阻害関与。
	ベネトクラクス（ベネクレクスタ；分子標的治療薬）	ジゴキシン（ジゴシン）、エベロリムス（サーティカン、アフィニトール）、シロリムス（ラパリムス）	これらの薬剤の副作用が増強される恐れ。
	ロミタピド（ジャクスタピッド；高コレステロール血症治療薬）	P-gpの基質となる薬剤：コルヒチン、ジゴキシン（ジゴシン）、フェキソフェナジン（アレグラ）など	P-gpによる消化管からの排泄阻害により、血中濃度上昇の恐れ。

★ 販売中止もしくは国内未発売

表 4-11（つづき）消化管粘膜上皮細胞の P-gp が関与する相互作用（経口薬）

B P-gp 誘導（吸収低下、薬効減弱）

	作用する薬剤	作用を受ける薬剤	起こり得る事象など
併用禁忌	P-gp 誘導薬（PXR 活性化薬；リファンピシン［リファジン］、カルバマゼピン［テグレトール］、フェニトイン［アレビアチン］、SJW 含有食品）	抗 HCV 薬（ソホスブビル［ソバルディ］、レジパスビル・ソホスブビル［ハーボニー配合錠］）	消化管 P-gp 誘導により、抗 HCV 薬の消化管吸収が低下の可能性（血中濃度低下、効果減弱）。ソホスブビルは主に尿中排泄のため、腎 P-gp 誘導も考えられる（☞ **表 4-29**）。レジパスビルは主に胆汁中排泄のため、肝 P-gp 誘導も考えられる（☞ **表 4-21**）。ただし、リファブチン、フェノバルビタールとは併用慎重（以下参照）。ソホスブビル、レジパスビルは CYP450 で代謝されない。
		ソホスビル・ベルパタスビル（エプクルーサ；抗 HCV 薬）	P-gp および CYP の誘導作用により、ソホスブビル、ベルパタスビルの血中濃度低下（効果減弱）。フェノバルビタールは併用禁忌。リファブチンは併用慎重。ソホスブビルは主に尿中排泄のため腎の P-gp、ベルパタスビルは主に糞中排泄のため、消化管・肝 P-gp が関与。
	リファンピシン（リファジン）、セイヨウオトギリソウ（セント・ジョーンズ・ワート、SJW）含有食品	テノホビルアラフェナミド（ベムリディ；抗 HBV 薬）	P-gp 誘導により、消化管吸収が低下（血中濃度低下、薬効減弱）。テノホビルは尿および胆汁中排泄のため、消化管、肝、腎の P-gp 誘導が関与すると考えられる。
	エファビレンツ（ストックリン；抗 HIV 薬；CAR 活性化薬）	抗 HCV 薬（グラゾプレビル★、エスバスビル★）	血中濃度低下。効果減弱。グラゾプレビル、エスバスビルは主に糞中排泄のため肝・消化管 P-gp 誘導の関与も考えられる（☞ **表 4-22**）。なお、CYP3A4 誘導も関与（☞ **表 5-53**）。
	リファンピシン（リファジン）	グレカプレビル・ピブレンタスビル（マヴィレット配合錠；抗 HCV 薬）	グレカプレビル・ピブレンタスビル（主に糞中排泄）の血中濃度低下。リファンピシン投与 24 時間後におけるグレカプレビルの AUC は 0.12 倍に低下。
原則禁忌	セイヨウオトギリソウ（セント・ジョーンズ・ワート、SJW）含有健康食品	P-gp の基質となる薬剤（ジゴキシン［ジゴシン］、HIV プロテアーゼ阻害薬、シクロスポリン［サンディミュン］など）	SJW の P-gp 誘導作用により消化管分泌が促進、消化管収吸が低下。ジゴキシンでは AUC 25％低下など。CYP450 誘導にも注意（☞ **表 5-51**）。
	核内受容体 PXR 活性化薬（リファンピシン［リファジン］、フェニトイン［アレビアチン］、カルバマゼピン［テグレトール］、フェノバルビタール［フェノバール］、SJW 含有食品	アピキサバン（エリキュース；FXa 阻害薬；静脈血栓塞栓症患者の場合）	静脈血栓塞栓症患者の場合、アピキサバンの効果が減弱する恐れがあり原則禁忌。リファンピシンとの併用時、P-gp 誘導作用により、アピキサバン（胆汁・腎排泄）の AUC および Cmax が 54％、42％低下。特に CYP3A4 誘導も関与。
	リファブチン（ミコブティン）、フェニトイン（アレビアチン）	ポサコナゾール（ノクサフィル）	消化管 P-gp 誘導により、ポサコナゾールの消化管吸収が低下する可能性。リファブチン併用によりポサコナゾールの Cmax43％、AUC49％低下。UGT1A4 誘導も関与。一方、ポサコナゾールにより CYP3A4 が阻害されリファブチンの Cmax1.3 倍、AUC1.7 倍上昇。
	抗 HIV 薬（エファビレンツ［ストックリン］、ホスアンプレナビル［レクシヴァ］）		エファビレンツの P-gp 誘導により、ポサコナゾールの Cmax45％、AUC50％低下。エファビレンツおよびホスアンプレナビルは、主に胆汁排泄のため肝の P-gp 誘導も関与すると考えられる。
併用慎重	P-gp誘導薬（リファブチン［ミコブティン］、フェノバルビタール［フェノバール］）	抗 HCV 薬（ソホスブビル［ソバルディ］、レジパスビル・ソホスブビル［ハーボニー配合錠］）	消化管 P-gp 誘導により、抗 HCV 薬の消化管吸収が低下（血中濃度低下、効果減弱）。
	P-gp 誘導薬（リファブチン［ミコブディン］、エファビレンツ［ストックリン］）	ソホスブビル・ベルパタスビル（エプクルーサ配合錠；抗 HCV 薬）	P-gp および CYP 誘導作用により、ソホスブビル・ベルパタスビルの血中濃度低下の恐れ。ソホスブビルは尿中排泄、ベルパタスビルは糞中排泄される。消化管、肝、腎の P-gp が関与。

併用慎重	P-gp誘導薬：リファンピシン（リファジン）、カルバマゼピン（テグレトール）、SJW含有健康食品	ダビガトランエテキシラート（プラザキサ）	活性代謝物（ダビガトラン）の血中濃度低下、抗凝固作用減弱の恐れ。ダビガトランは主に腎排泄のため腎P-gp誘導も関与すると考えられる（☞ **表4-29**）。
		アピキサバン（エリキュース）	アピキサバンの血中濃度低下し、静脈血栓塞栓症患者において、P-gp誘導薬との併用で抗凝固作用減弱の恐れ。アピキサバンは糞中・尿中・胆汁排泄されるため、肝・腎P-gp、CYP3A4誘導も関与。
	カルバマゼピン、エファビレンツ［ストックリン］、フェニトイン、フェノバルビタール、SJW含有健康食品	グレカプレビル・ピブレンタスビル（マヴィレット配合錠）	グレカプレビルおよびピブレンタスビルの血中濃度低下。カルバマゼピンとの併用でグレカプレビルのAUC0.49倍に低下。
	リファンピシン（リファジン）	ジゴキシン（ジゴシン）	ジゴキシンAUCの低下。リファンピシンにより小腸のP-gp量が2.5～3.5倍に増加する。ジゴキシンAUC低下とP-gp量には相関がある一方、ジゴキシン静注では相関がないことから、リファンピシンによる肝CYP450誘導や腎P-gp誘導との関連性は低い。
		レテルモビル（プレバイミス；抗CMV薬）	レテルモビルの血中濃度低下。併用終了後も血中濃度低下。AUC 0.15倍、Cmax 0.27倍に低下。UGT1A1/3の誘導も関与。レテルモビルは主に糞中排泄のため、消化管・肝のP-gp、UGT1A1/3誘導が関与すると考えられる。
	副腎皮質ホルモン製剤（デキサメタゾンなど）	インジナビル★	デキサメタゾン前処理でインジナビルのCmaxおよび生物学的利用率が1/10、1/2に低下。インジナビル静注ではわずかな変化のみ（いずれもラットでの実験結果）。デキサメタゾンによる小腸粘膜上皮細胞のCYP3A4誘導効果も関与（☞ **表5-52**）。
	カルバマゼピン（テグレトール）	パリペリドン（9-ヒドロキシリスペリドン；インヴェガ；SDA）	パリペリドン血中濃度およびAUCが約37％低下。パリペリドンはCYP450で代謝されにくいことから、カルバマゼピンによるP-gp誘導に起因する消化管吸収低下、腎排泄促進に起因する可能性が高い（☞ **表4-29**）。
	ロルラチニブ（ロズリートレク；分子標的治療薬）	P-gp基質となる薬剤（ジゴキシン［ジゴシン］、エベロリムス［サーティカン、アフィニトール］、シロリムス［ラパリムス］、フェキソフェナジン［アレグラ］など）	フェキソフェナジンのAUC67％、Cmax63％低下。

C P-gp阻害と活性化（薬効変動）

	作用する薬剤	作用を受ける薬剤	起こり得る事象など
併用慎重	グレープフルーツジュース（GFJ）	P-gpの基質となる薬剤 ☞ **表4-10**	GFJによるP-gpへの作用については、阻害、活性化、不変の報告があり、同一の結果は得られていない。 GFJのCYP3A4阻害効果にも注意（☞ **表5-36**⑤）。P-gpとOATPsの双方の基質になる薬剤（フェキソフェナジン、ジゴキシン、甲状腺ホルモン製剤など）をGFJで服用すると、OATPs阻害作用が著明に現れ、血中濃度が低下する恐れがある（☞ **表4-15**）。

は、全て消化管のP-gpが関与すると考えられるが、消化管、腎、肝のどの臓器に存在するP-gpが相互作用に関与するかは、P-gp阻害薬および基質の排泄経路（尿中、胆汁中）や経口BAなどから推測できる。例えば、抗HCV薬の多くは胆汁排泄型、ジゴキシンは腎排泄型であるため、ジゴキシン血中濃度の上昇は、抗HCV薬による消化管のP-gp阻害に起因する可能性が高いと推測される。また、高い経口BAを示すリオシグアト（アデムパス：可溶性グアニル酸シクラーゼ刺激薬）では、静注と同様に高率で体循環血液中に入るため、消化管のP-gpが関与する可能性は低い。本書では、このように排泄経路から標的トランスポーターの臓器を推測して、表中の「起こり得る事象など」に記載している。

一方、P-gpの基質にはなりにくいが、P-gp阻害作用を有する薬剤もある。例えば、バルプロ酸Na（デパケン）はMRPの基質でP-gpの基質ではないが、P-gpを阻害することがin vitro実験で報告されている（☞**コラム22**）。バルプロ酸とアミトリプチリン塩酸塩（トリプタノール）やパリペリドン（インヴェガ；セロトニン・ドパミン拮抗薬：SDA）との相互作用も、バルプロ酸によるP-gp阻害に起因すると考えられる（☞**表4-28**）。

また、表には示していないが、タモキシフェンクエン酸塩（ノルバデックス；抗エストロゲン薬）およびその活性代謝物（4-ヒドロキシタモキシフェン、N-デスメチルタモキシフェン）もP-gpの基質になりにくいが、強力なP-gp阻害作用（およびCYP3A4阻害作用）を有することが、ヒト結腸癌由来の培養細胞を用いた実験で報告されている（Bekaii-Saab TS, et al. Biopharm Drug Dispos.2004;25:283-9.）。さらに、フェノフィブラート（リピディル）やゲフィチニブ（イレッサ）もP-gpの基質ではないがP-gpを阻害することが報告されている（Ehrhardt M, et al. Biochem Pharmacol.2004;67:285-92.、Kitazaki T, et al. Lung Cancer.2005;49:337-43.）。また、**表4-11**に示すように、ナプロキセン（ナイキサン）も、ケトコナゾールやシクロスポリンほどではないが、NSAIDsでは最初のP-gp阻害薬として報告され、消化管のP-gpを阻害してアピキサバン（エリキュース；FXa阻害薬）の血中濃度を増大させることが示されている（Br J Clin Pharmacol.2014;78:877-85.、Drug Metab Dispos.2013;41:827-35.）。その他、イストラデフィリン（ノウリアスト；アデノシンA_{2A}受容体拮抗薬；胆汁・腎排泄型）もP-gpに対して阻害効果を示すことが知られている（in vitro実験）。

なお、バルプロ酸が核内受容体（プレグナンX受容体［pregnane X receptor：PXR］、構成的アンドロスタン受容体［constitutive androstane receptor：CAR］）の活性化を介してCYP3A4、P-gp（主にCARに起因）を誘導したり、タモキシフェンがPXRを介してCYP3A4を誘導したりするといった全く逆の作用も、ヒト由来の初代培養肝細胞を用いた実験で示されている（☞**表5-54**、Cerveny L, et al. Drug Metab Dispos.2007;35:1032-41.、Desai PB, et al. Drug Metab Dispos.2002;30:608-12.）。

B P-gpの誘導

P-gpを誘導する健康食品・薬剤には、PXRを活性化するセイヨウオトギリソウ（セント・ジョーンズ・ワート：SJW）、リファンピシン（リファジン）、フェノバルビタール（フェノバール）、フェニトイン（アレビアチン）、カルバマゼピン（テグレトール）、副腎皮質ホルモン製剤、甲状腺ホルモン製剤などや（☞**表5-54**）、トラゾドン塩酸塩（デジレル）などが報告されている。CAR活性化薬のエファビレンツ（ストックリン）もP-gp誘導する。甲状腺ホルモン製剤（T_4；レボチロキシンNa水和物［チラーヂンS］）に関しては、PXRを介してP-gpを誘導するが、CYP3A4を誘導しないことが示されている（Mitin T, et al. Drug Metab Dispos. 2004；32：779-82. ☞**p.348「参考」**）。

これらの薬剤と、P-gpの基質になる薬剤を併用

表 4-12　CYP450、P-gp、MRP、UGTの基質になる主な薬剤

代謝するCYP分子種	P-gpとMRPの基質	P-gpとUGTの基質
CYP2C9	ヒダントイン系薬：フェニトイン（アレビアチン；抗てんかん薬）など	−
CYP2D6	−	モルヒネ系薬
CYP3A群	カルバマゼピン（テグレトール；抗てんかん薬）、Ca拮抗薬（アゼルニジピン［カルブロック］、ベラパミル［ワソラン］など）、マクロライド系薬（アジスロマイシン［ジスロマック］含む）ビンカアルカロイド系薬（ビンクリスチン［オンコビン］、ビンブラスチン［エクザール］；抗癌剤）、エトポシド（ベプシド；抗癌剤）、HIVプロテアーゼ阻害薬、シメプレビル★など	ステロイド系薬
その他	キノロン系薬：パズフロキサシン（パシル）、スパルフロキサシン★、オフロキサシン（タリビッド）など、セチリジン（ジルテック）、レボセチリジン（ザイザル）、メトトレキサート（リウマトレックス）、アントラサイクリン系薬（ドキソルビシン［アドリアシン］、ダウノルビシン［ダウノマイシン］など）、オルメサルタンメドキソミル※（オルメテック）など	スルファメトキサゾール・トリメトプリム（ST合剤［バクタ配合錠］）、テルミサルタン※（ミカルディス；AT_1拮抗薬）
	ジドブジン（レトロビル；抗HIV薬）、エゼチミブ（ゼチーア）、ラロキシフェン（エビスタ；選択的エストロゲン受容体モジュレーター）など	

★ 販売中止　　※ P-gpおよびMRP2の基質になる可能性もある。

すると、消化管上皮細胞から管腔側へのくみ出し（分泌）が促進して、P-gpの基質になる薬剤の血中濃度が低下する可能性がある（薬効減弱）。

併用禁忌としては、P-gp誘導薬（リファンピシン［リファジン］、カルバマゼピン［テグレトール］、フェニトイン［アレビアチン］、SJW含有食品）と抗HCV薬（ソホスブビル［ソバルディ］、レジパスビル・ソホスブビル［ハーボニー配合錠］）との併用、リファンピシン、SJW含有食品とテノホビルアラフェナミド（ベムリディ；抗HBV薬）との併用、エファビレンツ（ストックリン；CAR活性化薬）と抗HCV薬（グラゾプレビル、エルバスビル）との併用、またリファンピシンとグレカプレビル・ピブレンタスビル（マヴィレット配合錠；抗HCV薬）との併用がある。これは、消化管P-gp誘導により、抗ウイルス薬の消化管吸収が低下するためと考えられているが、ソホスブビルは主に尿中排泄（☞**表4-29**）、テノホビルアラフェナミドは尿中および胆汁中排泄、レジパスビル、グラゾプレビル、エルバスビルは主に胆汁中排泄（☞**表4-22**）、グレカプレビル・ピブレンタスビルは胆汁中排泄のため（☞**表4-4**）、腎、肝P-gp誘導の関与も考えられる。

原則禁忌としては、P-gpの基質を服用中の患者では、SJW含有健康食品の摂取は控えるよう指導する（**表5-51**）。また、PXR活性化薬とアピキサバン（エリキュース；静脈血栓塞栓症の患者の場合）、ポサコナゾール（ノクサフィル；深在性真菌症治療薬）との併用も原則禁忌である。

これらのP-gp誘導薬の多くは、PXRを介してCYP450やMRP、抱合酵素（ウリジン二リン酸［UDP］−グルクロン酸転換酵素［UGT］）なども誘導するため（☞**表5-54**）、P-gpの基質で、かつCYP450、MRP、UGTの基質になる薬剤を服用している場合は、PXRおよびCAR活性化薬との併用により血中濃度が著しく低下すると考えられるため、要注意である。**表4-12**に、P-gpの基質であり、かつMRP、UGTの基質となり得る主な薬剤を示しておく（グルクロン酸抱合については第6章を参照）。なお、CYP3A4、P-gp、MRPの基質であるHIVプロテアーゼ阻害薬、シメプレビルと、リファンピシンとの併用は禁忌である（☞**表5-47**）。P-gp、MRP、UGTの基質であるエゼチミブの相互作用については後述を参照していただきたい。

C P-gpの阻害および活性化

グレープフルーツジュース（GFJ）は、P-gpの阻害と活性化という、相反する作用を持つ可能性が示唆されている（薬効変動）。培養細胞を用いた主な基礎研究の結果を以下に示す。

① GFJはP-gpを阻害し、ビンブラスチン硫酸塩（エクザール）の細胞外排泄を抑制する（Takanaga H, et al. Biol Pharm Bull. 1998；21：1062-106.）。
→同様の報告は多数あり。

② GFJがP-gpを活性化し、ビンブラスチン、シクロスポリン（サンディミュン、ネオーラル）、ロサルタンカリウム（ニューロタン）、ジゴキシン（ジゴシン）、フェキソフェナジン塩酸塩（アレグラ）などの細胞外排泄を促進する（Soldner A, et al. Pharm Res. 1999；16：478-85.）。
→P-gp活性化を直接示したのは本報告のみである（ただし、同じ研究グループは後に、この結果がアーティファクトだった可能性があると報告した）。

③ GFJはジゴキシンの細胞外排泄に影響を与えないが、グレープフルーツの皮および成分（ナリンジン、6',7'ージヒドロキシベルガモチン）ではP-gp阻害効果が認められた（Dresser GK, et al. Clin Pharmacol Ther. 2001；71：11-20.）。

以上のように、GFJによるP-gpへの作用は明確でなく、同一の結果は得られていない。臨床への影響に関しても、GFJによるジルチアゼム塩酸塩（ヘルベッサー）、シクロスポリン、サキナビルメシル酸塩（インビラーゼ）などのAUCの増加量は大きく変動することや、フェキソフェナジンの血中濃度が低下するといった研究結果が報告されているが、結論は得られていない。その理由は明らかになっていないが、GFJによる相互作用の発現機序に、複数の要因（代謝、他のトランスポーターなど）が関与していることが推測される。

実際、GFJはP-gp効果に加えて、消化管上皮・肝細胞のCYP3A4阻害効果を有するほか、後述するOATPsを強力に阻害することが知られている（☞**表5-36**④、**表4-15**）。P-gpとOATPsの双方の基質となるフェキソフェナジンは、GFJと併用すると血中濃度が低下するが、これはGFJによるP-gp効果よりも、OATPsの阻害効果の方が顕著に現れた結果と考察できる。このような複数の酵素の基質になる薬剤を服用中の患者に対しては、薬効が変動する可能性があるため、GFJ飲用を避けるように指導した方がよい。

なお、ヒト由来尿細管培養細胞を用いた実験で、GFJおよびその成分であるフラボノイド（ケンフェロール、ナリンゲニン）がP-gp遺伝子の転写を抑制することが報告された（Romiti N, et al. Life Sci. 2004；76：293-302.）。GFJ摂取後のヒトの血漿や尿中にもGFJの成分が十分量検出されることから、GFJによる消化管トランスポーター（P-gp、OATPs、MRP2、CYP3A4）の阻害だけでなく、腎P-gp阻害にも注意する必要がある（☞**表4-28**）。

❷ MRP2、P-gp誘導および阻害

消化管に存在するMRP2とP-gpの双方から影響を受ける薬剤にはエゼチミブ（ゼチーア）がある。エゼチミブは、空腸の小腸粘膜上皮細胞の管腔側膜上に存在するコレステロールトランスポーター（ニーマン・ピックC1様1タンパク［Niemann-Pick C1-like 1 protein：NPC1L1］）と特異的に結合してこれを阻害し、コレステロールの消化管吸収を抑制する結果、血中LDLコレステロールを低下させる作用を持つ。

同薬はCYP450による代謝を受けないが、UGT1A1、MRP2、P-gpの基質となる（**図4-6**）。吸収時に大部分が小腸粘膜上皮細胞に主に存在するUGT1A1によりグルクロン酸抱合体となるほか、肝細胞においてもUGT1A1、1A3、2B5（2B5への親和性は低い）により同様に抱合体へと変換されることが示されている。さらに、小腸粘膜上皮細胞および肝細胞の管腔側膜には、MRP2およびP-gpが発現しており、エゼチミブ（未変化体）は双方に、抱合体はMRP2に対して高い親和性を持つ。したがって、小腸粘膜細胞内に移行したエゼチミブ（未変化体）はMRP2とP-gp、抱合

体はMRP2によって、腸管腔内へとくみ出されると考えられる。一方、肝臓でも抱合体は肝MRP2によって胆汁中（腸管腔内）へとくみ出される。

腸管内の抱合体の大部分は糞中排泄されるが、一部は腸内細菌のグルクロニダーゼにより非抱合体となり、再吸収される（腸肝循環）。ゼチーアのインタビューフォームでは、エゼチミブの抱合体は、非抱合体（未変化体）のエゼチミブと同様に活性体であり、両者ともに小腸管腔側から直接曝露することによって、コレステロール吸収阻害作用を発揮すると推察されている。

ただし、ヒトにおいて抱合体と未変化体のどちらが薬効を発揮するかは不明であり、活性体が消化管腔側と細胞質側のどちらの側でNPC1L1と結合するかについても明らかになっていない。

この点については、PXRのリガンドであるリファンピシン（リファジン）を健常人に投与し、小腸のUGT1A1および小腸、肝臓のMRP2、P-gpを誘導すると、エゼチミブの薬効がほとんど消失するという結果が得られている（NPC1L1およびABCG5/8［コレステロールくみ出しタンパク質；小腸粘膜上皮細胞の管腔側膜に存在］の活性には変化なし。Oswald M, et al. Clin Pharmacol Ther.2006;79:206-17.）。この結果に基づくと、エゼチミブの作用発現機序は次のように考察できる。

まず、「抱合体が主な活性体であり、消化管腔側からNPC1L1と結合する」と仮定すると、リファンピシンによりUGT1A1およびMRP2活性が上昇した場合、小腸上皮細胞内の抱合体量は増加し、抱合体の腸管腔内への排泄も増えるため、薬効は増強するはずである。しかし、前述の実験結果ではエゼチミブの薬効が低下することから、この仮説は否定される。

一方、「未変化体が主な活性体であり、細胞質側から作用する」と仮定すると、リファンピシンの誘導作用によって抱合体への変換と未変化体のくみ出しが促進し、小腸上皮細胞内での未変化体の減少および消化管腔内での未変化体の増加が起こり、薬効が減弱することになる。これは、前述の実験結果と一致する。

したがって、エゼチミブの活性体は未変化体

図4-6　小腸粘膜上皮細胞におけるエゼチミブの作用と代謝

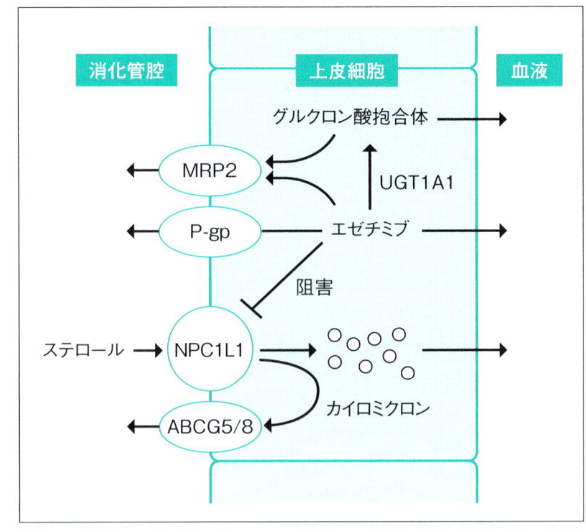

（Oswald M, et al. Clin Pharmacol Ther. 2006；79：206-17. 一部改変）

表4-13　消化管粘膜上皮細胞のMRP2およびP-gpの誘導または阻害に起因するエゼチミブの相互作用

	作用する薬剤	作用を受ける薬剤	起こり得る事象など
併用慎重	PXRを活性化させる薬剤（リファンピシン［リファジン］、SJW含有健康食品など；☞**表5-54**）	エゼチミブ（ゼチーア）	エゼチミブの薬効減弱。リファンピシンによって小腸のMRP2、P-gp、UGT1A1が誘導され、作用点（小腸粘膜上皮細胞内）におけるエゼチミブ（未変化体、活性体）の濃度が低下すると考えられる。
併用慎重	MRP2阻害薬（シクロスポリン［サンディミュン、ネオーラル］など；☞**表4-1**）、P-gp阻害薬（フェノフィブラート［リピディル］、ケトコナゾール★、GFJなど；☞**表4-28**）	エゼチミブ（ゼチーア）	相互に血中濃度が上昇。P-gp、MRP2阻害により小腸上皮細胞内のエゼチミブ（未変化体）の濃度が上昇して薬効が増強する可能性。シクロスポリン併用時、総エゼチミブ（未変化体＋抱合体）のAUCが3.4倍、12倍上昇、シクロスポリンAUC 15％上昇。シクロスポリンによる小腸・肝のMRP2阻害が起こり、血中の抱合体濃度が上昇。P-gp阻害薬との併用でも同様に注意。

エゼチミブはMRP、P-gp、UGTの基質となる。
★ケトコナゾール内服薬は国内未発売。

(非抱合体)であり、作用点である小腸粘膜上皮細胞内でNPC1L1と結合し、薬効を示すと考えられる。加えて、小腸粘膜上皮細胞内の未変化体の濃度に影響を与える小腸のMRP2、P-gp、UGT1A1の活性が、エゼチミブの作用発現に深く関わることが示唆される。

トランスポーターに関連する相互作用としてエゼチミブの添付文書に記載されているのは、シクロスポリンとの併用についてのみであるが、上記のようにエゼチミブの薬効は小腸MRP2、P-gp、UGT1A1活性に依存して変動する可能性が高く、リファンピシンやSJW含有健康食品などのPXR刺激薬を併用すると薬効が減弱する恐れがある。一方、MRP2阻害薬(シクロスポリン、グリベンクラミド[オイグルコン、ダオニール]など)、P-gp阻害薬(フェノフィブラート[リピディル]、ベラパミル塩酸塩[ワソラン]、ジルチアゼム塩酸塩[ヘルベッサー]、ケトコナゾール、シクロスポリンなど)、UGT1A1阻害薬(アタザナビル硫酸塩[レイアタッツ]など)を併用すると、薬効が増強する恐れがある(☞ **表4-1、表6-4**)。(☞ **コラム21**)

注意

NPC1L1阻害(ビタミンK吸収阻害)が関与するエゼチミブとワルファリンの相互作用

小腸粘膜上皮細胞の管腔側膜に存在するNPC1L1は、コレステロールのみに選択的なトランスポーターではなく、ビタミンE(VE)、ビタミンK(VK)なども基質とし、これら脂溶性ビタミンの腸管吸収に働くことが報告されている(Sci Transl Med.2015;7:275ra23.)(☞ **図7-10**)。人が食事から摂取するVKの約9割はVK1であるが、VK1の腸管吸収の大部分をNPC1L1が担っていること、またNPC1L1阻害剤のエゼチミブによってVK1吸収が低下することが示されている。

エゼチミブの添付文書中の相互作用欄には、肝VK代謝サイクルを阻害してVKの再利用を抑制するクマリン系抗凝固剤(ワルファリンなど)との併用の結果、「プロトロンビン時間国際標準比(INR)の上昇(抗凝固作用増強)がみられた。併用する場合には適宜INR検査を行うこと。」「機序不明」と記載されている。しかし、本相互作用の機序は、上述のように、NPC1L1がVK1の消化管吸収に働いていることから、エゼチミブによるNPC1L1阻害作用によってVK1の消化管吸収が抑制される結果、血液凝固に必要な肝ビタミンK濃度が低下するため、ワルファリンと協力して抗凝固作用が増強したためと考えられる(☞ **第7章7節**)。

ワルファリン以外の抗血栓薬とエゼチミブとを併用する場合にも、同様に出血傾向の増大には注意した方がよい。また、エゼチミブの長期投与によって、抗酸化作用を持つVEやVKの欠乏症状が現れる恐れがあり要注意である。なお、他の脂溶性ビタミン(ビタミンA、D)の消化管吸収はエゼチミブによって影響を受けないことが示されている(エゼチミブ[ゼチーア]のインタビューホーム)。

❸ BCRP

BCRPは、P-gpやMRP(multidrug resistance-associated protein)と同様に、ABCトランスポーターの一つであり、ATPを利用して基質薬物を細胞内から細胞外へ汲み出す(排出する)方向に働いている。つまり、腸管・尿細管上皮細胞の管腔側、肝臓では胆管側の細胞膜上にそれぞれ発現して、薬剤の消化管・腎分泌および胆汁排泄に機能している。したがって、BCRPは、P-gp同様に

表 4-14　腸管の BCRP 阻害に起因する相互作用

	BCRP阻害薬	影響を受ける薬剤	起こり得る事象など
併用禁忌	シクロスポリン（サンディミュン、ネオーラル）	ロスバスタチン（クレストール）	ロスバスタチンのAUC、Cmaxが約7.1倍、10.6倍に上昇。横紋筋融解症の恐れ。シクロスポリンのOATP2/8阻害作用も関与。ロスバスタチンは主に胆汁中に排泄される（90%）。消化管・肝BCRP阻害に起因。但し、シクロスポリンの臨床用量では消化管BCRP阻害の可能性大。近年の報告でも消化管BCRP阻害が関与[1]。
併用注意	グラゾプレビル★（抗HCV薬）	ロスバスタチン、フルバスタチン（ローコール）、スニチニブ（スーテント；分子標的治療薬）	血中濃度上昇。消化管BCRP阻害に起因。
		アトルバスタチン（リピトール）、シンバスタチン（リポバス）	アトルバスタチンではCmax、AUCが5.66倍、3倍上昇。CYP3A4阻害も関与。消化管BCRP阻害に起因。
	エルバスビル★（抗HCV薬）	ロスバスタチン、スニチニブ	消化管BCRP阻害に起因。
	レジパスビル配合錠（ハーボニー配合錠：抗HCV薬）	テノホビル含有製剤（テノゼット；抗HBV薬）	テノホビル血中濃度上昇。機序不明であるが、テノホビルは主に腎排泄、レジパスビルは胆汁排泄のため、消化管BCRP阻害の関与（消化管P-gp阻害も関与）。
	エルトロンボパグ（レボレード；経口造血刺激薬/トロンボポエチン受容体作動薬）	ロスバスタチン	AUC0-∞が32-55%上昇、Cmax61～103%上昇。胆汁排泄型薬剤相互の併用であるため、肝・消化管BCRP、OATP2阻害が関与。消化管BCRP阻害に起因との報告もある[2]。
	リトナビル（ノービア、カトレラ配合錠に含有：BCRP、OATP2、OATP8阻害）、レジパスビル配合剤（ハーボニー配合錠）		ロピナビル・リトナビル配合剤との併用によりロスバスタチンのAUC、Cmaxが約2倍、約5倍。BCRP、OATP2/8阻害に起因。リトナビル、レジパスビルは主に胆汁排泄型のため消化管・肝BCRP阻害の関与。
	ダクラタスビル★（抗HCV薬）	スタチン系薬	ロスバスタチン血中濃度の上昇には消化管および肝BCRP阻害が関与。☞ **表4-23**
	レゴラフェニブ（スチバーガ；分子標的治療薬）	BCRPの基質となる薬剤（ロスバスタチンなど）	ロスバスタチンAUC、Cmaxが3.8倍、4.6倍。BCRP阻害に起因。レゴラフェニブ（胆汁排泄）のため、消化管・肝BCRP阻害の関与。
	ラパチニブ（タイケルブ；分子標的治療薬）	BCRPの基質（パゾパニブ［ヴォリエント；分子標的治療薬］）	血中濃度上昇。ラパチニブ、パゾパニブは胆汁排泄型のため、消化管・肝BCRP阻害の関与。ラパチニブはBCRP/P-gp/3A4の基質、阻害薬。

1) CPT pharmacometrics Syst Pharmacol.2017;6:228-238
2) Drug metab Dispos.2014;42:726-34

小腸における吸収のバリア（吸収抑制）として、また肝における胆汁中排泄の促進、腎における尿中排泄の促進において、薬動態学的に重要な役割を担っていると考えられる。

BCRPは、抗ガン剤に耐性を獲得したヒト乳癌細胞から発見されが、その後、多くの臓器（腸、肝臓、腎臓、脳、胎盤など）の細胞膜上にも発現し、生理機能を発揮することが明らかとなった酵素である。

代表的な生体内基質である尿酸も、主に『腸管』のBCRPによって消化管に排泄されることが示されている（☞ **表4-35**）。高尿酸血症は腸管BCRPの遺伝子変異（活性低下）にも起因することが示されている。

BCRPが関与する経口薬の相互作用が、消化管、腎、肝のどの臓器のＢＣＲＰに起因するかはP- g p同様、阻害薬および基質の排泄経路、経口BAなどから推測できる。

実際の相互作用例では、腸管のBCRPが関与する相互作用はBCRP阻害による吸収促進（薬効増強）が挙げられる。

まずは、表4-14に示すように、併用禁忌はシクロスポリンとロスバスタチンの併用である。また、グラゾプレビル（抗HCV薬）とエルバスビル（抗HCV薬）は腸管BCRPの阻害に起因する相互作用が報告されている。そのほか、レジパスビル（ハーボニー配合錠；抗HCV薬）とテノホビル含有製剤などの併用も腸管BCRPが関与すると考えられている（併用慎重）。なお、エルトロンボパグとロスバスタチンの併用、リトナビル、レジパスビルとロスバスタチンの併用、レゴラフェニブ（スチバーガ；分子標的治療薬）、ラパチニブ（タイケルブ；分子標的治療薬）とBCRPの基質の併用は併用慎重であるが、これには腸管および肝の双方のBCRP阻害が関与すると推測される。

❹ アミノ酸トランスポーター

タンパク質の加水分解によって生じたアミノ酸は、主に小腸粘膜上皮細胞膜に存在するトランスポーターを介して吸収される。中でも、L-アミノ酸は能動輸送酵素によって、また、D-アミノ酸は受動輸送酵素（エネルギーを必要とせず、濃度勾配によって移動）によって輸送されている。能動輸送酵素としては、中性アミノ酸トランスポーター（芳香族アミノ酸など）、塩基性アミノ酸トランスポーター、グリシントランスポーター、バリン・イソロイシントランスポーター、ベタイントランスポーターなどが知られている。

これらのアミノ酸トランスポーターが関わる相互作用として、高タンパク食（1日1.5g/kg以上のタンパク質の摂取）によるレボドパの効果減弱がある（**表4-15**）。レボドパ（L-Dopa；L-ロイシンから合成されるドパミン前駆体）は中性アミノ酸トランスポーターで能動的に吸収されるため、高タンパク食を摂取すると、生じたL-アミノ酸がレボドパと競合し、レボドパの吸収量を低下させる。そのため、レボドパ服用中の患者が多量のタンパク質を摂取した場合は、消化管吸収低下に伴う薬効減弱によって、パーキンソン症状が悪化することがある（BBBの中性アミノ酸トランスポーターの競合も関与する）。メチルドパ水和物（アルドメット；α_2刺激薬）、バクロフェン（ギャバロン；筋弛緩薬）、ガバペンチン（ガバペン［抗てんかん薬］、レグナイト［レストレスレッグス症候群治療薬］）も中性アミノ酸トランスポーターで吸収されるため、同様な注意が必要である。

❺ PEPT1

PEPTファミリーは、タンパク質の消化産物である小分子ペプチド（ジペプチドやトリペプチドなど）を細胞内に輸送するトランスポーターである。PEPTは広範な基質を認識し、薬物ではペプチド類似構造を持つβラクタム系薬、ACE阻害薬、ウベニメクス（ベスタチン；抗悪性腫瘍薬）、プロチレリン（TRH；甲状腺刺激ホルモン［TSH・プロラクチン］放出ホルモン）、バラシクロビル塩酸塩（バルトレックス；アシクロビル［ゾビラックス］のL-バリンエステル）、バルガンシクロビル塩酸塩（バリキサ；抗CMV薬）、スルピリド（ドグマチール）などが基質となる。また、アリスキレンフマル酸塩（ラジレス；直接的レニン阻害薬）もペプチド構造を持つため、PEPTの基質となる可能性がある。

PEPTファミリーにはPEPT1とPEPT2のアイソフォームがあるが、消化管ではPEPT1が消化管粘膜上皮細胞の管腔側（刷子縁側）膜上に発現し、薬物の消化管から上皮細胞への取り込み（吸収）に働いている。タンパク質の摂取制限や飢餓状態といった栄養学的変化や糖尿病などの条件下では、PEPT1タンパク量や遺伝子発現に変化が生じたり、炎症性疾患である潰瘍性大腸炎やクローン病において、PEPT1遺伝子の発現が増幅する可能性が示されている。

PEPTに関わる相互作用としては、セファレキシン（ケフレックス）とセファドロキシルを併用し

表 4-15　その他の消化管トランスポーターが関わる相互作用

	作用する薬剤（飲食物）	作用を受ける薬剤	起こり得る事象
アミノ酸トランスポーター競合（吸収低下、薬効減弱）			
併用慎重	高タンパク食（1日1.5g/kg以上のタンパク質の摂取）	レボドパ製剤（ドパストン）	抗パーキンソン作用の減弱（on-off現象出現※）。血液脳関門（BBB）の通過性も関与。
PEPT1競合（吸収低下、薬効減弱）			
併用慎重	セファレキシン（ケフレックス；βラクタム系薬）	セファドロキシル★（βラクタム系薬）	セファドロキシルの血中濃度低下（吸収低下）。腎に存在するPEPT1・2を介した再吸収の低下（競合阻害）が関与。
OATPs阻害（吸収低下、薬効減弱）			
併用慎重	果実ジュース（グレープフルーツジュース、オレンジジュース、アップルジュース）	OATPsの基質となる薬剤（フェキソフェナジン［アレグラ］など）	ジュース（100% pure）飲用によりフェキソフェナジンAUCおよびCmaxが60～70%低下。GFJ（25% pure）でもAUCおよびCmaxが20%低下。これらのジュースは、低濃度から強力にOATPsを阻害（培養細胞実験）。GFJ成分の6',7'-ジヒドロキシベルガモチン（フラノクマリン）やバイオフラボノイドにもOATPs阻害効果あり。フェキソフェナジンはOATP-A（OATP1A2）への基質特異性が高いことがin vitroで示されていることから、ジュースによるOATP-A阻害に起因する可能性が高い。
		水溶性β遮断薬（セリプロロール［セレクトール］、アテノロール［テノーミン］）	GFJ飲用でセリプロロールAUC 87%低下、Cmax 95%低下。オレンジジュース飲用でセリプロロールAUC 83%低下、Cmax 89%低下、アテノロールAUC 40%低下、Cmax 49%低下。果実ジュースによる消化管OATPs阻害の関与が考えられる（ただし、β遮断薬がOATPsの基質になるかどうかは不明）。果実ジュースの消化管pH低下作用により、β遮断薬の非イオン型濃度が低下することも関与する可能性がある。

※ レボドパを長期投与すると、①有効時間が短くなる（wearing off）、②突然改善する（on）、③突然悪化する（off）、④不随意運動（ジスキネジア）を生じる――といった現象が起こることがある。
★ 販売中止

た場合にPEPT1が競合し、セファドロキシルのCmaxが半減するとの報告がある（腎のPEPT1、PEPT2競合も関与；☞ **本章［第5節❹］**）。そのほかにはPEPT1の関与する相互作用は報告されていないが、PEPT1の基質になる薬剤同士を併用する場合は常に注意した方がよい。

なお、細胞膜のPEPT1タンパク質量は、インスリンやレプチンにより増加するが、上皮成長因子（EGF）やトリヨードチロニン（T_3）では低下することが報告されている。加えて、PEPT1遺伝子の発現はFU（5-FU）によって促進されるがシクロスポリンでは抑制されること、ナテグリニド（スターシス）やSU薬はPEPTの基質とならないが、PEPT1・PEPT2の輸送活性を阻害することなども示唆されている。まとめると、PEPTを活性化する物質としてインスリン、レプチン、FUなどがあり、阻害薬としてEGF、トリヨードチロニン（T_3）、シクロスポリン、SU薬、ナテグリニド（スターシス、ファスティック）などが報告されている（いずれもin vitro実験）。

❻ OATPs

OATPファミリーは、アニオン（陰イオン）トランスポーターの一つで、比較的脂溶性の高い有機アニオン（陰イオン）性薬物の細胞内への取り込みを主に行っている。現在までに、ラットoatp1～3、ヒトOATPs（OATP-A～E）、OATP2（OATP-C、LST1；肝特異的有機アニオントランスポーター）、プロスタグランジントランスポーター（PGT）などが知られている。消化管では、OATPsが消化管粘膜上皮細胞の管腔側（刷子縁側）膜上に発現し、薬物の消化管から上皮細胞への取り込み（吸収）に働いている。

OATPsが関わる相互作用として、フェキソフェナジン塩酸塩（アレグラ）を果実ジュースで服用すると、フェキソフェナジンの AUC および Cmax が 60 ～70%低下することが報告されている（Dresser GK, et al. Clin Pharmacol Ther. 2002；71：11-20.）。これは、果実ジュースが消化管に存在する OATP-A（OATP1A2）を強力に阻害し、フェキソフェナジンの消化管吸収が抑制されるためと考えられる。オレンジジュース（OJ）やアップルジュース（AJ）の P-gp 効果は明らかではないが、フェキソフェナジンは P-gp と OATPs の双方の基質でもあるため、グレープフルーツジュース（GFJ）の場合は OATPs に対する阻害効果が P-gp 効果より顕著に表れた結果と推測される（☞ **表 4-11C**）。フェキソフェナジン以外の OATPs の基質となる薬剤（甲状腺ホルモン、ジゴキシンなど；☞ **表 4-2**）を服用中の患者に対しても、果実ジュースでの服用を避けるように指導すべきである。

なお、フェキソフェナジンの場合、GFJ 飲用後 2 時間が経過した時点でも OATPs 阻害効果は持続するが、飲用後 4 時間では消失するとの報告がある。そのため、果実ジュース飲用後は 4 時間以上の間隔を空けてフェキソフェナジンを服用するように指導するとよい。一方、フェキソフェナジンの Tmax は約 2 時間であることから、服用時点から少なくとも 2 時間以上の間隔を空ければ、ジュースを飲用してもよいと考えられる。

そのほか、β遮断薬のセリプロロール塩酸塩（セレクトール）やアテノロール（テノーミン）についても、GFJ や OJ によって消化管吸収が強力に阻害される。OATPs の関与は明確ではないが、これらのβ遮断薬を服用している患者には、少なくとも果実ジュースの常時飲用は避けるように指導した方がよい。なお、セリプロロールは空腹時に服用した場合、食後服用に比較して Cmax が 2 倍になったとする報告もあるため、食後服用を厳守させる。

これらの相互作用が生鮮果実を食べた場合に起こるかどうかは、明らかにされていない。ただし、わが国で市販されている AJ、OJ、GFJ（Dole 100% ジュース）200mL 中に含まれる果汁は、それぞれりんご約 1 個分（280g）、オレンジ約 2 個分（400g）、グレープフルーツ約 1 個半分（460g）に相当することを考慮すると、ジュースと同様に生鮮果実の摂取にも注意した方がよいだろう。

10 歳代男性 A さん。

[処方箋]
アレグラ錠 60mg　2 錠
　1 日 2 回　朝夕食後　14 日分

スギ花粉症のためアレグラ（フェキソフェナジン塩酸塩）が処方された A さん。薬局で聴取すると、A さんは果実ジュースを主に朝食時に飲用するとのことだった。そこで、果実ジュース飲用によって薬剤の吸収が低下し、薬効が 1/2 ～ 1/3 まで低下する可能性があることを説明。これを回避するには、朝食時の果実ジュースの摂取を避けること、また夕食（19 時ごろ）の 4 時間前に当たる 15 時以降、さらに朝夕の薬剤服用後 2 時間の間も果実ジュースの飲用を避けるように指導した。その後、A さんは飲用制限を守り、経過も良好である。

症例②　40 歳代女性 B さん。

[処方箋]
アムロジン錠 5mg　1 錠
テノーミン錠 50　1 錠
　1 日 1 回　朝食後　14 日分

B さんは本態性高血圧症でアムロジン（アムロジピンベシル酸塩）を服用中であったが、新たに頻脈性不整脈が認められたためテノーミン（アテノロール）が追加された。

薬局で確認すると、B さんは果実ジュースを常時飲用していることが判明した。そのため担当薬剤師は、果実ジュースの常時飲用によってテノーミンの薬効が半減する可能性があり、果実ジュースの常時飲用は極力控えること、また果実ジュースでの薬剤服用は避けることを指導し、経過を観察した。その後、B さんは果実ジュースの常時飲用を控え、脈も正常となり病状は安定している。

コラム 22

バルプロ酸Naと三環系抗うつ薬による相互作用の発現機序

バルプロ酸 Na（デパケン）と三級アミン類三環系抗うつ薬のアミトリプチリン塩酸塩（トリプタノール）を併用すると、アミトリプチリンだけでなく、その代謝産物であるノルトリプチリン（二級アミン類三環系抗うつ薬）の血中濃度も上昇することが知られている[1)]が、その機序は明確でない。

CYP450 代謝の過程において、アミトリプチリンは CYP1A2、2C19、3A4 で脱メチル化されノルトリプチリンになった後、CYP2D6 で水酸化される。そのため、バルプロ酸の併用に伴うアミトリプチリン血中濃度の上昇は、バルプロ酸による CYP2C・3A4 阻害に起因する可能性が高い（☞ **表 5-2、5-33**）。

一方で、バルプロ酸が CYP2D6 を阻害するという報告はないことから、CYP2C・3A4 阻害によりアミトリプチリンからノルトリプチリンへの変換が阻害された場合、ノルトリプチリンの血中濃度は低下するはずである。

したがって、ノルトリプチリン血中濃度の上昇は、バルプロ酸の CYP450 阻害作用に起因するものでなく、他の要因が関わっている可能性が推測される。残念ながら、バルプロ酸と三環系抗うつ薬の相互作用に関して、トランスポーターなどの他の要因に注目した研究報告はない。しかし、MRP の基質であるバルプロ酸が高濃度条件下ではあるが培養細胞に発現する P-gp を阻害すること[2)]や、三級アミン類三環系抗うつ薬およびその代謝物である二級アミン類三環系抗うつ薬（ノルトリプチリン）がいずれも P-gp の基質であること[3)]が報告されている。

これらの結果から、バルプロ酸併用によるノルトリプチリンの血中濃度の上昇には、バルプロ酸による P-gp 阻害が関与している可能性がある。そのため、バルプロ酸と三環系抗うつ薬との相互作用の発現には、CYP450 代謝阻害だけでなく P-gp 阻害も関わっていることを考慮する必要があるだろう。同様に、バルプロ酸によるパリペリドン（インヴェガ；SDA）の血中濃度上昇も、発現機序は不明だが、パリペリドンが CYP450 で代謝されにくいことから、バルプロ酸による P-gp 阻害に起因する可能性が考えられる。

ただし、バルプロ酸は核内受容体である PXR や CAR の活性化を介して CYP3A4 や P-gp（主に CAR に起因）を誘導するという、全く逆の報告もあり注意が必要である[4)]（☞ **表 5-54**）。

1） Vandel S, et al. Ther Drug Moni　t. 1988 ; 10 : 386-9.
2） Weiss J, et al. J Pharmacol Exp Ther. 2003 ; 307 : 262-7.
3） Uhr M, et al. Neuropsychopharmacology. 2000 ; 22 : 380-7.
4） Cerveny L, et al. Drug Metab Dispos. 2007 ; 35 : 1032-41.

コラム 23

セチリジンと光学異性体の輸送

第 2 世代抗ヒスタミン薬のセチリジン塩酸塩（ジルテック）は、血液脳関門（BBB）に存在する P-gp の基質であり、脳への移行が抑制されるため、眠気などの中枢性副作用が少ない（Chen C, et al. Drug Metab Dispos. 2003 ; 31 : 312-8.）。また、腎では P-gp や OCT2 によって排泄されるため、同様に腎排泄されるピルシカイニド塩酸塩水和物（サンリズム）を併用すると、相互に血中濃度が上昇する（Tsuruoka S, et al. Clin Pharmacol Ther. 2006 ; 79 : 389-96. ；☞ **表 4-28、4-31**）。さらに、ヒト結腸癌由来培養細胞を用いた実験では、セチリジンの輸送に MRP が関与している可能性も示唆されている（He Y, et al. Chirality. 2010 ; 22 : 684-92.）。

これらのことから、セチリジンの吸収・排泄には P-gp、MRP、OCT が関与していると考えられる。P-gp の基質（ラニチジン塩酸塩［ザンタック］、ベラパミル塩酸塩［ワソラン］、シクロスポリン［サンディミュン、ネオーラル］など）、非特異的 MRP 阻害薬（インドメタシン［インテバン］、プロベネシド［ベネシッド］、ドキソルビシン塩酸塩［アドリアシン］）、P-gp、MRP、OCT の阻害薬（キニジン硫酸塩水和物［硫酸キニジン］他）などを併用する場合には、セチリジンの血中濃度の上昇に注意する必要がある。

また、ラセミ体※であるセチリジンのトランスポーターに対する親和性はR体（レボセチリジン）とS体（デキストロセチリジン）とで異なる。R体はP-gpやMRPを活性化や誘導するが、S体では逆に阻害するという、興味深い結果も示されている。2010年、セチリジンの臨床上の活性本体であるR体のみを単離した製剤（レボセチリジン塩酸塩［ザイザル］）が発売されたが、レボセチリジン投与時にはP-gpおよびMRP阻害だけでなく、活性化に起因する相互作用にも注意した方がいいだろう。

※ラセミ体…2種類の鏡像異性体（R体、S体）が等量に存在して施光性を示さなくなった状態。

コラム24

高尿酸血症の原因は腸BCRP機能低下

尿酸は、全排泄量の約3分の2が腎から尿中へ排泄されるため、腎には再吸収（URAT1、GLUT9）・分泌（NPT4、OAT1、OAT3）に関わる多くの尿酸トランスポーターが存在している（☞図4-13）。一方、尿酸の全排泄量の約3分の1は、消化管から糞便中に排泄されると考えられている。ただし、ヒトにおいて、腸管内の尿酸は腸内細菌によって直ちに分解されるため測定が困難であり、尿酸の腸管排泄と高尿酸血症発症との関係は明らかでなかった。

そんな中、東京薬科大学などのチームは2012年、腸の尿酸トランスポーターであるBCRP（ABCG2）の変異（活性低下）によって尿酸の腸管排泄が抑制され、高尿酸血症を発症することを世界で初めて報告した（Ichida K, et al. Nat Commun. 2012；3：764. doi：10.1038/ncomms1756.）。尿酸の腸管排泄をターゲットとした高尿酸血症の新しい治療法の開発につながると期待されている。

研究では、国内の病院に通院している高尿酸血症の男性患者644人を対象に、BCRP遺伝子の変異を調べた結果、487人（約76%）に遺伝子変異（タンパク活性低下）が認められた。だが、予想に反して、BCRPの活性低下に伴い、尿中の尿酸排泄量が増加することが明らかになった。

このことは、腎に存在するBCRPの活性低下では説明できない。腎BCRPの活性が低下すると、尿酸分泌が抑制されて尿中尿酸排泄量は減少するためである。

そこで研究チームは、肝および小腸に存在するBCRPに着目した。BCRP欠損マウスを用いて尿酸排泄量を調べたところ、全排泄量の約2%を占める胆汁中への尿酸排泄量には変化がみられないが、腸管からの尿酸排泄量はコントロールに比べて低下し、血中尿酸値の上昇と尿中尿酸排泄量の増加が明らかになった。

小腸では小腸上皮細胞の管腔側膜に存在するBCRPが上皮細胞から管腔への尿酸排泄の中心的役割を担っており、血中尿酸値の上昇は、腸BCRPの活性低下によって尿酸の腸管排泄が抑制されたことによると考えられる。一方、腎BCRPの活性も同様に低下するが、前述のように腎族には多数の尿酸トランスポーターが存在し、それらの尿酸輸送能により代償されたことで予想外に尿中尿酸排泄量は増えたと考えられる。

従来、高尿酸血症の病型は、①尿酸産生過剰型（尿中尿酸排泄量増大）、②尿酸排泄低下型、③双方の混合型――に分類されてきた。①と③のタイプは、尿中尿酸排泄量の増大（＞0.51mg/kg/h）によって鑑別できる。

研究チームは、このBCRP遺伝子変異による高尿酸血症を、新たに「腎外排泄低下型」と名付けた上で、従来の尿酸産生過剰型と併せて「腎負荷型（renal overload type）」と呼ぶよう提唱している。

第3節
血液組織関門に関わるトランスポーター

❶ 血液脳関門（BBB）に関わるトランスポーター

脳毛細血管内皮細胞の血液側膜上には、様々なトランスポーターが発現し、薬剤の脳内への移行を能動的に調節している（図4-7）。具体的には、ヘキソーストランスポーター、アミノ酸トランスポーター、モノカルボン酸トランスポーター、プリン塩基・ヌクレオシドトランスポーター、有機アニオン（陰イオン）トランスポーター（OAT）ファミリー、有機カチオン（陽イオン）トランスポーター（OCT）ファミリー、P糖タンパク質（P-gp）、多剤耐性関連タンパク質（MRP）ファミリーなどのトランスポーターが存在する。

A アミノ酸トランスポーター

BBBのアミノ酸トランスポーターとして、中性アミノ酸トランスポーター、塩基性アミノ酸トランスポーター、酸性アミノ酸トランスポーターが単離されているが、その多くは分子レベルでの実体が明らかにされていない。

相互作用では、レボドパ製剤（ドパストン）投与中に高タンパク食を摂取すると、突然の薬効減弱（on-off現象）が起こる可能性が示されている（**表4-16 A**）。これは、レボドパと高タンパク食に含まれる中性アミノ酸が中性アミノ酸トランスポーターを競合することによって、レボドパの脳内移行が抑制されるためと考えられる。実際、中性アミノ酸の血中濃度とレボドパの効果との関係を解析した結果では、中性アミノ酸の血中濃度が増加するとレボドパの効果が減弱し、off現象（病状の突然の悪化）が出現することが示されている。レボドパ製剤服用中の患者には、高タンパク食の摂取を控えるように指導する（消化管の中性アミノ酸トランスポーターの競合も関与；☞ **表4-15**）。

B P糖タンパク質（P-gp）

BBBのP-gpは、脳毛細血管内皮細胞に入った薬剤を血液中にくみ出し、薬剤の脳内への移行を防ぐ排出ポンプとして機能する。主に中性・カチオン（陽イオン）性の高脂溶性薬物がBBBのP-gpによって血液中にくみ出されている（☞ **表4-10**）。

P-gpの競合阻害による相互作用は、P-gpの基質となる薬剤の親和性（結合力）に依存して起こる。例えば、P-gpへの親和性が強いA剤と親和性が弱いB剤を併用した場合、P-gpによる血液中へのB剤のくみ出しをA剤が阻害する。一方、併用した薬剤のP-gp親和性が同程度であれば、相互に血液中へのくみ出しが抑制されてBBB通過性が共に亢進する。いずれも、薬剤の脳内濃度が上昇して、中枢神経系（CNS）に対する効果の増強や、眠気や痙攣などの副作用を誘発する恐れ

図4-7　血液脳関門に存在するトランスポーター

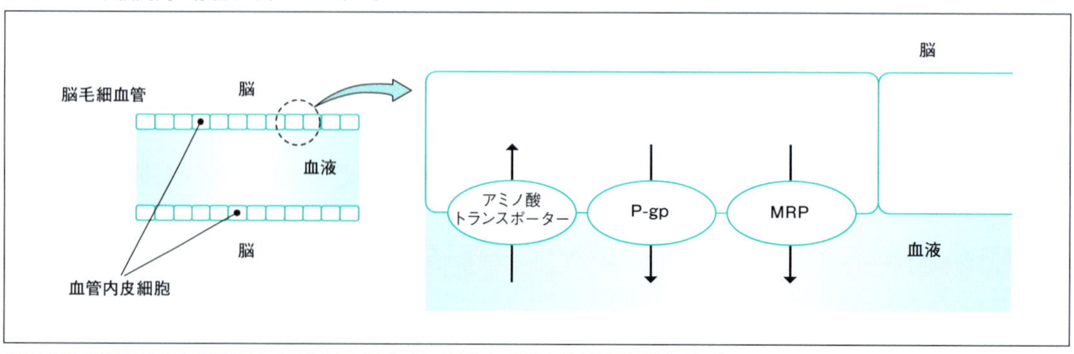

脳毛細血管内皮細胞の血液側膜上には、様々なトランスポーターが存在し、薬物の脳内移行を調節している。

表4-16 血液脳関門のトランスポーターに起因する相互作用

作用する薬剤、飲食物	作用を受ける薬剤	起こり得る事象など
A アミノ酸トランスポーターの競合（BBB通過性低下；薬効減弱）		
高タンパク食 （1日1.5g/kg以上のタンパク質の摂取）	レボドパ製剤 （ドパストンなど）	抗パーキンソン作用減弱。高タンパク食により血中の中性アミノ酸濃度が上昇しBBBのアミノ酸トランスポーターをレボドパと競合（脳内レボドパ量低下、on-off現象※出現、抗パーキンソン作用の減弱）。消化管のアミノ酸トランスポーターも関与（☞ **表4-15**）。
B P-gpの阻害・誘導		
P-gpの基質、P-gpを阻害する薬剤（シクロスポリン［サンディミュン、ネオーラル］など）	P-gpの基質	P-gp阻害によるBBB通過促進（中枢性効果・副作用増強）。
P-gp誘導薬（セイヨウオトギリソウ［セント・ジョーンズ・ワート、SJW］含有食品、リファンピシン［リファジン］、フェノバルビタール［フェノバール］、フェニトイン［アレビアチン］、カルバマゼピン［テグレトール］、副腎皮質ホルモン製剤、トラゾドン（デジレル）など）	P-gpの基質	BBB通過抑制（中枢性効果・副作用減弱）。**SJW含有食品とP-gpの基質となる薬剤の併用は原則禁忌。**
C MRPの阻害（BBB通過促進；中枢性効果・副作用増強）		
プロベネシド（ベネシッド；MRP阻害薬）	フェニトイン （アレビアチン）	フェニトインの抗痙攣作用増強（ラット）。
	バルプロ酸（デパケン）	脳内のバルプロ酸濃度上昇（ウサギ）。

いずれも併用慎重。P-gpの基質となる薬剤は**表4-10**参照。

※ レボドパを長期投与すると、①有効時間が短くなる（wearing off）、②突然よくなる（on）、③突然悪化する（off）、④不随意運動を生じる（ジスキネジア）── などが出現することがある。

がある（**表4-16 B**）。

一方、P-gpを誘導する作用を持つ薬剤は、併用薬の内皮細胞から血液中へのくみ出しを促進し、BBB通過を抑制するため、CNS作用（副作用）が減弱する可能性がある。

ヒトの脳内での薬物濃度の測定は極めて困難であり、現在のところBBBのP-gpに関わる相互作用を臨床で明らかにした報告はない。しかし、併用薬によってはヒトのBBBでもP-gpの阻害や誘導が起こり、薬剤の脳内濃度の変動が起こり得るだろう。

P-gp遺伝子欠損マウスを使った実験では、薬剤の血漿中濃度に対する脳内濃度の比率が、正常マウスに比べて著しく高くなる薬剤があることが報告されている（**表4-17**）。また別の実験では、三環系抗うつ薬、抗てんかん薬、選択的セロトニン再取り込み阻害薬（selective serotonin reuptake inhibitor：SSRI）（パロキセチン塩酸塩水和物［パキシル］、フルボキサミンマレイン酸塩［デプロメール、ルボックス］など）、メトクロプラミド（プリンペラン）、リスペリドン（リスパダール）などのCNS用薬についても、P-gp遺伝子欠損マウスで脳内濃度が上昇することが報告されている。動物実験の結果ではあるが、P-gpの基質になるとみられるこれらの薬剤を併用した場合、競合阻害により薬物の脳内濃度が著しく上昇する可能性があり、ヒトにおいても注意が必要である。

一方、抗てんかん薬服用患者の3分の1にみられる薬剤抵抗性の原因が、BBBのP-gp過剰発現（誘導）であることも指摘されており、抗てんかん薬によるP-gp誘導を介した相互作用（CNS効果・副作用減弱）も起こり得る。今後の臨床・基礎研究の結果に注目したい。

（☞ **コラム25、コラム26**）

 60歳代女性Bさん。

[処方箋]
① エバステル錠10mg　1錠
　1日1回　朝食後　28日分
② パキシル錠10mg　1錠
　1日1回　夕食後　7日分

皮膚炎のためエバステル(エバスチン)を継続服用中であったBさんに、うつ病治療のためパキシル(パロキセチン塩酸塩水和物)が追加された。これまでエバステル単独での副作用は全く認められていなかったが、パキシルによってエバステルの脳への移行が促進し、眠気やふらつきが現れる可能性が考えられた。

そこでBさんには、パキシル自体にも鎮静作用があるが、起床後や昼間も眠気などが現れる場合には直ちに受診すること、また車の運転などの危険を伴う機械の操作、転倒などには十分に注意するよう指導した。1週間後に副作用の発現はなく、その後もパキシルは継続して服用中である。

なお、今回述べたBBBのP-gpに関する相互作用は、各薬剤の添付文書に記載されていない。当薬局では独自の判断で、非中枢神経系薬剤でも第2世代抗ヒスタミン薬、β遮断薬を含めてP-gpの基質が相互に併用された場合、中枢性の副作用発現に注意して指導を行っている。

C 多剤耐性関連タンパク質(MRP)

MRPファミリーは、P-gpと同様、脳毛細血管内皮細胞の血液側膜に発現している。特にアニオン(陰イオン)性の高脂溶性薬物を内皮細胞から血液中へくみ出し、脳内移行を防ぐバリアとして機能する。動物を用いた実験では、MRP2遺伝子欠損ラットや、MRP阻害薬のプロベネシド(ベネシッド)の投与によって、フェニトイン(アレビアチン)の抗痙攣作用が増強すること、またバルプロ酸Na(デパケン)の脳内濃度がプロベネシドにより上昇することが示されている(**表4-16 C**)。すなわち、MRP阻害によってフェニトインやバルプロ酸の脳内濃度が上昇し、中枢性の効果が増強する可能性

表4-17　P-gpをコードする遺伝子(mdr1a)欠損マウスでの薬物の脳内移行

薬剤		脳対血漿中濃度比	
		正常マウス	P-gp欠損マウス(倍率)
モルヒネ系	モルヒネ	0.49	0.72(1.5倍)
	ロペラミド(ロペミン)	0.31	2.07(6.7倍)
セトロン系(抗5-HT$_3$)	アザセトロン(セロトーン)	0.12	0.83(6.9倍)
	オンダンセトロン(ゾフラン)	0.46	1.92(4.2倍)
キニジン	キニジン(硫酸キニジン)	0.09	0.77(8.6倍)
ピペリジン系	エバスチン(エバステル)	0.11	0.85(7.7倍)
ステロイド系	デキサメタゾン(デカドロン)	0.29	0.71(2.4倍)
	ジゴキシン(ジゴシン)	0.06	1.67(28倍)
免疫抑制剤	シクロスポリン(サンディミュン、ネオーラル)	0.28	3.30(12倍)
	タクロリムス(プログラフ)	2.73	16.4(6.0倍)
アントラサイクリン系	ダウノルビシン(ダウノマイシン)	0.19	0.37(1.9倍)
ビンカアルカロイド系	ビンブラスチン(エクザール)	1.67	18.7(11倍)
	ビンクリスチン(オンコビン)	0.03	0.07(2.3倍)
HIVプロテアーゼ阻害薬	インジナビル★	0.08	0.81(10倍)
	ネルフィナビル★	0.09	2.65(29倍)
	サキナビル★	0.13	0.88(6.8倍)
抗寄生虫薬	イベルメクチン(ストロメクトール)	0.09	2.52(28倍)

(Tamai I & Tsuji A. J Pharm Sci. 2000 ; 89 : 1371-88. を基に作成)

がある。

一方、P-gpと同様、抗てんかん薬に抵抗性を示す患者のBBBでMRP2が過剰に発現していることも報告されている。これは、BBBに発現するMRP2が抗てんかん薬などの投与によって誘導されるためであり、フェニトインやバルプロ酸といったMRPの基質になる薬剤の脳内移行を抑制し、その中枢性効果を減弱させると考えられる（☞ **表4-1**）。

参考

中枢神経系の副作用とBBB通過性

一般に中枢神経系（CNS）の副作用は、脳内に移行しやすい薬剤で起こりやすい。例えば、脂溶性の高いβ遮断薬はBBBを通過しやすく、不眠、抑うつ、幻覚などのCNS症状を誘発することがあるため、うつ病患者への投与はできる限り避けた方がよい。以下に、主なβ遮断薬を脂溶性が高い順に示す。

一方、P-gpの基質やP-gpへの親和性が強い薬剤ほどCNSへの副作用は少ないと考えられる。例えばP-gpの基質となる抗アレルギー薬は、脳内移行が抑制され眠気を誘発しにくいが、古典的な抗ヒスタミン薬は基質になりにくく、脳への移行が促進されて眠気を誘発しやすい（☞ **第7章［第4節］**）。

主なβ遮断薬の脂溶性の高さ

主なβ遮断薬の脂溶性の高さ
非選択性（$\beta_{1/2}$）： ペンブトロール★＞プロプラノロール（インデラル）＞ラベタロール（トランデート；$\alpha_1\beta$）＞ピンドロール（カルビスケン）＞アルプレノロール（スカジロール）＞チモロール※＞オクスプレノロール★＞ナドロール（ナディック）
β_1選択性： ベタキソロール（ケルロング）＞メトプロロール（セロケン）＞ビソプロロール（メインテート）＞アセブトロール（アセタノール）＞アテノロール（テノーミン）

★ 販売中止　※ 点眼薬のみ

❷ 血液胎盤関門に関わるトランスポーター

血液胎盤関門はBBBと類似した性質を持ち、トランスポーターなどによって薬物の胎盤への移行を制御している。

P-gp遺伝子欠損動物では、P-gpの基質になる薬剤（ジゴキシン［ジゴシン］、シクロスポリン［サンディミュン、ネオーラル］など）の胎児への移行が増大することが知られている。一般的に、BBBと同様にイオン型で水溶性の高いアルブミンやタンパク結合薬剤、水溶性抱合薬剤、四級アンモニウム塩（抗コリン薬）は血液胎盤関門を通過しない。

胎盤通過性は、妊婦への投与の可否を判断する上で重要である。胎盤を通過する薬剤・物質を**表4-18**に示す。太字で記した薬剤は、催奇形性が確実または疑われているものであり、妊娠の可能性のある婦人、妊婦への投与は禁忌である（できる限り避ける、または避けることが望ましい）。

妊婦への薬物投与による胎児の催奇形性（形態的異常の誘発）は、妊娠4～15週に起こりやすい。これは、妊娠4～7週（28～50日；絶対過敏期）に重要な器官が発生･分化し、8～15週（15～84日；相対過敏期、85～112日；比較過敏期）に性器の分化が継続して起こるためである。一方、妊娠3週まで（0～27日；無影響期）、あるいは16週以降（113日～出産日；潜在過敏期）では、薬剤による形態的異常は起こらない。しかし、妊娠16週以降は、薬物の投与によって胎児の死亡や発育不全、臓器機能不全といった催奇形性以外の異常が発生し得る。16週以降の妊婦に投与する場合、特に注意しなくてはならない薬剤を**表4-19**に示す。

また、妊娠後期に抗精神病薬を服用した場合、新生児に哺乳障害や傾眠、呼吸障害、振戦、筋緊張低下、易刺激性（些細な刺激に激しく反応し、不快感情が亢進した状態）などの離脱症状や錐体外路症状が現れるという報告もあるので、注意が必要である。

表 4-18　胎盤を通過する主な薬剤・物質

- 栄養素（ブドウ糖、脂質、タンパク質、水溶性ビタミン、無機質など）
- 尿素、尿酸
- γ-グロブリン
- コレステロール
- ホルモン（男性ホルモン、卵胞ホルモン［合成エストロゲン］、プロゲステロン、チロキシン、副腎皮質ホルモン、アドレナリン）
- 抗ヒスタミン薬
- アヘンアルカロイド
- バルビツール酸系薬
- 抗菌薬
- サルファ剤
- フェンタニル（分娩時を含む妊娠中の投与により胎児に徐脈があらわれることがある）
- **ハロペリドール**（セレネース；ブチロフェノン系）
- **フェノチアジン系**（クロルプロマジン［ウインタミン］）
- **トリフロペラジン**（トリフロペラジン）
- **糖尿病用薬（SU 薬）**
- **抗血栓薬**
- **Ca 拮抗薬**
- **HMG-CoA 還元酵素阻害薬**
- **ST 合剤**（バクタ配合錠）
- **サリチル酸系薬**※1（バファリン配合錠、バイアスピリンなど）
- **ワルファリン**（ワーファリン）
- **ビタミンA**※2（チョコラA）
- **ドンペリドン**（ナウゼリン）
- **シサプリド**★
- **バルプロ酸**（デパケン）
- **エトスクシミド**※3（ザロンチン）
- **コルヒチン**（コルヒチン）
- **サリドマイド**（サレド）
- **ラニチジン**※4（ザンタック）
- **リオシグアト**（アデムパス；可溶性グアニル酸シクラーゼ［sGC］刺激薬；肺高血圧症治療薬）
- **ファビピラビル（アビガン；抗インフルエンザ治療薬；【警告】あり）**
- **抗癌剤**※5
- ミコフェノール酸モフェチル（セルセプト）※6
- テノホビル；胎児への移行（サル）

太字は催奇形性が確実または疑われている薬剤。

※1　血液では 100%イオン型で脳内移行速度が遅いにもかかわらず、胎盤移行が比較的容易である。

※2　妊娠 3 カ月以内または挙児希望のある女性には、5000 IU/日以上の投与は禁忌である（ただしビタミン A 欠乏の場合を除く）。

※3　妊娠中に同薬を投与された患者において、口唇裂などの奇形児を出産したとの報告がある。

※4　妊娠第一三半期に同薬を投与された母親が、右の上眼瞼に手術除去を要する大きな血管腫を持つ児を出産したとの報告がある。なお、他の H_2 拮抗薬に関しては、動物実験の結果が添付文書に記載されている。具体的には、ニザチジン（アシノン）に関して、妊娠ウサギへの 1500mg/kg 投与群において、流産、胎仔体重の低下および生存胎児数の減少が認められた。ロキサチジン酢酸エステル塩酸塩（アルタット）に関して、ラットへの 400mg/kg 経口投与群において分娩異常が、ウサギへの 400mg/kg 経口投与群の少数例に流早産が、ラットの周産期・授乳期投与試験で 200mg/kg 経口投与群の少数例に分娩異常が認められた。

※5　オキサリプラチン（エルプラット）は妊娠する可能性のある女性またはパートナーが妊娠する可能性のある男性は、投与期間中、終了後一定期間は適切な避妊をするように指導する。動物実験において遺伝毒性の報告。また、イリノテカンでは妊娠または妊娠する可能性のある女性には投与しないことが望ましく、投与中、投与終了後一定期間は適切な避妊をすること、男性には遺伝毒性が報告されているため女性同様に避妊をする必要がある。

※6　妊娠中に同薬を投与された患者において、耳（外耳道閉鎖、小耳症等）、眼（眼欠損症、小眼球症等）、顔面（両眼隔離症、小顎症等）、手指（合指、多指、短指等）、心臓（心房中隔欠損症、心室中隔欠損症等）、食道（食道閉鎖等）、神経系（二分脊椎等）等の催奇形性が認められ、同薬を服用した妊婦における流産は 45 ～ 49%との報告がある。添付文書には「同薬投与前から投与中止後 6 週間は避妊を徹底させること」との記載がある。

★ 販売中止。

表 4-19　妊娠 16 週以降の患者への投与に注意を要する主な薬剤

- NSAIDs（妊婦への投与禁忌のことが多い。外用薬は妊娠後期禁忌）
- BZP 系薬※1
- 抗菌薬（アミノグリコシド系、テトラサイクリン系、クロラムフェニコール系、サルファ剤※2、マクロライド系）
- 抗甲状腺薬
- 男性ホルモン製剤
- 副腎皮質ホルモン製剤
- フィブラート系薬（禁忌）
- AT_1 拮抗薬（禁忌）
- ビスホスホネート系薬（禁忌）

参考：林昌洋、佐藤孝道、北川浩明編『実践 妊娠と薬　第 2 版』（じほう、2010）

※1　奇形出産例が多いとの疫学的報告がある。ゾルピデム（マイスリー）ではヒトの胎盤を通過することが確認されており、妊娠後期に投与された患者より出生した児に呼吸抑制、痙攣、振戦、易刺激性、哺乳困難などの離脱症状が出現する恐れがある。これらの症状は新生児仮死（出生時に新生児・胎児の呼吸循環系がうまく機能していない状態）として報告されることがある。

※2　妊娠末期禁忌。

コラム 25

抗うつ薬の作用発現とP-gp

一般に、抗うつ薬は脳内のモノアミン（5-HT［セロトニン］、NAd［ノルアドレナリン］など）の神経終末への再取り込みを阻害し、その効果を発揮する（☞付A）。一方、うつ病患者では、脳内の内因性グルココルチコイド（ヒトでは主にコルチゾール）濃度が低下し、グルココルチコイド受容体（glucocorticoid receptor：GR）機能の低下が認められるとの報告が多くあり、抗うつ薬がGR機能を増強することで効果をもたらすという仮説もある。

このGR機能の増強作用が、抗うつ薬によるP-gp阻害と関係する可能性が報告されている（Pariante CM, et al. Br J Pharmacol. 2001；134：1335-43.）。論文の著者らは、抗うつ薬と内因性コルチゾールがBBBのP-gpを競合するため、コルチゾールの血中へのくみ出しが抑制され、脳内のコルチゾール濃度が上昇する結果、GR機能が活性化すると考察しているが、抗うつ薬の作用点としてBBBのP-gp阻害が指摘されたのは初めてである。

実験では、培養細胞のGR機能は抗うつ薬によって増強する一方、P-gp阻害薬（ベラパミル塩酸塩［ワソラン］）やP-gp遺伝子の発現を低下させるH-89の処理によって抑制されることが示された。また、P-gpの基質になる抗うつ薬（三環系抗うつ薬、ミアンセリン塩酸塩［テトラミド；四環系］、パロキセチン塩酸塩水和物［パキシル；SSRI］、シタロプラム［未発売；SSRI；エスシタロプラムシュウ酸塩〈レクサプロ〉のラセミ体］）はいずれもGR機能を増強するが、P-gpの基質になりにくいフルオキセチン（未発売；SSRI）には、このような作用がないことも示唆された。SSRIのうち、パロキセチンとシタロプラムはP-gpの基質になりやすい化学構造（二・三・四環系、複素環［異項環］）を有するが、フルオキセチンにはこのような構造はなく、P-gpの基質にはなりにくいとされている。

一方、SSRIのP-gp阻害作用の強さを調べたin vitro実験では、塩酸セルトラリン（ジェイゾロフト）とパロキセチンはキニジン硫酸塩水和物（硫酸キニジン）と同等に強力であり、フルオキセチンとフルボキサミンマレイン酸塩（デプロメール、ルボックス）は中程度、またシタロプラムは弱い阻害作用を有することが報告されている（Weiss J, et al. J Pharmacol Exp Ther. 2003；305：197-204.）。現在知られているSSRIはセロトニンの再取り込みを抑制する点では共通であるが、化学構造は全く異なることから、P-gp阻害効果の有無または強弱が、抗うつ効果の差異に関与する可能性がある。

コラム 26

糖尿病とBBBのP-gp

糖尿病がBBBのP-gpの機能調節に関わっている――こんな仮説をめぐって近年、動物実験の結果が相次いで報告されている。

ストレプトゾトシン（STZ）を投与して糖尿病を誘発させたラットでは、大脳皮質におけるP-gp遺伝子※の転写が抑制され、mRNA生成量および発現量（P-gpのタンパク質量）が減少してP-gp機能が低下した（Liu H, et al. Brain Res. 2006；1123：245-52.）。この糖尿病ラットにインスリンを投与すると、P-gpの機能、転写、発現量は正常まで回復し、また正常ラットにインスリンを投与した場合に、P-gp活性が上昇することも認められた（Liu H, et al. Biochem Pharmacol. 2008；75：1649-58.）。Liuらは、インスリンが直接あるいは間接的に、P-gp遺伝子の転写を促進し、BBBの機能を調節すると考察している。

一方、上記の結果とは全く逆の報告もある。Maengらは、STZ誘発糖尿病ラットのBBBでは、P-gpのmRNA量と発現量が増え、P-gpの機能が促進すると報告している（Maeng HJ, et al. Drug Metab Dispos. 2007；35：1996-2005.）。これは、炎症に密接に関わる転写因子であるNF-κBが、酸化的ストレスにより活性化され、P-gpのプロモーター領域に結合してP-gp遺伝子の転写を促進するためとされている。P-gp機能に対する糖尿病の影響が前者の報告と逆になる原因は明らかにされていないが、Maengらは、STZ投与の初期では一時的にP-gp活性が低下し、その後、NF-κBを介してP-gp活性が上昇すると考察している。

このように、動物実験では糖尿病におけるBBBのP-gp活性について統一した結論は得られてない。ただし、興味深いことに、糖尿病におけるBBBの機能変化が脳出血や脳梗塞といった致死的な合併症の誘因となる可能性も指摘されている（Mooradian AD. Brain Res Rev. 1997；23：210-8.）。

※げっ歯類のP-gp遺伝子にはmdr1a、mdr1bが存在する。

第4節
肝分布・胆汁中排泄に関わるトランスポーター

肝臓の細胞膜には数多くのトランスポーターが存在し、薬物の分布や排泄に寄与している。例えば、肝細胞の血液側膜には、OATP2（肝特異的有機アニオントランスポーター、別名OATP1B1、OATP-C、LST1）、OAT2、OCT1などが存在し、循環血液から肝細胞への薬物の取り込み（分布）を担っている。一方、肝細胞の胆管側膜上にはABCトランスポーター（P-gp、MRP2、BSEP、BCRP）やプロトン［H^+］/有機カチオントランスポーター（MATE；☞**コラム18**）があり、薬物を肝細胞内から胆汁中へと排泄している（**図4-8**）。

❶ OATP2

肝分布において、OATP2阻害による血中濃度上昇が関与する相互作用は、HIVプロテアーゼ阻害薬とアスナプレビルとの併用、アタザナビル（レイアタッツ）とグレカプレビル（マヴィレット配合錠）との併用、グレカプレビル・ビブレンタスビル（マヴィレット配合錠）とアトルバスタチン（リピトール）との併用、リファンピシン（リファジン）とペマフィブラート（パルモディア）、グラゾプレビルとの併用、リファンピシン、シクロスポリン（サンディミュン、ネオーラル）、HIVプロテアーゼ阻害薬、エルトロンボパグ（レボレード）とバニプレビルとの併用、シクロスポリンとグラゾプレビル、アスナプレビル、スタチン系薬、ペマフィブラート、ボセンタン水和物（トラクリア；非選択的エンドセリン［ET］拮抗薬）、アンブリセンタン（ヴォリブリス；選択的ET_A拮抗薬）、レパグリニド（シュアポスト）、レテルモビル（プレバイミス：抗CMV薬）などとの併用がある。さらに、抗HCV薬、グレカプレビル・ビブレンタスビル、ロキサデュスタット（エベレンゾ）、レテルモビル、ARNI、ダロルタミド（ニュベクオ；前立腺癌治療薬）、ベルパタスビル（エプクルーサ配合錠；抗HCV薬）などとスタチン系薬との併用、マクロライド系薬やリファンピシン（リファジン）とピタバスタチンCa（リバロ）やグリベンクラミド（オイグルコンなど）との併用がある（**表4-20**）。

特に、HIVプロテアーゼ阻害薬、リファンピシン、エルトロンボパグ、シクロスポリンは強力なOATP2阻害作用を有し、抗HCV薬のアスナプレビル、バニプレビル、グラゾプレビルの肝取り込みを抑制して血中濃度を上昇させる結果、重篤な副作用が発現する恐れがある（併用禁忌）。シクロスポリンとアスナプレビルとの併用では、標的臓器である肝への取り込みが減少するため、アスナプレビルの薬効減弱の恐れもある。なお、OATP2阻害以外にも、アスナプレビルではOATP2B1、CYP3A阻害が、またバニプレビル、グラゾプレビルはOATP8、CYP3A阻害も関与すると考えられる。また、リファンピシンとバニプレビル、グラゾプレビルの併用継続では、リファンピシンのCYP3A4誘導効果が現れ、抗HCV薬の代謝が促進し血中濃度が低下する恐れもある（☞**表**

図4-8　肝分布に関わるトランスポーターの種類と発現部位

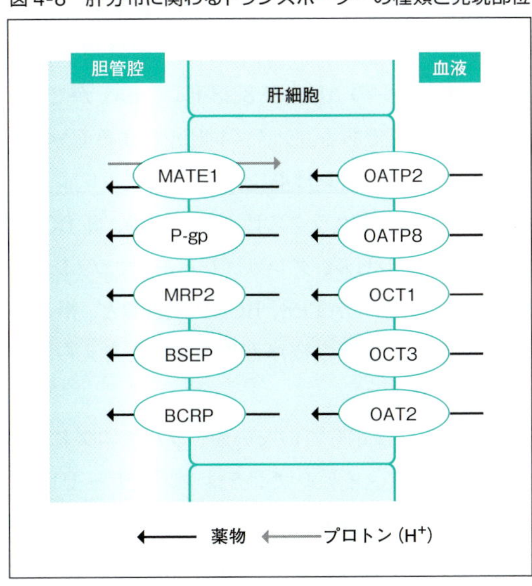

5-47)。

シクロスポリンによる動態学的相互作用の発現機序には、① CYP3A4阻害、②胆汁分泌抑制(BSEP阻害など)、③ MRP2・P-gp阻害、④ OATP2阻害、OATP8阻害 —— などがある。ペマフィブラート(パルモディア)はCYP3A4、OATP2、OATP8の基質でありシクロスポリンとの併用は禁忌である。また、ボセンタンはCYP3A4、OATP2の基質であるほか、胆汁酸塩排泄トランスポーターのBSEPを競合的に阻害する。そのため、シクロスポリンとの併用時には、OATP2阻害とCYP3A4阻害によるボセンタン血中濃度の上昇や、両剤の胆汁酸塩分泌阻害による肝毒性発現など、複数の機序で相互作用が発現すると考えられる(☞ **表4-24、5-30**)。抗HCV薬では、アスナプレビル、バニプレビル、グラゾプレビルにはシクロスポリンによるOATP2、OATP8阻害、シメプレビルにはCYP3A4、P-gp、OATP2阻害、またパリタプレビルにはP-gp、BCRP、OATP阻害が関与している。

一方、ピタバスタチン、ロスバスタチン、プラバスタチンNa(メバロチン)は、CYP450やMRP2、P-gpの基質になりにくく、BSEP阻害作用が示されているのもプラバスタチンとフルバスタチンNa(ローコール)のみである(ただし、プラバスタチンはMRP2の基質となる)。また、ピタバスタチンは脂溶性であるが、CYP450やMRP2、P-gpの基質になりにくい。シクロスポリンはピタバスタチンの腸肝循環にも影響を与えないことから、シクロスポリンとの相互作用の発現機序として、①~③の可能性は低いと考えられる。つまり、これらのスタチンは、肝臓に特異的に存在するOATP2によって肝細胞に取り込まれることから、シクロスポリンによるスタチンの血中濃度上昇には、OATP2阻害を介した肝への分布抑制が関与している可能性が高い。また、ロスバスタチンはBCRPの基質であり、シクロスポリンの肝BCRP阻害作用も関与する可能性もある。

同様に、マクロライド系薬(CYP3A4・P-gp・MRP2阻害)やリファンピシン(CYP450誘導、MRP2阻害)によるピタバスタチンの血中濃度上昇も、CYP450阻害・誘導やP-gp・MRP2阻害ではなく、OATP2阻害に起因すると考えられる。また、エルトロンボパグによるロスバスタチンの血中濃度上昇も肝OATP2阻害に起因するが、上述したように、肝BCRP阻害による胆汁中排泄抑制も関与すると思われる。

シクロスポリンとプラバスタチンとの併用は禁忌でないが、プラバスタチンのAUCが20倍に上昇したとの報告もあるため、併用は避けた方がよい。また、ピタバスタチン、ロスバスタチン、プラバスタチン以外のスタチン系でも、OATP2阻害による相互作用には留意する。

一方、シクロスポリンとスタチン系を併用した場合、OATP2阻害によりスタチン系の血中濃度が高くなる反面、標的臓器である肝への取り込みが抑制されるため、スタチン系の抗コレステロール効果(HMG-CoA還元酵素阻害)が減弱する可能性にも注意が必要である。

その他にも、抗HCV薬のグレカプレビル・ピブレンタスビル(マヴィレット配合錠)、アスナプレビル、バニプレビル、シメプレビル、ダクラタスビル、パリタプレビルなどはOATP2阻害を有しており、スタチン系薬の肝取り込みを抑制して血中濃度を上昇させることも示されている。特にグレカプレビル・ピブレンタスビルとアトルバスタチンの併用ではアトルバスタチンのAUCが8.28倍、Cmaxが22倍に上昇し禁忌である。シメプレビルによるCYP3A4阻害、アスナプレビル、ダクラタスビルによる肝OATP8阻害、ダクラタスビルによる腸、肝BCRP阻害、バニプレビル、グレカプレビル(マヴィレット配合錠)には肝OATP8、BCRP阻害など、相互作用の発現には複数の機序が関与すると考えられている(☞ **表4-4**)。

また、表には示していないが、ラパチニブトシル酸塩水和物(タイケルブ;チロシンキナーゼ阻害薬)はOATP2を阻害することが示されている。同薬のOATP2阻害による相互作用の報告はない

表4-20　肝細胞のOATP2阻害・誘導、OAT2阻害に起因する相互作用

(1) 肝OATP2阻害

	作用する薬剤	作用を受ける薬剤	起こり得る事象など
併用禁忌	HIVプロテアーゼ阻害薬	アスナプレビル★(抗HCV薬)	肝OATP2阻害によるアスナプレビル血中濃度上昇。肝有害事象の増加または重症化の恐れ。OATP2B1阻害、CYP3A阻害(☞**表5-29**)も関与。
	アタザナビル(レイアタッツ)	グレカプレビル(マヴィレット配合錠;抗HCV薬)	肝OATP2阻害によりグレカプレビルの血中濃度上昇の恐れ。ALT(GPT)上昇のリスクが増加するおそれがあるが、機序は不明。
	グレカプレビル・ピブレンタスビル(マヴィレット配合錠;抗HCV薬)	アトルバスタチン(リピトール)	グレカプレビルおよびピブレンタスビルによる肝OATP2およびBCRP阻害作用に起因。AUCが8.28倍、Cmax22倍に上昇。
	リファンピシン(リファジン)	ペマフィブラート(パルモディア;フィブラート系薬)	併用初期にOATP2、OATP8阻害により血中濃度上昇。AUCが約10.9倍に上昇。ただし、リファンピシン反復投与後の併用ではAUC約0.22倍に低下。
		バニプレビル★(抗HCV薬)	併用初期に肝OATP2、OATP8阻害によりバニプレビル肝取り込み抑制(血中濃度上昇;バニプレビル高用量投与時に、悪心、嘔吐、下痢の発現増加)。一方、併用継続ではCYP3Aが誘導されバニプレビル代謝亢進の恐れ(☞**表5-47**)。バニプレビルはOATP2、OATP8、CYP3Aの基質である。
	シクロスポリン(サンディミュン、ネオーラル)、HIVプロテアーゼ阻害薬(アタザナビル[レイアタッツ]、ロピナビル・リトナビル[カレトラ])、エルトロンボパグ(レボレード;TPO受容体作動薬)		肝OATP2、OATP8阻害によりバニプレビルの肝取り込み抑制(血中濃度上昇;バニプレビル高用量投与時に、悪心、嘔吐、下痢の発現増加)
	リファンピシン	グラゾプレビル★(抗HCV薬)	併用初期に肝OATP2/8(OATP1B)阻害によりグラゾプレビル肝取り込み抑制(血中濃度上昇)。一方、併用継続ではCYP3Aが誘導されグラゾプレビルの代謝亢進の恐れ。
	シクロスポリン、HIVプロテアーゼ阻害薬(アタザナビル、ダルナビル、ロピナビル・リトナビル、サキナビル)	グラゾプレビル★	肝OATP2/8(OATP1B)阻害(HIVプロテアーゼ阻害薬では阻害または阻害の予測)によりグラゾプレビルの血中濃度上昇。
併用禁忌	シクロスポリン(サンディミュン、ネオーラル)	アスナプレビル★	アスナプレビル薬効減弱の恐れ。肝OATP2、OATP8阻害によりアスナプレビル肝取り込み減少。
		スタチン系薬(ピタバスタチン[リバロ]、ロスバスタチン[クレストール]のみ)	副作用増強(横紋筋融解症発現の可能性)。シクロスポリンのOATP2阻害によりスタチン系薬の肝移行(分布)が抑制される。ピタバスタチンはAUCおよびCmaxが4.6倍、6.6倍上昇。ロスバスタチン、プラバスタチン(メバロチン)、アトルバスタチン(リピトール)、シンバスタチン(リポバス)でAUCがそれぞれ7倍、20倍、8.7倍、8倍に上昇する。ロスバスタチンはシクロスポリンの肝BCRP阻害も関与。ロスバスタチンは主に胆汁中に排泄される(90%)。併用禁忌以外のスタチン系薬も十分に注意する。
		ペマフィブラート(パルモディア;フィブラート系薬)	シクロスポリンのOATP2、OATP8、CYP2C8、2C9、3Aの阻害作用による。Cmax、AUCがそれぞれ、約8.9倍、約14倍に上昇。
		ボセンタン(トラクリア;非選択的ET拮抗薬)	副作用発現の可能性。シクロスポリンのOATP2阻害作用により肝分布が抑制され、ボセンタン血中濃度が定常状態で2～3倍上昇(30倍の報告もある)。シクロスポリンによるCYP3A4阻害も関与。両剤によるBSEP阻害により肝に胆汁酸が蓄積し肝毒性発現も関与(☞**表4-24、コラム27**)。
併用慎重		アンブリセンタン(ヴォリブリス;選択的ET_A拮抗薬)	アンブリセンタンAUC約2倍上昇。併用時、アンブリセンタンは成人及び50kg以上の小児は1日1回5mg、50kg未満の小児は1日1回2.5mgを上限として投与すること。機序不明だが、アンブリセンタンはOATP2、OATP8(OATP1B3)、P-gpの基質であり、主に胆汁中排泄されるため、シクロスポリンによる肝OATP2阻害、P-gp阻害が関与と考えられる(in vitroではアンブリセンタン自体のP-gp、OATP阻害効果はない)。

表 4-20（つづき） 肝細胞の OATP2 阻害・誘導、OAT2 阻害に起因する相互作用

併用慎重	シクロスポリン（サンディミュン、ネオーラル）	レパグリニド（シュアポスト；速効型インスリン分泌促進薬）	低血糖の可能性。OATP2阻害によりレパグリニドの肝取り込み阻害。レパグリニドAUC$_{0-\infty}$が2.54倍上昇。レパグリニドは一部がCYP3A4（主としてCYP2C8）で代謝されるため、シクロスポリンによるCYP3A4阻害効果も関与。
		シメプレビル★（抗HCV薬）	相互に血中濃度上昇（副作用発現に注意）。シクロスポリン、シメプレビルは主に胆汁排泄のため、シクロスポリンの肝OATP2阻害、肝P-gp阻害（☞**表4-21**）、CYP3A4阻害（☞**表5-29**）の関与大。一方、シメプレビルのCYP3A4阻害によりシクロスポリンの血中濃度上昇（☞**表5-30**⑥）。
		パリタプレビル・リトナビル★（抗HCV薬）	相互に血中濃度上昇（副作用発現に注意）。パリタプレビルの血中濃度上昇はシクロスポリンのOATP、BCRP、P-gp阻害によると考えられる（☞**表4-21**）。シクロスポリンの血中濃度上昇はリトナビルのCYP3A4阻害（☞**表5-30**）およびパリタプレビルのOATP阻害による。
		グレカプレビル・ピブレンタスビル（マヴィレット配合錠；抗HCV薬）	グレカプレビル及びピブレンタスビルの血中濃度が上昇するおそれ。シクロスポリンのOATP2およP-gp、BCRP阻害によると考えられる。
		カスポファンギン（カンサイダス；キャンディン系抗真菌薬）	カスポファンギン（注射剤）のAUC35%上昇。肝OATP2阻害に起因と推測。
		レテルモビル（プレバイミス；抗CMV薬）	相互に血中濃度上昇。シクロスポリンのOATP2/8阻害作用により、レテルモビルのAUCが2.11倍、Cmax が1.48倍に上昇。レテルモビルのCYP3A阻害により、シクロスポリンの血中濃度上昇。
		エルトロンボパグ（レボレード）	シクロスポリンとエルトロンボパグそれぞれ反復投与併用時において、エルトロンボパグのトラフ値が73%上昇。肝OATP2阻害に起因と推測。単回投与併用時においては、エルトロンボパグオラミンのAUCとCmax減少の報告あり。
	抗HCV薬（アスナプレビル★、シメプレビル★、ダクラタスビル★、パリタプレビル★）	スタチン系薬（シンバスタチン［リポバス］、アトルバスタチン［リピトール］、ロスバスタチン［クレストール］、プラバスタチン［メバロチン］、ピタバスタチン［リバロ］など）	スタチン系薬血中濃度上昇（横紋筋融解症など注意）。①シメプレビル（主に胆汁中排泄）併用時は肝OATP2阻害関与。併用時はシメプレビル低用量から開始。シンバスタチン、アトルバスタチン血中濃度上昇にはシメプレビルのCYP3A4阻害も関与（☞**表5-30**⑥）。②アスナプレビル、ダクラタスビル（主に胆汁中排泄）、パリタプレビル併用時はOATP2、OATP8阻害関与。ロスバスタチン血中濃度上昇にはダクラタスビル（主に胆汁中排泄）の消化管および肝BCRP阻害も関与（☞**表4-14、表4-23**）。パリタプレビルとロスバスタチン、プラバスタチンの併用では、パリタプレビル血中濃度上昇の恐れ（機序不明）。
	グレカプレビル・ピブレンタスビル（マヴィレット配合錠；抗HCV薬）	スタチン系薬（ロスバスタチン、シンバスタチン、プラバスタチン、フルバスタチン、ピタバスタチン）	スタチン系の血中濃度上昇。ロスバスタチン、シンバスタチンにはグレカプレビル・ピブレンタスビルのOATP2、BCRP阻害作用が関与。プラバスタチン、フルバスタチン、ピタバスタチンでは主にOATP2阻害が関与。ロスバスタチン、シンバスタチン、プラバスタチンのAUCはそれぞれ2.15倍、2.32倍、2.3倍に上昇。
	ロキサデュスタット（エベレンゾ；腎性貧血治療薬）	HMG-CoA還元酵素阻害剤（シンバスタチン［リポバス］、ロスバスタチン［クレストール］、アトルバスタチン［リピトール］）	スタチン系の血中濃度上昇。ロスバスタチンのCmax4.5倍、AUC2.9倍上昇。ロキサデュスタットはOATP2、BCRPの基質であり阻害剤でもある（肝BCRP 阻害も関与；☞**表4-23**）。
	バニプレビル★	OATP2、OATP8（☞ **表 4-2**）、BCRP（☞**表4-1**）の基質	基質血中濃度上昇の恐れ。バニプレビル（主に胆汁中排泄）のOATP2、OATP8、BCRP阻害が関与（☞**表4-23**）。ロスバスタチン併用時Cmax、AUCが2.88倍、1.22倍上昇。
		ボセンタン（トラクリア）	ボセンタン血中濃度上昇の恐れ。ボセンタンは胆汁中排泄であるため肝OATP2阻害、肝OATP8阻害が関与すると考えられる。一方、ボセンタンのCYP3A誘導によりバニプレビル血中濃度低下の恐れ（☞**表5-53**）。
	マクロライド系薬（エリスロマイシン［エリスロシン］、リファンピシン［リファジン］など）	スタチン系薬（ピタバスタチン［リバロ］）	副作用増強。OATP2阻害によりピタバスタチンの肝取り込み阻害。リファンピシン併用時、ピタバスタチンCmaxが2倍、AUCが1.3倍上昇。

併用慎重	エルトロンボパグ（レボレード；TPO受容体作動薬）、ロピナビル・リトナビル（カレトラ配合錠）	ロスバスタチン（クレストール；OATP2とBCRPの基質）	ロスバスタチン血中濃度上昇（エルトロンボパグ併用時に AUC$_{0-\infty}$ 32～55%、Cmax 61～103%上昇、リトナビル併用時にAUC2倍上昇）。エルトロンボパグはBCRPの基質であり、BCRP とOATP2を同程度に阻害。両剤とも主に胆汁排泄であるため、肝OATP2と肝BCRP阻害によるロスバスタチンの肝分布と胆汁中排泄の抑制に起因（☞**表4-23**）。
	レテルモビル（プレバイミス；抗CMV薬）	スタチン系薬	レテルモビルのOATP2/8阻害作用により、アトルバスタチンのAUCが3.29倍、Cmax が2.17倍に上昇。副作用（ミオパチーなど）に注意。レテルモビルは主に糞中排泄のため、アトルバスタチン、シンバスタチン、ロスバスタチン、フルバスタチンでは腸管・肝のBCRP阻害も関与が予測される。
	ARNI（サクビトリルバルサルタン［エンレスト；アンジオテンシン受容体ネプリライシン阻害薬］）	アトルバスタチン（リピトール）	アトルバスタチンおよびその活性代謝物のCmax約1.7~2.1倍、AUC1.2~1.3倍上昇。肝OATP2および肝OATP8を介する肝臓への取り込みを阻害する。
	シクロスポリン（ネオーラル、サンディミュン）、クラリスロマイシン（クラリス）、エリスロマイシン（エリスロシン）	ARNI（サクビトリルバルサルタン［エンレスト］）	OATP2およびOATP8を阻害することによりSacubitrilat（サクビトリル活性代謝物）およびバルサルタンの血中濃度が上昇し、副作用が増強される恐れがある。
	ダロルタミド（ニュベクオ；前立腺癌治療薬）	スタチン系薬（ロスバスタチン、フルバスタチン、アトルバスタチンなど；BCRP、OATP2およびOATP8の基質となる薬剤）	ロスバスタチンのAUCおよびCmaxはいずれも5倍上昇。
	ベルパタスビル（エプクルーサ配合錠；抗HCV薬）	ロスバスタチン（クレストール）、アトルバスタチン（リピトール）	ロスバスタチンのCmaxおよびAUCがそれぞれ2.61、2.69倍に増加。アトルバスタチンのCmaxおよびCmax が1.68、1.54倍に増加。BCRP阻害も関与。アトルバスタチンではP-gp阻害も関与。
	ダブラフェニブ（タフィンラー；分子標的治療薬）	OATP2、OATP8の基質	ロスバスタチンのAUC7%、Cmaxは156%上昇。
（2）肝OATP2阻害と誘導			
併用慎重	リファンピシン（リファジン）	カスポファンギン（カンサイダス；キャンディン系抗真菌薬）	単回同時併用でカスポファンギンのAUCが61%上昇。定常状態下ではトラフ値30%低下。併用初期にはOATP2阻害によりカスポファンギン肝取り込み抑制（血中濃度上昇）。併用継続ではOATP2誘導により血中濃度低下。
		グリベンクラミド（オイグルコン、ダオニール）	低血糖の恐れ。併用初期にはOATP2阻害によりグリベンクラミドの血中濃度が上昇し低血糖の恐れがあるが、併用継続ではCYP3A4、OATP2誘導によりグリベンクラミドの効果減弱。
（3）肝OATP2誘導			
併用慎重	デキサメタゾン（デカドロン他）	カスポファンギン（カンサイダス）	カスポファンギンの血中濃度が低下するおそれ。OATP2誘導に起因する可能性。
（4）肝OAT2阻害			
併用慎重	エリスロマイシン（エリスロシン；14員環マクロライド系薬）、ガレノキサシン（ジェニナック；キノロン系薬）	テオフィリン（テオドール）	テオフィリン血中濃度30～100%上昇（エリスロマイシン併用時）、約20%上昇（ガレノキサシン併用時）。肝OAT2阻害によるテオフィリンの肝分布低下に起因する可能性。ガレノキサシンがOAT2の基質となるか否かは不明。
	OATの基質・阻害薬（NSAIDs、グリベンクラミド［オイグルコン］、プロベネシド［ベネシッド］など）	ニコチン酸系（ニコチン酸トコフェロール［ユベラ］、ニコモール［コレキサミン］、ニセリトロール［ペリシット］）	血中ニコチン酸濃度の上昇、筋肉障害などの副作用の恐れ。肝OAT2阻害による肝分布低下の可能性。

が、OATP2の基質となる薬剤との併用時には注意した方がよいだろう。

なお、再度説明しておくが、リファンピシンの投与初期にはOATP2阻害効果が現れるが、投与継続では、核内受容体PXRが活性化され（☞**表5-54**）、OATP2、CYP450などが誘導される。したがって、OATP2の基質になる薬剤の血中濃度が、投与期間に応じて増減してしまう。リファンピシンとカスポファンギン酢酸塩（カンサイダス）、グリベンクラミドとの相互作用ではOATP2阻害と誘導、またCYP3Aの基質であるバニプレビル、グラゾプレビルとの相互作用（併用禁忌）ではOATP2阻害とCYP3A誘導が起こるため、注意して対処する必要がある。また、副腎皮質ホルモン製剤によるOATP2誘導によるカスポファンギン血中濃度の低下にも注意する。

❷ OAT2

OAT2は主に肝細胞膜の血液側膜に発現し、薬剤の肝分布に働いている。OAT2が関与する相互作用では、まず、エリスロマイシンステアリン酸塩（エリスロシン）によるテオフィリン（テオドール）の血中濃度の上昇に注意すべきである（☞**表4-20**）。テオフィリンは主にCYP1A2、2E1で代謝されるが、一部にCYP3A4も関与するため、エリスロマイシンのCYP3A4阻害によって血中濃度が上昇するとも考えられる。しかし、両剤ともOAT2の基質であることから、エリスロマイシンが肝OAT2を競合阻害したことにより、テオフィリンの肝分布が抑制されたと考えた方が理解しやすい（Kobayashi Y, et al. Drug Metab Dispos.2005; 33:619-22.）。

また、キノロン系のメシル酸ガレノキサシン水和物（ジェニナック）とテオフィリンを同時に投与すると、血中濃度が上昇することが示されている。機序は不明だが、ガレノキサシンは肝代謝を受けず、CYP450阻害作用もないことから、肝OAT2の阻害による肝分布の抑制に起因する可能性がある（ただし、ガレノキサシンがOATの基質であるか否かは明らかではない）。

いずれの場合も、テオフィリンがTDMを必要とする上、約80%が肝代謝を受けて排泄される薬剤であることから、肝分布の阻害により容易に血中濃度が上昇して中毒を起こしやすく、OAT2の基質や阻害薬との併用には常に注意を要する。

そのほか、グリベンクラミド（オイグルコン）、プロベネシド（ベネシッド）、NSAIDs（サリチル酸、ジクロフェナクNa［ボルタレン］、ケトプロフェン［アネオール］、インドメタシンファルネシル［インフリー］、イブプロフェン［ブルフェン］など）といった酸性薬剤が肝OAT2を阻害し、ニコチン酸の細胞内取り込みを抑制することも示されている（Anzai N, et al. J Pharmacol Sci. 2006；100：411-26.）。これらの酸性薬剤によって、OAT2の基質であるニコチン酸系の肝分布が抑制されて血中濃度が上昇し、横紋筋融解症などの筋肉障害が現れる恐れがある。

肝OAT2の基質となり得る薬剤を以下に示す。

> テオフィリン（テオドール）、エリスロマイシン（エリスロシン）、ニコチン酸系薬（ニコチン酸トコフェロール［ユベラ］、ニコモール［コレキサミン］、ニセリトロール［ペリシット］）、テトラサイクリン系薬、サリチル酸系薬、アセチルサリチル酸（アスピリン）、アロプリノール（ザイロリック）、FU系薬（5-FUなど）、パクリタキセル（タキソール）、ドセタキセル水和物（タキソテール）、ジドブジン（レトロビル）、L-アスコルビン酸（ビタミンC）

❸ ABCトランスポーター（P-gp、MRP2、BSEP、BCRP）

A 肝P-gpの阻害

アリスキレンフマル酸塩（ラジレス；直接的レニン阻害薬）、コルヒチン（コルヒチン；胆汁・腎排泄）、リオシグアト（アデムパス；可溶性グアニル酸シクラーゼ［sGC］刺激薬）、活性化第X因子

表4-21　肝細胞のP-gp阻害に起因する相互作用

	作用する薬剤	作用を受ける薬剤	起こり得る事象など
併用禁忌	イトラコナゾール（イトリゾール）、シクロスポリン（サンディミュン、ネオーラル）	アリスキレン（ラジレス；直接的レニン阻害薬）	イトラコナゾール併用時（空腹時）にアリスキレンCmaxが5.8倍、AUCが6.5倍に上昇。シクロスポリン併用時（空腹時）にアリスキレン（胆汁中排泄）のCmaxが2.5倍、AUCが5倍に上昇（空腹時併用）。肝・消化管のP-gp阻害が関与。シクロスポリンでは高K血症が関与（☞**表8-5**）。
	P-gp阻害薬：シクロスポリン（サンディミュン、ネオーラル）、イトラコナゾール（イトリゾール）、クラリスロマイシン（クラリス）、HIVプロテアーゼ阻害薬、テラプレビル★（抗HVC薬）など	コルヒチン（コルヒチン；肝・腎障害のある場合のみ）	肝・腎障害のある患者で、強いCYP3A阻害薬またはP-gp阻害薬を服用中の患者へは禁忌。コルヒチン中毒（下痢、腹痛、発熱、筋肉痛、肝障害、汎血球減少症、呼吸困難など）発現。肝・腎障害のない場合、減量あるいは低用量で開始するなど注意して投与すること。CYP3A4阻害も関与。消化管・腎のP-gpも関与。
	P-gp/BCRP阻害薬：アゾール系薬（ケトコナゾール［経口薬・注射薬未発売］、イトラコナゾール［イトリゾール］）、HIVプロテアーゼ阻害薬	リオシグアト（アデムパス；可溶性グアニル酸シクラーゼ［sGC］刺激薬；肺高血圧症治療薬）	リオシグアト（胆汁中排泄）および主代謝物（M-1；薬理活性あり；腎排泄）の血中濃度上昇（作用増強）の恐れ。ケトコナゾール併用時、リオシグアトAUC、Cmaxが150%、46%上昇。ケトコナゾールはP-gp阻害のみならず、BCRPや複数のCYP分子種（1A1、3Aなど）を阻害（in vitro）するなど、様々な阻害効果があるため併用禁忌。アゾール系では、ケトコナゾールと同様な阻害効果を有するイトラコナゾール（腎・胆汁中排泄）、ボリコナゾール（主に腎排泄）のみが併用禁忌（ただし、ボリコナゾールはP-gpおよびBCRP阻害薬ではない［☞**コラム32**］）。リオシグアトおよびM1の排泄には、それぞれ肝および腎のトランスポーターが関与するが、リオシグアトは高い経口BAを示すため、消化管のトランスポーターが関与する可能性は低い。
原則禁忌	P-gp阻害薬：キニジン（硫酸キニジン）、ベラパミル（ワソラン）、エリスロマイシン（エリスロシン）、シクロスポリン（サンディミュン、ネオーラル）、イトラコナゾール（イトリゾール）、アミオダロン（アンカロン）など	エドキサバン（リクシアナ；活性化第X因子［FXa］阻害薬）	出血の危険性増大。エドキサバンのAUC 1.5～2倍上昇。有益性がリスクを上回る場合に限って併用するが、併用時はエドキサバンを減量または減量を考慮する。ただしP-gp阻害薬の種類やエドキサバンの適応症によって減量基準が異なるため注意すること。リクシアナの添付文書では消化管P-gp阻害に起因との記載があるが、エドキサバンは胆汁中・腎排泄されるため、腎のP-gp阻害も関与すると考えられる。エドキサバンは一部がわずかにCYP3A4で代謝される（☞**表4-28**）。
	P-gp阻害薬：アゾール系薬（フルコナゾール［ジフルカン］を除く）、HIVプロテアーゼ阻害薬（リトナビル［ノービアなど］）	アピキサバン（エリキュース；FXa阻害薬）	血中濃度上昇の恐れ。P-gpおよびCYP3A4を同時に強力に阻害するため。アピキサバンAUC、Cmaxが2倍、1.6倍上昇（ケトコナゾール併用時）。併用時にはアピキサバン2.5mg1日2回（通常用量の半量）投与を考慮するか、治療上の有益性と危険性を十分に考慮し、併用が適切と考えられない場合は併用しないこと。アピキサバンは胆汁中・腎排泄されるため、消化管、腎のP-gp阻害も関与すると考えられる（☞**表4-11、4-28、5-30**）。
	イトラコナゾール（イトリゾール）	トルバプタン（サムスカ；V_2-受容体拮抗薬）	ケトコナゾール併用時にAUC 5.4倍上昇。添付文書には「CYP3A4阻害薬との併用は避けることが望ましい」と記されているがP-gp阻害も関与。併用時にはトルバプタン減量あるいは低用量投与を考慮。
原則禁忌	P-gp阻害薬：イトラコナゾール（イトリゾール）、クラリスロマイシン（クラリス、クラリシッド）	ギルテリチニブ※（ゾスパタ）	血中濃度上昇の恐れ。CYP3A4阻害も関与。イトラコナゾール併用により、Cmax1.2倍、AUC2.2倍上昇。

	作用する薬剤	作用を受ける薬剤	起こり得る事象など
併用慎重	P-gp/BCRP阻害薬：シクロスポリン（サンディミュン、ネオーラル）	リオシグアト（アデムパス）	シクロスポリン（胆汁排泄）はP-gp/BCRPを介したリオシグアト輸送を顕著に阻害（in vitro）。リオシグアト主代謝物（M-1）の腎P-gp/BCRPを介した排泄阻害も関与。
	マクロライド系薬（エリスロマイシン［エリスロシン］、アジスロマイシン［ジスロマック］など）、ケトコナゾール経口薬★、分子標的薬：オシメルチニブ※（タグリッソ）、テポチニブ※（テプミトコ）	フェキソフェナジン（アレグラ）	エリスロマイシンでフェキソフェナジンAUCおよび血中濃度が2倍に上昇。アジスロマイシンでAUC 67%上昇。ケトコナゾールでは血中濃度が2倍に上昇。P-gp阻害に起因するクリアランス（消化管・腎排泄）の低下も関与。ただし、フェキソフェナジンは有効血中濃度域が広いため大きな問題はない。
	HIVプロテアーゼ阻害薬（ネルフィナビル★など）	アジスロマイシン（ジスロマック；15員環マクロライド系）	ネルフィナビル併用でアジスロマイシンAUC、Cmaxが2倍上昇（抗菌力増強）、併用の有用性が示唆される。ネルフィナビル、リトナビル（ノービア）、サキナビル★はP-gp阻害の報告があるが、インジナビル★とアジスロマイシンの相互作用の報告はない。消化管P-gp阻害も関与。
併用慎重	アジスロマイシン（ジスロマック）	ジギトキシン★	ジギトキシン血中濃度上昇。消化管P-gp阻害も関与。
	マクロライド系薬（エリスロマイシン［エリスロシン］、クラリスロマイシン［クラリス］、ジョサマイシン［同名］）	コルヒチン（同名）	コルヒチン中毒（下痢、腹痛、発熱、筋肉痛、肝機能障害、汎血球減少、呼吸困難など）発現。減量するなど慎重に投与。マクロライド系によるCYP3A4阻害関与の可能性（☞**表5-21**）。
	シクロスポリン（サンディミュン、ネオーラル）	アンブリセンタン（ヴォリブリス；選択的ET_A拮抗薬）	アンブリセンタンAUC約2倍上昇。併用時、アンブリセンタン1日10mgを投与上限とすること。機序不明であるが、アンブリセンタンはOATP2、OATP8（OATP1B3）、P-gpの基質であり、主に胆汁中排泄されるためシクロスポリンによる肝OATP2阻害（☞**表4-20**）、P-gp阻害が関与すると考えられる（in vitroではアンブリセンタン自体のP-gp、OATP阻害効果なし）。
	P-gp阻害薬：マクロライド系薬、アゾール系薬、ベラパミル（ワソラン）、リトナビル（ノービア；HIVプロテアーゼ阻害薬）など	インダカテロール（オンブレス吸入；β_2刺激薬）	インダカテロール血中濃度上昇。エリスロマイシン、ベラパミル、ケトコナゾール、リトナビル併用時、インダカテロールAUCが1.4-1.6倍、1.4-2倍、1.9倍、1.6-1.8倍上昇。CYP3A4阻害も関与。インダカテロールは投与量の85%が糞中排泄。
	P-gp阻害薬：マクロライド系薬、フルコナゾール（ジフルカン）、ジルチアゼム（ヘルベッサー）	アピキサバン（エリキュース；FXa阻害薬）	血中濃度上昇の恐れ。アピキサバンAUC、Cmaxが1.4倍、1.3倍上昇（ジルチアゼム併用時）。併用時には患者の状態を十分に観察。CYP3A4阻害も関与。
	タキソイド系薬（パクリタキセル［タキソール］など）	アントラサイクリン系薬（ドキソルビシン［アドリアシン］、エピルビシン［ファルモルビシン］など）	アントラサイクリン系およびその代謝物の血中濃度上昇（心毒性誘発）。タキソイド系は主に胆汁中排泄される。減量または投与間隔を延長する。
	ベラパミル（ワソラン）、アトルバスタチン（リピトール）、ケトコナゾール経口薬★	アリスキレン（ラジレス）	ベラパミル併用時、アリスキレンCmax、AUCがそれぞれ約2倍上昇（空腹時）。アトルバスタチン併用時、アリスキレン（胆汁・腎排泄）のCmax、AUCが1.5倍上昇（空腹時）。ケトコナゾール併用時にはCmax、AUCが1.8倍上昇（空腹時）。肝・消化管P-gp阻害の関与。
	P-gp阻害薬：ベラパミル（ワソラン）、イトラコナゾール（イトリゾール）、キニジン（硫酸キニジン）、シクロスポリン（サンディミュン、ネオーラル）、エリスロマイシン（エリスロシン）など	ラパチニブ※（タイケルブ）	血中濃度上昇の可能性。BCRPの基質になる薬剤とラパチニブの併用時にも注意。ラパチニブは主に胆汁排泄。P-gp誘導による血中濃度低下も注意。

表4-21　肝細胞のP-gp阻害に起因する相互作用（つづき）

	作用する薬剤	作用を受ける薬剤	起こり得る事象など
併用慎重	P-gp阻害薬：マクロライド系薬、アゾール系薬、HIVプロテアーゼ阻害薬（リトナビルなど）、シクロスポリン（サンディミュン、ネオーラル）など	ミラベグロン（ベタニス；β_3刺激薬）	ミラベグロン血中濃度上昇（心拍数増加などの恐れ）。ケトコナゾールでミラベグロン（胆汁・腎排泄）血中濃度が1.81倍上昇。消化管・腎P-gp阻害、肝CYP3A4阻害も関与（ただし、ミラベグロンの一部のみがCYP3A4で代謝）。
	P-gp阻害薬：アゾール系薬（イトラコナゾール［イトリゾール］など）、抗HIV阻害薬（リトナビル［ノービア］）など	ビベグロン（ベオーバ；β_3刺激薬）	ケトコナゾール併用によりビベグロン（糞中［59%］・尿中［20%］排泄）のCmax2.2倍、AUC2.1倍上昇。消化管・腎P-gp阻害、肝CYP3A4阻害も関与。
	P-gp阻害薬：シクロスポリン（サンディミュン、ネオーラル）など	トルバプタン（サムスカ）	トルバプタン（V_2受容体拮抗薬；胆汁・腎排泄）血中濃度上昇（作用増強）。消化管・腎P-gp阻害、肝CYP3A4阻害効果も関与。
	P-gp阻害薬（主に胆汁排泄型）：エリスロマイシン（エリスロシン）、シクロスポリン（サンディミュン、ネオーラル）	シメプレビル★	相互に血中濃度上昇（副作用に注意）。エリスロマイシン、シクロスポリン、シメプレビルは主に胆汁排泄のため、肝P-gp阻害の関与大（消化管P-gp阻害も関与の可能性）。①エリスロマイシン併用時にシメプレビルAUCが7.5倍上昇（CYP3A4阻害も関与）。肝CYP3A阻害も関与。②シクロスポリンの肝OATP2阻害（☞**表4-20**）、肝CYP3A4阻害も関与。③一方、シメプレビルのP-gp阻害、CYP3A4阻害により、エリスロマイシンAUC1.9倍上昇、シクロスポリン血中濃度上昇の恐れ（☞**表5-30**⑥）。
	イストラデフィリン（ノウリアスト；アデノシンA_{2A}受容体拮抗薬）	アトルバスタチン（リピトール）	アトルバスタチン$AUC_{0-\infty}$1.54倍上昇、Cmax1.53倍上昇。アトルバスタチンは主に胆汁排泄。消化管P-gp阻害（☞**表4-11**）、CYP3A4阻害（☞**表5-36**⑤）も関与。
	ベルパタスビル（エプクルーサ配合錠；抗HCV薬）	アトルバスタチン	アトルバスタチンCmaxおよびAUCが1.68、1.54倍に上昇。BCRPおよびOATP2/8阻害も関与。
	カプマチニブ※（タブレクタ）	タクロリムス（プログラフ、グラセプター）、ジゴキシン（ジゴシン）	ジゴキシンのCmax1.7倍、AUC1.5倍上昇。
	P-gp阻害薬：シクロスポリン（サンディミュン、ネオーラル）	チカグレロル（ブリリンタ；抗血小板薬）	チカグレロルの血中濃度が上昇する恐れ。チカグレロルのCmax130%、AUC183%増加。主代謝物（AR-C124910XX）のCmax15%低下、AUC32.5%増加。チカグレロルの血小板凝集抑制作用が増強される恐れ。シクロスポリンは主に胆汁排泄（90%以上）、チカグレロルは主に糞中（57%）および尿中（27%）排泄。消化管・肝P-gp阻害も関与。

★ 販売中止もしくは国内未発売
※ 分子標的治療薬の相互作用については**付録C 表S-8**参照。

（FXa）阻害薬（エドキサバントシル酸水和物［リクシアナ］、アピキサバン［エリキュース］；胆汁・腎排泄）、トルバプタン（サムスカ；胆汁・腎排泄）、ギルテリチニブフマル酸塩（ゾスパタ）、フェキソフェナジン塩酸塩（アレグラ）、アジスロマイシン水和物（ジスロマック）、ジギトキシン、アンブリセンタン（ヴォリブリス）、インダカテロールマレイン酸塩（オンブレス）、β_3刺激薬（ミラベグロン［ベタニス］、ビベグロン［ベオーバ］；胆汁・腎排泄）、アトルバスタチン（リピトール）、シメプレビル、チカグレロル（ブリリンタ）などは、主にP-gpによって胆汁中へ排泄されている。これらの薬剤をアゾール系薬、シクロスポリン（サンディミュンなど）、HIVプロテアーゼ阻害薬、マクロライド系薬などのP-gp阻害薬と併用すると、血中濃度の上昇が起こる（**表4-21**）。これには、肝細胞の胆管側膜上に存在するP-gpの（競合）阻害による胆汁排泄の抑制が関わるとみられる。

特に、アリスキレンでは、イトラコナゾール（イトリゾール）、シクロスポリンとの併用によりAUCが約5～7倍にも上昇するので併用は禁忌である。また、肝または腎障害のある患者に対しては、

P-gp 阻害薬とコルヒチンの併用は禁忌であり、肝・腎障害のない患者の場合でも、併用時には減量あるいは低用量から開始するなど注意を要する。

また、ケトコナゾール、イトラコナゾール、HIV プロテアーゼ阻害薬にはP-gp 阻害効果のほか、BCRP やCYP1A1、CYP3A などの複数のCYP 分子種を阻害するなど、様々な阻害効果があるため、リオシグアト（アデムパス；可溶性グアニル酸シクラーゼ［sGC］刺激薬；CYP1A1、2C8、2J2、3A、P-gp、BCRP の基質）との併用は禁忌である。ただしアゾール系薬では、ケトコナゾールと同様な阻害効果を持つと考えられるイトラコナゾール、ボリコナゾールとの併用のみが禁忌である（ただし、ボリコナゾールはP-gpおよびBCRP 阻害薬ではない；FDA の製薬企業向けドラフトガイダンス［2012 年 2 月］、J Pharm Sci.2007;96:3226-35.）。他のアゾール系薬やシクロスポリン（P-gp/BCRP 阻害薬）との併用は注意である。

一方で、リオシグアトそのものは能動的な腎分泌がないため肝トランスポーターが関与するが、薬理活性を持つ主代謝物 M-1（リオシグアトに比べて血管収縮抑制作用 1/10、血管動態作用 1/3）は能動的な腎分泌があるため腎トランスポーターが関与すると考えられる。しかし、リオシグアトは高い経口 BA を示すことから（経口投与した薬剤が静注と同様、高率で体循環血液中に入る）、消化管のトランスポーターが関与する可能性は低いと推測されている。

そのほか、エドキサバントシル酸塩水和物（リクシアナ；FXa 阻害薬）と P-gp 阻害薬との併用、アピキサバン（エリキュース；FXa 阻害薬）と P-gp およびCYP3A4 を同時に強く阻害する薬剤（アゾール系薬やHIV プロテアーゼ阻害薬など）との併用は、有益性が危険性を上回る場合に限って行われる（原則禁忌）。併用時には、エドキサバンは減量（を考慮）するが、P-gp 阻害薬の種類やエドキサバンの適応症によって減量基準が異なるため注意する。アピキサバンに関しては、通常の半量に減らして投与する。イトラコナゾールとトルバプタン（サムスカ）との併用、P-gp 阻害薬とギルテリチニブとの併用も原則禁忌であるが、これにもP-gp 阻害以外にCYP3A4 阻害が関与している。

なお、シメプレビル★、エリスロマイシン、シクロスポリンは主に胆汁中排泄されることから、これら薬剤の併用による相互の血中濃度の上昇には、肝のP-gp 阻害が関与するほか、エリスロマイシン、シクロスポリン、シメプレビルによる肝CYP3A 阻害、シクロスポリンによる肝 OATP2 阻害も関与すると考えられる。

B 肝 P-gp および MRP2 の誘導・阻害（表 4-22）

肝 P-gp の誘導による併用禁忌は、P-gp 誘導薬（PXR 活性化薬）とレジパスビル・ソホスブビル（ハーボニー配合錠）との併用、エファビレンツ（ストックリン）とグラゾプレビル、エルバスビルとの併用である。主に消化管のP-gp 誘導に起因すると示されているが（☞表 4-11 B）、レジパスビルは主に胆汁中排泄されるため、肝におけるP-gp 誘導も関与すると考えられる。なお、ソホスブビルもP-gp の基質であるが、腎排泄されるため腎P-gp 誘導も関与すると考えられる（☞表 4-29）。一方、原則禁忌はエファビレンツ、ホスアンプレナビルとポサコナゾールとの併用、PXR 活性化薬とアピキサバン（エリキュース）との併用（静脈血栓塞栓症患者の場合）である。

エゼチミブ（ゼチーア）はCYP450 による代謝を受けないが、MRP2、P-gp、UGT の基質となる。本章の第 2 節で述べたように、同薬は初回通過効果を受けグルクロン酸抱合体となるが、未変化体が活性体として小腸上皮細胞内で作用すると考えられる（☞図 4-6）。また、小腸上皮細胞および肝細胞内において、エゼチミブ（未変化体）はMRP2、P-gp、グルクロン酸抱合体はMRP2 によって、それぞれ消化管腔（肝では胆汁中）へと分泌（排泄）される。そのため、リファンピシン［リファジン］などの核内受容体PXR 活性化薬（代謝酵素誘導薬の核内受容体と標的遺伝子は**表**

表4-22　肝細胞のP-gpおよびMRP2の誘導・阻害に起因する相互作用

	作用する薬剤	作用を受ける薬剤	起こり得る事象など
併用禁忌	核内受容体PXR活性化薬（リファンピシン［リファジン］、カルバマゼピン［テグレトール］、フェニトイン［アレビアチン］、SJW含有食品など）	レジパスビル・ソホスブビル（ハーボニー配合錠；抗HCV薬）	P-gp誘導によりレジパスビル、ソホスブビルの血中濃度低下（効果減弱）。消化管P-gp誘導に起因するとされるが（☞**表4-11**）、レジパスビルは主に胆汁中排泄のため肝P-gp誘導、ソホスブビルは主に尿中排泄のため、腎P-gp誘導の関与が考えられる（☞**表4-28**）。ただし、リファブチン、フェノバルビタールは併用慎重。
		ソホスブビル・ベルパタスビル（エプクルーサ配合錠；抗HCV薬）	P-gpおよびCYPの誘導作用により、ソホスブビル、ベルパタスビルの血中濃度低下（効果減弱）。フェノバルビタールは併用禁忌。リファブチンは併用慎重。ソホスブビルは主に尿中排泄のため腎のP-gp、ベルパタスビルは主に糞中排泄のため、消化管・肝P-gpが関与。
	エファビレンツ（ストックリン；抗HIV薬；CAR活性化薬）	抗HCV薬（グラゾプレビル★、エルバスビル★）	血中濃度低下（効果減弱）。グラゾプレビル、エルバスビルは主に糞中排泄のため、肝・消化管双方のp-gp誘導も考えられる（☞**表4-11**）。なお、CYP3A4誘導も関与（☞**表5-53**）。
原則禁忌	抗HIV薬（エファビレンツ［ストックリン］、ホスアンプレナビル［レクシヴァ］）	ポサコナゾール（ノクサフィル；深在性真菌症治療薬）	P-gp誘導によりポサコナゾールの血中濃度低下（効果減弱）。治療上の有益性が危険性を上回る場合を除き併用は避ける。消化管のP-gp誘導及びUGT1A4誘導も関与。エファビレンツにより、ポサコナゾールのCmax45%、AUC50%低下。
原則禁忌（静脈血栓塞栓症患者の場合）	核内受容体PXR活性化薬（リファンピシン［リファジン］、フェニトイン［アレビアチン］、カルバマゼピン［テグレトール］、フェノバルビタール［フェノバール］、SJW含有食品）	アピキサバン（エリキュース；FXa阻害薬）	静脈血栓塞栓症患者の場合、アピキサバンの効果が減弱する恐れがあり原則禁忌。リファンピシンとの併用時、P-gp誘導作用により、アピキサバン（胆汁・腎排泄）のAUCおよびCmaxが54%、42%低下。特にCYP3A4誘導も関与。
併用慎重	核内受容体PXR活性化薬：リファンピシン（リファジン）、SJW含有食品など；☞**表5-53**）	エゼチミブ（ゼチーア）	エゼチミブ効果減弱。リファンピシンによる肝MRP2、P-gp誘導によりエゼチミブ胆汁中排泄促進。小腸粘膜上皮細胞内のエゼチミブ濃度低下。リファンピシンによる小腸UGT1A1誘導も関与。
		ミコフェノール酸モフェチル（セルセプト）	活性体のミコフェノール酸（MPA）血中濃度低下（効果減弱）。リファンピシン8日間投与後、MPAの$AUC_{0\text{-}12h}$、トラフ値が17.5%、48.8%低下。腸肝循環（投与後6～12時間）の$AUC_{6\text{-}12h}$が32.9%低下。MPAとリファンピシンの肝MRP2競合の可能性（消化管分泌阻害、腸肝循環阻害；☞**表5-52**。なお、肝MRP2誘導の関与は低い）。
	P-gp誘導薬：リファンピシン（リファジン）、SJW含有食品など	ラパチニブ※1（タイケルブ）	血中濃度低下の可能性。ラパチニブは主に胆汁中排泄されるため、肝P-gp誘導による胆汁中排泄促進が原因と考えられる。
		アピキサバン（エリキュース）	アピキサバンの血中濃度低下。静脈血栓塞栓症患者において、P-gp誘導薬との併用で抗凝固作用減弱の恐れ。アピキサバンは糞中・尿中・胆汁排泄されるため、肝・腎P-gp、CYP3A4誘導も関与。
	リファンピシン（リファジン）	レテルモビル（プレバイミス；抗CMV薬）	レテルモビルの血中濃度低下。併用終了後も血中濃度低下。AUC0.15倍、Cmax 0.27倍に低下。UGT1A1/3の誘導も関与。レテルモビルは主に糞中排泄のため、消化管・肝のP-gp、UGT1A1/3誘導が関与すると考えられる。
	ロルラチニブ※1（ローブレナ）	P-gp基質：エベロリムス（サーティカン、アフィニトール）、シロリムス（ラパリムス）、フェキソフェナジン（アレグラ）	フェキソフェナジンのAUC67%、Cmax63%低下。

<table>
<tr><td rowspan="7">併用慎重</td><td>P-gp阻害薬：シクロスポリン（サンディミュン、ネオーラル）、タクロリムス（プログラフ、グラセプター）、リファンピシン（リファジン）</td><td>ベネトクラクス[※1]（ベネクレクスタ）</td><td>ベネトクラクスの副作用が増強される恐れがあるのでベネトクラクスの減量を考慮する。</td></tr>
<tr><td>ベネトクラクス[※1]（ベネクレクスタ）</td><td>治療域の狭いP-gp基質薬：ジゴキシン（ジゴシン）、エベロリムス（サーティカン、アフィニトール）、リファンピシン（リファジン）</td><td>これらの薬剤の副作用が増強される恐れ。</td></tr>
<tr><td>P-gp誘導薬（リファブチン［ミコブティン］、エファビレンツ［ストックリン］）</td><td>ソホスブビル・ベルパタスビル（エプクルーサ配合錠；抗HCV薬）</td><td>P-gpおよびCYP誘導作用により、ソホスブビル・ベルパタスビルの血中濃度低下の恐れ。ソホスブビルは尿中排泄、ベルパタスビルは糞中排泄される。消化管、肝、腎のP-gpが関与。</td></tr>
<tr><td>MRP2阻害薬：シクロスポリン（サンディミュン、ネオーラル）、プロベネシド（ベネシッド）など
P-gp阻害薬：フェノフィブラート（リピディル）、ケトコナゾール経口薬★、GFJなど</td><td>エゼチミブ（ゼチーア）</td><td>両薬剤の血中濃度上昇（エゼチミブ薬効増強の可能性）。シクロスポリン併用時、総エゼチミブ（未変化体＋抱合体）AUCが3.4～12倍に上昇、シクロスポリンAUC 15%上昇との報告がある。シクロスポリンによる小腸・肝のMRP2阻害により、抱合体の血中濃度が上昇する可能性。P-gp阻害薬との併用でも同様に注意。</td></tr>
<tr><td rowspan="2">MRP2阻害薬：プロベネシド（ベネシッド）、シクロスポリン（サンディミュン、ネオーラル）、グリベンクラミド（オイグルコン）など</td><td>MRP2の基質（イリノテカン［カンプト、トポテシン］）</td><td>SN-38（イリノテカン活性代謝物）血中濃度上昇。プロベネシドによるMRP2阻害によりSN-38およびそのグルクロン酸抱合体の胆汁中排泄が抑制されるため。消化管SN-38濃度の劇的低下[※2]で消化管毒性軽減の可能性あり。</td></tr>
<tr><td>ミコフェノール酸モフェチル（セルセプト）</td><td>活性体MPA血中濃度低下（薬効減弱）。シクロスポリンの併用でMPAトラフ値が55%低下。肝MRP2阻害によりMPA抱合体の胆汁中排泄が抑制（腸肝循環阻害）され、MPAの再吸収量低下。</td></tr>
</table>

★ 販売中止もしくは国内未発売
※1 分子標的治療薬の相互作用については**付録 C 表 S-8** 参照。　※2 Pharm Res. 2002；19：1345-53.

5-54 参照）を併用すると、小腸上皮細胞と同様に肝のMRP2やP-gpが誘導され、未変化体および抱合体のエゼチミブの胆汁中への排泄が促進し、エゼチミブの薬効が減弱すると考えられる（Oswald M, et al. Clin Pharmacol Ther. 2006；79：206-17.）。

一方、MRP2やP-gpの阻害作用を有する薬剤をエゼチミブと併用した場合は、未変化体および抱合体の消化管腔（胆汁中）排泄が低下し、双方の血中濃度が上昇すると考えられる（小腸上皮細胞内の未変化体濃度も上昇し薬効増強の可能性）。例えば、シクロスポリン（サンディミュン、ネオーラル）の併用によって総エゼチミブ（未変化体＋抱合体）のAUCが3.4倍に上昇したとの報告があるが、このときの未変化体の増加率は1.6倍であり、抱合体は未変化体に比べ血中濃度の増加率が高いと推測できる。したがって、この相互作用の発現機序は不明とされているが、MRP2阻害薬であるシクロスポリンによってグルクロン酸抱合体の胆汁排泄が抑制され、血中の抱合体濃度が増加した可能性が高い。

このように、エゼチミブの薬効発現には、PXRの標的遺伝子であるMRP2、P-gp、UGTの肝における活性も深く関与している。

このほか、肝のP-gp誘導によりラパチニブトシル酸塩水和物（タイケルブ）の胆汁中への排泄が促進されて血中濃度が低下する可能性がある。また、MRP2阻害に起因する相互作用として、プロベネシド（ベネシッド）とイリノテカン塩酸塩水和物（カンプト）を併用すると、イリノテカン活性代謝物のSN-38の血中濃度が上昇することが示されている。これは、SN-38およびそのグルクロン酸抱合体の胆汁中への排泄が抑制されるためであるが、併用によって、消化管毒性を有するSN-38の消化管内濃度が劇的に低下することから、MRP2阻害薬とイリノテカンの併用は、副作用の軽減に有用であると考えられている。

一方、ミコフェノール酸モフェチル（MMF、セルセプト）のように腸肝循環で血中濃度が維持される薬剤では、シクロスポリンなどのMRP2阻害薬を併用すると腸肝循環が低下し、血中濃度が低下する可能性がある。MMFは、消化管や肝臓、血液中で加水分解されて活性本体のミコフェノール酸（MPA）となり薬効を発揮する。肝ではMPA-グルクロン酸抱合体（MPA-G）となり、胆汁および尿中へと排泄されるが、胆汁中に排泄されたMPA-Gはほとんどが腸内細菌による加水分解を受けてMPAとなり、腸管より再吸収されている（腸肝循環）。したがって、シクロスポリンにより肝MRP2が阻害されると、MPA-Gの胆汁中排泄の抑制に伴ってMPAの再吸収量が減少し、結果的に活性体であるMPAの血中濃度が低下して薬効が減弱する（ただし、不活性のMPA-Gの血中濃度は上昇）。このように、抱合を受けて胆汁排泄され、しかも腸肝循環によって活性体の血中濃度が維持される薬剤は、シクロスポリンやグリベンクラミド（オイグルコン）といったMRP2阻害薬を併用すると薬効が減弱する可能性が高く、注意が必要である。

なお、MPAは、リファンピシンなどの肝MRP2誘導薬を併用した場合も、腸肝循環が阻害され血中濃度が低下するという興味深い報告がある（Naesens M, et al. Clin Pharmacol Ther.2006；80：509-21.）。これは、リファンピシンが主に小腸粘膜上皮細胞内のUGTを強力に誘導するため、肝MRP2活性の上昇により消化管腔へのMPA-Gの排泄が増えて再吸収が促進しても、再吸収されたMPAが小腸上皮細胞内で誘導されたUGT1A7、8、9により直ちに抱合体へと変換されるためである。また、消化管内のMPA-G濃度は明らかとされてないが、リファンピシン自体も肝MRP2の基質となるため、MPA-Gと競合し、消化管腔へのMPA-G排泄が抑制される可能性や、リファンピシンによる腸内細菌叢の乱れが関与している可能性も指摘されている。

C 肝BCRP阻害

肝P-gp阻害で述べたように、BCRP阻害作用も有するケトコナゾール（経口薬・注射薬未発売）、イトラコナゾール、HIVプロテアーゼ阻害薬とリオシグアト（アデムパス）との併用は禁忌となっている（**表4-23**）。また、シクロスポリン（サンディミュン、ネオーラル）はBCRPの基質ではないが、肝のOATP2、P-gp、BCRP阻害作用を示し、ロスバスタチン（併用禁忌）およびリオシグアト（併用慎重）の血中濃度の上昇に寄与していると考えられている。

エルトロンボパグ（レボレード）はOATP2の基質ではないが、BCRPの基質であり、OATP2およびBCRPをいずれも同程度に阻害することがin vitro実験で示されている（☞**表4-1、4-2**）。健康成人を対象に、エルトロンボパグとOATP2およびBCRPの基質であるロスバスタチンCa（クレストール）とを併用した結果では、ロスバスタチンの血中濃度が32～55%上昇した。これは、肝OATP2阻害によるロスバスタチンの分布阻害に起因するが、両剤ともに主に胆汁中へ排泄されることから、エルトロンボパグによる肝BCRP阻害も関与していると思われる。

その他、肝BCRP阻害などによりロスバスタチンの血中濃度を上昇させる薬剤には、主に胆汁中に排泄される抗HCV薬のダクラタスビル（OATP2、OATP8、P-gpも阻害）、バニプレビル、レジパスビル（ハーボニー配合錠に含有；P-gp阻害）、リトナビルなどが考えられる。ダクラタスビル、バニプレビルはOATP2、OATP8阻害による肝分布抑制も関与しているため注意が必要である。

また、ラパチニブ（タイケルブ）は主に胆汁中に排泄され、P-gpとBCRPの基質であり、双方に

表4-23　肝細胞のBCRP阻害に起因する相互作用

	作用する薬剤	作用を受ける薬剤	起こり得る事象など
併用禁忌	シクロスポリン（サンディミュン、ネオーラル;BCRP/OATP2阻害）	ロスバスタチン（クレストール）	ロスバスタチンのAUC、Cmax、7.1倍、10.6倍に上昇。横紋筋融解症の恐れ。シクロスポリンによる肝OATP2阻害も関与（☞表4-20）。ロスバスタチンは主に胆汁中に排泄される（90%）。
併用禁忌	BCRP/P-gp阻害薬：アゾール系薬（ケトコナゾール［経口薬・注射薬未発売］、イトラコナゾール［イトリゾール］）、HIVプロテアーゼ阻害薬	リオシグアト（アデムパス；可溶性グアニル酸シクラーゼ［sGC］刺激薬）	リオシグアト、主代謝物M-1の血中濃度上昇（薬効増強）の恐れ。
併用慎重	シクロスポリン（サンディミュン、ネオーラル；BCRP/P-gp阻害）	リオシグアト（アデムパス；可溶性グアニル酸シクラーゼ［sGC］刺激薬）	シクロスポリン（胆汁排泄）はBCRP/P-gpを介したリオシグアト輸送を顕著に阻害（☞表4-21）。
併用慎重	エルトロンボパグ（レボレード；BCRP/OATP2阻害薬）、抗HCV薬（ダクラタスビル★；BCRP/OATP2/OATP8/P-gp阻害］、レジパスビル［ハーボニー配合錠；BCRP/P-gp阻害］）、リトナビル（ノービア、カレトラ配合錠に含有；BCRP、OATP2、OATP8阻害）、レゴラフェニブ（クレストール、スチバーガ；BCRP阻害）、ベルパタスビル（エプクルーサ配合錠）	ロスバスタチン（クレストール；BCRP、OATP2の基質）	ロスバスタチン血中濃度上昇（エルトロンボパグ併用時に$AUC_{0-\infty}$ 32～55%上昇、Cmax 61～103%上昇。カレトラ配合錠併用時にAUC2倍上昇、リトナビル［BCRP阻害］併用時では血中濃度上昇の恐れ）。両薬剤とも主に胆汁中排泄であり、おそらく主に肝OATP2、肝BCRP阻害によるロスバスタチンの肝分布、胆汁中排泄の抑制に起因。ダクラタスビル、レジパスビルも主に胆汁中排泄されるため、肝BCRP阻害が関与の可能性（腸管BCRP阻害も考えられる）。ダクラタスビルでは肝OATP2、OATP8阻害作用（肝分布抑制）も関与（☞表4-20）。レゴラフェニブ併用時にロスバスタチンのAUC、Cmaxが3.8倍、4.6倍に上昇。エプクルーサ配合錠併用時にロスバスタチンのCmaxおよびAUCがそれぞれ2.61、2.69倍に増加。
併用慎重	ベルパタスビル（エプクルーサ配合錠；抗HCV薬；BCRP、P-gp、OATP2阻害）	アトルバスタチン［リピトール］	アトルバスタチンCmaxおよびAUCが1.68、1.54倍に上昇。ベルパタスビルは主に糞中排泄のため、肝、消化管におけるP-gp、BCRPおよび肝OATP2/8阻害も関与。
併用慎重	バニプレビル★	BCRPの基質（レジパスビルなど；☞表4-1、表4-4）	基質血中濃度上昇の恐れ。バニプレビルは肝BCRPを阻害し、胆汁中排泄型の基質の排泄抑制（腎排泄型の基質では消化管BCRP阻害が考えられる）。
併用慎重			
併用慎重	ラパチニブ（タイケルブ；BCRP、P-gpの基質）	BCRPの基質	BCRP競合による胆汁中排泄抑制（血中濃度上昇）。ラパチニブはBCRPおよびP-gpの基質、阻害薬であり、主に胆汁中に排泄。
併用慎重	ダロルタミド（ニュベクオ；前立腺癌治療薬）	スタチン系（ロスバスタチン、フルバスタチン、アトルバスタチン［リピトール］など；BCRP、OATP2およびOATP8の基質）	ロスバスタチンのAUCおよびCmaxはいずれも5倍上昇。
併用慎重	オシメルチニブ（タグリッソ；BCRP阻害）	BCRPの基質	ロスバスタチンのAUC35%、Cmax72%上昇。
併用慎重	カプマチニブ（タブレクタ）	BCRPの基質	ロスバスタチンのAUC2.1倍、Cmax3.0倍上昇。
併用慎重	腎性貧血治療薬（ロキサデュスタット［エベレンゾ］、バダデュスタット［バフセオ］）	BCRPの基質（ロスバスタチン［クレストール］、シンバスタチン［リポバス］、アトルバスタチン［リピトール］、サラゾスルファピリジン［サラゾピリン］など）	スタチン系薬のAUC上昇。ロキサデュスタットではロスバスタチンCmax4.5倍、AUC2.9倍上昇。ロキサデュスタットはBCRP、OATP2の基質であり阻害剤でもある（肝OATP2阻害も関与；☞表4-20）。バダデュスタットはBCRPの基質ではないがBCRP阻害作用がある。

表4-24　MRP2、BSEP阻害により肝障害を起こし得る相互作用

	作用する薬剤	作用を受ける薬剤	起こり得る事象など
（1）肝MRP2阻害に起因する相互作用			
併用慎重	MRP2阻害薬（MRP2を阻害し得る薬剤）：プロベネシド（ベネシッド）、グリベンクラミド（オイグルコン）、抗HCV薬（シメプレビル★、バニプレビル★）、インターロイキンβ、エンドトキシン（LPS） ※1； ロラタジン（クラリチン）、ベンズブロマロン（ユリノーム）、グリチルリチン（酸）（甘草成分）、タモキシフェン（ノルバデックス）、リファンピシン（リファジン） ※2； タウロリトコール酸（TLCA）、ランソプラゾール（タケプロン）、レセルピン（アポプロン） ※3； シクロスポリン（サンディミュン、ネオーラル）、ジルチアゼム（ヘルベッサー）、サキナビル★、リシノプリル（ロンゲス）、ロペラミド（ロペミン）、フェノフィブラート（リピディル）、セレコキシブ（セレコックス）、リトナビル（ノービア）、ジピリダモール（ペルサンチン）	MRP2の基質で肝障害を誘発し得る薬剤（ジクロフェナク［ボルタレン］など）	肝障害誘発の可能性。MRP2変異によりMRP2発現量が低下している韓国人では薬剤性肝障害が起こりやすい[※4]。ジクロフェナクでは、MRP2阻害により肝毒性を示すアシルグルクロン酸抱合体の胆汁排泄が低下する可能性がある。さらにはジクロフェナクにより肝毒性を示す患者にはMRP2変異が見られる[※5]。
		MRP2阻害薬で胆汁うっ滞を誘発し得る薬剤：エストロゲン製剤（エチニルエストラジオール、エストラジオールなど）、酸化的ストレス（エタクリン酸★、エンドトキシン）など	胆汁うっ滞型肝障害の恐れ。MRP2阻害が協力して増強し、胆汁酸の排泄が阻害され肝で胆汁酸蓄積。エチニルエストラジオールおよび酸化的ストレスはMRP2（およびBSEP）の発現量を低下させ、抱合型胆汁酸の排泄低下[※1]。これら薬剤の酸化的ストレスによる肝グルタチオン濃度の低下がMRP2による胆汁酸排泄抑制にも関与[※6]。妊娠中の胆汁うっ滞もエストロゲンによるMRP2阻害が関与。
		MRP2阻害薬で高ビリルビン血症を誘発し得る薬剤（インドメタシン［インテバン］、ベンズブロマロン［ユリノーム］）	高ビリルビン血症（黄疸）の恐れ。併用薬が互いにMRP2を阻害し、ビリルビン－グルクロン酸抱合体の胆汁排泄阻害（ラット肝細胞）[※7]。
（2）肝BSEP阻害に起因する相互作用			
併用禁忌	ボセンタン（トラクリア）	グリベンクラミド（オイグルコン、ダオニール）	肝酵素（血液検査）値上昇の発現率が2倍。肝毒性により、肝酵素成分が流出して二次的に血中アミノ基転移酵素などが上昇する。BSEPを両剤が阻害し、胆汁酸塩が肝細胞内に蓄積し胆汁うっ滞を誘発するため。ボセンタンの添付文書の「警告」では、投与開始後3カ月間は2週間に1度、その後は少なくとも1カ月に1度の肝機能検査を推奨している。
		シクロスポリン（サンディミュン、ネオーラル）	胆汁うっ滞を誘発する恐れ。BSEPを両剤が阻害して胆汁酸塩が肝細胞内に蓄積する可能性。ボセンタンの血中濃度が上昇するが、これはシクロスポリンによるOATP2阻害、CYP3A4阻害に起因[※9]。
併用注意	BSEP阻害薬・物質（BSEP阻害作用を持つ薬剤[※8]、胆汁うっ滞を誘発し得る薬剤）：ボセンタン（トラクリア）、シクロスポリン（サンディミュン、ネオーラル）、グリベンクラミド（オイグルコン）、エストロゲン製剤（経口避妊薬）、抗HCV薬（シメプレビル★、バニプレビル★）、リファンピシン（リファジン）、抗HIV薬（リトナビル［ノービア］、サキナビル★、エファビレンツ［ストックリン］）、フルタミド（オダイン;抗アンドロゲン薬）、（タウロ）リトコール酸、エストラジオール17β-D-グルクロン酸、リポ多糖体、四塩化炭素、ペルオキシナイトライト（ONOO⁻）、酸化的ストレス、炎症など	BSEP阻害薬・物質（同左）	胆汁うっ滞型肝障害誘発の恐れ。BSEPを相互に阻害し、胆汁酸塩が肝臓内に蓄積する可能性がある。
	BSEP阻害薬	MRP2阻害薬	1価胆汁酸塩および抱合型胆汁酸の胆汁排泄阻害。

※1～3　J Med Chem. 2008；51：3275-87. による。in vitro 実験において、ヒトMRP2によるエストラジオール17β-D-グルクロン酸（基質）の輸送を100%としたとき、これを95～82%阻害する薬剤を※1、73～66%阻害する薬剤を※2、60～50%阻害する薬剤を※3として示している。

※4　Pharmacogenet Genomics. 2007；17：403-15.

※5　Gastroenterol. 2007；132：272-81.

※6　Drug Metab Dispos. 2007；35：2060-6.、Free Radic Biol Med. 2006；40：2166-74.

※7　Hepatol Res. 2008；38：300-9.

※8　In vitro 実験において、ヒトBSEPによるタウロコール酸の輸送を100%とした場合、プラバスタチン（メバロチン）、フルバスタチン（ローコール）、ロサルタン（ニューロタン）ではそれぞれ20、40、70%の阻害効果が示されている（アクテリオンファーマシューティカルズジャパン社内資料による）。また、ニカルジピン（ペルジピン）、ニフェジピン（アダラート）、ベプリジル（ベプリコール）、ビンブラスチン（エクザール）、アクチノマイシンD（コスメゲン）では、それぞれ99、77、45、40、40%の阻害効果が示されている（Mol Pharm. 2006；3：252-65.）。

※9　シクロスポリンによるOATP2阻害は**表4-20**、CYP3A4阻害は**表5-30**⑥参照。　　★ 販売中止

表 4-25　MRP2、BSEP 阻害作用を持つ薬剤と肝障害に対する注意事項

区分		薬剤
警告※1（重篤肝障害）		ベンズブロマロン（ユリノーム；劇症肝炎で死亡例あり）、ボセンタン（トラクリア）、フルタミド（オダイン；劇症肝炎で死亡例あり）、シメプレビル★
投与禁忌疾患	肝障害	ベンズブロマロン（ユリノーム）、フェノフィブラート※2（リピディル）、フルタミド（オダイン）
	黄疸	イリノテカン（カンプト）
	中度・重度肝障害	ボセンタン（トラクリア）
	重篤肝障害	エゼチミブ（ゼチーア；スタチン系薬併用時）、インドメタシン（インテバン、インダシン注；経口薬、注射薬※3）、ジクロフェナク（ボルタレン；経口薬・坐薬）、リファンピシン（リファジン）、サキナビル★、セレコキシブ（セレコックス）、グリベンクラミド（オイグルコン）、経口避妊薬、フルバスタチン（ローコール）、ロサルタン（ニューロタン）
肝機能検査	頻回に実施義務	イリノテカン（カンプト）、シクロスポリン（サンディミュン、ネオーラル）
	定期的に実施義務	ベンズブロマロン（開始6カ月間定期的に）、リファンピシン（リファジン）、フェノフィブラート（リピディル；開始3カ月間毎月、その後3カ月ごとに）、リトナビル（ノービア）、ボセンタン（トラクリア；毎月）、フルタミド（オダイン；毎月）
	実施が望ましい	ジクロフェナク（ボルタレン;経口薬·坐薬、長期投与時）、フルバスタチン（ローコール；開始12週以内に実施）
	定期的に行うなど、十分に観察	プロベネシド（ベネシッド）、サキナビル★、セレコキシブ（セレコックス）

※1　表以外の医薬品で警告のある薬剤には、テルビナフィン（ラミシール）、レフルノミド（アラバ）、ペモリン（ベタナミン）、プロパゲルマニウム（セロシオン）、ネビラピン（ビラミューン）、テガフール・ギメラシル・オテラシルカリウム（ティーエスワン）、ラパチニブ（タイケルブ；主に胆汁中排泄）などがある。

※2　フェノフィブラート（リピディル）は、肝機能異常が認められた場合は減量または中止といった対応を行い、少なくとも1カ月以内に肝機能検査を実施する。なお、AST（GOT）、ALT（GPT）が継続して正常値上限の2.5倍あるいは100単位を超えた場合には投与を中止する。

※3　インドメタシン注射薬は、高度の黄疸のある患児には禁忌とされている。

対して阻害効果を示すため、肝 P-gp だけでなく肝 BCRP の基質になる薬剤との併用にも注意した方がよいだろう。

D MRP2、BSEP 阻害による薬剤性肝障害

肝 MRP2 は肝細胞の胆管側膜に存在し、主に有機アニオン（陰イオン）性薬剤、胆汁酸の硫酸抱合体やグルクロン酸抱合体、炎症誘発物質などを胆汁中に排泄している。MRP2 の阻害は先天性肝障害や薬剤性肝毒性の発現と深く関わっている。

例えば、黄疸を呈する先天性疾患の Dubin-Johnson 症候群は、MRP2 遺伝子欠損によるビリルビン-グルクロン酸抱合体の胆汁中排泄の低下に起因する。また、ジクロフェナク Na（ボルタレン）で肝毒性を起こした患者には MRP2 変異が高頻度に認められること、MRP2 変異がある患者は薬剤性肝障害が起こりやすいことも示されている。

一方、肝細胞の胆管側膜に存在する BSEP（胆汁酸塩排泄トランスポーター）は、1 価（次）胆汁酸を胆汁中に排泄する働きを持っている。MPR2 と同様、BSEP が阻害されると肝に胆汁酸が過剰に蓄積し、胆汁うっ滞（cholestasis）を引き起こす。予後不良な進行性家族性胆汁うっ滞症 2 型の原因も、BSEP 遺伝子の変異である。また、2000 年に販売中止となったトログリタゾンの致死的肝障害の発症は、同薬の硫酸抱合体による BSEP 阻害に起因すると考えられている。

したがって、① MRP2 の阻害薬と基質になる薬剤の併用、② MRP2 阻害薬相互の併用、③ BSEP 阻害薬相互の併用、④ BSEP 阻害薬と MRP2 阻害薬の併用——によって、薬剤性肝障害の発症の危険性が高くなる恐れがある（**表 4-24**）。

特に、MRP2 の機能を 50％以上阻害することが in vitro 実験で示されているベンズブロマロン（ユリノーム）、ロラタジン（クラリチン）、ランソプラゾール（タケプロン）、ジルチアゼム塩酸塩（ヘル

ベッサー)、ロペラミド塩酸塩(ロペミン)、フェノフィブラート(リピディル)、セレコキシブ(セレコックス)、エストロゲン製剤(経口避妊薬)などでは注意を要する。加えて、ジクロフェナク、インドメタシン(インテバン)などのNSAIDsは、MRP2阻害に関連する肝障害を起こしやすいと考えられる。

これまで、**表4-24**に示す薬剤や物質がBSEPを阻害し、胆汁うっ滞を発症する危険性が指摘されている。これらの薬剤を併用すると、肝障害を発症する危険性がさらに高くなる。例えば、ボセンタン水和物(トラクリア;非選択的ET拮抗薬)の添付文書の「警告」には、「肝機能検査を必ず投与前に行い、投与中においても、少なくとも1カ月に1回実施すること。なお、投与開始3カ月間は2週に1回の検査が望ましい」と記されている。また、ボセンタンとグリベンクラミド(オイグルコン)を併用した場合、ボセンタン単独投与時に比べて肝機能障害の発現率が約2倍になると報告されており、両剤の併用は禁忌である(☞ **コラム27**)。

今のところボセンタン以外の薬剤については、BSEP阻害が関与する相互作用の報告はないが、グリベンクラミドやフルバスタチンナトリウム(ローコール)、ロサルタンカリウム(ニューロタン)、ニフェジピン(アダラート)、ニカルジピン塩酸塩(ペルジピン)、エストロゲン製剤(経口避妊薬;MRP2阻害作用あり)やシメプレビル★といった、BSEP阻害作用が強いと考えられる薬剤相互の併用には注意が必要である。

相互作用による薬剤性肝障害の発現はまれではあるが、上述のように、MRP2、BSEPの基質や阻害薬によっては、併用で発現頻度が高くなると考えられる。**表4-25**に、肝毒性を誘発する恐れがある薬剤について注意事項をまとめた。提示したMRP2やBSEP阻害作用を持つ薬剤やMRP2の基質となる抗菌薬、NSAIDs(抱合体)のほか、重篤な肝障害について警告されている薬剤としては、テルビナフィン塩酸塩(ラミシール;カルボン酸体として排泄)、レフルノミド(アラバ;代謝活性体A771726は弱酸性薬剤で胆汁中排泄)などもあるが、これらの代謝物は弱酸性でありMRPの基質となり得る。全ての薬剤性肝障害が肝トランスポーターに起因するとはいえないものの、少なくとも各薬剤が持つ肝MRP2やBSEP阻害作用に注目することが必要だろう(**第8章[第5節❷]**)。

症例①　50歳代男性Aさん。

[処方箋]

① ゼチーア錠10mg　1錠
　ミカルディス錠20mg　1錠
　ユリノーム錠25mg　1錠
　　1日1回　朝食後　14日分
② ベザトールSR錠100mg　2錠
　　1日2回　朝夕食後　14日分

Aさんは脂質異常症と高血圧のため、4年前からベザトールSR(ベザフィブラート)とミカルディス(テルミサルタン)を、2年前からゼチーアを服用している。ベザトールSR以外はMRP2の基質となる。今回から、高尿酸血症のためMRP2阻害薬のユリノーム(ベンズブロマロン)が追加となった。

担当薬剤師はAさんに、ユリノームは併用薬や胆汁酸を肝臓から小腸へ排泄する働きを抑える作用があるため、肝障害を起こす恐れがあることを説明した。食欲不振、吐き気・嘔吐、全身倦怠感、発熱、かゆみ、皮膚や眼の黄染など、いつもと違う症状が急に現れたり続くようなら、直ちに連絡するように指導した。これらの自覚症状は現れないこともあるため、医師の指示に従って、必ず定期的に採血し肝機能検査を行うことも伝えた。Aさんには健康食品の摂取歴はないが、飲酒歴がある。そこで薬剤師は、アルコールは尿酸の蓄積を促すのみならず肝毒性を起こしやすいので、適切な量を守り、週に2日は休肝日をつくるよう指導した。

6カ月経った現在、指導内容を厳守したAさんに肝障害の症状はなく、3カ月ごとの定期的な血液検査でも異常は認められていない。

70歳代女性Bさん。

[処方箋]
① アムロジン錠 2.5mg　1錠
　タケプロンOD錠 15mg　1錠
　　1日1回　朝食後　14日分
② オイグルコン錠 2.5mg　2錠
　ウルソ錠 100mg　2錠
　ボルタレンSRカプセル 37.5mg　2カプセル
　　1日2回　朝夕食後　14日分
③ ペルサンチン錠 25mg　3錠
　　1日3回　毎食後　14日分

高血圧、糖尿病、変形性膝関節症を患っているBさん。今回から肝庇護薬のウルソ（ウルソデオキシコール酸）が追加となった。ボルタレンSR（ジクロフェナクNa）はMRP2の基質であり、タケプロン（ランソプラゾール）、ペルサンチン（ジピリダモール）はMRP2阻害薬である。また、オイグルコンにはBSEP阻害作用がある。

日本の肝炎の原因は、8割が肝炎ウイルス感染で、飲酒、薬剤が続く。Bさんに確認したところ、飲酒やHCVの感染もないことから、薬剤性肝障害と推測された。ウルソ以外の薬剤の中止は不可能であり、肝障害も軽度であるため利胆作用のあるウルソが処方されたのであろう。

Bさんには、ウルソを服用中ではあるが薬剤性肝毒性の恐れがあるため、自覚症状や肝機能検査の重要性を説明し、経過を観察している。

60歳代女性Cさん。

[処方箋]
　リピディル錠 53.3mg　2錠
　ノルバスク錠 5mg　1錠
　　1日1回　朝食後　14日分

高血圧のため治療を開始したCさん。トリグリセリド（TG）が1200mg/dLと高値だったため、リピディル（フェノフィブラート）が追加された。リピディルがMRP2阻害薬であることから、薬剤師はCさんに対し、リピディルで肝障害が起こる恐れがあり、自覚症状に注意して定期的に肝機能検査を受ける必要があると説明した。

投与開始から3週間後、吐き気がひどく食欲も低下し、薬も服用できないとCさんから薬局に相談があった。医師に連絡して直ちに肝機能検査を実施したところ、TGは250mg/dLに低下し、ASTは60IU/L、ALTは70IU/Lと軽度上昇であったが、γ-GTPが564IU/Lと高値を示した。このためリピディルが1錠に減量された。Cさんは胆汁うっ滞型肝障害と考えられた。

リピディル減量から1カ月後、γ-GTPは低下したが2カ月後に再び上昇し、TGも1000mg/dLとなったため、EPL（ポリエンホスファチジルコリン）に変更。1カ月後、肝機能は正常となったがTGが高値となり、ベザトールSR（ベザフィブラート）に変更された。以降、肝機能異常はなくTGも250mg/dL前後で安定している。

なお、フェノフィブラートの投与により一過性の血中AST、ALTの上昇が認められることがある。この原因として、肝臓で一時的に増える中性脂肪の脂肪酸がAST、ALTの遺伝子転写を促進するPPARαを活性化すると考えられている（☞**p.591「重要」**）。

コラム 27

ボセンタンによる肝障害の発現機序

ボセンタン水和物（トラクリア；非選択的 ET 拮抗薬）による肝機能障害の発現機序には、肝細胞の胆管側膜に存在する ABC トランスポーターである BSEP の阻害が関与していると考えられる。BSEP は、基質である1価胆汁酸（タウロコール酸、グリココール酸など）を肝臓から胆汁中へとくみ出し排泄しているが、ボセンタンとその代謝産物（Ro48-5033）は BSEP の基質となるため、競合的に胆汁酸（塩）の排泄を阻害する。その結果、肝細胞内に過剰の胆汁酸（塩）が蓄積し、肝障害を起こすと考えられる。

また、ラットを用いた in vitro 実験では、グリベンクラミド（オイグルコン、ダオニール）も BSEP の強力な競合阻害薬であることが示されている（10μM で 80%、100μM で 100%阻害する。ただし、トルブタミド［ヘキストラスチノン］やグリクラジド［グリミクロン］といった分子量の小さい SU 薬は BSEP 活性に影響を与えない）。そのため、ボセンタンとの併用では、BSEP 阻害効果がさらに強力となるため、肝障害の発現率が高まると考えられる（併用禁忌；☞ **表 4-24**）。

なお、シクロスポリン（サンディミュン、ネオーラル）にも BSEP 阻害作用がある。シクロスポリンとボセンタンの併用は禁忌であるが（☞ **表 4-20、4-24**）、OATP2 や CYP3A4 阻害に起因するだけでなく、BSEP 阻害に起因する肝障害の誘発にも留意が必要である。そのほか、ロサルタンカリウム（ニューロタン）、プラバスタチン Na（メバロチン）、フルバスタチン Na（ローコール）も BSEP を 20～70%阻害することが示されているため、これらの薬剤とボセンタンとの併用時にも、肝障害の発現に注意した方がよい。

コラム 28

肝 MRP3、MRP4 の役割

MRP3 および MRP4 は、肝細胞の血液側膜に発現する ABC トランスポーターであり、肝細胞内の様々な物質を血液中にくみ出している。生理的な条件下では主に MRP3 が発現し、MRP4 は薬剤などで誘導されて発現する。

これらのトランスポーターは、肝細胞内の抱合胆汁酸を血中にくみ出し、結果的に尿中排泄を促進するため、胆汁酸排泄に関与すると考えられているが、核内受容体 PPAR α の活性化（クロフィブラート［同名］）によって誘導され、アセトアミノフェン（カロナール）や四塩化炭素などによる肝毒性を防ぐ役割もあることが動物実験で示されている（Moffit JS, et al. J Pharmacol Exp Ther. 2006；317：537-45.）。

興味深いことに、クロフィブラートはアセトアミノフェンの体内動態に全く影響せず、加えてアセトアミノフェン自体は MRP の基質にならない。すなわち、MRP3 および MRP4 による肝保護効果は、これらの薬物から二次的に生成する毒性・炎症性物質を、肝から血中へくみ出すことに起因すると推測される。MRP の基質となる毒性・炎症性物質として、過酸化脂質より生成する aldehyde 4-hydroxynonenal や、ロイコトリエン（MRP3 の基質）、プロスタグランジン（MRP4 の基質）などが考えられている。

コラム 29

血流量の変化に起因する相互作用

生体内に投与された薬物は血流に乗って運ばれるため、血流量の変化は薬の体内動態に影響を与える。

一般に、血流量が多いほど薬の吸収速度は増大し、逆に血流量が少ないと低下する。例えば、局所麻酔薬のプロカイン塩酸塩注射液に添加されているアドレナリン（Ad）は、血管収縮作用により投与部位での血流量を減少させることでプロカインの吸収を遅延させ、麻酔作用の持続に寄与している。

一方、腎糸球体濾過量は血流量に依存して増減する。例えば、腎血流量の低下作用を有するNSAIDsは、炭酸リチウム（リーマス）、メトトレキサート（メソトレキセート、リウマトレックス）、ジギタリス製剤などの糸球体濾過量を減少させ、これら薬剤の副作用を増強させることがある（☞ **表3-1**）。

また、肝臓における薬物代謝も血流量に依存して促進あるいは抑制されることがある。例えばシメチジン（タガメット）により肝血流量が低下すると、抗不整脈薬（キニジン硫酸塩水和物［硫酸キニジン］、リドカイン塩酸塩［キシロカイン］、プロプラノロール塩酸塩［インデラル］）、三環系抗うつ薬（イミプラミン塩酸塩［トフラニール］）の代謝が抑制され、薬効が増強する（☞ **表5-16**）。また、β遮断薬（プロプラノロール、メトプロロール酒石酸塩［セロケン］、ナドロール［ナディック］など）により心拍出量が低下し肝血流量が減少すると、リドカインやアルコールの肝代謝が抑制され血中濃度が上昇する可能性もある。

なお、エフェドリン塩酸塩（同名）によってβ受容体を刺激すると、肝血流量が増大し、デキサメタゾン（デカドロン）の代謝が促進するが、ヒドララジン塩酸塩（アプレゾリン；血管拡張薬）とメトプロロールの併用では、肝血流量の増加に伴いメトプロロールの血中濃度が上昇する可能性が示されている。

いずれの場合も、腎・肝の血流量を変化させる薬剤（血管収縮・拡張作用を有する薬剤など）は、併用薬の作用を増減させる可能性があるため、注意を要する。なお、相互作用ではないが、サウナ入浴や激しい運動（20分間の自転車運動など）、かぜによる発熱などで体温が上昇すると、皮膚血流量が増加するため、経皮吸収型ニコチン製剤（ニコチネルTTS）のニコチン経皮吸収量が増え、過剰摂取となる可能性が指摘されている。

表4-26　血流量の変化に起因する相互作用

	作用する薬剤	作用を受ける薬剤	起こり得る事象など
併用慎重	β遮断薬	リドカイン（キシロカイン）	リドカインの血中濃度上昇。
		アルコール	アルコールのクリアランス減少により、作用増強の可能性。
	エフェドリン	副腎皮質ホルモン製剤	デキサメタゾン（デカドロン）の半減期36%減少、代謝クリアランス42%増加。肝血流量増加で薬物代謝酵素活性化または誘導？
	ヒドララジン （アプレゾリン）	メトプロロール （セロケン；β遮断薬）	メトプロロールの血中濃度上昇。ヒドララジンによる肝血流量増大により初回通過効果が減少？
注意事項	経皮吸収型ニコチン製剤 （ニコチネルTTS）	サウナ入浴でニコチンの$AUC_{0\text{-}1h}$が1.4倍、Cmaxが1.5倍上昇（臨床上問題となる有害事象はない）。 自転車運動（20分間）で平均血中ニコチン濃度は9.8から10.2ng/mLへ有意に上昇。 かぜによる発熱時なども同様に、ニコチン吸収量が上昇する恐れがある。	

第5節
腎排泄に関わるトランスポーター

尿細管上皮細胞の膜上には、腎排泄に関わる様々なトランスポーターが存在する。

尿細管上皮細胞の血液側膜（側底膜）または管腔側膜（刷子縁側膜）に局在し、薬物の血液から尿細管への分泌（排泄）に働くトランスポーターには、P糖タンパク質（P-gp）、有機カチオン（陽イオン）トランスポーター（OCT）ファミリー、有機アニオン（陰イオン）トランスポーター（OAT）ファミリー、多剤耐性関連タンパク質（MRP）ファミリーやプロトン（H^+）/有機カチオントランスポーター（MATE；☞ **コラム18**）などがある（**図4-9**）。

一方、リン酸トランスポーターやオリゴペプチドトランスポーター（PEPT）ファミリーなどは尿細管上皮細胞の管腔側膜に発現し、薬物の再吸収に働く。

各トランスポーターで分泌される薬剤と、そのトランスポーターを阻害する薬剤との併用や、同じトランスポーターで分泌される薬剤相互の併用によって相互作用が起こる。前者の場合は、分泌阻害を受ける薬剤の腎クリアランスが低下して薬効が増強する。分泌を競合する後者の場合は、トランスポーターへの親和性の強い薬剤が親和性の弱い薬剤の分泌を阻害するので、親和性の弱い薬剤の血中濃度が上昇して作用が増強すると考えられる。

尿細管上皮細胞に存在する能動的トランスポーターのうち、主にP-gp、OCTファミリー、OATファミリーの阻害や誘導が相互作用に関与する

図4-9　腎排泄に関わるトランスポーターの種類と発現部位

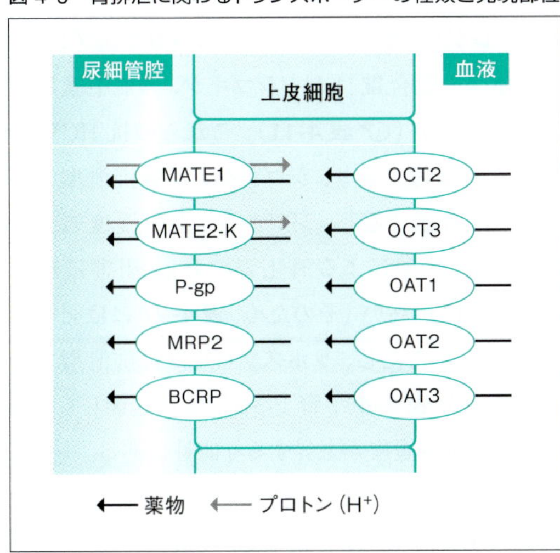

図4-10　能動的トランスポーターによる尿細管分泌の仕組み

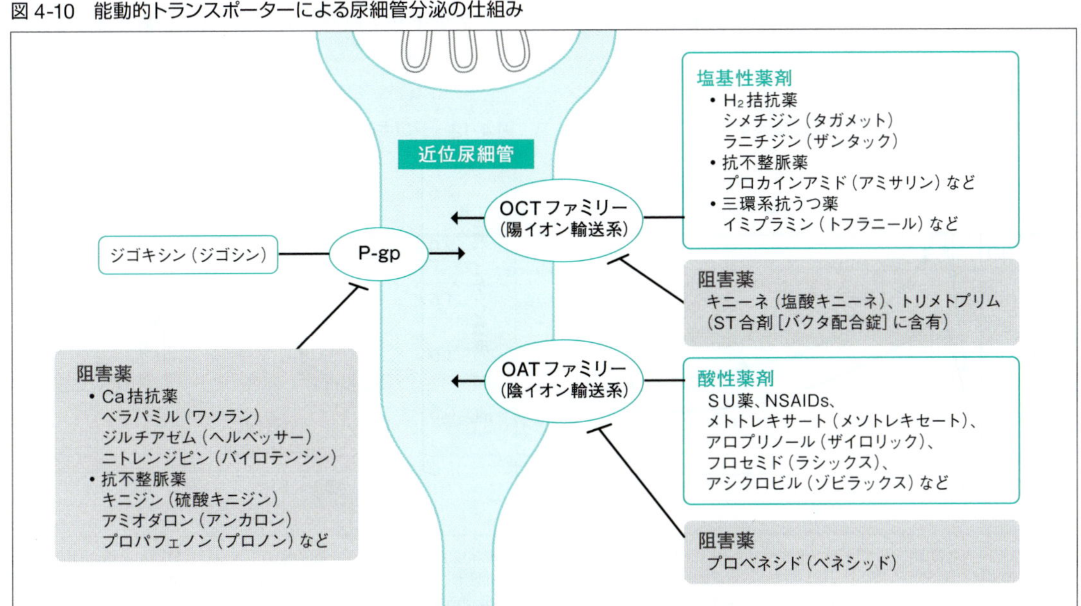

(**図 4-10**)。P-gp は、尿細管上皮細胞の管腔側膜に存在して、上皮細胞から管腔へ薬物の分泌に働いている。それに対し、OCT と OAT は血液側膜に発現し、尿細管分泌の第一ステップである血液から細胞内への薬物の取り込みを担っている。

❶ P 糖タンパク質 (P-gp)

Ⓐ P-gp の競合 (阻害)

腎の P-gp を介して尿細管へくみ出される (分泌される) 薬剤の中で、ジゴキシン (ジゴシン) は P-gp への親和性が極めて弱く相互作用を受けやすい。特に Ca 拮抗薬のベラパミル塩酸塩 (ワソラン)、ジルチアゼム塩酸塩 (ヘルベッサー)、ニトレンジピン (バイロテンシン)、アゼルニジピン (カルブロック) を併用すると、P-gp によるジゴキシンの尿中へのくみ出しが強く阻害されるため、ジゴキシンの血中濃度が上昇する (**図 4-11**)。

また、Ca 拮抗薬のほかに抗不整脈薬 (キニジン硫酸塩水和物 [硫酸キニジン]、アミオダロン塩酸塩 [アンカロン]、プロパフェノン塩酸塩 [プロノン] など)、スピロノラクトン (アルダクトン A)、イトラコナゾール (イトリゾール)、マクロライド系薬、シクロスポリン (サンディミュン、ネオーラル)、HIV プロテアーゼ阻害薬なども、P-gp を競合 (阻害) してジゴキシン血中濃度を上昇させる (**表 4-27**)。例えばキニジンの併用では、ジゴキシンの血中濃度が約 2 倍に上昇する (**図 4-12**)。

このようにジゴキシンは P-gp に対する親和性が弱いため、親和性が強いこれらの薬剤と併用する場合は、ジゴキシンを減量するか TDM を実施し、ジギタリス中毒の初期症状 (吐き気、下痢、徐脈、頭痛、めまい、視覚異常など) に注意して対処する。なお、P-gp を阻害する抗 HCV 薬 (シメプレビル、アスナプレビル、バニプレビル、ダクラタスビル、レジパスビル [レジパスビル・ソホスブビル；ハーボニー配合錠]) は、ジゴキシンの血中濃度を上昇させるが (☞ **表 4-11**)、これらの抗 HCV 薬は胆汁排泄型であり、ジゴキシンが腎排泄型であることを考慮すると、ジゴキシン血中濃度の上昇は、抗 HCV 薬による消化管の P-gp 阻害に起因する可能性が高い (そのため、**表 4-27** には記載していない)。ただし、ソホスブビルは腎排泄型であるため (☞ **表 4-4**)、腎 P-gp 阻害に起因してジゴキシンの血中濃度が上昇する可能性はある。

このほか、腎上皮細胞の P-gp 阻害または競合に起因する相互作用を**表 4-28** に示す。

ダビガトランエテキシラートメタンスルホン酸塩 (プラザキサ；直接トロンビン阻害薬) も P-gp に

図 4-11　ジゴキシンの血中濃度に及ぼすベラパミルの影響

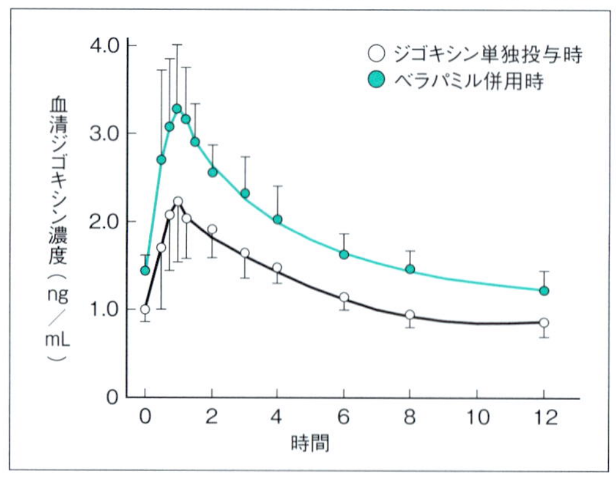

健康な男性 19 人を対象に、ジゴキシン単独投与時とベラパミル併用時の血中濃度の推移を比べた。
(Rodin SM, et al. Clin Pharmacol Ther.1988；43：668-72.)

図 4-12　ジゴキシンの血中濃度に及ぼすキニジンの影響

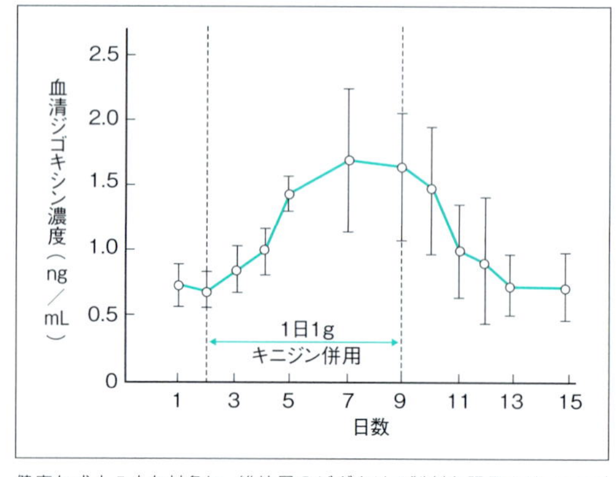

健康な成人 5 人を対象に、維持量のジギタリス製剤を服用させ、キニジンの服用 (1000mg/日) による血清ジゴキシン濃度への影響を調べた。
(Doering W. New Engl J Med.1979；301：400-4.)

表4-27　ジゴキシンの血中濃度を上昇させる薬剤（ジギタリス作用・副作用増強）

併用慎重の薬剤	報告されている事象など
Ca拮抗薬	
ベラパミル（ワソラン）	ジゴキシン血中濃度60～90%上昇。
ジルチアゼム（ヘルベッサー）	ジゴキシン血中濃度24～70%上昇。
ニトレンジピン（バイロテンシン）	ジゴキシン血中濃度20%、94%上昇。
アゼルニジピン（カルブロック）	ジゴキシンCmax、AUCが1.5倍、1.3倍上昇。
ニフェジピン（アダラート）	ジゴキシン血中濃度15%上昇。
フェロジピン（ムノバール）	ジゴキシン血中濃度15%、40%上昇。P-gpの関与は明確でない。
抗不整脈薬	
キニジン（硫酸キニジン；Ⅰa群）	ジゴキシン血中濃度2～3倍上昇。
アミオダロン（アンカロン；Ⅲ群）	ジゴキシン血中濃度70%上昇。
プロパフェノン（プロノン；Ⅰc群）	ジゴキシン血中濃度1.28～2倍上昇。
フレカイニド（タンボコール；Ⅰc群）	ジゴキシン血中濃度13%上昇。
その他	
スピロノラクトン（アルダクトンA）	ジゴキシン血中濃度1.7倍上昇。
イトラコナゾール（イトリゾール）	併用時にはジゴキシン投与量を1/2に減量。
ポサコナゾール（ノクサフィル）	併用時は、併用開始時および中止時にジゴキシンの血中濃度をモニタリングする。
スタチン系薬	アトルバスタチン（リピトール）でジゴキシンCmax、AUCが20%、15%上昇。
マクロライド系薬（エリスロマイシン［エリスロシン］など）	アジスロマイシン（ジスロマック）でジギトキシン血中濃度上昇。ジギトキシンは主に胆汁中排泄されるため肝細胞のP-gp競合の可能性が高い（☞**表4-21**）。
テラプレビル★（抗HCV薬）	ジゴキシンAUC 85%上昇。併用時は、ジゴキシンを最低用量で開始してTDMを実施する。
ミラベグロン（ベタニス；β_3刺激薬）	ジゴキシン血中濃度1.27倍上昇。TDM実施が望ましい。
トルバプタン（サムスカ；V_2-受容体拮抗薬）	ジゴキシンAUC 1.2倍上昇。
分子標的薬※（ラパチニブ［タイケルブ］、ベムラフェニブ［ゼルホラブ］など）	ラパチニブではジゴキシンAUC98%上昇、ベムラフェニブではAUC1.82倍、Cmax1.47倍上昇。
シクロスポリン（サンディミュン、ネオーラル）	ジゴキシン血中濃度上昇の報告。
HIVプロテアーゼ阻害薬	リトナビル（ノービア）ではジゴキシン静脈投与でジゴキシン$AUC_{0-\infty}$が86%上昇、腎クリアランス35%低下、腎外クリアランス48%低下。
エトラビリン（インテレンス；非ヌクレオシド系抗HIV薬）	ジゴキシンAUC 18%上昇。
トリメトプリム（ST合剤［バクタ配合錠］に含有）	ジゴキシン血中濃度が上昇することがある。
レセルピン（アポプロン）	P-gpの関与は明確でない。伝導抑制作用の増強。徐脈誘発（協力作用）。
キニーネ（硫酸キニーネ；キニジンの異性体）	キニーネはP-gpの基質であるため。
シタグリプチン（ジャヌビア、グラクティブ）	ジゴキシンAUC 11%増加。
アナグリプチン（スイニー；DPP4阻害薬）	ジゴキシンCmax、AUC_{0-24h}が49%、18%上昇（機序不明）。
カナグリフロジン（カナグル；SGLT2阻害薬）	ジゴキシンCmax、$AUC_{0-\infty}$が36%、20%上昇（機序不明）。
トラマドール（トラマール；5-HT・NAd・μオピオイド作動性鎮痛薬）	P-gpの関与は明確でない。
スボレキサント（ベルソムラ；オレキシン受容体拮抗薬）	ジゴキシンAUC_{0-last}27%上昇。併用時にはジゴキシンの血中濃度をモニタリングすること。
イストラデフィリン（ノウリアスト；アデノシンA_{2A}受容体拮抗薬）	ジゴキシン$AUC_{0-\infty}$、Cmaxが1.21倍、1.33倍上昇。
ヒドロキシクロロキン（プラケニル；免疫調整薬）	ジゴキシンの血中濃度を上昇させるとの報告がある。併用する場合には血中ジゴキシン濃度をモニターするなど慎重に投与する。

カプマチニブ※(タブレクタ)	ジゴキシンAUC47%、Cmax74%上昇。
チカグレロル(ブリリンタ;抗血小板薬)	ジゴキシンの血中濃度上昇、Cmax75%、AUC28%増加。消化管・腎P-gp阻害関与。

※分子標的治療薬の相互作用については**付録C表S-8**参照

表4-28 腎上皮細胞のP-gp阻害または競合に起因する相互作用(分泌低下、薬効増強)

	作用する薬剤	作用を受ける薬剤	起こり得る事象など
併用禁忌	イトラコナゾール(イトリゾール;P-gp阻害経口薬)	ダビガトランエテキシラート(プラザキサ;直接トロンビン阻害薬)	活性代謝物(ダビガトラン)の血中濃度が上昇し(総ダビガトランの曝露量は最大約2.5倍増加)、出血の危険性が増大する。添付文書上、血中濃度上昇は主に消化管のP-gp阻害に起因するとされているが、ダビガトランは主に腎排泄されるため腎P-gp阻害も関与すると考えられる。ダビガトランはCYP450で代謝されない。
	HIVプロテアーゼ阻害薬、アゾール系抗真菌薬(フルコナゾールを除く)	リバーロキサバン(イグザレルト;活性化第X因子[FXa]阻害薬)	P-gp(およびCYP3A4)阻害により血中濃度が上昇し出血の危険性増大。リバーロキサバンのAUCがリトナビル併用時に2.5倍上昇、ケトコナゾール内服薬★併用時に2.6倍上昇し、抗凝固作用増強。リバーロキサバンはBCRP、CYP2J2の基質でもあり、主に腎排泄。消化管P-gp阻害、CYP3A4阻害も関与。
	P-gp/BCRP阻害薬:アゾール系薬(ケトコナゾール★、イトラコナゾール[イトリゾール])、HIVプロテアーゼ阻害薬	リオシグアト(アデムパス;可溶性グアニル酸シクラーゼ[sGC]刺激薬)	リオシグアト(胆汁中排泄)、主代謝物(M-1;薬理活性あり;腎排泄)の血中濃度上昇(薬効増強)の恐れ。ケトコナゾール併用時、リオシグアトのAUC、Cmaxが150%、46%増加(☞**表4-21、表4-22**)。アゾール系薬のボリコナゾールも併用禁忌であるが、P-gp、BCRP阻害薬ではない。
原則禁忌	P-gp阻害薬:キニジン(硫酸キニジン)、ベラパミル(ワソラン)、エリスロマイシン(エリスロシン)、シクロスポリン(サンディミュン、ネオーラル)、イトラコナゾール(イトリゾール)、アミオダロン(アンカロン)など"	エドキサバン(リクシアナ;FXa阻害薬)	出血の危険性増大。AUC 1.5〜2倍上昇。有益性が危険性を上回る場合に限り併用。併用時はエドキサバンを減量または減量を考慮するが、P-gp阻害薬の種類やエドキサバンの適応症によって減量基準が異なる。リクシアナの添付文書には消化管P-gp阻害に起因と記されているが、エドキサバンは胆汁中・腎排泄されるため消化管・肝P-gp阻害も関与すると考えられる(☞**表4-11、表4-21**)。エドキサバンは一部がわずかにCYP3A4で代謝。
	P-gp阻害薬:アゾール系薬(フルコナゾール[ジフルカン]を除く)、HIVプロテアーゼ阻害薬(リトナビル[ノービアなど])	アピキサバン(エリキュース;FXa阻害薬)	血中濃度上昇の恐れ。P-gpおよびCYP3A4を同時に強力に阻害するため。アピキサバンAUC、Cmaxが2倍、1.6倍上昇(ケトコナゾール併用時)。併用時には、アピキサバン2.5mg1日2回(成人への通常用量の半量)投与を考慮すること、あるいは、治療上の有益性と危険性を十分に考慮し、併用が適切と考えられない場合は併用しない。アピキサバンは胆汁・腎排泄されるため、消化管、肝のP-gp阻害も関与すると考えられる(☞**表4-11、表4-21**)。
	イトラコナゾール(イトリゾール)	トルバプタン(サムスカ;V_2-受容体拮抗薬)	ケトコナゾール内服薬★併用時にAUC5.4倍上昇。トルバプタンの添付文書には「CYP3A4阻害剤との併用は避けることが望ましい」と記載されているが、P-gp阻害も関与。併用時にはトルバプタン減量あるいは低用量投与を考慮。
原則禁忌	P-gp阻害薬(イトラコナゾール、クラリスロマイシン)	ギルテリチニブ(ゾスパタ;分子標的治療薬)	血中濃度上昇の恐れ。CYP3A4阻害も関与。イトラコナゾール併用によりCmax1.2倍、AUC2.2倍上昇。

★国内未発売。ケトコナゾールは内服薬・注射薬が国内未発売。

	作用する薬剤	作用を受ける薬剤	起こり得る事象など
併用慎重	P-gp阻害経口薬： ベラパミル（ワソラン）	ダビガトランエテキシラート（プラザキサ）	出血の危険性がかなり高い。ダビガトランエテキシラート投与の1時間前にベラパミルを単回投与した場合、総ダビガトラン$AUC_{0-\infty}$ 2.43倍増加。併用する場合は、ダビガトランエテキシラートとして1回110mg 1日2回への減量を考慮すること（通常は1回150mgを1日2回）。同時もしくは新たにベラパミルの併用を開始する場合は、併用開始から3日間はベラパミル投与の2時間以上前にダビガトランエテキシラートを投与すること。
	P-gp阻害経口薬： アミオダロン（アンカロン）、キニジン（硫酸キニジン）、タクロリムス（プログラフ）、シクロスポリン（サンディミュン、ネオーラル）、HIVプロテアーゼ阻害薬（リトナビル［ノービア］、ネルフィナビル★、サキナビル★など）、ベルパタスビル（エプクルーサ配合錠；抗HCV薬）など		出血の危険性が高い。併用時はダビガトランエテキシラートとして1回110mg 1日2回への減量を考慮する（通常は1回150mgを1日2回）。
	P-gp阻害経口薬： クラリスロマイシン（クラリシッド、クラリス）		上述のP-gp阻害薬のような著明な影響はないが、併用時には患者の状態を十分に観察。
	P-gp阻害薬：マクロライド系薬、フルコナゾール（ジフルカン）、ジルチアゼム（ヘルベッサー）	アピキサバン（エリキュース；FXa阻害薬）	血中濃度上昇の恐れ。アピキサバンAUC、Cmaxが1.4倍、1.3倍上昇（ジルチアゼム併用時）。併用時には患者の状態を十分に観察。CYP3A4阻害も関与。
	マクロライド系（エリスロマイシン［エリスロシン］、アジスロマイシン［ジスロマック］など）、アゾール系抗真菌薬：イトラコナゾール（イトリゾール）、ケトコナゾール内服薬★	フェキソフェナジン（アレグラ）	エリスロマイシンでフェキソフェナジンAUC、血中濃度が2倍上昇。アジスロマイシン（ジスロマック）でAUCが67%上昇。ケトコナゾール内服薬★では血中濃度が2倍上昇。P-gp阻害に起因する胆汁・消化管排泄の低下も関与（アジスロマイシン、フェキソフェナジンは主に胆汁排泄のため主に肝P-gp阻害の可能性）。フェキソフェナジンは有効血中濃度域が広いため大きな問題はない。
	バルプロ酸（デパケン）	三環系抗うつ薬	アミトリプチリンおよびその代謝産物ノルトリプチリンの血中濃度上昇（P-gpの関与不明）。
		パリペリドン（9-ヒドロキシリスペリドン；インヴェガ；SDA）	パリペリドン$AUC_{0-\infty}$52%増加（機序不明）。パリペリドンはCYP450で代謝されにくいため（CYP3A4、2D6でわずかに代謝）、バルプロ酸のP-gp阻害によりパリペリドン消化管吸収・腎排泄が阻害される可能性。
	P-gp阻害薬： マクロライド系薬、アゾール系薬、HIVプロテアーゼ阻害薬（リトナビル［ノービア］など）、シクロスポリン（サンディミュン、ネオーラル）など	ミラベグロン（ベタニス；β_3刺激薬）	ミラベグロン血中濃度上昇、心拍数増加などの恐れ。ケトコナゾール内服薬★でミラベグロン血中濃度が1.81倍上昇。消化管・肝P-gp阻害、肝CYP3A4阻害も関与（ただし、ミラベグロンは一部のみがCYP3A4で代謝）。
	アゾール系薬（イトラコナゾール［イトリゾール］など）、抗HIV阻害薬（リトナビル［ノービア］など）	ビベグロン（ベオーバ；β_3刺激薬）	ケトコナゾール併用によりビベグロンのCmax2.2倍、AUC2.1倍上昇。消化管・肝P-gp阻害、肝CYP3A4阻害も関与。
	P-gp阻害薬： シクロスポリン（サンディミュン、ネオーラル）など	トルバプタン（サムスカ；V_2-受容体拮抗薬）	トルバプタン血中濃度上昇（作用増強）。消化管・肝P-gp阻害、肝CYP3A4阻害効果も関与。トルバプタンはCYP3A4阻害薬との併用は避けることが望ましく、併用時にはトルバプタン減量あるいは低用量投与を考慮する。
	イトラコナゾール（イトリゾール）	シメチジン（タガメット）	シメチジンの$AUC_{0-240min}$が25%増加。
	ケトコナゾール内服薬★	トホグリフロジン（デベルザ、アプルウェイ；SGLT2阻害薬）	トホグリフロジンのCmax、$AUC_{0-\infty}$が1.22倍、1.26倍上昇。P-gp阻害が関与する可能性。

	作用する薬剤	作用を受ける薬剤	起こり得る事象など
併用慎重	グレープフルーツジュース（GFJ）	P-gpの基質となる薬剤（シクロスポリン［サンディミュン、ネオーラル］、ビンブラスチン［エクザール］など）	薬効増強の可能性（in vitro）。GFJ摂取後のヒトの血漿や尿中にも成分が検出。
	アプレピタント（イメンド；選択的NK_1受容体拮抗型制吐薬）	P-gpの基質になる薬剤	薬効増強の可能性。ビンブラスチン（エクザール）の輸送を36%阻害（in vitro）。
	ピルシカイニド（サンリズム；Ic群）	セチリジン（ジルテック）	相互に血中濃度上昇（腎P-gp競合）。特に腎機能低下患者に注意。血清クレアチニン値2mg/dLの腎障害患者で、ピルシカイニド血中濃度が約2倍に上昇し、めまい、ふらつき、重篤な不整脈が出現したとの報告がある（ピルシカイニド中止で改善）。健常人でピルシカイニドとセチリジンの$AUC_{0\text{-}12h}$がそれぞれ38%、41%に上昇（Cmax不変）。両剤は主に未変化体として腎排泄され、併用時の尿中排泄量は投与後0～6hは不変、6～12h後に有意に低下することから、主に腎排泄低下に起因すると考えられる。腎OCT2競合も関与。
	リトナビル（ノービア；HIVプロテアーゼ阻害薬）		セチリジン曝露量40%増加。リトナビルによる腎排泄阻害関与。リトナビルは強力なP-gp阻害薬である。ケトコナゾール経口薬（P-gp阻害薬）との併用ではセチリジン曝露量は不変であることから、消化管P-gp阻害の関与は低いと考えられる※。尿細管分泌競合の可能性あり。

消化管P-gpに関わる相互作用は**表4-11、4-13**、肝P-gpによる胆汁中排泄に関わる相互作用は**表4-21、4-22**参照。
★ 国内未発売　　※ Peytavin G, et al. Eur J Clin Pharmacol. 2005 ; 6 : 267-73.

対する親和性が弱いため、P-gp阻害薬を併用すると、活性代謝物であるダビガトランの血中濃度が上昇して出血の危険性が増す恐れがある。特にP-gp阻害効果が強力なイトラコナゾールとの併用は禁忌であり、ベラパミル塩酸塩（ワソラン）、アミオダロン塩酸塩（アンカロン）、キニジン硫酸塩水和物（硫酸キニジン）、タクロリムス水和物（プログラフ）、シクロスポリン（サンディミュン、ネオーラル）、HIVプロテアーゼ阻害薬と併用する場合は、ダビガトランエテキシラートの減量（1回110mgを1日2回［通常1回150mgを1日2回］）を考慮しなければならない。加えて、ベラパミルを併用する際は、併用開始から3日間はベラパミル服用の2時間以上前にダビガトランエテキシラートを服用しなければならない。プラザキサのインタビューフォームでは、これらの相互作用が主に消化管P-gp阻害に起因するとして、経口薬のP-gp阻害薬に限定して注意喚起しているが、ダビガトランエテキシラートは主に腎で排泄されることから、腎P-gp阻害も関与すると考えられる。

さらに、リバーロキサバン（イグザレルト；活性化第X因子［FXa］阻害薬）はP-gp、BCRP、CYP3A4、CYP2J2の基質であり、P-gp（およびCYP3A4）阻害効果が強いHIVプロテアーゼ阻害薬やアゾール系抗真菌薬（フルコナゾールを除く）との併用によって、血中濃度が上昇し致命的な出血の危険性があるため、これらの薬剤は併用禁忌となっている。リバーロキサバンも主に腎で排泄されるため、主に腎P-gp阻害に起因すると考えられるが、消化管P-gpや肝CYP3A4の阻害も関与していると思われる（リバーロキサバンは腎機能障害患者では減量投与することとされている）。

なお、同効薬であるエドキサバントシル酸塩水和物（リクシアナ；活性化第X因子［FXa］阻害薬）もP-gpの基質であり、P-gp阻害薬との併用は、有益性が危険性を上回る場合に限って行われる（原則禁忌）。併用時には、エドキサバンでは減量（を考慮）するが、P-gp阻害薬の種類やエドキサバンの適応症によって減量基準が異なるため注意する。エドキサバンの肝CYP450（CYP3A4）

表4-29　腎上皮細胞のP-gp誘導に起因する相互作用（分泌促進、薬効減弱）

<table>
<tr><th></th><th>作用する薬剤</th><th>作用を受ける薬剤</th><th>起こり得る事象など</th></tr>
<tr><td rowspan="2">併用禁忌</td><td rowspan="2">P-gp誘導薬（PXR活性化薬;リファンピシン［リファジン］、カルバマゼピン［テグレトール］、フェニトイン［アレビアチン］、セイヨウオトギリソウ［SJW］含有食品）</td><td>ソホスブビル（ソバルディ、ハーボニー配合錠；抗HCV薬）</td><td>ソホスブビルの血中濃度低下（効果減弱）。消化管P-gpの誘導のみならず、ソホスブビルは腎排泄であるため腎P-gp誘導に起因する可能性大（なお、レジパスビルでは消化管、肝P-gpの誘導により血中濃度が低下すると考えられる［☞表4-11、表4-22］）。ただし、リファブチン（ミコブティン）、フェノバルビタール（フェノバール）との併用は慎重投与である。</td></tr>
<tr><td>ソホスブビル・ベルパタスビル（エプクルーサ配合錠；抗HCV薬）</td><td>P-gp およびCYPの誘導作用により、ソホスブビル、ベルパタスビルの血中濃度低下（効果減弱）。フェノバルビタールは併用禁忌。リファブチンは併用慎重。ソホスブビルは主に尿中排泄のため腎のP-gp、ベルパタスビルは主に糞中排泄のため、消化管・肝P-gpが関与。</td></tr>
<tr><td rowspan="2">原則禁忌</td><td>セイヨウオトギリソウ（SJW）含有健康食品</td><td>P-gpの基質となる薬剤（ジゴキシン［ジゴシン］、シクロスポリン［サンディミュン］など）</td><td>SJWによるP-gp誘導により薬物排泄促進（効果減弱）。CYP450誘導にも注意※1。</td></tr>
<tr><td>核内受容体PXR活性化薬（リファンピシン［リファジン］、フェニトイン［アレビアチン］、カルバマゼピン［テグレトール］、フェノバルビタール［フェノバール］、SJW含有食品）</td><td>アピキサバン（エリキュース；FXa阻害薬；静脈血栓塞栓症患者の場合）</td><td>静脈血栓塞栓症患者の場合は、アピキサバンの効果が減弱する恐れがあり原則禁忌。リファンピシンとの併用時、P-gp 誘導作用により、アピキサバン（胆汁、腎排泄）のAUCおよびCmaxが54%、42%低下。特にCYP3A4誘導も関与。</td></tr>
<tr><td rowspan="6">併用慎重</td><td>P-gpを誘導する薬剤：
リファンピシン（リファジン）、フェノバルビタール（フェノバール）、フェニトイン（アレビアチン）、カルバマゼピン（テグレトール）、副腎皮質ホルモン製剤など</td><td>P-gpの基質となる薬剤</td><td>P-gp誘導により薬物排泄促進（効果減弱）。リファンピシンとHIVプロテアーゼ阻害薬との併用は禁忌。CYP450誘導も関与※2。</td></tr>
<tr><td>カルバマゼピン
（テグレトール）</td><td>パリペリドン
（インヴェガ；SDA）</td><td>パリペリドン血中濃度AUC 37%低下。パリペリドンはCYP450で代謝されにくいことから、カルバマゼピンによるP-gp誘導に起因する消化管吸収低下、腎排泄促進に起因する可能性が高い。</td></tr>
<tr><td>甲状腺ホルモン製剤
（レボチロキシン［チラーヂンS］）</td><td>ジゴキシン（ジゴシン）</td><td>甲状腺機能亢進でジゴキシンの排泄促進（効果減弱）。甲状腺ホルモンによるP-gp誘導による腎排泄促進の可能性※3。</td></tr>
<tr><td>P-gpを誘導する薬剤
（リファンピシン［リファジン］、カルバマゼピン［テグレトール］、SJW含有健康食品）</td><td>ダビガトランエテキシラート（プラザキサ）</td><td>活性代謝物（ダビガトラン）血中濃度低下（抗凝固作用減弱）。主に消化管P-gpの誘導が関与すると考えられているが、ダビガトランは主に腎排泄のため腎のP-gp誘導も関与すると考えられる。</td></tr>
<tr><td>P-gp誘導薬（リファブチン［ミコブティン］、エファビレンツ［ストックリン］）</td><td>ソホスブビル・ベルパタスビル（エプクルーサ配合錠；抗HCV薬）</td><td>P-gpおよびCYP誘導作用により、ソホスブビル・ベルパタスビルの血中濃度低下の恐れ。ソホスブビルは尿中排泄、ベルパタスビルは糞中排泄される。消化管、肝、腎のP-gp が関与。</td></tr>
<tr><td>ロルラチニブ（ローブレナ；分子標的治療薬）</td><td>ジゴキシン（ジゴシン）</td><td>ジゴキシンの血中濃度が低下し、有効性が減弱する可能性がある。</td></tr>
</table>

※1　SJW含有健康食品によるCYP450誘導の影響を受ける薬剤は**表5-51**参照。　※2　CYP450誘導に起因する相互作用は**表5-47**参照。
※3　甲状腺ホルモン製剤によるP-gp誘導機序は**表5-54**、それに関わる相互作用は**表3-6**参照。

表 4-30 OCT ファミリーで分泌され得る主な塩基性薬剤

・**トリメトプリム(ST合剤[バクタ配合錠]に含有)** ・**H_2拮抗薬:** シメチジン(タガメット)、ラニチジン(ザンタック)、ファモチジン(ガスター)など ・**抗不整脈薬:** キニジン(硫酸キニジン)、プロカインアミド(アミサリン)、ジソピラミド(リスモダン)、ピルシカイニド※1(サンリズム)、β遮断薬 ・**三環系抗うつ薬:** イミプラミン(トフラニール)、アミトリプチリン(トリプタノール)	・**抗ウイルス薬:** アシクロビル※2(ゾビラックス)、バラシクロビル※2(バルトレックス、活性代謝物はアシクロビル)、ラミブジン(ゼフィックス;抗HBV薬)、ザルシタビン★(抗HIV薬)、ドルテグラビル(テビケイ;抗HIV薬) ・**その他:** 抗パーキンソン薬(アマンタジン※1[シンメトレル]、プラミペキソール[ビ・シフロール、ミラペックス])、シスプラチン※1(ランダ)、セチリジン※1(ジルテック)、バレニクリン(チャンピックス;$\alpha_4\beta_2$ニコチン受容体部分作動薬)、メマンチン(メマリー;NMDA受容体拮抗薬)、メトホルミン※1(メトグルコ、グリコラン)、アンフェタミン★、ドパミン※1(イノバン)など

OCT 阻害薬であるキニーネ(抗マラリア薬)との併用に注意が必要。
※1 OCT2を介して分泌される薬剤。 ※2 酸にも塩基にもなり得る(☞表1-16)。 ★ 販売中止

代謝はわずかであることから、添付文書上は消化管 P-gp 阻害に起因するとされているが、エドキサバンは胆汁および腎で排泄されるため、肝・腎P-gp 阻害も関与すると考えられる。さらに FXa 阻害薬のアピキサバン(エリキュース)でも、アゾール系薬や HIV プロテアーゼ阻害薬などの P-gp と CYP3A4 を同時に強く阻害する薬剤を併用する前には、治療上の有益性と危険性を十分に考慮して、併用が適切でないと考えられる場合は併用を中止する(原則禁忌)。適切と判断して併用する場合には、アピキサバン投与量を通常用量の半量に減量するなどの対応が求められる。アピキサバンは主に CYP3A4 により代謝され、胆汁・腎で排泄されるため、消化管・肝・腎の P-gp 阻害の影響を受けると推測される。

一方、ケトコナゾール(経口薬・注射薬未発売)、HIV プロテアーゼ阻害薬には腎や肝の P-gp 阻害効果のほか、BCRP や CYP1A1、CYP3A などの複数の CYP 分子種を阻害するなど、様々な阻害効果があるため(in vitro)、リオシグアト(アデムパス;可溶性グアニル酸シクラーゼ[sGC]刺激薬;CYP1A1、2C8、2J2、3A、P-gp、BCRP の基質)との併用が禁忌となっている。ただし、アゾール系薬では、ケトコナゾールと同様な阻害効果を有すると考えられるイトラコナゾール、ボリコナゾールとの併用のみが禁忌である(ただし、ボリコナゾールは P-gp および BCRP 阻害薬ではない)。他のアゾール系薬やシクロスポリン(P-gp/BCRP 阻害薬)とリオシグアトとの併用は注意である(☞**表4-21**)。

そのほか、P-gp 親和性の弱い薬剤には、トルバプタン(サムスカ)、ミラベグロン(ベタニス;β_3刺激薬)があるが、P-gp 阻害薬との併用によるこれらの血中濃度上昇には肝 CYP3A4 阻害も関与している。また、マクロライド系薬やケトコナゾール(アゾール系薬)とフェキソフェナジン塩酸塩(アレグラ)との併用、バルプロ酸 Na(デパケン)と三環系抗うつ薬、パリペリドン(インヴェガ)との併用、イトラコナゾール(イトリゾール)とシメチジン(タガメット)との併用、ピルシカイニド塩酸塩水和物(サンリズム)とセチリジン塩酸塩(ジルテック)との併用などによる相互作用にも、腎の P-gp 阻害が関与すると考えられる。

B P-gp の誘導

一方、P-gp を誘導する健康食品や薬剤と、P-gp の基質となる薬剤を併用すると、消化管排泄や胆汁中排泄だけでなく、尿細管上皮細胞の P-gp による排泄(分泌)も促進し、血中濃度が低下する可能性がある(**表4-29**)。P-gp を誘導する物質(PXR 活性化薬)には、セイヨウオトギリソウ(SJW)、リファンピシン(リファジン)、フェノバル

表4-31　腎上皮細胞のOCT競合阻害に起因する相互作用

	作用する薬剤	作用を受ける薬剤	起こり得る事象など
併用慎重	ドルテグラビル（テビケイ；抗HIV薬）、バンデタニブ（カプレルサ；分子標的薬）	メトホルミン（メトグルコ、グリコラン）	ドルテグラビル1日1回及び1日2回投与時でメトホルミンのCmaxがそれぞれ66%及び111%上昇。ドルテグラビルはOCT2およびMATE1阻害作用も関与。（☞ **表4-7**）。バンデタニブはOCT2およびP-gp阻害作用も関与（☞ **表4-1**）。
	シメチジン（タガメット）	プロカインアミド（アミサリン）	プロカインアミドのクリアランスが41%低下、血中濃度1.5倍、AUC 35%上昇例。肝代謝阻害も関与。
		アシクロビル（ゾビラックス）、バラシクロビル（バルトレックス）	アシクロビルのCmaxおよびAUC_{0-3h}が1.5および1.7倍に上昇。バラシクロビルの活性代謝物はアシクロビルである。腎OAT1、MATE阻害も関与（☞ **表4-7**）。
		バレニクリン（チャンピックス）	血中濃度上昇の恐れ。腎クリアランス25%低下。
		シスプラチン（ランダ；白金製剤）	腎へのシスプラチン蓄積抑制、腎毒性抑制（ヒトOCT2過剰発現細胞）。シスプラチン腎毒性はOCT2による腎取り込みが関与している可能性あり。MATE阻害も関与（☞ **表4-7**）。
	トリメトプリム（ST合剤［バクタ配合錠］に含有）	ラミブジン（ゼフィックス；抗HBV薬）	ラミブジン血中濃度上昇（AUC 43%増加、腎クリアランス35%減少）。
	OCTで腎排泄される薬剤（シメチジン［タガメット］、アマンタジン［シンメトレル］など）	プラミペキソール（ビ・シフロール、ミラペックス；D_2刺激薬）	双方あるいはいずれかの薬剤の血中濃度上昇。ジスキネジアや幻覚などが増強。シメチジンによりプラミペキソールの腎クリアランスが男性30%、女性40%低下し半減期延長。パーキンソン病患者へのアマンタジン投与においても、プラミペキソールの腎クリアランスの低下が確認されている。
		メマンチン（メマリー；NMDA受容体拮抗薬）	メマンチン血中濃度上昇の恐れ。
		メトホルミン（メトグルコ、グリコラン）	シメチジンとの併用でメトホルミンAUC_{0-24h}が約40%増加。MATE阻害も関与（☞ **表4-7**）。
	ピルシカイニド（サンリズム；Ic群）	セチリジン（ジルテック）	相互に血中濃度上昇（腎OCT2競合）。特に腎機能低下患者に注意。腎障害患者（血清クレアチニン値2mg/dL）で、ピルシカイニド血中濃度が約2倍に上昇し、めまい、ふらつき、重篤な不整脈出現（ピルシカイニド中止で改善）。健常人では、ピルシカイニドとセチリジンのAUC_{0-12h}が38%と41%上昇（Cmax不変）。両剤は主に未変化体として腎排泄され、併用時の尿中排泄量は投与後0～6hは不変、6～12h後に有意に低下するため、主に腎排泄低下に起因。腎P-gp競合も関与（☞ **表4-28**）。

ビタール（フェノバール）、フェニトイン（アレビアチン）、カルバマゼピン（テグレトール）、副腎皮質ホルモン製剤などがある（☞ **表5-54**）。

P-gp誘導薬の多くは、核内受容体（PXRなど）を介してCYP450（CYP2D6を除く）、MRP、UGTも誘導する可能性があるため、P-gpの基質で、かつこれら酵素の基質にもなる薬剤（☞ **表4-12**）を併用した場合は、血中濃度が著しく低下すると考えられる。

腎P-gp誘導が関与すると推測される併用禁忌は、PXR活性化薬（リファンピシン、カルバマゼピン、フェニトイン、SJW含有食品）と抗HCV薬のソホスブビル（ソバルディ、レジパスビル・ソホスブビル［ハーボニー配合錠］）との併用である。消化管P-gp誘導も関与すると考えられるが（☞ **表4-11B**）、ソホスブビルは主に腎で排泄されるため、腎のP-gpも関与する可能性が高い。また、PXR活性化薬とアピキサバン（エリキュース）との併用は、静脈血栓塞栓症への投与の場合、アピキサバンの効果が減弱する恐れがあり、原則禁忌である。

なお、甲状腺ホルモン製剤（T_4；レボチロキシンNa水和物［チラーヂンS］）も、PXRを介してP-gpを誘導することが示されている（Mitin T, et al. Drug Metab Dispos. 2004；32：779-82. ☞ **p.348「参考」**）。甲状腺機能が亢進／低下すると、ジゴキシンの腎排泄が促進／抑制することが知られているが、この発現機序に、甲状腺ホルモンによる尿細管上皮細胞のP-gp誘導が関与している可能性がある（☞ **コラム70**）。

症例① 50歳代女性Aさん。

[処方箋]
① ジゴシン錠0.25mg　1錠
　ヘルベッサーRカプセル100mg　1カプセル
　　1日1回　朝食後　14日分
② カロナール錠200mg　2錠
　　頭痛時　5回分

Aさんは2年以上、ジゴシン（ジゴキシン）とヘルベッサーR（ジルチアゼム塩酸塩）を併用していた。時折頭痛はあるが、カロナール（アセトアミノフェン）の頓服で改善し、病状は安定していた。薬剤師は、ヘルベッサーのP-gp阻害作用によりジゴシンの尿中への排泄が抑制され、体内に蓄積して中毒が起こる可能性を説明し、脈拍数が50回/分以下に下がるほどの徐脈や吐き気、また頭痛がカロナールで改善されないなど、異常があれば受診するように指導していた。

ある日、Aさんは突然脈が40回/分台となり、頭痛、めまい、嘔吐、下痢、視覚異常などが起こったため、直ちに受診。検査の結果、ジギタリス中毒と判明した。処方医からの連絡で、ジゴシンを半錠（0.125mg）に減量するよう指示があった。Aさんは、「中毒症状はいつも薬局で説明を受けていたので、素早く対応できた」と安堵していた。その後、中毒の再発もなくAさんの病状は安定している。

40歳代男性Bさん。

[処方箋]
① クラリス錠200mg　1錠
　　1日1回　朝食後　14日分
② ムコダイン錠500mg　3錠
　　1日3回　毎食後　14日分

Bさんは数年間、内科でオイグルコン（グリベンクラミド）、リポバス（シンバスタチン）を継続処方されている。今回、慢性副鼻腔炎の治療のため、耳鼻科で薬が処方された。クラリス（クラリスロマイシン）はマクロライド系薬に特有の抗炎症作用を期待した処方であり、他の抗菌薬への変更は不可能であった。

このため担当薬剤師は、Bさんに対し、クラリスによるP-gp阻害やCYP3A4阻害によりオイグルコンやリポバスの消化管吸収、胆汁中排泄（主な排泄経路）、尿中排泄や代謝が抑えられて作用が増強し、低血糖や筋肉障害などが発症する可能性があると説明。これらの症状が現れた場合、直ちに受診するよう指導した。内科の処方医にも、この相互作用を報告した。結局、約3カ月間のクラリス服用中に副作用は認められなかったが、薬局では常に注意を促している。

参考

P-gpの局在と機能

P-gpは腎の近位尿細管上皮細胞以外にも、脳毛細血管内皮細胞（血液脳関門［BBB］）、血液胎盤関門、肝細胞の胆管腔側膜、小腸・大腸の粘膜上皮細胞の消化管腔側膜（刷子縁膜）、副腎皮質、膵管上皮などに存在し、物質の吸収、分布、排泄、輸送に深く関わっている（☞ **本章［第1節］**）。

小腸・大腸粘膜上皮細胞では薬物を消化管管腔へ分泌するポンプとして機能し、薬物の消化管からの吸収量を制限している（☞ **表4-11、4-13**）。脳毛細血管内皮細胞では薬物（キニジン硫酸塩水和物［硫酸キニジン］、アミオダロン塩酸塩［アンカロン］、リスペリドン［リスパダール］、ロペラミド塩酸塩［ロペミン］、メトクロプラミド［プリンペラン］、シクロスポリン［サンディミュン、ネオーラル］、抗癌剤など）の脳内移行（分布）を抑制するバリア（BBB）としての機能を示す（☞ **表4-16**）。また、肝の胆管腔側膜では薬物（アジスロマイシン水和物［ジスロマック］、ジギトキシン、抗癌剤など）を能動的に胆汁中に排泄するポンプとして働いている（☞ **表4-21**）。なお、P-gpはリン脂質（肝胆管腔側膜）およびステロイドホルモン（副腎、胎盤）の輸送酵素としても機能している。

参考

ジギタリス製剤の体内動態

ジゴキシン（ジゴシン）とジギトキシンは同じジギタリス製剤だが、体内動態は異なる。

ジゴキシンは血漿タンパク結合率が23%と低く、約70%が未変化体として腎から排泄される。腸肝循環率は5%で、半減期は36時間である。一方、ジギトキシンは血漿タンパク結合率が90～97%と高いため、腎で排泄されにくく、肝で代謝されて胆汁中へ排泄される。腸肝循環率は25%で、半減期は8～9日と非常に長い。

なお、メチルジゴキシン（ラニラピッド）は、主として脱メチル化によりジゴキシンへと代謝されるため、ジゴキシンと同様な体内動態を示す。ただし、ジゴキシンに比べて消化管吸収が速く、代謝産物のジゴキシンの血中濃度は約2倍と高い。

❷ OCTファミリー

有機カチオン（陽イオン）トランスポーターであるOCTファミリーには、OCT1～3のアイソフォームがあるが、腎においては、OCT2、OCT3が近位尿細管上皮細胞の血液側膜に局在し、カチオン性（塩基性）薬物の血液から上皮細胞内への輸送を行い、尿細管分泌を担っている。

OCTファミリーによって能動的に分泌される塩基性薬剤をp.180 **表4-30**に示す。OCT2の基質として知られている薬剤には、キニーネ塩酸塩水和物（塩酸キニーネ）、H_2拮抗薬、メトホルミン塩酸塩（メトグルコ）、プラミペキソール塩酸塩水和物（ビ・シフロール、ミラペックスLA）、メマンチン（メマリー）、シスプラチン（ランダ）、ナファモスタットメシル酸塩（フサン）、アマンタジン塩酸塩（シンメトレル）、クレアチニンがある。

抗マラリア薬のキニーネはOCT阻害作用を持つため、同薬の使用時には、OCTで分泌される全ての薬剤の併用に注意する。OCT2阻害薬にはそのほか、ドルテグラビル（テビケイ）、バンデタニブ（カプレルサ）がある（☞ **表4-2**）。また、ジフェンヒドラミン塩酸塩（レスタミンコーワ）、副腎皮質ホルモン製剤、アマンタジン、H_2拮抗薬、プロカインアミド塩酸塩（アミサリン）、キニジンなども知られている。H_2拮抗薬の中では、ラニチジン塩酸塩（ザンタック）＞シメチジン（タガメット）＞ファモチジン（ガスター）の順にOCT2阻害効果が強い。

OCT2による分泌競合に起因する相互作用（尿中排泄阻害）は、p.181 **表4-31**に示すように、OCTの基質となる薬剤の中でも、シメチジンとトリメトプリムはOCTに対する親和性が特に強く、OCTで分泌される全ての薬剤との併用に注意した方がよい。特に、シメチジンによるプロカインアミドの血中濃度上昇にはCYP450阻害も関わっており、併用時にはプロカインアミドのTDMを実施し、低血圧や徐脈などの症状誘発に注意する（☞ **表5-16**）。表には示していないが、H_2拮抗薬であるラニチジンでもプロカインアミドとの相互作用が報告されている。その他にも、ピルジカイニド（サンリズム）とセチリジン（ジルテック）の併用では相互に作用が増強する恐れがあり、要注意である。

注意

OCT1とOCT3の機能と相互作用

OCT1は主として肝に、OCT3は腎にも存在しているが肝、骨格筋、心筋、胎盤で強く発現している。すなわち、肝細胞の洞様毛細血管側の細胞膜にはOCT1とOCT3、腎の近位尿細管上皮細胞の血管側膜にはOCT2とOCT3が存在する。H_2拮抗薬、メトホルミン（メトグルコ）、プラミペキソール（ビ・シフロール）、キニーネ（塩酸キニーネ）はOCT1、OCT2のどちらの基質にもなり、OCT1を介して血液から肝臓に取り込まれ、OCT2を介して尿中に排泄されると考えられている。その他のOCT1の基質として、アシクロビル（ゾビラックス）、ガンシクロビル（デノシン）、キニジン硫酸塩水和物（硫酸キニジン）などが知られている。

一方、抗不整脈薬（Ia群；プロカインアミド塩酸塩［アミサリン］、ジソピラミド［リスモダン］、キニジン、Ib群；リドカイン塩酸塩［キシロカイン］）はOCT3の基質となり、肝や心臓に特異的に分布し、腎に取り込まれて排泄されると考えられる。OCT3阻害薬としてはファモチジン（ガスター）、プラゾシン塩酸塩（ミニプレス；α_1遮断薬）、シメチジン（タガメット）、ベラパミル塩酸塩（ワソラン）、三環系抗うつ薬などが知られているが、特にファモチジンのOCT3阻害効果は強力である。これらの阻害薬により抗不整脈薬の肝・心・腎への分布が抑制されて効果が増減する可能性がある。

また、腎や肝を標的とする薬剤の場合、OCTが阻害されると臓器への分布が抑制され、薬効減弱や副作用の軽減が起こることがある。例えば、シスプラチン（ランダ）の腎毒性はOCT2阻害により軽減される可能性が示されている（☞ **表4-31**）。また、ヒトにおいてOCT1遺伝子に変異があるとOCT1活性が低く、肝臓を標的とするメトホルミンの血糖降下作用が健常人に比べて弱いことが知られている。また、OCT1欠損マウスでは、メトホルミンによる乳酸アシドーシスの発症が抑制されることも示されている。

50歳代女性Aさん。

［処方箋］

① ザンタック錠150mg　2錠
　1日2回　朝夕食後　7日分
② オイグルコン錠2.5mg　2錠
　メトグルコ錠250mg　2錠
　1日2回　朝夕食後　14日分

Aさんは糖尿病で、SU薬とメトグルコ（メトホルミン塩酸塩）を3年以上服用中だった。今回、胃炎を発症したため、ザンタック（ラニチジン塩酸塩）が処方された。

ザンタックにはOCT2阻害作用があるため、併用によりメトグルコの尿中への排泄が抑制されて血中濃度が高まる恐れがある。Aさんがザンタックを服用するのは今回が初めてなので、血糖値の変動や、発汗、動悸、振戦、急激な空腹感、頭痛、眼のかすみなどの低血糖症状にいつも以上に注意するよう指導した。また乳酸アシドーシスも起こる恐れがあるため「筋肉痛、全身倦怠感、吐き気、下痢など、気になる症状があったら必ず連絡してください」と伝えた。

Aさんは1週間後に来局したが、副作用症状は認められず、ザンタックの服用は継続となった。その後の病院での検査でも、HbA1c値は安定していた。

60歳代男性Bさん。

［処方箋］

① ガスターD錠20mg　1錠
　1日1回　夕食後　14日分
② シンメトレル錠50mg　2錠
　1日2回　朝夕食後　14日分
③ リスモダンカプセル100mg　3カプセル
　1日3回　毎食後　14日分

Bさんはリスモダン（ジソピラミドリン酸塩）とシンメトレル（アマンタジン塩酸塩）を服用中だったが、胃腸障害のためガスター（ファモチジン）が追加された。

リスモダンはOCT3の基質、シンメトレルはOCT2の基質である。ガスターはOCT1、OCT2の基質であり、シンメトレルと競合する。また、OCT3に対する阻害効果は極めて強力である。

ガスターの影響でシンメトレルの効果が増強する可能性は低いと考えられたが、薬剤師は念のため、食欲不振や眠気が強くなる、実際にない物が見える（幻視）、夜中に異常な行動を起こす（せん妄）など、いつもと違う症状が現れたら、必ず医師か薬剤師に相談するよう、Bさんとその家族に説明した。

一方、リスモダンについては、ガスターとの相互作用の影響で効果が大きく増減する可能性がある。したがって脈が100回/分以上に速くなったり、50回/分以下に遅くなったり、胸の苦しさ、便秘、強い口の渇きなどの症状が現れた場合は、直ちに連絡するように指導した。幸いBさんに、これらの症状の発現は認められなかった。

なお、当薬局では、H_2拮抗薬と同様、ジフェンヒドラミン塩酸塩（レスタミンコーワ）、副腎皮質ホルモン製剤、ベラパミル塩酸塩（ワソラン）、プラゾシン塩酸塩（ミニプレス）などのOCT阻害薬が追加された場合も、注意して対処している。添付文書にOCT阻害に関する相互作用の記載はないが、理論的なリスクがあるからである。

❸ OATファミリー

有機アニオン（陰イオン）トランスポーターであるOATファミリーには、OAT1～4のアイソフォームがあるが、腎では、OAT1およびOAT3が近位尿細管上皮細胞の血液側膜（基底側膜）に発現し、血液から細胞内へのアニオン性薬物の輸送を担っている。すなわち、OAT1およびOAT3は尿細管分泌経路における基底側膜での取り込み口であり、アニオン性物質の尿細管分泌において最も重要な役割を果たしている。

一方、近位尿細管上皮細胞の管腔側膜には、OATPファミリーに属する腎局在性有機アニオントランスポーター（OAT-K1、OAT-K2）が発現し、葉酸やメトトレキサート（メソトレキセート、リウマトレックス）などの輸送に関係することが知られている。ただし、これらに関わる薬物相互作用は、

表4-32　OATファミリーで分泌され得る主な酸性（アニオン性）薬剤

- SU薬、ナテグリニド[※1]（スターシス、ファスティック）、アナグリプチン[★1、★3]（スイニー;DPP4阻害薬）、エンパグリフロジン[★3]（ジャディアンス；SGLT2阻害薬）
- メトトレキサート[★3(主)、★1]（メソトレキセート、リウマトレックス）
- フィブラート系薬（フェノフィブラート[★3]［リピディル］など）
- ワルファリン（ワーファリン）、ジクマロール[※2]
- バルビツール酸系薬
- NSAIDs[★1、★3]:サリチル酸系（アスピリン製剤［バファリン配合錠、バイアスピリン］）、フェニルブタゾン[※2]（ピラゾロン系）、イブプロフェン（ブルフェン）、ナプロキセン（ナイキサン）
- プラバスタチン[★3]（メバロチン）
- ACE阻害薬:カプトプリル[★1]（カプトリル）、キナプリル[★3]（コナン）
- シメチジン[★1、★3]（タガメット）
- シタグリプチン[★3]（ジャヌビア、グラクティブ）
- 尿酸排泄促進薬：スルフィンピラゾン[※2]（ピラゾロン系）、プロベネシド（ベネシッド）
- 尿酸合成阻害薬：アロプリノール（ザイロリック）、オキシプリノール（アロプリノール代謝物）
- 利尿薬：フロセミド[★3]（ラシックス）、エタクリン酸[※2]、チアジド系薬（トリクロルメチアジド[★1]［フルイトラン］）、インダパミド[★3]（ナトリックス;非チアジド系薬）、スピロノラクトン（アルダクトンA）、アセタゾラミド[※3]（ダイアモックス；スルホンアミド系薬）
- 抗菌薬：サルファ剤[※3]（スルホンアミド系）、セフェム系・酸性ペニシリン系薬[★1、★3]、キノロン系薬[★3]、テトラサイクリン系薬[★3]
- 抗結核薬：ピラジナミド[※4]（ピラマイド）
- 抗ウイルス薬：アシクロビル[★1、※3]（ゾビラックス）、バラシクロビル[★1、※3]（バルトレックス）、オセルタミビル[※5]（タミフル）、ジドブジン[★1、★3]（レトロビル）、ガンシクロビル（デノシン）、ザルシタビン[※2]（抗HIV薬）、アデホビルピボキシル[★1]（ヘプセラ;ラミブジンと併用;抗HBV薬）
- ミコフェノール酸モフェチル（セルセプト;免疫抑制剤）
- ノギテカン[★3]（ハイカムチン；小細胞肺癌治療剤）
- ハンセン病治療薬：ジアフェニルスルホン（レクチゾール、プロトゲン）
- ラロキシフェン[※6]（エビスタ）
- 尿酸[★1、★3]
- ビタミンB群：パントテン酸Ca（パントテン酸Ca）
- アミノ酸[※3]
- グルクロン酸・硫酸抱合体
- 腎性貧血治療薬（ロキサデュスタット[★1、★3]［エベレンゾ］、バダデュスタット[★1、★3]［バフセオ］およびそのO-グルクロン酸抱合体[★3]）

★1はOAT1、★3はOAT3で分泌される。

※1　ナテグリニド（速効型インスリン分泌促進薬）は、SU薬と同様な体内動態を示す。
※2　販売中止　　※3　酸にも塩基にもなり得る（☞表1-16）。　　※4　明らかでない。
※5　80歳以上の高齢者では、本薬活性体の曝露量は健康成人の約2倍に増大（Cmax約1.5倍、$AUC_{0\text{-}12h}$約1.3倍に上昇）。
※6　ラロキシフェンおよびその抱合体は、消化管、肝に存在するOATの基質になる。

表 4-33　プロベネシドによる腎上皮細胞 OAT 阻害の影響を受ける主な薬剤

阻害する薬剤	分泌阻害を受ける薬剤	報告されている事象など
プロベネシド（ベネシッド）	NSAIDs： サリチル酸系薬（アスピリン製剤［バファリン配合錠、バイアスピリン］）	尿酸排泄拮抗（排泄が6分の1に低下するとの報告もある）。グルクロン酸抱合も関与。
	インドメタシン（インテバン）	インドメタシン血中濃度2倍、半減期10.1時間から17.6時間に延長。グルクロン酸抱合関与。
	ナプロキセン（ナイキサン）	ナプロキセン血中濃度50%上昇。グルクロン酸抱合関与。
	SU薬（トルブタミド［ヘキストラスチノン］）、ナテグリニド（スターシス、ファスティック）	トルブタミドの半減期35.6時間から50時間延長。
	メトトレキサート（メソトレキセート、リウマトレックスなど）	メトトレキサートの血中濃度3～4倍上昇。
	抗菌薬： セフェム系薬	セフメタゾール（セフメタゾン）の半減期が1.5倍（1.5から2.27時間に）延長例。セフラジン★ではCmax 2倍、セファクロル（ケフラール）ではCmax 1.5倍に上昇したとの報告がある。セフメノキシム（ベストコール）の半減期1.56倍（1.14→1.78時間）に延長、AUC 2倍に上昇。セフトリアキソン（ロセフィン）は影響されにくい。
	ペニシリン系薬	カリンダシリン★の血中濃度50%上昇例。ベンジルペニシリン（PCG）の半減期が40分から104分に延長。血中濃度1.4倍上昇例。アンピシリン（ビクシリン）のCmax 1.37倍上昇例。アモキシシリンのAUC89%上昇例。
	サルファ剤、キノロン系薬（ガチフロキサシン★、シプロフロキサシン［シプロキサン］、パズフロキサシン［パシル、パズクロス］など）	抗菌薬の作用増強の恐れ。
	抗ウイルス薬： ジドブジン（レトロビル）	ジドブジンのクリアランス1/3に低下、半減期1.5倍延長。グルクロン酸抱合阻害も関与。
	アシクロビル（ゾビラックス）	AUC_{0-3h}、Cmaxがともに1.2倍上昇。
	バラシクロビル（バルトレックス、活性代謝物はアシクロビル）	AUC 48%増加。
	オセルタミビル（タミフル）	AUC、Cmaxがともに2倍上昇。ただし投与量を調節するほど臨床的に重要でない。
	腎性貧血治療薬（ロキサデュスタット［エベレンゾ］、バダデュスタット［バフセオ］）	OAT1、OAT3阻害により腎性貧血治療薬のAUC上昇。バダデュスタットAUCが82%、O-グルクロン酸抱合体AUCも126%上昇。併用時は、腎性貧血治療薬の減量を考慮するとともに、患者の状態を慎重に観察する。プロベネシドによるUGT阻害も関与（☞**表6-4**）
	その他： ワルファリン（ワーファリン）、パントテン酸、ノギテカン（ハイカムチン；pK値3.0）、ザルシタビン★（抗HIV薬）	ワルファリンの作用増強の恐れ。ノギテカンの腎クリアランス低下の恐れ。

作用を受ける薬剤の血中濃度が増大、薬効が増強する可能性がある（いずれも併用慎重）。グルクロン酸抱合については**表 6-4、6-5** 参照。
★ 販売中止もしくは国内未発売

表4-34　腎上皮細胞のOAT競合阻害に起因する相互作用

	阻害する薬剤	分泌阻害を受ける薬剤	報告されている事象など
併用禁忌	スルフィンピラゾン★	サリチル酸系薬 (バファリン配合錠A330)	サリチル酸濃度上昇の可能性(尿酸値上昇)。スルフィンピラゾンの尿酸排泄作用に拮抗(☞表3-3)、血漿タンパク結合置換も関与(☞表2-4)。
併用慎重	OAT1の基質になる薬剤	アデホビルピボキシル(ヘプセラ；ラミブジン[ゼフィックス]と併用)	相互に血中濃度が上昇する可能性。
	アロプリノール (ザイロリック)	SU薬、ナテグリニド※ (スターシス、ファスティック)	クロルプロパミド(アベマイド)の半減期が200時間以上延長例。代謝物のオキシプリノールも尿細管分泌競合。代謝阻害も関与(☞表5-34①)。
		シクロホスファミド (エンドキサン)	シクロホスファミドの半減期2倍以上に延長。代謝阻害も関与(☞表5-34①)。
		ペニシリン系薬	アンピシリンとの併用時に発疹発現が増加(機序不明)。
	シメチジン(タガメット)、カフェイン含有食品、抗菌薬(ペニシリン系：ピペラシリン[ペントシリン]、セフェム系、キノロン系：シプロフロキサシン[シプロキサン])	メトトレキサート (メソトレキセート、リウマトレックスなど)	メトトレキサート(MTX)血中濃度上昇(毒性増強)。OAT1・3(主にOAT3)阻害によりMTXの分泌が阻害される。カフェイン代謝産物(1-メチルキサンチン)にはOAT1阻害効果あり。
	PPI	高用量メトトレキサート(メソトレキセート)	機序不明。高用量メトトレキサート(MTX)との併用で、MTXの血中濃度上昇。高用量投与時は、一時的にPPIの投与中止を考慮。PPIは様々なトランスポーター阻害作用があるが、MTXは主に腎OAT3により分泌されるためOAT3阻害の関与が示唆。
	ミコフェノール酸モフェチル (セルセプト)	アシクロビル(ゾビラックス)、バラシクロビル(バルトレックス)、抗CMV薬(ガンシクロビル[デノシン]、バルガンシクロビル[バリキサ])	アシクロビルのAUCが27%増加。特に高齢者など腎機能低下患者で注意。
	ループ系薬(フロセミド[ラシックス]、ピレタニド[アレリックス])、チアジド系薬	サリチル酸系薬 (バファリン配合錠、バイアスピリンなど)	サリチル酸中毒(サリチル酸中毒の6割はフロセミド、チアジド系、NSAIDsを併用との報告もある)。尿酸値上昇(☞表3-2)、腎毒性増強(☞表8-20)も関与。
	NSAIDs	メトトレキサート (メソトレキセート、リウマトレックスなど)	主にOAT3競合。インドメタシン(インテバン)、ケトプロフェン(カピステン)、フェニルブタゾン★の併用で死亡例。腎糸球体濾過量低下(☞表3-1)、血漿タンパク結合置換(☞表2-1)も関与、NSAIDsによるMRP2阻害も関与。
		SU薬、ナテグリニド※(スターシス、ファスティック)	アスピリンによるクロルプロパミド薬効増強で血糖値33%低下。フェニルブタゾンによるトルブタミド(ヘキストラスチノン)の薬効増強(低血糖発作)、半減期が4.38時間から7.5時間に延長との報告もある。血漿タンパク結合置換(☞表2-1)・薬力学的相互作用(☞表7-40)も関与。
		ペニシリン系薬	フェニルブタゾン★との併用でPCGの半減期が42分から102分に延長。肝代謝抑制も関与。
	スルフィンピラゾン★ (尿酸排泄促進薬)	SU薬、ナテグリニド※(スターシス、ファスティック)	トルブタミドの半減期7.3時間から13.2時間に延長。血漿タンパク結合置換(☞表2-1)、代謝阻害(☞表5-36②)も関与。
		ペニシリン系薬	PCGの半減期42.6分から70.3分に延長。
		サルファ剤	血漿タンパク結合置換も関与(☞表2-1)。
	フィブラート系薬 (クリノフィブラート[リポクリン]を除く)	SU薬、ナテグリニド※(スターシス、ファスティック)	クロルプロパミドの半減期35.6時間から47時間に延長。血漿タンパク結合置換(☞表2-1)も関与。
	クマリン系薬 (ジクマロール★)	クロルプロパミド★(SU薬)	クロルプロパミドの腎クリアランス低下。代謝競合(☞表5-30③)も関与。

併用慎重	バダデュスタット（バフセオ；腎性貧血治療薬）	OAT3の基質；フロセミド（ラシックス）、メトトレキサート（リウマトレックス、メトレート）	バダデュスタットのOAT3阻害作用によりフロセミドのCmax71%、AUC109%上昇。

★ 販売中止もしくは国内未発売
※ 同効薬のミチグリニドCa水和物（グルファスト；速効型インスリン分泌促進薬）では腎排泄阻害およびCYP450阻害に起因する相互作用は少ない。

現在のところ報告されていない。

表4-32は、OATの基質となり得る薬剤およびOAT1、OAT3の基質として報告されている酸性薬剤を示す。

OAT阻害作用を持つ代表的な薬剤はプロベネシド（ベネシッド）であり、NSAIDs、SU薬、ナテグリニド（スターシス）、メトトレキサート、抗菌薬（セフェム系、ペニシリン系、サルファ剤、キノロン系）、抗ウイルス薬（ジドブジン［レトロビル］、アシクロビル［ゾビラックス］など）、腎性貧血治療薬（ロキサデュスタット［エベレンゾ］、バダデュスタット［バフセオ］）などの分泌を阻害し、血中濃度を上昇させると考えられる（**表4-33**）。**表4-32**に示す他の全ての薬剤でも同様に注意するが、ペニシリン系薬やパラアミノサリチル酸Ca水和物（ニッパスカルシウム）の血中濃度を維持するためにプロベネシドを投与することもある。

また、OATを競合して分泌を阻害すると考えられる薬剤には、アロプリノール（ザイロリック）、ミコフェノール酸モフェチル（セルセプト）、ループ系薬、チアジド系薬、シメチジン（タガメット）、カフェイン代謝物、NSAIDs、スルフィンピラゾン（ピラゾロン系薬）、フィブラート系薬、クマリン系薬（ジクマロール）、バダデュスタットなどがある（**表4-34**）。NSAIDs以降の薬剤による分泌阻害には血漿タンパク結合置換も関係している場合が多い。スルフィンピラゾンと高用量アスピリン・ダイアルミネート（バファリン配合錠A330）との併用は禁忌であるが、これに尿酸排泄拮抗作用も関係する（☞ **表3-3**）。

特に分泌阻害を受けやすいのは、OATとの親和性が極めて弱いと考えられるSU薬とナテグリニドである。したがって、OATトランスポーターを介して分泌される他の薬剤を併用する際は、常に相互作用の可能性を念頭に置き、低血糖症状の発現に注意する。アシクロビルなどの抗ウイルス薬やTDMを必要とするメトトレキサートも分泌阻害を受けやすく、注意が必要である。

なお、腎への薬物移行を抑制し、腎毒性を軽減するために、OAT阻害効果が利用されることもある。ペネム系のカルベニン（商品名）は、パニペネムと抗菌作用のないベタミプロンが等量配合されている。これは、ベタミプロンのOAT阻害効果により、パニペネムの腎移行を抑制し、腎毒性を軽減するためである。

50歳代女性Aさん。

［処方箋］
① リウマトレックスカプセル2mg　2カプセル
　1日2回　1日目の午前8時、午後8時　1日分
② リウマトレックスカプセル2mg　1カプセル
　1日1回　2日目の午前8時　1日分
③ フォリアミン錠　1錠（葉酸として5mg）
　1日1回　3日目の午前8時　1日分
④ プレドニン錠5mg　2錠
　1日2回　朝・夕食後　7日分

慢性関節リウマチ（rheumatoid arthritis：RA）のAさんは5年間、一般外科で処方されたリドーラ（オーラノフィン）、プレドニン（プレドニゾロン）を服用中だったが、RAが進行したためRA専門医を受診し、処方箋を持って来局した。リウマトレックス（メトトレキサート）は、火曜日（受診翌日）の午前・午後8時、水曜日の午前8時に1カプセルずつ計3回服用し、その後4日間は休むという1週間の服薬のスケジュールを、薬のシート表面に記載して説明した。重い副

作用が出る可能性があることを十分に理解させ、服用を忘れた場合でも、忘れた分を後から服用しないよう指導した。また3日目に服用するフォリアミン（葉酸）は副作用防止のビタミン剤であることを伝えた。

服用中は、4週間ごとに検査（血液、尿、肝・腎機能など）を行うが、かぜのような症状、熱、のどの痛み、ひどく疲れやすい、空咳、息苦しい、口内炎、尿の量や回数が急に減ったなどの症状は、重い副作用の前兆の可能性があるので、すぐに受診するように注意した。また、薬の飲み合わせにより副作用が増強する恐れがあるため、処方された薬以外は服用しないよう指導した。NSAIDsを含む市販のかぜ薬や鎮痛薬の服用も避け、軽いかぜの症状でも必ず受診するよう指導した。また、コーヒーやお茶などのカフェイン含有飲料の過剰摂取も控えるように伝えた。

その後、Aさんはかぜや関節痛のため、フロモックス（セフカペンピボキシル塩酸塩水和物）やクラビット（レボフロキサシン水和物）、ロキソニン（ロキソプロフェンNa）、ボルタレンサポ（ジクロフェナクNa）など、OATを阻害し得る薬剤が臨時に処方されたが、問題は認められていない。プレドニンは漸減され、中止となった。3年経った現在、軽い貧血はあるが、他に異常はなく、痛みも緩和されて経過は良好である。

❹ その他のトランスポーター

腎には、これまで見てきたP-gp、OCTファミリー、OATファミリー以外のトランスポーターも存在している。

その1つは、尿細管上皮細胞の管腔側に発現するMRP2である。主にアニオン（陰イオン）性の高脂溶性薬物の分泌を担い、尿細管再吸収を阻止するバリア（尿中排泄促進）として機能すると考えられている。MRP2に関わる相互作用は現在のところ報告されていないが、白金誘導体の抗悪性腫瘍薬であるシスプラチン（ランダ、ブリプラチン）をラットに投与すると、MRP2の発現量が10倍に増大し、シスプラチンの腎排泄が促進することが知られている。また、NSAIDsはMRP2を阻害し、メトトレキサートの腎排泄を抑制して血中濃度を上昇（薬効増強）させることも示されている。その他、ロピナビル/リトナビルはMRP2/4を阻害し、テノホビル（MRP2/4基質）の腎排泄（尿細管分泌）を抑制することが示唆されている（J Antimicrocob Chemother.2015;70:1517-21）。

また、ラベプラゾールナトリウム（パリエット）、オメプラゾール（オメプラール、オメプラゾン）などのPPIは、メトトレキサートの腎排泄を抑制して血中濃度を上昇させることが報告されている。その発現機序は不明だが、PPIはP-gp、MRP2、BCRP、OCT、OCTN2、OAT1、OAT3など様々なトランスポーターを阻害する作用がある。メトトレキサートが主に腎OAT3で分泌されることから、PPIによるメトトレキサートの血中濃度上昇にはOAT3阻害が関与する可能性が高いことが示唆されている（Drug Metab Dispos.2014;42:2041-8.）。

そのほか、PEPTファミリーのPEPT1、PEPT2も尿細管上皮細胞の管腔側に発現し、ジペプチドやトリペプチドなどの小分子ペプチドを管腔から上皮細胞内に輸送し、再吸収に働いている（PEPT2は腎に最も強く発現する）。PEPTは、広範な基質を認識し、ペプチド類似構造を持つβラクタム系薬、ACE阻害薬、ウベニメクス（ベスタチン；抗悪性腫瘍薬）、プロチレリン酒石酸塩水和物（ヒルトニン；甲状腺刺激ホルモン［TSH］、プロラクチン分泌促進）、バラシクロビル塩酸塩（バルトレックス）、スルピリド（ドグマチール）などを基質とする。また、アリスキレンフマル酸塩（ラジレス；直接的レニン阻害薬）もペプチド構造を持つため、基質となる可能性がある。

相互作用に関しては、健常人にセファドロキシルとセファレキシン（ケフレックス）を同時に経口投与した場合、腎に存在するPEPT1、PEPT2を介した再吸収の競合阻害が起こり、セファドロキシルのCmaxが半減するとの報告があるので、慎重に併用する（消化管のPEPT1競合も関与；☞ **表4-15**）。上述のPEPTの基質となる薬剤同士を併用する場合も、同様に注意した方がよい。in vitro実験では、インスリン、レプチン、FU（5-FU）、ま

図 4-13　腎近位尿細管における尿酸輸送モデル

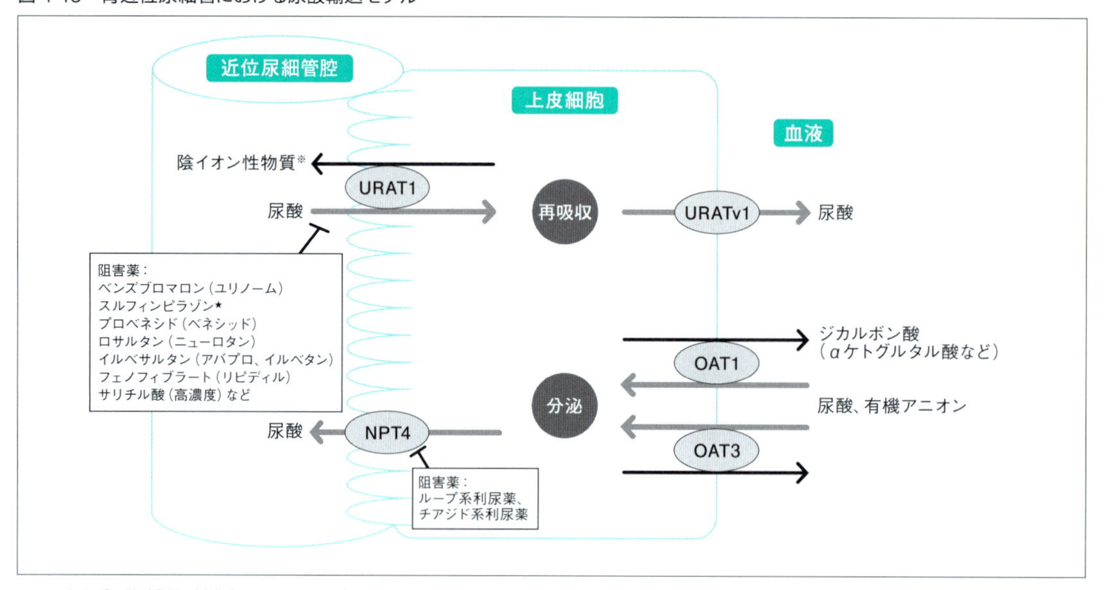

※ モノカルボン酸（乳酸、低濃度サリチル酸など）、芳香族カルボン酸（ピラジンカルボン酸［ピラジナミド〈ピラマイド〉］の活性型、ニコチン酸など）
★ 販売中止
（Nature. 2002；417：447-52. および J Biol Chem. 2010；285：35123-32. を基に作成）

た阻害する物質として上皮成長因子（EGF）、トリヨードチロニン（T_3）、シクロスポリン（サンディミュン、ネオーラル）、ナテグリニド（スターシス、ファスティック）、SU 薬などが報告されている。

❺ 近位尿細管の尿酸トランスポーター

尿酸は内因性または食事由来のプリン（アデニン、グアニン）ヌクレオチドの最終代謝産物であり、主に肝臓でキサンチンオキシダーゼの働きによって産生される。ヒトでは血清中の濃度が 7.0mg/dL を超えると高尿酸血症と診断される。同症は生活習慣病の一つであり、未治療のまま放置すると痛風発作（関節炎）や尿細管・尿路結石、重篤な腎臓病の発症につながるほか、高血圧や心筋梗塞、脳卒中など、動脈硬化のリスクも高まる。一方、尿酸自体は強力な抗酸化作用を持ち、老化や様々な疾患の防御因子として機能すると考えられている。

血清尿酸値の変動は、体内での尿酸の産生と排泄のバランスが崩れることで起こると考えられる。痛風患者の 95%以上を占める原発性痛風では、約 1 割が尿酸産生過剰型であるのに対し、尿中尿酸排泄低下型が 6 割、両者の混合型が約 3 割と、実に約 9 割の患者で尿酸の腎排泄が低下していることが明らかになっている。したがって、痛風の発症には、主に腎の尿酸排泄トランスポーターが関与していると考えられる。ただし近年、腸管の尿酸排泄トランスポーターが痛風の原因遺伝子であることも報告されている（後述）。

一般に、尿酸の全排泄量の約 3 分の 2 が腎から尿中に排泄される。尿酸の腎排泄機構は、従来、①糸球体濾過、②再吸収、③分泌、④分泌後再吸収—という 4 つの独立した要素からなると考えられていた（4 コンポーネント仮説）。しかし、このモデルは薬理学的な研究成果に基づく推論であり、分子生物学的な裏付けに乏しかった。

そんな中、ヒト腎において選択的に尿酸を輸送するトランスポーターの URAT1（SLC22A12）が発見された（Nature.2002;417:447-52.）。以来、全ゲノム解析により多数の尿酸トランスポーターが次々と明らかになり、尿酸の腎排泄は、近位尿細管全体に分布する尿酸トランスポーターを介したものであると考えられるようになった。

複数ある尿酸トランスポーターのうち、特に血清尿酸値の調節に不可欠と考えられているのは、腎での再吸収に関与するURAT1とURATv1（別名GLUT9、SLC2A9）である。これらのトランスポーターの尿酸に対する親和性は約370 μMと、血清尿酸濃度に近似していることから、尿酸に対する選択性は極めて高いと考えられる。

有機アニオントランスポーター（OAT）ファミリーに属するURAT1は、近位尿細管上皮細胞の管腔側膜に存在し、細胞内のモノカルボン酸や芳香族カルボン酸と尿細管腔内の尿酸との交換を行う（**図4-13**）。したがって、URAT1阻害作用を持つ薬剤は、尿酸の再吸収を阻害して血清尿酸値を低下させる。逆にモノカルボン酸および芳香族カルボン酸は、URAT1を活性化し、尿酸の再吸収を促進して血清尿酸値を上昇させる可能性がある。

高尿酸血症治療薬のベンズブロマロン（ユリノーム）、プロベネシド（ベネシッド）はURAT1阻害薬である（**表4-35**）。また、フェノフィブラート（トライコア、リピディル）、ロサルタンカリウム（ニューロタン）、イルベサルタン（アバプロ、イルベタン）などにもURAT1阻害効果があることが示されている。特にロサルタンは、URAT1のmRNA発現量を低下させる可能性も報告されており、高尿酸血症治療中の患者が高血圧を併発した際に投与されることも多い。

URATv1は、URAT1と同様、腎性低尿酸血症の原因遺伝子として発見された（Am J Hum Genet. 2008;83:744-51.）。URATv1は、近位尿細管上皮細胞の血液側膜に存在し、電位依存的に細胞内の尿酸を血液中（体内）に取り込む（J Biol Chem.2008;282:26834-8.）。URAT1によって上皮細胞内に取り込まれた尿酸が負電荷に帯電しているため、細胞内外に電気化学勾配が生じ、電位差駆動性のURATv1が活性化されると考えられる。URATv1の選択的阻害薬は不明だが、ベンズブロマロン（最も強力）、プロベネシド、ロサルタンは阻害効果を持つことが示されている。

一方、腎で尿酸分泌（排泄）に働くトランスポーターには、上皮細胞の血管側膜に存在するOAT1（SLC22A6）およびOAT3（SLC22A8）のほか、管腔側膜に存在する電位依存性の有機アニオントランスポーター4（NPT4［SLC17A3］）がある（J Biol Chem. 2010;285:35123-32.）。

OAT1およびOAT3は、ジカルボン酸（αケトグルタル酸など）との交換により、血液中の尿酸を上皮細胞内に取り込む。それにより、電位差駆動性のNPT4が活性化され、尿細管腔への尿酸分泌が起こると推測される。NPT4の尿酸に対する親和性は低く、また、OATの基質は多数存在することなどから、これらのトランスポーターの尿酸に対する特異性は低いとみられる。ただし、NPT4の基質で強い親和性を示すループ系利尿薬やチアジド系利尿薬は、NPT4による尿酸分泌を競合阻害し、血清尿酸値を上昇させると考えられている。

また、OAT阻害薬としては、プロベネシド、ベンズブロマロンのほか、シメチジン（タガメット）、スタチン系薬のフルバスタチンナトリウム（ローコール；OAT1・3阻害）、シンバスタチン（リポバス；OAT3阻害［Eur J Pharmacol.2004;483:133-8.］）などが知られている。ただし現在のところ、これらの薬剤による尿酸値上昇は臨床上、大きな問題になっていない。

一方、既に述べたように、高尿酸血症は腸管に存在する尿酸トランスポーターであるBCRPの遺伝子変異（活性低下）に起因することが明らかとなっている（☞ **コラム24**）。

BCRPはABCトランスポーターの一つであり、様々な組織に発現し、抗癌剤を含む多くの薬物を細胞内から細胞外に排泄する働きを担っている。BCRPの阻害薬は数多くあるが、現在のところ、BCRPを介した尿酸値変動に起因する相互作用の報告はない。また、BCRPは多くの薬剤を基質とし、尿酸に対する親和性は低いが、BCRP阻害作用を示す薬剤は尿酸値を上昇させる可能性がある。

現在、尿酸トランスポーターが関与する相互作用により、併用禁忌となっている薬剤はない。ただし、高尿酸血症治療薬を服用中の患者に、血清尿

表 4-35　尿酸排泄トランスポーターが関与すると想定される相互作用

トランスポーター、基質	阻害薬、活性化薬（化合物を含む）	想定される相互作用など
（1）腎尿酸再吸収促進		
URAT1（近位尿細管上皮細胞の管腔側膜に存在；モノカルボン酸／尿酸交換性輸送系；尿酸排泄抑制） 【基質】 尿酸、オキシプリノール（アロプリノール活性代謝物）	【阻害薬】高尿酸血症治療薬（ベンズブロマロン［ユリノーム］、プロベネシド［ベネシッド］）、ロサルタン（ニューロタン）、イルベサルタン（アバプロ、イルベタン）、フェノフィブラート（トライコア、リピディル）、高濃度サリチル酸、インドメタシン※1	・ベンズブロマロンは特異的URAT1阻害薬。 ・URAT1を阻害する薬剤は、高尿酸血症治療薬の効果（尿酸値低下）を増強させる（併用による有用性が示唆されている）。 ・ロサルタンによるURAT1のmRNA発現量低下※2や、同薬の活性体（EXP3174）のURAT1阻害効果も報告されている。 ・URAT1阻害薬によりオキシプリノールの再吸収が抑制され、オキシプリノール尿中排泄が増大する※3（臨床的意義は不明）。
	【活性化薬】モノカルボン酸（乳酸、低濃度サリチル酸）、芳香族カルボン酸（**ピラジンカルボン酸**［ピラジナミドの活性型］、ニコチン酸など）、**ファビピラビル（アビガン）および代謝物**	・URAT1活性化薬は、高尿酸血症治療薬の効果を減弱させる。 ・飲酒は二次的に乳酸産生を促進。 ・ファビピラビル（代謝物）はURAT1活性化（代謝物のみ）およびOAT1、OAT3阻害により、尿酸の再吸収促進および分泌阻害を介して尿酸値を上昇。
URATv1（近位尿細管上皮細胞の血液側膜に存在；電位差駆動性輸送系；尿酸排泄抑制） 【基質】尿酸、グルコース、フルクトース	【阻害薬】ベンズブロマロン（最も強力）、プロベネシド、ロサルタン	URATv1選択的阻害薬は現在のところ報告されていない。ただし、ベンズブロマロンは尿酸輸送を90%阻害、ロサルタンは50%阻害※4。URATv1とURAT1の双方への阻害作用を持つ薬剤は血清尿酸値低下作用が強力。
（2）腎尿酸分泌促進		
NPT4（近位尿細管上皮細胞の管腔側膜に存在；電位差駆動性輸送系；尿酸排泄促進） 【基質】尿酸、**ループ系利尿薬**、**チアジド系利尿薬**	【阻害薬】**ループ系利尿薬**、**チアジド系利尿薬**	利尿薬は単独で尿酸値上昇作用があり、高尿酸血症治療薬の効果を減弱。臨床上、問題となることが多い。
OAT1、OAT3（近位尿細管上皮細胞の血液側膜に存在；ジカルボン酸／尿酸交換性輸送系；尿酸排泄促進） 【基質】尿酸、アニオン性低脂溶性薬剤（メトトレキサート［メソトレキセート、リウマトレックス］、非ステロイド性抗炎症薬、**チアジド系・ループ系利尿薬**、抗菌薬、抗ウイルス薬、カプトプリル［カプトリル］、ノギテカン［ハイカムチン］など）	【阻害薬】ベンズブロマロン、プロベネシド、**ファビピラビルおよび代謝物**	OAT阻害が関与する血清尿酸値上昇や相互作用は問題となっていない。OAT1、OAT3の尿酸に対する親和性は低く、多くの基質が存在する。

（3）腸管排泄促進		
BCRP（小腸上皮細胞の管腔側膜に存在；尿酸排泄促進） 【基質】尿酸、抗癌剤（メトトレキサート、ミトキサントロン［ノバントロン］、ゲフィチニブ［イレッサ］、**ラパチニブ**［タイケルブ］、**イリノテカン**［カンプト、トポテシン］、**SN-38**［イリノテカン活性代謝産物］など）、**ピタバスタチン**（リバロ）、ロスバスタチン（クレストール）、シプロフロキサシン（シプロキサン）、シルデナフィル（バイアグラ、レバチオ）、ロキサデュスタット（エベレンゾ；腎性貧血治療薬）など	【阻害薬】**シクロスポリン**（サンディミュン、ネオーラル）、抗癌剤（**ラパチニブ**［タイケルブ］、**イマチニブ**［グリベック］、オシメルチニブ［タグリッソ］、レゴラフェニブ［スチバーガ］、カプマチニブ［タブレクタ］、タモキシフェン［ノルバデックス］）、HIVプロテアーゼ阻害薬（**ネルフィナビル★**、**リトナビル**［ノービア］、**サキナビル★**）、**オメプラゾール**（オメプラゾン、オメプラール）、リファンピシン（リファジン）、ベンズブロマロン、ベラパミル（ワソラン）、Elacridar※5、性ホルモン（エストロン、テストステロンなど）※5、腎性貧血治療薬（ロキサデュスタット［エベレンゾ］、バダデュスタット［バフセオ］）	・BCRPを介した尿酸変動に起因する相互作用は、現在のところ報告されていない。 ・BCRPの尿酸に対する親和性は低く、多くの基質が存在する。 ・左記の太字の基質・阻害薬は、尿酸値を上昇させることが示されているが、BCRPの関与は不明。高尿酸血症治療薬との併用時には注意する。 ・腎不全時、腎尿酸排泄が低下するにもかかわらず血清尿酸値の上昇が認められないのは、回腸のBCRP発現量が増大するためと考察されている（動物実験）※6。

太字は、添付文書に副作用として血清尿酸値上昇や高尿酸血症などの記載がある薬剤）
※1　Nephrology.2011;16:156-62.　※2　Arzneimittelforschung.2010;60:186-8.　※3　Drug Metab Dispos.2005;33:1791-5.
※4　J Clin Invest.2010;120:1791-9.　※5　PLoS One.2012;7（2）:e30456.「Elacridar、estrone-3-sulfateの阻害効果は強力であるが、ベンズブロマロン、リファンピシン、シクロスポリン、ベラパミルの阻害効果は弱く、ケトプロフェン、サリチル酸には阻害効果はない（in vitro）」。
※6　Yano H et al. Uric acid transporter ABCG2 is increased in the intestine of 5/6 nephrectomy rat model of chronic kidney disease.（Clin Exp Nephrol.2014;18:50-5.）

酸値を上昇させ得る薬剤を投与する際は、薬効減弱に注意する。中でも、高尿酸血症治療薬とピラジナミド（ピラマイド）との併用は避けた方がよい。

また、血清尿酸値を上昇させる薬剤を相互に併用する場合は、血清尿酸値の上昇や関節痛などの痛風発作の発現に注意する。特にループ系利尿薬のフロセミド（ラシックス）やチアジド系利尿薬のヒドロクロロチアジドを配合した降圧薬（商品名エカード、コディオ、プレミネント、ミコンビ）を服用中の患者では、血清尿酸値の上昇に常に注意する。ただし、血清尿酸値の上昇は自覚症状をほとんど伴わないため、患者には定期的に血液検査を受け、血清尿酸値を確認するよう指導する。症例1のように、利尿薬を中止せず、高尿酸血症治療薬を追加することも多い。そのほか、BCRPを阻害し得る薬剤が投与されている場合も、血清尿酸値の上昇に注意した方がよい。

50歳代女性Aさん。

［処方箋］
① アルマイラー錠25　1錠
　ミコンビ配合錠AP　1錠
　アリスメット錠100mg　1錠
　ゼチーア錠10mg　1錠
　オメプラール錠10　1錠
　　1日1回　朝食後　35日分
② カルデナリン錠2mg　2錠
　　1日2回　朝夕食後　35日分

高血圧や逆流性食道炎などを治療中のAさん。飲酒の習慣はないが、40歳ごろから血清尿酸値が7.0mg/dL前後の境界域で推移していた。血圧コントロール不良のため、約1年前にミカルディス（テルミサルタン）からミコンビ配合錠AP（テルミサルタン・ヒドロクロロチアジド）に変更になった。

ミコンビ配合錠に含まれるヒドロクロロチアジド（チアジド系利尿薬）はNPT4を阻害するほか、オメプラール（オメプラゾール）にはBCRP阻害効果があるため、血清尿酸値が上昇する恐れがあった。そこで薬剤師は、ミコンビに変更されて以降、Aさんに、血液検査を定期的に実施して血清尿酸値の変化に注意し、手足の関節痛などがあった場合は相談するよう指導していた。

ミコンビへの変更から約2カ月後の検査では、血清尿酸値が7.9mg/dLまで上昇していたため、さらに注意を促していたが、それ以降は、本人の事情により血液検査が実施されてこなかった。その結果、今回、血清尿酸値が9.7mg/dLまでに上昇していたため、アリスメット（アロプリノール）が追加された。処方医は、血圧が正常値を維持していることを考慮し、ミコンビの中止・変更はしなかったとのことだった。

その後、現在まで同じ処方が続いているが、尿酸値は正常で痛風発作は認めず、血圧コントロールも良好である。

症例② 70歳代男性Bさん。

［処方箋］

① ニフェランタンCR錠20 1錠
　アリスメット錠100mg　1錠
　プレミネント配合錠　1錠
　　1日1回 朝食後 30日分
② フリバス錠25mg　2錠
　　1日2回 朝夕食後　30日分
③ カルデナリン錠1mg　1錠
　　1日1回 就寝前 30日分
④ スロービッドカプセル200mg　2カプセル
　　1日2回 朝食後・就寝前 30日分

Bさんは高血圧と高尿酸血症のため、コディオ配合錠EX（バルサルタン・ヒドロクロロチアジド）を1年間以上服用していた。その間、血圧は正常範囲でコントロールされていたが、血清尿酸値は7.5mg/dL前後と高値を示していた。そして今回、さらに8.0mg/dLに上昇した。処方医はコディオ配合錠からプレミネント配合錠（ロサルタンカリウム・ヒドロクロロチアジド）に変更した。Bさんに飲酒の習慣はない。

Bさんは、高尿酸血症の薬ではなく血圧の薬が変更された理由について、薬剤師に質問した。薬剤師は、プレミネント配合錠に含まれるロサルタンには、降圧作用だけでなく、腎臓からの尿酸の排泄を促進し、血清尿酸値を低下させる作用があることを説明した。

数カ月後、Bさんの血清尿酸値は7.5mg/dLに低下し、現在、経過観察中である。なお、血圧は正常値を維持している。

第5章 CYP450による代謝

薬動態学的相互作用の中で最も発現頻度が高いのは、代謝の過程における相互作用であり、その多くは肝薬物代謝酵素チトクローム P450（CYP450）の酵素活性の変化に起因する。CYP450が関与する相互作用について、発現機序別に解説する。

第1節 CYP450と薬物相互作用

❶ 生体内における CYP450の役割と種類

生体に入った脂溶性薬剤の多くは、肝の酵素による代謝を受けて不活性化される。中心的な役割を担うのは、肝・小腸粘膜細胞のミクロソームに存在するチトクローム P450（CYP450）である。

図5-1　CYP450の阻害および誘導による薬物代謝の変化

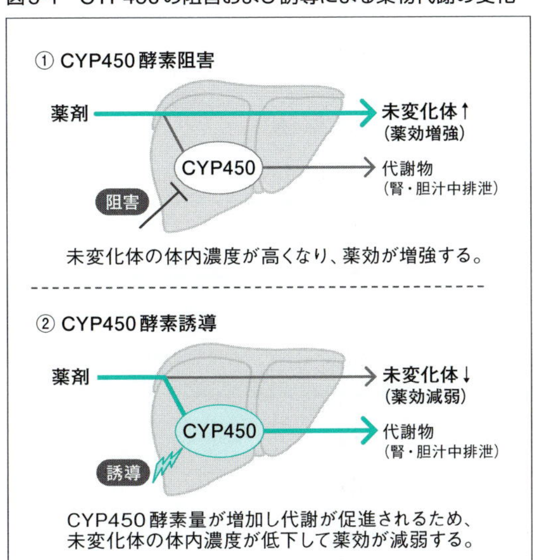

CYP450は現在までに約50種類の分子種が知られているが、実際に薬物代謝に関わっている主な分子種は、CYP1A2、CYP2B6（**コラム34**）、CYP2C8、CYP2C9、CYP2C19、CYP2D6、CYP3A 群である（**表5-1〜5-3**）。現在使用されている医薬品の50％以上はCYP3A 群で代謝され、各分子種の基質特異性は緩いと考えられているが、CYP2C9の基質には血漿タンパク結合置換の相互作用を起こしやすい弱酸性薬剤（ワルファリン、SU 薬、フェニトイン、NSAIDs など）が多く、CYP2D6の基質には弱塩基性薬剤が多いのが特徴である。

CYP450のそれぞれの分子種の活性には個人差があり（遺伝子多型※：polymorphism）、近年、薬効の増減や副作用発現の要因として注目されている（☞本節❹）。例えばヒトではCYP1A2、2C9、2C19、2D6の活性に個人差があるが、中でも2C19は人口の3〜20％、2D6は人口の1〜7％で著しく活性が低下しているといわれている。このような患者では、予測以上に薬効が強く現れるため注意を要する。ただし、臨床では酵素活性を測定するのは困難であることから、特にCYP2C19やCYP2D6で代謝される薬剤の投与量は、低用量から開始した方がよい。

なお、**表5-1**には1種類のCYP450分子で代謝される主な薬剤を示す。**表5-2**は2種類以上のCYP450分子で代謝される主な薬剤であるが、**表**

※ 遺伝子変異のうち、人口の1％以上の頻度で存在しているものを遺伝子多型と呼ぶ。その原因には、DNA 塩基配列の挿入や欠損があるが、1塩基置換であるSNP（一塩基多型）に起因する場合が最も多い。

表5-1　主に1種類のCYP450分子で代謝される薬剤

CYP1A2

- **チザニジン**（テルネリン）
- **メラトニン受容体アゴニスト**：ラメルテオン（ロゼレム）、メラトニン（メラトベル）
- **ロピニロール**（レキップ；非麦角系ドパミン作動薬）
- **ゾルミトリプタン**（ゾーミッグ；5-$HT_{1B/1D}$作動薬；☞ **表5-3**）
- **リルゾール**（リルテック；筋萎縮性側索硬化症治療薬）
- **ロピバカイン**（アナペイン；局所麻酔薬）
- ラサギリン（アジレクト；選択的MAO-B阻害薬）
- 発癌物質：ヘテロサイクリックアミン・アリルアミン（焦げ）、アフラトキシン

CYP2C8

ビタミンA：レチノールパルチミン酸エステル（チョコラAなど）、レチノイン酸、セリバスタチン★（スタチン系）、腎性貧血治療薬（ロキサデュスタット［エベレンゾ］、ダプロデュスタット［ダーブロック］）

CYP2C9（酸性薬剤が多い）

- **S体ワルファリン**（ワーファリン）
- **第1、第3世代SU薬**※1：トルブタミド（ヘキストラスチノン）、グリメピリド（アマリール）
- **NSAIDs**：テノキシカム★、ジクロフェナク（ボルタレン）、イブプロフェン（ブルフェン）、フルルビプロフェン（フロベン）、メフェナム酸（ポンタール）、セレコキシブ（セレコックス）；☞ **表5-3**
- **ベンズブロマロン**（ユリノーム）
- **セラトロダスト**（ブロニカ；TXA_2拮抗薬）
- **ザフィルルカスト**（アコレート；LT拮抗薬；☞ **表5-3**）
- **AT_1拮抗薬**※2

CYP2C19（酸性・塩基性薬剤）

バルビツール酸系薬：プリミドン（プリミドン）、フェノバルビタール（フェノバール）、ヘキソバルビタール★、メフォバルビタール★

CYP2D6（塩基性が多い）

- **二級アミン類三環系抗うつ薬**※3
- **マプロチリン**（ルジオミール；四環系抗うつ薬）
- **SSRI**：フルボキサミン（デプロメール、ルボックス）、パロキセチン（パキシル）；☞ **表5-3**
- **フェノチアジン系薬**：フルフェナジン（フルメジン）、ペルフェナジン（ピーゼットシー）、チオリダジン★など
- **β遮断薬**（ピンドロール［カルビスケン；代謝はわずか］、カルテオロール［ミケラン］、メトプロロール［ロプレソール］、ボピンドロール★；☞ **表5-3**）
- **抗不整脈薬**：アプリンジン（アスペノン）、ピルシカイニド（サンリズム）※4
- **コデイン**（コデインリン酸塩；モルヒネ系薬；代謝されてモルヒネとなる）
- **カプトプリル**（カプトリル；ACE阻害薬）
- **メトキシフェナミン**（メトキシフェナミン；β刺激薬）、メトキシアンフェタミン★（アンフェタミン系［類］）
- **アトモキセチン**（ストラテラ；選択的ノルアドレナリン再取り込み阻害薬）
- **ウメクリジニウム吸入薬**（エンクラッセ、アノーロ；COPD治療薬）

その他のCYP450分子種

CYP1A1　☞ コラム32

ベンゾ［α］ピレン（タバコの発癌成分）

CYP2E1

- **エタノール**
- **ニトロソアミン**（胃癌誘発物質、アミノピリンは胃内でニトロソ化合物となる）
- **クロルゾキサゾン**（クロルゾキサゾン；筋弛緩薬）
- エンフルラン★（吸入麻酔薬）

CYP2J2　☞ コラム35

- **リバーロキサバン**（イグザレルト；活性化第X因子［FXa］阻害薬）
- **アルベンダゾール**（エスカゾール；駆虫薬）
- **ナブメトン**（レリフェン；NSAIDs；☞ **表5-3**）

表5-1（つづき）　主に1種類のCYP450分子で代謝される主な薬剤

CYP3A群（3A3、3A4、3A5があるが、主に3A4）
・**DPP4阻害薬**：**シタグリプチン**※4（ジャヌビア、グラクティブ）、**テネリグリプチン**（テネリア）、**サキサグリプチン**（オングリザ） ・**抗てんかん薬**：カルバマゼピン（テグレトール）、ゾニサミド（エクセグラン、トレリーフ）、ペランパネル（フィコンパ） ・**クエチアピン**（セロクエル；MARTA；☞**表5-3**） ・**抗不整脈薬・局所麻酔薬**：キニジン（硫酸キニジン）、リドカイン（キシロカイン）、アミオダロン（アンカロン）、ジソピラミド（リスモダン）、ベプリジル（ベプリコール）、コカイン（コカイン）、ブピバカイン（マーカイン） ・**ジヒドロピリジン系Ca拮抗薬**：アムロジピン（アムロジン、ノルバスク）など；☞**表5-3** ・**直接的レニン阻害薬**（アリスキレン※4［ラジレス］） ・**BZP系薬**：トリアゾラム（ハルシオン）など；☞**表5-3** ・**モダフィニル**（モディオダール；ナルコプレシー治療薬） ・**ピペリジン系薬**（テルフェナジン★、アステミゾール★、シサプリド★、ロラタジン［クラリチン］、プロピベリン［バップフォー］） ・**ブロムペリドール**（インプロメン；ブチロフェノン系薬；☞**表5-3**）、 ・**ドンペリドン**（ナウゼリン） ・**イミダフェナシン**（ステーブラ；OAB治療薬） ・**セビメリン**（エボザック） ・**マクロライド系薬**：エリスロマイシン（エリスロシン）、タクロリムス（プログラフ；免疫抑制剤）など ・**ステロイド系薬**：副腎皮質ホルモン製剤（コルチゾン系：ヒドロコルチゾン）、ジギタリス製剤、タンパク同化ステロイドホルモン、テストステロン（男性ホルモン）、プロゲステロン（黄体ホルモン）、ジエノゲスト（ディナゲスト；プロゲステロン受容体刺激薬）、ダナゾール（ボンゾール；抗エストロゲン、エチステロン誘導体）、エストロゲン（卵胞ホルモン；エチニルエストラジオール［セキソール］）、フィナステリド（プロペシア；男性型脱毛症用薬、5α-還元酵素Ⅱ阻害薬）、デュタステリド（アボルブ；5α-還元酵素阻害薬） ・**マキサカルシトール**（オキサロール軟膏；活性型ビタミンD_3誘導体） ・**免疫抑制剤**：タクロリムス（プログラフ）、シクロスポリン（サンディミュン、ネオーラル）、エベロリムス（サーティカン） ・**抗癌剤、抗腫瘍薬**：ドセタキセル（タキソテール）、イホスファミド（イホマイド）、トレミフェン（フェアストン）、エトポシド（ベプシド）、イリノテカン（カンプト、トポテシン；一部のみ代謝）、ビンカアルカロイド系薬（ビンクリスチン［オンコビン］、ビノレルビン［ナベルビン］、ビンデシン［フィルデシン］など）、エベロリムス（アフィニトール）、チロシンキナーゼ阻害薬（☞**表5-3**） ・**麦角系薬（エルゴタミン製剤）**：ジヒドロエルゴタミン（ジヒデルゴット）、ブロモクリプチン（パーロデル）、ジヒドロエルゴトキシン（ヒデルギン）、カベルゴリン（カバサール）（☞**表5-3**） ・**クリンダマイシン**（ダラシン；キニジン類似構造） ・**PDE5阻害薬**：☞**表5-3参照** ・**シロドシン**（ユリーフ；α_{1A}遮断） ・**エレトリプタン**（レルパックス；5-$HT_{1B/1D}$作動薬）（☞**表5-3**） ・**モサプリド**（ガスモチン；5-HT_4作動薬）（☞**表5-3**） ・**抗ウイルス薬**：HIVプロテアーゼ阻害薬、ストックリン（抗HIV薬）、抗HCV薬（ダクラタスビル★、シメプレビル★、アスナプレビル★、バニプレビル★、テラプレビル★、パリタプレビル★）、アメナメビル（アメナリーフ；抗ヘルペスウイルス薬） ・**プランルカスト**（オノン；LT拮抗薬）（☞**表5-3**） ・**プラジカンテル**（ビルトリシド；吸虫駆除薬） ・**メフロキン**（メファキン；抗マラリア薬、キニーネ類） ・**アルテメテル・ルメファントリン**（リアメット配合錠；抗マラリア薬） ・**ジアフェニルスルホン**（レクチゾール） ・**フェンタニル**（デュロテップ；μ作動鎮痛薬） ・**ナルフラフィン**（レミッチ；κ作動薬、そう痒症治療薬） ・**コルヒチン**（同名） ・**レフルノミド**（アラバ；DMARD）およびA771726（活性代謝物） ・**ヒドロキシジン**（アタラックス） ・**エプレレノン**（セララ；選択的アルドステロンブロッカー） ・**エサキレノン**（ミネブロ；選択的ミネラルコルチコイドブロッカー；アルドステロン阻害作用） ・**トルバプタン**（サムスカ；V_2-受容体拮抗薬） ・**吸入β_2刺激薬：インダカテロール**（オンブレス；COPD治療薬）、**サルメテロール**（セレベント） ・**ブプレノルフィン**（レペタン；鎮痛薬、モルヒネ類似物） ・**アプレピタント**（イメンド；選択的NK_1持続型制吐薬） ・**ドキサプラム**（ドプラム；呼吸中枢刺激薬） ・**チカグレロル**（ブリリンタ；抗血小板薬） ・**ロミタピド**（ジャクスタピッド；ホモ接合体家族性高コレステロール血症治療薬） ・**イバブラジン**（コララン；HCNチャネル遮断薬）

★　販売中止

※1　第1世代および第3世代のSU薬はCYP2C9で主に代謝されるが、第2世代SU薬であるグリベンクラミドはCYP2C9および3A4で代謝される。また、速効型インスリン分泌促進薬については、ナテグリニドは主にCYP2C9で代謝されるが、ミチグリニド（グルファスト）はCYP2C9では一部代謝されるのみで、主にグルクロン酸抱合化により代謝される。

※2　ロサルタン（ニューロタン）、カンデサルタン（ブロプレス）、バルサルタン（ディオバン；ごく一部がCYP2C9で代謝）、イルベサルタン（アバプロ、イルベタン；グルクロン酸抱合も関与）、アジルサルタン（アジルバ；脱炭酸も関与）は、CYP2C9で代謝されるが、テルミサルタン（ミカルディス；主にグルクロン酸抱合）、オルメサルタン（オルメテック）はCYP450ではほとんど代謝されない。ロサルタンはCYP2C9（またはCYP3A4）で代謝されて活性体になるので注意が必要。

※3　二級アミン類三環系抗うつ薬：デシプラミン、ノルトリプチリン（ノリトレン）
三級アミン類三環系抗うつ薬：イミプラミン（トフラニール）、クロミプラミン（アナフラニール）、アミトリプチリン（トリプタノール）
三級アミン類はCYP1A・2C19・3A4で脱メチルされ二級アミン類となり、CYP2D6で水酸化される。

※4　代謝はわずか。

表5-2　2種類以上のCYP450で代謝される薬剤

薬剤	代謝するCYP450分子種
クマリン系：ワルファリン（ワーファリン）	CYP1A2（R体）・2C9（S体）・3A4（R体）
キサンチン系薬：テオフィリン（テオドール）など	CYP1A2（主）・3A4・2E1
三級アミン類三環系抗うつ薬（☞**表5-3**）：イミプラミン（トフラニール）、クロミプラミン（アナフラニール）、アミトリプチリン（トリプタノール）	CYP1A2・2C19・3A4（脱メチル化）・2D6（脱メチル化後の水酸化）
リドカイン（キシロカイン）	CYP1A2・3A4
ラメルテオン（ロゼレム；メラトニン受容体作動薬；睡眠薬）	CYP1A2・2C9※・2C19※・3A4※
メラトニン（メラトベル；メラトニン受容体作動薬）	CYP1A2・1A1※・1B1※・2C19※
エルトロンボパグ（レボレード；TPO受容体作動薬）	CYP1A2・2C8
アナグレリド（アグリリン；本態性血小板血症治療薬）	CYP1A1・1A2
ピルフェニドン（ピレスパ；抗線維化薬）	CYP1A2（主）・2C9・2C19・2D6・2E1
イストラデフィリン（ノウリアスト；アデノシンA_{2A}受容体拮抗薬）	CYP1A1・3A4・3A5
ロサルタン（ニューロタン）	CYP2C9・3A4※
シポニモド（メーゼント；多発性硬化症治療薬）	CYP2C9・3A4※
ペマフィブラート（パルモディア；フィブラート系薬）	CYP2C8、2C9、3A4
ピオグリタゾン（アクトス）	CYP2C8（主）・1A1・1A2・2C9・2C19・2D6・3A4
ロペラミド（ロペミン）	CYP2C8・3A4
トレプロスチニル（トレプロスト；PGI_2誘導体）	CYP2C8（主）・2C9
セレキシパグ（ウプトラビ;PGI_2誘導体）および活性代謝物（MRE-269）	CYP2C8・3A4
トラニラスト（リザベン）	CYP2C9（主）・1A2・2C8・2C18・2D6・3A4
ドルゾラミド（トルソプト点眼）	CYP2C9・2C19・3A4
ボリコナゾール（ブイフェンド；アゾール系薬）	CYP2C19（主）・2C9・3A4
モザバプタン（フィズリン；V_2-受容体拮抗薬）	CYP2C8・3A4
ホルモテロール（オーキシス：β刺激薬、シムビコート、フルティフォームに含有）	CYP2D6・2C
チオトロピウム（スピリーバ；M_3選択性）	CYP2D6※・3A4※
セレギリン（エフピー；MAO-B阻害薬）	CYP2D6・3A4
ドネペジル（アリセプト）	CYP2D6※・3A4（主）
ガランタミン（レミニール；コリン作動薬）	CYP2D6・3A4
セビメリン（エボザック、サリグレン；口腔乾燥改善薬）	CYP2D6・3A4
ロラタジン（クラリチン；抗アレルギー薬）	CYP2D6・3A4・1A2
デキストロメトルファン（メジコン；モルヒネ系薬）	CYP2D6・3A4
デラビルジン★	CYP2D6・3A4
エリグルスタット（サデルガ；ゴーシェ病治療薬）	CYP2D6（主）・3A4
ベンラファキシン（イフェクサー；SNRI）	CYP2D6（主）・CYP3A4
アプレピタント（イメンド；選択的NK_1受容体拮抗型制吐薬）	CYP3A4（主）・1A2※・2C9※
ボセンタン（トラクリア；非選択的エンドセリン受容体拮抗薬）	CYP3A4・2C9
シブトラミン★（抗肥満薬、SNRI）	CYP3A4（主）・1A2・2C9
ケトライド系：テリスロマイシン★	CYP3A4（主）・1A・2B6・2A6
ネビラピン（ビラミューン；抗HIV薬）	CYP3A4・2B6・2D6
マラビロク（シーエルセントリ；CCR5）	CYP3A4（主）・2C9・2C19・2D6
レフルノミド（アラバ）	CYP3A4（主）・1A2・2C9・2C19・2D6

表5-2（つづき）　2種類以上のCYP450で代謝される薬剤

薬剤	代謝するCYP450分子種
ブレクスピプラゾール（レキサルティ；SDAM）	CYP3A4・2D6
ラフチジン（プロテカジン；H_2拮抗薬）	CYP3A4・2D6※
ミラベグロン（ベタニス；β_3刺激薬、OAB治療薬）	CYP3A4・2D6※
シナカルセト（レグパラ；抗PTH製剤）	CYP3A4（主）・2D6・1A2
アンブリセンタン（ヴォリブリス；選択的ET_A受容体拮抗薬）	CYP3A4（主）・2C19・3A5
薬剤	代謝するCYP450分子種
イトラコナゾール（イトリゾール；アゾール系薬）	CYP3A4（主）・2A6・1A2・2C
エバスチン（エバステル）	CYP3A4・2J2
ダナゾール（ボンゾール）	CYP3A4・2J2
シクロスポリン（サンディミュン、ネオーラル）	CYP3A4・2J2
テルビナフィン（ラミシール；抗真菌薬）	CYP1A2・2C8・2C9・2C19・3A4など少なくとも7種類
フェブキソスタット（フェブリク；XOD阻害薬）	CYP1A1・1A2・1B1・2C8・2C9・3A4・3A5・4A11
リオシグアト（アデムパス；可溶性グアニル酸シクラーゼ［sGC］刺激薬）	CYP1A1（主）、CYP2C8、CYP2J2、CYP3A
マシテンタン（オプスミット；エンドセリン受容体拮抗薬）	CYP3A4（主）・2C19

※ 代謝の一部が関与。　★ 販売中止もしくは国内未発売

5-3に示した薬剤は除いている。**表5-3**は同じ薬効分類の中でCYP450分子種が異なる主な薬剤を示している。

❷ CYP450が関与する相互作用の考え方

薬動態学的相互作用の中で最も頻度が高いのは、代謝過程における相互作用であり、その多くはCYP450の阻害もしくは誘導による酵素活性の変化に起因する（**図5-1**）。つまり、CYP450を阻害する薬剤Aと、そのCYP450の分子種で代謝される薬剤Bを併用した場合、Bの代謝が抑制されて作用（副作用）が増強する（①）。一方、CYP450を誘導する薬剤と併用すると、代謝が促進して薬効が減弱する（②）。

特に、代謝酵素阻害薬と誘導薬を併用した場合は、薬効が変動しやすく注意が必要である。一般に酵素阻害は薬剤とCYP450との直接的な反応によって起こるため、効果発現が早いのに対し、酵素誘導ではDNAからmRNAへの転写が亢進した後に、リボソームにおけるCYP450酵素タンパク質の合成が促進し、酵素量が増えるので、効果発現までに時間を要する。そのため、両者を併用すると、まず阻害効果が発現し、遅れて誘導効果が現れる。また、薬剤によってはCYP450阻害作用と誘導作用を併せ持つものもあり、そのような同一薬剤による阻害・誘導効果を「二相効果」といい、エタノールが代表例である（☞**表5-58**）。この場合も阻害効果に続いて誘導効果が現れる。

主に1種類のCYP450分子で代謝される薬剤もあるが（**表5-1**）、キサンチン系薬、三環系抗うつ薬、プロプラノロール塩酸塩（インデラル）、クマリン系薬、スタチン系薬など、2種類以上のCYP450分子種によって代謝される薬剤はかなり多く注意が必要である（**表5-2、5-3**）。中でも代謝の一部を担うCYP450分子種でも、その分子種を阻害する薬剤を併用した場合には、代謝が抑制されて薬効が増強する恐れがある。例えば、リトナビル（ノービア；HIVプロテアーゼ阻害薬）はCYP3A4阻害作用が強く、CYP3A4で部分的に代謝される薬剤（アンピロキシカム［フルカム］、プロパフェノン塩酸塩［プロノン］、フレカイニド酢酸塩［タンボコール］など）の血中濃度を上昇させ薬効を増強すると考えられる（併用禁忌；☞**表5-30**⑥）。また、イリノテカン塩酸塩水和物（カンプト、トポテシン）は主にカルボキシエステラー

ゼで代謝されてSN-38（活性代謝物）となり、一部がCYP3A4により代謝され無毒化されるが、CYP3A4阻害薬（アゾール系薬、14員環マクロライド系薬、HIVプロテアーゼ阻害薬、ジルチアゼム［ヘルベッサー］、ニフェジピン［アダラート］、モザバプタン［フィズリン；V_2-受容体拮抗薬］、GFJなど）と併用すると、CYP3A4による無毒化の一部が阻害される。それに伴い、SN-38の生成量が増加して全身曝露量が増え、骨髄抑制や下痢といった副作用が増強する可能性が示唆されている（いずれも併用注意）。

さらに、部分的にCYP450分子で代謝される薬剤では、主代謝CYP経路が阻害された場合、部分的に代謝を担っているCYP450への寄与が相対的に高まることにも留意する。例えば、速効型インスリン分泌促進薬のレパグリニド（シュアポスト）は、主としてCYP2C8および一部がCYP3A4で代謝されるため、CYP2C8阻害薬（ゲムフィブロジル［国内未発売］、イソニアジド［イスコチン］、ビタミンA［レチノールパルミチン酸エステル〈チョコラA〉］）を併用するとレパグリニドの血中濃度は上昇する（☞表5-20）。実際、レパグリニドとゲムフィブロジルを併用すると、レパグリニド$AUC_{0-\infty}$は約8倍に増加する。しかし、ゲムフィブロジルに加えてイトラコナゾール（イトリゾール；CYP3A4阻害薬）も併用した場合は、驚くことにAUCは約19倍にも上昇することが知られている。つまり、CYP2C8の阻害によりレパグリニドの代謝酵素が主にCYP3A4となったため、イトラコナゾールの併用で血中濃度が大きく上昇したと考えられる。

一方、複数のCYP450分子種で代謝される薬剤は、CYP450阻害による相互作用を受けにくい。これは、数種類のCYP450が阻害されても、阻害を受けないCYP450の分子種によって薬物代謝が行われるためである。例えば、アリルアミン系抗真菌薬のテルビナフィン塩酸塩（ラミシール）は、少なくとも7種類のCYP450（主にCYP1A2、2C8、2C9、2C19、3A4；☞表5-2）によって、また塩酸セルトラリン（ジェイゾロフト；SSRI）は少なくとも4種類のCYP（CYP2C9、2C19、2B6、3A4；☞表5-3）によって代謝されるため、CYP阻害薬との併用による相互作用は起こりにくい。ただし、ほぼ全てのCYP450分子種を非特異的に阻害するシメチジン（タガメット）と併用した場合は、テルビナフィンのAUCが約30%、セルトラリンのAUCが50%上昇することが報告されている（☞表5-16）。また、主にCYP2C9、2C19、3A4を阻害するフルコナゾール（ジフルカン）は、テルビナフィンのAUCを69%上昇させる（☞表5-18）。

なお阻害薬・誘導薬の強さは、作用を受ける薬剤の血漿AUCおよび経口クリアランスにより、次のように分類することが国際的に推奨されている（☞表5-14、表5-45）。

	程度	作用を受ける薬剤	
		血漿AUC	経口クリアランス
阻害薬	強力	5倍以上上昇	80%以上低下
	中等度	2～5倍上昇	50～80%低下
	軽度	1.25～2倍上昇	50%以下の低下
誘導薬	強力	80%以上低下	—
	中等度	50～80%低下	—
	軽度	50%以下の低下	—

（European Medicines Agency. science medicines health. 2010）

❸相互作用への対処法

CYP450が関わる相互作用を理解する上で重要なのは、相互作用を受ける個々の薬剤を暗記することではなく、阻害や誘導がどのCYP450の分子種に対して起こるかを把握することである。

例えば、14員環マクロライド系抗菌薬は、種々の薬剤の代謝を阻害し作用を増強させるが、その阻害作用はCYP3A4に特異的であることが知られている。すなわち、これまでに報告されていない薬剤であっても、CYP3A4で代謝される薬剤であれば、マクロライド系薬の併用による相互作用に注意しなければならない。**表5-1～5-3**や各薬剤の分子種を暗記しておけば、添付文書に記載のない薬剤との相互作用をも未然に防ぐことができると考えられる。

しかし、全ての薬剤の代謝CYP450分子種を暗記することは困難である。そこで筆者らは、薬歴を記録する際に、**表5-1〜5-3**や各薬剤の添付文書を参照しながらCYP450分子種を書き加えるようにしている。各薬剤の代謝CYP450分子種は今後もさらに明らかになると思われることから、日ごろから情報収集することを心掛けてほしい。

また、肝の代謝抑制による相互作用は、高齢者や肝障害患者で特に起こりやすいため注意が必要である。CYP450に関係する相互作用を回避するためには、**表5-4**に示すようなCYP450酵素で代謝されにくい薬剤を選ぶのも一つの方法である。

表5-3　同一薬効分類の中で代謝CYP450酵素が異なる主な薬剤

薬剤名	代謝するCYP450分子種
NSAIDs	
フェナセチン★（アニリン系薬）	CYP1A2・2D6※1
アセトアミノフェン（カロナール；アニリン系薬）	CYP2E1・3A4・1A2
ナブメトン（レリフェン）	CYP2J2
ナプロキセン（ナイキサン）	CYP2C9※1・1A2※1
オキシカム系：メロキシカム（モービック）、ピロキシカム（バキソ）、アンピロキシカム（フルカム）など	CYP2C9・3A4※1
他のNSAIDs	CYP2C9
スタチン系（HMG-CoA還元酵素阻害薬）※2	
プラバスタチン（メバロチン）	CYP2C9・3A4（代謝はわずか）
ロスバスタチン（クレストール）	CYP2C9・2C19・2D6・3A4の可能性（代謝はわずか）
シンバスタチン（リポバス）	CYP2C9・3A4（主）
アトルバスタチン（リピトール）	CYP3A4
フルバスタチン（ローコール）	CYP2C9・3A4（CYP2C9親和性が強い）
セリバスタチン★	CYP2C8・3A4（CYP3A4の代謝は2C8でも行う）
プロトンポンプ阻害薬（PPI）	
オメプラゾール（オメプラール、オメプラゾン）、エソメプラゾール（ネキシウム）、ランソプラゾール（タケプロン）	CYP2C19・3A4
ラベプラゾール（パリエット）	CYP2C19・3A4（代謝はわずか）
ボノプラザン（タケキャブ）	CYP3A4（主）・2B6※1・2C19※1・2D6※1
抗不整脈薬	
アプリンジン（アスペノン）、ピルシカイニド（サンリズム）	CYP2D6
メキシレチン（メキシチール）	CYP2D6・1A2※1
プロパフェノン（プロノン）	CYP2D6・1A2※1・3A4※1（CYP2D6親和性が強い）
フレカイニド（タンボコール）	CYP2D6・3A4※1
アミオダロン（アンカロン）	CYP3A4・2C8、デスエチル体（代謝物）は3A4・2J2で代謝
キニジン（硫酸キニジン）、ジソピラミド（リスモダン）、ベプリジル（ベプリコール）	CYP3A4
Ca拮抗薬	
アムロジピン（ノルバスク）、アゼルニジピン（カルブロック）など	CYP3A4
シルニジピン（アテレック）	CYP3A4・2C19※1
β遮断薬	
ピンドロール（カルビスケン）、カルテオロール（ミケラン）、メトプロロール（ロプレソール）、ボピンドロール★	CYP2D6（ピンドロールの代謝はわずか）
プロプラノロール（インデラル）	CYP2D6・1A2・2C19
カルベジロール（アーチスト；αβ遮断薬）	CYP2D6（主）・2C9（主）・次いで3A4・1A2・2E1
PDE阻害薬	
非選択的PDE阻害薬：テオフィリン（テオドール）	CYP1A2・3A4※1・2E1
PDE3阻害薬：シロスタゾール（プレタール）	CYP3A4（主）・2D6・2C19
PDE5阻害薬：シルデナフィル（バイアグラ、レバチオ）	CYP3A4（主）・2C9
バルデナフィル（レビトラ）	CYP3A4（主）・3A5・2C8/9・2C19
タダラフィル（シアリス、アドシルカ）	CYP3A4

表5-3（つづき）　同一薬効分類の中で代謝CYP450酵素が異なる主な薬剤

薬剤名	代謝するCYP450分子種
5-HT関連薬剤[※3]	
5-HT・NAd・μオピオイド作動薬：トラマドール[※4]（トラマール）	CYP2D6・3A4
$5\text{-}HT_{1A}$作動薬：タンドスピロン（セディール）	CYP2D6・3A4
5-HT再取り込み阻害薬：トラゾドン（デジレル）	CYP2D6・3A4
$5\text{-}HT_{1B/1D}$作動薬（トリプタン系）：	
ゾルミトリプタン（ゾーミッグ）	CYP1A2
エレトリプタン（レルパックス）	CYP3A4
ナラトリプタン（アマージ）	CYP1A2・2C9・2D6・3A4/5・2E1
$5\text{-}HT_4$作動薬：モサプリド（ガスモチン）	CYP3A4
抗$5\text{-}HT_3$薬：	
オンダンセトロン（ゾフラン）	CYP2D6・3A4・1A2
ラモセトロン（ナゼア、イリボー）	CYP1A1/2・2D6
パロノセトロン（アロキシ）	CYP2D6（主）・3A4・1A2
睡眠薬	
トリアゾラム（ハルシオン；BZP系薬）など	CYP3A4
ゾピクロン（アモバン；シクロピロロン系薬）	CYP3A4・2C8
エスゾピクロン（ルネスタ；S体ゾピクロン；非BZP系）	CYP3A4
エチゾラム（デパス；BZP系薬）	CYP3A4・2C9
ジアゼパム（セルシン；BZP系薬）	CYP3A4・2C19[※1]
ゾルピデム（マイスリー；非BZP系薬）	CYP3A4・2C9[※1]・1A2[※1]
ラメルテオン（ロゼレム；メラトニン受容体アゴニスト）	CYP1A2（わずかに2C群、3A4でも代謝）
メラトニン（メラトベル；メラトニン受容体作動薬）	CYP1A2（わずかに1A1・1B1・2C19でも代謝）
スボレキサント（ベルソムラ；オレキシン受容体拮抗薬）	CYP3A4（わずかに2C19でも代謝）
抗うつ薬	
三級アミン類三環系（☞ **表5-2**）	CYP1A2・2C19・3A4・2D6
二級アミン類三環系（☞ **表5-1**）	CYP2D6
アモキサピン[※5]（アモキサン；二級アミン類三環系）	CYP1A2（主）・2C19（主）・2D6・3A4
四環系：	
ミアンセリン（テトラミド）	CYP2D6（主）・1A2・3A4
マプロチリン（ルジオミール）	CYP2D6
トラゾドン（デジレル）	CYP2D6・3A4
タンドスピロン（セディール）	CYP2D6・3A4
SSRI：	
フルボキサミン（デプロメール、ルボックス）	CYP2D6
パロキセチン（パキシル）	CYP2D6
セルトラリン（ジェイゾロフト）	CYP2C9・2C19・2B6・3A4など少なくとも4種類
エスシタロプラム（レクサプロ）	CYP2C19（主）・2D6・3A4
デュロキセチン（サインバルタ；SNRI）	CYP1A2（主）・2D6[※1]
ベンラファキシン（イフェクサー；SNRI）	CYP2D6（主）・CYP3A4[※1]
ミルタザピン（リフレックス、レメロン；NaSSA）	CYP1A2・2D6・3A4
S-RIM：ボルチオキセチン（トリンテリックス）	CYP2D6・3A4/5・2C19・2C9・2A6・2C8・2B6

表5-3（つづき） 同一薬効分類の中で代謝CYP450酵素が異なる主な薬剤

薬剤名	代謝するCYP450分子種
活性化第X因子（FXa）阻害経口薬	
リバーロキサバン（イグザレルト）	CYP3A4（主）・2J2※1
エドキサバン（リクシアナ）	CYP3A4（投与量の10%未満とわずか）
アピキサバン（エリキュース）	CYP3A4（主）。1A2・2C8・2C9・2C19・2J2の代謝はわずか
チエノピリジン系抗血小板薬	
チクロピジン（パナルジン）	CYP2C19・2B6・1A2・2D6・3A4
クロピドグレル（プラビックス）	CYP2C19・1A2・2B6・3A
2-オキソクロピドグレル（クロピドグレル代謝物）	CYP2C19・2C9・2B6・3A
クロピドグレルアシル-β-グルクロニド（クロピドグレル代謝物）	CYP2C8
プラスグレル（エフィエント）	CYP3A4/5・2B6
チカグレロル（ブリリンタ；シクロペンチルトリアゾロピリミジン系）	CYP3A
経口血糖降下薬	
速効型インスリン分泌促進薬：	
ナテグリニド※6（スターシス、ファスティック）	CYP2C9（主）・2C8・2C19・3A4
レパグリニド（シュアポスト）	CYP2C8（主）・3A4※1
ミチグリニド（グルファスト）	CYP2C9※1（代謝はわずか）
SU薬	
トルブタミド（ヘキストラスチノン；第1世代）、グリメピリド（アマリール；第3世代）など	CYP2C9
グリベンクラミド（オイグルコン；第2世代）	CYP2C9・3A4
SGLT2阻害薬：	
ルセオグリフロジン（ルセフィ）	CYP3A4/5・4A11・4F2・4F3B
トホグリフロジン（デベルザ、アプルウェイ）	CYP2C18・4A11・4F3B（アルコール脱水素酵素でも代謝）
カナグリフロジン（カナグル）	CYP2D6・3A4
過活動膀胱（OAB）治療抗コリン薬	
プロピベリン（バップフォー）	CYP3A4
オキシブチニン（ポラキス、ネオキシ）	CYP3A4/5
トルテロジン（デトルシトール）	CYP2D6・3A4
トルテロジン5-ヒドロキシメチル体（5-HMT;フェソテロジン［トビエース］活性代謝物）	CYP2D6・3A4
ソリフェナシン（ベシケア）	CYP3A4（主）・1A1※1・2C8※1・2C19※1・2D6※1・3A5※1
イミダフェナシン（ステーブラ）	CYP3A4
アゾール系薬	
イトラコナゾール（イトリゾール）	CYP3A4（主）・2A6・1A2・2C
ボリコナゾール（ブイフェンド）	CYP2C19（主）・2C9・3A4
抗てんかん薬	
スチリペントール（ディアコミット）	CYP1A2・2C19・2A4
ヒダントイン系薬：フェニトイン（アレビアチン）	CYP2C9・2C19※1
バルビツール酸系薬：	
フェノバルビタール（フェノバール）	CYP2C9・2C19
プリミドン（プリミドン）	CYP2C19

表5-3（つづき）　同一薬効分類の中で代謝CYP450酵素が異なる主な薬剤

薬剤名	代謝するCYP450分子種
バルプロ酸ナトリウム（デパケン）	CYP2C9・2C19・2A6・2B6（その他、β酸化、グルクロン酸抱合で代謝；CYP代謝産物が肝毒性、催奇形性に寛容）
カルバマゼピン（テグレトール）、ゾニサミド（エクセグラン、トレリーフ）、ペランパネル（フィコンパ）	CYP3A4
BZP系薬抗てんかん薬：	
ミダゾラム（ドルミカム［睡眠鎮静薬］、ミダフレッサ）	CYP3A4
クロナゼパム（ランドセン、リボトリール）	CYP3A4（主；インタビューフォームでは分子種の特定なし）
クロバザム（CLB；マイスタン）	CYP3A4（主；N-脱メチルCLB［NCLB］産生）
クロバザム活性代謝物（NCLB；薬理活性はCLBの1/2～1/15）	CYP2C19（不活化）
エトスクシミド（エピレオプチマル、ザロンチン）	CYP3A4（主）・2E1
トピラマート（トピナ）	CYP3A4（主）・1A1・2C8・2C9・2C19
オピオイド系薬	
コデイン（代謝されてモルヒネとなる）	CYP2D6
トラマドール（トラマール、トラムセット配合錠）	CYP2D6・2B6で活性体（M1）産生、3A4で不活化
オキシコドン（オキシコンチン）	CYP3A4（主）・2D6（一部が代謝）
フェンタニル（アブストラル、イーフェン、デュロテップ、ワンデュロ、フェントス）、ブプレノルフィン（レペタン、ノルスパン）、ナルフラフィン（レミッチ；κ作動薬；そう痒症治療薬）	CYP3A4
メサドン（メサペイン）	CYP3A4・2B6（一部2C8・2C9・2C19・2D6で代謝）
抗ドパミン作用薬	
ブチロフェノン系薬：	
ハロペリドール（セレネース）など	CYP2D6・3A4
ピモジド（オーラップ）	CYP3A4（主）・2D6・1A2
ブロムペリドール（インプロメン）	CYP3A4
非定型抗精神病薬：	
オランザピン（ジプレキサ；MARTA）	CYP2D6・1A2
クエチアピン（セロクエル；MARTA）	CYP3A4
リスペリドン（リスパダール；SDA）	CYP2D6・3A4※1
パリペリドン（インヴェガ；SDA）	CYP2D6・3A4（代謝はわずか）
ブレクスピプラゾール（レキサルティ；SDAM）	CYP3A4・2D6
ペロスピロン（ルーラン；SDA）	CYP3A4（主）・1A1・2C8・2D6
アリピプラゾール（エビリファイ；DSS）	CYP2D6・3A4
ブロナンセリン（ロナセン；DSA）	CYP3A4
クロザピン（クロザリル；治療抵抗性統合失調症治療薬）	CYP3A4・1A2
ルラシドン（ラツーダ；DSA；抗精神病薬/双極性障害のうつ症状治療薬）	CYP3A4
非律動性不随意運動治療薬：	
テトラベナジン（コレアジン）	CYP1A2（ただしカルボニル還元酵素により活性代謝物に変換）
α-HTBZ（テトラベナジン活性代謝物）	CYP1A2・2D6・3A4※1
β-HTBZ（テトラベナジン活性代謝物）	CYP2D6・3A4※1

表5-3（つづき） 同一薬効分類の中で代謝CYP450酵素が異なる主な薬剤

薬剤名	代謝するCYP450分子種
D_2アゴニスト[※5]（D_2受容体刺激薬）	
ペルゴリド（ペルマックス；麦角系）	CYP2D6
ブロモクリプチン（パーロデル；麦角系）	CYP3A4
カベルゴリン（カバサール；麦角系）	CYP3A4（主）・2C18・2D6
ロピニロール（レキップ；非麦角系）	CYP1A2・3A4[※1]
ロチゴチン（ニュープロパッチ；非麦角系）	CYP1A2・2C19など複数のCYP分子種
MAO-B阻害薬	
セレギリン（エフピー）	CYP2D6・3A4
ラサギリン（アジレクト）	CYP1A2
サフィナミド（エクフィナ）	CYP3A4
LT拮抗薬	
ザフィルルカスト（アコレート）	CYP2C9
モンテルカスト（シングレア、キプレス）	CYP2C8（主）・3A4・2C9
プランルカスト（オノン）	CYP3A4（主）・2C8
抗癌剤	
タモキシフェン（ノルバデックス；抗エストロゲン薬）	CYP3A4（主）・2D6（主）・2C9[※1]・2B6・2J2
レトロゾール（フェマーラ；アロマターゼ阻害薬）	CYP3A4・2A6
シクロホスファミド（エンドキサン）	CYP3A4[※1]・2C8・2C9・2A6・2B6（主）
エンザルタミド（イクスタンジ；ARシグナル伝達阻害薬）	CYP2C8・3A4/5[※1]
ダロルタミド（ニュベクオ；AR阻害薬）	CYP3A4
アビラテロン（ザイティガ；CYP17阻害薬）	CYP3A4
タキソイド系薬[※7]（タキサン系）：	
パクリタキセル（タキソール）	CYP2C8（主と考えられる）・3A4
ドセタキセル（タキソテール）	CYP3A4
カバジタキセル（ジェブタナ点滴静注）	CYP3A4（主）・2C8[※1]
分子標的治療薬	
ダブラフェニブ（タフィンラー）	CYP2C8、3A4
アレクチニブ（アレセンサ）	CYP3A4（主）・CYP1A1[※1]・2A6[※1]・2B6[※1]・2C8[※1]・2C9[※1]・2C19[※1]・2D6[※1]・3A5[※1]・4A11[※1]
パゾパニブ（ヴォトリエント）	CYP3A4（主）・1A2[※1]・2C8[※1]
アキシチニブ（インライタ）	CYP3A4/5（主）・1A2[※1]・2C19[※1]
エルロチニブ（タルセバ）	CYP3A4（主）・1A2
クリゾチニブ（ザーコリ）	CYP3A4/3A5（主）・2C8[※1]・2C19[※1]・2D6[※1]
ラパチニブ（タイケルブ）	CYP3A4/3A5（主）・2C8[※1]・2C19[※1]
ニロチニブ（タシグナ）	CYP3A4（主）・2C8[※1]
イマチニブ（グリベック）	CYP3A4（主）・2C9・2D6
ルキソリチニブ（ジャカビ）	CYP3A4（主）・2C9
ボルテゾミブ（ベルケイド注射用）	CYP3A4（主）・2C19・1A2
パノビノスタット（ファリーダック）	CYP3A4（主）・2D6[※1]・2C19[※1]
ゲフィチニブ（イレッサ）	CYP3A4・2D6
レゴラフェニブ（スチバーガ）	CYP3A4（主）・2J2[※1]

薬剤名	代謝するCYP450分子種
アファチニブ（ジオトリフ）	CYP3A4[※1]
ダコミチニブ（ビジンプロ）	CYP2D6
ベキサロテン（タルグレチン）	CYP2C8
ソラフェニブ（ネクサバール）、スニチニブ（スーテント）、ダサチニブ（スプリセル）、ボスチニブ（ボシュリフ）、ベムラフェニブ（ゼルボラフ）、エベロリムス（アフィニトール）、テムシロリムス（トーリセル点滴静注液）、シロリムス（ラパリムス）、レンバチニブ（レンビマ）、バンデタニブ（カプレルサ）、ブレンツキシマブ（アドセトリス点滴静注用：抗CD30モノクローナル抗体）、ポラツズマブ（ポライビー点滴静注用；抗CD79bモノクローナル抗体）、オシメルチニブ（タグリッソ）、ポナチニブ（アイクルシグ）、ギルテリチニブ（ゾスパタ）、キザルチニブ（ヴァンフリタ）、エヌトレクチニブ（ロズリートレク）、イブルチニブ（イムブルビカ）、チラブルチニブ（ベレキシブル）、カプマチニブ（タブレクタ）、ベネトクラクス（ベネクレクスタ）、パルボシクリブ（イブランス）、アベマシクリブ（ベージニオ）、オラパリブ（リムパーザ）、ロミデプシン（イストダックス）、カボザンチニブ（カボメティクス）、セリチニブ（ジカディア）、ロルラチニブ（ローブレナ）、ブリグチニブ（アルンブリグ）、アカラブルチニブ（カルケンス）、ペミガチニブ（ペマジール）、ラロトレクチニブ（ヴァイトラックビ）	CYP3A4

※1　代謝の一部が関与。

※2　プラバスタチン（メバロチン）、ピタバスタチン（リバロ）、ロスバスタチン（クレストール；主に未変化体で排泄）は、CYP450でほとんど代謝されない。アトルバスタチン（リピトール）はCYP3A4で主に代謝される（☞ **コラム42**）。

※3　5-HTについては**付A**参照。

※4　CYP2D6によりO-脱メチル体（活性体）、CYP3A4によりN-脱メチル体が生成する。

※5　アモキサピンのどの代謝経路に、どのCYP450分子が関与するかは不明。

※6　SU薬と作用点が同じなのでここに加えた。

※7　パクリタキセルとドセタキセルの代謝経路は全く異なる。

★ 販売中止

表5-4 CYP450の代謝を受けにくい薬剤

- **β遮断薬**：アテノロール（テノーミン）、ピンドロール（カルビスケン）、ナドロール（ナディック）
- **BZP系薬**：ロラゼパム（ワイパックス）、ロルメタゼパム（エバミール）、フルタゾラム（コレミナール）
- **トリプタン系薬**：スマトリプタン（イミグラン）、リザトリプタン（マクサルト）
- **スタチン系薬**：プラバスタチン（メバロチン）、ピタバスタチン（リバロ）、ロスバスタチン（クレストール）
- **AT_1拮抗薬**：テルミサルタン（ミカルディス）、オルメサルタン（オルメテック）、バルサルタン（ディオバン、ごく一部が2C9で代謝）
- **D_2アゴニスト**：タリペキソール（ドミン）、プラミペキソール（ビ・シフロール、ミラペックス）
- **抗アレルギー薬**：ベポタスチン（タリオン）、フェキソフェナジン（アレグラ）、セチリジン（ジルテック）
- **アジスロマイシン**（ジスロマック；15員環マクロライド系）
- **ラベプラゾール**（パリエット；PPI）
- **パリペリドン**（インヴェガ；CYP3A4、2D6でわずかに代謝）
- **ミルナシプラン**（トレドミン；SNRI）
- **抗てんかん薬**：ガバペンチン（ガバペン；代謝されない）、ラモトリギン（ラミクタール；UGT1A4代謝）、ルフィナミド（イノベロン；CES1代謝）、レベチラセタム（イーケプラ；酵素的加水分解［おそらくCES1と思われる］）
- **抗不整脈薬**：ピルシカイニド（サンリズム；Ⅰc群）
- **糖尿病用薬**：シタグリプチン（ジャヌビア、グラクティブ）、ミチグリニド（グルファスト）
- **リバスチグミン**（イクセロンパッチ；アルツハイマー型認知症治療薬［経皮吸収製剤］）
- **直接的レニン阻害薬**：アリスキレン（ラジレス）

参考

CYP450の反応機構

チトクローム P450（CYP450）は、細胞のミクロソーム画分（主に小胞体膜）に存在するヘム（鉄 - ポルフィリン）タンパク質であり、一酸化炭素と結合して450nm の光を吸収することから名付けられた（P：pigment、色素）。

脂溶性物質（RH）は、分子状酸素（O_2）と NAD（P）H_2の存在下で、CYP450により水酸化されてより極性の高い ROH となる（第1相反応）。次いでグルクロン酸抱合、硫酸抱合、グルタチオン抱合、アミノ酸抱合、アセチル抱合などの代謝を受け（第2相反応）、さらに極性の高い代謝産物へと変換されて、尿中や胆汁中に排泄されている。すなわち、CYP450は解毒に深く関わっているといえる。

水酸化により、1原子の酸素（O）が添加されることから、CYP450はモノオキシゲナーゼ（monooxygenase）とも呼ばれ、酸素の授受にはヘム鉄が関与する（CYP450による水酸化と、それに続く脱アルキル化反応が確認されているが、酸素添加機構および脱アルキル化機構は明確でない）。

$$RH + NAD(P)H_2 + O_2 \rightarrow ROH + NAD(P) + H_2O$$

CYP450は、肝細胞以外に小腸粘膜上皮細胞などにも存在する。また、細胞内では小胞体膜のほかにミトコンドリア膜や核膜にも存在している。薬物の水酸化だけでなく、コレステロールの水酸化も担っており、胆汁酸やステロイドホルモンの合成、ビタミンD（**図5-18**）、ビタミンA（**図5-19**）などの代謝に不可欠である。例えば、副腎皮質ホルモン合成阻害薬のミトタン（オペプリム；副腎癌化学療法剤）は、副腎のミトコンドリアCYP450によるコレステロール側鎖切断、3位の脱水素、11位の水酸化、18位の水酸化の各段階を阻害することで薬効を発揮する。なお、ミトタンとスピロノラクトン（アルダクトンA）との併用は作用が拮抗するため禁忌である。またミトタンは強力な CYP3A4 誘導薬である（☞**表5-53**）。

❹CYP450の遺伝子多型と薬効

肝・消化管に存在するCYP450の活性には、個人差があることが知られている。この個人差は、主に遺伝子多型に起因すると考えられている（**表5-6**）。

一般に、ある集団に1％以上の頻度で認められる遺伝子変異のことを遺伝子多型（polymorphism）と呼ぶ。その多くは、1つの塩基の違いによる一塩基多型（SNP、スニップ）または2～4塩基からなる配列の反復回数の違いによるマイクロサテライト多型（STRP）である。遺伝子多型の変異遺伝子（変異型アレル）は、遺伝子名に*（アスタリスク）と数字を付けて表記する。*1は野生型アレルを示す。

CYP450は酵素活性（代謝能）の高い順にultra-rapid metabolizer（UM）、extensive metabolizer（EM、通常の代謝能に相当）、intermediate metabolizer（IM）、活性が著しく低下しているか欠損しているpoor metabolizer（PM）に分類される。ここでは、特に留意すべきCYP2C9、2C19、2D6の遺伝子多型を中心に解説する。

ⓐ CYP2C9の遺伝子多型

CYP2C9遺伝子多型のうち、2C9*3による代謝阻害は日本人の約2～4％に認められるとされる（日薬理誌 2009;134:212-5.）。この多型を持つ患者では、フェニトイン（アレビアチン、ヒダントール他）、非ステロイド性抗炎症薬（NSAIDs）などの血中濃度の上昇に注意する。一方、代謝阻害により活性体の産生が低下するロサルタンカリウム（ニューロタン）などは、薬効が減弱する。

CYP2C9の代表的な基質であるワルファリンカリウム（ワーファリン）の維持量は、2C9*1/*1患者に比べて、*1/*3患者で約50％、*3/*3患者で約13％に低下することが報告されている。

フェニトインはCYP2C19でも一部代謝されるため、2C9*3/*3と2C19*2を併せ持つ患者では、フェニトイン中毒を発症する可能性が高くなる。

ⓑ CYP2C19の遺伝子多型

CYP2C19の遺伝子多型の表現型はRM、IM、PMに分類でき、日本ではそれぞれ35％、49％、16％を占めると報告されている（Furuta T, et al. Clin Pharmacol Ther.2007;81:521-8.）。そのため、主にCYP2C19で代謝される薬剤の効果は、患者によって大きく異なることがある。

CYP2C19遺伝子多型の影響を受ける代表的な薬剤には、プロトンポンプ阻害薬（PPI）、クロピドグレル（プラビックス）、エスシタロプラム（レクサプロ;SSRI）、ボリコナゾール（ブイフェンド;アゾール系薬）などがある。

PPIの場合、PMでは十分な効果が得られるため問題ないが、RMでは代謝が促進して効果が減弱する（Shimatani T, et al. Clin Pharmacol Ther. 2006；79：144-52.）。薬剤別には、オメプラゾール（OPZ；オメプラール、オメプラゾン；主にCYP2C19［一部3A4］で代謝）、ランソプラゾール（LPZ；タケプロン；2C19と3A4）、ラベプラゾール（RPZ；パリエット；一部2C19と3A4［主として非酵素的代謝］）の順にCYP2C19遺伝子多型の影響を受けやすいとされている。OPZの単一光学異性体（S体）であるエソメプラゾール（ネキシウム）も主にCYP2C19（一部3A4）で代謝されるが、OPZに比べてCYP2C19による代謝の影響が少ないとされている。

また、ピロリ除菌の成功率は、PMではほぼ100％であるのに対し、その他の遺伝子型を持つ患者では75～88％にとどまることが示されている。また、*1/*2の患者ではオメプラゾールを単独投与しても胃内のpHが上昇せず（効果不良）、*2/*2の患者では上昇する（効果良好）という報告もある。つまり、ピロリ菌の1次除菌に失敗するケースでは、CYP2C19遺伝子多型による代謝促進が関与している可能性がある。PPIの特性と遺伝子多型を考慮し、必要に応じて、PPIや抗菌薬の増量を処方医に提案する。

一方、クロピドグレルは、CYP2C19、1A2、

2C9、2B6、3A4によって活性代謝物（H4）となり効果を発揮するが（☞図5-12）、その効果は主にCYP2C19遺伝子多型の影響を受けると考えられる。表現型では、UM、EM、IM、PMの順に効果が増強しやすく、さらにPMとIMはEMに比べて心血管系イベントの発症率が高いことも示されている。海外の検討結果ではあるが、日本人においてもPMが約2割を占めることから注意が必要である。また、クロピドグレルと同じチエノピリジン系抗血小板薬のプラスグレル（エフィエント）は、小腸のカルボキシエステラーゼ（CES2；☞**第6章［第10節］**）で加水分解を受けた後、主にCYP3A4/5、2B6で代謝されて活性代謝物となるため、CYP2C19阻害や遺伝子多型の有無にかかわらず同等な効果を発揮することが示されている。

エスシタロプラム（レクサプロ：SSRI）はCYP2C19代謝によって不活性化されるため、PM患者で副作用が増強する恐れが指摘されている。臨床薬理試験では、PM群でのエスシタロプラムの$AUC_{0\text{-}\infty}$がEMに比べて約2倍に上昇することが報告されており、QT延長誘発などの副作用発現の危険性が高くなる。そのため、PM患者では投与量の上限を通常量の2分の1（10mg/日）にすることが望ましいとされている。

また、表には示していないが、ボリコナゾール（ブイフェンド：CYP2C9、2C19、3A4で代謝）に関しては、EMでアタザナビル（レイアタッツ）、リトナビル（ノービア）とボリコナゾールの3剤を併用した場合、リトナビルのCYP2C19誘導によりボリコナゾールの血中濃度が減少する可能性がある一方、PMではアタザナビルとリトナビルのCYP3A4阻害によりボリコナゾールの血中濃度が上昇し、作用が増強する恐れが示されている。

なお、PMの原因は、CYP2C19遺伝子のDNA（*1；野生型アレル）の塩基配列のうち、681番目あるいは636番目のG（グアニン）がA（アデニン）に置換しているという1塩基置換のSNPにある。それぞれの変異DNA（変異アレル）を*2あるいは*3とすると、考えられるCYP2C19の遺伝子アレルの組み合わせとして、*1/*1、*1/*2*、*1/*3、*2/*2、*2/*3、*3/*3の6種類が存在することになる。このうち、*1/*1がRM、*1/*2と*1/*3がIMの患者であり、双方のアレルに変異が存在する*2/*2、*2/*3、*3/*3の遺伝子型を持つ人がPM患者である。

C CYP2D6の遺伝子多型

CYP2D6の遺伝子多型のうち、特に重要なのは、酵素活性が完全欠損する2D6*5、活性が低下する2D6*10である。*10/*10または*5/*10を持つ患者は、PM（*5/*5）とEMの中間であるIMを示す。頻度は、IMは約20%、PMは1%以下と考えられている。

CYP2D6の遺伝子多型の影響を受ける主な薬剤には、神経系作用薬、β遮断薬、抗不整脈薬などがある。これらは代謝能の低下により重篤な副作用を引き起こす恐れがあることから、低用量から投与を開始し、数週間～数カ月かけて徐々に増量した方がよい。

コデインリン酸塩水和物（コデインリン酸塩）は、CYP2D6によって一部が活性代謝物のモルヒネに変換されるため、UMの授乳婦がコデイン製剤を服用すると、過剰なモルヒネが母乳を介して乳児に移行する恐れがある。日本ではUMの頻度は1%程度とされるが、その判別は容易でないため、授乳婦への投与は禁忌となっている（☞**コラム31**）。

トラマドール塩酸塩（トラマール、トラムセット配合錠）もコデインと同様、CYP2D6によって活性体に変換される。UMでは活性体の血中濃度が上昇し鎮痛効果は増強するが、吐き気や呼吸抑制などの副作用の頻度も高くなる。

ノルアドレナリン作動性・特異的セロトニン作動性抗うつ薬（NaSSA）のミルタザピン（リフレックス、レメロン）は、CYP2D6によりS体（活性体）が代謝される。そのため、UMにおいて十分な効果を得るためには、高用量投与が望ましいと考えられる。ただしこの場合、代謝を受けないR体が増えることによる、心拍数および血圧上昇などの副作用の発現には注意を要する。

その他、β遮断薬のメトプロロール酒石酸塩水和物（セロケン）は、PM ではUMに比べてCmaxが5.3倍、AUCが13倍に上昇し、副作用の頻度も高まることが報告されている。代替薬としては、CYP2D6で代謝されないビソプロロールフマル酸塩（メインテート）やアテノロール（テノーミン）が考えられる。

また、タモキシフェンクエン酸塩（ノルバデックス）は、主にCYP3A4によって脱メチル化された後、主にCYP2D6によって活性代謝物（エンドキシフェン）に変換される。PM ではEM に比べて、無病生存期間および無再発生存期間が有意に短くなるとの報告もある。

セロトニン再取り込み阻害・セロトニン受容体調節薬のボルチオキセチン（トリンテリックス）はPM ではEM に比べ、血中濃度が2倍に上昇する恐れがあるため、10mg を上限とすることが望ましいとされている。

その他、遺伝子多型が起因する相互作用にゴーシェ病治療薬のエリグルスタット（サデルガ）がある。エリグルスタットは主としてCYP2D6、部分的にCYP3A4で代謝されるため、CYP2D6やCYP3A4の阻害薬との併用により血中濃度が上昇する相互作用が問題となるが、加えてCYP2D6の代謝活性（遺伝子多型）と肝機能障害の有無によっても影響を受ける。つまり、**表5-5**に示すようにCYP2D6遺伝子多型や軽度肝機能障害のある患者が、CYP2D6やCYP3A4阻害剤を服用している場合にはエリグルスタットの血中濃度が大幅に上昇する恐れがあるため、エリグルスタット投与が禁忌となるケースがあり要注意である。

d その他の遺伝子多型と相互作用

その他、CYP1A2、2A6、2B6、2C8、1A1（☞**コラム32**）などの遺伝子多型にも注意が必要である。CYP2A6では、日本人の4%はCYP2A6活性が欠損または著しく低下する2A6*4アレルを持つことが示されている（☞**コラム33**）。喫煙により吸収されるニコチンの大部分はCYP2A6で代謝されるため、CYP2A6*4を有する喫煙患者は無意識のうちにニコチン摂取量を抑えるとされる。一方、このような患者が禁煙補助薬のニコチン製剤を使用すると、ニコチン過剰による副作用が増強する可能性がある。また、50種類以上あるCYP2B6の遺伝子多型のうち、2B6*6は日本人の16.4%にも存在することが示されている（☞**コラム34**）。

なお、遺伝子多型は薬物相互作用の発現にも関わる。例えば、CYP2D6の遺伝子多型によって代謝阻害を受けやすい薬剤と、CYP2D6阻害薬を併用した場合、2D6の酵素活性が低下する変異型アレルを持つ患者では、血中濃度が上昇し、相互作用が発現する可能性が極めて高くなる。このように、相互作用のしくみの背景には、遺伝子多型の存在もあることを考慮しておくことが重要である。

表5-5　CYP2D6遺伝子多型、肝障害とエリグルスタット投与禁忌

CYP2D6の活性と肝障害の有無	エリグルスタット投与禁忌の患者
CYP2D6の活性が通常の患者（EM）で軽度肝機能障害（Child-pugh分類A）がある患者	中程度以上のCYP2D6阻害作用を有する薬剤を使用中の患者
	弱いCYP2D6阻害作用を有する薬剤と中程度以上のCYP3A阻害作用を有する薬剤の両方を使用中の患者
CYP2D6の活性が通常の患者（EM）で肝機能が正常な患者	中程度以上のCYP2D6阻害作用を有する薬剤と中程度以上のCYP3A阻害作用を有する薬剤の両方を使用中の患者
CYP2D6の活性が低い患者（IM）で肝機能が正常な患者	中程度以上のCYP3A阻害作用を有する薬剤を使用中の患者
CYP2D6の活性が欠損している患者（PM）で肝機能が正常な患者	中程度以上のCYP3A阻害作用を有する薬剤を使用中の患者

表5-6　CYPの遺伝子多型が問題となる主な薬剤（★代謝により活性型となる薬剤）

分子種	基質	報告されている事項、臨床上の問題点など
CYP2C9	ワルファリン（ワーファリン）	S体ワルファリンの代謝抑制[1]、出血リスク増大、投与量減量。CYP2C9*3アレル関与。
	フェニトイン（アレビアチン、ヒダントール）	フェニトイン半減期5～14倍延長[2]、フェニトイン中毒（神経症状、不明瞭言語、記憶喪失、起立不能）。CYP2C9*3、*6アレル関与。
	NSAIDs（インドメタシン、フルルビプロフェン、イブプロフェンなど）	胃腸障害リスク上昇[2][3]。CYP2C9*3アレル関与。
	セレコキシブ（セレコックス）	副作用発現リスク上昇[1]。CYP2C9*3/*3の患者では投与量減量。
	ロサルタン★（ニューロタン）	ロサルタン半減期延長[4]。CYP2C9*3アレル関与。
	シポニモド（メーゼント；多発性硬化症治療薬）	副作用発現リスク上昇。CYP2C9*3/*3を保有している患者には投与禁忌。CYP2C9*1/*3またはCYP2C9*2/*3を保有する患者については維持用量を1日1回1mgとすることが望ましい。
CYP2C19	プロトンポンプ阻害薬（PPI）	ヘリコバクター・ピロリの除菌成功率（オメプラゾールあるいはランソプラゾールを用いた3剤併用）：PM98～100%、EM73～86%[1]。CYP2C19*2、*3アレル関与。
		胃食道逆流症におけるランソプラゾールの粘膜障害治癒率：PM85%、IM60%、EM46%[1]。CYP2C19*2、*3アレル関与。
	クロピドグレル★（プラビックス）	IMとPMではEMに比べ活性代謝物が30～50%減[1]、心疾患イベント・ステント血栓のリスク上昇の恐れ。CYP2C19*2、*3アレル関与。代謝促進にはCYP2C19*17アレルが関与。
		UMでは出血のリスクが3.3倍に上昇[1]、CYP2C19*17アレル関与。
	エスシタロプラム（レクサプロ）	PMではエスシタロプラムの血中濃度上昇、QT延長（臨床上許容範囲）[5]、10mg/日を投与量の上限とすることが望ましい。CYP2C19*2、*3アレル関与。
	三環系抗うつ薬	UMでは代謝促進（2C19で代謝されない薬に変更）、PMでは代謝抑制（投与量を半減）。CYP2C19*2、*3、*17アレル関与、CYP2D6も関与[6]。
	ジアゼパム（セルシン）	代謝抑制により作用増強（過度の鎮静の可能性）[1]。
	ネルフィナビル★	血中HIV RNA＜400copies/mL達成率：EM46%、IM69%、PM63%[1]。CYP2C19*2アレル関与。
CYP2D6（神経系に作用する薬剤）	コデイン★（コデインリン酸塩）	PMではモルヒネへの変換阻害により鎮痛効果減弱[1]、UMではEMよりモルヒネ血中濃度50%上昇[2]、乳汁を介して乳児モルヒネ中毒死例。CYP2D6*2、*4、*5、*10アレル関与。
	トラマドール★（トラマール、トラムセット配合錠）	PMでは活性体（O-desmethyltramadol）への変換阻害による鎮痛効果減弱[1]、UMでは呼吸抑制[2]の可能性。CYP2D6*2、*4、*5、*10アレル関与。
	ミルタザピン（リフレックス、レメロン）	S体ミルタザピンの総クリアランスがPMはEMの57%[7]。
	三環系抗うつ薬	UMでは代謝促進（2D6で代謝されない薬に変更）、EMは正常代謝、IMでは25%減量を考慮[6]。CYP2D6*2～*6、*10、*41アレル関与。
		PMでは2D6で代謝されない薬に変更または投与量半減[6]。CYP2D6*2アレル関与、CYP2C19も関与。
	ボルチオキセチン（トリンテリックス；S-RIM）	PMではEMに比べ、血中濃度が2倍に上昇する恐れがあるため、10mgを上限とすることが望ましいとされている。
	リスペリドン（リスパダール）	CYP2D6*10アレルの健常者でリスペリドンCmaxとAUCが有意に上昇[8]、CYP2D6*10アレルとCYP3A5*3アレルを両方持つ健常者でEMに比べAUCおよびCmaxがそれぞれ98%、59%上昇。
	クロザピン（クロザリル）	PMではクロザピン血中濃度上昇の可能性[1]。CYP2D6*5、*10アレル関与（CYP1A2も関与）。
	アリピプラゾール（エビリファイ）	PMではアリピプラゾール代謝抑制により副作用発現の恐れ[1]、投与量減量。CYP2D6*5、*10アレル関与。

分子種		基質	報告されている事項、臨床上の問題点など
CYP2D6	神経系に作用する薬剤	ハロペリドール（セレネース）	CYP2D6*5の患者では未変化体と還元型ハロペリドールの血中濃度が極度上昇[9]、CYP2D6*10の患者では還元型の血中濃度上昇。
		テトラベナジン★（コレアジン）	IM、PMではテトラベナジンの活性代謝物濃度が高まり副作用リスク上昇、投与量調節[1]。
CYP2D6	神経系に作用する薬剤	アトモキセチン（ストラテラ）	PMではアトモキセチン血中濃度上昇に伴う副作用発現リスク上昇の可能性[1]、投与量調節。CYP2D6*5、*10アレル関与。
		トロピセトロン★	PMではトロピセトロンAUCが6.8倍[10]。CYP2D6*10/*10、*5/*10アレル関与。
		セビメリン（エボザック、サリグレン）	PMではセビメリン血中濃度上昇により副作用リスクも上昇[1]。CYP2D6*5、*10アレル関与。
	β遮断薬	メトプロロール（セロケン、ロプレソール）	PMとEMの間でメトプロロールCmax、AUC、$t_{1/2}$、CLに関してそれぞれ2.3、4.9、2.3、5.9倍の差[11]。
		プロプラノロール（インデラル）	PMではプロプラノロール血中濃度上昇[1]。CYP2D6*5、*10アレル関与。
		カルベジロール（アーチスト）	カルベジロールクリアランスの低下[12]。CYP2D6*5、*10アレル関与。
		チモロール（チモプトール）	チモロール点眼薬による徐脈の発現リスクに有意な差[13]、遺伝子変異（2850番目のシトシンがチミンに置換）によるCYP2D6の活性低下に起因。
	抗不整脈薬	メキシレチン（メキシチール）	CYP2D6*10/*5の患者ではメキシレチンAUCの上昇と$t_{1/2}$の延長[14]。
		プロパフェノン（プロノン）	CYP2D6*10/*10の患者は、*1/*10および*1/*1の患者に比べプロパフェノンAUCが1.5～2倍、クリアランスが半減[15]。
		フレカイニド（タンボコール）	IMではフレカイニドクリアランスがEMよりも有意に低下[16]。
	その他	タモキシフェン★（ノルバデックス）	タモキシフェン代謝阻害により抗癌作用減弱[17]。
		デキストロメトルファン（メジコン）	副作用発現例（ミオクローヌス、震え、興奮、不明瞭言語、発汗）[18]。CYP2D6*1/*10アレル関与。
		トルテロジン（デトルシトール）	PMではトルテロジン血中濃度上昇[1]。CYP2D6*5、*10アレル関与。
		エリグルスタット（サデルガ；ゴーシェ治療薬）	**表5-5**参照
CYP1A2		テオフィリン（テオドール）	テオフィリン血中濃度高値[19]。CYP1A2の遺伝子変異（2964番目のグアニンがアデニンに置換）関与。
		クロザピン（クロザリル）	クロザピン効果減弱[20][21]。CYP1A2*Fアレル（遺伝子変異;-164C>A）関与。
			クロザピン血中濃度高値[22]。CYP1A2*1C、*1Dアレル関与。
		レフルノミド★（アラバ;免疫抑制薬）	レフルノミド活性化促進し有害作用のリスクが9.7倍上昇[23]。CYP1A2*1Fアレル関与。
CYP2A6		テガフール★（ユーエフティ、ティーエスワンなどに含有）	テガフール（FT）からFUへの変換阻害により抗癌作用減弱、FT濃度4倍例[24]。CYP2A6*4C、2A6*11アレル関与。
		ピロカルピン（サラジェン；口腔乾燥症状改善薬）	PMで3αヒドロキシピロカルピン体の血中濃度、尿中回収率が有意に低下[25]。CYP2A6*4A、*7、*9、*10アレル関与。
		レトロゾール（フェマーラ；アロマターゼ阻害薬）	レトロゾールの全身クリアランスの低下[26]、有効血中濃度域が広いため投与量の調節は不要。
		ニコチン（ニコチンガム、ニコチンパッチなど）	ニコチン血中濃度高値[2]。CYP2A6*4アレル関与。
CYP2B6		エファビレンツ（ストックリン）	エファビレンツ血中濃度上昇、中枢性副作用（頭痛、めまい、不眠、疲労）[2][27]。CYP2B6*6アレル関与。
		シクロホスファミド★（エンドキサン）	CYP2B6*6では、シクロホスファミドの代謝（4-OH化）が促進（活性化）。
		メサドン（メサペイン）	死亡例でメサドン血中濃度高値[2]。CYP2B6*6アレル関与。

表5-6（つづき） CYPの遺伝子多型が問題となる主な薬剤（★代謝により活性型となる薬剤）

分子種	基質	報告されている事項、臨床上の問題点など
CYP2C8	ピオグリタゾン（アクトス）	ピオグリタゾン血中濃度低下[29]。CYP2C8*3アレル関与。
	イブプロフェン（ブルフェン）	R体イブプロフェンのクリアランス低下[29]、消化管出血リスク。CYP2C8*3アレル関与。
	パクリタキセル（タキソール）	副代謝物のAUCの有意な上昇[29]。CYP2C8*2、*3アレル関与。
	レパグリニド（シュアポスト）	レパグリニドのAUCおよびCmaxの低下[29]。CYP2C8*3アレル関与。
	バルサルタン（ディオバン）	バルサルタンクリアランス上昇[4]。CYP2C8*2アレル関与。
CYP3A4、5	アトルバスタチン（リピトール）、シンバスタチン（リポバス）	PMではスタチン投与量は0.2～0.6倍でよい[30]。CYP3A4*1B、*22アレル関与。
	シクロスポリン（サンディミュン）	腎移植後の機能障害、クレアチンクリアランスの悪化[30]。CYP3A4*22アレル関与。
	タクロリムス（プログラフ）	代謝抑制のため投与量33%減量で必要血中濃度に到達[30]。CYP3A4*22アレル関与。

UM：ultra-rapid metabolizer　EM：extensive metabolizer　IM：intermediate metabolizer　PM：poor metabolizer

【参考文献】

1）Pharmgenomics Pers Med.2011;4:123-36.
2）Toxicol Sci.2011;120:1-13.
3）Drug Metab Dispos.2005;33:1567-75.
4）Drug Metab Dispos.2013;41:224-9.
5）Pharmacogenet Genomics.2011;21:1-9.
6）Clin Pharmacol Ther.2013;93:402-8.
7）Clin Pharmacol Ther.2007;81:699-707.
8）J Clin Pharmacol.2010;50:659-66.
9）Neuropsychopharmacology.2003;28:1501-5.
10）Eur J Clin Pharmacol.2003;59:111-6.
11）Clin Pharmacol Ther.2013;94:394-99.
12）Biol Pharm Bull.2010;33:1378-84.
13）J Ocul Pharmacol Ther.2010;26:497-501.
14）Eur J Clin Pharmacol.2003;59:395-9.
15）Acta Pharmacol Sin.2003;24:1277-80.
16）Eur J Clin Pharmacol.2006;62:919-26.
17）医薬品評価におけるファーマコゲノミクスの利用に関する現状と課題に関する報告書（日本臨床薬理学会、2007）
18）Ann Pharmacother.2011;45（1）:e1.
19）Clin Pharmacol Ther.2003;73:468-74.
20）J Clin Psychopharmacol.2001;21:603-7.
21）J Clin Psychopharmacol.2004;24:214-9.
22）J Clin Psychiatry.2007;68:697-704.
23）Eur J Clin Pharmacol.2008;64:871-76.
24）Pharmacogenetics.2002;12:299-306.
25）Pharmacogenet Genomics.2008;18:761-72.
26）Eur J Clin Pharmacol.2011;67:1017-25.
27）Front Genet.2013;4:24.
28）Pharmacogenomics J.2003;3:53-61.
29）Pharmacogenomics.2009;10:1489-510.
30）Front Genet.2013;4:12.

70歳代女性Aさん。

［処方箋］

① パキシルCR錠12.5mg　1錠
　1日1回　朝食後　28日分
② リバスタッチパッチ9mg　28枚
　1回1枚　1日1回
③ ツムラ抑肝散エキス顆粒（医療用）　3包
　1日3回　朝昼夕食前　28日分
④ リスペリドン錠1mg「アメル」　1錠
　1日1回　就寝前　28日分

アルツハイマー型認知症のAさんに対し、抑肝散とパキシル（パロキセチン塩酸塩水和物）が処方されていたが、今回、夜間の徘徊やせん妄などの周辺症状が強くなったため、低用量のリスペリドン（リスパダール）が追加された。

リスペリドンは主にCYP2D6（一部3A4）で代謝されるため、PMでは血中濃度が上昇する恐れがある。またパロキセチンは強いCYP2D6阻害作用を持つことから、相互作用によりリスペリドンの作用が増強する可能性が高いと予測された。そこで薬剤師は、付き添いの家族に対し、リスペリドンの主な副作用症状である立ちくらみ、めまい、眠気、口の渇き、便秘（イレウス）、尿が出にくい、動悸、体重増加、錐体外路症状（震えなど）、血糖値変動などについて説明し、特に飲み始めの頃に起こりやすい強い立ちくらみによる転倒には、十分注意するよう伝えた。

70歳代男性Bさん。

[処方箋]
フラジール内服錠250mg　2錠
サワシリン錠250　6錠
パリエット錠10mg　2錠
ミヤBM錠　4錠
　1日2回　朝夕食後　7日分

ピロリ菌の1次除菌に失敗したBさんに対し、ランソプラゾール（LPZ）をラベプラゾールナトリウム（RPZ）、クラリスロマイシンをフラジール（メトロニダゾール）に変更した上記の処方で2次除菌療法が行われた。しかし、2次除菌も失敗したため、処方医から薬剤師に相談があった。

1次除菌の失敗の原因としては、クラリスロマイシン耐性菌と、PPIの代謝酵素であるCYP2C19の遺伝子多型が考えられた。2次除菌ではフラジールに変更したため、クラリスロマイシン耐性菌の問題はない。RPZはLPZに比べてCYP2C19遺伝子多型の影響を受けにくいが、2次除菌も失敗していることから、Bさんは CYP2C19の代謝が速いタイプである可能性があり、2次除菌ではRPZも効果不十分だったことが考えられた。

そこで薬剤師は、投与量と投与回数の増加などが必要と考え、処方医に対し、RPZ 1回10mg（1日4回）＋アモキシシリン1回500mg（1日4回）の2週間投与を提案した（Drug Metab Pharmacokinet. 2005;20:153-67.）。現在、保険適応上の問題を含め、処方変更を検討中とのことである。

❺フラビン含有モノオキシゲナーゼ（FMO）

FMOは、CYP450と同様に、$NADPH_2$存在下に1原子の酸素を添加する薬物代謝酵素の第1相（酸化反応）を担う酵素の一つである。ヒトにおいてはFMO1～5までの分子種が知られているが、成人の肝臓では主にFMO3が発現している。FMO3の代表的な基質は、トリメチルアミン［$N(CH_3)_3$］である。トリメチルアミンは、食品中に含まれるコリン、カルニチン、レシチン（ホスファチジルコリン）などが体内の腸内細菌で代謝されて産生するほか、魚特有の成分であるトリメチルオキシドから産生し、魚の腐敗臭の一つとして知られている。FMO3には遺伝子多型があるため、活性が完全欠損または低い場合、トリメチルアミンが増えて魚臭を発するトリメチルアミン尿症（魚臭症候群）を発症することがある。

現在のところ、FMOが関与する相互作用例の報告はないが、チロシンキナーゼ阻害薬のダサチニブ水和物（スプリセル）やボスチニブ水和物（ボシュリフ）、コリン作動薬のイトプリド塩酸塩（ガナトン）、DPP4阻害薬のテネリグリプチン臭化水素酸塩水和物（テネリア）、DSAのブロナンセリン（ロナセン）などの薬剤の代謝に関与することが知られている。

次節から、CYP450が関与する相互作用を、CYP450の阻害（第2節）、CYP450の誘導（第3節）、二相効果（第4節）――に大きく分けて見ていく。

コラム30

代謝と薬効の関係

一般的に、代謝が阻害されると薬効は増強し、代謝が促進すると薬効は減弱するが、薬剤によってはその関係が逆となる（☞ **表5-46**）。

例えば、シクロホスファミド水和物（エンドキサン）は代謝阻害によって薬効が減弱し、代謝促進によって薬効が増強する。また、タモキシフェンクエン酸塩（ノルバデックス）もCYP3A4で脱メチル化され、続いてCYP2D6による水酸化を受けて活性代謝物のエンドキシフェン（4-OH-N-デスメチルタモキシフェン）となり乳癌細胞増殖抑制効果を発揮するため、CYP2D6の阻害や遺伝子多型により薬効が減弱する。

そのほか、代謝促進により作用・副作用が増強する薬剤には、ジソピラミド（リスモダン；抗コリン作用）、フェナセチン（販売中止；メトヘモグロビン血症）、イソニアジド（イスコチン；肝障害）、イホスファミド（イホマイド；中枢性神経毒）、アセトアミノフェン（カロナール；肝障害）、ロサルタンカリウム（ニューロタン；降圧効果増強）、クロピドグレル硫酸塩（プラビックス；抗血小板作用増強）がある。一方、代謝阻害で薬効が減弱する薬剤には、シクロホスファミド水和物（エンドキサン；抗癌作用減弱）、コデインリン酸塩水和物（モルヒネへの変換阻害による鎮痛効果減弱）、テガフール（フトラフール；FUへの変換阻害による抗癌作用減弱）などがある。

なお、**表5-1**に示した発癌物質も、代謝を受けることで活性（発癌性）を示すものが多い。喫煙ではCYP1A1、CYP1A2が誘導され、たばこの煙の発癌成分であるベンゾ［α］ピレン（CYP1A1およびエポキシド加水分解酵素で代謝）が活性化されることが知られている。

コラム31

コデインは授乳婦に投与禁忌

コデインリン酸塩水和物（コデインリン酸塩）とジヒドロコデインリン酸塩（同名；コデイン類似化合物）の授乳婦への投与は禁忌である。これは、海外において、コデイン製剤を服用した女性が乳児に授乳したところ、乳児がモルヒネ中毒により死亡したとの報告がなされたためである[1)2)]。

コデインはCYP2D6で代謝され活性の強いモルヒネに変換されるが、CYP2D6の遺伝子多型には、ultra-rapid metabolizer（UM）と呼ばれる非常に強い代謝活性を持つタイプが存在する。迅速代謝型の患者がコデイン製剤を服用すると、代謝産物であるモルヒネの血中濃度が高まり、過剰なモルヒネが母乳を介して乳児へ移行すると考えられている。日本人においては、この遺伝子型を持つのは1％程度と考えられているが、その判別は容易でないことから、全ての授乳婦への投与が禁忌とされている。

1) Koren G, et al. Lancet. 2006 ; 368 : 704.
2) Madadi P, et al. Clin Pharmacol Ther. 2009 ; 85 : 31-5.

コラム32

CYP1A1が関与するリオシグアトの相互作用

CYP1A1は、1B1、2J2と同様、肺、小腸、皮膚、悪性腫瘍細胞など、主に肝臓以外で発現している。肝臓においては、肝全体CYP量の1％以下とわずかしか発現していない（Pharmacol Ther.2013;138:103-41.）。しかし、着色料のスダンⅠ（Sudan I）などの肝代謝を担っていることから（Cancer Lett.2005;220:145-54.）、肝においても重要な薬物代謝酵素であると考えられる。CYP1A1の主な基質と相互作用を**表5-7**に示す。

CYP1A1は生体内のエストロゲン代謝において重要な役割を担っている。また、タバコの煙に含まれる多環芳香族炭化水素（ベンゾ［α］ピレンなど）などによるAhR（核内受容体；**表5-54**）活性化により誘

表5-7　CYP1A1の主な基質・阻害薬と相互作用

<table>
<tr><th colspan="4">① 基質</th></tr>
<tr><td colspan="4">● 毒物・発癌性物質
スダンⅠ(1-phenylazo-2-naphthalenol［Sudan Ⅰ］：アゾ基を有する芳香族化合物で赤色着色料)、ベンゾ［α］ピレン
● 医薬品(太字はCYP1A1代謝寄与が大きい薬剤)
リオシグアト(アデムパス；可溶性グアニル酸シクラーゼ［sGC］刺激薬；肺高血圧症治療薬)、イストラデフィリン(ノウリアスト；アデノシンA_{2A}受容体拮抗薬)、アナグレリド(アグリリン；本態性血小板血症治療薬)、チロシンキナーゼ阻害薬(エルロチニブ［タルセバ］、ゲフィチニブ［イレッサ］)、抗$5\text{-}HT_3$薬(グラニセトロン［カイトリル］、ラモセトロン［イリボー］)、トピラマート(トピナ；抗てんかん薬)、フェブキソスタット(フェブリク；XOD阻害薬)、メトキサレン(オクソラレン；光増感剤)、コハク酸ソリフェナシン(ベシケア；OAB治療薬)、アコチアミド(アコファイド；機能性ディスペプシア治療薬；AChE阻害薬)、DM-6705(デラマニド［デルティバ；抗結核薬］代謝物)など</td></tr>
<tr><th colspan="4">② 阻害薬</th></tr>
<tr><td colspan="4">チロシンキナーゼ阻害薬(エルロチニブ、ゲフィチニブ)、リオシグアトおよび代謝物M-1、シタフロキサシン(グレースビット)、テノホビル(テノゼット)、アゾール系薬※(ケトコナゾール［経口薬・注射剤国内未発売］、イトラコナゾール［イトリゾール］、ボリコナゾール［ブイフェンド］)、HIVプロテアーゼ阻害薬など</td></tr>
<tr><th colspan="4">③ 動態学的相互作用</th></tr>
<tr><td rowspan="2">併用禁忌</td><td>ケトコナゾール、イトラコナゾール、ボリコナゾール</td><td rowspan="2">リオシグアト(アデムパス)</td><td rowspan="2">リオシグアト血中濃度上昇。ケトコナゾール併用時、リオシグアトAUC150%、Cmax46%上昇。HIVプロテアーゼ阻害薬、ケトコナゾールは複数のCYP分子種(CYP1A1、3Aなど)およびP-gp、BCRP阻害するため(in vitro)。アゾール系薬では、ケトコナゾールと同様に様々な阻害効果を有すると考えられるイトラコナゾール、ボリコナゾールのみが併用禁忌(ただし、ボリコナゾールはP-gpおよびBCRP阻害薬ではない)。</td></tr>
<tr><td>HIVプロテアーゼ阻害薬</td></tr>
<tr><td rowspan="3">併用慎重</td><td>CYP1A1阻害薬：エルロチニブ、ゲフィチニブ</td><td>リオシグアト</td><td>リオシグアトのクリアランス低下、血中濃度上昇の恐れ。</td></tr>
<tr><td>リオシグアト</td><td>CYP1A1で代謝される薬剤；イストラデフィリン、グラニセトロン、エルロチニブ</td><td>リオシグアトおよび代謝物(M-1)のCYP1A1阻害により血中濃度上昇の恐れ。</td></tr>
<tr><td>CYP1A1誘導薬(AhR活性化薬)：喫煙、PPI、レフルノミド(アラバ)など(☞表5-54)</td><td>リオシグアト</td><td>喫煙は原則禁忌。喫煙者ではリオシグアトの血中濃度が50～60%低下。オメプラゾール併用時、Cmax35%、AUC26%低下。</td></tr>
</table>

※リオシグアト添付文書中の相互作用「機序・危険因子」よる

導され、またこれらの物質を代謝して活性化するため、発癌性との関連も注目されている。また、遺伝子多型が存在し、CYP1A1発現が高いCYP1A1*2Aを保有する喫煙者では、口腔癌のリスクが上昇するという報告がある(Tumor Biol.2014;35:1183-91.)。

CYP1A1の基質になる医薬品は少ないため、相互作用はあまり問題にならないと考えられていた。しかし、2014年4月に発売されたリオシグアト(アデムパス；可溶性グアニル酸シクラーゼ［sGC］刺激薬；肺高血圧症治療薬)は、主にCYP1A1で代謝されるほか、CYP1A1に対する阻害作用も有しており、添付文書中にCYP1A1阻害・誘導に起因する相互作用が初めて明記された。

リオシグアトは、強力なCYP1A1阻害薬との併用により血中濃度が上昇する可能性がある。チロシンキナーゼ阻害薬(ゲフィチニブ［イレッサ］、イマチニブ［グリベック］、スニチニブ［スーテント］、エルロチニブ［タルセバ］)によりリオシグアト代謝物(M-1)生成が著明に抑制されることが示されている(in vitro)。また、リオシグアトのみならずM-1にもCYP1A1阻害作用があるため、総クリアランスに占めるCYP1A1寄与の大きいイストラデフィリン(ノウリアスト)、グラニセトロン(カイトリル)、エルロチニブなどの血中濃度を上昇させる恐れも示唆されている。一方、喫煙やPPIなどによるAhRの活性化は、肝や肺のCYP1A1を誘導し、リオシグアトの血中濃度を低下させる可能性も指摘されている(喫煙は原則禁忌；禁煙させることが望ましい)。

リオシグアトはCYP1A1のほか、2C8、2J2、

3Aにより代謝されてM-1（薬理活性あり）となり、UGT1A1、1A9により不活性体のグルクロン酸抱合体に代謝される。また、リオシグアトは肝、M-1は腎においてP-gpおよびBCRPの基質となり、胆汁経路と腎経路の両方を介して排泄されると考えられている。したがって、これらの薬物代謝酵素やトランスポーターの阻害薬・誘導薬との併用により血中濃度が増減する恐れがある。

特に、複数のCYP分子種（CYP1A1、CYP3Aなど）およびP-gp/BCRPを阻害するアゾール系抗真菌薬（ケトコナゾール［未発売］、イトラコナゾール［イトリゾール］、ボリコナゾール［ブイフェンド］）の経口薬または注射剤、ならびにHIVプロテアーゼ阻害薬（リトナビル［ノービア］、インジナビル★、アタザナビル［レイアタッツ］、サキナビル［インビラーゼ］）との併用は禁忌である。ただし、ボリコナゾールはP-gpおよびBCRP阻害薬ではない（FDA製薬企業向けドラフトガイダンス［2012年2月］、J Pharm Sci.2007；96：3226-35.）

また、細胞内のcGMP濃度を上昇させるため、同様の作用を有する硝酸薬およびNO供与薬（ニトログセリンなど；☞第7章［第6節］）やPDE5阻害薬（☞付B）との併用も禁忌である。加えて、消化管遠位部pH上昇により溶解性が低下する恐れがあるため、制酸剤はリオシグアト投与後1時間以上経過してから服用する必要がある（同時禁忌）。

コラム33

ニコチン代謝とCYP2A6

ヒトCYP450分子種のうち、CYP2A6にも遺伝子多型があることで有名である。CYP2A6は、ニコチンやクマリン、レトロゾール（フェマーラ：アロマターゼ阻害薬）の代謝や、テガフール（フトラフール）からFU（活性体）への代謝に関与し、日本人の100人中4人はCYP2A6の活性が欠損または著明に低下している可能性が指摘されている。

特に、喫煙により吸収されるニコチンの大部分はCYP2A6によって代謝されるため、遺伝子多型と肺癌発症との関連性が注目されている。またCYP2A6遺伝子欠損型の人は、喫煙者でも無意識のうちにニコチン摂取を自己制御しているとされるが、禁煙のためニコチンガムやニコチンパッチを使用すると、ニコチンの副作用が強く発現する可能性がある。一方、テガフールの作用減弱にもCYP2A6の遺伝子欠損が関与することも留意する。

相互作用に関しては、CYP2A6で代謝される薬剤同士を併用すると、競合阻害が起こる可能性がある。特に、CYP2A6阻害薬のメトキサレン（オクソラレン；フロクマリン系光増感薬）や、ピロカルピン塩酸塩（サラジェン）によるニコチン製剤（禁煙補助薬；ニコチンガム、ニコチネルTTS）、ファドロゾール（販売中止；主にCYP2A6、部分的に2D6で代謝）、レトロゾールの血中濃度上昇に注意する。

コラム34

CYP2B6が関与する相互作用

CYP2B6は、CYP2Bサブファミリーの中で唯一、ヒトの生体内で機能することが知られている。主に肝臓で発現しているが、当初、その発現量は総肝CYP量の0.5%以下と極めて少なく、薬物代謝への寄与度は低いと考えられていた。しかしその後、CYP2B6の肝発現量はCYP2D6とほぼ同じであり、総肝CYP量の1～11%を占めることなどが示されている[1)]。また、米国で頻用される医療用医薬品200品目のうち、約4%はCYP2B6で代謝されることも報告されている[1)]。

CYP2B6の発現量にはかなりの個人差がある。これは、遺伝子多型のためと考えられる。50種類以上あるCYP2B6の遺伝子多型のうち、最も多いのはCYP2B6*6であり、日本人の16.4%に存在することが報告されている[2)]。一般にCYP2B6*6を持つ人では、その酵素活性が低下するが、基質によっては活性が上昇することもある。したがって、主にCYP2B6で代謝される薬剤（**表5-8**）は低用量から開始するなど、薬効の変動に注意する。可能であれば、使用前にCYP遺伝子検査を行うことが望ましい。

表5-8　CYP2B6の基質と遺伝子多型の影響（太字は遺伝子多型の影響を受ける薬剤）

CYP2B6の主な基質	代謝CYP分子種	備考（遺伝子多型など）
アルキル化薬 **シクロホスファミド**（エンドキサン）[1]、イホスファミド（イホマイド）[1]	2B6、3A4（シクロホスファミドは2B6、イホスファミドは3A4による寄与度大）	シクロホスファミドの4-ヒドロキシ型（活性体）の産生促進（薬効；増強2B6*6［活性上昇］関与）[2]。
オピオイド鎮痛薬 **メサドン**（メサペイン） ペチジン（オピスタン）[3] トラマドール（トラマール）[4]	2B6（主）、3A4（主）、2C、2D6 2B6（主）、3A4（主）、2C19 2B6、2D6（M1）、3A4（M2）	死亡患者でのメサドン血中濃度高値の検出例あり（2B6*6関与）[5]。2B6はS体メサドンを選択的に代謝。トラマドール活性体M1への代謝は2D6および2B6が、不活性体M2生成には主に3A4が関与。
抗HIV薬 **エファビレンツ**（ストックリン） **ネビラピン**（ビラミューン）[6]	2B6（主）、3A4 2B6（主）、3A4（主）、2D6	2B6*6または2B6*18保有HIV患者でエファビレンツとネビラピンの血中濃度がそれぞれ62%、26%上昇[7]。エファビレンツの中枢性副作用（ふらつき、うつ症状）の発現リスク上昇。
抗血小板薬 **プラスグレル**（エフィエント）	カルボキシエステラーゼ（CES；☞**第6章［第10節］**）により2-オキソ型となった後、CYPs（CYP3A4/5＞2B6＞2C9≒2C19＞2D6）により代謝されて薬理活性を示すチオール型となる	2B6および2C9遺伝子多型保有者で薬効減弱（代謝により活性化するため）。2C19多型の影響は受けない[8]。
麻酔薬 **プロポフォール**（ディプリバン）[9] ケタミン（ケタラール）[10]	2B6（主） 2B6、3A4	プロポフォール血中濃度上昇（2B6*6［活性低下］関与）[11]。
その他 セレギリン（エフピー；2B6［主］、1A2、3A4、2D6）[12]、クロバザム（マイスタン；2B6≧3A4＞2C19）[13]、クロチアゼパム（リーゼ；2B6＞3A4＞2C18＞2C19）[14]、セルトラリン（ジェイゾロフト；2B6、2C19、2C9、3A4）[15]		

CYP2B6が一部関与する薬剤	代謝CYP分子種	備考（遺伝子多型など）
クロピドグレル（プラビックス）	2C19（主）、1A2、2B6、3Aで2-オキソ型となった後、CYP2C19、2C9、2B6、3Aで代謝され薬理活性を示すチオール型となる[16]。	薬理作用は2C19遺伝子多型の影響を受けるが、他のCYP多型による影響は受けない[17]。2-オキソ型生成の割合は2C19が42-45%、1A2が31-36%、2B6が19-26%[18]。
チクロピジン（パナルジン）	1A2、2B6、2C19、2D6、3A4で2-オキソ型となった後、さらに同様のCYPsで代謝され薬理活性を示すチオール型となる[19]。	2C19遺伝子多型の影響なし[20]。2B6の活性の高い遺伝子多型（2B6*1Hまたは1J）とヒト白血球型抗原（HLA-A*303）を有する日本人は肝障害リスク大[21]。
その他：ジクロフェナク（ボルタレン；2C9［主］、2B6、2C8、2C19、2C18）[22]、メキシレチン（メキシチール；1A2［主］、2D6［主］、2B6、2E1）[23]、ベラパミル（ワソラン；CYP3A4［主］、2B6、1A2）[24]、タモキシフェン（ノルバデックス；CYP3A4［主］、2D6［主］、2B6、3A5、2C19）[25]、リドカイン（キシロカイン；1A2［主］、3A4［主］、2B6）[24]、ロペラミド（ロペミン；2B6、3A4［主］、2C8［主］、2D6）[26]、ボノプラザン（タケキャブ；3A4［主］、2B6、2C19、2D6）、ジアゼパム（セルシン；3A4［主］、2B6、2C19）[14]、ミカファンギン（ファンガード；2B6、1A2、2C、3A）		

1）Drug Metab Dispos.1999;27:655-66.
2）Pharmacogenomics J.2003;3:53-61.
3）Drug Metab Dispos.2004;32:930-6.
4）Drug Metab Dispos.2001;29:1146-55.
5）Toxicol Sci.2011;120:1-13.
6）Drug Metab Dispos.1999;27:1488-95.
7）Ther Drug Monit.2012;34:153-9.
8）Thromb Haemost.2013;110:131-40.
9）Br J Clin Pharmacol.2001;51:281-5.
10）Anesthesiology.2011;114:1435-45.
11）Drug Metab Pharmacokinet.2014;29:215-8.
12）Drug Metab Pharmacokinet.2002;17:199-206.
13）Drug Metab Dispos.2004;32:1279-86.
14）Biol Pharm Bull.2005;28:1711-6.
15）Drug Metab Dispos.1999;27:763-6.
16）J Pharmacol Exp Ther.2011;339:589-96.
17）Clin Pharmacol Ther.2011;90:287-95.
18）Drug Metab Dispos.2010;38:92-9.
19）Drug Metab Dispos.2014;42:141-52.
20）J Clin Pharmacol.2010;50:126-42.
21）Drug Metab Pharmacokinet.2010;25:298-306.
22）Biochem Pharmacol.1999;58:787-96.
23）Xenobiotica.2003;33:13-25.
24）J Pharmacol Exp Ther.1999;288:21-9.
25）Br J Clin Pharmacol.2002;54:157-67.
26）Eur J Clin Pharmacol.2004;60:575-81.

表5-9　CYP2B6阻害作用を持つ主な薬剤（太字はCYP2B6阻害機序が明らかな薬剤）

IC50値
1）強力（IC50＜1μM） **クロピドグレル**（0.0145[1]、0.0206[1]、0.018[2]）、**チクロピジン**（0.148[1]、0.296[1]、0.0517[2]）、セルトラリン（0.198[1]、2.3[1]、3.2[3]）、クロトリマゾール[1]（0.243、0.199）、イトラコナゾール[1]（0.0895、0.246）、ラロキシフェン[1]（0.729、2.97）
2）中程度（IC50 1～10μM） IC50 1～5μM **パロキセチン**（1.03[1]、1.6[3]）、プラスグレル（1.19[2]）、**ボリコナゾール**（1.19[4]）、**2-オキソ型クロピドグレル**（1.30[2]）、アムロジピン（1.42[1]）、フェロジピン（1.95[1]）、2-オキソ型プラスグレル（2.30[2]）、リトナビル（2.83[1]、2.2[5]）、ネルフィナビル（2.5[5]）、**メマンチン**（3.12[1]）、ケトコナゾール（3.18[1]）、タモキシフェン（3.34[1]） IC50 5～10μM エゼチミブ（5.10[1]）、**エファビレンツ**（5.5[5]）、フェノフィブラート（5.51[1]）、モメタゾン（5.84[1]）、モンテルカスト（5.95[1]）、フルボキサミン（6.1[3]、21.9[1]）、ロラタジン（7.69[1]）、ザフィルルカスト（10.0[1]）
3）軽度（IC50 1～10μM）[1] カルベジロール（12.0）、シンバスタチン（15.9）、**17-エチニルエストラジオール**（17.6）
Ki値（阻害効果が強い順に記載）
ボリコナゾール（<0.5[4]）、**クロピドグレル**（0.72[6]）、**17-エチニルエストラジオール**（0.8[7]）、**チクロピジン**（0.928[6]）、**2-オキソ型クロピドグレル**（1.13[6]）、2-オキソ型チクロピジン（1.19[6]）、エファビレンツ（1.68[8]）、2-オキソ型プラスグレル（2.30[6]）、**メサドン**（10.0[9]）、リトナビル（0.1～30[10]）、**メマンチン**（76.7[11]）

・IC50値（μM）およびKi値（μM）による分類。IC50値は、ヒト組み換えCYP2B6（rhCYP2B6）[1]あるいはミクロソーム[1)3)4)5]を用いたin vitro実験において、CYP2B6による基質（ブプロピオン[1)2)3)4]、トラニルシプロミン[2]）のヒドロキシル化を100%とした場合、これを50%阻害する濃度を示す。また、Ki値はin vitro実験における阻害薬とCYP2B6の親和性を示し、数値が低いほど阻害効果が強い。

・不可逆的阻害には、ヘム破壊（クロピドグレル[12)13]、メサドン[9]）、共有結合（チクロピジン[13]、2-オキソ型クロピドグレル[12)13]、17-エチニルエストラジオール[7]）がある。パロキセチン[13]、ボリコナゾール[4]、エファビレンツ[8]、メマンチン[11]は競合阻害。

1）J Clin Pharmacol.2006;46:1426-38.
2）Drug Metab Pharmacokinet.2008;23:412-20.
3）Drug Metab Dispos.2000;28:1176-83.
4）Antimicrob Agents Chemother.2009;53:541-51.
5）Drug Metab Dispos.2001;29:100-2.
6）Drug Metab Dispos.2009;37:589-93.
7）J Pharmacol Exp Ther.2002;300:549-58.
8）Drug Metab Pharmacokinet.2013;28:362-71.
9）Drug Metab Dispos.2012;40:1765-70.
10）Metabolism.2011;60:1584-9.
11）Eur J Clin Pharmacol.2004;60:583-9.
12）Mol Pharmacol.2011;80:839-47.
13）J Pharmacol Exp Ther.2004;308:189-97.

表5-10　CYP2B6誘導作用を持つ主な薬剤

標的核内受容体と誘導されるCYP分子種*	誘導作用を持つ主な薬剤（太字は自己誘導する薬剤）
構成的アンドロスタン受容体（CAR）活性化 CYP2B6（主）、2C8/9/19、3A4を誘導	**エファビレンツ**[1]（ストックリン）、**ネビラピン**[1]（ビラミューン）、カルバマゼピン[1]（テグレトール）、スタチン系薬**[2]、フェニトイン（アレビアチン）、フェノバルビタール（フェノバール）
プレグナンX受容体（PXR）活性化 CYP3A4（主）、2C8/9/19、2B6、2A6を誘導	リファンピシン（リファジン）、**シクロホスファミド**[3]（エンドキサン）、**メサドン**[4]（メサペイン）、リトナビル（ノービア）、タモキシフェン（ノルバデックス）、パクリタキセル（タキソール）
ビタミンD受容体（VDR）活性化 CYP3A4、2B6、2C9を誘導	ビタミンD[5]

* CARとPXRは相互に活性化（クロストーク）
** シンバスタチン（リポバス）、フルバスタチンナトリウム（ローコール）、アトルバスタチンカルシウム水和物（リピトール）のみで報告

1）J Pharmacol Exp Ther.2007;320:72-80.
2）Drug Metab Dispos.2005;33:924-9.
3）Drug Metab Dispos.2002;30:814-22.
4）Anesth Analg.2013;117:52-60.
5）J Biol Chem.2002;277:25125-32.

表5-11　CYP2B6が関与する主な相互作用

（1）CYP2B6阻害に起因する相互作用

CYP2B6阻害薬	作用を受ける薬剤	結果、備考など
クロピドグレル（プラビックス）、チクロピジン（パナルジン）、クロトリマゾール（エンペシド）、セルトラリン（ジェイゾロフト）、イトラコナゾール（イトリゾール）、ボリコナゾール（ブイフェンド）、フルボキサミン（デプロメール、ルボックス）など	エファビレンツ（ストックリン）	・クロピドグレル、イトラコナゾール併用時、エファビレンツAUCが9～23%上昇（イトラコナゾールはCYP3A4阻害薬だが同薬はエファビレンツAUCに影響しないことから、発現機序はクロピドグレルによる2B6阻害が関与していると推察）[1]。 ・クロピドグレル、クロトリマゾール、チクロピジン、セルトラリン、イトラコナゾール併用時、エファビレンツの代謝活性がそれぞれ98%、94%、85%、52%、43%低下すると予測[2]。 ・ボリコナゾール（CYP2C9、2C19、3A4で代謝され、これらCYPを阻害）は併用禁忌。エファビレンツの2C9/19誘導によるボリコナゾールAUC77%低下によるためと考えられる。エファビレンツAUCも1.4倍に上昇（機序不明だが2B6阻害の寄与大）[3]。
	メサドン（メサペイン）（μ-オピオイド作用はR体≫S体。CYP2B6は選択的にS体を代謝）	・ボリコナゾール併用時、メサドンのS体、R体のAUCがそれぞれ103%、47.2%増大[4]。 ・チクロピジン併用時、メサドンのS体、R体のAUCがそれぞれ60%、20%増大[5]。 ・セルトラリン併用時、フルボキサミン併用時にメサドン血中濃度上昇（機序不明だが2B6関与の可能性）。
チクロピジン（パナルジン）	ケタミン（ケタラール）、トラマドール（トラマール）	・ケタミンAUC2.4倍上昇。3A4阻害薬のイトラコナゾールは影響しないことから2B6阻害に起因する可能性[6]。 ・チクロピジン、トラマドール、イトラコナゾールの3剤併用時、トラマドールAUC2倍上昇、活性代謝物M1の$AUC_{0\text{-}3h}$減少、$AUC_{0\text{-}\infty}$影響なし。イトラコナゾール単独併用時はトラマドールおよびM1の体内動態に変化なし。トラマドール血中濃度上昇によるセロトニン作用増強の恐れ。発現機序は2B6 and/or 2D6阻害と推測[7]。

（2）2B6誘導に起因する相互作用

CYP2B6誘導薬	作用を受ける薬剤	結果、備考など
フェノバルビタール（フェノバール）、エファビレンツ（ストックリン）、リファンピシン（リファジン）、カルバマゼピン（テグレトール）、リトナビル（ノービア）など	エファビレンツ（ストックリン）、メサドン（メサペイン）、ケタミン（ケタラール）、トラマドール（トラマール）、シクロホスファミド（エンドキサン）、クロバザム（マイスタン）など	エファビレンツAUC36%低下（カルバマゼピン併用時）、メサドン血中濃度低下（リファンピシン併用時[8]、エファビレンツ併用時[9]）、ケタミンおよびノルケタミンAUC低下（リファンピシン併用時[10]）、トラマドール鎮痛作用減弱（カルバマゼピン併用時）、シクロホスファミド作用増強（活性代謝物への変換促進［フェノバルビタール併用時］）、クロバザム血中濃度低下（フェノバルビタールまたはカルバマゼピン併用時）。

1）Br J Clin Pharmacol.2013 ;75:244-53.
2）Drug Metab Dispos.2009;37:644-50.
3）Antimicrob Agents Chemother.2009 ;53:541-51.
4）Antimicrob Agents Chemother.2007;51:110-8.
5）J Clin Pharmacol.2013;53:305-13.
6）Clin Pharmacol Ther.2011;90:296-302.
7）Eur J Clin Pharmacol.2013;69:867-75.
8）Clin Pharmacol Ther.2004;76:250-69.
9）Clin Pharmacol Ther.2012 ;91:673-84.
10）Anesthesiology.2011;114:1435-45.

CYP2B6は一般に、高脂溶性の中性または弱塩基性薬剤を基質とし、N-脱メチル化、ヒドロキシル化を触媒することが多い。メサドン塩酸塩（メサペイン）はラセミ体で存在するが、CYP2B6は選択的にS体を代謝する。メサドン、シクロホスファミド水和物（エンドキサン）、エファビレンツ（ストックリン）、ネビラピン（ビラミューン）、プラスグレル塩酸塩（エフィエント）、プロポフォール（ディプリバン）などはCYP2B6遺伝子多型の影響を受けることから、主にCYP2B6で代謝されると考えられる。セレギリン塩酸塩（エフピー）、トラマドール塩酸塩（トラマール）は主にCYP2D6と3A4で代謝されると考えられていたが、近年、CYP2B6が深く関与することが示されている。その他、多くの薬剤がCYP2B6による部分的な代謝を受ける。

in vitro 実験を基にしたCYP2B6阻害薬の報告

は多数ある（**表5-9**）。このうち、パロキセチン塩酸塩（パキシル）、ボリコナゾール（ブイフェンド）、エファビレンツ、メマンチン塩酸塩（メマリー）などは競合阻害、クロピドグレル硫酸塩（プラビックス）、チクロピジン塩酸塩（パナルジン）、メサドン、エチニルエストラジオール（プロセキソール）は、CYPのヘム破壊や共有結合に起因する不可逆的阻害であることが示されている。クロピドグレル、チクロピジン、メサドンは、CYP2B6で代謝されることから、自殺基質といえる。

中でも抗血小板薬のチクロピジンは、CYP2C19の不可逆的阻害薬でもある（2D6＞＞3A4＞1A2の順に可逆的阻害作用も示す）。これは、CYPによる代謝過程で生成する活性中間体（S-オキシドなど）がCYP2C19と共有結合するためと考えられ[3]、CYP2B6の不可逆的阻害も同様の機序で起こる可能性がある。また、クロピドグレルのCYP2B6阻害効果は、ヘム破壊や、代謝過程で生成する2-オキソ体（薬理活性体［チオール体］前駆物質）との共有結合などに起因すると推測されている[4]（☞**図5-12**）。一方、プラスグレルのCYP阻害効果は非常に弱い。

CYP2B6誘導薬としては、リファンピシン（リファジン）、カルバマゼピン（テグレトール）などの典型的な核内受容体活性化薬のほか、自己誘導する薬剤の報告もある（**表5-10**）。

CYP2B6が関与する相互作用としては、CYP2B6阻害薬と基質との併用に注意する（**表5-11**）。特に、不可逆的阻害薬であるクロピドグレル（**症例1**）、チクロピジン、メサドン、エチニルエストラジオールは阻害効果が強く、投与中止後も持続する可能性が高い。また、メマンチンは臨床用量でCYP2B6を阻害する恐れがある[5]。

その他、ラロキシフェン塩酸塩（エビスタ）、セルトラリン塩酸塩（ジェイゾロフト）、パロキセチン、フルボキサミンマレイン酸塩（デプロメール、ルボックス）、アムロジピンベシル酸塩（アムロジン、ノルバスク）、フェロジピン（スプレンジール、ムノバール）、エゼチミブ（ゼチーア）、フェノフィブラート（トライコア、リピディル）、モンテルカストナトリウム（キプレス、シングレア）、ロラタジン（クラリチン）、ザフィルルカスト（アコレート）など、汎用薬によるCYP2B6阻害の可能性にも留意する。

一方、CYP2B6の基質の中では、エファビレンツ、メサドン、ケタミン塩酸塩（ケタラール）、シクロホスファミド、クロバザム（マイスタン）、トラマドールなどの薬剤が阻害や誘導の影響を受けやすいと考えられる。また、遺伝子多型の影響を受けるプラスグレル（**症例2**）や主にCYP2B6で代謝されるセレギリン、クロチアゼパムにも注意する。なお、CYP2B6で部分的に代謝される薬剤も、主経路が阻害された場合にCYP2B6の寄与度が高まる可能性がある。

誘導に起因する相互作用に関しては、代謝促進により薬効が減弱する場合が多いが、シクロホスファミドや抗血小板薬など、代謝により薬理作用を示す薬剤では薬効が増強し得る。

70歳代女性Aさん。

［処方箋］
① プラビックス錠75mg　1錠
　エビスタ錠60mg　1錠
　ブロプレス錠8　1錠
　　1日1回　朝食後　28日分
② セレコックス錠200mg　2錠
　　1日2回　朝夕食後　28日分
③ タケプロンOD錠15　1錠
　　1日1回　就寝前　28日分
④ トラムセット配合錠　3錠
　プリンペラン錠5　3錠
　　1日3回　毎食後　14日分

Aさんは脳梗塞再発予防、骨粗鬆症、高血圧、腰痛、薬剤性胃腸障害の再発予防のため、①～③を服用している。今回、腰痛が悪化したため、トラムセット（トラマドール・アセトアミノフェン）と、副作用予防目的でプリンペラン（メトクロプラミド）が追加された。各薬剤の代謝に関わるCYP分子種は、プラビックス（クロピドグレル）が2C19、1A2、2B6、3A4、2C9、ブロプレス（カンデサルタンシレキセチル）とセレコックス（セレコキシブ）が2C9、タケプロン（ランソプラゾール）が2C19、3A4

である。これまで、CYP の競合阻害によるプラビックスの効果減弱やその他の薬剤の副作用（過降圧や胃腸障害など）の有無を定期的に確認していたが、異常はなかった。

トラマドールの効果は未変化体（SNRI 作用；主にセロトニン作用）と活性代謝物 M1（μ-オピオイド作用）の双方に起因し、CYP2B6と2D6によって M1に変換される。一方、プラビックスはCYP2B6を強力に阻害し、セレコックスも特異的 CYP2D6阻害作用を持つ。薬剤師は、トラマドールの血中濃度が上昇し、セロトニン作用が増強する恐れがあると判断した。Aさんには、落ち着かない、イライラする、体が震えたり固くなる、汗が出て脈が速くなる、ふらつくなどの症状や、プリンペランが無効な吐き気や便秘などに注意し、これらの症状が現れたら連絡するよう伝えた。2週間後の来局時に確認したところ、これらの副作用症状は認められず、トラムセットにより腰痛も和らいだため服用を継続中である。

80歳代男性 Bさん。

［処方箋］

①【般】アムロジピン口腔内崩壊錠5mg 1錠
　エフィエント錠3.75mg　1錠
　バイアスピリン錠100mg　1錠
　パリエット錠10mg　1錠
　　1日1回　朝食後　14日分
②【般】アトルバスタチン錠10mg　1錠
　　1日1回　夕食後　14日分

Bさんは高血圧、陳旧性心筋梗塞、脂質異常症のため上記の薬を服用中で、病状も安定。6カ月前にバイアスピリン（アスピリン）とエフィエント（プラスグレル塩酸塩20mg、分1）が開始され、その後エフィエントは維持用量まで減量され継続している。

エフィエントの代謝および活性化には、CYP3A4/5＞2B6＞2C9≒2C19＞2D6の順に関与すると考えられる。アムロジピンとアトルバスタチンは主にCYP3A4で代謝されるため、3A4を競合阻害する可能性がある。またアムロジピンはCYP2B6を阻害するが、アトルバスタチンは誘導する可能性もある。したがって併用薬が全くない場合に比べて、エフィエントの薬効は変動しやすくなると考えられる。Bさんには、出血傾向や血栓症など抗血小板薬の副作用に常に注意するよう指導している。

参考文献

1）Drug Metabol Drug Interact.2012;27:185-97.
2）Eur J Clin Pharmacol.2002;58:417-21.
3）Biochemistry.2001;40:12112-22.
4）Mol Pharmacol.2011;80:839-47.
5）Eur J Clin Pharmacol.2004;60:583-9.

コラム35

CYP2J2が関与する相互作用

近年、CYP2J2に関する研究結果が相次いで報告されており、添付文書にも記載されるようになった。CYP をコードする遺伝子は500以上存在するが、米国食品医薬品局（FDA）は2012年、新薬が主なCYPで代謝されない場合は、CYP2J2による代謝を新たに考慮するよう提唱した。

CYP2J 群のうち、ヒトで主に発現しているのはCYP2J2で、02年に初めてクローニングされた（分子量57.7kD）。興味深いことに、CYP2J2の肝での発現量は肝総 CYP 量の約1%と極めて少なく、その他の様々な組織（心臓、血管内皮、小腸、肺、腎臓、脳、膵臓、骨格筋など）で認められる。特に心臓や血管組織（血管内皮細胞、冠動脈、大動脈、静脈瘤など）で強く発現することが示されている。したがって、CYP2J2は、肝以外の組織における薬物代謝に関与していると考えられる。

① CYP2J2の基質、阻害薬と相互作用

CYP2J2の基質は、CYP3A4をはじめ他の CYP分子種の基質であることが多い。また、基質となる薬剤の分子量も265kD（アルベンダゾール［エスカゾール］）～1201kD（シクロスポリン［サンディミュン、ネオーラル］）と幅広いことから、CYP2J2の基質認識特異性は極めて低いと考えられている。

一方、CYP2J2の特異的阻害薬としてはダナゾー

表5-12　CYP2J2の主な基質および阻害薬、誘導薬

基質（太字は添付文書にCYP2J2に関する記載がある薬剤）
【生体内基質】 アラキドン酸、リノレン酸、EPA（イコサペント酸エチル）、DHA（ドコサヘキサエン酸）、ビタミンD_3など 【医薬品】 抗アレルギー薬（アステミゾール★、**エバスチン**［エバステル］、テルフェナジン★）、アミオダロン（アンカロン）、抗血栓薬（**アピキサバン**［エリキュース］、ボラパクサール★、**リバーロキサバン**［イグザレルト］）、**リオシグアト**（アデムパス：可溶性グアニル酸シクラーゼ阻害薬）、エペリゾン（ミオナール）、アルベンダゾール（エスカゾール：抗寄生虫薬）、ダナゾール（ボンゾール）、タモキシフェン（ノルバデックス）、シクロスポリン（サンディミュン、ネオーラル）、NSAIDs（ナブメトン［レリフェン］）、狭心症治療薬（ニトログリセリン［ニトロダーム］、硝酸イソソルビド［ニトロール、フランドル］）、抗精神病薬（チオリダジン★、メソリダジン★）、食欲低下薬（ベンズフェタミン★）、β遮断薬（ブフラロール★）、抗HIV薬（リトナビル［ノービア］）
阻害薬（太字は循環器系の副作用のある薬剤）
（A）CYP2J2によるテルフェナジンのヒドロキシル化の阻害効果（in vitro）[2] 【90%以上阻害】　ランソプラゾール（タケプロン）、オルフェナドリン★、**ベラパミル**[1]（ワソラン）、**ダナゾール**※（ボンゾール）、シサプリド★、**ミコナゾール**（フロリード）、ケトコナゾール（ニゾラール）、**アステミゾール**★、**ニカルジピン**（ペルジピン） 【70%以上90%未満阻害】　**ロラタジン**（クラリチン）、**タモキシフェン**（ノルバデックス）、クロトリマゾール（エンペシド［外用薬］）、**シンバスタチン**（リポバス）、**ハロペリドール**（セレネース）、**メフロキン**（メファキン）、アモジアキン★、イスラジピン★、イベルメクチン（ストロメクトール）、**ピモジド**（オーラップ）、アルベンダゾール（エスカゾール）、クェルセチン★ 【48%以上70%未満阻害】　**パロキセチン**（パキシル）、メビノリン★、**アミオダロン**（アンカロン）、**メサドン**（メサペイン）、**ドンペリドン**（ナウゼリン）、クロミフェン（クロミッド）、フルオキセチン★、ラノラジン★、**ノルトリプチリン**（ノリトレン）、**オメプラゾール**（オメプラール、オメプラゾン）、**フルボキサミン**（デプロメール、ルボックス）、シクロベンゾプリン★、ブデソニド（パルミコート；吸入）、**クロザピン**（クロザリル）、**キナプリル**（コナン）、チオリダジン★ （B）CYP2J2によるアステミゾールのジメチル化の阻害効果（in vitro）[2] 【90%以上阻害】　**ロラタジン**（クラリチン）、**シンバスタチン**（リポバス）、ケトコナゾール、**ダナゾール**※（ボンゾール）、クロトリマゾール（エンペシド；外用）、**ニカルジピン**（ペルジピン）、**ピモジド**（オーラップ）、アモジアキン★、**タモキシフェン**（ノルバデックス） 【70%以上90%未満阻害】　**ミコナゾール**（フロリード）、チオリダジン★、イスラジピン★、メビノリン★、**ハロペリドール**（セレネース）、**アミオダロン**（アンカロン）、イベルメクチン（ストロメクトール）、**クロザピン**（クロザリル） 【70%未満阻害】　**パロキセチン**（パキシル）、**フルボキサミン**（デプロメール、ルボックス）、ケルセチン★、**メフロキン**（メファキン）、**ドンペリドン**（ナウゼリン）、**キナプリル**（コナン）、アルベンダゾール（エスカゾール）、シクロベンゾプリン★、**ベラパミル**（ワソラン）、**ノルトリプチリン**（ノリトレン）、ランソプラゾール（タケプロン）、**オメプラゾール**（オメプラール、オメプラゾン）、フルオキセチン★ （C）CYP2J2によるアステミゾールのOジメチル化の阻害効果（IC50値、in vitro）[3] 【1μM以下】　**テルミサルタン**※（ミカルディス）、フルナリジン※★、アモジアキン★ 【1μM以上10μM未満】　**ニカルジピン**（ペルジピン）、メベフラジル★、ノルフロキサシン（バクシダール）、**ニフェジピン**（アダラート）、ニモジピン★、ベンズブロマロン（ユリノーム）、**ハロペリドール**（セレネース）、**メトプロロール**（セロケン、ロプレソール）、トリアムシノロンアセトニド（ケナログ、レダコート［外用薬］） 【10μM以上30μM未満】　**ペルフェナジン**（ピーゼットシー）、**ベプリジル**（ベプリコール）、**クロザピン**（クロザリル）、**セルトラリン**（ジェイゾロフト）、**チクロピジン**（パナルジン）、**ベラパミル**（ワソラン）、**クロルプロマジン**（ウインタミン、コントミン）、セフトリアキソン★
誘導薬
イコサペント酸エチル[4]（エパデール他）、ロシグリタゾン★[5]

Drug Metab Rev.2013;45:311-52. の表を一部改変。下線部はQT延長を誘発し得る薬剤。　★販売中止または国内未発売（経口薬）　※特異的阻害剤

1）Biochem Pharmacol.2014;91:109-18.
2）Drug Metab Dispos.2012;40:943-51.
3）Drug Metab Dispos.2013;41:61-71.
4）J Cardiol. 2009;54:368-74.
5）Drug Metab Dispos. 2013;41:2087-94.

ル（ボンゾール）、テルミサルタン（ミカルディス）が知られている。その他、多くの薬剤がCYP2J2を強く阻害する可能性が示唆されている（**表5-12**）。ただし、CYP2J2による薬物代謝に起因する相互作用はこれまで報告されておらず、薬物代謝におけるCYP2J2の役割には不明な点も多い。

CYP2J2の基質を詳しく見ると、エバスチン（エバステル）、エペリゾン塩酸塩（ミオナール）、アミオダロン塩酸塩（アンカロン）、シクロスポリン、ナブメトン（レリフェン）など、初回通過効果を受けやすい薬剤が多い。したがって、これらの初回通過効果を受けやすい薬剤同士の併用やCYP2J2阻害薬との併用の際は、血中濃度上昇とそれに伴う薬効および副作用の増強に注意する必要がある。

図5-2　血管内皮におけるエポキシエイコサトリエン酸（EETs）の生成と主な働き

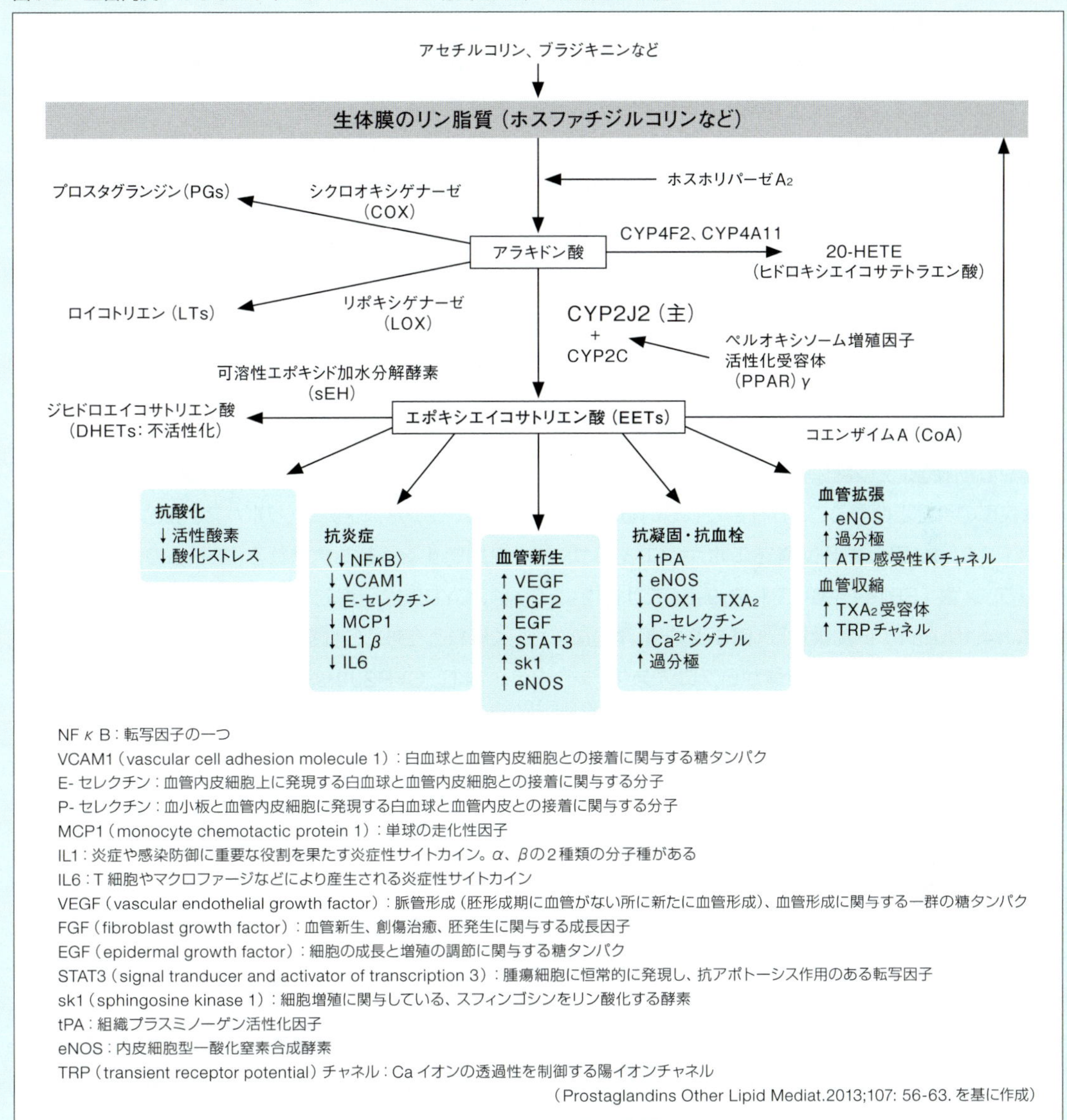

ただし、エバスチンは小腸で吸収・代謝され、約90%がヒドロキシ体、次いでカレバスチン（活性代謝物）に変換されるが、小腸での代謝は主にCYP2J2が担っている。そのため同薬はCYP2J2阻害薬の併用により薬効が減弱する（**症例1**）。

また、抗血栓薬の代謝にもCYP2J2が関与している。肺高血圧症に用いる可溶性グアニル酸シクラーゼ（sCG）刺激薬のリオシグアト（アデムパス）は、肝では主にCYP1A1、次いで2C8、2J2、3A4によって同程度に代謝される。小腸ではCYP2J2と3A4が同程度に関与するため、同薬とCYP2J2阻害薬との併用は慎重に行った方がよいだろう。一方、抗血栓薬のリバーロキサバン（イグザレルト、主にCYP3A4で代謝）、アピキサバン（エリキュース、主にCYP3A4/5で代謝）は、一部がCYP2J2で代謝されるのみであり、影響は受けにくいと考えられる。

その他、CYP3A4阻害薬のリトナビル（ノービア）は通常、主に肝CYP2D6と3A4で代謝され、CYP2J2の関与はわずかであるが、遺伝子多型によりCYP2D6の活性が低下している患者では、肝

CYP2J2の役割が増す可能性が示されている。

また、アミオダロンはCYP3A4および2C8で代謝されてデスエチルアミオダロン（活性代謝物）となった後、CYP3A4および2J2により3-ヒドロキシ体へと代謝されるが、肝および小腸のCYP2J2による特異的代謝の結果、4-ヒドロキシ体も生成することが示されている（臨床的意義は不明）。

② EETsの生成とCYP2J2

CYP2J2は薬物代謝のみならず、内在基質であるアラキドン酸の代謝にも関与しており、臨床上、高血圧や心筋梗塞、2型糖尿病、気管支喘息などの炎症性疾患の発症と関わることが注目されている。

CYP2J2は、アラキドン酸をエポキシエイコサトリエン酸（EETs：5,6-EET、8,9-EET、11,12-EET、14,15-EET）に変換する（**図5-2**）。具体的には、細胞膜の遊離アラキドン酸からプロスタグランジン（PG）、トロンボキサン（TX）、ロイコトリエン（LT）、ヒドロキシエイコサトリエン酸（HETE）などの炎症物質が産生される過程で、CYP2J2を介してEETsが生成される。なお、生成されたEETsは、可溶性エポキシド加水分解酵素（sEH）によってジヒドロエイコサトリエン酸（DHETs）に変換、不活性化されたり、リン脂質に再び取り込まれたりすることが知られている。

CYP2J2は主に心臓、血管系で発現し、生成したEETsは抗酸化・抗炎症・抗血栓や血管拡張などの作用を有することから、心血管系の恒常性や機能の維持に関わっていると考えられている。実際、CYP2J2をマウス心筋に過剰発現させると、心筋虚血後の心電図異常（QT延長、ST上昇）の抑制[1]、ドキソルビシン心毒性の軽減[2]が認められる。また、CYP2J2を糖尿病マウスの心筋に過剰発現させると、インスリン抵抗性や耐糖能低下、心肥大が改善することが報告されている[3]。

さらに、CYP2J2には遺伝子多型（CYP2J2*7）が存在し、日本人の6.2％に認められることも報告されている[4]。海外では、CYP2J2*7を持つ患者でCYP2J2の発現が低下しており、それにより心血管障害（冠状動脈不全[5]、高血圧[6]、心筋梗塞[7]）、2型糖尿病[8]、喘息[9]などの発症・進展リスクが高まる可能性が示唆されている。

以上のことから、相互作用の観点では、CYP2J2阻害薬同士の併用や、基質と阻害薬の併用による心血管障害の誘発に注意すべきである（**症例2**）。CYP2J2の基質や阻害薬には、もともとQT延長などの循環器系の副作用を有する薬剤が多いため、これらの薬剤の併用時には特に注意が必要である。

ただし、CYP2J2阻害薬にはカルシウム拮抗薬（ベラパミル塩酸塩［ワソラン］、ニカルジピン塩酸塩［ペルジピン］、ニフェジピン［アダラート、セパミット］）、シンバスタチン（リポバス）などの心血管障害を抑制する薬剤も含まれる。これらの薬剤に関しては、CYP2J2阻害効果よりも、本来の薬理作用が強く現れると考えられる。

なお、CYP2J2は誘導されにくいとされているが、イコサペント酸エチル（EPA）はペルオキシソーム増殖因子活性化受容体（PPAR）γと結合してこれを活性化し、2J2の転写を促進することが示唆されている。それにより、EPAが心血管系に対して保護的な作用を示す可能性が報告されている（培養血管内皮細胞実験）。

③ CYP2J2阻害と抗腫瘍効果

CYP2J2は、正常細胞と比べて食道癌、肺癌、乳癌、胃癌、肝癌などの腫瘍細胞で過剰に発現することが知られている[10]。これには、CYP2J2が血管新生や腫瘍の転移を促進し、腫瘍細胞自身のアポトーシスを抑制することなどが関係すると考えられている。また、シクロオキシゲナーゼ（COX）2阻害薬はプロスタグランジン（PG）産生を抑制して抗腫瘍効果を示すと考えられているが、腫瘍細胞ではCYP2J2の発現が高いためにCOX2阻害薬の抗腫瘍効果が減弱したとの報告もある[11]。

その他、ヒトの腫瘍細胞において、CYP2J2の阻害薬であるテルフェナジン由来化合物が抗腫瘍効果を示したという報告[12]や、ヒトの肝・腎の腫瘍細胞においてCYP2J2がチロシンキナーゼ阻害薬の効果を減弱させたという報告[13]もある。以上のことから、CYP2J2阻害薬は正常細胞への影響の少ない新たな抗悪性腫瘍薬としても期待されている。

参考文献

1）J Mol Cell Cardiol.2009;4:67-74.
2）Am J Physiol Heart Circ Physiol.2009;297:H37-46.
3）Endocrinology.2013;154:2843-56.
4）Cell Biochem Funct.2008;26:813-6.
5）Circulation.2004;110:2132-6.
6）Dis Markers.2008;24:119-26.
7）BMC Cardiovasc Disord.2008,8:41.
（doi:10.1186/1471-2261-8-41）
8）Exp Clin Endocrinol Diabetes.2010;118:346-52.
9）Chest.2007;132:120-6.
10）Cancer Res.2005; 65:4707-15.
11）Cell Oncol.2012;35:1-8.
12）J Pharmacol Exp Ther.2009;329:908-18.
13）PLoS One.2014;9:1-8.

50歳代男性 Aさん。

［処方箋］
ミカルディス錠40mg　1錠
エバステル錠10mg　1錠
　1日1回　朝食後　14日分

Aさんは高血圧症のため5年前からミカルディス（テルミサルタン）を服用しているが、今回、初めて花粉症を発症したためエバステル（エバスチン）が追加された。

エバスチンの代謝の過程で、活性代謝物（カレバスチン）の生成には主に小腸CYP2J2が関与している。テルミサルタンはCYP2J2の特異的な阻害薬であることから、両者を併用するとカレバスチンへの代謝が抑制され、エバスチンの作用が減弱する可能性がある。薬剤師は処方通りに交付し、経過を観察することにした。2週間後、Aさんの花粉症は改善していた。その後1カ月間の服用を経て花粉症のシーズンが終わり、エバスチンは中止となった。

70歳代女性 Bさん。

［処方箋］
タケプロンOD錠15　1錠
クラリチン錠10mg　1錠
パキシルCR錠12.5mg　1錠
　1日1回　夕食後　14日分

Bさんは数年前から、逆流性食道炎の維持療法でタケプロン（ランソプラゾール）、アレルギー性皮膚炎でクラリチン（ロラタジン）、うつ病でパキシル（パロキセチン塩酸塩水和物）を服用している。これらの薬剤を併用すると、協力作用によりCYP2J2を阻害する可能性があり、心血管系におけるEETs生成が抑制される恐れがある。

薬剤師は、来局時には心血管障害の自覚症状（胸が締め付けられるような痛み、動悸、徐脈、高血圧など）の有無を確認するようにしている。現在までにこれらの症状は認められず、病状も安定している。

コラム36

CYP4Fサブファミリーの機能

ヒトCYP450には、CYP4Fサブファミリーとして CYP4F2、4F3、4F11、4F12が存在し、最近、CYP4F2を中心としてその役割が注目されている。

CYP4F2は、アラキドン酸やエイコサノイド（ロイコトリエンB_4など）、ビタミンK、ビタミンE、フィンゴリモド（ジレニア；多発性硬化症治療薬）などの側鎖末端のメチル基炭素を水酸化（ω水酸化）する酵素である。この水酸化を起点として脂肪酸β酸化と同様の分解（異化）が起こることから、CYP4F2はこれらの物質を異化する律速酵素として重要な役割を果たす（内田友乃ら. ビタミン 2010；84：130-2.）。そのためCYP4F2の活性が変化すると、これらの基質となる薬剤の体内濃度が増減し、作用が増減する。例えば、CYP4F2遺伝子のSNP変異を持つ患者（アジア人の30%）では、ビタミンKの異化が抑制され、肝臓内のビタミンK濃度が上昇するため、ワルファリン（ビタミンK拮抗阻害薬）の効果が減弱したり、投与量が増えたりする可能性がある。一方、CYP4F2誘導作用があるロバスタチン（スタチン系薬；国内未発売）を投与すると、ワルファリンの抗凝固作用が増強することも示唆されている。

CYP4F2の阻害薬としてはケトコナゾール（アゾール系薬；国内未発売）が知られているが、ゴマに含まれるセサミンも阻害作用を有し、体内ビタミンE濃度を著しく上昇させることも動物実験で示されている。CYP4Fファミリーの生理的役割の解明に向け、今後の研究に期待したい。

第2節
CYP450阻害に起因する相互作用

肝CYP450阻害が関与する相互作用は非常に多く、重要である。**表5-13**にCYP450を阻害する主な薬剤を阻害機序別に、**表5-14**にFDAによる阻害強度の分類を示す。本節では、CYP450の阻害様式によって次のように分類し解説する。

表5-13　主なCYP450阻害薬（阻害機序別）

阻害されるCYP分子種	特異的	非特異的	同一CYP450酵素の競合的阻害（特異的）
CYP1A2	・**キノロン系薬**	・シメチジン（タガメット） ・チクロピジン（パナルジン） ・ザフィルルカスト（アコレート） ・**フルボキサミン**（デプロメール、ルボックス）	
CYP2B6	・エチニルエストラジオール	・アゾール系薬 ・**チクロピジン**（パナルジン） ・**クロピドグレル**（プラビックス） ・SSRI	
CYP2C8	・**クロピドグレル**（プラビックス） ・ファビピラビル（アビガン）	・デフェラシロクス（エクジェイド）	・ビタミンA（チョコラA）
CYP2C9	・**サルファ剤** ・ピラゾロン系薬（フェニルブタゾン★、スルフィンピラゾン★） ・フィブラート系薬 ・ブコローム（パラミヂン） ・カペシタビン（ゼローダ；5-FU誘導体） ・A771726（レフルノミド［アラバ］の活性代謝物）	・**シメチジン**（タガメット；イミダゾール系薬） ・**アゾール系薬**（イトラコナゾールを除く） ・イソニアジド（イスコチン；ヒドラジン系薬） ・クロラムフェニコール系薬 ・アロプリノール（ザイロリック） ・**ジスルフィラム**（ノックビン） ・**メチルフェニデート**（リタリン） ・**アミオダロン**（アンカロン）	・ワルファリン（ワーファリン） ・**フルバスタチン**（ローコール） ・トラニラスト（リザベン） ・イマチニブ※3（グリベック） ・セレコキシブ（セレコックス）
CYP2C19	・**プロトンポンプ阻害薬**（PPI）	・**アゾール系薬** ・**チクロピジン**（パナルジン） ・非選択的MAO阻害薬 ・メチルフェニデート（リタリン） ・**フルボキサミン**（デプロメール、ルボックス）	・イミプラミン（トフラニール）
CYP2D6	・ミラベグロン（ベタニス；β_3刺激薬） ・アスナプレビル★（抗HCV薬） ・テルビナフィン（ラミシール） ・セレコキシブ（セレコックス） ・**シナカルセト**（レグパラ；抗PTH製剤） ・デュロキセチン（サインバルタ；SNRI） ・エスシタロプラム（レクサプロ；SSRI） ・ゲフィチニブ※3（イレッサ） ・クロバザム（マイスタン） ・**ダコミチニブ**※3（ビジンプロ）	・シメチジン（タガメット；イミダゾール系薬） ・**チクロピジン**（パナルジン） ・**非選択的MAO阻害薬** ・**アミオダロン**（アンカロン） ・**メチルフェニデート**（リタリン） ・**パロキセチン**（パキシル）	・三環系抗うつ薬：イミプラミン（トフラニール）など ・フェノチアジン系：クロルプロマジン（コントミン）など ・アンフェタミン ・β遮断薬：プロプラノロール（インデラル）など ・抗不整脈薬：**プロパフェノン**（プロノン）、**キニジン**※1（硫酸キニジン）、フレカイニド（タンボコール）

太字の薬剤は代謝阻害作用が強いと考えられる。

※1　キニジンの代謝はCYP3A群であるが、CYP2D6に対する親和性が強く、競合的に代謝を抑制する。
※2　リトナビルはCYP3A4ほどではないが、CYP2C9、2D6も阻害する。
※3　分子標的治療薬の相互作用については**付録C表S-8**参照。

★ 販売中止

阻害される CYP分子種	特異的	非特異的	同一CYP450酵素の競合的阻害（特異的）
CYP3A4	・**14員環マクロライド系** ・**ケトライド系薬★** ・**エチニルエストラジオール**（経口避妊薬） ・**グレープフルーツジュース**（GFJ） ・**キヌプリスチン・ダルホプリスチン**（シナシッド；ストレプトグラミン系） ・レテルモビル（プレバイミス；抗CMV薬） ・パルボシクリブ（イブランス）	・**シメチジン**（タガメット；イミダゾール系） ・**アゾール系薬** ・イソニアジド（イスコチン；ヒドラジン系薬） ・バルプロ酸（デパケン） ・アロプリノール（ザイロリック） ・**エファビレンツ**（ストックリン）、デラビルジン★ ・ビカルタミド（カソデックス；前立腺癌治療薬） ・**セリチニブ**（ジカディア）	・Ca拮抗薬：**ベラパミル**（ワソラン）、**ジルチアゼム**（ヘルベッサー） ・**アプレピタント**（イメンド） ・**ダナゾール**（ボンゾール） ・アトルバスタチン（リピトール） ・**テラプレビル★**（抗HCV薬） ・**コビシスタット**（スタリビルド配合錠に含有） ・**HIVプロテアーゼ阻害薬**※2 ・モザバプタン（フィズリン） ・ラパチニブ※3（タイケルブ） ・エヌトレクチニブ（ロズリートレク） ・ラロトレクチニブ（ヴァイトラックビ）

1 CYP450との結合・複合体形成による阻害
A イミダゾール系薬、B ヒドラジン系薬、C マクロライド系薬、ケトライド系薬、D エチニルエストラジオール、E クロラムフェニコール系薬、F チクロピジン塩酸塩、G クロピドグレル硫酸塩、H サルファ剤

2 同一 CYP 分子種による代謝競合阻害（特異的）

3 阻害機構不明（非特異的および特異的阻害）

4 テオフィリン、ワルファリン、フェニトイン、バルビツール酸系薬の代謝阻害薬　5 その他

1と2のCYP450阻害機序は明らかである。ただし、ケトライド系薬のCYP450阻害機序は明らかでないが、マクロライド系薬と構造が類似しているため、マクロライド系薬の項で解説する。

1～3に該当する薬剤は、阻害作用がCYP450分子に特異的なものと非特異的なものがある。テオフィリン、ワルファリン、フェニトイン、バルビツール酸系薬は、特に代謝阻害を受けやすく、多くの阻害薬が報告されているため、1～3で述べた阻害薬も含めて再度4としてまとめている。

1 CYP450との結合・複合体形成による阻害

CYP450に結合して代謝を阻害する薬剤をp.233**表5-15**に示す。阻害されるCYP450分子種は、実際に代謝阻害を受ける薬剤の代謝CYP450酵素を基に示している。CYP450への結合による代謝阻害には、「配位結合などによる可逆的阻害」と「共有結合による不可逆的阻害」がある。

A イミダゾール系薬

イミダゾール系薬は、直接CYP450のヘムに結合し、酵素活性を阻害する。これは、イミダゾール環のN原子の不対電子とヘムが可逆的な配位結合を形成するためである（p.234**図5-4**）。

イミダゾール系薬のうち、シメチジン（タガメット）は全てのCYP450分子を阻害し、アゾール系薬は主にCYP2C9、2C19と3A4を阻害するため、これらのCYP450分子で代謝される薬剤の併用には常に注意する。しかしながら、全てのCYP450分子はヘムを含むので、イミダゾール系薬は非特異的に各CYP450を阻害する可能性が高い。したがって、基本的にはCYP450で代謝される全ての薬剤との併用に留意した方がよいだろう。

一方、プロトンポンプ阻害薬（PPI）は、厳密にはイミダゾール骨格ではなくベンズイミダゾール骨格を有している。ベンゼン核がイミダゾール環のN原子とCYP450のヘムとの配位結合を立体的に阻害すると考えられることから、シメチジンやアゾール系に比べて酵素阻害作用は弱い。代謝

表5-14　CYP450の臨床阻害薬の例

阻害されるCYP分子種	強力阻害薬	中等度阻害薬	軽度阻害薬
CYP1A2	シプロフロキサシン（シプロキサン）、エノキサシン★、フルボキサミン※1（デプロメール、ルボックス）	メトキサレン（オクソラレン）、メキシレチン（メキシチール）、経口避妊薬、カプマチニブ★★（タブレクタ）	アシクロビル（ゾビラックス）、アロプリノール（ザイロリック）、シメチジン（タガメット）、ペグインターフェロンアルファ-2a（ペガシス）
CYP2B6			クロピドグレル※2（プラビックス）、チクロピジン※3（パナルジン）、テノホビル（テノゼット）、ボリコナゾール※4（ブイフェンド）
CYP2C8	ゲムフィブロジル※5★	クロピドグレル※2（プラビックス）、デフェラシロクス（ジャドニュ）	トリメトプム（バクタ、バクトラミンに配合）
CYP2C9		アミオダロン（アンカロン）、フルコナゾール※6（ジフルカン）、ミコナゾール（フロリード）	ジスルフィラム（ノックビン）、フルバスタチン（ローコール）、フルボキサミン※1（デプロメール、ルボックス）、ボリコナゾール（ブイフェンド）、ロミタピド（ジャクスタピッド；高コレステロール血症治療薬）
CYP2C19	フルコナゾール※6（ジフルカン）、フルオキセチン※7★、フルボキサミン※1（デプロメール、ルボックス）、チクロピジン（パナルジン）		オメプラゾール（オメプラール、オメプラゾン）、ボリコナゾール（ブイフェンド）
CYP2D6	フルオキセチン※7★、パロキセチン（パキシル）、キニジン※8（硫酸キニジン）、テルビナフィン（ラミシール） ダコミチニブ★★（ビジンプロ）	アビラテロン（ザイティガ）、シナカルセト（レグパラ）、デュロキセチン（サインバルタ）、ミラベグロン（ベタニス）	アミオダロン（アンカロン）、セレコキシブ（セレコックス）、シメチジン（タガメット）、クロバザム（マイスタン）、コビシスタット、エスシタロプラム（レクサプロ）、フルボキサミン※1（デプロメール、ルボックス）、ラベタロール（トランデート）、リトナビル※8※9（ノービア）、セルトラリン（ジェイゾロフト）、ベムラフェニブ★★（ゼルボラフ）
CYP3A4	コビシスタット※8（スタリビルド配合錠に含有）、イトラコナゾール※8（イトリゾール）、ケトコナゾール★、ロピナビル・リトナビル配合錠※8（カレトラ）、ポサコナゾール（ノクサフィル）、リトナビル※8、ボリコナゾール（ブイフェンド）、セリチニブ★★（ジカディア）	アプレピタント、シプロフロキサシン、クリゾチニブ（ザーコリ）、シクロスポリン（サンディミュン、ネオーラル）、ジルチアゼム※10（ヘルベッサー）、エリスロマイシン（エリスロシン）、フルボキサミン※1（デプロメール、ルボックス）、イマチニブ（グリベック）、トフィソパム（グランダキシン）、ベラパミル※8（ワソラン）、レテルモビル（プレバイミス；抗CMV薬）	シロスタゾール（プレタール）、シメチジン（タガメット）、クロトリマゾール（エンペシド）、ホスアプレピタント（プロイメンド）、イストラデフィリン（ノウリアスト）、ロミタピド（ジャクスタピッド）、ラニチジン（ザンタック）、チカグレロル（ブリリンタ）※8、イストラデフィリン（ノウリアスト；アデノシンA_{2A}受容体拮抗薬）、ロミタピド（ジャクスタピッド）、エヌトレクチニブ★★（ロズリートレク）、パルボシクリブ★★（イブランス）、ラロトレクチニブ★★（ヴァイトラックビ）

(Drug Development and Drug Interactions | Table of Substrates, Inhibitors and Inducers［2020年3月］を基に作成；https://www.fda.gov/drugs/drug-interactions-labeling/drug-development-and-drug-interactions-table-substrates-inhibitors-and-inducers）

強度阻害薬：AUC5倍以上増加またはクリアランス80%以上低下　中程度の阻害薬：AUC2～5倍増加またはクリアランス50～80%低下
軽度阻害薬：AUC1.25～2倍増加またはクリアランス20～50%低下
*1 CYP1A2およびCYP2C19の強力な阻害薬。CYP3Aの中程度の阻害薬とCYP2D6の弱い阻害薬。
*2 CYP2C8の中程度の阻害薬およびCYP2B6の弱い阻害薬。
*3 CYP2C19の強力な阻害薬とCYP2B6の弱い阻害薬。
*4 CYP2C19およびCYP3Aの強力な阻害薬、およびCYP2B6の弱い阻害薬。
*5 CYP2C8の強力な阻害薬およびOATP1B1とOAT3の阻害薬。
*6 CYP2C19の強力な阻害薬、およびCYP2C9とCYP3Aの中程度の阻害薬。
*7 CYP2C19およびCYP2D6の強力な阻害薬。
*8 P-gpの阻害薬（ジゴキシンのAUCを1.25倍以上に増加させるものとして定義される）。
*9 CYP3Aの強力な阻害薬とCYP2D6の弱い阻害薬。
*10 特定のCYP3A基質（例、ブスピロン）のAUCを5倍以上増加。

★販売中止または国内未発売

★★　分子標的治療薬の相互作用については付録C 表S-8参照

阻害を受ける薬剤からPPIはCYP2C群（2C9、2C19）、3A4を阻害すると予想されるが、PPI自体がCYP2C19、3A4で主に代謝されるため、阻害作用には競合阻害も関わっていると考えられる。一方、PPIの中でラベプラゾールNa（パリエット）は、CYP2C19、3A4でわずかに代謝されるのみであり、CYP450に起因する相互作用は報告されてない。ただし、血中ラベプラゾール濃度はCYP2C19の遺伝子多型の影響を受ける（☞本章第1節❹）。

ここでは、イミダゾール系薬を、a シメチジン、b アゾール系薬、c ベンズイミダゾール系薬（PPI）に分け、それぞれの薬剤によるCYP450阻害に起因する相互作用を詳しく見ていく。

図5-3　プロプラノロールの血中濃度に及ぼすシメチジンの影響

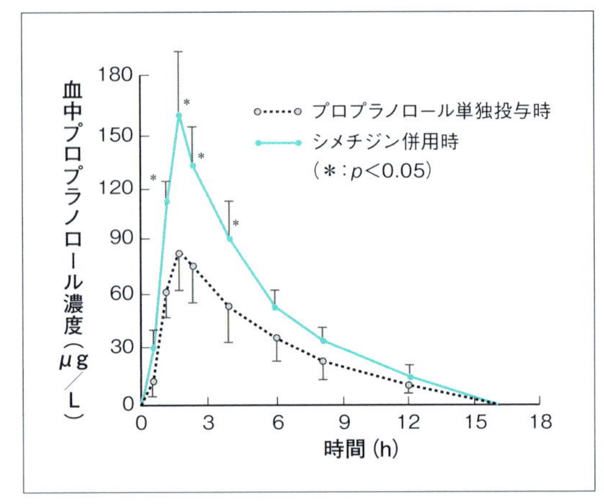

シメチジン1g/日を服用中の患者にプロプラノロール80mgを経口投与し、血中濃度の変化を調べた。プロプラノロール単独投与のデータは、シメチジン中止後2週間以上経った後で同様に実験した結果。

（Heagerty, et al. Br Med J. 1981；282：1917-9. 一部改変）

a シメチジン

シメチジンは、CYP450で代謝されるほぼ全ての薬剤の血中濃度を上昇させる（p.236**表5-16**）。特に軽度のCYP3A、2D6阻害効果があるとされている。例えば、シメチジンとプロプラノロール塩酸塩（インデラル;CYP2D6で代謝）を併用すると、プロプラノロールの血中濃度が1.86倍に上昇する（**図5-3**）。併用禁忌の薬剤はないが、TDMを要する薬剤（テオフィリン［テオドール］、フェニトイン［アレビアチン］、プロカインアミド塩酸塩［アミサリン］、プロプラノロール、リドカイン塩酸塩［キシロカイン］、カルバマゼピン［テグレトール］など）や、ワルファリンカリウム（ワーファリン）との併用は極力避ける。やむを得ず併用する場合は、TDMや凝固能検査を実施し、場合によっては投与量を減らしたり、CYP450阻害作用の弱い他のH_2拮抗薬に変更する。

シメチジンは一般に肝血流量を低下させることが知られているが、抗不整脈薬（キニジン硫酸塩水和物［硫酸キニジン］、リドカイン、プロプラノロール）や三環系抗うつ薬（イミプラミン塩酸塩［トフラニール］）などの肝代謝は、肝血流量に依存して促進すると考えられている。したがって、シメチジンによるこれら薬剤の代謝阻害には、肝血流量の低下も関係している（☞**コラム29**）。

また、シメチジンと同じH_2拮抗薬のラニチジン塩酸塩（ザンタック）はイミダゾール系ではないが、シメチジンより弱いCYP1A2、2D6、3A4/5阻害作用がin vitroで示されている（機序不明）。ラニチジンとワルファリン（CYP1A2、2C9、3A4で代謝）の併用によるプロトロンビン時間変動の報告や、リスペリドン（リスパダール；CYP2D6、3A4で代謝）の併用による活性成分（リスペリドン+パリペリドン［9-ヒドロキシリスペリドン；主代謝活性物］）AUCの20%上昇が報告されている。

b アゾール系薬

アゾール系薬により代謝阻害を受けると考えられる薬剤と相互作用の報告例などをp.238**表5-17**、p.242**表5-18**に示す。CYP1A1、2C9、2C19と3A4など様々なCYP450で代謝される薬剤の血中濃度上昇や作用の増強が見られる。特にワルファリンやTDMを必要とする薬剤との併用には注意する。相互作用を回避するためには、CYP450の代謝を受けにくい他剤に変更するか、

表5-15　CYP450と結合または複合体を形成する薬剤

CYP阻害薬：阻害様式	阻害されるCYP450分子種							代謝阻害を受ける主な薬剤
	1A2	2B6	2C8	2C9	2C19	2D6	3A4	
イミダゾール系：結合								
シメチジン（タガメット）	◎			◎	◎	◎	◎	テオフィリン、ワルファリン、フェニトインのほか、CYP2D6・3A4で代謝される薬剤多数
アゾール系薬※1	○?			◎	◎		◎	テオフィリン、ワルファリン、フェニトイン、SU薬、BZP系薬、ピペリジン系薬、シクロスポリン
PPI※2				◎	◎		◎	ワルファリン、フェニトイン、ジアゼパム、タクロリムスなど
ヒドラジン系薬：結合								
イソニアジド（イスコチン）	○?			◎			◎	テオフィリン、ワルファリン、フェニトイン、カルバマゼピン、シクロスポリン
パラアミノサリチル酸※3				◎				イソニアジド
非選択的MAO阻害薬					○	◎	○	バルビツール酸系薬、フェノチアジン系薬、三環系抗うつ薬、コカイン
マクロライド系薬：複合体形成※4							◎	ワルファリン、テオフィリン、BZP系薬、カルバマゼピン、ピペリジン系薬、麦角系薬など
エチニルエストラジオール：結合※4							◎	テオフィリン、セレギリン、シクロスポリン、三環系抗うつ薬、タクロリムス
クロラムフェニコール系薬：結合※5				◎			◎	ワルファリン、SU薬、ナテグリニド、シクロスポリン、シクロホスファミド
チクロピジン（パナルジン）※6	◎	◎			◎	○	○	テオフィリン、チザニジン、エファビレンツ、メサドン、ケタミン、トラマドール、フェニトイン、バルビツール酸系薬
クロピドグレル（プラビックス）※7	○	◎	◎	○	○		○	レパグリニド、エファビレンツ、メサドンなど
サルファ剤				◎				ワルファリン、SU薬、ナテグリニド

◎：2系統以上阻害　○：1系統のみ阻害（基本構造が同一の場合は1系統とし、異なる場合には2系統以上とした）

？：テオフィリン代謝抑制がCYP1A2、3A4、2E1のどれによるものか明確でない。　※1　イトラコナゾールは特異的にCYP3A4を阻害。

※2　PPIはベンズイミダゾール系なのでここに加えた。CYP450誘導作用も有するので注意（二相効果については**表5-57**参照）。ラベプラゾール（パリエット）はCYP2C19、3A4でわずかに代謝されるのみであり、CYP450阻害に起因する相互作用は示されてない。

※3　パラアミノサリチル酸カルシウム水和物（ニッパスカルシウム）はヒドラジン系ではないが、イソニアジド併用時に、これの代謝抑制を介してCYP450阻害作用を増強させると考えられるためここに加えた。

※4　マクロライド系およびエチニルエストラジオールはCYP3A4で代謝された後にCYP450と複合体および共有結合を形成（3A4阻害の特異性は高い）。

※5　活性中間体がCYP450タンパク質のリジン残基をアシル化する（共有結合）。

※6　CYP2B6、2C19阻害は不可逆的、その他の阻害は可逆的である。　※7 CYP2B6、2C8、3A4阻害は不可逆的、その他は競合阻害と考えられる。

図5-4　イミダゾール系薬のCYP450阻害機序

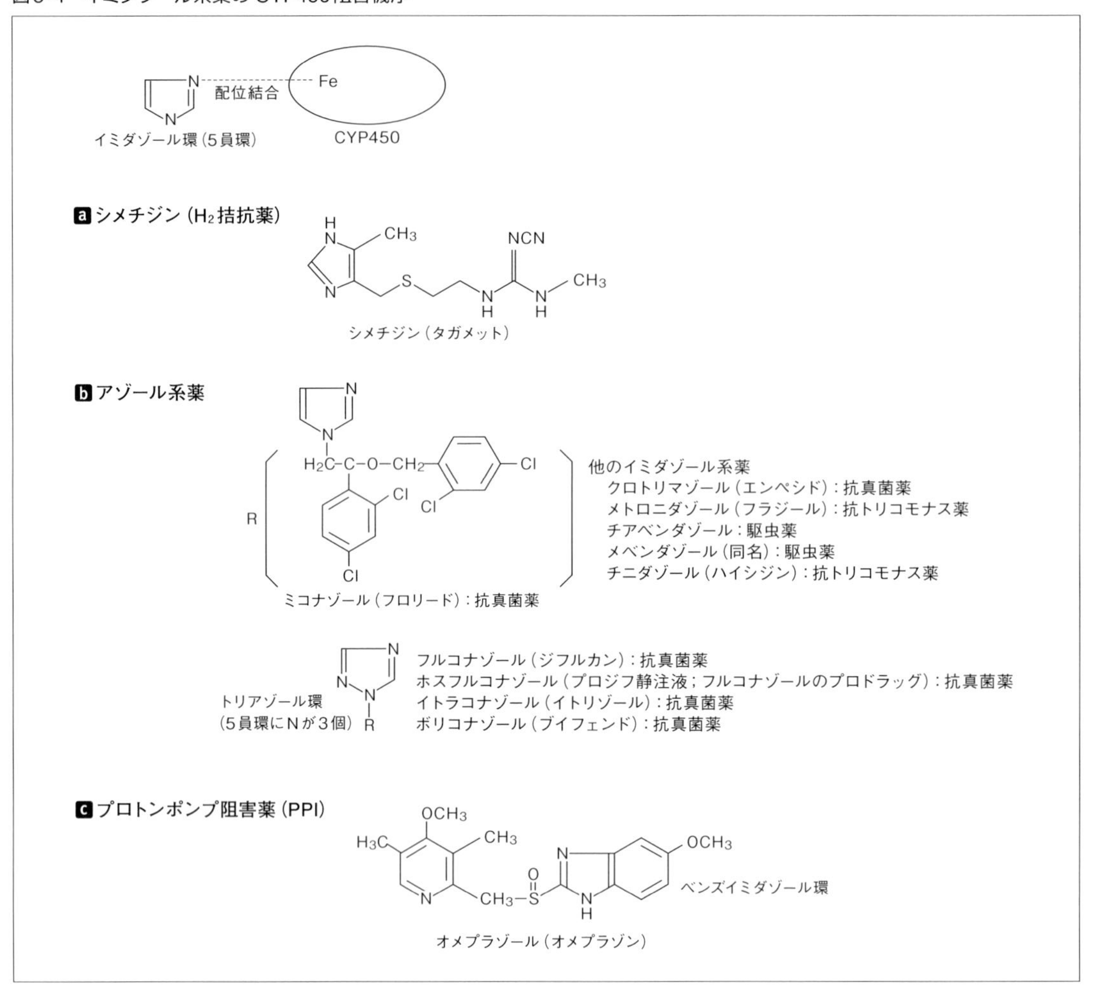

投与量を減量した方がよい(☞表5-4)。

アゾール系薬は主にCYP3A4を阻害するが、ケトコナゾール、イトラコナゾール、ボリコナゾールはCYP1A1を、ケトコナゾール、ボリコナゾール、フルコナゾールは2C19を、ボリコナゾール、フルコナゾール、ミコナゾールは2C9を阻害すると考えられる。ただし、アゾール系薬は非特異的にCYP450を阻害する可能性があり、肝代謝を受ける全ての薬剤との併用に注意する。

アゾール系薬のCYP3A4阻害作用は強力であり、イトラコナゾール、ミコナゾールおよびポサコナゾール(ノクサフィル;2020年発売)に併用禁忌となっている薬は多い(☞p.235**表**、p.238**表5-17**)。実際、ケトコナゾールもしくはイトラコナゾールとトリアゾラムを併用すると、トリアゾラムのCmaxは3倍に上昇しAUCは20倍以上になる(**図5-5**)。また、原則禁忌薬にはトルバプタン(サムスカ)、分子標的治療薬などがある。

また、ミコナゾールでは強力なCYP2C9阻害によりワルファリンとの併用が禁忌となっている。ミコナゾールのクリーム剤、膣坐剤については皮膚や膣からの吸収はほとんど認められないが、ワルファリンの作用を増強し、出血を来した症例が海外で報告されている(併用注意)。

ボリコナゾールは強くCYP3A4を阻害し、フルコナゾール、ホスフルコナゾール(プロジフ静注液;

フルコナゾールのプロドラッグ）は中等度の阻害効果があると考えられるが、それぞれの併用禁忌薬剤だけでなく、上記の薬剤との併用も避けた方がよいであろう。一方、メトロニダゾール（フラジール）とメベンダゾール（同名）については、阻害するCYP分子種が明らかでなく、またイトラコナゾール、ミコナゾール、フルコナゾール、ホスフルコナゾール、ボリコナゾールに比べてCYP阻害効果は弱いと考えられる（併用禁忌薬はない）。消化管の鞭虫症に適応のあるメベンダゾールの場合、消化管吸収率が0.1～0.3%と低いこともCYP阻害に起因する相互作用が少ない原因と思われる。

なお、アゾール系自体のCYPによる代謝に関しては、イトラコナゾールがCYP3A4（主）、2A6、1A2、2C、ボリコナゾールがCYP2C19（主）、2C9、3A4で代謝されることが示されているが、その他の薬剤については明らかではない。イトラコナゾールが主にCYP3A4で代謝されることから、同薬はCYP3A4を特異的に阻害すると考えられる。

ちなみに、ボリコナゾールとエファビレンツ（ストックリン；主にCYP3A4で代謝）との併用も禁忌であるが、これはボリコナゾールのCYP3A4阻害作用によるエファビレンツ血中濃度上昇のためではなく、エファビレンツのCYP3A4誘導作用によるボリコナゾール血中濃度の著しい低下によるものと思われる（☞表5-53）。

症例①　50歳代女性Aさん。

［処方箋］
① リポバス錠5　1錠
　1日1回　夕食後　14日分
② イトリゾールカプセル50　8カプセル
　1日2回　朝夕食直後　7日分

脂質異常症でリポバス（シンバスタチン）を約1年間服用していたAさん。今回、爪白癬の治療のため、イトリゾール（イトラコナゾール）が追加された（パルス療法；☞コラム38）。

イトラコナゾールはCYP3A4を強力に阻害し、同分子種で代謝されるリポバスの血中濃度

図5-5　トリアゾラムの血中濃度に及ぼすアゾール系薬の影響

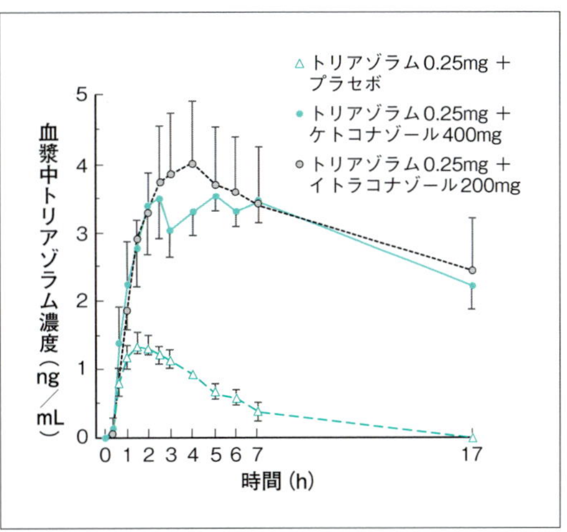

健康な男女9人を対象に、ケトコナゾール400mgもしくはイトラコナゾール200mgもしくはプラセボを4日間経口投与した後、トリアゾラム0.25mgを経口投与し、血漿中のトリアゾラム濃度の変化を調べた。
（Varhe A, et al. Clin Pharmacol Ther. 1994；56：601-7. 一部改変）

イトラコナゾール、ミコナゾール
ポサコナゾールの併用禁忌薬剤

ピモジド（オーラップ）、キニジン硫酸塩水和物（硫酸キニジン）、ベプリジル塩酸塩水和物（ベプリコール）、エルゴタミン製剤、トリアゾラム（ハルシオン）、アゼルニジピン（カルブロック）、ニソルジピン（バイミカード）、シンバスタチン（リポバス）、バルデナフィル塩酸塩水和物（レビトラ）、シルデナフィルクエン酸塩（レバチオ）※1、タダラフィル（アドシルカ）※1、エプレレノン※2（セララ）、ブロナンセリン（ロナセン）、コルヒチン（同名）※3、リバーロキサバン※4（イグザレルト）、スボレキサント※2（ベルソムラ；オレキシン受容体拮抗薬）、チカグレロル※6（ブリリンタ；抗血小板薬）、ワルファリン（ワーファリン）※5、ロミタピド（ジャクスタピッド；高コレステロール血症治療薬）、リオシグアト※6（アデムパス；可溶性グアニル酸シクラーゼ［sGC］刺激薬）、抗HIV薬（アスナプレビル［スンベプラ］、バニプレビル※6［バニヘップ］）、イバブラジン（コララン；HCNチャネル遮断薬）※2など

※1　肺動脈性肺高血圧症治療薬（PDE5阻害薬）。
※2　イトラコナゾールのみ併用禁忌。
※3　肝・腎障害のある患者にはイトラコナゾールのみ併用禁忌。
※4　アゾール系の中でフルコナゾール、ホスフルコナゾールのみ禁忌でない。
※5　ミコナゾールのみ併用禁忌
※6　イトラコナゾール、ボリコナゾールのみ併用禁忌

表5-16 シメチジンによるCYP450阻害に起因する相互作用

	関与するCYP分子種	シメチジンにより代謝阻害を受ける薬剤	動態学的変化や報告されている事象
原則禁忌	CYP3A4	シロリムス※1（ラパリムス）	血中濃度上昇の恐れ。
併用慎重	CYP1A2	テオフィリン※2（テオドール）	血中濃度2.7倍に上昇。
		ゾルミトリプタン（ゾーミッグ；5-HT$_{1B/1D}$作動薬）	AUC増加。1日量≦5mgとするなど慎重投与。
	CYP2C9	ワルファリン※2（ワーファリン）	血中濃度3.4倍に上昇。
		フェニトイン※2（アレビアチン）	血中濃度13～33%上昇。
	CYP2C19	エスシタロプラム※2（レクサプロ；SSRI）	AUC 1.72倍に上昇。
		シロスタゾール※2（プレタール；PDE3阻害薬） フェニトイン※2（アレビアチン）	血中濃度上昇。
	CYP2D6	三環系抗うつ薬：イミプラミン※2（トフラニール） アモキサピン※2（アモキサン）	血中濃度2倍に上昇。
		抗不整脈薬：フレカイニド※2（タンボコール） メキシレチン※2（メキシチール）	Tmax 2倍に延長。 血中濃度1.6倍に上昇。
		β遮断薬：プロプラノロール※2（インデラル）	血中濃度1.86倍に上昇。
		その他：パロキセチン（パキシル、血中濃度50%上昇）、セレギリン※2（エフピー；MAO-B阻害薬）、シロスタゾール※2（プレタール;PDE3阻害薬）、ロラタジン※2（クラリチン;抗アレルギー薬）、マプロチリン（ルジオミール；四環系抗うつ薬）など	
	CYP3A4	リドカイン（キシロカイン）	血中濃度30～50%上昇※3。
		カルバマゼピン（テグレトール）	カルバマゼピン中毒（不随意運動など）発現。
		Ca拮抗薬： ベラパミル（ワソラン） ジルチアゼム（ヘルベッサー） ニフェジピン（アダラート） ニソルジピン（バイミカード） ベニジピン（コニール）、アゼルニジピン（カルブロック）など	半減期1.5倍に延長。 血中濃度1.58倍上昇、投与量3～5割に減量。 Cmax 80%上昇、投与量40%に減量。 バイオアベイラビリティーが5.7%増大。
		BZP系※4： クロルジアゼポキシド（バランス） ジアゼパム※2（セルシン、ダイアップ坐剤） アルプラゾラム（コンスタン） フルトプラゼパム（レスタス）	半減期2～3倍延長。 血中濃度57%上昇。臨床では問題ない。 AUC、半減期著明に増大。 AUC 40～50%増大。臨床では問題ない。
		エリスロマイシン（エリスロシン）	AUC 73%増大、難聴。
		シルデナフィル（バイアグラ、レバチオ；PDE5阻害薬）	CmaxおよびAUCが1.5倍および1.6倍に上昇。
		その他：非BZP系（ゾルピデム［マイスリー］、ゾピクロン［アモバン］、エスゾピクロン［ルネスタ］）、ヒドロキシジン（アタラックス；抗ヒスタミン薬）、セレギリン※2（エフピー）、シロスタゾール※2（プレタール）、ネビラピン※2（ビラミューン；非ヌクレオシド系HIV逆転写酵素阻害薬）、スタチン系薬※2、ロミタピド（ジャクスタピッド）、タクロリムス（プログラフ→腎毒性）、タキソイド系薬※2、ロラタジン※2（クラリチン）、クエチアピン（セロクエル）、ペロスピロン※2（ルーラン）、メフロキン（メファキン；抗マラリア薬）、セビメリン※2（エボザック、サリグレン；口腔乾燥改善薬）、ゲフィチニブ※1（イレッサ）、セルトラリン※2（ジェイゾロフト→AUC 50%増大）など	
	複数のCYP450分子種	テルビナフィン※2（ラミシール；抗真菌薬→AUC 30%上昇） ミルタザピン※2（リフレックス、レメロン） ベンラファキシン（イフェクサー） ヒドロキシクロロキン（プラケニル；免疫調整薬）	
併用慎重	関与するCYP分子種が不明	プロカインアミド（アミサリン；NaSSA→血中濃度50%上昇※5） バルプロ酸（デパケン、バレリン）、エピルビシン（ファルモルビシン） メベンダゾール（メベンダゾール；アゾール系薬→シメチジンの長期投与で血中濃度上昇）	

いずれも阻害を受ける薬剤の作用が増強する（併用慎重）。
※1 分子標的治療薬の相互作用については**付録C表S-8**参照。
※2 2種類以上のCYP450で代謝される薬剤（☞**表5-2、5-3**）。
※3 血漿タンパク結合置換も関与。
※4 トリアゾラム（ハルシオン）、フルニトラゼパム（サイレース）、フルラゼパム（ダルメート、ベノジール）、ブロチゾラム（レンドルミン）は特に注意する。
※5 腎分泌阻害も関与。

を最大で19倍上昇させるリスクがあるので、併用は禁忌である。

そこで薬剤師は、Aさんに「飲み合わせに問題があるので、先生に問い合わせてみます」と説明し、処方医に疑義照会をした。代替案として、①抗真菌薬をラミシール（テルビナフィン塩酸塩）に変更する、②リポバスをCYP3A4で代謝されにくいメバロチン（プラバスタチンNa）、リバロ（ピタバスタチンCa）、クレストール（ロスバスタチンCa）に変更する——の2つを伝えたところ、リポバスからリバロに処方変更された。

症例② 50歳代女性Bさん。

[処方箋]
① カルブロック錠16mg　1錠
　1日1回　朝食後　14日分
② イトリゾールカプセル50　8カプセル
　1日2回　朝夕食直後　7日分

高血圧のためカルブロック（アゼルニジピン；主にCYP3A4で代謝）を6カ月服用しているBさんに、CYP3A4阻害薬のため併用禁忌であるイトリゾール（イトラコナゾール）が追加された。直ちに処方医に疑義照会の結果、カルブロックがアムロジン錠5mg（アムロジピンベシル酸塩）に変更された。

アムロジピンは併用禁忌ではないがやはりCYP3A4で代謝されるので、Bさんには、「降圧効果が強く出る恐れがあるので、体のふらつき、めまいなど、いつもと違う症状が出たら、血圧を測定して、連絡してください」と伝えた。その後、イトリゾールのパルス療法中には低血圧は認められなかった。このように、併用禁忌ではなくてもCYP3A4で代謝される薬剤と併用する場合は常に注意して対処すべきである。

なお、ケトコナゾール、イトラコナゾールは、薬物排泄トランスポーターであるP-gpの基質であり、P-gpを強力に阻害するため、P-gpの基質となる薬剤と併用すると、小腸や肝、腎での併用薬の排泄が抑制され血中濃度が上昇する可能性が高い（☞**表4-11A、4-21、4-27、4-28**）。CYP3A4とP-gpの双方の基質となる薬剤（☞**表4-10**）を併用した場合は、著しく血中濃度が上昇すると考えられるため注意する。また、ケトコナゾールにはCYP3A、P-gp阻害効果のほか、CYP1A1などの複数のCYP分子種やBCRPに対する阻害効果もあり（in vitro）、リオシグアト（アデムパス；CYP1A1、2C8、2J2、3A、P-gp、BCRPの基質）のAUCを150%上昇させることが示されている。ケトコナゾールと同様、複数の阻害効果を有すると考えられるイトラコナゾール、ボリコナゾールとリオシグアトとの併用は禁忌となっている（ただし、ボリコナゾールにはP-gp、BCRP阻害作用はない；他のアゾール系との相互作用は併用慎重）。

参考

抗真菌薬の作用機序

アゾール系の抗真菌薬は、①エルゴステロール合成阻害作用（静菌作用）と、②直接的な膜障害作用（殺菌作用）を持つ。①は、真菌のCYP450をアゾール系薬が阻害し、その結果、脱メチル化が抑制されてエルゴステロールが欠乏する。ただし、トリコモナス症治療薬であるメトロニダゾール（フラジール）の抗原虫作用は、メトロニダゾールに存在するNO_2基が微生物により還元され、そ

表5-17　アゾール系薬によるCYP3A4阻害に起因する併用禁忌・原則禁忌例

	アゾール系薬（CYP3A4阻害薬）	アゾール系薬により代謝阻害を受ける薬剤	結果、報告されている事象
併用禁忌	イトラコナゾール（イトリゾール）、ミコナゾール（フロリード）	ピペリジン系薬（テルフェナジン★、アステミゾール★、ピモジド［オーラップ］）、キニジン（硫酸キニジン）、ベプリジル（ベプリコール）	QT延長、心室性不整脈発現。
		エルゴタミン製剤（麦角系）：ジヒドロエルゴタミン（ジヒデルゴット）、エルゴタミン（クリアミン配合錠）、エルゴメトリン（子宮収縮薬）、メチルエルゴメトリン（メテナリン；子宮収縮薬）	末梢血管収縮（四肢虚血）、血管攣縮、麦角中毒出現の可能性。
		トリアゾラム（ハルシオン）	AUC 22倍、血中半減期7倍（イトラコナゾール併用時）。催眠鎮静作用延長・増強。
		アゼルニジピン（カルブロック）、ニソルジピン（バイミカード）	アゼルニジピンAUC 2.8倍上昇例。ケトコナゾール内服薬★との併用でニソルジピンAUC 24倍上昇例。心拍数増加、低血圧など。
		シンバスタチン（リポバス）	AUC 19倍上昇。横紋筋融解症発現。
		バルデナフィル（レビトラ；PDE5阻害薬）	AUCおよびCmaxが10倍および4倍上昇（ケトコナゾール内服薬★併用時）。
		肺動脈性肺高血圧症治療用PDE5阻害薬※1：シルデナフィル20mg（レバチオ錠20mg）、タダラフィル20mg（アドシルカ錠20mg）	PDE5阻害薬の血中濃度上昇の恐れ。イトラコナゾールとの併用のみ禁忌であるが、ミコナゾールとの併用も同様にした方がよい。
		エプレレノン（セララ；選択的アルドステロン拮抗薬）	血中濃度上昇の恐れ。イトラコナゾールとの併用のみ禁忌であるが、ミコナゾールとの併用も同様にした方がよい。
		ブロナンセリン（ロナセン；DSA）	ブロナンセリンAUC 17倍、Cmax 13倍上昇（ケトコナゾール内服薬★併用時）。ミコナゾールは経口薬、注射薬、口腔用薬のみ併用禁忌。
		コルヒチン（肝・腎障害のある場合のみ）	肝・腎障害のある患者で強いCYP 3A阻害薬またはP-gp阻害薬を服用中の患者へは投与禁忌。イトラコナゾール併用時にコルヒチン中毒（下痢、腹痛、発熱、筋肉痛、肝障害、汎血球減少症、呼吸困難など）発現。肝・腎障害のない場合、併用時には減量したり低用量で開始する。コルヒチンは主に胆汁中排泄されることから肝P-gp競合も関与（☞**表4-21**）。
	イトラコナゾール、ポサコナゾール（ノクサフィル；深在性真菌症治療薬）	スボレキサント（ベルソムラ；オレキシン受容体拮抗薬）	顕著な血中濃度上昇の恐れ。ケトコナゾールと併用時にAUC179%上昇。
	ポサコナゾール（ノクサフィル）	エルゴタミン製剤（麦角系）：ジヒドロエルゴタミン（ジヒデルゴット）、エルゴタミン（クリアミン配合錠）、エルゴメトリン（子宮収縮薬）、メチルエルゴメトリン	麦角中毒を起こす恐れ。
		シンバスタチン（リポバス）、アトルバスタチン（リピトール ）	横紋筋融解症を引き起こす恐れ。
		ピモジド（オーラップ）、キニジン（硫酸キニジン）	QT延長・心室頻拍等の心血管系の重篤な副作用を引き起こす恐れ。
		ベネトクラクス（ベネクレクスタ）［再発または難治性の慢性リンパ性白血病の用量漸増期］	腫瘍崩壊症候群の発現を増強させる恐れ。
		トリアゾラム、ルラシドン塩酸塩（ラツーダ）、ブロナンセリン	これら薬剤の作用を増強させる恐れ。

※1　レバチオはシルデナフィルとして1日60mg（分3）、アドシルカはタダラフィルとして1日40mg（分1）を投与するためCYP3A4阻害の影響を受けやすい。一方、勃起不全治療薬のバイアグラ錠はシルデナフィルとして1日25～50mg（分1）、シアリス錠はタダラフィルとして1日5～20mg（分1）を投与するものであり、用量が小さいため併用禁忌ではない。

表5-17（つづき）　アゾール系薬によるCYP3A4阻害に起因する併用禁忌・原則禁忌例

	アゾール系薬（CYP3A4阻害薬）	アゾール系薬により代謝阻害を受ける薬剤	結果、報告されている事象
併用禁忌	強いCYP3A阻害薬：アゾール系薬（イトラコナゾール［イトリゾール］、ボリコナゾール［ブイフェンド］）	チカグレロル（ブリリンタ；抗血小板薬）	チカグレロルの血中濃度が著しく上昇する恐れ。ケトコナゾール併用時、Cmax135%、AUC632%上昇。チカグレロルの血小板凝集抑制作用が増強される恐れ。
	ミコナゾール（ゲル剤、注射剤、錠剤）	ワルファリンカリウム（ワーファリン）	ミコナゾールとワルファリンの併用中または併用中止後の重篤な出血例が多数集積。著しい血液凝固検査の変動。7日間の併用後、PT-INR値＞10となった症例の報告（医薬品・医療機器等安全性情報 No338）。ミコナゾールゲル塗布後、11日目に出血・血尿が出現したとの報告。CYP2C9,3A4 阻害に起因。血漿タンパク結合置換も関与。
	強・中等度のCYP3A阻害薬；イトラコナゾール（イトリゾール）、ボリコナゾール（ブイフェンド）、ミコナゾール（フロリード）、フルコナゾール（ジフルカン）、ホスフルコナゾール（プロジフ）など	ロミタピド（ジャクスタピッド；高コレステロール血症治療薬）	強・中等度のCYP3A阻害薬とは併用禁忌。ケトコナゾール併用時AUC27.25倍、Cmax14.82倍上昇。
	アゾール系抗真菌薬（経口薬、注射薬）	アスナプレビル★（抗HCV薬）	血中濃度上昇の恐れ。アスナプレビルでは肝関連有害事象発現、バニプレビルでは高用量時に悪心、嘔吐、下痢など発現増加。アスナプレビルでは中程度のCYP3A阻害薬（エリスロシン、ジルチアゼム、ベラパミル）との併用も禁忌。
	イトラコナゾール（イトリゾール）、ボリコナゾール（ブイフェンド）	バニプレビル★（抗HCV薬）	
		イバブラジン(コララン；HCNチャネル遮断薬)	血中濃度上昇の恐れ。ケトコナゾールと併用時にCmaxおよびAUC0-∞は3.7倍および7.5倍に上昇。
		リオシグアト（アデムパス；グアニル酸シクラーゼ［sGC］刺激薬；肺高血圧症治療薬）	リオシグアト血中濃度上昇の恐れ。ケトコナゾール併用時、リオシグアトのAUC150%、Cmax46%上昇。ケトコナゾールには複数のCYP分子種（1A1、3Aなど）およびP-gp、BCRP阻害するため（in vitro）。アゾール系薬では、ケトコナゾールと同様に様々な阻害効果を有すると考えられるイトラコナゾール、ボリコナゾールのみが併用禁忌。ただし、ボリコナゾールはP-gpおよびBCRP阻害薬ではない（☞ **コラム32**）。
	アゾール系抗真菌薬（フルコナゾール［ジフルカン］、ホスフルコナゾール［プロジフ静注液］を除く）	リバーロキサバン（イグザレルト；活性化第X因子［FXa］阻害薬）	CYP3A4（およびP-gp）阻害により血中濃度が上昇し出血の危険性増大。リバーロキサバンのAUCがリトナビル併用時に2.5倍上昇、ケトコナゾール内服薬★併用時に2.6倍上昇し、抗凝固作用が増強する。腎・消化管P-gp阻害も関与。
	フルコナゾール（ジフルカン）、ホスフルコナゾール（プロジフ静注液）	ピモジド、キニジン、エルゴタミン製剤（麦角系）、トリアゾラム、アゼルニジピン、ブロナンセリン	CYP3A4阻害により併用薬の血中濃度が上昇する。ホスフルコナゾールは静脈内投与後、ほぼ完全に活性本体であるフルコナゾールに加水分解される。
	ボリコナゾール（ブイフェンド）	スボレキサント（ベルソムラ）、ピモジド、キニジン、エルゴタミン製剤、トリアゾラム、アゼルニジピン、ブロナンセリン、エファビレンツ（ストックリン）、リファブチン（ミコブティン；リファンピシンと同系）	CYP3A4阻害により併用薬の血中濃度が上昇する。リファブチンAUC、Cmaxが331%、195%増大。リファブチンによるCYP3A4誘導でボリコナゾールAUC、Cmaxが78%、69%低下したとの報告もある。アゼルニジピンの添付文書では、アゾール系薬との併用が禁忌となっている。

※2 分子標的治療薬の相互作用については**付録C表S-8**参照。

★ 販売中止または国内未発売；ケトコナゾール内服薬（国内未発売）はトリアゾラム、バルデナフィルなどとの併用が禁忌とされている。日本で販売されているケトコナゾール外用薬（ニゾラールクリーム）では、皮膚から循環血液中へのケトコナゾールの移行はほとんどなく問題ない。

	アゾール系薬（CYP3A4阻害薬）	アゾール系薬により代謝阻害を受ける薬剤	結果、報告されている事象
併用禁忌	CYP3A4を強く阻害する薬剤：アゾール系薬（イトラコナゾール［イトリゾール］、ボリコナゾール［ブイフェンド］、ミコナゾール［フロリード］、フルコナゾール［ジフルカン］、ホスフルコナゾール［プロジフ］、ポサコナゾール［ノクサフィル］）	ルラシドン（ラツーダ；DSA；抗精神病薬/双極性障害のうつ症状治療薬）	ルラシドンの血中濃度が上昇し、作用が増強される恐れ。ケトケトコナゾール併用により、Cmax6.8倍、AUC9.3倍上昇。
	強いCYP阻害薬：イトラコナゾール（イトリゾール）、ボリコナゾール（ブイフェンド）、ポサコナゾール（ノクサフィル）	ベネトクラクス※2（ベネクレクスタ）<再発または難治性の慢性リンパ性白血病（小リンパ球性リンパ腫を含む）の用量漸増期>	腫瘍崩壊症候群の発現が増強される恐れがある。ケトコナゾールによりCmax2.3倍、AUC2.7倍上昇。
	ケトコナゾール、イトラコナゾール	イブルチニブ※2（イムブルビカ）	ケトコナゾールによりCmax29倍、AUC24倍上昇。
原則禁忌	アゾール系薬（フルコナゾール［ジフルカン］を除く）	アピキサバン（エリキュース；活性化第X因子［FXa］阻害薬）	ケトコナゾール併用時にアピキサバンAUC、Cmaxが2倍、1.6倍上昇。アゾール系薬（ジフルカンを除く）併用時には、アピキサバン2.5mg1日2回（成人への通常用量の半量）投与を考慮すること、あるいは、**治療上の有益性と危険性を十分に考慮し、併用が適切と考えられない場合は併用しない**こと。消化管・肝・腎のP-gp阻害も関与（☞**表4-11、4-21、4-28**）。
	イトラコナゾール（イトリゾール）、フルコナゾール（ジフルカン）、ホスフルコナゾール（プロジフ注）、ケトコナゾール★	トルバプタン（サムスカ；V_2-受容体拮抗薬）	トルバプタンはCYP3A4阻害薬との併用は避けることが望ましい。併用時にはトルバプタン減量あるいは低用量投与を考慮。ケトコナゾール内服薬★併用時にAUC 5.4倍上昇。P-gp阻害も関与。
	フルコナゾール（ジフルカン）、ミコナゾール（フロリード）	スボレキサント（ベルソムラ）	血中濃度上昇（傾眠、疲労、入眠時麻痺、睡眠時随伴症、夢遊病など）の恐れ。併用する場合、1日1回10mgへの減量を考慮するとともに、患者の状態を慎重に観察する。
	強いCYP3A阻害薬：アゾール系薬（イトラコナゾール［イトリゾール］、ボリコナゾール［ブイフェンド］、ケトコナゾール★など	強く阻害を受ける薬剤（AUCが5倍以上上昇）	
		エベロリムス※2（アフィニトール）	ケトコナゾール併用時、Cmax、AUCが3.9倍および15倍上昇、半減期は1.9倍延長。**併用は治療上の有益性が危険性を上回る場合のみ**。
		シロリムス※2（ラパリムス）、テムシロリムス※2（トーリセル点滴静注液）	シロリムスはケトコナゾール併用時、Cmax、AUCが342%、990%上昇。テムシロリムスはケトコナゾール併用により、主要代謝物シロリムスのCmax、AUCが約2.2倍、約3.1倍に上昇。
		ボスチニブ※2（ボシュリフ）	ケトコナゾール併用時、Cmax、AUCが5.2倍および8.6倍上昇。
		ダサチニブ※2（スプリセル）	ケトコナゾール併用時、Cmax、AUCが4倍、5倍上昇。
		エヌトレクチニブ※2（ロズリートレク）	イトラコナゾール併用時、Cmax1.7倍、AUC6.0倍上昇。
		中等度に阻害を受ける薬剤（AUCが2～5倍上昇）	
		アキシチニブ※2（インライタ）	ケトコナゾール併用時、Cmax、AUCが50%、106%上昇。

表5-17（つづき）　アゾール系薬によるCYP3A4阻害に起因する併用禁忌・原則禁忌例

	アゾール系薬（CYP3A4阻害薬）	アゾール系薬により代謝阻害を受ける薬剤	結果、報告されている事象
原則禁忌	強いCYP3A阻害薬：アゾール系薬（イトラコナゾール［イトリゾール］、ボリコナゾール［ブイフェンド］、ケトコナゾール★など	ギルテリチニブ※2（ゾスパタ）	イトラコナゾール併用時、Cmax1.2倍、AUC2.2倍上昇。
		セリチニブ※2（ジカディア）	ケトコナゾール併用時、Cmax1.2倍、AUC2.9倍上昇。
		ブリグチニブ※2（アルンブリグ）	イトラコナゾール併用時、Cmax21%、AUC101%上昇。中程度CYP3A阻害薬との併用も原則禁忌。
		エンコラフェニブ※2（ビラフトビ）	ポサコナゾール併用時、Cmax68%、AUC183%上昇。
		オラパリブ※2（リムパーザ）	イトラコナゾール併用時、Cmax1.4倍、AUC2.7倍上昇。中程度CYP3A阻害薬トの併用も原則禁忌。
		アカラブルチニブ※2（カルケンス）	イトラコナゾール併用時、Cmax3.9倍、AUC5.0倍上昇。
		ラロトレクチニブ※2（ヴァイトラックビ）	イトラコナゾール併用時、Cmax2.8倍、AUC4.3倍上昇。
		軽度に阻害を受ける薬剤（AUCが1.25～2倍上昇）	
		パノビノスタット※2（ファリーダック）	ケトコナゾール併用時、Cmax、AUCが62%、78%上昇。
		アレクチニブ※2（アレセンサ）	ポサコナゾール★併用時、Cmax、AUCが18%、75%上昇。主要活性代謝物Cmax、AUCは71%、25%低下。
		スニチニブ※2（スーテント）	ケトコナゾール併用時、Cmax、AUCが59%、74%上昇。N-脱エチル体はそれぞれ29%および12%減少。スニチニブとN-脱エチル体を合わせたCmax、AUCは49%および51%上昇。
		パゾパニブ※2（ヴォトリエント）	ケトコナゾール併用時、Cmax、AUCが45%、66%上昇。
		ダブラフェニブ※2（タフィンラー）	ケトコナゾールによりCmax71%、AUC33%上昇。
		ペミガチニブ※2（ペマジール）	イトラコナゾールによりCmax17%、AUC88%上昇。
		ポラツズマブ※2（ポライビー点滴静注用）	イトラコナゾールにより構成成分MMAEのCmax18%、AUC48%上昇。
		レゴラフェニブ※2（スチバーガ）	ケトコナゾール併用時、Cmax、AUCが40%、33%上昇。活性代謝物M-2、M-5のAUCが94%、93%減少、Cmaxが97%、94%減少。
		カバジタキセル（ジェブタナ点滴静注；タキソイド系薬）	ケトコナゾール併用時、クリアランスが20%低下（AUC25%上昇に相当）。なお、中等度のCYP3A阻害薬のアプレピタント併用時はクリアランス、曝露量に影響ない。
	ポサコナゾール（ノクサフィル；深在性真菌症治療薬）、ボリコナゾール、フルコナゾール	イブルチニブ※2（イムブルビカ）	ボリコナゾールによりCmax6.7倍、AUC5.7倍上昇。
	ポサコナゾール（ノクサフィル）	ビンカアルカロイド系抗悪性腫瘍薬（ビンクリスチン、ビンブラスチン）	神経毒性、痙攣発作、末梢性ニューロパチー、抗利尿ホルモン不適合分泌症候群、麻痺性イレウス等の重篤な副作用を引き起こす恐れ。
		CYP3A4で代謝されるベンゾジアゼピン系薬（ミダゾラム［ドルミカム］、トリアゾラム［ハルシオン］、アルプラゾラム［ソラナックス］）	ミダゾラム静注との併用でCmax1.6倍、AUC6.2倍上昇。鎮静の延長や呼吸抑制の恐れ。
	CYP2C9かつCYP3A4中程度阻害薬：フルコナゾール（ジフルカン）等	シポニモド（メーゼント；多発性硬化症治療薬）	フルコナゾールによりCmaxは同程度であったが、AUCは2.0倍に上昇。

※2 分子標的治療薬の相互作用については**付録C 表S-8**参照。

★ 販売中止または国内未発売：ケトコナゾール内服薬（国内未発売）はトリアゾラム、バルデナフィルなどとの併用が禁忌とされている。日本で販売されているケトコナゾール外用薬（ニゾラールクリーム）では、皮膚から循環血液中へのケトコナゾールの移行はほとんどなく問題ない。

表5-18　アゾール系薬によるCYP450阻害に起因する併用慎重例

	アゾール系薬により阻害されるCYP分子種	代謝阻害を受ける薬剤	報告されている事象など
併用慎重	CYP1A2または3A4	キサンチン系薬※（テオフィリン［テオドール］、アミノフィリン［ネオフィリン］）	チアベンダゾール★との併用でテオフィリン半減期が16時間から33時間に延長、血中濃度1.44倍上昇。
	CYP2C9（主にボリコナゾール［ブイフェンド］、ミコナゾール［フロリード］、フルコナゾール［ジフルカン］、メトロニダゾール［フラジール］）	ワルファリン※；（ワーファリン）併用は極力避ける	メトロニダゾールとの併用の1週間以内にプロトロンビン時間が17～19秒から147秒に上昇したとの報告がある。ボリコナゾールではプロトロンビン時間が1.9倍延長。ミコナゾール（膣坐剤、クリーム剤）は併用注意であるが、他の剤形（ゲル剤、注射剤、錠剤）は併用禁忌である（表5-17）。ミコナゾール以外のアゾール系抗真菌薬（経口・注射）においても著しいINR上昇例あり。プロトロンビン時間測定、トロンボテストの回数を増やすなど慎重に投与。CYP2C9、3A4阻害に起因。
		フェニトイン※（アレビアチン）	フルコナゾールとの併用で$AUC_{0\text{-}24h}$ 75%上昇。ミコナゾールとの併用で血中濃度が1.48倍上昇。ボリコナゾールとの併用でCmax、AUCが1.7倍、1.8倍増加。フェニトインのCYP450誘導によりボリコナゾールCmax、AUCが49%、69%減少との報告もある。
		SU薬※、ナテグリニド※（スターシス、ファスティック）	低血糖症状。血漿タンパク結合置換も関与。
		ジクロフェナク（ボルタレン）	ジクロフェナクCmax、AUCが214%、178%上昇。
		セレコキシブ（セレコックス）	フルコナゾール併用時、セレコキシブCmax、AUCがそれぞれ1.7倍、2.3倍に上昇。
	2C9、3A4	ボセンタン※（トラクリア）	フルコナゾールにより血中濃度上昇の可能性。
		ペマフィブラート（パルモディア）	フルコナゾール併用時、Cmax約1.4倍、AUC約1.8倍に上昇。
	2C19	クロピドグレル（プラビックス）	抗血小板作用減弱の恐れ。クロピドグレルはCYP2C19、3A4、1A2、2B6で代謝され活性型となるが、特にCYP2C19阻害により薬効減弱。米FDAでは2C19阻害が強力なケトコナゾール、ボリコナゾール、フルコナゾールとの併用は避けるよう勧告。
	2C19、3A4	ジアゼパム※（セルシン、ホリゾン）	フルコナゾール併用時、AUCが2.5倍上昇、半減期は31時間から73時間に延長。ボリコナゾールとの併用でAUCが2.2倍上昇、半減期は31時間から61時間に延長。
		プロトンポンプ阻害薬※（PPI）	ボリコナゾールによりオメプラゾールのCmax、AUCが2.2倍、3.2倍に増加。ボリコナゾールは2C19阻害効果が強い。
		トファシチニブ（ゼルヤンツ；JAK阻害薬）	フルコナゾール併用時、Cmax、AUCが27%、79%増加。
	2C9、2C19、3A4	テルビナフィン※（ラミシール）	フルコナゾール併用時でCmax、AUCが52%、69%上昇。
	CYP3A4	リバーロキサバン（イグザレルト；活性化第X因子［FXa］阻害薬）	フルコナゾール併用時にリバーロキサバンAUC2.6倍、Cmax1.7倍に上昇。腎・消化管P-gpも関与。
		イストラデフィリン（ノウリアスト；アデノシンA_{2A}受容体拮抗薬）	ケトコナゾール併用時で$AUC_{0\text{-}\infty}$2.47倍上昇、$t_{1/2}$1.87倍延長。強力なCYP3A4阻害薬（☞**表5-14**）。との併用時は1日1回20mgを上限とする。
		BZP系薬（ミダゾラム［ドルミカム、ミダフレッサ］、ブロチゾラム［レンドルミン］、アルプラゾラム［コンスタン、ソラナックス］など）	イトラコナゾールとの併用で、ミダゾラムのCmax3倍以上、AUC10倍に上昇、$t_{1/2}$が2.8時間から7.9時間に延長。鎮静作用、催眠作用の増強。ブロチゾラムの代謝が60%阻害（in vitro）。

※2種類以上のCYP450で代謝される薬剤（☞**表5-2、5-3**）。　★販売中止もしくは国内未発売

分子標的治療薬の相互作用については**付録C表S-8**参照。

表5-18（つづき）　アゾール系薬によるCYP450阻害に起因する併用慎重例

	アゾール系薬により阻害されるCYP分子種	代謝阻害を受ける薬剤	報告されている事象など
併用慎重	CYP3A4	OAB治療抗コリン薬（トルテロジン［デトルシトール］、フェソテロジン［トビエース］、ソリフェナシン［ベシケア］、イミダフェナシン［ウリトス、ステーブラ］）	ケトコナゾール併用時、トルテロジンAUC2～2.5倍上昇（CYP2D6欠損or低い者［PM］での結果）、5-HMT（フェソテロジン活性代謝物；5-HMTはCYP3A4・2D6で代謝）AUC2.3～2.5倍上昇（PM、CYP2D6活性が正常者［EM］での結果）、ソリフェナシン$AUC_{0-\infty}$2～2.8倍上昇、イミダフェナシンAUC1.8倍上昇。併用時には低用量投与（トルテロジン2mg/回/日投与、フェソテロジン4mg/回/日投与［8mgの増量は行わない］）。
		OAB治療β_3刺激薬（ミラベグロン［ベタニス］、ビベグロン［ベオーバ］）	ケトコナゾール内服薬★併用時にミラベグロンの血中濃度1.81倍上昇。ビベグロンのCmax2.2倍、AUC2.1倍上昇。一部がCYP3A4で代謝。P-gp阻害も関与。
		エバスチン※（エバステル）	エバスチンの活性代謝物（カレバスチン）の$AUC_{0-\infty}$が3倍上昇。
		ニフェジピン（アダラート）	イトラコナゾール（イトリゾール）との併用でニフェジピン血中濃度が4倍以上上昇し、足浮腫誘発。
		スタチン系薬※	イトラコナゾール（イトリゾール）との併用でプラバスタチン（メバロチン）AUC 2.5倍上昇、アトルバスタチン（リピトール）AUC 3倍上昇。類似薬ロバスタチン★ではCmaxおよびAUCが20倍以上上昇。
		シクロスポリン（サンディミュン、ネオーラル）	シクロスポリン血中濃度が2倍に上昇（フルコナゾール併用）、2.3倍に上昇（イトラコナゾール併用）、1.7倍に上昇（ボリコナゾール併用）。
		HIVプロテアーゼ阻害薬（サキナビル★、インジナビル★、リトナビル［ノービア］など）	抗HIV薬の血中濃度が上昇する可能性。リトナビルのAUCが12%上昇（フルコナゾール併用）。
		タクロリムス（プログラフ）	ボリコナゾールとの併用でCmax、AUCが2.2倍、3.2倍に上昇。腎毒性に注意。
		エプレレノン（セララ）エサキレノン（ミネブロ；アルドステロン阻害作用）	フルコナゾール併用時にエプレレノンのAUCが2.24倍上昇。イトラコナゾールとの併用で、エサキレノンのAUC、Cmaxが1.5倍、1.1倍に上昇。
		オピオイド系鎮痛薬（フェンタニル［フェンタニルなど］、オキシコドン［オキシコンチン］、メサドン［メサペイン］）	フルコナゾールとの併用で血漿クリアランスが16%減少。ボリコナゾール併用時にAUCは1.4倍上昇、血漿クリアランスは23%減少。イトラコナゾールとの併用でオキシコドン（注射薬）のクリアランスは32%減少、AUC51%増加。また、オキシコドン（経口薬）のAUC144%上昇。ボリコナゾールとの併用でメサドンのCmax、AUCが30.7%、47.2%上昇。
		アプレピタント（イメンド；選択的NK_1拮抗型制吐薬）	ケトコナゾールとの併用時にAUC 4.78倍、Cmax 1.52倍上昇。
		リスペリドン※（リスパダール；SDA）	イトラコナゾールとの併用で活性成分の定常状態におけるトラフ値が65%上昇。リスペリドンはCYP2D6と一部3A4で代謝される。
		ドンペリドン（ナウゼリン）	血中濃度上昇、QT延長の可能性。
		その他：経口避妊薬、抗てんかん薬（カルバマゼピン［テグレトール］、ペランパネル［フィコンパ］）、抗HCV薬（ダクラタスビル［ダクルインザ］、シメプレビル※［ソブリアード］、テラプレビル★：アスナプレビル、バニプレビルは禁忌）、キニジン、副腎皮質ホルモン製剤、セレギリン※（エフピー）、シロスタゾール※（プレタール）、エファビレンツ※（ストックリン→ボリコナゾールによりAUCが44%増加）、ネビラピン※（ビラミューン）、シルデナフィル（バイアグラ）、タキソイド系薬※、ドネペジル※（アリセプト）、ベラパミル（ワソラン）、ビンカアルカロイド系薬（神経系副作用増強）、ロラタジン※（クラリチン）、エレトリプタン（レルパックス）、クエチアピン（セロクエル）、ペロスピロン※（ルーラン→AUC6.8倍）、メフロキン（メファキン）、セビメリン※（エボザック、サリグレン）、イマチニブ※（グリベック）、ゲフィチニブ（イレッサ）、キザルチニブ（ヴァンフリタ）、カボザンチニブ（カボメティクス）、ロルラチニブ（ローブレナ）、チラブルチニブ（ベレキシブル）、ベムラフェニブ（ゼルボラフ）、カプマチニブ（タブレクタ）、パルボシクリブ（イブランス）、アベマシクリブ（ベージニオ）、ロミデプシン（イストダックス）、SN-38（イリノテカン［カンプト］の活性代謝物）、シロドシン（ユリーフ）、アリピプラゾール※（エビリファイ→AUC48%上昇）、ブレクスピプラゾール（レキサルティ；SDAM）、エベロリムス（アフィニトール［抗悪性腫瘍薬］、サーティカン［免疫抑制剤］）、サキサグリプチン（オングリザ；DPP4阻害薬）、オキシブチニン（ポラキス、ネオキシ：OAB治療薬）、シプロフロキサシン（シプロキサン；キノロン系薬→Cmax53.13%、AUC82.46%上昇）、クラリスロマイシン（クラリス、クラシッド）、ベンラファキシン（イフェクサー；SNRI）など。	

れが微生物のDNA二本鎖切断などの機能障害を引き起こして分裂増殖を抑制すると考えられている。

なお、アゾール系の抗真菌薬はイミダゾール環を有するものとトリアゾール環を有するものに分けられる（☞p.234図5-4）。前者は静菌作用と殺菌作用の両方を有するのに対し、後者には静菌作用のみで殺菌作用はない。

C ベンズイミダゾール系薬（プロトンポンプ阻害薬；PPI）

PPIにより代謝阻害を受け血中濃度が上昇すると考えられる薬剤を**表5-19**に示す。

PPIは主にCYP2C9、2C19、3A4を阻害すると考えられる。PPIは主にCYP2C19および3A4で代謝されるため、両者を競合的に阻害するとも考えられる。相互作用では、特にCYP2C19阻害により薬効が逆に減弱するクロピドグレル硫酸塩（プラビックス）との併用は、臨床上大きな問題となるため注意を要する（米国FDAはオメプラゾール［オメプラゾン、オメプラール］、エソメプラゾールマグネシウム水和物［ネキシウム］との併用を避けるように勧告）。一方、PPIとフェニトイン（アレビアチン）やワルファリンカリウム（ワーファリン）との併用に関しては制約はないものの、TDMや凝固能検査を行った方がよい。ジアゼパム（セルシン）は有効血中濃度範囲が広いので問題ないと思われる。タクロリムス水和物（プログラフ）では腎障害に注意する。

ただし、ラベプラゾールNa（パリエット）は部分的にCYP2C19、3A4で代謝されるが、主な代謝経路は非酵素的還元であり、CYP450による相互作用を起こしにくいと考えられる（☞表5-4）。また、ボノプラザンフマル酸（タケキャブ）は、既存のPPIとは異なる新しい機序によりプロトンポンプを阻害し、その構造にはベンズイミダゾール環はなく、主にCYP3A4で代謝されるため、ベンズイミダゾールに起因するCYP450阻害やCYP2C9、2C19の関与する相互作用はほとんどない（後述）。

PPIはCYP450阻害効果だけでなく、消化管内pH上昇、消化管P-gp競合（ジゴキシン血中濃度上昇）、二相効果（AhR活性化）といった作用も有するので、これらに起因する相互作用にも注意を要する（☞表1-9、1-11、1-13、1-14、4-11 A、5-54、5-58）。

なお、PPIは、ヘリコバクター・ピロリの除菌療法や、逆流性食道炎（食道粘膜障害あり）の維持療法（長期投与可）や、非びらん性胃食道逆流症（自覚症状はあるが食道粘膜障害なし）などに使用されており、副作用としてコラーゲン形成大腸炎、骨粗鬆症が注目されている。PPIの治療効果には、CYP2C19の遺伝子多型が深く関わることも常に留意しておく。

（☞本章第1節❹b、コラム39）

注意

オメプラゾールによるCYP450誘導機序

PPIによるCYP450誘導作用は核内受容体であるAhR（アリル炭化水素受容体）を活性化することに起因し、主としてCYP1A1、1A2、1B1を誘導することが示されている（☞表5-54）。また、オメプラゾール（OM）の代謝に関連して、PXR/CYP3A4とAhRのクロストーク（PXRの活性化によるAhRの活性化）が起こることも報告されている（Cell Signal. 2006；18：740-50.）。

OMは胃の壁細胞でオメプラゾールスルフィド（OMS）に変換された後、肝に取り込まれるが、肝では主にCYP3A4によって再度OMに代謝されることが知られている。OM、OMS共にAhRのリガンドとして作用するが、

表5-19　PPIによるCYP450阻害に起因する相互作用

	関与するCYP分子種	PPIにより代謝阻害を受ける薬剤	報告されている事象など
併用慎重	CYP2C9	フェニトイン※（アレビアチン）	半減期1.3倍延長（オメプラゾール［オメプラゾン］併用時）、AUC 13%上昇（エソメプラゾール［ネキシウム］併用時）。フェニトインは一部CYP2C19で代謝される。
		ワルファリン※（ワーファリン）	トロンボテスト値が減少（オメプラゾール併用時、−2.4%）。R体ワルファリンの血漿中トラフ濃度13%上昇（エソメプラゾール併用時）。出血に至る可能性あり。
		フルバスタチン※（ローコール）	血中濃度上昇の恐れ。
	CYP2C19	クロピドグレル※（プラビックス）	抗血小板作用減弱の恐れ。クロピドグレルはCYP2C19、3A4、1A2、2B6で代謝されて活性型となるが、特にCYP2C19阻害により薬効減弱（CYP2C19遺伝子多型に注意）。活性代謝物（H4）濃度が46%低下した例もある（オメプラゾール併用時）。**米国FDAは「オメプラゾール、エソメプラゾールとの併用は避ける」ように勧告。**
		エスシタロプラム※（レクサプロ；SSRI）	AUC 1.5倍上昇（オメプラゾール併用時）。併用時はエスシタロプラムを減量する。CYP2C19遺伝子多型に注意。
		ジアゼパム※（セルシン；BZP系）	半減期2.3倍延長例（オメプラゾール併用時）、AUC 81%上昇（エソメプラゾール併用時）。
		シロスタゾール※（プレタール；PDE3阻害薬）	AUC 26%上昇（オメプラゾール併用時）。
		フェニトイン※	AUC 13%上昇（エソメプラゾール併用時）。
	CYP3A4	タクロリムス（プログラフ）	腎毒性に注意。
		ワルファリン※、ジアゼパム※、シロスタゾール※	

代謝阻害を受ける薬剤の作用増強（ただしクロピドグレルのみ作用減弱）。なお、ランソプラゾール（タケプロン）によりテオフィリンのクリアランスが7〜12%増大（代謝促進）することから、PPIは二相効果を有すると考えられる（☞**表5-58**）。

※ 2種類以上のCYP450で代謝される薬剤（☞**表5-2、5-3**）。

分子標的治療薬の相互作用については**付録C表S-8**参照。

OMがAhRを活性化するのに対して、OMSは活性化を抑制する。そのため、PXRが活性化されて肝CYP3A4が誘導されると、肝でのOMS代謝が促進しOM生成量が増える。それによって、AhRが活性化され、CYP1A2が誘導される。

この報告から、OM、PXR活性化薬（リファンピシン［リファジン］、フェニトイン［アレビアチン］など）、CYP1A2で代謝される薬剤（テオフィリン［テオドール］など）の3剤を併用した場合、結果的にPXRとAhRのクロストークが起き、テオフィリンなどの代謝が促進して薬効が減弱する可能性が示唆される。一方、PXR活性化薬の代わりにCYP3A4阻害薬を併用した場合は、逆にOMSが増加しAhR活性化が抑制されるため、CYP1A2活性が低下し、テオフィリンなどの代謝が抑制されることになる（薬効増強）。なお、PPIによるCYP3A4誘導の報告もあるが、その機序は不明である（J Pharmacol. 2003；466：7-12.）。

参考

新たな作用機序を有するPPI

ボノプラザンフマル酸（タケキャブ）は、新たな作用機序を持つPPIで、カリウムイオン競合型アシッドブロッカー（potassium-competitive acid blocker）とも呼ばれる。

既存のPPIは内服後、不活性体のまま小腸上部で吸収され、血流に乗って胃壁細胞（胃酸分泌細胞）へ達し、分泌細管（胃壁細胞が深く切れ込んで空洞となっている部分）中に分泌される。その後、高濃度のH+に接することで活性化され、壁細胞膜上に存在するプロトンポンプ（H+/K+-ATPase）のSH基と非可逆的にS-S結合を形成して、酵素活性を阻害する。

これに対して、ボノプラザンはH+による活性化を必要とせず、未変化体として吸収され、胃壁細胞に達し、分泌細管内に分泌された後、カリウムイオン（K+）に競合的な様式で可逆的にプロトンポンプを阻害する。

胃酸分泌機構は、胃酸分泌の有無により休止期と分泌期に分かれる。休止期にプロトンポンプは大部分が壁細胞内の管状小胞に存在しているが、食物摂取などの分泌刺激を受け取ると、分泌細管側の壁細胞膜上へ移動して活動を開始するようになる（分泌期）。このようにプロトンポンプは、常に新生・再生しており、1日にその約1/4が壁細胞膜上に新生されると考えられており、PPIは分泌期（活動期）にあるプロトンポンプにのみに結合するため、その阻害効果はPPIの血中濃度より分泌細管内の濃度に依存すると推測されている。

既存のPPIは腸溶性製剤であるのに対して、ボノプラザンはフィルムコーティング錠である。これは、既存のPPIは、酸性環境下（胃内）では不安定なためだが、分泌細管内でも分解されやすく、長く残存できない。これに対して、ボノプラザンは塩基性が強く、酸性環境下でも安定なため、分泌細管に高濃度に集積し、長時間残存する性質がある。したがって、ボノプラザンの阻害効果は、より強力かつ持続的であり、PPIの血中濃度が低下した後に、新生するプロトンポンプにも阻害効果を示すと考えられる。その他、ボノプラザンはベンズイミダゾール環を持たず、主にCYP3A4で代謝され、性別、年齢およびCYP2C19遺伝子型に応じた投与量の調節は不要と考えられている。

以上をまとめると、ボノプラザンは既存のPPIに比べ酸に安定で、未変化体が活性体であり、強力かつ持続的なプロトンポンプ阻害効果を示す可能性がある。また、CYP3A4阻害・誘導による相互作用はあるものの、イミダゾール環に起因するCYP450阻害や、CYP2C19遺伝子多型などの影響を受けにくいと考えられる。

B ヒドラジン系薬

ヒドラジン系薬は、含有するヒドラジン基のN原子がCYP450のヘムと可逆的な配位結合を形成し、酵素活性を阻害する（**図5-6**）。したがって、全てのCYP分子種がヒドラジン系薬により阻害を受ける可能性がある。

ヒドラジン基を有する薬剤には、イソニアジド（イスコチン）、塩酸サフラジン（非選択的MAO阻害薬）、ヒドララジン塩酸塩（アプレゾリン）などがある。ヒドララジンの代謝阻害に起因する併用慎重薬として、β遮断薬（プロプラノロール塩酸塩［インデラル］、カルベジロール［アーチスト］、メトプロロール酒石酸塩［セロケン］）が示されている。つまり、ヒドララジンは主にCYP2D6で代謝される薬剤との併用に注意する。

一方、イソニアジドおよび塩酸サフラジンにより代謝阻害を受けると考えられる薬剤を**表5-20**に示す。イソニアジドではCYP2C8、2C9、3A4、塩酸サフラジンではCYP2C19、2D6、3A4で代謝される薬剤の血中濃度上昇や作用増強を認める。

イソニアジドにより阻害を受ける薬剤には、テオ

図5-6　ヒドラジン系薬による CYP450 阻害機序

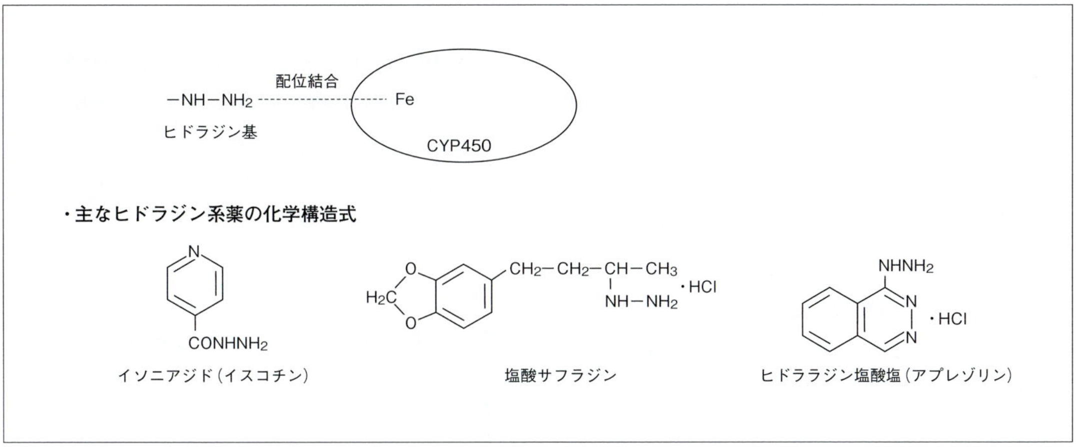

$-NH-NH_2$ ‥‥配位結合‥‥ Fe（CYP450）

ヒドラジン基

・主なヒドラジン系薬の化学構造式

$CONHNH_2$

イソニアジド（イスコチン）

$CH_2-CH_2-CH-CH_3$ ／ $NH-NH_2$ ・HCl

塩酸サフラジン

$NHNH_2$ ・HCl

ヒドララジン塩酸塩（アプレゾリン）

表5-20　ヒドラジン系薬による CYP450 阻害に起因する相互作用

	関与する CYP 分子種	ヒドラジン系薬により代謝阻害を受ける薬剤	報告されている事象など
イソニアジド（イスコチン）			
併用慎重	CYP1A2または3A4	テオフィリン※（テオドール）	クリアランス20%低下。
併用慎重	CYP2C8	レパグリニド※（シュアポスト；速効型インスリン分泌促進薬）	血糖値変動。レパグリニド血中濃度上昇の可能性（血糖値低下；イソニアジドのCYP2C8阻害効果はin vitro実験で報告）。イソニアジドの過量投与で高血糖、少量投与で血糖値低下の恐れ（☞**表7-45**）。
併用慎重	CYP2C9	ワルファリン※（ワーファリン）	イソニアジドを誤って600mg（2倍量）服用した患者で、プロトロンビン時間が28.7から53.3秒に上昇した。
併用慎重	CYP2C9	フェニトイン※（アレビアチン）	患者の10～20%で中毒。血中濃度3倍上昇の報告も。相互に増強。
併用慎重	CYP3A4	カルバマゼピン（テグレトール）	血中濃度3倍上昇。中毒発現（頭痛、吐き気、めまい）。逆に、カルバマゼピン、リファンピシンなどの酵素誘導によりイソニアジドの肝代謝が促進され、肝障害が発現する可能性もある。
塩酸サフラジン★（非選択的MAO阻害薬）			
併用禁忌	CYP2D6	フェノチアジン系薬（カルピプラミン★含む）、三環系抗うつ薬※、セレギリン※（エフピー；MAO-B阻害薬）	死亡例あり。
併用慎重	CYP2C19	バルビツール酸系薬※	昏睡3例（トラニシルプロミンとアモバルビタール併用時）の報告。
併用慎重	CYP3A4	コカイン塩酸塩（同名）	

代謝阻害を受ける薬剤の作用増強。　※2種類以上の CYP450で代謝される薬剤（**表5-2、5-3**）。　★販売中止

フィリン（テオドール）、ワルファリンカリウム（ワーファリン）、フェニトイン（アレビアチン）、カルバマゼピン（テグレトール）がある。併用する場合はTDMや凝固能検査を実施した方がよい。また、イソニアジド、フェニトイン、カルバマゼピンは酵素誘導作用があることにも留意する（☞**本章［第3節］**）。なお、カルバマゼピンは、イミプラミン（トフラニール）と構造が類似しており、非選択的MAO阻害薬との併用は禁忌である（☞**表7-29**）。この相互作用の発現機序は明確でないが、MAO阻害薬によるCYP450阻害に起因する可能性がある。

非選択的MAO阻害薬の塩酸サフラジンは現在は発売中止となっているが、フェノチアジン系薬、三環系抗うつ薬、セレギリン塩酸塩（エフピー）などとの併用は禁忌である。これらの薬剤がCYP2D6で代謝されることから、サフラジンはCYP2D6を強く阻害すると考えられる。同薬は酵素阻害だけでなく、神経系用薬の作用を協力して増強するため、併用禁忌は非常に多い（☞**表7-29**）。

参考

イソニアジドによる相互作用

イソニアジドの代謝阻害は、遺伝的に代謝（アセチル抱合）が遅い患者（☞**第6章［第4節］**）や、パラアミノサリチル酸Ca水和物（ニッパスカルシウム）を併用している患者で特に起こりやすい（パラアミノサリチル酸によりイソニアジドの血中濃度上昇［機序不明］）。また、イソニアジドはシクロスポリン（サンディミュン、ネオーラル）の代謝を促進することから、CYP450誘導作用も有すると考えられ、二相効果にも注意を要する（☞**表5-58**）。

加えて、イソニアジドはドパ脱炭酸酵素阻害作用（☞**表2-7**）、非選択的MAO阻害作用（☞**表6-7、7-29**）、肝障害誘発作用（☞**表5-46**）を持ち、ビタミンB_6欠乏症、血糖値変動（☞**表7-44〜7-46**）、痙攣（☞**表8-1**）を誘発する可能性もあるので、これらの作用にも注意する。

C マクロライド系薬、ケトライド系薬

a マクロライド系薬

マクロライド系抗菌薬は、14〜16員環（マクロライド骨格）に三級アミンを有するアミノ糖および中性糖が並列または直列に結合した構造をしている。主員環とアミノ糖の三級アミン部位にはメチル基が存在し、CYP3A4によって脱メチル化されることが知られている。

14員環マクロライド系薬のCYP3A4阻害様式は、アミノ糖の三級アミンの脱メチル化により生成した代謝物（ニトロソ中間体）がCYP450のヘムと共有結合を形成し、マクロライド・ニトロソアルカン複合体を形成するためと考えられている（**図5-7**）。このように、CYP3A4による代謝物が特異的にCYP3A4のヘムと複合体を形成しやすいことから、14員環マクロライド系はCYP3A4の自殺基質といえる。ヘムとの共有結合に起因するため阻害効果は強く、投与を中止しても持続する可能性が高い。

一方、14員環に比べ16員環マクロライド系（ジョサマイシン［同名］、ミデカマイシン、ロキタマイシン［リカマイシン］など）は、in vitroにおいてもCYP450の酵素活性を阻害しない。これは、14員環マクロライド系ではアミノ糖と中性糖が並列に配置し、アミノ糖の結合部位がヘムと結合しやすい立体構造になっているのに対し、16員環マクロライド系では直列に配置し、中性糖が立体障壁となって、アミノ糖とヘムとの結合を阻害するためと考えられている（**図5-7**）。

なお、図には示していないが、15員環マクロライ

ド系（アジスロマイシン水和物［ジスロマック］）では、14員環マクロライド系と同様にアミノ糖と中性糖（クラディノース糖鎖）が並列に位置しているにもかかわらず、CYP450酵素阻害作用はない。これは、生体内に入ったアジスロマイシンの大部分がCYP450などによる代謝を受けず、未変化体のまま胆汁中に排泄されるためである。アジスロマイシンは、エリスロマイシン（エリスロシン）の14員環（ラクトン環）にメチル基の付いた窒素原子を導入した薬剤だが、これにより塩基性が強くなり極性が高まるため、代謝を受けにくくなると考えられる。

14員環マクロライド系により代謝阻害を受けるとされる薬剤を**表5-21**にまとめた。CYP3A4で代謝される薬剤の副作用の発現や血中濃度の上昇がみられ、その程度も大きい。例えば、エリスロマイシンとミダゾラム（ドルミカム、ミダフレッサ［抗てんかん薬］；BZP系薬）の併用では、ミダゾラムのCmaxが約3倍にも上昇する（**図5-8**）。併用禁忌薬は、分子標的治療薬のベネトクラクス（ベネクレクスタ）、イブルチニブ（イムブルビカ）、抗HCV薬のアスナプレビル、バニプレビルをはじめ、テルフェナジン、アステミゾール、シサプリド、ピモジド（オーラップ）などのピペリジン系薬（☞図7-9）、エルゴタミン製剤（麦角系）、タダラフィル20mg（アドシルカ錠20mg；肺動脈性肺高血圧症治療薬；PDE5阻害薬）、コルヒチン（同名；肝・腎障害のある患者のみ）、スボレキサント（ベルソムラ；オレキシン受容体拮抗薬）、イバブラジン（コララン；HCNチャネル遮断薬）、ルラシドン（ラツーダ；DSA）、チカグレロル（ブリリンタ；抗血小板薬）であり、重篤な副作用などを誘発する恐れがある。また原則禁忌薬はトルバプタン（サムスカ；V_2-受容体拮抗薬）などであり、やむを得ず併用する場合には、同薬の減量あるいは低用量投与を考慮する必要がある。なお、シクロスポリン（サンディミュン、ネオーラル）は14員環マクロライド系薬との併

図5-7　マクロライド系薬によるCYP3A4阻害機序

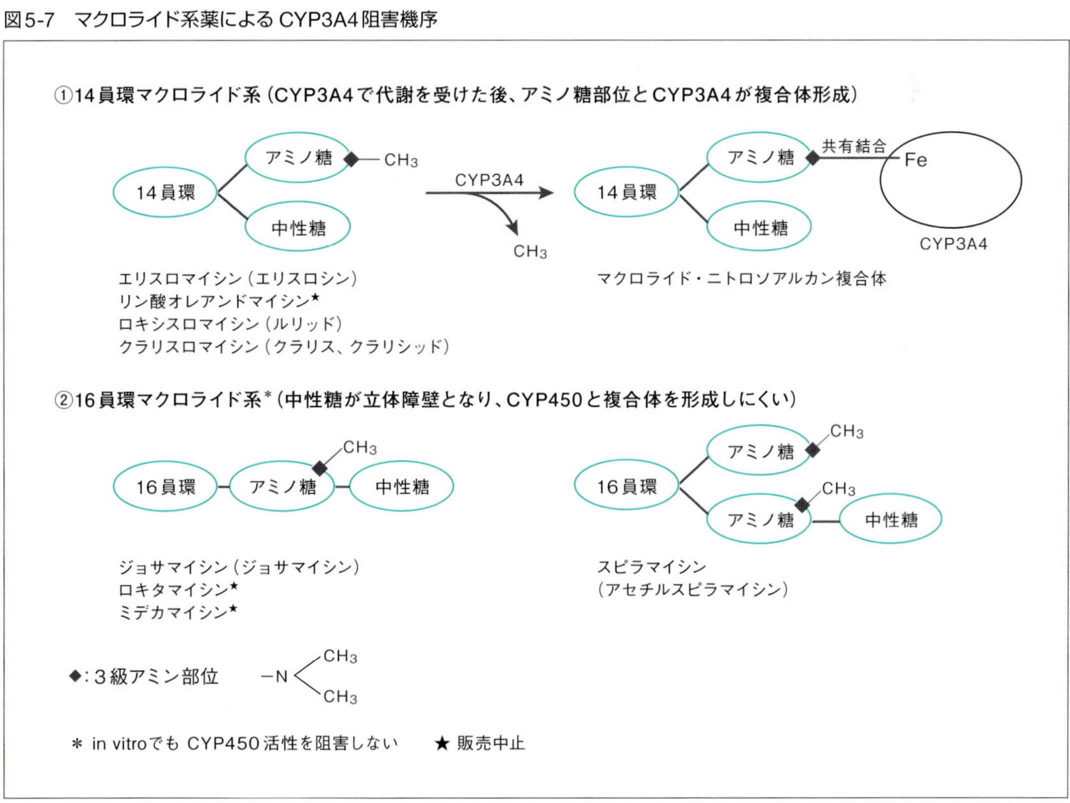

用は禁忌でないが、マクロライド構造を有しているタクロリムス水和物（プログラフ）との併用が禁忌であることから**表5-21**に加えている。

14員環マクロライド系薬による阻害は特異的であり、CYP3A4で代謝される全ての薬剤に注意した方がよい。CYP3A4で部分的に代謝される薬剤（テオフィリンなど）にも注意を要する（**表5-3、5-4**）。特にワルファリンカリウム（ワーファリン）や、TDMを必要とするテオフィリン（テオドール）、カルバマゼピン（テグレトール）、シクロスポリンなどと併用する場合には、凝固能検査およびTDMを実施する。場合によっては、阻害作用の弱い16員環マクロライド系、15員環マクロライド系や他の分類の抗菌薬に変更したり、作用を受ける薬剤の投与量を減らしたりする。QT延長を引き起こす薬剤では、併用禁忌以外の14員環マクロライド系（ロキシスロマイシン［ルリッド］）についても併用は避けた方がよいだろう（☞**表7-33**）。

併用から4～10日後に相互作用の発現を認める場合が多いことにも注意したい。マクロライド系による代謝阻害はイミダゾール系による直接的な阻害と異なり、一度代謝を受ける必要があるため、阻害効果の発現に時間を要すると考察される。例えばシメチジン（タガメット；イミダゾール系）とエリスロマイシンの相互作用では、シメチジンによるCYP3A4阻害が先に起こるため、エリスロマイシンの代謝（脱メチル化）が阻害され血中濃度が上昇する（**図5-9**、難聴誘発）。そのほか、ピロリ菌の除菌療法に用いられる抗菌薬とPPIを1シートにまとめたパック製剤のランサップ、ラベキュアパック、ボノサップパック（商品名）はクラリスロマイシンを含むため、同様な併用禁忌に注意する。

なお、14員環マクロライド系薬には抗菌作用の他にも様々な作用がある（☞**コラム40**）。また、CYP3A4で代謝されるが、P-gp、MRP、OATP2などの基質でもあるため、これらの薬物トランスポーターに起因する相互作用にも注意が必要である。

図5-8　ミダゾラムの血中濃度に及ぼすエリスロマイシンの影響

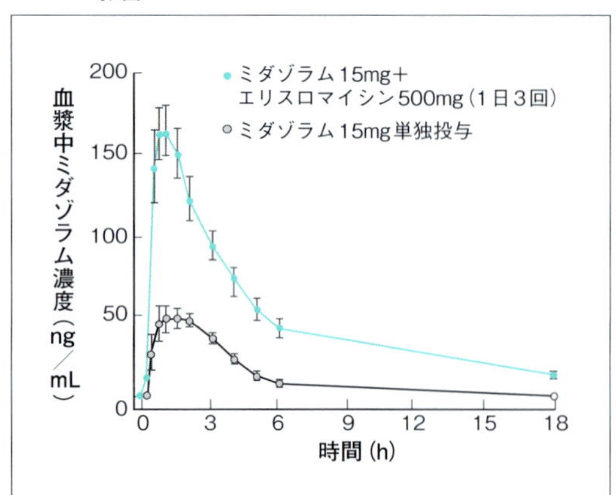

健康な男女12人を対象に、エリスロマイシン500mg（1日3回）もしくはプラセボを1週間経口投与した後、ミダゾラム15mgを経口投与し、血漿中のミダゾラム濃度の変化を調べた。
（Olkkola KT, et al. Clin Pharmcol Ther. 1993；298-305：53. 一部改変）

図5-9　エリスロマイシンの血中濃度に及ぼすシメチジンの影響

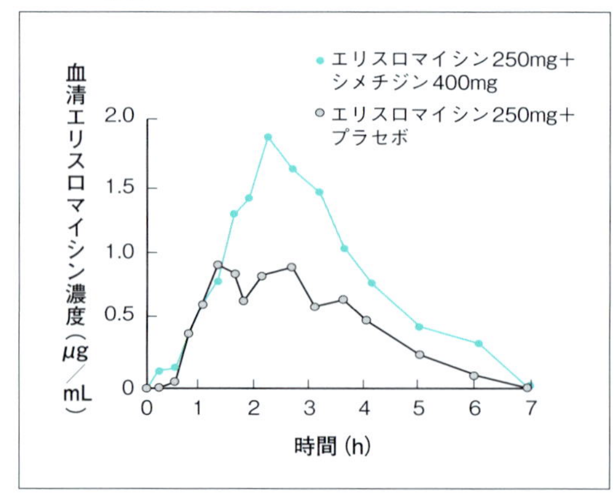

健康な男女8人を対象に、シメチジンもしくはプラセボ投与下でエリスロマイシン25mgを追加し、血中濃度の変化を調べた。
（Mogford N, et al. BMJ. 1994；309：1620. 一部改変）

表5-21　14員環マクロライド系薬によるCYP3A4阻害に起因する相互作用

	関与するCYP分子種	14員環マクロライド系薬により代謝阻害を受ける薬剤	報告されている事象など（いずれも阻害を受ける薬剤の作用増強）
併用禁忌	CYP3A4	ベネトクラクス（ベネクレクスタ：分子標的治療薬）＜再発または難治性の慢性リンパ性白血病（小リンパ球性リンパ腫を含む）の用量漸増期＞	強いCYP3A阻害薬と併用禁忌。生物学的薬物動態モデルによるシミュレーションで、エリスロマイシンとの併用でAUC4.9倍上昇。腫瘍崩壊症候群の発現が増強される恐れ。
		イブルチニブ（イムブルビカ；分子標的治療薬）	生物学的薬物動態モデルによるシミュレーションで、クラリスロマイシンによりAUC約11倍上昇。エリスロシンとの併用は原則禁忌。
		抗HCV薬（アスナプレビル★、バニプレビル★）	クラリスロマイシン（クラリス、クラリシッド）との併用で血中濃度上昇の恐れ。アスナプレビルでは肝関連有害事象発現、バニプレビルでは高用量時に悪心、嘔吐、下痢など発現増加の恐れ。アスナプレビルでは中程度のCYP3A阻害薬（エリスロシン［エリスロシン］、ジルチアゼム、ベラパミル）との併用も禁忌。
		テルフェナジン★、アステミゾール★、シサプリド★、ピモジド（オーラップ；ブチロフェノン系）	エリスロマイシン（エリスロシン）、クラリスロマイシン（クラリス、クラリシッド）との併用によるQT延長・不整脈、死亡例が報告されている。
		エルゴタミン製剤（麦角系薬；ジヒドロエルゴタミン［ジヒデルゴット］、エルゴタミン［クリアミン配合錠］）	併用開始後、数日以内で重篤な麦角中毒発現（四肢虚血）。16員環マクロライド系のジョサマイシン（ジョサマイシン）、ミデカマイシン★との併用も禁忌。
		タダラフィル20mg（アドシルカ錠20mg）	クラリスロマイシン（クラリス、クラリシッド）との併用禁忌。血中濃度上昇の恐れ。肺動脈性肺高血圧症患者における併用の経験が少ない。
		コルヒチン（同名；肝・腎障害がある場合のみ）	クラリスロマイシン併用時にコルヒチン中毒（下痢、腹痛、発熱、筋肉痛、肝機能障害、汎血球減少、呼吸困難など）発現。エリスロマイシン併用時あるいは肝・腎障害のない場合は、減量あるいは低用量で開始するなど慎重に投与。ジョサマイシン（16員環）との併用にも注意。コルヒチンは主に胆汁中排泄されるため肝P-gpの競合も関与（☞**表4-21**）。
		スボレキサント（ベルソムラ；オレキシン受容体拮抗薬）	顕著な血中濃度上昇の恐れ。CYP3A4の強力な阻害薬(イトラコナゾール、ポサコナゾール、ボリコナゾール、クラリスロマイシン、リトナビル、ネルフィナビル)との併用は禁忌。エリスロマイシン、フルコナゾール、ミコナゾール、ベラパミル、シルチアゼム等の中程度CYP3A4阻害薬と併用する際には、1日1回10mgへの減量を考慮するとともに、患者の状態を慎重に観察する。
		シクロスポリン（サンディミュン、ネオーラル；タクロリムス[※1]［プログラフ］との併用の場合のみ）	タクロリムス（マクロライド構造を有する）との併用によりシクロスポリン副作用増強。CYP3A4競合（☞**表5-30**⑥）、腎毒性誘発（☞**表8-20**）も関与。［注意］14員環マクロライド系薬とシクロスポリンとの併用は禁忌ではないが、タクロリムスがマクロライド構造を有しているため、便宜的に本表に加えている。
		イバブラジン(コララン；HCNチャネル遮断薬；慢性心不全治療薬[※])	クラリスロマイシン(クラリス、クラリシッド)との併用禁忌。血中濃度上昇の恐れ。16員環マクロライド系のジョサマイシン（ジョサマイシン）との併用禁忌。
		ルラシドン（ラツーダ；DSA；抗精神病薬/双極性障害のうつ症状治療薬）	クラリスロマイシンとの併用で血中濃度が上昇し、作用が増強される恐れ。エリスロマイシンと併用する際は、ルラシドンの用量を通常の半量に減じるなど慎重に投与する。
		チカグレロル（ブリリンタ；抗血小板薬）	強いCYP3A阻害薬(クラリスロマイシン)との併用禁忌。チカグレロルの血中濃度が著しく上昇する恐れ。チカグレロルの血小板凝集抑制作用が増強される恐れ。

※洞調律かつ投与開始時の安静心拍数75回/分以上の慢性心不全（洞調律の自発興奮に関与するHCNチャネルを遮断して心拍数を減少させる作用があるため）。

表5-21（つづき） 14員環マクロライド系薬によるCYP3A4阻害に起因する相互作用

	関与するCYP分子種	14員環マクロライド系薬により代謝阻害を受ける薬剤	報告されている事象など（いずれも阻害を受ける薬剤の作用増強）
原則禁忌	つづき CYP3A4	トルバプタン（サムスカ；V_2-受容体拮抗薬）	「CYP3A4阻害薬との併用は避けることが望ましい」と添付文書に記載あり。P-gp阻害関与。併用時にはトルバプタン減量あるいは低用量投与を考慮。
		分子標的治療薬：スニチニブ（スーテント）、アキシチニブ（インライタ）、ダサチニブ（スプリセル）、ボスチニブ（ボシュリフ）、シロリムス（ラパリムス）、パノビノスタット（ファリーダック）、ギルテリチニブ（ゾスパタ）、ブリグチニブ（アルンブリグ）、エヌトレクチニブ（ロズリートレク）、ダブラフェニブ（タフィンラー）、アカラブルチニブ（カルケンス）、エンコラフェニブ（ビラフトビ）、オラパリブ（リムパーザ）、ペミガチニブ（ペマジール）、ラロトレクチニブ（ヴァイトラックビ）、ポラツズマブ（ポライビー点滴静注用）	血中濃度上昇の恐れ。エリスロマイシン併用により、シロリムスのCmaxおよびAUCは約4倍上昇、Tmaxは40%上昇し、エリスロマイシンのCmax63%、Tmax29%、AUC69%上昇。
		カバジタキセル（ジェブタナ点滴静注；タキソイド系薬）	血中濃度が上昇し副作用が強く現れる恐れ。
併用慎重	CYP3A4	ワルファリン（ワーファリン）	エリスロマイシン併用7日以内にプロトロンビン時間64秒に延長。エリスロマイシンを8日間投与後、ワルファリン単回投与でワルファリンクリアランスが14%低下したとの報告もある。
		テオフィリン（テオドール）	併用7日以降に血中濃度30～100%上昇、半減期21～50%延長、クリアランス20～40%低下（エリスロマイシン併用時）。クリアランス50%低下（トリアセチルオレアンドマイシン併用10日以上で）。Cmax 26%上昇（クラリスロマイシン併用5日目に）。クリアランス14%低下（ロキシスロマイシン併用時）。
		トリアゾラム（ハルシオン）	Cmax 1.46倍上昇、半減期3.6から5.9時間に延長（エリスロマイシン併用時）。血中濃度107%、$AUC_{0\text{-}8h}$ 275%上昇（トリアセチルオレアンドマイシン併用時）。
		ベラパミル（ワソラン）	相互に作用増強（エリスロマイシン［エリスロシン］併用時）。ベラパミルによる血圧低下、徐脈性不整脈、またエリスロマイシンによると考えられるQT延長の発現。CYP3A4、P-gpの競合も関与。
		カルバマゼピン（テグレトール）	エリスロマイシンエストレート併用5日後、血中濃度7.3（3時間後）から19.9μg/mL（11.5時間後）に上昇してカルバマゼピン中毒（不随意運動、めまいなど）発現。
		テルフェナジン★、アステミゾール★、シサプリド★	QT延長、心室性不整脈の可能性（オレアンドマイシン、ロキシスロマイシン併用時）。
		エバスチン※2（エバステル）	併用6日目、エバスチンの代謝物であるカレバスチン（活性型）のCmaxが約2倍に上昇（エリスロマイシン併用時）。
		シクロスポリン（サンディミュン、ネオーラル）	併用4～10日後、血中シクロスポリン濃度147から1125μg/mLに上昇（エリスロマイシン併用時）。
		エルゴタミン製剤	数日以内に四肢虚血（エリスロマイシン併用時）、ブロモクリプチン（パーロデル）のCmax 4.6倍上昇（エリスロマイシン併用時）。

※1 マクロライド系薬には免疫調整作用がある。タクロリムス（プログラフ）は、免疫抑制剤として臓器移植の拒絶反応の抑制や関節リウマチなどに用いられている。同薬はマクロライド構造を有していることから表に加えている。

※2 エバスチン（エバステル）は、テルフェナジン類似の抗アレルギー薬である。同薬は初回通過効果を受けやすく、小腸粘膜上皮細胞で90%、肝で10%が代謝され、活性型のカレバスチンとなり薬効を発現する。エバスチン自体は不活性であるため、CYP450代謝阻害で血中濃度が上昇してもQT延長の副作用を起こさないとされている（☞ **コラム58**）。

★ 販売中止

分子標的治療薬の相互作用については**付録C 表S-8**参照。

	関与するCYP分子種	14員環マクロライド系薬により代謝阻害を受ける薬剤	報告されている事象など（いずれも阻害を受ける薬剤の作用増強）
併用慎重	つづき CYP3A4	バルデナフィル（レビトラ）、シルデナフィル（バイアグラ、レバチオ）	エリスロマイシン併用でバルデナフィルのAUCおよびCmaxが4倍および3倍上昇、シルデナフィルのAUCおよびCmaxが2.8倍および2.6倍上昇。
		エプレレノン（セララ）、エサキレノン（ミネブロ；アルドステロン阻害作用）	エリスロマイシン併用でエプレレノンのAUCが2.9倍上昇。
		ジエノゲスト（ディナゲスト）	クラリスロマイシン併用時、CmaxおよびAUCが20%および86%上昇。
		ペマフィブラート（パルモディア）	クラリスロマイシンと併用時、Cmax約2.4倍、AUC約2.1倍に上昇。OATP2、OATP8阻害も関与。
		イストラデフィリン（ノウリアスト；アデノシンA_{2A}受容体拮抗薬）	強力なCYP3A4阻害薬（☞**表5-14**）との併用時は1日1回20mgを上限とする。
		OAB治療抗コリン薬：トルテロジン（デトルシトール）、フェソテロジン（トビエース）、イミダフェナシン（ウリトス、ステーブラ）	血中濃度上昇の可能性。フェソテロジンでは活性代謝物（5-HMT）の血中濃度上昇の可能性（5-HMTはCYP3A4・2D6で代謝）。併用時には低用量投与（トルテロジン2mg/回/日投与、フェソテロジン4mg/回/日投与［8mgの増量は行わない］）。
		ミラベグロン（ベタニス；β_3刺激薬、OAB治療薬）	一部がCYP3A4で代謝。P-gp阻害も関与。
		その他：アピキサバン（エリキュース；FXa阻害薬→P-gp阻害も関与）、抗HCV薬（ダクラタスビル［ダクルインザ］、シメプレビル［ソブリアード］、テラプレビル★：アスナプレビル、バニプレビルは禁忌）、スタチン系薬（☞**第8章［第5節］**）、ジソピラミド（リスモダン）、キニジン（硫酸キニジン）、ジゴキシン、ミダゾラム（ドルミカム、ミダフレッサ）、Ca拮抗薬（フェロジピン［ムノバール］、アゼルニジピン［カルブロック］など）、副腎皮質ホルモン製剤、ビンカアルカロイド系薬（ビンクリスチン［オンコビン］など）、セレギリン（エフピー）、シロスタゾール（プレタール）、ネビラピン（ビラミューン）、タクロリムス（プログラフ→腎毒性）、タキソイド系薬、ドネペジル（アリセプト）、ロラタジン（クラリチン）、エレトリプタン（レルパックス）、クエチアピン（セロクエル）、ペロスピロン（ルーラン）、ブレクスピプラゾール（レキサルティ；SDAM）、メフロキン（メファキン）、セビメリン（エボザック、サリグレン）、ドセタキセル（タキソテール、ワンタキソテール）、イマチニブ（グリベック）、ゲフィチニブ（イレッサ）、エベロリムス（アフィニトール、サーティカン）、キザルチニブ（ヴァンフリタ）、カボザンチニブ（カボメティクス）、ロルラチニブ（ローブレナ）、チラブルチニブ（ベレキシブル）、ベムラフェニブ（ゼルボラフ）、カプマチニブ（タブレクタ）、パルボシクリブ（イブランス）、アベマシクリブ（ベージニオ）、ロミデプシン（イストダックス）、ボノプラザン（タケキャブ；PPI）、リオシグアト（アデムパス；グアニル酸シクラーゼ［sGC］刺激薬）、アメナメビル（アメナリーフ；抗ヘルペスウイルス薬）、イトラコナゾール（イトリゾール）、HIV プロテアーゼ阻害薬、ベンラファキシン（イフェクサー；SNRI）など	
	CYP分子種不明	バルプロ酸（デパケン）	

表5-22 ケトライド系薬によるCYP450阻害に起因する相互作用

	関与するCYP分子種	ケトライド系薬により代謝阻害を受ける薬剤	報告されている事象など
併用禁忌	CYP3A4	ピモジド（オーラップ）、シサプリド★	ピモジドによるQT延長の可能性。シサプリドのCmax、$AUC_{0-\infty}$が1.7倍、2.5倍上昇しQT延長誘発。
		タダラフィル20mg（アドシルカ錠20mg；PDE5阻害薬）	血中濃度上昇の恐れ。肺動脈性肺高血圧症患者における併用の経験が少ない。
		コルヒチン（同名；肝・腎障害のある患者のみ）	コルヒチン中毒（下痢、腹痛、発熱、筋肉痛、肝障害、汎血球減少症、呼吸困難など）の可能性。肝・腎障害のない場合、減量あるいは低用量で開始など注意して投与。
原則同時禁忌		主にCYP3A4で代謝されるスタチン系薬：シンバスタチン（リポバス）、アトルバスタチン（リピトール）	併用する場合は間隔を12時間以上空ける（テリスロマイシン800mgを5日間投与し、その最終日にシンバスタチンの同時投与でシンバスタチンCmaxおよび$AUC_{0-\infty}$が7.7倍および8.4倍上昇。12時間投与間隔を空けると、Cmaxおよび$AUC_{0-\infty}$が3.4倍および3.8倍になる）。
併用慎重	CYP2D6	メトプロロール（セロケン；β遮断薬）	血中濃度上昇。
	CYP3A4	エルゴタミン製剤（麦角系）	麦角中毒発現。
		BZP系薬	ミダゾラム（ドルミカム、ミダフレッサ）のCmax、$AUC_{0-\infty}$が1.1倍、2.2倍上昇。鎮静作用増強。
		ワルファリン（ワーファリン）	Cmax、AUCが1.1倍上昇、プロトロンビン時間延長など複数の報告。腸内細菌叢変化も関与（☞**表1-7**）。
		ミラベグロン（ベタニス、一部がCYP3A4で代謝）	心拍数増加などが現れる。

いずれも阻害を受ける薬剤の作用増強の恐れ。
★ 販売中止

 50歳代男性Cさん。

[処方箋]
① コニール錠4　1錠
　バファリン配合錠A81　1錠
　タケプロンOD錠15　1錠
　モービック錠10mg　1錠
　　1日1回　朝食後　14日分
② オイグルコン錠2.5mg　4錠
　　1日2回　朝夕食後　14日分
③ ハルシオン錠0.25mg　1錠
　　1日1回　就寝前　14日分
④ クラリシッド錠200mg　2錠
　　1日2回　朝夕食後　5日分
⑤ アスベリン錠10　6錠
　ペレックス配合顆粒　3g
　　1日3回　毎食後　5日分

Cさんは高血圧、狭心症、逆流性食道炎、腰痛症、糖尿病などのため①～③を服用中だったが、今回、かぜのため④と⑤が追加となった。

各薬剤の代謝酵素は、コニール（ベニジピン塩酸塩）とハルシオン（トリアゾラム）がCYP3A4、モービック（メロキシカム）とオイグルコン（グリベンクラミド）はCYP2C9およびCYP3A4、タケプロン（ランソプラゾール）はCYP2C19およびCYP3A4である。

薬剤師は、CYP3A4の代謝競合を念頭に置き、これらの薬剤の副作用症状を定期的にチェックしていたが、今回追加されたクラリシッド（クラリスロマイシン）は強力なCYP3A4阻害作用を有することから、さらにその可能性が高くなると判断。Cさんに対し、クラリシッドにより薬の作用が増強する恐れがあるため、特にハルシオンによる眠気やふらつき、倦怠感といった症状や、オイグルコンによる低血糖、コニールによる低血圧などに注意するように伝えた。

しかし、Cさんがクラリシッドの服用を拒否したため、薬剤師は処方医に連絡し他の抗菌薬への変更を提案した。その結果、クラリシッドからジスロマック（アジスロマイシン水和物）へ変更された。

b ケトライド系薬

ケトライド系（テリスロマイシン；販売中止）のCYP450阻害機序は明らかになっていないが、マクロライド系と構造が類似しており、14員環マクロライド系と同様な相互作用が判明しているため、本節で解説する（**表5-22**）。

テリスロマイシンは、エリスロマイシン（エリスロシン）の14員環（ラクトン環）の8位側鎖に中性糖（クラディノース糖）の代わりにケトン基を有し、またラクトン環の1位にアミノブチリダゾール基（殺菌力増強、細胞内移行促進）、11位にメトキシ基（酸安定性増強）を持つ構造となっている。薬剤耐性に関与する中性糖鎖がないため、マクロライド耐性を誘導しにくいと考えられている。

テリスロマイシンは主としてCYP3A4、3A5および一部CYP1Aで代謝され、特異的にCYP3A4、軽度にCYP2D6を阻害する。したがって、CYP3A4もしくは2D6で代謝される薬剤の血中濃度を上昇させるが、特にCYP3A4の阻害作用は14員環マクロライド系と同じくらい強く、CYP3A4で代謝されるピペリジン系のピモジド（オーラップ）やシサプリド、タダラフィル20mg（アドシルカ錠20mg；PDE5阻害薬、肺動脈性肺高血圧症治療薬）、コルヒチン（同名；肝または腎障害のある患者のみ）との併用は禁忌である。また、主にCYP3A4で代謝されるスタチン系（シンバスタチン、アトルバスタチンCa水和物）との併用も原則禁忌である。ピモジドとの併用については検討されていないが、類似構造を持つ14員環マクロライド系との併用でQT延長などの重篤な不整脈の発症が報告されているため禁忌とされていた。ただしテリスロマイシンは、CYP450と複合体を形成しないため（in vitroおよびin vivo）、CYP450阻害機序は14員環マクロライド系とは異なると考えられる。テリスロマイシンはCYP3A4で主に代謝されるため、代謝競合に起因する可能性もある。いずれにしても、テリスロマイシンとCYP3A4、2D6で代謝される薬剤との併用は慎重に行い、特にCYP3A4の薬剤については、14員環マクロライド系と同様に注意すべきだろう。

注意

ジョサマイシンが関わる相互作用

16員環マクロライド系薬はCYP3A4阻害効果を全く示さないわけではない。ジョサマイシン（同名）およびミデカマイシンは、エルゴタミン製剤（麦角系薬）、ゴタミン製剤（麦角系薬）、イバブラジン（コララン;HCNチャネル遮断薬）との併用は禁忌である。との併用は禁忌である。ジョサマイシンはブロモクリプチンメシル酸塩（パーロデル；麦角系薬）との併用も避けた方がよいだろう。トリアゾラム（ハルシオン）、シクロスポリン（サンディミュン、ネオーラル）、コルヒチン（同名）、テルフェナジン、アステミゾールは併用慎重となっている。

作用する薬剤	作用を受ける薬剤	報告されている事象など
ジョサマイシン（同名）、ミデカマイシン★	エルゴタミン製剤：麦角系薬；ジヒドロエルゴタミン（ジヒデルゴット）、エルゴタミン（クリアミン配合錠）	併用禁忌。重篤な足の虚血。
	イバブラジン(コララン；HCNチャネル遮断薬)	併用禁忌。血中濃度上昇。
	ブロモクリプチン（パーロデル；麦角系）	併用慎重。AUC 268 %上昇、不随意運動発現。禁忌ではないが併用は避けた方がよい。
	トリアゾラム（ハルシオン）、シクロスポリン（サンディミュン、ネオーラル）、コルヒチン（同名）、テルフェナジン★、アステミゾール★	併用慎重。

★ 販売中止

D エチニルエストラジオール

エチニルエストラジオール（EE：プロセキソール）は卵胞ホルモンの一種であり、経口避妊薬にも含有されている。

EEのエチニル基（アセチレニル基：-C≡CH）がCYP450で代謝を受けた後、CYPのヘム部分またはタンパク質部分と共有結合（アルキル化）するため、阻害作用が現れると考えられている。つまり、阻害はEEのCYP450代謝産物によるものである。一般に卵胞ホルモンはCYP3A4で主に代謝（2-水酸化）されることから、EEも同様であると考えると、阻害作用はCYP3A4に特異的であり、EEはCYP3A4の自殺基質であると推測される（エストロゲンに関しては、それ自体がCYP450に共有結合して不活化するとの報告もある）。

共有結合であるためEEによるCYP阻害作用は不可逆的で強く持続的であり、基本的にはCYP3A4で代謝される全ての薬剤との併用に注意する（血中濃度上昇；薬効増強）。特に代謝阻害を受けやすいシクロスポリン（サンディミュン、ネオーラル）、副腎皮質ホルモン製剤※1、三級アミン類三環系抗うつ薬※2（イミプラミン塩酸塩［トフラニール］、クロミプラミン塩酸塩［アナフラニール］、アミトリプチリン塩酸塩［トリプタノール］）との併用は避けた方がよいが、避けられない場合には経口避妊薬を中止して他の避妊方法への変更を考慮する（**表5-24**）。また、テオフィリン（テオドール）、シクロスポリン、タクロリムス水和物（プログラフ）といった、TDMを必要とするCYP3A4で代謝される薬剤や、セレギリン塩酸塩（エフピー；MAO-B阻害薬；CYP3A4・2D6で代謝）を併用する場合にも、TDMを実施するか他の避妊方法に変更させた方がよい。

なお、CYP450阻害効果の一方で、EEにはグルクロン酸抱合を促進して併用薬の血中濃度を低下させる作用もあるため注意する（☞**表6-4**）。

> **注意**
>
> ### 経口避妊薬によるCYP1A2、2B6、2C9および2C19阻害
>
> 経口避妊薬はCYP3A4以外にも様々なCYP450分子種を阻害する可能性がある。ヒトの肝ミクロソームを用いたin vitro実験では、EEがCYP2C9によるロサルタンカリウム（ニューロタン）の酸化や、CYP2C19によるオメプラゾール（オメプラゾン）の水酸化を阻害することが示されている。また、経口避妊薬を服用した女性で、CYP2C19活性が約68%まで有意に低下することも示されている（Tamminga WJ, et al. Eur J Clin Pharmacol. 1999；55（3）：177-84.）。
>
> 相互作用では、経口避妊薬がボリコナゾール（ブイフェンド；アゾール系；主にCYP2C19＞2C9＞3A4の順で代謝）のAUCを46%上昇させるとの報告があり、主にCYP2C19阻害に起因すると考えられている（☞**表5-24**）。また、CYP2C9および2C19阻害作用を有するエトラビリン（インテレンス；非ヌクレオシド系抗HIV薬）によって、EEのAUCが22%上昇することから、EEはCYP2C9および2C19でも代謝されると考えられる。なお、高用量エストロゲンによるロピニロール塩酸塩（レキップ；CYP1A2で代謝）の血中濃度上昇も報告されている。機序不明だが、テオフィリン（テオドール）、チザニジン（テルネリン）などの血中濃度も上昇することから、経口避妊薬はCYP1A2阻害作用も有する可能性が高い。
>
> その他、EEは不可逆的にCYP2B6を阻害することも示されている（☞**コラム34**）。
>
> したがって、経口避妊薬を使用する場合は、CYP3A4だけでなくCYP1A2、2B6、

※1 血漿タンパク結合も関与。 ※2 CYP1A2、2C19、3A4で脱メチル化される。

表5-23　エチニルエストラジオールによるCYP3A4阻害に起因する相互作用

	関与するCYP分子種	エチニルエストラジオールにより代謝阻害を受ける薬剤	報告されている事象など
併用慎重	CYP3A4	三級アミン類三環系抗うつ薬	イミプラミン（トフラニール）のBAが1.6倍上昇（不整脈など出現）。併用は避けた方がよい（他の避妊法に変更）。クロミプラミン（アナフラニール）、アミトリプチリン（トリプタノール）にも同様に注意。
		副腎皮質ホルモン製剤（プレドニゾロン、ヒドロコルチゾン）	副腎皮質ホルモンの作用増強。血漿タンパク結合も関与（☞ **表2-4**）。併用は避けた方がよい（他の避妊法に変更）。
		キサンチン系薬（カフェイン［同名］、テオフィリン［テオドール］など）	キサンチン系の血中濃度上昇。テオフィリンクリアランス25～34%低下。TDM実施。
		タクロリムス（プログラフ）、シクロスポリン（サンディミュン、ネオーラル）	腎毒性発現注意。他の避妊法に変更。TDM実施。
		セレギリン（エフピー）	セレギリンの作用、副作用が増強する可能性。
		ロミタピド（ジャクスタピッド；ホモ接合体家族性高コレステロール血症治療薬）	同時投与でAUC1.32倍、Cmax1.41倍上昇。

表5-24　経口避妊薬が関わる相互作用

	作用する薬剤	作用を受ける薬剤	起こり得る事象など
併用慎重	経口避妊薬	CYP2C19、2C9、2B6（☞ **コラム34**）で代謝される薬剤	代謝阻害（作用増強）の可能性。ノルエチステロン・エチニルエストラジオール（EE）によりボリコナゾール（ブイフェンド）のCmax、AUCが14%、46%上昇。ただし、ボリコナゾールの強力なCYP3A4阻害効果によりノルエチステロンのCmax、AUCが14%、53%増加、EEのCmax、AUCが36%、61%上昇した例もある。
		CYP1A2で代謝される薬剤：ロピニロール（レキップ；非麦角系ドパミン作動薬）、テオフィリン（テオドール）、チザニジン塩酸塩（テルネリン）	血中濃度上昇。CYP1A2阻害に起因。
	エトラビリン（インテレンス）	経口避妊薬	EEのAUCが20%上昇。エトラビリンのCYP2C9、2C19阻害作用に起因。

2C9や2C19で代謝される薬剤の作用増強に注意した方がよい。

E クロラムフェニコール系薬

クロラムフェニコール（クロロマイセチン）によるCYP450阻害は、クロラムフェニコールのジクロルメチル部分の代謝（脱クロル・脱ハロゲン）過程で生成する活性中間体のオキサミルクロリドが、CYP450のタンパク質部分にあるリジン残基をアシル化（共有結合）することに起因すると考えられている（**図5-10**）。興味深いことに、このアシル化はCYP450の基質結合能や基質水酸化能、生成物遊離能には影響を与えないが、フラビン酵素（CYP450還元酵素）が触媒するNAD（P）H_2からCYP450に電子を供給する過程を阻害する。ミクロソーム膜に存在するCYP450とCYP450還元酵素の酵素間の反応が影響を受け、CYP450が不活性化されると考えられる。

相互作用では、特にCYP2C9およびCYP3A4で代謝される薬剤との併用に注意する（**表5-25**）。基本的に、クロラムフェニコールによるCYP阻害は非特異的であると考えられ、CYP450で代謝される全ての薬剤に留意する（Halpert J,

図5-10　クロラムフェニコール系によるCYP450阻害機序

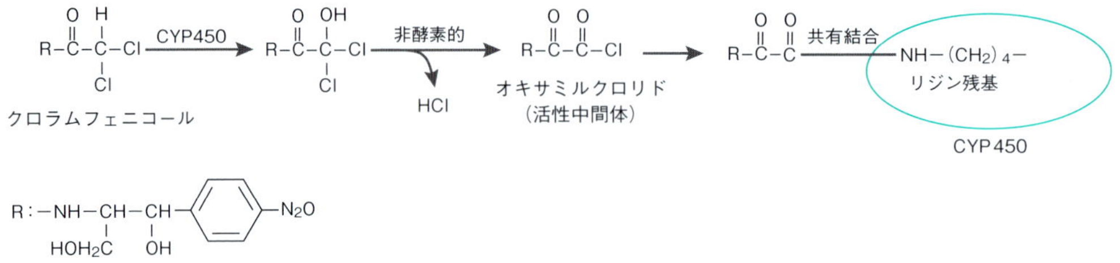

クロラムフェニコール → CYP450 → 非酵素的（HCl） → オキサミルクロリド（活性中間体） → 共有結合 NH−$(CH_2)_4$− リジン残基 CYP450

R：−NH−CH−CH−（C₆H₄）−N_2O
HOH₂C　OH

（Pohl LR, et al. Biochem Pharmacology. 1978；27：335-41. 一部改変）

表5-25　クロラムフェニコール系薬によるCYP450阻害に起因する相互作用

関与する CYP分子種	クロラムフェニコールにより代謝阻害を受ける薬剤	報告されている事象など
CYP2C9	ワルファリン※（ワーファリン）	半減期増大。腸内細菌によるビタミンK供給不足（抗凝固作用増強）の可能性。
	SU薬※、ナテグリニド※（スターシス、ファスティック）	トルブタミド（ヘキストラスチノン）の血中濃度2倍、半減期3倍。
CYP3A4	シクロホスファミド※（エンドキサン）	シクロホスファミド半減期7.5から11.5時間に延長（薬効減弱）。
	シクロスポリン（サンディミュン、ネオーラル）	シクロスポリン血中濃度3倍上昇、血清クレアチニン値上昇（腎毒性）。

いずれも阻害を受ける薬剤の作用増強の恐れ（併用慎重）。　※２種類以上のCYP450で代謝される薬剤（☞表5-2、5-3）。

et al. Mol Pharmacol.1983；23：445-52.）。

F チクロピジン塩酸塩

チエノピリジン系抗血小板薬のチクロピジン塩酸塩（パナルジン）は、肝で代謝されて活性型となるプロドラッグである。同薬は非特異的にCYP450を阻害することが報告されている。

チクロピジンによるCYP450阻害作用の強さは、2C19＝2D6（90％阻害）＞3A4（50％）＞1A2（25％）の順であり、2C9阻害作用はほとんどないことや、CYP2B6阻害のIC50値は0.0517～0.296 μM であることなどがin vitroで示されている（☞**コラム34**）。CYP2C19、2B6、2D6阻害は強力だが、2C19および2B6阻害は不可逆的、2D6阻害は可逆的と、阻害機構は全く異なる。

CYP2C19および2B6の阻害は、同酵素によるチクロピジンの代謝（酸化）過程で生成する活性中間体のチクロピジン S-オキシドなどが、2C19および2B6の活性部位のアミノ酸残基またはヘム鉄と共有結合することなどに起因すると考えられている（**図5-11**）。阻害が起こるためには2C19および2B6による代謝が必要であることから、チクロピジンはCYP2C19および2B6の自殺基質といえる。なお、CYP450による主代謝物のTSOD（チクロピジン S-オキシドダイマー）には、直接的な阻害効果はない。

一方、チクロピジンはCYP2D6によっても代謝されTSODを生成するが、CYP2D6阻害効果は可逆的であり前述のような共有結合は全く認められないことから、CYP2D6の阻害は活性中間体に起因しないと考えられる。CYP2D6と同様にCYP3A4、1A2の阻害機構も明らかではない。しかし、チクロピジンはこれらのCYP 450で代謝されることから、これらの阻害機構はチクロピジン自体と基質との代謝競合に起因する可能性が高い。

図5-11　チクロピジンによるCYP450阻害機序

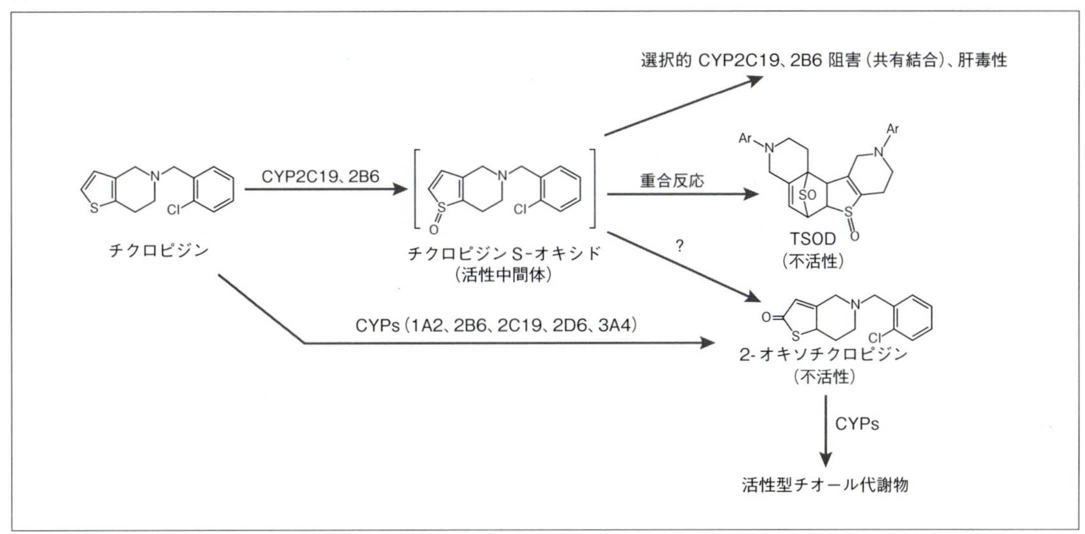

（Ha-Duong NT, et al. Biochemistry. 2001;40:12112-22.、Drug Metab Dispos.2014;42:141-52. を基に作成）

表5-26　チクロピジンによるCYP450阻害に起因する相互作用（いずれも併用慎重）

関与する CYP分子種	チクロピジンにより代謝阻害を受ける薬剤	報告されている事象など
CYP1A2	テオフィリン※（テオドール）	併用10日後にテオフィリン血中濃度1.6～3倍、半減期1.4倍、クリアランス37%低下。
	チザニジン（テルネリン）	相互作用の報告はないが、チクロピジンのCYP1A2阻害によりチザニジン血中濃度上昇の可能性。
CYP2B6	エファビレンツ（ストックリン）、メサドン（メサペイン）、ケタミン（ケタラール）、トラマドール（トラマール）	血中濃度上昇の恐れ（☞ **コラム34**参照）。
CYP2C19	フェニトイン※（アレビアチン）	併用7日後にフェニトイン血中濃度19μg/mLから34μg/mLに上昇。
	エスシタロプラム※（レクサプロ；SSRI）	血中濃度上昇の恐れ。併用時はエスシタロプラム減量など。CYP2C19遺伝子多型注意。
	バルビツール酸系薬（フェノバルビタール［フェノバール］）	ヘキソバルビタール★代謝抑制（動物実験）

いずれも阻害を受ける薬剤の作用増強（併用慎重）。　※ 2種類以上のCYP450で代謝される薬剤（☞ **表5-2、5-3**）。
★ 販売中止

相互作用では**表5-26**に示すように、TDMの必要なテオフィリン（テオドール；CYP1A2）、バルビツール酸系薬（2C19）、フェニトイン（アレビアチン；2C19で部分的代謝）などの血中濃度が上昇することが報告されている。特に、CYP2C19および2B6阻害効果は強力で不可逆的であるため、チクロピジンの投与中止後も注意する必要がある。また、阻害効果の発現はテオフィリンでは10日後、フェニトインでは7日後に認められているため、併用後も数週間にわたって注意深く経過観察を行う。また、チザニジン塩酸塩（テルネリン）はCYP1A2阻害薬の影響を受けやすいため（☞ **表5-34**⑤）、チクロピジンのCYP1A2阻害効果により血中濃度が上昇し、α_2刺激に起因する低血圧が出現する可能性がある。なお、CYP2D6阻害に起因する相互作用はチクロピジンの添付文書上に記載されていないが、阻害効果はCYP2C19と同等に強力であるため要注意である。

なお、チクロピジンでは、血栓性血小板減少性紫斑病（TTP）、無顆粒球症、重篤な肝障害などの重大な肝・血液障害が、主に投与開始後2カ月以内に発現し、死亡に至る例も報告されたため、2002年7月に厚生労働省から緊急安全性情報が出されている（☞**第8章［第3節］**）。また、チクロピジンによる肝障害は、著明な自己抗体の増加を伴うことが示されている。発現機序は不明だが、活性中間代謝産物（S-オキシドなど）が原因である可能性が指摘されている。

G クロピドグレル硫酸塩

チエノピリジン系薬には、チクロピジン塩酸塩（パナルジン）のほか、チエノピリジン骨格にカルボキシメチル基を導入した抗血小板薬のクロピドグレル硫酸塩（プラビックス）がある。クロピドグレルはチクロピジンと同様にプロドラッグであり、肝代謝を受けて生成する活性代謝物が、血小板上のADP受容体（P2Y12）に不可逆的に結合して血小板凝集抑制作用を発揮する（☞**表7-39**）。

一方、肝機能障害や血液障害といった重篤な副作用の発現頻度（総計）は、チクロピジンの15.1%に比べてクロピドグレルは7%と低い。これは、カルボキシメチル基の導入により、肝代謝経路がチクロジピンと異なることに起因すると考えられている。実際に、チクロピジンでは「投与開始後2カ月間は2週に1回の血液検査を実施すること」が添付文書の「警告」欄で義務づけられているのに対し、クロピドグレルでは考慮事項とされている。

クロピドグレルは肝で主に2つの経路で代謝される（**図5-12**）。CYP2C19（主）、1A2、2B6、3Aで2-オキソ型となった後、さらに2C19、2C9、2B6、3Aで代謝され薬理活性を示すチオール型となる経路と、カルボキシエステラーゼ（CES1;☞**第6章［第10節］**）により非活性代謝物であるSR26334（主代謝物）となった後、グルクロン酸抱合体（クロピドグレルアシル-β-D-グルクロニド）となる経路である。前者の経路を経て活性代謝物のH4が生成され、後者の経路で生成するSR26334はCYP2C9を、グルクロン酸抱合体は2C8を阻害することがin vitroで示されている。また、in vitroのCYP450酵素反応過程においてクロピドグレルはCYP2B6と3A4を、また2-オキソ型はCYP2B6を（☞**コラム34**）、クロピドグレルアシル-β-D-グルクロニドはCYP2C8を不可逆的に強く阻害することも知られている（Clin Pharmacol Ther.2014;96:498-507.）。これは、CYP450代謝過程で生成するチオフェン環のS-オキシドやエポキシドなどが、CYP2B6のヘムを破壊することや、CYP2B6、3A4、2C8の活性部位のヘムまたはアミノ酸残基に共有結合するために起こると考えられている。

したがって、CYP2C19、2C9、1A2、2B6、3Aを阻害する薬剤とクロピドグレルを併用すると、活性代謝物H4の生成量が減るため同薬の効果が減弱し、逆に、CYP450誘導薬と併用すると効果が増強する可能性がある。また、CYP3A4阻害の臨床的意義は不明であるが、クロピドグレルおよびその代謝物によるCYP2B6、2C8、2C9の阻害効果にも注意が必要である。特にCYP2C8で代謝されるレパグリニド（シュアポスト）では、血中濃度が上昇して低血糖を生じるリスクが高いため、カナダでは2015年7月、クロピドグレルとレパグリニドの併用は禁忌となっている。

一方、CYP2C19の活性低下に伴う薬効減弱については数々の報告がある。例えば、CYP2C19代謝能が著しく低下しているPM（poor metabolizer；日本人で2割存在）では抗血小板作用が低下したり（☞**本章［第1節❹］**）、オメプラゾール（オメプラゾン）のCYP2C19阻害作用により活性代謝物H4の濃度が46%低下したり（☞**表5-19**）、エトラビリン（インテレンス；抗HIV薬）のCYP2C19阻害によりH4量が減少したりすることが示唆されている。米国FDAではCYP2C19を強力に阻害するオメプラゾール、エソメプラゾールマグネシウム水和物（ネキシウム）、エトラビリン、シメチジン（タガメット）、アゾール系薬（フル

図5-12　クロピドグレルによるCYP450阻害機序

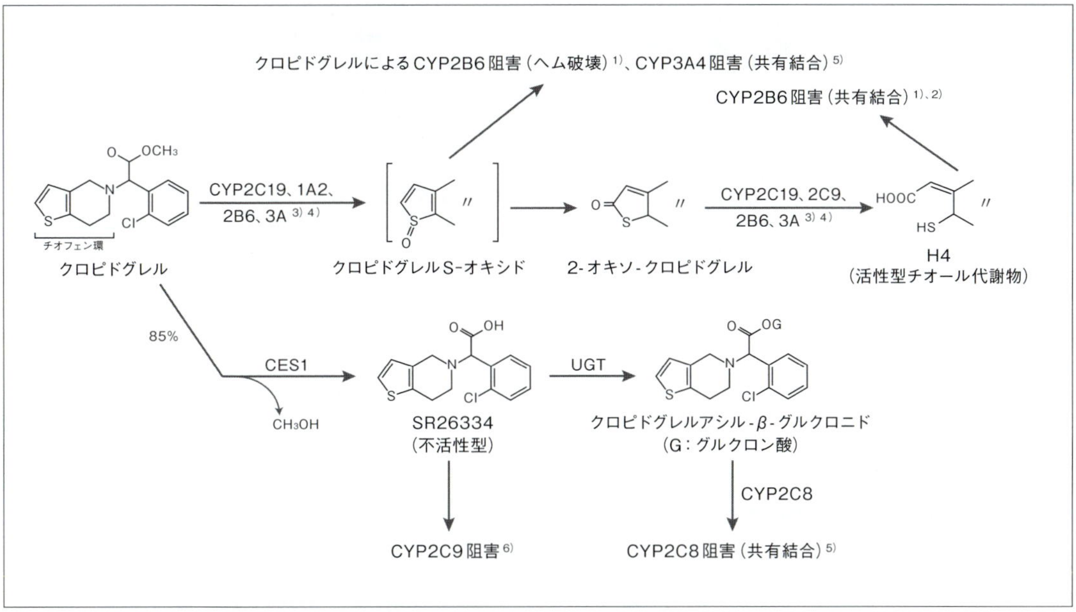

クロピドグレルによるCYP2B6阻害（ヘム破壊）[1]、CYP3A4阻害（共有結合）[5]
CYP2B6阻害（共有結合）[1、2]
OCH3
CYP2C19、1A2、
2B6、3A [3) 4)]
CYP2C19、2C9、
2B6、3A [3) 4)]
HOOC
HS
Cl
チオフェン環
クロピドグレル
クロピドグレルS-オキシド
2-オキソ-クロピドグレル
H4
（活性型チオール代謝物）
85%
CES1
CH3OH
OH
SR26334
（不活性型）
UGT
OG
クロピドグレルアシル-β-グルクロニド
（G：グルクロン酸）
CYP2C8
CYP2C9阻害[6)]
CYP2C8阻害（共有結合）[5)]

CES：カルボキシエステラーゼ　　UGT：UDP グルクロン酸転移酵素

1）Mol Pharmacol.2011;80:839-47.
2）J Pharmacol Exp Ther.2004;308:189-97.
3）Circulation.2009;119:2553-60.
4）Clin Pharmacol Ther.2014;4:498-507.
5）J Pharmacol Exp Ther.2011;339:589-96.
6）プラビックス添付文書

表5-27　クロピドグレルによるCYP450阻害に起因する相互作用（いずれも併用慎重）

作用する薬剤	作用を受ける薬剤	起こり得る事象
CYP2C19、2C9、1A2、2B6、3A阻害薬	クロピドグレル（プラビックス）	抗血小板効果の減弱。特にCYP2C19阻害薬との併用には注意。**米国FDAでは強力なCYP2C19阻害薬との併用は避けるよう勧告。**
CYP2C19、2C9、1A2、2B6、3A誘導薬		抗血小板効果の増強。CYP2C19を誘導するPXR活性化薬（リファンピシンなど）との併用は原則禁忌。
クロピドグレル（プラビックス）	CYP2B6で代謝される薬剤	エファビレンツ（ストックリン）、メサドン（メサペイン）血中濃度上昇（☞ **コラム34**）。
	CYP2C8で代謝される薬剤	レパグリニド（シュアポスト）のAUC0-∞が1日目に5.1倍、3日目に3.9倍に上昇して低血糖発現（**カナダでは併用禁忌**）。セレキシパグ（ウプトラビ；肺動脈性高血圧症治療薬）の併用でセキレシパグ活性代謝物のCmax、AUCが1.9倍、2.7倍に上昇。他の2C8で代謝される薬剤（イマチニブ、モンテルカスト、パクリタキセル、ピオグリタゾン、ペマフィブラート［パルモディア］など）でも要注意。
	CYP2C9で代謝される薬剤	CYP2C9代謝薬剤の血中濃度上昇（薬効増強）。ロスバスタチン（クレストール）のAUCが2倍に上昇（クロピドグレル300mg併用時）。

表5-28 サルファ剤によるCYP450阻害に起因する相互作用

関与するCYP分子種	サルファ剤により代謝阻害を受ける薬剤	報告されている事象など
CYP2C9	ワルファリン※（ワーファリン）	ST合剤の併用は極力避ける。血尿・歯茎出血、プロトロンビン時間60秒延長（スルフイソキサゾール併用）などが報告されている。血漿タンパク置換も関与。腸内細菌ビタミンK供給不足の可能性。
	SU薬※、ナテグリニド※（スターシス、ファスティック）	低血糖（38mg/dL）の報告がある。血漿タンパク結合置換も関与。

いずれも阻害を受ける薬剤の作用増強の恐れ（併用慎重）。
※2種類以上のCYP450で代謝される薬剤（☞表5-2、5-3）。

コナゾール［ジフルカン］、ケトコナゾール、ボリコナゾール［ブイフェンド］）、フルボキサミンマレイン酸塩（デプロメール、ルボックス）、チクロピジンとクロピドグレルとの併用は避けるべきであると勧告している。日本では併用を避けるまでに至っていないが、これらCYP2C19阻害薬を服用する場合には、クロピドグレルの十分な抗血栓効果が得られなくなる可能性に十分注意して対処した方がよい。

なお、プラスグレル塩酸塩（エフィエント）は、クロピドグレルと同様にチエノピリジン系薬のプロドラッグであるが、小腸細胞のカルボキシエステラーゼ（CES2；☞**第6章［第10節］**）で速やかに加水分解を受けてR-95913となった後、主にCYP3A4/5、2B6で代謝されて活性代謝物（R-138727）となるため、CYP2C19阻害・誘導やCYP2C19遺伝子多型の影響を受けにくいことが示されている。

わが国におけるクロピドグレルの適応症は、2006年の発売当初は「虚血性脳血管障害（心原性脳塞栓を除く）後の再発抑制」のみだったが、現在では、「経皮的冠動脈形成術（PCI）が適用される虚血性心疾患（急性冠症候群［不安定狭心症、非ST上昇心筋梗塞］、安定狭心症、陳旧性心筋梗塞）、末梢動脈疾患における血栓・塞栓形成の抑制」も加わっている（☞**付D❹**）。長期投与されるケースも多く、相互作用には常に注意する必要があるだろう。

図5-13 サルファ剤のCYP2C9阻害機序

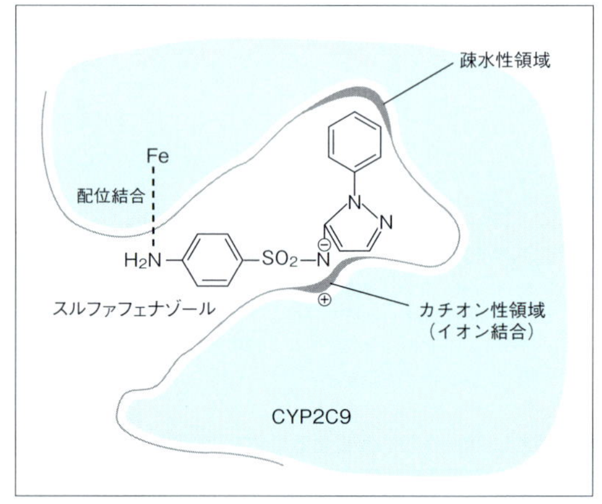

（Mancy A, et al. Biochemistry. 1996 ; 35 : 16205-12. 一部改変）

H サルファ剤

サルファ剤（スルファジメトキシン［アプシード］、ST合剤［バクタ配合錠］に含有）はCYP2C9阻害作用を持つ。その特異的な阻害機序は、サルファ剤がCYP2C9の活性部位において配位結合、イオン結合、疎水結合を形成することに起因する。具体的には、サルファ剤の構造の中でアニリンに含まれる窒素（N）原子がCYP2C9のヘム鉄に配位結合し、$-SO_2-\overset{\ominus}{N}-$（pK 6であり、pH7.4では陰イオン）のアニオン部位がカチオン性領域にイオン結合し、N-フェニル基が疎水性領域に結合すると推測されている（**図5-13**）。

CYP2C9の活性部位には、基質となる酸性薬剤（アニオン）が結合するカチオン性領域に加え、強く結合するために必要な疎水性領域があり、一般に2C9の基質はこれらの領域に結合すると考えられている。サルファ剤については、これに加えてヘム鉄との配位結合を形成するが、逆に、この配位結合がなければCYP2C9阻害は起こらないことも知られている。すなわち、サルファ剤は基質としての競合阻害と、ヘム鉄との配位結合による阻害という2つの作用を有するため、CYP2C9阻害効果は強く特異的となる。

相互作用に関しては、CYP2C9で代謝される全ての薬剤との併用に注意する。代謝阻害だけでなく、血漿タンパク結合置換（☞**表2-1**）も関与していることが多いため、相互作用に伴う薬効増強の程度は大きい。特に、ワルファリンカリウム（ワーファリン）との併用は極力避け、併用する場合にはトロンボテストなど血液凝固能検査を行う必要がある（**表5-28**）。また、フェニトイン（アレビアチン）と併用する場合もTDMを実施した方がよい。

なお、持続性サルファ剤のサラゾスルファピリジン（サラゾピリン）は腸内細菌の働きにより、5-アミノサリチル酸（抗炎症作用）とスルファピリジン（スルホンアミド系薬）に分解されるため、サルファ剤と同様のCYP2C9阻害効果に注意する（☞**表1-7**）。

コラム37

CYP450の阻害と核内受容体

CYP450の阻害が、薬物とヘムとの直接的な結合や複合体形成、競合阻害に起因するのに対し、薬物代謝酵素の誘導は、転写調節因子である核内受容体を介して起こることが多い（☞**表5-54**）。

従来、代謝阻害が核内受容体を介して起こるか否かは明らかでなかったが、アゾール系薬（ケトコナゾール★、フルコナゾール［ジフルカン］など）が、リファンピシン（リファジン）やタモキシフェンクエン酸塩（ノルバデックス；抗エストロゲン薬）などによるPXRやCARなどの活性化を阻害し、これらの核内受容体の標的遺伝子であるCYP2B6、CYP3A4、P-gpなどの薬物代謝酵素群の転写・発現を抑制することが報告されている[1)2)]（培養細胞および動物を用いた実験による）。アゾール系がPXRのコアクチベーター（steroid receptor co-activator 1：SRC-1）の結合部位（AF-2部位：activation function 2 site）に直接結合する結果、SRC-1に依存して起こるPXRの標的遺伝子の転写促進が阻害されることが示されている。

また、ケトコナゾール★とミコナゾール（フロリード）は、GR（glucocorticoid receptor）とデキサメタゾンとの結合を競合的に阻害してGRの活性化を抑制し、GRによるCARおよびPXRの活性化（クロストーク）を二次的に抑制し、その結果、標的遺伝子であるCYP2B6・2C9・3A4、UGT1A1、GST（A1、A2）、P-gp、MRP2などの転写が抑制されることも報告されている[3)]。

これらの報告は、アゾール系による薬物代謝酵素の阻害が、PXR、CAR、GRの活性化抑制に起因することを裏付けており、興味深い。また、タモキシフェンやパクリタキセル（タキソール）といった抗癌剤にはPXR活性化作用があるため、薬物の代謝・排泄が促進して血中濃度が低下する恐れがあるが、アゾール系薬の併用はこのような薬効減弱を防ぎ、抗癌効果を持続させる新しい戦略となり得ることも示唆されている。

1）Wang H, et al. Clin Cancer Res. 2007；13：2488-95.
2）Huang H, et al. Oncogene. 2007；26：258-68.
3）Duret C, et al. Mol Pharmacol. 2006；70：329-39.
★ 内服薬は国内未発売。

コラム38

イトラコナゾールによる爪白癬治療

イトラコナゾール（イトリゾール）を爪白癬治療に使用する場合には、通常、1回200mgを1日2回（1日量400mg）、食直後に1週間経口投与し、その後3週間休薬するサイクルを3回繰り返すというパルス療法が行われる。

パルス療法におけるイトラコナゾールの血中濃度の経時変化（Cmaxおよび消失パターン）は、各サイクルで同様のパターンを示す。具体的には、1週間の投与終了日にCmaxに達し、休薬して次の投薬が始まる前になってようやく検出限界以下となることのみが示されている。

すなわち、約3週間の休薬中も、薬剤投与中と同様に相互作用に留意し、併用禁忌薬剤を投与してはならない。なお、健康な爪が完全に生え替わるには足の爪で約1年、指の爪で約半年かかる（年齢によって異なる）ため、パルス療法終了後6カ月〜1年は経過観察を続ける必要がある。治療効果が不十分な場合や、パルス療法終了から2〜3カ月後のチェックで新しい爪の伸長具合が悪く効果不十分な場合に、再度パルス療法が行われることもある。

コラム39

PPI長期投与によるcollagenous colitis（CC）と骨粗鬆症

PPIの長期投与の安全性は広く認識されている一方で、近年、PPIの長期投与との関連性が否定できない副作用として、collagenous colitis（CC；コラーゲン形成大腸炎）や骨粗鬆症が注目されている。日本消化器病学会が2009年に作成、2015年に改訂した『胃食道逆流症（GERD）診療ガイドライン』

においても、「PPIによる維持療法の安全性は高いが、長期投与に際しては注意深い観察が必要である」と記載されている。

CCは、慢性の水溶性下痢を主訴とする大腸炎の一つであり、腹痛や下血、体重減少、低タンパク血症などを伴うこともある。確定診断には大腸粘膜の内視鏡検査が有用とされ、粘膜上皮の直下にコラーゲンが蓄積して肥厚したバンド（厚さ10μm以上）が特徴的に見られるほか、多くの場合、腸管粘膜に縦走潰瘍、びらん、易出血などが認められる。病因は不明であるが、起因薬剤としてPPI、NSAIDs、チクロピジン塩酸塩（パナルジン）、カルバマゼピン（テグレトール）などが報告されている。

薬剤起因性の場合は、原因薬剤の中止により治癒するとされている。PPIでは中止後2週間以内に下痢が消失する。薬剤の関与が認められなかったり、原因薬剤の中止が不可能な場合は、止痢薬、サリチル酸製剤、プロバイオティクス、副腎皮質ホルモン製剤などを投与する。近年、わが国でのCC症例が急増していることから、PPIを服用している患者で慢性下痢や下血、血便などが認められた場合はCCを念頭に置き、薬剤を中止するといった適切な対処が求められている。

また、海外では、PPIと骨折リスクとの関連についても複数の報告がある。特にPPIの高用量および1年以上の長期投与患者において、骨粗鬆症に伴う骨折（股関節、手関節、脊椎）のリスクが高いことが報告されている。一方で、PPI投与により骨強度が増加するという報告もあるほか、逆流性食道炎の誘因として椎体骨折があり、PPIが投与されている患者は基礎疾患として骨粗鬆症を有している可能性が高いことも示唆されている。

このように、PPIと骨折リスクとの関連性について結論は得られていないが、高齢者ではPPIの服用の有無にかかわらず骨折リスクが高いことから、必要に応じて骨量の測定や骨粗鬆症に対する治療を考慮すべきとされている。

コラム40

14員環マクロライド系薬の様々な作用

14員環マクロライド系は、静菌作用（細菌の23S-rRNAと結合してタンパク合成を阻害）のほかにも、以下の①～③に示すような作用があることが知られている。臨床においても、びまん性汎細気管支炎や難治性喘息、慢性副鼻腔炎などに対し、3カ月以上の長期にわたって投与されることもあるので注意が必要である。

① 上・下気道の慢性炎症抑制作用

14員環マクロライド系の少量長期投与は、びまん性汎細気管支炎や慢性副鼻腔炎などをはじめとする上・下気道の慢性炎症性疾患の患者において、喀痰量や鼻汁分泌量を著明に減少させるなどの効果が認められている。

びまん性汎細気管支炎は慢性緑膿菌気道感染症であり、レンサ球菌による感染性心内膜炎や黄色ブドウ球菌による慢性骨髄炎などと同様にバイオフィルムを認めることから、バイオフィルム感染症とも呼ばれている。バイオフィルムは細菌などが表層を覆い被さるように増殖して膜を形成した状態で、細菌の自己防衛反応の一つであると考えられる。抗菌薬に抵抗性を示し、慢性化の要因となる。バイオフィルムにはIgGの沈着が観察されるが、これは長期にわたって定着した緑膿菌などから産生されるアルギン酸塩が抗原となり、免疫複合体を形成し肺に沈着するためと考えられている。

14員環マクロライド系薬は、抗炎症作用（IL8産生抑制［好中球浸潤抑制］など）、バイオフィルム破壊作用（アルギン酸塩合成阻害作用など）、活性酸素生成阻害作用、粘液細胞のCl^-チャネル阻害作用（水分を抑えて痰を減少させる）――などによって、バイオフィルム感染症を抑制するとされている（小林治ら. 医薬ジャーナル. 1997;33:376-80.）。ただし、効果発現には時間がかかるため、びまん性汎細気管支炎などには常用量の1/2を最低でも6カ月間投与する必要がある。

また、14員環マクロライド系は上記の免疫調整・抗炎症作用などにより、慢性副鼻腔炎（蓄膿症）にも有効である。クラリスロマイシン（クラリシッド、クラリス）の治療効果が得られる1日投与量は100mgで十分であり（200mg/日および400mg/日と有効性に差がない）、投与期間は約8～14週である。さらにその他の炎症性疾患（慢性気管支炎、気管支拡張症、慢性滲出性中耳炎など）にも使用が広がっている。

② 腫瘍増殖・転移抑制作用

14員環マクロライド系には、腫瘍血管新生阻害および腫瘍増殖・転移抑制作用もある。臨床的には、クラリスロマイシン400mg/日（分2）が手術不能原発性非小細胞肺癌患者の50%生存期間を有意に延長するほか、特に腺癌に対して優れた効果を発揮することが報告されている（三笠桂一ら. 医薬ジャーナル 1997;33:390-8.）。作用機序として、14員環マクロライド系によるIL8（血管新生因子）、IL6（悪液質誘導）、TNF-α（悪液質誘導）などのサイトカイン生成抑制や、IL12（抗腫瘍作用）のmRNA発現促進などを介する免疫調整が考えられている。

③ モチリン作用

モチリンは消化管ホルモンの一種である。食後は作用しないが、空腹時には周期的に血中濃度が上昇し、胃の強い収縮を引き起こし、回腸にかけて規則正しく収縮運動を伝播していく作用がある。エリスロマイシン（エリスロシン）は消化管運動を刺激する強力な作用を持つが、その収縮パターンはモチリンと極めて似ており、胃平滑筋のモチリン受容体の結合を用量依存的にモチリンと拮抗することなどから、エリスロマイシンはモチリンの非ペプチド性アゴニストであることが示されている（伊藤漸. 医薬ジャーナル 1997;33:418-24.）。14員環マクロライド系のうち、抗菌作用がなく、モチリン様作用を示す一群の薬剤は、motilin-like macrolideの意で「モチライド」と呼ばれている。

近年では、16員環マクロライド系薬ではあるが、スピラマイシンのモチリン様作用により消化管運動が亢進する結果、カルビドパの吸収が阻害され、血中濃度が低下することからレボドパ・カルビドパ配合錠とスピラノマイシンとの併用は注意となっている。

2 同一CYP450分子種による代謝の競合阻害

同一のCYP450分子種で代謝される薬剤を2剤以上併用すると、代謝競合に起因する相互作用が起こることがある。CYP分子に対する特異性は高く、阻害される薬剤は、CYPと薬剤の親和性（結合の強さ）の強弱に依存して決まる。

例えば、親和性の強い薬剤と弱い薬剤を併用した場合は、強い薬剤が弱い薬剤の代謝を阻害する。また、併用した2剤の酵素親和性が同程度であれば、互いの代謝が抑制され、両剤の薬効が増強する（**表5-29**の太字で示した組み合わせ）。

これらの薬剤の併用による相互作用の例をCYP450分子種ごとに**表5-30**に示す。表に示していない薬剤でも、同一のCYP450分子種で代謝される薬剤同士を併用する際は常に注意する。

以下、CYP450分子種ごとに競合阻害の例と対処法などを見ていく。

① CYP1A2

プロプラノロール塩酸塩（インデラル）、メキシレチン塩酸塩（メキシチール）はCYP1A2で代謝されるため、テオフィリン（テオドール）の代謝を競合して阻害すると考えられる（☞**表5-2**）。テオフィリンとプロプラノロール（β遮断薬）はいずれもTDMを必要とする薬剤であり、薬理学的には気管支に対する作用が拮抗するので、臨床で併用することはほとんどないと思われるが、併用する場合はテオフィリンのTDMを実施した方がよい（カフェイン含有飲食物のCYP1A2競合に起因する相互作用は**付E**を参照）。

また、チザニジン塩酸塩（テルネリン）、メラトニン受容体アゴニストのラメルテオン（ロゼレム）およびメラトニン（メラトベル）はCYP1A2で代謝され、その親和性は弱いと考えられる。CYP1A2阻害薬であるフルボキサミンマレイン酸塩（デプロメール、ルボックス）との併用により、著明に血中濃度が上昇することが報告されている（併用禁忌；☞**表5-34**）。CYP1A2で代謝される薬剤とチザニジンとの併用にも、十分な注意が必要である。

② CYP2C8

ビタミンA（レチノール、レチノールパルミチン酸エステル［チョコラA］、レチノイン酸）はCYP2C8の基質として知られていたが、近年、パクリタキセル（タキソール；タキソイド系）やセリバスタチン（スタチン系薬；販売中止）も本酵素で主に代謝されることがin vitro実験で明らかとなった（タキソイド系薬、セリバスタチンはCYP3A4による代謝も受ける［☞**表5-3**］）。これらの薬剤の併用による臨床データはないものの、CYP2C8に対する競合阻害が起こり、双方の血中濃度が上昇する可能性があり注意を要する。CYP2C8に高い選択的阻害作用を有するゲムフィブロジル（国内未承認）、ケルセチン（抗癌作用があるフラボノイドの一種）は、これらの薬剤の代謝を阻害することが示されている（in vitro）。なお、ゲムフィブロジルのCYP 2C8阻害によりビタミンA類似薬（ベキサロテン［タルグレチン］）の血中濃度が上昇することが示されているので、やむを得ず併用する時はベキサロテンの減量を考慮する必要がある。

③ CYP2C9

フルバスタチンNa（ローコール）はCYP2C9で代謝される全ての薬剤の代謝を抑制し、ワルファリンカリウム（ワーファリン）はフェニトイン（アレビアチン）の代謝を抑制する。一方、ワルファリンとSU薬、ナテグリニド（スターシス）を併用すると相互に作用が増強し、トラニラスト（リザベン）やイマチニブメシル酸塩（グリベック）、ベンズブロマロン（ユリノーム）ではワルファリンの作用が増強する。COX2選択的阻害薬のセレコキシブ（セレコックス）もS体ワルファリンの代謝を阻害するが、フルバスタチンとの併用ではセレコキシブの

表5-29 同一CYP450分子種における競合的代謝阻害

CYP阻害薬	阻害される酵素						代謝阻害を受ける薬
	1A2	2C8	2C9	2C19	2D6	3A群	
①CYP1A2代謝競合							
プロプラノロール（インデラル）、メキシレチン（メキシチール）	○						テオフィリン
②CYP2C8代謝競合							
ゲムフィブロジル（国内未承認）		○					エンザルタミド（イクスタンジ；前立腺癌治療薬）
ビタミンA（チョコラA）		◎					**パクリタキセル、セリバスタチン***
③CYP2C9代謝競合							
フルバスタチン（ローコール）			◎				CYP2C9で代謝される薬
ワルファリン（ワーファリン）			◎				**SU薬、ナテグリニド**、フェニトイン
トラニラスト（リザベン）			○				ワルファリン
イマチニブ（グリベック）			○				ワルファリン
ベンズブロマロン（ユリノーム）			○				ワルファリン
セレコキシブ（セレコックス）			◎				**フルバスタチン**、ワルファリン
④CYP2C19代謝競合							
イミプラミン（トフラニール）				○			**バルビツール酸系薬**
⑤CYP2D6代謝競合							
ブチロフェノン系薬					○		セレギリン（エフピー）
三環系抗うつ薬					◎		**アンフェタミン、フェノチアジン系薬**
プロプラノロール（インデラル）					◎		**フェノチアジン系薬**、マプロチリン
抗不整脈薬：							
プロパフェノン（プロノン）					◎		β遮断薬（プロプラノロール、メトプロロール）、三環系抗うつ薬、マプロチリン
フレカイニド（タンボコール）					○		**β遮断薬**（プロプラノロール）
キニジン[※1]（硫酸キニジン）					◎		フレカイニド、β遮断薬、三環系抗うつ薬、セレギリン、ドネペジル、パロキセチン、マプロチリン、ロラタジンなど
マプロチリン（ルジオミール）					○		三環系抗うつ薬（イミプラミン）
リスペリドン（リスパダール）					○		マプロチリン
ベンラファキシン（イフェクサー；SNRI）					○		リスペリドン

AUC、Cmaxが共に1.3倍上昇し、フルバスタチンのCmaxは1.2倍に上昇するため、相互に薬効が増強する可能性が指摘されている。ただし、この場合のフルバスタチンのAUCは不変であることから、CYP2C9阻害効果はセレコキシブよりもフルバスタチンの方が強いと考えられる。

これらのことから、CYP2C9に対する親和性および阻害効果の強さは、フルバスタチン＞セレコキシブ、トラニラスト、イマチニブ、ベンズブロマロン＞ワルファリン＝SU薬＝ナテグリニド＞フェニトインの順になると考察できる。速効型インスリン分泌促進薬のナテグリニドについては、ほぼSU薬と同等であると考えてよい。

これらの弱酸性薬剤相互の併用には、血漿タンパク結合置換も関係することがある（☞**表2-1**）。また、SU薬（☞**表5-53、5-58**）やフェニトイン

CYP阻害薬	阻害される酵素						代謝阻害を受ける薬
	1A2	2C8	2C9	2C19	2D6	3A群	
⑥CYP3A群代謝競合							
Ca拮抗薬：							
ベラパミル（ワソラン）						◎	ロミタピド、アスナプレビル★、チカグレロル、スボレキサント、テオフィリン、カルバマゼピン、シクロスポリン、キニジンなど
ジルチアゼム（ヘルベッサー）						◎	ロミタピド、アスナプレビル★、チカグレロル、スボレキサント、**アプレピタント**、テオフィリン、カルバマゼピン、シクロスポリン、ニフェジピン、トリアゾラム、タクロリムス、テルフェナジン、セレギリン、シロスタゾール、シルデナフィルなど
アゼルニジピン（カルブロック）						◎	シンバスタチン、**シクロスポリン**など
アプレピタント（イメンド）						◎	**ジルチアゼム**、デキサメタゾン、メチルプレドニゾロン、ミダゾラム、ピモジド（禁忌）など
ステロイド系薬：							
副腎皮質ホルモン製剤						◎	**シクロスポリン**、シクロホスファミド
ダナゾール（ボンゾール；黄体ホルモン製剤）						◎	カルバマゼピン、シクロスポリン、タキソイド系、タクロリムス、シンバスタチン
チカグレロル（ブリリンタ）						○	シンバスタチン
シクロスポリン（サンディミュン、ネオーラル）						◎	テオフィリン、プラバスタチン、シンバスタチン
ブロモクリプチン（パーロデル）						◎	シクロスポリン、タクロリムス
アトルバスタチン（リピトール）						○	経口避妊薬、ロミタピド
シロスタゾール（プレタール）						◎	ロミタピド
ロミタピド（ジャクスタピッド）						◎	スタチン系薬
モザバプタン（フィズリン）						◎	CYP 3A4で代謝される薬剤
グリベンクラミド（オイグルコン）						◎	シクロスポリン、メロキシカム
ジヒドロピリジン系Ca拮抗薬、トフィソパム（グランダキシン）						○	タクロリムス
HIVプロテアーゼ阻害薬※2						◎	ピペリジン系（テルフェナジン★、アステミゾール★、シサプリド★）、BZP系（トリアゾラム、アルプラゾラム、ミダゾラム）など多数
ラパチニブ※3（タイケルブ）						◎	ビノレルビン、パクリタキセル
抗HCV薬：							
テラプレビル★						◎	ピペリジン系（テルフィナジン★、アステミゾール★、シサプリド★）、BZP系（トリアゾラム、アルプラゾラム、ミダゾラム）など多数
シメプレビル★						◎	CYP3A4で代謝される薬剤
バニプレビル★						◎	CYP3A4で代謝される薬剤
グラゾプレビル★						◎	タクロリムス、シンバスタチン、アトルバスタチン

◎：2系統以上阻害　○：1系統のみ阻害（基本構造が同一の場合は1系統とし、異なる場合は2系統以上とした）

太字の薬剤の組み合わせでは、CYP450への親和性が同程度であるため、相互に作用が増強する。その他の組み合わせでは、阻害薬の方がCYP親和性が強いと考えられる。

※1　キニジンの代謝はCYP3A4であるが、CYP2D6に対する親和性が強く、競合的に代謝を抑制すると考えられている。

※2　リトナビルはCYP3A4ほどではないが、CYP2C9、2D6をも阻害する。

※3　ラパチニブはCYP3A4と同様に2C8阻害効果を示す（機序不明）。

分子標的治療薬（イマチニブ、ラパチニブ）の相互作用については**付録C表S-8**参照。

★ 販売中止

（☞表5-49）にはCYP450誘導作用があるため、薬効が変動しやすい。併用時には、ワルファリンとフェニトインではそれぞれ凝固能検査、TDMを実施し、SU薬では血糖値の変化に注意する。

④ CYP2C19

イミプラミン塩酸塩（トフラニール）の一部はCYP2C19で代謝され、バルビツール酸系薬と併用すると相互に薬効が増強する。特に、三環系抗うつ薬の副作用である呼吸抑制が強く現れることがあるので注意する（☞表5-43）。

一方、バルビツール酸系薬にはCYP450誘導作用があり、三環系抗うつ薬の作用が減弱することもある（☞表5-48）。したがって、両剤の併用により薬効が増減する恐れがある。併用する場合は低用量から投与を開始し、フェノバルビタール（フェノバール）ではTDMを実施した方がよい。

⑤ CYP2D6

三環系抗うつ薬とアンフェタミンやフェノチアジン系薬の併用、プロプラノロール塩酸塩（インデラル）とフェノチアジン系薬やフレカイニド酢酸塩（タンボコール）との併用では、相互に代謝が抑制される。したがって、これらのCYP2D6に対する親和性は、ほぼ同程度と思われる。

一方、プロパフェノン塩酸塩（プロノン）はプロプラノロールの代謝を阻害し、また、キニジン硫酸塩水和物（硫酸キニジン）はフレカイニド、β遮断薬、三環系抗うつ薬などの代謝を阻害する。すなわち、抗不整脈薬のプロパフェノンおよびキニジンは、CYP2D6への親和性が強いと考えられ、CYP2D6で代謝される全ての薬剤との併用に注意を要する。可能であれば、阻害を受ける薬剤を減量するか、CYP450阻害作用の弱い他の抗不整脈薬に変更する。なお、プロパフェノンはCYP2D6を阻害するだけでなく、ワルファリン代謝も阻害するため、非特異的にCYP450を阻害する可能性もある。

キニジンはCYP3A4で代謝されるが、CYP2D6に対する親和性が強く競合的に2D6を阻害すると考えられている。セレギリン塩酸塩（エフピー）、ドネペジル塩酸塩（アリセプト）、セビメリン塩酸塩水和物（エボザック）、ロラタジン（クラリチン）、マプロチリン塩酸塩（ルジオミール）、アリピプラゾール（エビリファイ）など、CYP2D6で代謝される多くの薬剤との相互作用が報告されているため要注意である。また、リスペリドン（リスパダール）のCYP2D6に対する親和性は、マプロチリンや三環系抗うつ薬よりも強いと考えられるため、2D6で代謝される薬剤との併用は慎重に対処した方がよい。さらに、ベンラファキシン（イフェクサー）のCYP2D6に対する親和性はリスペリドンより強いと考えられているため、2D6で代謝される薬剤との併用は常に注意しておく必要があろう。一方、阻害を受ける薬剤の中でも、セレギリンは特にCYP2D6（およびCYP3A4）への親和性が低いと考えられるため注意する。

なお、既に販売が中止されているチオリダジン（ピペリジン系フェノチアジン系薬）は、CYP2D6で代謝される薬剤との併用が禁忌であった（表☞5-30⑤）。これは、チオリダジンのCYP2D6に対する親和性が弱く、血中濃度が容易に上昇し、QT延長や不整脈などが現れる可能性が高まるためである。フェノチアジン系薬の副作用として、QT延長などの心電図異常が知られているが、その発現頻度は多い順にピペリジン系>プロピルアミン系（脂肪族）>ピペラジン系である。

⑥ CYP3A群（主にCYP3A4）

Ca拮抗薬のベラパミル塩酸塩（ワソラン）およびジルチアゼム塩酸塩（ヘルベッサー）は、CYP3A4で代謝されるアスナプレビル（抗HCV薬；併用禁忌）、ロミタピドメシル酸塩（ジャクスタピッド；高コレステロール血症治療薬；併用禁忌）、スボレキサント（ベルソムラ；原則禁忌）、テオフィ

表5-30　同一 CYP450分子種における競合的代謝阻害に起因する相互作用

①CYP1A2代謝競合

	阻害する薬剤	代謝阻害を受ける薬剤	起こり得る事象など
併用慎重	プロプラノロール（インデラル）	テオフィリン（テオドール）	クリアランス30～52%低下、テオフィリン作用増強。
	メキシレチン（メキシチール）		テオフィリン血中濃度1.6～3倍上昇。クリアランス50%低下。

②CYP2C8代謝競合

	阻害する薬剤	代謝阻害を受ける薬剤	起こり得る事象など
原則禁忌	ゲムフィブロジル★	エンザルタミド（イクスタンジ；前立腺癌治療薬）	エンザルタミドの未変化体と活性代謝物（N-脱メチル体）の合計のAUCは2.17倍上昇。強力なCYP2C8阻害薬との併用は避けるが、併用時は減量を考慮。
		ベキサロテン（タルグレチン；抗悪性腫瘍薬：ビタミンA類似薬［レチノイド製剤］）	血中トラフ濃度が約4倍上昇（機序不明）。CYP2C8阻害作用のない薬剤への代替を考慮するが、やむを得ず併用する時はベキサロテンの減量を考慮。
		ダブラフェニブ（タフィンラー）	AUCが約48%上昇。CYP2C8阻害作用のない薬剤への代替を検討する。やむを得ず併用する場合は副作用の発現増強に注意する。
併用慎重	ビタミンA（レチノール［チョコラA］、レチノイン酸）	パクリタキセル（タキソール）、セリバスタチン（販売中止）	相互に血中濃度上昇の可能性。
	CYP2C8阻害薬：クロピドグレル、トリメトプリムなど	ダプロデュスタット（ダーブロック：腎性貧血治療薬）	ゲムフィロブロジル（CYP2C8阻害薬）と併用時ダプロデュスタットの$AUC_{0-\infty}$18.6倍、Cmax3.9倍増加。

③CYP2C9代謝競合

	阻害する薬剤	代謝阻害を受ける薬剤	報告されている事象など
併用慎重	クマリン系薬（ジクマロール［国内未発売］、ワルファリン［ワーファリン］）	SU薬、ナテグリニド（スターシス、ファスティック）	薬効変動、相互に作用増強。SU薬の作用増強（併用継続でワルファリンによるSU薬代謝抑制の可能性。腎分泌抑制も関与）。トルブタミド（ヘキストラスチノン）の半減期4.9から17.5時間に延長（ジクマロール併用時）、クロルプロパミド（アベマイド）の血中濃度2倍上昇（ジクマロール併用時）。ワルファリン作用増大（血漿タンパク結合置換関与）。ナテグリニドも同様に注意。ワルファリン作用低下（SU薬によるCYP450誘導）にも注意。
		フェニトイン（アレビアチン）	薬効変動、フェニトイン中毒発現。ワルファリン作用増強（血漿タンパク結合置換も関与。後腹膜出血による死亡例も報告されている）。フェニトインのCYP450誘導作用によるワルファリン代謝促進（作用減弱）にも注意（☞ **表5-8**）。
	フルバスタチン（ローコール）	CYP2C9で代謝される薬剤	CYP2C9で代謝される薬剤の血中濃度が上昇する可能性。
	イマチニブ※（グリベック）	ワルファリン（ワーファリン）	プロトロンビン比が著明に上昇。イマチニブはCYP3A4（主）、2C9、2D6で代謝される（☞ **表5-3**）。CYP3A4代謝競合にも注意（☞ **表5-8**）。
	トラニラスト（リザベン）		トロンボテスト値低下。トラニラストはCYP2C9（主）、1A2、2C8、2C18、2D6、3A4で代謝される（☞ **表5-2**）。
	ベンズブロマロン（ユリノーム）		作用増強。ワルファリン投与量を36%減らす必要性が生じたとの報告がある。
	セレコキシブ（セレコックス）	フルバスタチン（ローコール）	相互に作用増強の可能性がある。7日間の併用後、フルバスタチンCmaxが1.2倍上昇（AUC不変）、セレコキシブCmax、AUCがいずれも1.3倍上昇。
		ワルファリン（ワーファリン）	プロトロンビン時間延長の可能性。出血時間延長の報告もある。セレコキシブは肝ミクロソームによるS体ワルファリン代謝を阻害（in vitro実験）。

※ 分子標的治療薬の相互作用については**付録 C 表 S-8**参照。

表5-30（つづき）　同一 CYP450分子種の競合的代謝阻害に起因する相互作用

④ **CYP2C19代謝競合**

	阻害する薬剤	代謝阻害を受ける薬剤	起こり得る事象など
併用慎重	三環系抗うつ薬（イミプラミン［トフラニール］など）	バルビツール酸系薬	相互に作用増強。特に三環系抗うつ薬の呼吸抑制作用に注意。なお、バルビツール酸系によるCYP450誘導でノルトリプチリン（ノリトレン）血中濃度14～60%低下、デシプラミン★では50%低下との報告もある。

⑤ **CYP2D6代謝競合**

	阻害する薬剤	代謝阻害を受ける薬剤	起こり得る事象など
併用禁忌	CYP2D6で代謝される薬剤（三環系抗うつ薬、β遮断薬、SSRI、フレカイニド［タンボコール］など：☞ **表5-1、5-2、5-3**）	チオリダジン★（ピペリジン系フェノチアジン系薬）	チオリダジンによるQT延長、心室性不整脈誘発。プロプラノロールでチオリダジン血中濃度5.3倍上昇。
併用慎重	三環系抗うつ薬	アンフェタミン	相互に作用増強。動物実験でイミプラミン（トフラニール）によるアンフェタミン代謝抑制、およびアンフェタミンによる代謝抑制が示唆されている。
	β遮断薬（プロプラノロール［インデラル］など）	フェノチアジン系薬	相互に作用増強。降圧作用増強。クロルプロマジン（コントミン）血中濃度5.6倍上昇。
	プロパフェノン（プロノン）	β遮断薬	メトプロロール（セロケン）の血中濃度2～5倍上昇、プロプラノロール（インデラル）の血中濃度2倍上昇。
		デシプラミン★（三環系抗うつ薬）	血中濃度上昇（機序不明だが同一CYP2D6で代謝）。
	キニジン（硫酸キニジン）	フレカイニド（タンボコール）、β遮断薬（ボピンドロール★、チモロール［チモプトール］など）、三環系抗うつ薬、セレギリン（エフピー）、ドネペジル（アリセプト）、コデイン（コデインからモルヒネへの変換阻害；鎮痛効果減弱）、パロキセチン（パキシル）、デュロキセチン（サインバルタ）、セビメリン（エボザック、サリグレン）、ロラタジン（クラリチン）、デキストロメトルファン（メジコン）、マプロチリン（ルジオミール）、アリピプラゾール（エビリファイ）、ブレクスピプラゾール（レキサルティ；SDAM：ブレクスピプラゾールのAUCが約2倍に上昇）、トラマドール（トラマール→相互に作用増強の可能性）、フェソテロジン（トビエース；OAB治療薬→活性代謝物［5-HMT］の血中濃度上昇の可能性［5-HMTはCYP3A4・2D6で代謝］、併用時の増量［4mg→8mg/日］の際は患者の状況を十分に観察）、テトラベナジン（コレアジン；非律動性不随意運動治療薬；モノアミン枯渇薬→カルボニル還元酵素により活性代謝物のα-HTBZ［CYP2D6・1A2、一部は3A4で代謝］、β-HTBZ［CYP2D6、一部は3A4で代謝］に変換される）など	
	フレカイニド（タンボコール）	プロプラノロール（インデラル）	相互に作用増強。プロプラノロール血中濃度30%上昇（機序不明であるが同一CYP2D6で代謝）。フレカイニド血中濃度20%上昇。
	マプロチリン（ルジオミール；四環系抗うつ薬）	三環系抗うつ薬	三環系抗うつ薬の血中濃度上昇。
	リスペリドン（リスパダール）	マプロチリン（ルジオミール）	マプロチリン血中濃度上昇。マプロチリンの相互作用から判断すると、CYP2D6に対する親和性の強さは、リスペリドン>マプロチリン>三環系抗うつ薬となる。
	ベンラファキシン（イフェクサー；SNRI）	リスペリドン	リスペリドンの血中濃度上昇。

★ 販売中止または国内未承認

リン（テオドール）やカルバマゼピン（テグレトール）、シクロスポリン（サンディミュン、ネオーラル）、キニジン硫酸塩水和物（硫酸キニジン）などの薬剤の代謝を抑制する。

一方、ジヒドロピリジン系のCa拮抗薬ではこのような報告は少ない。ジルチアゼムとジヒドロピリジン系のニフェジピン（アダラート）を併用すると、ニフェジピンの代謝が抑制され血中濃度が上昇する（**図5-14**）。したがって、CYP3A4への親和性は、ジルチアゼムの方がジヒドロピリジン系よりも高いことが分かる。

また、ジルチアゼムとアプレピタント（イメンド）を併用した場合は、相互に血中濃度が上昇するため、両剤のCYP3A4に対する親和性は同程度と考えられる。アプレピタントには軽度から中等度のCYP3A阻害作用があるとされている。アゼルニジピンおよび副腎皮質ホルモンとシクロスポリンとの併用でも、代謝が相互に阻害されるので、これら3剤のCYP親和性は同程度と考えられる。ただし、ダナゾール（ボンゾール；黄体ホルモン製剤）はシクロスポリンの代謝を抑制するため、同薬は副腎皮質ホルモン、アゼルニジピン、シクロスポリンよりもCYP3A4に対する親和性が高いと考えられる。

図5-14　ニフェジピンの血中濃度に及ぼすジルチアゼムの影響

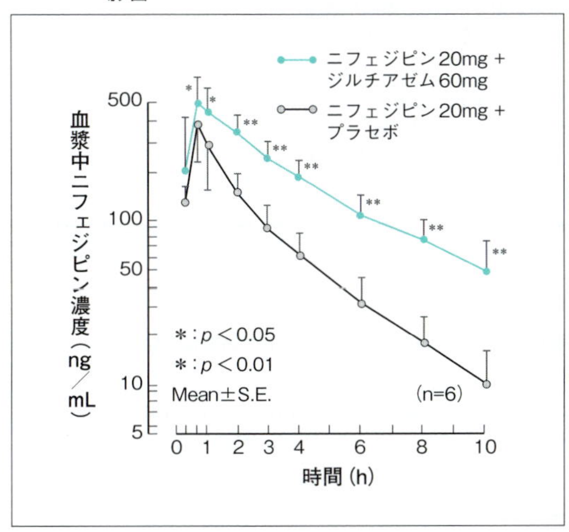

健康な男性6人を対象に、ジルチアゼム60mgもしくはプラセボを3日間投与した後、ニフェジピン2mgを経口投与し、血漿中のニフェジピン濃度を調べた（Ohashi, et al. J Cardiovasc Pharmacol. 1990；15：96-101. 一部改変）。

これらのことから、ベラパミル、ジルチアゼム、アプレピタント、ダナゾールによる酵素阻害作用は強いと考察され、CYP3A4で代謝される全ての薬剤との併用に常に注意する。特に、ベラパミル、ジルチアゼムとアスナプレビル、ロミタピドとの併用、アプレピタントとCYP3A4で代謝されるピモジド（オーラップ）、ロミタピドの併用は禁忌である。ベラパミルやジルチアゼムとコルヒチン（同名）とを併用する際などでは、減量あるいは低用量から開始する。

また、ベラパミルやジルチアゼムの阻害効果は、併用の数日から1～2週後に発現することがある。そのため、マクロライド系と同様、ベラパミルやジルチアゼムの代謝産物がCYP3A4と複合体を形成する可能性が考えられる。

阻害を受ける薬剤の中でも、特にカルバマゼピンおよびシクロスポリンへの影響は著しく、これらのCYP3A4に対する親和性は極めて低いと考えられる。また、ホモ接合体家族性高コレステロール血症治療薬のロミタピド（ジャクスタピッド）は主にCYP3Aで代謝され、CYP3A、2C9、P-gpの弱い阻害作用を有するが、CYP3A4に対する親和性は弱いと考えられるため、強いCYP3A4阻害薬であるケトコナゾール（国内未発売）との併用でロミタピドのAUC、Cmaxは27.25倍、14.82倍に上昇したことが報告されている。ロミタピドと中程度または強いCYP3A阻害薬との併用は血中濃度が著しく上昇する恐れがあるため併用禁忌となっている。（弱いCYP3A阻害薬は併用注意）。

また、HCNチャネル遮断薬であるイバブラジン（コララン；慢性心不全治療薬）も主にCYP3Aで代謝されるが、その親和性は低いため、強力CYP3A阻害薬との併用は禁忌である。中等度のCYP3A阻害薬でもベラパミル、ジルチアゼムとの併用のみが、過度の徐脈が表れる恐れのため禁忌となっているが、これにはCYP3A競合阻害のみならず、イバブラジンおよびベラパミル、ジルチアゼムによる陰性変時作用（心拍数減少）の相加的

表5-30（つづき） 同一CYP450分子種の競合的代謝阻害に起因する相互作用

⑥CYP3A群（主にCYP3A4）代謝競合

	阻害する薬剤	代謝阻害を受ける薬剤	起こり得る事象など
併用禁忌	ベラパミル※1（ワソラン）、ジルチアゼム※1（ヘルベッサー）	アスナプレビル★ （抗HCV薬）	アスナプレビル血中濃度上昇。強力なCYP3A阻害薬（アゾール系抗真菌薬、クラリスロマシン、HIVプロテアーゼ阻害薬、コビシスタット含有製剤［スタリビルド配合錠；抗HIV薬］など）、中程度のCYP3A阻害薬（エリスロマイシン［エリスロシン］）との併用も禁忌。
		ロミタピド（ジャクスタピッド；高コレステロール血症治療薬）	血中濃度が著しく上昇する恐れ。
		イバブラジン（コララン；HCNチャネル遮断薬；慢性心不全治療薬）	ベラパミル併用時にCmax1.86倍、AUC0-122.14倍に上昇。ジルチアゼム併用時にはCmaxおよびAUC0-12は3倍に上昇。陰性変時作用の協力も関与（☞ **表7-34**）。
原則禁忌		スボレキサント（ベルソムラ；オレキシン受容体拮抗薬）	血中濃度上昇（傾眠、疲労、入眠時麻痺、睡眠時随伴症、夢遊病など）の恐れ。AUC$_{0-\infty}$が105%上昇（ジルチアゼム併用時）。併用する場合には1日1回10mgへの減量を考慮するとともに、患者の状態を慎重に観察する。
		分子標的治療薬※2（エンコラフェニブ［ビラフトビ］、ブリグチニブ［アルンブリグ］、エヌトレクチニブ［ロズリートレク］、イブルチニブ［イムブルビカ］、オラパリブ［リムパーザ］、ペミガチニブ［ペマジール］）	血中濃度上昇（副作用増強）。併用を避け、CYP3A阻害作用のない（または弱い）薬剤への代替を考慮すること。やむを得ず（中等度または強いCYP3A阻害薬と）併用する場合、（分子標的治療薬の減量を考慮するとともに）患者の状態を慎重に観察し、副作用の発現に十分に注意すること。
併用慎重	ベラパミル※1 （ワソラン）	テオフィリン （テオドール；CYP3A4でも代謝）	クリアランス14～23%低下。
		カルバマゼピン（テグレトール）	血中濃度46%上昇、中毒。
		シクロスポリン （サンディミュン、ネオーラル）	併用7日後、シクロスポリン血中濃度1.66倍上昇。
		キニジン（硫酸キニジン）	併用7日後、血中濃度が2.48倍上昇、半減期2倍に延長で徐脈・低血圧誘発。
		コルヒチン（同名）	コルヒチン中毒の恐れ。併用時は、減量あるいは低用量で開始する。
		ルラシドン（ラツーダ；DSA；抗精神病薬/双極性障害のうつ症状治療薬）	血中濃度が上昇し、作用が増強される恐れ。併用する際は、ルラシドンの用量を通常の半量に減じるなど慎重に投与する。
	ジルチアゼム※1 （ヘルベッサー）	アプレピタント （イメンド；選択的NK_1拮抗型制吐薬）	相互に血中濃度上昇。アプレピタントAUC 2倍上昇、ジルチアゼムAUC 1.66倍上昇。アプレピタントには軽度から中等度のCYP3A4阻害作用（用量依存的）およびCYP2C9、3A4の誘導作用がある。
		アピキサバン（エリキュース；活性化第X因子［FXa］阻害薬）	AUC、Cmaxが1.4倍、1.3倍上昇。併用時には患者の状態を十分に観察。消化管・肝・腎のP-gp阻害も関与。
		テオフィリン（テオドール）	クリアランス12%低下。
		カルバマゼピン（テグレトール）	併用2日後、Cmax 40%上昇。併用2週間後、カルバマゼピン中毒（抑うつ、幻覚、めまい、頭痛など）。
		シクロスポリン （サンディミュン、ネオーラル）	併用4日後、血中濃度290から1000μg/mL（併用でシクロスポリン投与量を減量でき、しかも副作用発現も低下する例あり）。
		コルヒチン（同名）	コルヒチン中毒の恐れ。併用時は、減量あるいは低用量で開始する。

※1 ベラパミル、ジルチアゼムの代謝物とCYP450との複合体形成の可能性あり。
※2 分子標的治療薬の相互作用については**付録C表S-8**参照。

⑥CYP3A群（主にCYP3A4）代謝競合

	阻害する薬剤	代謝阻害を受ける薬剤	起こり得る事象など
併用慎重	つづき ジルチアゼム[※1]（ヘルベッサー）	ルラシドン（ラツーダ；DSA；抗精神病薬/双極性障害のうつ症状治療薬）	Cmax2.1倍、AUC2.2倍に上昇。併用する際は、ルラシドンの用量を通常の半量に減じるなど慎重に投与する。
併用慎重		ニフェジピン（アダラート）	ニフェジピンのAUC 140%上昇。ジルチアゼムはニフェジピンよりCYP3A4への親和性が高い。
併用慎重		トリアゾラム（ハルシオン；BZP系薬）	トリアゾラムのAUC 3.4倍、Cmax 2倍上昇。
併用慎重		エプレレノン（セララ）	エプレレノンのAUCが2倍上昇。
併用慎重		その他：タクロリムス（プログラフ）、テルフェナジン、スタチン系薬、セレギリン（エフピー）、シロスタゾール（プレタール）、ネビラピン（ビラミューン）、シルデナフィル（バイアグラ）、タキソイド系薬、エレトリプタン（レルパックス）、ゲフィチニブ[※2]（イレッサ）、エベロリムス（サーティカン）など	
併用禁忌	選択的NK_1拮抗型制吐薬；アプレピタント（イメンド）、ホスアプレピタント（プロイメンド点滴静注用）	ピモジド（オーラップ）、ロミタピド（ジャクスタピッド；ホモ接合体家族性抗コレステロール血症治療薬）	ピモジド血中濃度上昇によりQT延長、心室性不整脈発現の恐れ。アプレピタントは軽度から中等度のCYP3A4阻害（用量依存的）および誘導作用を有し、2C9も誘導する。
原則禁忌		イブルチニブ[※2]（イムブルビカ）	血中濃度が上昇し、副作用が増強される恐れ。
併用慎重		CYP3A4で代謝される薬剤：副腎皮質ホルモン製剤、ミダゾラム（ドルミカム、ミダフレッサ）など	デキサメタゾンAUC 2.17～2.2倍上昇。併用3日目にメチルプレドニゾロンAUC 2.46倍上昇。アプレピタントは原則としてコルチコステロイドおよび抗$5\text{-}HT_3$制吐薬と併用する。副腎皮質ホルモン製剤の併用時は適宜、減量を考慮。
併用慎重			ミダゾラムAUC 2.27～3.3倍上昇。
併用慎重	アゼルニジピン（カルブロック）	シンバスタチン（リポバス）	シンバスタチンAUC 2倍上昇。
併用慎重		CYP3A4で代謝される薬剤：シクロスポリン（サンディミュン、ネオーラル）、BZP系、経口黄体・卵胞ホルモン（経口避妊薬など）	相互に作用増強の可能性。
併用慎重	アムロジピン（アムロジン、ノルバスク）	シンバスタチン（リポバス）	シンバスタチン5mg併用でシンバスタチンCmax43%、AUC28%上昇。シンバスタチン80mg（国内未承認用量）の併用時にAUC77%上昇。（機序不明だがCYP3A4の関与が考えられる）。
併用慎重	副腎皮質ホルモン製剤（プレドニゾロン［プレドニン］など）	シクロスポリン（サンディミュン、ネオーラル）	相互に作用増強。シクロスポリンの血中濃度が233%に上昇。プレドニゾロンクリアランスが25%低下。
併用慎重		シクロホスファミド（エンドキサン）	併用初期では代謝阻害（シクロホスファミドの作用減弱）、長期併用では代謝促進（シクロホスファミド作用増強）。シクロホスファミドは代謝されることで薬効が発現する点に注意（☞**表5-46**）。
併用慎重	黄体ホルモン製剤（ダナゾール［ボンゾール］）	カルバマゼピン（テグレトール）	血中濃度1.4～2.2倍に上昇。
併用慎重		シクロスポリン（サンディミュン、ネオーラル）	血中濃度324から859μmol/mLに上昇。
併用慎重		その他：タキソイド系薬、タクロリムス（プログラフ）、シンバスタチン（リポバス）など	
併用慎重	CYP3A阻害薬：ジルチアゼム、ベラパミル、フルコナゾール	チカグレロル（ブリリンタ；抗血小板薬）	チカグレロルの血中濃度が上昇する恐れ。ジルチアゼム併用時、チカグレロルのCmax69%、AUC174%増加。チカグレロルの血小板凝集抑制作用が増強される恐れ。
併用慎重	チカグレロル（ブリリンタ；抗血小板薬）	シンバスタチン	シンバスタチンの血中濃度上昇の恐れ。シンバスタチンCmax81%、AUC56%増加。

表5-30（つづき） 同一CYP450分子種の競合的代謝阻害に起因する相互作用

⑥CYP3A群（主にCYP3A4）代謝競合

	阻害する薬剤	代謝阻害を受ける薬剤	起こり得る事象など
併用慎重	シクロスポリン（サンディミュン、ネオーラル）	スタチン系薬（☞第8章［第5節❶］）	シンバスタチン（リポバス）のAUC約3倍上昇。プラバスタチン（メバロチン）のAUC 20倍上昇。アトルバスタチン（リピトール）のAUC 8.7倍上昇。肝分布（OATP2）関与（☞**表4-20**）。P-gp競合※3、胆汁うっ帯による胆汁中への排泄低下の可能性。
		カルベジロール（アーチスト；β遮断薬）	シクロスポリン血中濃度上昇の可能性。P-gp競合の可能性。
		テオフィリン（テオドール）、タキソイド系薬、エベロリムス（アフィニトール、サーティカン）、エトポシド（ベプシド）など	
	エルゴタミン製剤（ブロモクリプチン［パーロデル］）	シクロスポリン（サンディミュン、ネオーラル）、タクロリムス（プログラフ）	血中濃度上昇の恐れ。
	アトルバスタチン（リピトール）	経口避妊薬	エチニルエストラジオールのCmax、AUCが30%、19%上昇。ノルエチステロンのCmax、AUCが38%、33%上昇。P-gpの競合の可能性※2。
		ロミタピド（ジャクスタピッド）	同時投与でロミタピドAUC1.9倍、Cmax2.1倍上昇。
	シロスタゾール（プレタール）	ロミタピド（ジャクスタピッド）	血中濃度上昇の恐れ。
	ロミタピド（ジャクスタピッド；高コレステロール血症治療薬）	CYP3A4の基質となる薬剤：シンバスタチン（リポバス）、トリアゾラム（ハルシオン）、ロスバスタチン（クレストール）など	血中濃度上昇の恐れ。ロミタピドはCYP3Aで代謝され、3A、2C9、P-gpの弱い阻害作用を有する。
	モザバプタン★（抗利尿ホルモンV_2-受容体拮抗薬）	CYP3A4で代謝される薬剤	薬効増強。ただし、イトラコナゾールより阻害効果は弱い。
	グリベンクラミド（オイグルコン、ダオニール）	シクロスポリン（サンディミュン、ネオーラル）	シクロスポリン血中濃度57%上昇。
		メロキシカム（モービック；選択的COX2阻害薬）	メロキシカムは部分的にCYP3A4で代謝（☞**表5-3**）。
	ジヒドロピリジン系Ca拮抗薬（フェロジピン［ムノバール］、エホニジピン［ランデル］アムロジピン［アムロジン、ノルバスク］）	タクロリムス（プログラフ）	タクロリムス血中濃度上昇。必要に応じてタクロリムスの用量調節。
	トフィソパム（グランダキシン；BZP系）		タクロリムス血中濃度上昇。トフィソパム減量または休薬など対処を行うこと。
	シメプレビル★（抗HCV薬）	CYP3A4で代謝される薬剤：エリスロマイシン（エリスロシン）、シクロスポリン（サンディミュン、ネオーラル）、トリアゾラム（ハルシオン）、PDE5阻害薬、抗不整脈薬、Ca拮抗薬、スタチン系薬（シンバスタチン［リポバス］、アトルバスタチン［リピトール］）など	CYP3A4基質の血中濃度上昇、副作用発現の恐れ。抗不整脈薬併用時はTDMを実施すること。エリスロマイシン併用時、相互に血中濃度上昇（P-gp阻害も関与☞**表4-11、4-21**）。シクロスポリン併用時、相互に血中濃度上昇（シメプレビル血中濃度上昇にはシクロスポリンのP-gp阻害、OATP2阻害も関与（☞**表4-20**）。スタチン系薬ではシメプレビルの肝OATP2阻害も関与。Ca拮抗薬（胆汁、腎排泄）ではシメプレビル（胆汁排泄）の消化管、肝P-gp阻害作用も関与。
	バニプレビル★（抗HCV薬）	CYP3A4で代謝される薬剤：タクロリムス（プログラフ）、エルゴタミン製剤（麦角系薬）、フェンタニル（デュロテップなど）、ピモジド（オーラップ）、キニジン（硫酸キニジン）	CYP3A4基質の血中濃度上昇、副作用発現の恐れ。

★ 販売中止　　※3 リトナビルはCYP3Aほどではないが、CYP2C9、2D6も阻害する。

分子標的治療薬の相互作用については**付録C 表S-8**参照。

⑥ CYP3A群（主にCYP3A4）代謝競合

<table>
<tr><th></th><th>阻害する薬剤</th><th>代謝阻害を受ける薬剤</th><th>起こり得る事象など</th></tr>
<tr><td rowspan="7">併用慎重</td><td rowspan="2">グラゾプレビル★
（抗HCV薬）</td><td>タクロリムス（プログラフ）</td><td>タクロリムスの血中濃度が上昇または低下する。グラゾプレビルによる弱いCYP3A阻害によりタクロリムスの血中濃度上昇。また、抗ウイルス薬の治療効果により肝機能が変動し、タクロリムスの代謝が亢進することにより血中濃度が低下する可能性。</td></tr>
<tr><td>アトルバスタチン、シンバスタチン</td><td>アトルバスタチン、シンバスタチンの血中濃度上昇。消化管BCRP阻害も関与。</td></tr>
<tr><td rowspan="2">リトナビル[※3]
（ノービア；HIVプロテアーゼ阻害薬）</td><td>CYP3A4で代謝される薬剤</td><td>リトナビルの競合的阻害効果は特に強力なため、ワルファリン、SU薬、NSAIDs（主にCYP2C9で代謝）、三環系抗うつ薬、フェノチアジン系、ブチロフェノン系、メタンフェタミン（主にCYP2D6で代謝）などの薬剤との併用にも注意。</td></tr>
<tr><td>他のHIVプロテアーゼ阻害薬</td><td>インジナビルのCmax、AUCが3～4倍上昇。サキナビルのCmax 20倍以上、AUC 50倍以上。インジナビルとアンプレナビルとの併用ではアンプレナビルのCmax、AUCが上昇。したがって、CYP3A4の親和性の強さ（CYP3A4阻害の強さ）は、リトナビル>アタザナビル＝インジナビル>アンプレナビル>サキナビルと考えられる。</td></tr>
<tr><td>HIVプロテアーゼ阻害薬</td><td colspan="2">CYP3A4で代謝される薬剤：
ワルファリン、Ca拮抗薬（ベラパミル［ワソラン］など）、クリンダマイシン（ダラシン）、キニジン、BZP系薬、ステロイド系薬（吸入ステロイドなど）、アトルバスタチン（リピトール→ロピナビル・リトナビルとの併用により、AUC5.9倍）など</td></tr>
<tr><td>CYP3A4で代謝される薬剤</td><td colspan="2">ネビラピン（ビラミューン）、シロスタゾール（プレタール）、BZP系（クロバザム［マイスタン］など）、ロラタジン（クラリチン）、エレトリプタン（レルパックス）、クエチアピン（セロクエル）、ペロスピロン（ルーラン）、リスペリドン（リスパダール；CYP2D6と一部3A4で代謝）、メフロキン（メファキン）、セビメリン（エボザック、サリグレン）、イマチニブ（グリベック）、ゲフィチニブ（イレッサ）、フェンタニル（デュロテップ他）など</td></tr>
<tr><td>CYP3A4基質（ジルチアゼム［ヘルベッサー］など）・CYP3A4阻害薬（シメチジン［タガメット］、マクロライド系、アゾール系など）、CYP2C19阻害薬（PPI）</td><td>シロスタゾール（プレタール）</td><td>シロスタゾールの血中濃度上昇の可能性。</td></tr>
<tr><td rowspan="3">原則禁忌</td><td>ラパチニブ[※2]
（タイケルブ）</td><td>治療域が狭くCYP3A4で代謝される薬剤；ビンカアルカロイド系（ビノレルビン［ナベルビン］など）、パクリタキセル（タキソール）など</td><td>血中濃度上昇の恐れ。併用を避けることが望ましいが、併用時には副作用に注意し減量など考慮。ラパチニブにはCYP2C8阻害効果（機序不明）もあり、CYP2C8・3A4で代謝されるパクリタキセルの血中濃度上昇には要注意。</td></tr>
<tr><td>リトナビル</td><td>ダブラフェニブ（タフィンラー）、エンコラフェニブ（ビラフトビ）、オラパリブ（リムパーザ）、ポラツズマブ（ポライビー点滴静注用）</td><td>血中濃度上昇の恐れ。CYP3A阻害作用のない薬剤への代替を考慮。やむを得ず併用する場合は副作用発現の増強に注意。</td></tr>
<tr><td>シクロスポリン（サンディミュン、ネオーラル）、タクロリムス（プログラフ）</td><td>ボセンタン
（トラクリア；非選択的エンドセリン拮抗薬）</td><td>シクロスポリン併用でボセンタン血中濃度が定常状態で2～3倍上昇（約30倍に上昇との報告もある）。タクロリムスでもシクロスポリンと同等以上の阻害効果の可能性あり。シクロスポリンではOATP2阻害効果による肝分布抑制（☞表4-20）、両剤によるBSEP阻害に起因する肝毒性誘発（☞表4-24）も関与。</td></tr>
<tr><td>併用禁忌</td><td>タクロリムス
（プログラフ）</td><td>シクロスポリン
（サンディミュン、ネオーラル）</td><td>相互に副作用（腎毒性など）増強、シクロスポリンの代謝抑制（☞表5-21）。腎毒性の協力（☞表8-20）。</td></tr>
</table>

★ 販売中止

⑥ CYP3A群（主にCYP3A4）代謝競合

<table>
<tr><th></th><th>阻害する薬剤</th><th>代謝阻害を受ける薬剤</th><th>起こり得る事象など</th></tr>
<tr><td rowspan="16">併用禁忌</td><td rowspan="2">シクロスポリン
（サンディミュン、ネオーラル）</td><td>コルヒチン
（肝・腎障害のある患者のみ）</td><td>コルヒチン中毒発現。シクロスポリンによる肝P-gp阻害関与（☞表4-21）。肝・腎正常患者への併用は、減量あるいは低用量で開始するなど注意。</td></tr>
<tr><td>ペマフィブラート（パルモディア；フォブラート系薬）</td><td>血中濃度上昇。シクロスポリンによる3A4、2C8、2C9、OATP2、OATP8阻害も関与。</td></tr>
<tr><td rowspan="8">・テラプレビル★（抗HCV薬）
・HIVプロテアーゼ阻害薬：リトナビル（ノービア）、アタザナビル（レイアタッツ）、インジナビル★、サキナビル★、ダルナビル（プリジスタ）など
・コビシスタットを含有する製剤（スタリビルド配合錠；抗HIV薬）</td><td>ピペリジン系薬（テルフェナジン★、アステミゾール★、シサプリド★、ピモジド［オーラップ］）、アミオダロン（アンカロン）、ベプリジル（ベプリコール；Ca拮抗薬）、フレカイニド（タンボコール）、キニジン（硫酸キニジン）、プロパフェノン（プロノン）</td><td>QT延長、心室性不整脈の可能性。テラプレビルではQT延長の協力も関与。</td></tr>
<tr><td>BZP系薬（ミダゾラム［ドルミカム、ミダフレッサ］、トリアゾラム［ハルシオン］）</td><td>過度の鎮静や呼吸抑制の可能性。</td></tr>
<tr><td>エルゴタミン製剤（麦角系；エルゴタミン［クリアミン配合錠］、ジヒドロエルゴタミン［ジヒデルゴット］、メチルエルゴメトリン［メテナリン］など）、エレトリプタン（レルパックス）</td><td>末梢循環不全の可能性。</td></tr>
<tr><td>アゼルニジピン（カルブロック）</td><td>過度の低血圧の可能性。</td></tr>
<tr><td>バルデナフィル（レビトラ）</td><td>リトナビルとの併用で、AUC_{0-24h}およびCmaxが49倍および13倍上昇。半減期10倍延長。低血圧、視覚異常、持続性勃起症などの可能性。インジナビルとの併用でAUC、Cmaxが16倍、7倍に上昇。半減期が2倍に延長。</td></tr>
<tr><td colspan="2">肺動脈性肺高血圧症治療薬（シルデナフィル［レバチオ］、タダラフィル［アドシルカ］；PDE5阻害薬）</td></tr>
<tr><td colspan="2">リオシグアト（アデムパス；可溶性グアニル酸シクラーゼ［sGC］刺激薬；肺高血圧症治療薬；☞表5-6）。HIVプロテアーゼ阻害薬のみ併用禁忌。</td></tr>
<tr><td colspan="2">ブロナンセリン（ロナセン）、コルヒチン（肝・腎障害のある患者のみ）、リバーロキサバン（イグザレルト）、スボレキサント（ベルソムラ；オレキシン受容体拮抗薬）、ロミタピド（ジャクスタピッド；ホモ接合体家族性高コレステロール血症治療薬）</td></tr>
<tr><td rowspan="5">リトナビル
（ノービア）</td><td>オキシカム系NSAIDs（ピロキシカム［バキソ］、アンピロキシカム［フルカム］）</td><td>NSAIDs副作用誘発の可能性。オキシカム系は部分的にCYP3A4で代謝（☞表5-3）。</td></tr>
<tr><td>プロパフェノン（プロノン）、フレカイニド（タンボコール）</td><td>不整脈の可能性。両剤は部分的にCYP3A4で代謝（☞表5-3）。</td></tr>
<tr><td>キニジン（硫酸キニジン）</td><td>QT延長、心室性不整脈の可能性。</td></tr>
<tr><td colspan="2">BZP系薬（クアゼパム［ドラール］、ジアゼパム［セルシン］、クロラゼプ酸［メンドン］、フルラゼパム［ダルメート］、エスタゾラム［ユーロジン］）、エプレレノン（セララ）</td></tr>
<tr><td>ベネトクラクス（ベネクレクスタ）<再発または難治性の慢性リンパ性白血病（小リンパ球性リンパ腫を含む）の用量漸増期></td><td>Cmax2.3倍、AUC8.1倍。腫瘍崩壊症候群の発現が増強される恐れ。</td></tr>
<tr><td>アタザナビル
（レイアタッツ）</td><td>シンバスタチン（リポバス）、インジナビル★</td><td>シンバスタチン併用で横紋筋融解症の可能性。インジナビルについては併用試験は行われていない。</td></tr>
</table>

⑥ **CYP3A群（主にCYP3A4）代謝競合**

	阻害する薬剤	代謝阻害を受ける薬剤	起こり得る事象など
併用禁忌	インジナビル★	BZP系薬（アルプラゾラム［ソラナックス、コンスタン］）、シルデナフィル（レバチオ）	副作用発現の恐れ。シルデナフィルを25、50mg含むバイアグラ錠は禁忌でない。
	サキナビル★	キニジン（硫酸キニジン）、トラゾドン（デジレル）	QT延長の可能性。
		シンバスタチン（リポバス）	横紋筋融解症の恐れ。
	中程度のCYP 3A4阻害薬；クリゾチニブ（ザーコリ）、ホスアンプレナビル（レクシヴァ）、イマチニブ（グリベック）、トフィソパム（グランダキシン）	ロミタピド（ジャクスタピッド）	血中濃度が著しく上昇する恐れ。
	テラプレビル★ （抗HCV薬）	シンバスタチン（リポバス）、アトルバスタチン（リピトール）	横紋筋融解症の恐れ。
		イバブラジン(コララン;HCNチャネル遮断薬)	イバブラジン血中濃度上昇。過度の徐脈が表れることがある。
	コビシスタットを含有する製剤（スタリビルド配合錠、プレジコビックス配合錠、ゲンボイヤ配合錠、シムツーザ配合錠；抗HIV薬）	ピモジド（オーラップ）、BZP薬（トリアゾラム［ハルシオン］、ミダゾラム［ドルミカム、ミダフレッサ］）、エルゴタミン製剤（麦角系薬）、アゼルニジピン（カルブロック）、PDE5阻害薬（シルデナフィル［レバチオ］、バルデナフィル［レビトラ］、タダラフィル［アドシルカ］）、ブロナンセリン（ロナセン）、シンバスタチン（リポバス）、リバーロキサバン（イグザレルト）、抗HCV薬（アスナプレビル［スンベプラ］、バニプレビル［バニヘップ］）、イバブラジン（コララン；HCNチャネル遮断薬）	薬効および副作用増強。コビシスタットのCYP3A4阻害作用に起因。
		ベネトクラクス（ベネクレクスタ；再発または難治性の慢性リンパ性白血病［小リンパ球性リンパ腫を含む］の用量漸増期）	腫瘍崩壊症候群の発現が増強される恐れがある。
	強いCP3A阻害薬： ・HIVプロテアーゼ阻害薬（リトナビル［ノービア］、ロピナビル・リトナビル配合剤［カレトラ］、ネルフィナビル★、ダルナビル［プリジスタ］、アタザナビル［レイアタッツ］、ホスアンプレナビル［レクシヴァ］） ・コビシスタットを含む製剤（スタリビルド、ゲンボイヤ、プレジコビックス、シムツーザ）	チカグレロル（ブリリンタ；抗血小板薬）	チカグレロルの血中濃度が著しく上昇する恐れ。チカグレロルの血小板凝集抑制作用が増強される恐れ。
		アスナプレビル （スンベプラ；抗HCV薬）	アスナプレビル血中濃度上昇。肝関連有害事象増加、重症化。HIVプロテアーゼ阻害薬では、肝OATP2阻害も関与（☞ **表4-20**）。
		バニプレビル （バニヘップ；抗HCV薬）	バニヘップ血中濃度上昇。高用量投与時、悪心、嘔吐、下痢発現増加。
		イバブラジン(コララン;HCNチャネル遮断薬)	イバブラジン血中濃度上昇。過度の徐脈が表れることがある。
		ルラシドン（ラツーダ；DSA；抗精神病薬/双極性障害のうつ症状治療薬）	ルラシドンの血中濃度が上昇し、作用が増強される恐れ。

な増強があるためと考えられる（☞表7-34）。

このほかのCYP3A4への親和性が低く阻害効果を受けやすいと考えられる薬剤を**表5-31**に示す。なお、カルバマゼピン、副腎皮質ホルモン製剤、ネビラピン（ビラミューン；抗HIV薬）など、CYP450誘導作用も有している薬剤では、それによる相互作用の可能性についても常に念頭に置くべきである（☞**表5-50、5-52、5-53**）。

そのほか、軽度にCYP3A4を競合阻害する薬剤には、チカグレロル（ブリリンタ；抗血小板薬）、シクロスポリン、ブロモクリプチン（パーロデル）、アトルバスタチン（リピトール）、シロスタゾール（プレタール）、ロミタピド、モザバプタン（販売中止）、グリベンクラミド、ジヒドロピリジン系Ca拮抗薬、トフィソパム（グランダキシン）、販売中止の抗HCV薬（シメプレビル、バニプレビル、グラゾプレビル）などが知られている。

ラパチニブトシル酸塩水和物（タイケルブ；チロシンキナーゼ阻害薬）と、パクリタキセル（タキソール）やビンカアルカロイド系（ビノレルビン酒石酸塩［ナベルビン］など）といった抗腫瘍薬の併用は原則禁忌である。競合阻害に起因すると考えられるが、ラパチニブの親和性は、CYP3A4で代謝される他の抗腫瘍薬（主に乳癌治療薬）よりも高いと考えられる（ラパチニブにはCYP2C8阻害効果もある；☞ **コラム41**）。

CYP3A4の競合に起因する相互作用のうち、併用禁忌の組み合わせには、既に述べたベラパミル、ジルチアゼムとアスナプレビル、ロミタピドとの併用、アプレピタントとピモジド、ロミタピドの併用のほか、シクロスポリンおよびタクロリムス水和物（プログラフ）とボセンタン水和物（トラクリア）の併用、タクロリムスとシクロスポリンの併用、シクロスポリンとコルヒチン（肝・腎障害のある患者のみ）、ペマフィブラート（パルモディア；フィブラート系薬）との併用──がある。

さらに、抗HCV薬のテラプレビルやHIVプロテアーゼ阻害薬は、併用禁忌となる薬剤が非常に多い。これは、これらの抗ウイルス薬が主にCYP3A4で代謝されることに加えて3A4への親和性が高く、3A4で代謝される薬剤と併用すると、代謝を競合阻害して血中濃度を上昇させるためである。また、阻害様式はCYP3A4タンパク質との共有結合の可能性も示唆されている。

HIVプロテアーゼ阻害薬の中で、CYP3A4への親和性の高さは、リトナビル>アタザナビル硫酸塩；インジナビル硫酸塩エタノール付加物>アンプレナビル>サキナビルメシル酸塩の順であると考えられる。リトナビルは、CYP3A4でわずかに代謝される薬剤（オキシカム系薬、プロパフェノン塩酸塩［プロノン］、フレカイニド酢酸塩（タンボコール）、フェノチアジン系薬、ブチロフェノン系薬、メタンフェタミン塩酸塩など）と併用しても、これらの薬剤の血中濃度を上昇させる。

なお、抗HIV薬のスタリビルド配合錠に含まれるコビシスタットは、CYP3Aで代謝される選択的CYP3A4の阻害薬であり、抗ウイルス活性を持たない。コビシスタットは「薬動態学的増強因子（ブースター）」として、配合されているエルビテグラビル（HIVインテグラーゼ阻害薬）のCYP3A4代謝を阻害することで血漿中濃度を維持し、1日1回投与を可能にする。強力なCYP3A4阻害作用を示すため併用禁忌である薬剤も多く、CYP2D6、P-gp、BCRP、OATP2/8などの阻害作用も示されているため注意が必要である。また、テラプレビルおよびHIVプロテアーゼ阻害薬にも強いP-gp、OATP2阻害作用があり（☞**表4-10、4-27、4-28**）、リトナビル、サキナビルはCYP450誘導作用も有すると考えられるため注意する（☞**表5-53**）。ちなみに、リトナビルはCYP2C9および2D6、アタザナビルはCYP2C8、1A2、2C9を阻害することが報告されている。HIVプロテアーゼ阻害薬にはCYP3A、P-gp阻害効果のほか、CYP1A1など複数のCYP分子種やBCRPに対する阻害効果があるため（in vitro）、リオシグアト（アデムパス；可溶性グアニル酸シクラーゼ［sGC］刺激薬；CYP1A1、2C8、2J2、3A、P-gp、BCRPの基質）との併用は禁忌である。

表5-31　CYP3A4への親和性が低いと考えられる主な薬剤（表5-38参照）

- ロミタピド（ジャクスタピッド；高コレステロール血症治療薬；強力・中等度のCYP3A阻害薬との併用禁忌）
- チカグレロル（ブリリンタ；抗血小板薬；強力CYP3A阻害薬および誘導薬との併用禁忌）
- コルヒチン（強・中等度のCYP3A4阻害薬併用時は低用量で投与開始。肝・腎障害では強力CYP3A阻害薬を投与しない）
- スボレキサント（ベルソムラ；オレキシン受容体拮抗薬；強力CYP3A阻害薬との併用禁忌）
- エルゴタミン製剤
- ピモジド（オーラップ）
- キニジン（硫酸キニジン）
- スタチン系薬（主にリポバス、リピトール）
- アゼルニジピン（カルブロック；Ca拮抗薬）
- シクロホスファミド（エンドキサン）
- BZP系薬（トリアゾラム［ハルシオン］、ミダゾラム［ドルミカム、ミダフレッサ］、クロバザム［マイスタン］など）
- タクロリムス（プログラフ）
- エベロリムス（サーティカン；免疫抑制剤）
- 非ヌクレオシド系HIV逆転写酵素阻害薬（ネビラピン［ビラミューン］、エトラビリン［インテレンス］）
- シロスタゾール（プレタール；PDE3阻害薬）
- PDE5阻害薬（バイアグラ、レビトラ、シアリス、レバチオ、アドシルカ）
- セレギリン（エフピー；MAO-B阻害薬）
- ロラタジン（クラリチン；抗アレルギー薬）
- エレトリプタン（レルパックス；5-$HT_{1B/1D}$作動薬）
- クエチアピン（セロクエル；SDA）
- ペロスピロン（ルーラン；SDA）
- アリピプラゾール（エビリファイ；DSS）
- メフロキン（メファキン；抗マラリア薬、キニーネ類）
- セビメリン（エボザック、サリグレン；口腔乾燥改善薬）
- イリノテカン（カンプト；抗腫瘍薬）
- イマチニブ（グリベック；チロシンキナーゼ阻害抗悪性腫瘍薬）
- ゲフィチニブ（イレッサ；チロシンキナーゼ阻害抗悪性腫瘍薬）
- メロキシカム（モービック；選択的COX2阻害薬）
- ボセンタン（トラクリア；エンドセリン受容体拮抗薬）
- エプレレノン（セララ；選択的アルドステロンブロッカー）
- ブロナンセリン（ロナセン；DSA）
- トルバプタン（サムスカ；V_2-受容体拮抗薬）
- シブトラミン（国内未発売、抗肥満薬、SNRI）
- オピオイド系薬（オキシコドン（［オキシコンチン］、トラマドール［トラマール、トラムセット配合錠］、フェンタニル［アブストラル、イーフェン、デュロテップ、ワンデュロ、フェントス］、ブプレノルフィン［レペタン、ノルスパン］、ナルフラフィン［レミッチ；κ作動薬；そう痒症治療薬］、メサドン［メサペイン］）
- 抗HCV薬（アスナプレビル［スンベプラ］、バニプレビル［バニヘップ］）

コラム 41

ラパチニブが関与する相互作用

ラパチニブトシル酸塩水和物（タイケルブ；チロシンキナーゼ阻害薬）は、HER2過剰発現が確認された手術不能または再発乳癌に対して用いられる（☞**表 S-7**）。タキソイド系薬（タキサン系）、アントラサイクリン系薬、トラスツズマブ（ハーセプチン）による化学療法後の増悪もしくは再発例が対象となる。初回化学療法時におけるラパチニブと他の抗腫瘍薬の併用療法については、有効性と安全性は確立していない。

ラパチニブは、主としてCYP3A4/3A5、一部がCYP2C19および2C8で代謝され（☞**表5-3**）、CYP3A4（競合阻害）、CYP2C8（おそらく競合阻害）、P-gp、BCRP、OATP2に対する阻害効果が示されている。CYP3A4または2C8で代謝される薬剤、特に治療域濃度の狭い薬剤との併用は避けることが望ましい（☞**表5-30**）。

コラム 42

スタチン系薬が関与する相互作用

一般に、プラバスタチンNa（メバロチン）、ピタバスタチンCa（リバロ）、ロスバスタチンCa（クレストール）はCYP450でわずかに代謝されるが、代謝に関わる相互作用は少ないとされている。ただし、CYP3A4で代謝されるシクロスポリン（サンディミュン、ネオーラル）との併用では、プラバスタチン、ピタバスタチン、ロスバスタチンのAUCがそれぞれ20倍、4.6倍、7.1倍に上昇すると報告されている。これは、主にシクロスポリンのOATP2阻害作用により、これらスタチン系の肝細胞内への取り込みが抑制されることに起因すると考えられる（ピタバスタチンおよびロスバスタチンはシクロスポリンとの併用は禁忌；☞**表4-20**）。

一方、シンバスタチン（リポバス）、アトルバスタチンCa水和物（リピトール）、フルバスタチンNa（ローコール）、セリバスタチン（販売中止）の代謝酵素は、主にCYP3A4と2C群である（☞**表5-3**）。シンバスタチンはCYP3A4と2C9で代謝されるが、特に3A4による広範な初回通過効果を受ける。また、アトルバスタチンも主にCYP3A4で代謝される。このため、CYP3A4阻害薬（シメチジン［タガメット］、アゾール系薬、マクロライド系薬、HIVプロテアーゼ阻害薬など）と併用すると、シンバスタチンやアトルバスタチンの血中濃度が著しく上昇することがある。シンバスタチンとイトラコナゾール（イトリゾール）、ミコナゾール（フロリード）、アタザナビル硫酸塩（レイアタッツ）、サキナビルメシル酸塩（インビラーゼ）との併用は禁忌であり、テリスロマイシン（ケトライド系薬；販売中止）とシンバスタチンおよびアトルバスタチンの併用は原則禁忌である。

フルバスタチンもCYP3A4と2C9で代謝されるが、特にCYP2C9への親和性が高い。したがって、CYP2C9で代謝される薬剤（ワルファリンカリウム［ワーファリン］など）との併用では、競合阻害が起こる可能性があり慎重に投与する。

販売中止となったセリバスタチンはCYP3A4と2C8で代謝されるが、CYP3A4阻害薬はごくわずかしかセリバスタチンの血中濃度を上昇させない。これは、CYP3A4による代謝がCYP2C8でも行われるためと考えられている。

これまで述べたものも含めて、代謝阻害に起因すると考えられるスタチン系薬の相互作用を**表5-32**にまとめた。なお、スタチン系薬は、P-gpの基質にもなり得ることも念頭に置くべきだろう（☞**表4-10**）。

表5-32　代謝阻害に起因する脂溶性スタチン系薬の相互作用

	作用する薬剤	作用を受ける薬剤	起こり得る事象など
併用禁忌	イトラコナゾール（イトリゾール）、ミコナゾール（フロリード）	シンバスタチン（リポバス）	シンバスタチンAUCが19倍上昇（☞**表5-17**）。
併用禁忌	HIVプロテアーゼ阻害薬（アタザナビル［レイアタッツ］、サキナビル★	シンバスタチン（リポバス）	横紋筋融解症の可能性（☞**表5-30**⑥）。
原則禁忌	テリスロマイシン★（ケトライド系薬）	主にCYP3A4で代謝されるスタチン：シンバスタチン（リポバス）、アトルバスタチン（リピトール）	併用する場合には間隔を12時間以上空ける（☞**表5-22**）。
併用慎重	セリバスタチン★	CYP2C8で代謝される薬剤：ビタミンA、パクリタキセル（タキソール）など	代謝競合により相互に作用増強の可能性。
併用慎重	フルバスタチン（ローコール）	CYP2C9で代謝される薬剤：ワルファリン、フェニトイン（アレビアチン）など	フルバスタチンによる2C9競合阻害のためCYP2C9で代謝される薬剤の血中濃度上昇。
併用慎重	CYP3A4阻害薬：シメチジン（タガメット）、アゾール系薬、マクロライド系薬、ケトライド系薬、ジルチアゼム（ヘルベッサー）、グレープフルーツジュース（GFJ）など	スタチン系薬	イトラコナゾール併用時にプラバスタチン（メバロチン）AUC約2.5倍上昇、アトルバスタチン（リピトール）AUC 3倍上昇。ケトライド系（テリスロマイシン★）併用時にシンバスタチン（リポバス）のCmax、$AUC_{0-\infty}$が5.3倍、8.6倍上昇しミオパチー（筋肉炎）の発現を助長。
併用慎重	Ca拮抗薬（アゼルニジピン［カルブロック］、アムロジピン［アムロジン］）	シンバスタチン	CYP3A競合阻害。シンバスタチンAUC2倍上昇（アゼルニジピン併用時）、28%上昇（アムロジピン併用時）。
併用慎重	チカグレロル（ブリリンタ；抗血小板薬）	シンバスタチン	CYP3A競合阻害。AUC56%増加。
併用慎重	シクロスポリン（サンディミュン、ネオーラル；CYP3A4で代謝）	スタチン系薬	CYP3A4競合阻害。シンバスタチン（リポバス）AUC約3倍、プラバスタチン（メバロチン）AUC約20倍に上昇。肝分布におけるOATP2阻害が関与（水溶性のピタバスタチン［リバロ］、ロスバスタチン［クレストール］とシクロスポリンとの併用は禁忌；☞**表4-20**）、P-gp競合、胆汁うっ滞などによる胆汁中へのスタチン系排泄低下の可能性。
併用慎重	アトルバスタチン	経口避妊薬、ロミタピド（ジャクスタピッド；高コレステロール血症治療薬）	CYP3A競合阻害。エチニルエストラジオールCmax、AUCが30%、19%上昇、ノルエチステロンCmax、AUCが38%、33%上昇。ロミタピド血中濃度上昇の恐れ。
併用慎重	ロミタピド	CYP3Aの基質（シンバスタチンなど）	CYP3A競合阻害。血中濃度上昇の恐れ。ロミタピドはCYP 3Aで代謝され、CYP3A、2C9、P-gpの弱い阻害作用。

ピタバスタチン（リバロ）も脂溶性であるが、CYP450でわずかに代謝されるのみで、代謝に関する相互作用例はほとんどない。
★ 販売中止

3 阻害機序不明

A 非特異的阻害

阻害機序は明らかでないが、非特異的にCYP450分子種を阻害すると考えられる薬剤および代謝阻害を受ける薬剤を**表5-33**に示す。阻害されるCYP分子種は、代謝阻害を受ける薬剤の代謝酵素を基にしている。阻害薬には、①アロプリノール（ザイロリック）、②ジスルフィラム（ノックビン）、③アミオダロン塩酸塩（アンカロン）、④バルプロ酸Na（デパケン）、メチルフェニデート塩酸塩（リタリン、コンサータ）、⑤SSRI、⑥デラビルジンメシル酸塩、エファビレンツ（ストックリン）、⑦ザフィルルカスト（アコレート）、⑧ビカルタミド（カソデックス）、⑨スチリペントール（ディアコミット；抗てんかん薬）などがあり、2～3種類以上のCYP450分子を非特異的に阻害する可能性が高い。

これらの薬剤が関与する相互作用と起こり得る事象などを**表5-34**に示す。以下、薬剤ごとに対処法などを説明していく。

① アロプリノール（☞表5-34①）

アロプリノールは、個人差は大きいがCYP450酵素量を低下させ、非特異的に阻害作用を発揮すると考えられる。また同薬はキサンチンオキシダーゼ（XOD）阻害薬であり、プリン骨格を有するテオフィリン（テオドール）もXODにより代謝されるので（☞**図6-1**）、アロプリノールとテオフィリンとの併用時にはできる限りTDMを実施するなど注意して対処した方がよい。特に、アロプリノールの投与量が600mg/日以上の場合は要注意である。このほか、フェニトイン（アレビアチン）やシクロスポリン（サンディミュン、ネオーラル）、シクロホスファミド水和物（エンドキサン）との併用時にも、基本的にTDMを実施する。

アロプリノールとワルファリンカリウム（ワーファリン）との併用に関しては、個人差があるが、肺出血などの重篤な例が報告されているため、トロンボテストなどを行った方がよい。また、SU薬と併用する場合は、腎のアニオン輸送系（OAT）の競合阻害も関与するため、低血糖を起こしやすいと考えられる（☞**表4-34**）。カプトプリル（カプトリル）との併用では皮膚粘膜眼症候群（スティーブンス・ジョンソン症候群［SJS］；☞**第8章［第4節❹］**）が発現したとの報告があるが、因果関係は明らかにされていない。併用時にはACE阻害薬を低用量から開始するなど注意した方がよいだろう。

② ジスルフィラム、シアナミド（禁酒薬）（☞表5-34②）

禁酒薬のジスルフィラム（ノックビン）およびシアナミド（シアナマイド）は、アルデヒド脱水素酵素（ALDH）阻害薬である（☞**表6-3、図6-2**）。CYP450では、フェニトイン（アレビアチン）、ワルファリンカリウム（ワーファリン）、バルビツール酸系薬などのCYP2C群による代謝を阻害する。また、代謝酵素は明らかでないがメトロニダゾール（フラジール；アゾール系薬）の副作用発現の頻度を高める。ジスルフィラムの代謝阻害効果は強力であるため、これらの薬剤の併用は避けた方がよい。

一方、ジスルフィラムはテオフィリン（キサンチン系薬）の代謝を阻害して血中濃度を上昇させる作用もある。阻害を受けるCYP450の分子種は明らかではないが、ジスルフィラムはXOD阻害作用も有するため、併用に伴うテオフィリンの血中濃度上昇には、CYP450阻害とXOD阻害の双方が関与すると考えられる（☞**表6-2**）。

③ アミオダロン塩酸塩（☞表5-34③）

抗不整脈薬のアミオダロン塩酸塩（アンカロン）は、蓄積性が非常に高い。3日間投与後の半減期（$t_{1/2}$）は13時間、1カ月以上服用した患者では約30日となるほか、ワルファリンとの併用でみられるように酵素阻害作用が中止後4カ月間も持続することがある。

表5-33　非特異的にCYP450分子種を阻害する薬剤（阻害機序不明）

非特異的CYP阻害薬	阻害酵素					代謝阻害を受ける薬
	1A2	2C9	2C19	2D6	3A群	
① アロプリノール（ザイロリック）	○?	◎	○	○	◎	テオフィリン、ワルファリン、フェニトイン、SU薬、カプトプリル、シクロスポリン、シクロホスファミド
② ジスルフィラム（ノックビン）	○?	◎	○			テオフィリン、ワルファリン、フェニトイン、バルビツール酸系薬、メトロニダゾール（??）
③ アミオダロン（アンカロン）	◎	◎		◎	◎	チザニジン、テオフィリン、ワルファリン、フェニトイン、β遮断薬、デキストロメトルファン、プロカインアミド、フレカイニド、シクロスポリン、**エリグルスタット**
④抗てんかん薬、精神刺激薬：						
バルプロ酸（デパケン）		○	◎		◎	フェニトイン、バルビツール酸系薬、アミトリプチリン、カルバマゼピン、エリスロマイシン、エトスクシミド
メチルフェニデート（リタリン、コンサータ）		◎	○	◎		クマリン系薬、フェニトイン、バルビツール酸系薬、三環系抗うつ薬、SSRI、マプロチリン、フェニルブタゾン（??）
⑤SSRI						
フルボキサミン（デプロメール、ルボックス）	◎↑	◎	◎↑	◎	◎	**チザニジン**、**ラメルテオン**、テオフィリン、フェニトイン、プロプラノロール、三環系抗うつ薬、ピペリジン系（テルフェナジン、アステミゾール、**チオリダジン**★、**ピモジド**、シサプリド）、シクロスポリン、BZP系薬、ゾルピデム（マイスリー）、シルデナフィル（バイアグラ、レバチオ）、ワルファリンなど
パロキセチン（パキシル）	○	○	○	◎↑	◎	ワルファリン、三環系抗うつ薬、フェノチアジン系薬、β遮断薬、プロパフェノン、フレカイニド、ピペリジン系（テルフェナジン、アステミゾール、**チオリダジン**★、**ピモジド**、シサプリド★）
セルトラリン（ジェイゾロフト）	○	○	○	○	○	三環系抗うつ薬、トルブタミド、**ピモジド**（トルブタミド、ピモジドは機序不明）
⑥ 非ヌクレオシド系HIV逆転写酵素阻害薬：						
デラビルジン★		○	○	○	◎↑	ワルファリン、アンフェタミン系薬、**エルゴタミン製剤**、**ミダゾラム**、Ca拮抗薬など
エファビレンツ（ストックリン）		○	○		◎↑	**ピペリジン系薬**、BZP系薬（**トリアゾラム**、**ミダゾラム**）、**エルゴタミン製剤**など
⑦ ザフィルルカスト（アコレート）	○	○			○	テオフィリン、ワルファリン
⑧ ビカルタミド（カソデックス）		○	○	○	◎↑	ワルファリン、トルブタミド、デキストロメトルファン、CYP3A4で代謝される薬剤
⑨ スチリペントール（ディアコミット）	◎	◎	◎↑	◎	◎↑	キサンチン系薬、ワルファリン、NSAIDs、PPI、β遮断薬、抗てんかん薬、BZP系薬、スタチン系薬など多数

◎：2系統以上阻害　○：1系統のみ阻害（基本構造が同一の場合は1系統とし、異なる場合には2系統以上とした）
?：テオフィリン代謝抑制がCYP1A2および3A4によるものか明確でない　??：代謝CYP450分子種が明らかでない　↑：阻害効果が強力
太字で示した薬剤は併用禁忌。
★ 販売中止

アミオダロンは主にCYP3A4、2C8で代謝され、デスエチルアミオダロン（DEA）となる。アミオダロン自体はCYP2C9、2D6、3A4を阻害し、DEAはこれに加えてCYP1A1、1A2、2B6、2C19も阻害することが示されている（in vitro）。

これらのことからアミオダロンは非特異的にCYP450分子種を阻害すると考えられる。特にエリグルスタット（サデルガ；ゴーシェ病治療薬）では、アミオダロンのCYP2D6、3A阻害により代謝が抑制され、QT延長などの副作用が発現する恐れがあり併用は禁忌である。またワルファリンとの併用ではその影響が著しく、併用時には投与量

表5-34 非特異的なCYP450分子阻害に起因する相互作用

① **アロプリノール**、② **禁酒薬**、③ **アミオダロン**

	阻害する薬剤	代謝阻害を受ける薬剤	報告されている事象など
併用慎重	①アロプリノール（ザイロリック）	テオフィリン（テオドール）	テオフィリンクリアランス21%低下。
		ワルファリン（ワーファリン）	プロトロンビン時間が71秒に延長し、肺出血を来した例が報告されている。
		フェニトイン（アレビアチン）	併用7日後、嗜眠およびフェニトイン血中濃度上昇（7.5→20.8μg/mL）。
		SU薬、ナテグリニド（スターシス、ファスティック）	クロルプロパミドの半減期200時間以上延長。腎排泄も関与（☞**表4-34**）。
		カプトプリル（カプトリル；ACE阻害薬）	皮膚粘膜眼症候群の報告が2例ある。
		シクロスポリン（サンディミュン、ネオーラル）	併用12日後、腎機能低下（血清クレアチニン値1.4→2.2mg/dL）、シクロスポリン血中濃度上昇（110→325ng/mL）。
		シクロホスファミド（エンドキサン）	シクロホスファミドの半減期2倍以上に延長。腎排泄も関与（☞**表4-34**）。
	②禁酒薬（ジスルフィラム［ノックビン］、シアナミド［シアナマイド］）	テオフィリン（テオドール）	ジスルフィラム250mg/日または500mg/日の併用によりテオフィリンクリアランスが21%または33%低下。ジスルフィラムによるXOD阻害にも注意（☞**表6-2**）。
		ワルファリン（ワーファリン）	ジスルフィラムの併用は避けるべきである（AUC 27%上昇のほか、8例中7例で血中濃度20%上昇）。併用する場合は、凝固能検査を数回行う。
		フェニトイン（アレビアチン）	大部分の患者で起こるので併用すべきではない（併用9日後に血中濃度100～500%上昇。フェニトイン中毒［めまい、運動失調、眼振］）。併用する場合は2～4日後にフェニトインのTDMを実施する。
		バルビツール酸系薬	バルビツール酸系薬の代謝を阻害する可能性。
		メトロニダゾール（フラジール）	併用しない方が賢明（幻覚、精神症状が現れる）。機序不明。
併用禁忌	③アミオダロン（アンカロン；抗不整脈薬）	エリグルスタット（サデルガ；ゴーシェ病治療薬）	アミオダロンによるCYP2D6、3A阻害によりエリグルスタットの代謝阻害の恐れ。QT延長作用の協力も関与。
原則禁忌		イブルチニブ（イムブルビカ；分子標的治療薬）	イブルチニブの血中濃度が上昇し、副作用が増強される恐れ。
併用慎重		CYP1A2で代謝される薬剤（テオフィリンなど）	テオフィリンクリアランス17～48%低下。
		CYP2C9で代謝される薬剤（ワルファリン、フェニトインなど）	ワルファリンとの併用で9例のうち5例で出血、ワルファリン投与量1/3～1/2減量、アミオダロン中止後も代謝抑制が4カ月持続（併用は極力避ける）。フェニトインの精神神経障害誘発。
		CYP2D6で代謝される薬剤（フレカイニド［タンボコール］、アプリンジン［アスペノン］、β遮断薬、メキシレチン［メキシチール］、デキストロメトルファン［メジコン］など）	フレカイニドの血中濃度上昇のため、フレカイニドを2/3に減量する。 アプリンジンの血中濃度上昇、心血管作用増加。
		CYP3A4で代謝される薬剤（脂溶性スタチン系薬、シクロスポリン［サンディミュン、ネオーラル］、エルゴタミン製剤、トリアゾラム［ハルシオン］、ジソピラミド［リスモダン］、リドカイン［キシロカイン］、デキストロメトルファン、フェンタニル［デュロテップ］など）	スタチン系薬との併用により筋肉障害のリスクが増加。
		プロカインアミド（アミサリン）	プロカインアミドの血中濃度上昇。プロカインアミドを1/3に減量または投与中止。肝代謝および腎排泄を阻害。

表5-34（つづき）　非特異的なCYP450分子阻害に起因する相互作用

④ 抗てんかん薬、精神刺激薬

	阻害する薬剤	代謝阻害を受ける薬剤	報告されている事象など
併用慎重	バルプロ酸（デパケン、バレリン）	フェニトイン（アレビアチン）	血中濃度変動（上昇、変化なし、または低下）。弱いながらバルプロ酸による誘導。フェニトイン遊離型濃度上昇（血漿タンパク結合置換関与）。フェニトインのCYP450誘導でバルプロ酸濃度が30～45%低下する点にも注意。
		バルビツール酸系薬	血中濃度変動（フェノバルビタール［フェノバール］血中濃度50%上昇との報告もある）。プリミドン（プリミドン；代謝されて主にフェノバルビタールとなる）でも同様。フェノバルビタールのCYP450誘導でバルプロ酸濃度が19%低下する点にも注意。
		アミトリプチリン（トリプタノール）	アミトリプチリンAUC 31%上昇。ノルトリプチリン（ノリトレン；アミトリプチリン代謝産物）AUC 55%上昇するが、これにはCYP450阻害の関与が低い（トランスポーターの関与；☞ **コラム22、表4-28**）。
		カルバマゼピン（テグレトール）	血中濃度変動。カルバマゼピン血中濃度29%低下（バルプロ酸による誘導?）。カルバマゼピンのCYP450誘導でバルプロ酸濃度低下。
		マクロライド系薬	エリスロマイシン血中濃度上昇。クラリスロマイシンではバルプロ酸の血中濃度が上昇したケースもある。
		エトスクシミド（ザロンチン）	血中濃度53%上昇。
	メチルフェニデート（コンサータ、リタリン）	クマリン系薬（ワルファリン［ワーファリン］）	クマリン系のビスクマアセテート★の半減期2倍延長例（ワルファリンでも可能性ある）。
		フェニトイン（アレビアチン）	フェニトインCmaxが4.1倍上昇。併用1カ月後、血中濃度4.7倍上昇例。
		バルビツール酸系薬	フェノバルビタール（フェノバール）Cmax 1.7倍上昇例。プリミドン（同名）Cmax 4.8倍上昇例。
		イミプラミン（トフラニール）、デシプラミン★	イミプラミン血中濃度が20倍に上昇した例もある。
		フェニルブタゾン★	血中半減期が10～50%延長、血中フェニルブタゾン値11～40%上昇。
		その他：マプロチリン（ルジオミール；四環系抗うつ薬）、SSRIなど	

★ 販売中止

を1/2～1/3に減量する必要がある。アミオダロンが処方された際は、医師と十分に相談して対処する（なお、アミオダロンはP-gpの選択的阻害薬でもある；☞ **第4章**）。

④ バルプロ酸Na、メチルフェニデート塩酸塩（☞表5-34④）

分岐鎖脂肪酸の抗てんかん薬であるバルプロ酸Na（デパケン）と、精神刺激薬のメチルフェニデート塩酸塩（コンサータ、リタリン；アンフェタミン系薬；☞ **表7-15**）は、非特異的にCYP450分子種を阻害すると考えられる。

バルプロ酸は主にCYP2C群（フェニトイン［アレビアチン］、バルビツール酸系薬、アミトリプチリン塩酸塩［トリプタノール］）およびCYP3A4（カルバマゼピン［テグレトール］、エリスロマイシン［エリスロシン］、アミトリプチリン塩酸塩［トリプタノール］）による代謝を阻害する。一方、他の抗てんかん薬（フェニトイン、バルビツール酸系薬、カルバマゼピン）には強いCYP阻害作用はなく、酵素誘導作用が主体となる（☞ **表5-54**）。

バルプロ酸自体、TDMを要する薬剤であるが、他の抗てんかん薬（TDMを必要とするフェニトイン、バルビツール酸系薬、カルバマゼピンなど）を併用する際は、必ずTDMを実施し、低用量から投与を開始するなど慎重に対処する。

一方、メチルフェニデートはCYP2C群で代謝される薬剤（クマリン系薬、フェニトイン、バルビツー

表5-34（つづき） 非特異的なCYP450分子阻害に起因する相互作用

⑤SSRI

	阻害する薬剤	代謝阻害を受ける薬剤	報告されている事象など
併用禁忌	フルボキサミン（ルボックス、デプロメール）、パロキセチン（パキシル）	ピペリジン系薬（ピモジド［オーラップ］、テルフェナジン★、アステミゾール★、チオリダジン★）	CYP3A4阻害、2D6阻害（または競合；☞**表5-30**⑤）による代謝抑制で、ピペリジン系の血中濃度上昇（QT延長、心室性不整脈誘発の可能性）。
	セルトラリン（ジェイゾロフト）	ピモジド（オーラップ）	AUCとCmaxがそれぞれ1.4倍上昇。QT延長の可能性。
	フルボキサミン（デプロメール、ルボックス）	チザニジン（テルネリン；α_2刺激、筋弛緩薬）	チザニジンAUCが平均33倍に上昇（103倍のケースも）、Cmaxが12倍に上昇、半減期が1.5時間から4.3時間に延長。チザニジンのα_2刺激作用のため、収縮期血圧が平均80mmHg以下になる。収縮期および拡張期血圧が平均35mmHg低下および20mmHgに低下との報告もある。フルボキサミンはCYP1A2を強く阻害し、チザニジンは主にCYP1A2で代謝（☞**表5-1**）。
		メラトニン受容体アゴニスト（ラメルテオン［ロゼレム］、メラトニン［メラトベル］）	ラメルテオンCmaxおよびAUCが27倍および82倍に上昇。メラトニンのCmaxが11倍、AUCが16倍上昇。フルボキサミンは、CYP1A2およびCYP2C19を強力に阻害。
原則禁忌	SSRI	シサプリド★	QT延長、心室性不整脈誘発の可能性。
併用慎重	フルボキサミン（ルボックス、デプロメール）	CYP450で代謝される以下の薬剤（CYP1A2、CYP2C19が最も影響を受ける）：	
		テオフィリン（テオドール）	テオフィリンAUC 2.7倍上昇。
		プロプラノロール（インデラル；β遮断薬）	プロプラノロール血中濃度5倍上昇例。
		デュロキセチン（サインバルタ；SNRI）	デュロキセチンCmax、AUCがそれぞれ2.41倍、5.6倍増大。
		ピルフェニドン（ピレスパ；抗線維化薬）	ピルフェニドンAUCが4倍増加。
		三級アミン類三環系抗うつ薬（イミプラミン［トフラニール］、クロミプラミン［アナフラニール］、アミトリプチリン［トリプタノール］）	イミプラミンAUC 3～4倍上昇、クロミプラミン血中濃度7倍上昇、アミトリプチリン血中濃度2.5倍上昇。
		ワルファリン（ワーファリン）	ワルファリン血中濃度2倍上昇。
		ラモセトロン（イリボー、ナゼア；$5\text{-}HT_3$拮抗薬）	AUC 2.8倍上昇（ラモセトロン10μg投与時）。
		シクロスポリン（サンディミュン、ネオーラル）	血中濃度2倍上昇。
		BZP系薬（アルプラゾラム［コンスタン、ソラナックス］、ジアゼパム［セルシン］、ブロマゼパム［レキソタン］など）	アルプラゾラムAUCが2倍に上昇、ジアゼパムAUC 70～390%上昇、ブロマゼパムAUC 2.4倍上昇。
		TDMを必要とする薬剤：フェニトイン（アレビアチン）、カルバマゼピン（テグレトール）など	
		その他：オランザピン（ジプレキサ）、ゾルミトリプタン（ゾーミッグ；$5\text{-}HT_{1B/1D}$作動薬）、ロピバカイン（アナペイン；局所麻酔薬）、マプロチリン（ルジオミール；四環系抗うつ薬）、メキシレチン（メキシチール；部分的にCYP1A2で代謝）、シルデナフィル（バイアグラ、レバチオ；PDE5阻害薬；AUC1.4倍上昇）、ゾルピデム（マイスリー；非BZP系薬；AUC1.5倍上昇）、メサドン（メサペイン；オピオイド系鎮痛薬）など	

★ 販売中止

表5-34（つづき）　非特異的なCYP450分子阻害に起因する相互作用

	阻害する薬剤	代謝阻害を受ける薬剤	報告されている事象など
併用慎重	パロキセチン（パキシル）	CYP450で代謝される薬剤（主にCYP2D6）：	
		三環系抗うつ薬	イミプラミン血中濃度1.7倍上昇。デシプラミンAUC 5倍上昇。
		フェノチアジン系薬	ペルフェナジン血中濃度6倍上昇。
		リスペリドン（リスパダール；SDA）	リスペリドンおよびその活性代謝物の平均血中濃度が45%上昇。パーキソニズム発現。定常状態における活性代謝物のトラフ値がそれぞれ1.3～1.8倍に上昇した。
		β遮断薬	メトプロロール（ロプレソール）S体およびR体の半減期が2.1および2.5倍延長、AUCがそれぞれ5および8倍上昇。
		抗不整脈薬（プロパフェノン、フレカイニド）	パロキセチンのCYP2D6阻害により血中濃度上昇の恐れ。
		ワルファリン（ワーファリン）	パロキセチンとの相互作用は認められていないが、他の抗うつ薬でワルファリンの作用増強が報告。
		フェソテロジン（トビエース；OAB治療抗コリン薬）	活性代謝物［5-HMT］の血中濃度上昇の可能性［5-HMTはCYP3A4・2D6で代謝］）。併用時の増量（4mg→8mg/日）の際には患者の状況を十分に観察。
		その他：マプロチリン（ルジオミール）、セビメリン（エボザック、サリグレン）、タモキシフェン（ノルバデックス）、デュロキセチン（サインバルタ；SNRI）、アリピプラゾール（エビリファイ；DSS）、ブレクスピプラゾール（レキサルティ；SDAM）、テトラベナジン（コレアジン；非律動性不随意運動治療薬；モノアミン枯渇薬）	タモキシフェンでは薬効低下、併用により乳癌による死亡リスクが増加（タモキシフェンはCYP3A4で脱メチル化、次いでCYP2D6で水酸化を受けて活性型となる）。デュロキセチンは主にCYP1A2、一部2D6で、アリピプラゾール、ブレクスピプラゾールはCYP2D6、3A4で代謝される。テトラベナジンはカルボニル還元酵素により活性代謝物のα-HTBZ（CYP2D6・1A2、一部は3A4で代謝）、β-HTBZ（CYP2D6、一部は3A4で代謝）に変換される。
	セルトラリン（ジェイゾロフト）	三環系抗うつ薬	セルトラリンのCYP2D6阻害により血中濃度上昇の可能性。
		トルブタミド（ヘキストラスチノン；SU薬）	トルブタミドのクリアランスがわずかに減少（16%）。CYP2C9の競合阻害の可能性あり。

ル酸系薬）、CYP2D6で代謝される薬剤（イミプラミン塩酸塩［トフラニール］、マプロチリン［ルジオミール］、SSRIなど）の代謝を阻害する。阻害作用は非常に強いと考えられるため要注意である。

⑤ SSRI（☞表5-34⑤）

SSRI（選択的セロトニン再取り込み阻害薬）のフルボキサミンマレイン酸塩（ルボックス、デプロメール）およびパロキセチン塩酸塩水和物（パキシル）は、主にCYP2D6で代謝されるが、非特異的にCYP450を阻害することが示されている。この阻害機序は明らかでないが、フルボキサミンの場合はCYP1A2および2C19を強力に阻害し、CYP3A4は中等度、CYP2C9、2D6は軽度に阻害する。パロキセチンの場合は、CYP2D6を強力に阻害するが、CYP1A2、2C9、2C19、3A4への阻害効果は弱い。

一方、塩酸セルトラリン（ジェイゾロフト）は少なくとも4種類（CYP2C19、2C9、2B6、3A4など）のCYP450で代謝され（☞**表5-3**）、非特異的にCYP1A2、2C19、2D6、3A4を阻害するが（機序不明）、他のSSRIに比べると阻害効果は弱い。

まず、併用禁忌となる薬剤について解説する。フルボキサミン、パロキセチンに共通して併用禁忌となる薬剤は、ピペリジン系のピモジド（オーラップ）、テルフェナジン、アステミゾール、チオリダジン（フェノチアジン系）である（シサプリドは原則禁忌）。SSRIによるCYP3A4阻害効果はアゾール系に比べてはるかに弱く、前述のようにフルボキサミンのCYP2D6阻害効果も軽度であるが、併用により、これらの薬剤のCYP3A4（テルフェナジン、アステミゾール、ピモジド）もしくは2D6（チオリダジン）での代謝が抑制されて血中濃度が上昇し、重篤なQT延長が出現する可能性があるため禁忌となっている（SSRIとチオリダジンの相互作用には、CYP2D6の代謝競合も関与；☞**表5-30**⑤）。ただし、実際には、相互作用の症例報告はこれまでになされていない。

また、セルトラリンもピモジドとの併用が禁忌となっているが、これは併用によりピモジドの血中濃度が1.4倍増加するとの報告があり、他のSSRIと同様にQT延長が出現する可能性を否定できないためである。血中濃度が上昇する機序は不明とされているが、パロキセチンと同程度の弱いCYP3A4阻害効果に起因すると思われる。

フルボキサミンは基本的にCYP450で代謝される全ての薬剤との併用に注意するが、同薬は特にCYP1A2阻害効果が強いため、CYP1A2に対する親和性の弱いチザニジン塩酸塩（テルネリン；α_2作動性筋弛緩薬）、メラトニン受容体アゴニストのラメルテオン（ロゼレム）およびメラトニン（メラトベル）との併用は血中濃度の著明な上昇を招くため禁忌となっている。

続いて、併用禁忌以外で注意すべき相互作用について解説する。

CYP1A2で代謝されるその他の薬剤（キサンチン系薬、プロプラノロール塩酸塩［インデラル］、デュロキセチン（サインバルタ）、ピルフェニドン（ピレスパ）、三級アミン類三環系抗うつ薬、ワルファリンカリウム［ワーファリン］、ラモセトロン塩酸塩［イリボー］など）やTDMを必要とする薬剤（フェニトイン、カルバマゼピン、シクロスポリン［サンディミュン、ネオーラル］など；☞**表5-1〜5-3**）と、フルボキサミンを併用する場合は、トロンボテストやTDMを実施するなど慎重に対処する。中でも、三級アミン類三環系抗うつ薬（イミプラミン塩酸塩［トフラニール］、クロミプラミン塩酸塩［アナフラニール］、アミトリプチリン塩酸塩［トリプタノール］）は、CYP1A2、2C19、3A4により脱メチル化を受けて二級アミンとなるため（☞**表5-2、5-3**）、フルボキサミンを併用するとこれらのCYPが全て阻害され、血中濃度が著しく上昇する可能性がある。なお、二級アミン類の三環系抗うつ薬（ノルトリプチリン塩酸塩［ノリトレン］、デシプラミン）はCYP2D6で水酸化を受けるが、フルボキサミンのCYP2D6阻害作用が軽度であることを考えると、三級アミン類ほど心配する必要はないだろう。

また、フルボキサミンは、主にCYP3A4で代謝されるBZP系薬との併用にも十分に注意する。ジアゼパム（セルシン；CYP2C19および3A4で代謝）との併用により、クリアランスが著しく減少したとの報告もある。併用時には、BZP系薬の投与量を減らすなど慎重に対処する。

パロキセチンの場合には、主にCYP2D6で代謝される薬剤との併用に注意するが、CYP2D6阻害作用はキニジンの方がはるかに強い点にも留意する。また、パロキセチンはCYP1A2、2C9、2C19、3A4に対する阻害作用は弱いが、TDMを要する薬剤や、不整脈、呼吸抑制といった生命に危険を及ぼすような重篤な副作用を誘発する薬剤などと併用する場合は、慎重に対処した方がよい。

一方、セルトラリンでは、CYP450阻害作用が弱いため、他のSSRIに比べて代謝阻害に起因する相互作用を起こしにくいと考えられるが、弱いながらも非特異的な阻害作用があるため、CYP450で代謝される全ての薬剤との併用に注意する（セルトラリンのP-gp阻害効果は、パロキセチンやキニジンと同様に強力との報告もある；☞**コラム25**）。

なお、SSRIのエスシタロプラム（レクサプロ）は、主にCYP2C19で代謝され（CYP2D6、3A4も関与）、特異的CYP2D6阻害作用を有する（☞**表5-36**④）。ピモジドとの併用はQT延長発現の

表5-34（つづき）　非特異的なCYP450分子阻害に起因する相互作用

⑥ 非ヌクレオシド系HIV逆転写酵素阻害薬

	阻害する薬剤	代謝阻害を受ける薬剤	報告されている事象など
併用禁忌	エファビレンツ（ストックリン）	ピペリジン系薬（テルフェナジン★、アステミゾール★、シサプリド★）	QT延長、心室性不整脈の可能性。
		BZP系薬（トリアゾラム［ハルシオン］、ミダゾラム［ドルミカム、ミダフレッサ］）	過度の鎮静や呼吸抑制の可能性。
		エルゴタミン製剤（麦角系：エルゴタミン［クリアミン配合錠］、ジヒドロエルゴタミン［ジヒデルゴット］、エルゴメトリン；子宮収縮薬］、メチルエルゴメトリン［メテナリン；子宮収縮薬］など）	血管および子宮収縮作用増強の可能性。
	デラビルジン★	ミダゾラム（ドルミカム、ミダフレッサ）、エルゴタミン製剤（麦角系薬）	過度の鎮静や麦角中毒の恐れ。
併用慎重	デラビルジン★	CYP3A4で代謝される薬剤：HIVプロテアーゼ阻害薬、ピペリジン系薬（テルフェナジン★、アステミゾール★、シサプリド★）、14員環マクロライド系薬、ジアフェニルスルホン（レクチゾール）、エルゴタミン製剤、BZP系薬、抗不整脈薬、キニジン（硫酸キニジン）、Ca拮抗薬、シルデナフィル（バイアグラ）、ワルファリン（ワーファリン）、アンフェタミン系薬など	血中濃度上昇の恐れ。
	エファビレンツ（ストックリン）	経口避妊薬	エチニルエストラジオールの単回投与後のAUCが37％上昇。臨床上の意義は不明。

★ 販売中止

ため禁忌であるが、CYP450阻害に起因するのではなく、両剤がいずれもQT延長を引き起こすことが関与していると思われる。

⑥ 非ヌクレオシド系HIV逆転写酵素阻害薬
（☞表5-34⑥）

非ヌクレオシド系HIV逆転写酵素阻害薬のエファビレンツ（ストックリン）およびデラビルジンは主にCYP3A4（一部2D6）で代謝されるが、非特異的にCYP2C9、2C19および3A4を阻害することが示されている。また、同効薬のエトラビリン（インテレンス）は主にCYP3A4、2C9、2C19によって代謝され、CYP2C9、2C19、P-gpに対して弱い阻害作用を示す。一方、ネビラピン（ビラミューン）は主にCYP3A4で代謝されるため、阻害の報告があるのはCYP3A4で代謝される薬剤との併用による競合阻害のみである（☞**表5-2、5-3**）。

デラビルジンは、CYP3A4と2C9以外に、CYP2D6で代謝される薬剤（アンフェタミン系薬）にも影響を与える可能性がある。また、エファビレンツも臨床的に到達不可能なかなりの高濃度の場合ではあるが、CYP2D6、1A2を阻害することがある。エファビレンツと、QT延長を誘発する薬剤（ピペリジン系薬）、BZP系薬、エルゴタミン製剤との併用、あるいはデラビルジンとミダゾラム（ドルミカム、ミダフレッサ；BZP系薬）やエルゴタミン製剤などのCYP3A4で代謝される薬剤との併用により、重篤な副作用（不整脈、持続的な鎮静、呼吸抑制、末梢循環不全など）を引き起こす可能性があるため禁忌となっている。

エファビレンツ、デラビルジンは、基本的にCYP450で代謝される全ての薬剤との併用に注意が必要であるが、特にCYP3A4の阻害効果は強力であると考えられるため、CYP3A4で代謝される薬剤との併用は常に慎重にする。なお、デラビルジンのCYP3A4阻害効果は投与中止から1週間以内に回復するとされている。また、エファビレンツ、ネビラピン、エトラビリンはCYP3A4誘導薬である点にも留意する（☞**表5-53**）。

表5-34（つづき） 非特異的なCYP450分子阻害に起因する相互作用

⑦ ザフィルルカスト

	阻害する薬剤	代謝阻害を受ける薬剤	報告されている事象など
併用慎重	ザフィルルカスト（アコレート；LT拮抗薬）	クマリン系薬（ワルファリン［ワーファリン］）	S体ワルファリン血中濃度が上昇。ザフィルルカスト80mgでAUC 60%上昇、プロトロンビン時間35%延長。
		テオフィリン（テオドール）	欧米においてごくまれにテオフィリン血中濃度上昇。
	テオフィリン（テオドール）、エリスロマイシン（エリスロシン）、テルフェナジン★	ザフィルルカスト（アコレート）	テオフィリンではザフィルルカストCmax、AUCがそれぞれ30%、20%低下。エリスロマイシンではザフィルルカストCmax、AUCが40%、30%低下。テルフェナジンではCmaxおよびAUCが66%および54%低下。
		アスピリン製剤（バファリン配合錠、バイアスピリン）	ザフィルルカストCmaxおよびAUCが20%および45%上昇。

⑧ ビカルタミド

	阻害する薬剤	代謝阻害を受ける薬剤	報告されている事象など
併用慎重	ビカルタミド（カソデックス）	クマリン系薬（ワルファリン［ワーファリン］）	ワルファリンの作用増強。血液凝固能検査など管理を行い慎重にすること。血漿タンパク結合置換関与（☞表2-2）。
		トルブタミド（ヘキストラスチノン；SU薬）	SU薬の作用増強の可能性。ただし、相互作用の症例報告なし。
		デキストロメトルファン（メジコン；モルヒネ系薬；中枢性非麻薬性鎮咳薬）	モルヒネ系の作用増強の可能性。ただし、相互作用の症例報告なし。
		CYP3A4で代謝される薬剤（バルデナフィル［レビトラ］など）	作用増強の可能性。ただし、相互作用の症例報告なし。

⑦ ザフィルルカスト（☞表5-34⑦）

LT拮抗薬のザフィルルカスト（アコレート）は主にCYP2C9で代謝されるが、in vitroでは非特異的にCYP1A2、2C9、3A4を阻害することが示されている。阻害機序は明確ではないが、低濃度ではCYP2C9および3A4、高濃度ではCYP1A2を阻害する。ザフィルルカストはテオフィリン（テオドール）との併用ではCYP1A2または3A4を、ワルファリンとの併用ではCYP2C9を阻害すると考えられるが、テオフィリン血中濃度の上昇はごくまれである。したがって、ザフィルルカストは、CYP2C9で代謝される薬剤との併用は常に注意する。CYP3A4で代謝される薬剤との相互作用については報告がないものの、臨床使用例が増えるまで留意した方がよい。

一方、機序は不明だが、テオフィリン、エリスロマイシン（エリスロシン）、テルフェナジンとの併用によってザフィルルカストの血中濃度が低下したり、アスピリンとの併用によってザフィルルカストの血中濃度が上昇するといった報告もある。

⑧ ビカルタミド（☞表5-34⑧）

アンドロゲン受容体に結合し抗腫瘍効果を発揮する非ステロイド性のビカルタミド（カソデックス；前立腺癌治療薬）は、主に肝で水酸化およびグルクロン酸抱合による代謝を受けるが、CYP450の関与は明確でない。しかし、in vitroでは、ビカルタミドはCYP3A4を阻害するほか、3A4に比べて程度は低いがCYP2C9、2C19、2D6も阻害することが報告されている。

阻害機序は明確ではなく、ワルファリンとの併用以外では代謝阻害に起因する相互作用は報告されていないため、臨床で併用される薬剤とは相互作用を起こす可能性が低いと考えられている。ワルファリンとの併用では、血漿タンパク結合置換も関与するため（☞表2-2）、併用時には血液凝固能検査などを行い慎重に対処する必要がある。その

表5-34（つづき）　非特異的なCYP450分子阻害に起因する相互作用

⑨ スチリペントール

<table>
<tr><th></th><th>阻害する薬剤</th><th>代謝阻害を受ける薬剤・飲食物</th><th>報告されている事象など</th></tr>
<tr><td rowspan="5">併用慎重</td><td rowspan="5">スチリペントール（ディアコミット）</td><td>CYP1A2の基質：キサンチン系薬（カフェイン、テオフィリンなど）、カフェイン含有飲食物（チョコレート、コーヒー、紅茶、日本茶、コーラなど）</td><td rowspan="5">・血中濃度上昇の恐れ。減量するなど注意して併用。TDMを必要とする薬剤（テオフィリン、抗てんかん薬、ハロペリドール、シクロスポリン、タクロリムスなど）、血液凝固能のモニタリングを必要とする薬剤（ワルファリン）では、併用時には、それぞれ実施するなど注意して投与。
・PXR活性化薬（フェニトイン、フェノバルビタール、カルバマゼピンなど）との併用時には、スチリペントール血中濃度低下の恐れ。
・マクロライド系薬、アゾール系薬との併用時には相互に代謝を抑制。</td></tr>
<tr><td>CYP2C9の基質：クマリン系薬（ワルファリン［ワーファリン］）、NSAIDs（ジクロフェナク［ボルタレン］、イブプロフェン［ブルフェン］、セレコキシブ［セレコックス］など）、フェニトイン（アレビアチン）、SU薬（グリベンクラミド［オイグルコン］など）など</td></tr>
<tr><td>CYP2C19の基質:PPI（オメプラゾール［オメプラール、オメプラゾン］など）、フェノバルビタール（フェノバール）、プリミドン（プリミドン）など</td></tr>
<tr><td>CYP2D6の基質：β遮断薬（プロプラノロール［インデラル］、カルベジロール［アーチスト］、チモロールなど）、抗うつ薬（パロキセチン［パキシル］、セルトラリン［ジェイゾロフト］、イミプラミン［トフラニール］、クロミプラミン［アナフラニール］など）、コデイン、デキストロメトルファン（メジコン）、トラマドール（トラマール）、ハロペリドール（セレネース）など</td></tr>
<tr><td>CYP3A4の基質：Ca拮抗薬（ニフェジピン［アダラート］など）、HIVプロテアーゼ阻害薬（リトナビル［ノービア］など）、抗てんかん薬（カルバマゼピン［テグレトール］、ゾニサミド［エクセグラン］、エトスクシミド［エピレオプチマル、ザロンチン］、トピラマート［トピナ］など）、BZP系抗てんかん薬（ミダゾラム［ミダフレッサ、ドルミカム〈催眠鎮痛薬〉］、クロナゼパム［ランドセン、リボトリール］、クロバザム［マイスタン］）、BZP系薬（トリアゾラム［ハルシオン］など）、スタチン系薬（アトルバスタチン［リピトール］、シンバスタチン［リポバス］など）、免疫抑制薬（シクロスポリン［サンディミュン、ネオーラル］、タクロリムス［プログラフ］など）、抗不整脈薬（キニジン［硫酸キニジン］、ベプリジル［ベプリコール］）、ピモジド（オーラップ）、麦角系薬（エルゴタミン製剤：エルゴタミン［クリアミン配合錠に含有］、ジヒドロエルゴタミン［ジヒデルゴット］、エルゴメトリン［エルゴメトリンマレイン酸塩］、メチルエルゴメトリン［メテルギン］など）、クロルフェニラミンマレイン酸塩（ポララミン）、マクロライド系薬（クラリスロマイシン［クラリシッド、クラリス］など）、アゾール系薬（イトラコナゾール［イトリゾール］など）、経口避妊薬など</td></tr>
</table>

他の薬剤では、ビカルタミドの臨床使用例が増えるまで留意する程度でよいだろう。

⑨ スチリペントール（☞ 表5-34⑨）

抗てんかん薬のスチリペントールは、主に肝CYP1A2、2C19、3A4で代謝されるが、in vitroにおいてCYP1A2、2C19、3A4阻害効果のほか、2C9、2D6の阻害作用も有することが示されている。ほぼ全てのCYP450分子種を非特異的に阻害するため、CYP450で代謝される薬剤との併用に注意する必要がある。特にCYP1A1、2C19、3A4阻害はヒトにおいても認められているため要注意である（Expert Opin Investig Drugs.2005;14:905-11.）。CYP450阻害機構は明らかではないが、阻害様式は競合阻害や非競合阻害であることが示されている。スチリペントールはCYP1A2、2C19、3A4で代謝されることから、CYP1A2、2C19、3A4阻害機序は、基質同士の代謝競合に起因するとも考えられる。

スチリペントールの抗てんかん作用の発現機序は明確ではないが、脳の主要な抑制性神経伝達物質であるGABAシグナル伝達の増強作用のほか、CYP450の阻害作用に基づく薬物代謝阻害により、併用する抗てんかん薬の血中濃度を高め、その痙攣効果を増強する機序も考えられている。同薬は日本ではクロバザム（マイスタン）やバルプロ酸（デパケン）で十分な効果が認められない発作（Dravet症候群患者の間代発作または強直間代発作）に対してのみ、併用して使用される。

クロバザム（CLB）は、主にCYP3A4によって脱メチル化されてN-脱メチルCLB（NCLB:活性代謝物：薬理活性はCLBの2分の1～

⑩ **その他**

	阻害する薬剤	代謝阻害を受ける薬剤	報告されている事象など
原則禁忌	ラパチニブ※（タイケルブ）	治療域が狭くCYP3A4または2C8で代謝される薬剤（ビノレルビン［ナベルビン］など）	原則禁忌。併用を避けることが望ましいが、併用時には副作用の発現・増強に注意し減量を考慮。ビノレルビンは主にCYP3A4で代謝されるビンカアルカロイド系薬。
併用慎重	ラパチニブ※（タイケルブ）	パクリタキセル（タキソール）	パクリタキセルAUC 23%上昇、ラパチニブAUC 21%上昇。パクリタキセル単独投与時に比べて併用時は下痢・好中球減少の発現率、重症度が増加。P-gp競合関与。パクリタキセルはP-gpの基質であり、CYP2C8（主）、3A4 で代謝される。
		治療域が狭くCYP3A4で代謝される薬剤（ミダゾラム［経口薬は国内未発売］など）	ミダゾラムのAUCが経口投与で45%上昇、静脈内投与で14%上昇（ラパチニブは消化管のCYP3A4阻害と推察される）。一方、CYP3A4阻害薬との併用ではラパチニブAUC上昇（ケトコナゾール併用時、ラパチニブAUC 3.6倍上昇。CYP3A4阻害作用のあるGFJは摂取しないよう注意）。
	デフェラシロクス（ジャドニュ）	CYP1A2、2C8の基質	テオフィリン（CYP1A2）AUC 84%上昇。レパグリニド（CYP2C8）AUC、Cmaxが131%、62%上昇。アミノフィリン水和物（アプニション静注；テオフィリン2分子とエチレンジアミン1分子の塩）でテオフィリン中毒の恐れ。CYP2C8の基質である肺動脈性肺高血圧症治療薬のトレプロスチニル（トレプロスト）、セレキシパグ（ウプトラビ）のAUC、Cmax上昇、副作用発現の恐れ。
	インターフェロン（INF）製剤（INFα［スミフェロン］など）	アンチピリン、テオフィリン（テオドール）、ワルファリン（ワーファリン）など	肝における薬物代謝を抑制することがある。ペグINFα-2b製剤（ペグイントロン）にはCYP1A2、2D6阻害作用がある。ただし、ペグINFα-2a製剤（ペガシス）ではCYP1A2阻害作用。
	ミルクシスル（マリアアザミ）含有食品	CYP3A4の基質（シメプレビル［ソブリアード；抗HCV薬］）、CYP2C8基質など	血中濃度上昇の恐れ（ただし、シメプレビルの薬動態試験は実施されていない）。マリアアザミ（アオアザミ、オオヒレアザミ、ミルクシスル）に含まれる成分のCYP3A4、2C8阻害作用（in vitro）が報告（Toxcol In Vitro.2011; 25:21-7.）

※ 分子標的治療薬の相互作用については**付録C表S-8**参照。

15分の1）となり、次いでCYP2C19により水酸化されて不活化される。スチリペントールのCYP2C19阻害効果（IC50＝0.276 μM）は、オメプラゾール（IC50＝2.99 μM）の約10倍と強力であることから、CLB併用時のNCLBおよびCLB血中濃度の上昇は、主にCYP2C19阻害に起因すると考えられている（Drug Metab Dispos.2006;34:608-11.）。

なお、バルプロ酸との併用については、スチリペントールのインタビューフォームの「参考資料」に、「スチリペントールとバルプロ酸の間に代謝相互作用が生じる可能性は小さいと考えられるため、臨床安全性上の理由を除いては、スチリペントール併用時にバルプロ酸の用量調節が必要となることはないはずである。ピボタル試験では、食欲喪失や体重減少などの消化管有害作用が発生した場合には、バルプロ酸の1日投与量を毎週約30%ずつ減量した」との記載がある。これは、欧州におけるスチリペントールの添付文書での記載であるが、同薬とバルプロ酸との併用療法には、CYP450阻害効果の寄与は低いと思われる。

⑩ その他

ラパチニブトシル酸塩水和物（タイケルブ；チロシンキナーゼ阻害薬）はCYP3A4/5（一部2C19、2C8）、P-gp、BCRPの基質であるが、CYP3A4、2C8、P-gp、BCRP、OATP2に対する阻害作用が示されている。また、表には示していないが、ソラフェニブトシル酸塩（ネクサバール；チロシンキナーゼ阻害薬）もCYP3A4で代謝されるが、in vitroでCYP2B6、2C9および2C8に対する阻害活性が示されている（UGT1A1、1A9の阻害効果もある）。

また、鉄キレート剤のデフェラシロクス（ジャドニュ）は主にUGT1A1、1A3で抱合され（☞ **表6-14**）、一部がCYP1A2、2D6で代謝されるが、

表5-35　特異的にCYP450分子を阻害する薬剤

阻害薬	阻害される酵素						代謝阻害を受ける薬剤
	1A2	2C8	2C9	2C19	2D6	3A4	
キノロン系抗菌薬※1	◎						**チザニジン**、テオフィリン、オランザピン、ゾルミトリプタン
トリメトプリム（バクタ配合錠）		◎					レパグリニド
ファビピラビル（アビガン）		◎					レパグリニド（シュアポスト）
ピラゾロン系薬：							
フェニルブタゾン★			◎				ワルファリン、フェニトイン、ナテグリニド
スルフィンピラゾン★			◎				ワルファリン、SU薬、ナテグリニド
カペシタビン（ゼローダ）			◎				ワルファリン、フェニトイン
A771726※2			○				ワルファリン
ブコローム（パラミヂン）			◎				ワルファリン、ロサルタン、シポニモド
ミラベグロン（ベタニス）					◎		**フレカイニド**、**プロパフェノン**、三環系抗うつ薬、メトプロロール、ピモジド、フェノチアジン系など
アスナプレビル★（抗HCV薬）					◎		**フレカイニド**、**プロパフェノン**、デキストロメトルファン
テルビナフィン（ラミシール）					○		ノルトリプチリン
セレコキシブ（セレコックス）					◎		パロキセチン、デキストロメトルファン
シナカルセト（レグパラ）					◎		デキストロメトルファン
デュロキセチン（サインバルタ）					◎		デシプラミン
エスシタロプラム（レクサプロ）					◎		メトプロロール、デシプラミン
ゲフィチニブ※3（イレッサ）					◎		メトプロロール
クロバザム（マイスタン）、ダコミチニブ※3（ビジンプロ）					◎		CYP2D6で代謝される薬剤
グレープフルーツジュース（GFJ）						◎	フェロジピン、ニフェジピン、**キニジン**、**ピモジド**、トリアゾラム、タクロリムス、スタチン系薬など
イストラデフィリン（ノウリアスト；アデノシンA_{2A}受容体拮抗薬）						◎	ミダゾラム、アトルバスタチン
キヌプリスチン・ダルホプリスチン（シナシッド）						◎	**ピモジド**、**キニジン**、ベラパミル、エルゴタミン製剤（麦角系薬）など
レテルモビル（プレバイミス）						◎	**ピモジド、エルゴタミン製剤（麦角系など）**

太字は併用禁忌。ただし、いずれも作用機序は明らかになっていない。　◎：2系統以上のCYPを阻害（基本構造が異なる薬剤が2種類以上ある）。
★販売中止　※1 シプロフロキサシン、ノルフロキサシンにはCYP3A4阻害作用あり。　※2 レフルノミド（アラバ）の活性代謝物。
※3 分子標的治療薬の相互作用については**付録C表S-8**参照。

軽度のCYP1A2、2C8阻害およびCYP3A4誘導作用を示し（☞**表5-53**）、CYP1A2で代謝されるテオフィリンや、CYP2C8で代謝されるレパグリニド（シュアポスト；速効型インスリン分泌促進薬）などの血中濃度を上昇させることが報告されている。

なお、（ペグ）インターフェロンα-2b（［ペグ］イントロン皮下注、イントロンA注射用）はCYP1A2および2D6を阻害し、CYP1A2の基質であるテオフィリン、チザニジン（テルネリン）やCYP2D6の基質であるメトプロロール（セロケン）、アミトリプチリン（トリプタノール）などの血中濃度を上昇させる恐れがあることも示されている。また、ミルクシスル含有食品もCYP3A4、2C8阻害作用などが報告されている。

B 特異的阻害

阻害機序は明らかでないが、特異的にCYP450を阻害すると考えられる薬剤および代謝阻害を受ける薬剤をp.295表5-35に示した。

キノロン系薬はCYP1A2を特異的に阻害し、テオフィリン（テオドール）の代謝を抑制して作用を増強する。ただし、シプロフロキサシン塩酸塩水和物（シプロキサン）およびノルフロキサシン（バクシダール）はCYP3A4阻害作用を有する（後述）。また、ピラゾロン系薬、カペシタビン（ゼローダ）、A771726（レフルノミド［アラバ］の活性代謝物）などはCYP2C9を阻害し、ワルファリンやSU薬、ナテグリニド（スターシス）などの作用を増強する。テルビナフィン塩酸塩（ラミシール）およびセレコキシブ（セレコックス）などはCYP2D6を阻害し、グレープフルーツジュース（GFJ）、イストラデフィリン（ノウリアスト；アデノシンA_{2A}受容体拮抗薬）およびキヌプリスチン・ダルホプリスチン（シナシッド）はCYP3A4を阻害する。

これらの薬剤が関与する相互作用と起こり得る事象を**表5-36**に示しながら、以下、CYP450分子種ごとに対処法などを説明していく。

① CYP1A2（☞表5-36①）

キノロン系薬剤は、特異的なCYP1A2阻害薬である。

まず、シプロフロキサシンとチザニジン塩酸塩（テルネリン；α_2刺激、筋弛緩薬）との併用は禁忌である。併用により、チザニジンのAUCとCmaxがそれぞれ10倍、7倍に上昇し、α_2刺激による血圧低下やふらつきなどが現れるためである。シプロフロキサシン以外のキノロン系薬のうち、エノキサシン水和物、ピペミド酸水和物（ドルコール）、トスフロキサシントシル酸塩水和物（オゼックス）、ノルフロキサシン（バクシダール）、パズフロキサシンメシル酸塩（パシル点滴静注液）、プルリフロキサシン（スオード）は、CYP1A2阻害作用が強いと考えられる。これらの薬剤とチザニジンとの併用は避けた方がよいが、やむを得ず併用する場合は、チザニジンによる低血圧症状について、あらかじめ患者に十分説明しておく必要がある。

一方、キノロン系薬によるテオフィリン代謝阻害作用の強さは、薬剤によって異なる。エノキサシンやピペミド酸は阻害作用が強く、併用によりテオフィリン（テオドール）のAUCが50%以上上昇する。次いでシプロフロキサシン、トスフロキサシン、ノルフロキサシンではAUCが20%以上、血中濃度が50%上昇する。その他のキノロン系薬では、テオフィリンの動態学的変化は小さい（☞**コラム43**）。

したがって、テオフィリンとエノキサシン、ピペミド酸との併用は避けた方がよい。シプロフロキサシン、トスフロキサシン、ノルフロキサシン、パズフロキサシン、プルリフロキサシンに関しては、高齢者や肝・腎障害者、高用量のテオフィリンを必要とする患者で注意し、併用時にはテオフィリンのTDMを実施した方がよい。

なお、メシル酸ガレノキサシン水和物（ジェニナック、1日1回投与）はCYP450による代謝をほとんど受けず、CYP450阻害および誘導作用もないことが示されている。しかし、テオフィリンと併用すると、テオフィリンAUC、Cmaxが約20%上昇することが認められており、併用時にはTDMを行うなど注意が必要である。この相互作用の発現機序は明らかではないが、テオフィリンの約80%は肝代謝を受け排泄されるため、肝細胞への取り込みの阻害（OATP2阻害）に起因する可能性も考えられる（☞**表4-20**）。いずれにせよ、キノロン系とテオフィリンとの相互作用の発現機序には、CYP450代謝以外の要因も関与している。

表5-36　CYP450分子の特異的阻害による相互作用

① **CYP1A2阻害**

	CYPを阻害する薬剤	代謝阻害を受ける薬剤	報告されている事象など
併用禁忌	シプロフロキサシン（シプロキサン）	チザニジン（テルネリン）	チザニジンAUCおよびCmaxが10倍および7倍上昇し、血圧低下、傾眠、めまいなど出現。
併用慎重	エノキサシン★	テオフィリン（テオドール）	テオフィリンAUC 84%上昇、血中濃度1.8～2.5倍、クリアランス42～74%低下。
	ピペミド酸（ドルコール）		AUC 79%増大、クリアランス45～49%低下。
	シプロフロキサシン（シプロキサン）		AUC 22%上昇、クリアランス25～55%低下、血中濃度約8倍または2～4倍に上昇との報告。死亡例もある。
	トスフロキサシン（オゼックス）		AUC 24%上昇、血中濃度23%上昇、クリアランス20～34%低下。
	ノルフロキサシン（バクシダール）		クリアランス15%低下、血中濃度50%上昇。
	パズフロキサシン（パシル注、パズクロス注）		テオフィリンCmax、$AUC_{0-\infty}$が27%、33%上昇。
	プルリフロキサシン（スオード）		併用3日目および5日目に、テオフィリンCmaxが20%および24%上昇、AUC_{0-10h}が17%および20%上昇。
	ガレノキサシン（ジェニナック）		テオフィリンAUC、Cmaxが20%上昇（ただし、CYP450阻害に起因しない。機序不明）。観察を十分に行い、テオフィリンのTDMを行うなど注意すること。
	オフロキサシン（タリビッド）		AUC 11%上昇、血中濃度30～60%上昇。
	レボフロキサシン（クラビット）、オフロキサシン（タリビッド）、シタフロキサシン（グレースビット）、ノルフロキサシン（バクシダール）、ロメフロキサシン（ロメバクト）、フレロキサシン★、スパルフロキサシン★		AUCの変化がそれぞれ2、11、11、4、－13、－4、0（%）との報告。ガチフロキサシン（経口薬は販売中止）、モキシフロキサシン（アベロックス）では添付文書に相互作用の記載なし。
	キノロン系薬	チザニジン（テルネリン）、メラトニン受容体アゴニスト（ラメルテオン［ロゼレム］、メラトニン［メラトベル］）、オランザピン（ジプレキサ）、ゾルミトリプタン（ゾーミッグ、$5\text{-}HT_{1B/1D}$作動薬）、ロピバカイン（アナペイン、局所麻酔薬）、ロピニロール（レキップ；ドパミンD_2受容体作動薬）	血中濃度上昇の可能性。ロピニロールではAUCが84%上昇（シプロフロキサシン併用時）、必要に応じて投与量を調節する。
	シプロフロキサシン（シプロキサン）	デュロキセチン（サインバルタ）	クリアランス低下による血中濃度上昇。
		クロザピン（クロザリル；治療抵抗性統合失調症治療薬）、オランザピン（ジプレキサ）	クロザピンおよびその代謝物の血中濃度がそれぞれ29%および31%上昇。オランザピンの血中濃度が2.2倍上昇。クロザピンはCYP1A2、3A4で代謝されるため、シプロフロキサシンによるCYP3A4の阻害も関与。
		ピルフェニドン（ピレスパ；抗線維化薬）	ピルフェニドンのAUCが1.8倍上昇の報告。ただし、海外販売名エスプリードの報告によるもので国内報告なし。1A2阻害に起因。
		ラサギリン（アジレクト；選択的MAO-B阻害薬）	ラサギリンの血中濃度上昇。ラサギリンのAUCが約1.97倍に上昇。

★ 販売中止

表5-36（つづき） CYP450分子の特異的阻害による相互作用

② **CYP2C8阻害**

	CYPを阻害する薬剤	代謝阻害を受ける薬剤	報告されている事象など
併用慎重	トリメトプリム（バクタ配合錠）	レパグリニド（シュアポスト）	血中濃度上昇（低血糖の恐れ）。
	ファビピラビル（アビガン）	レパグリニド（シュアポスト）	レパグリニドCmax28%、AUC52%上昇。ファビピラビルは特異的CYP2C8阻害薬。低血糖の恐れ。

③ **CYP2C9阻害**

	CYPを阻害する薬剤	代謝阻害を受ける薬剤	報告されている事象など
原則禁忌	ブコローム（パラミヂン；NSAIDs・痛風治療薬）	シポニモド（メーゼント）	シポニモドの暴露量が増加し副作用が発現する恐れ。ブコロームは中程度のCYP2C9阻害作用あり。
併用慎重	フェニルブタゾン★	ワルファリン（ワーファリン）	併用は極力避ける。重篤消化管出血・吐血・血尿・低トロンビン血症、ビタミンK投与で回復。血漿タンパク結合置換関与。
		フェニトイン（アレビアチン）	半減期60%延長・血中濃度15.2から21.8μg/mL例。フェニトイン中毒発現、血漿タンパク結合置換関与。なお、フェニルブタゾンは二相効果を有する（☞**表5-53、5-58**）。
	スルフィンピラゾン★	ワルファリン（ワーファリン）	併用は極力避ける。併用後7日以内に重篤な消化管出血を来したケースが報告されている。ワルファリン投与量を平均46%減量。主な阻害機序は代謝抑制だが、血漿タンパク結合置換、血小板機能抑制も関与。
		SU薬、ナテグリニド（スターシス、ファスティック）	トルブタミドの半減期7.3から13.2時間に延長、クリアランス40%低下。血漿タンパク結合置換、腎分泌阻害も関与。
	カペシタビン（ゼローダ；腫瘍選択的5-FU生成）	ワルファリン（ワーファリン）	カペシタビンの添付文書には、警告として「血液凝固能異常や、出血による死亡例が報告されているため、併用時には血液凝固能検査を定期的に実施すること」と記載されている※。
		フェニトイン（アレビアチン）	血中濃度が上昇。TDMを実施した方がよい。
	レフルノミド（アラバ；抗リウマチ薬）	ワルファリン（ワーファリン）	併用後2日目に多量の血尿が出現、INR（国際標準化比）が3.4から11に上昇しワルファリンを中止したケースが報告されている。併用する場合は血中プロトロンビン活性を基にワルファリンを減量。レフルノミドの活性代謝物であるA771726によるCYP2C9阻害に起因する。
	ブコローム（パラミヂン；NSAIDs・痛風治療薬）		併用は極力避ける。ワルファリンの作用を増強するために使われることがある。血漿タンパク結合置換も関与（☞**表2-2**）。

★ 販売中止

※ 併用後数日～数カ月以内、あるいはカペシタビン中止後の1カ月後以内にワルファリン作用が増強しているため、直接的なCYP450の阻害ではなく、間接的なCYP2C9タンパク質などへの影響に起因すると考えられる。

表5-36（つづき）　CYP450分子の特異的阻害による相互作用

④CYP2D6阻害

	CYPを阻害する薬剤	代謝阻害を受ける薬剤	報告されている事象など
併用禁忌	ミラベグロン（ベタニス；β_3刺激薬、OAB治療薬）、アスナプレビル（スンベプラ；抗HCV薬）	フレカイニド（タンボコール；Ⅰc群）、プロパフェノン（プロノン；Ⅰc群）	QT延長、心室性不整脈（torsades de pointesを含む）などの恐れ。ミラベグロン、アスナプレビルのCYP2D6阻害によるフレニカイド、プロパフェノン血中濃度上昇の可能性。ミラベグロンでは催不整脈作用の協力も関与（☞**表7-33**）。
併用慎重	テルビナフィン（ラミシール）	ノルトリプチリン（ノリトレン；二級アミン類三環系抗うつ薬）	副作用発現（疲労感、めまい、食欲低下、傾眠、転倒など）。併用1週後にノルトリプチリン血中濃度1.8倍、2週後に2.3倍に上昇し、ノルトリプチリン減量（125mg→75mg/日）後2週間で改善。
		三環系抗うつ薬、マプロチリン（ルジオミール）、デキストロメトルファン（メジコン）	これらの薬剤またはその活性代謝物の血中濃度上昇。用量に注意。
	セレコキシブ（セレコックス；COX2選択的阻害薬）	パロキセチン（パキシル）	パロキセチンCmax、AUCが1.5倍、1.8倍上昇。セレコキシブCmaxは30%低下するがAUCは不変（大きな問題はないと考えられる）。
		デキストロメトルファン（メジコン）	デキストロメトルファンCmax、AUCが2.4倍、2.6倍上昇。
	ミラベグロン（ベタニス）	三環系抗うつ薬	デシプラミン★AUC 3.41倍上昇。
		メトプロロール（セロケン）	メトプロロールAUC 3.29倍上昇。
		ピモジド（オーラップ）	QT延長、心室性不整脈の恐れ。
		その他のCYP2D6の基質（フェノチアジン系薬、ドネペジル［アリセプト］、デキストロメトルファン［メジコン］など）	薬剤またはその活性代謝物の血中濃度上昇の可能性。
	シナカルセト（レグパラ；抗PTH製剤、二次性副甲状腺機能亢進症治療薬）	三環系抗うつ薬、ブチロフェノン系薬、フレカイニド、ビンブラスチン（エクザール）など	デキストロメトルファン（メジコン）AUC 11倍上昇。
	デュロキセチン（サインバルタ；SNRI）	三環系抗うつ薬、ブチロフェノン系薬、フレカイニド、プロパフェノンなど	デシプラミン★AUC 2.94倍上昇。併用時には減量する。デュロキセチンはCYP1A2（主）、一部2D6で代謝されるためキニジン、フルボキサミン併用時にはデュロキセチン血中濃度上昇に注意。
	エスシタロプラム（レクサプロ；SSRI）	三環系抗うつ薬、メトプロロール、ブチロフェノン系薬、フェノチアジン系薬、フレニカイド、プロパフェノン	デシプラミン★AUC 2.07倍上昇。メトプロロールAUC 2.27倍上昇。併用時には減量するなど注意。
	ゲフィチニブ※（イレッサ；チロシンキナーゼ阻害薬）	メトプロロール（セロケン）	AUCが平均で35%増加。CYP2D6で代謝される薬剤の血中濃度が上昇する可能性。
	クロバザム（マイスタン；抗てんかん薬）、ダコミチニブ※（ビジンプロ）	CYP2D6によって代謝される薬剤（デキストロメトルファン、プロカインアミドなど）	クロバザム併用時、デキストロメトルファンのAUCおよびCmaxがそれぞれ95%および59%上昇（必要に応じて併用薬の投与量を調節）。ダコミチニブ併用時、デキストロメトルファンのAUClastおよびCmaxがそれぞれ855%および874%増加。

★ 販売中止
※分子標的治療薬の相互作用については**付録C 表S-8**参照。

表5-36（つづき） CYP450分子の特異的阻害による相互作用

⑤ **CYP3A4阻害**

	CYPを阻害する薬剤	代謝阻害を受ける薬剤	報告されている事象など
併用慎重	グレープフルーツジュース（GFJ）	Ca拮抗薬（特にジヒドロピリジン系）	ニフェジピン（アダラート）AUC 34%上昇など。ニフェジピン、ニソルジピン（バイミカード）、フェロジピン（ムノバール）、ニトレンジピン（バイロテンシン）、ニカルジピン（ペルジピン）、アゼルニジピン（カルブロック）ではGFJの飲用を避ける。
		キニジン（硫酸キニジン）	血中濃度が25μg/mLに上昇（中毒域は6μg/mL以上）。
		トリアゾラム（ハルシオン）	トリアゾラムAUC 1.5倍上昇、Cmax 1.3倍上昇。
		タクロリムス（プログラフ）	血中濃度が3倍に上昇。頭痛、下痢
		スタチン系薬	シンバスタチン（リポバス）では血中濃度10倍上昇、アトルバスタチン（リピトール）ではAUC 2.5倍上昇。プラバスタチン（メバロチン）では変化なし。
		ピペリジン系薬（テルフェナジン★、シサプリド★、ピモジド［オーラップ］）	QT延長、不整脈誘発の可能性があるため同時服用を避ける。テルフェナジンでは死亡例の報告もある。シサプリドCmax、AUCが1.4倍、1.5倍上昇。
		トルバプタン（サムスカ;V_2-受容体拮抗薬）	AUC 1.6倍上昇、Cmax 1.9倍上昇。
		イバブラジン(コララン；HCNチャネル遮断薬)	AUC_{0-12}1.52倍上昇、Cmax1.56倍上昇。過度の徐脈が表れることがあるため、安静時心拍数を観察すること。
		その他：ロミタピド（ジャクスタピッド；高コレステロール血症治療薬；GFJの飲用を避ける）、バニプレビル（バニヘップ；抗HCV薬；GFJの飲用を避ける）、分子標的治療薬※（エベロリムス［アフィニトール、サーティカン］、イマチニブ［グリベック；GFJの摂取を避ける］、ラパチニブ［タイケルブ；GFJを摂取しない］、ゲフィチニブ［イレッサ］など）、ロラタジン（クラリチン）、エレトリプタン（レルパックス）、クエチアピン（セロクエル）、ペロスピロン（ルーラン）、メフロキン（メファキン）、セビメリン（エボザック、サリグレン）、シロスタゾール（プレタール）、エルゴタミン製剤（麦角系薬）、アメナメビル（アメナリーフ；抗ヘルペスウイルス薬）、ルラシドン（ラツーダ；DSA；抗精神病薬/双極性障害のうつ症状治療薬；GF含有食品を摂取しない）など	
	イストラデフィリン（ノウリアスト；アデノシンA_{2A}受容体拮抗薬）	ミダゾラム（ドルミカム）	ミダゾラム$AUC_{0-\infty}$2.41倍上昇、Cmax1.61倍上昇。
		アトルバスタチン（リピトール）	アトルバスタチン$AUC_{0-\infty}$1.54倍上昇、Cmax1.53倍上昇。消化管・肝P-gp阻害も関与。
	キヌプリスチン・ダルホプリスチン（シナシッド；ストレプトグラミン系抗菌薬）	エルゴタミン製剤（麦角系薬）	血中濃度上昇、作用増強の恐れ。
併用禁忌		ピペリジン系薬（テルフェナジン★、アステミゾール★、シサプリド★、ピモジド［オーラップ］）、キニジン（硫酸キニジン）	QT延長、心室性不整脈の可能性。CYP3A4で代謝される薬剤との併用時には患者の状態を十分観察すること（併用慎重。特にシクロスポリン［サンディミュン、ネオーラル］、タクロリムス［プログラフ］ではTDMを実施）。
	レテルモビル(プレバイミス；抗CMV薬)	ピモジド、エルゴタミン酒石酸塩・無水カフェイン・イソプロピルアンチピリン(クリアミン配合錠)、ジヒドロエルゴタミン、メチルエルゴメトリン(パルタンM)、エルゴメトリン	ピモジドでは、QT延長、心室性不整脈の恐れ。麦角アルカロイドでは、麦角中毒を引き起こす恐れ。
併用慎重	レテルモビル(プレバイミス；抗CMV薬)	CYP3Aの基質 フェンタニル、キニジン、ミダゾラム,、シクロスポリン、タクロリムス、シロリムス等	ミダゾラムAUC2.25倍、Cmax1.72倍。シクロスポリン、タクロリムス、シロリムスではレテルモビルとの併用時、中止時に血中濃度のモニタリングを実施すること。
		アトルバスタチン、シンバスタチン	アトルバスタチンのAUC3.29倍、Cmax2.17倍。OATPB1B1/3および腸管のBCRPの阻害も関与。
		シクロスポリン	シクロスポリンのAUC1.66倍、Cmax1.08倍。
		タクロリムス、シロリムス	タクロリムスのAUC2.42倍、Cmax1.57倍。シロリムスのAUC3.40倍、Cmax2.76倍。

いずれも阻害を受ける薬剤の作用が増強する。機序は不明。

★ 販売中止　※分子標的治療薬の相互作用については**付録C表S-8**参照。

表5-37　シプロフロキサシン、ノルフロキサシンのCYP3A4阻害に起因する相互作用

	作用する薬剤	作用を受ける薬剤	起こり得る事象など
併用禁忌	シプロフロキサシン	ロミタピド（ジャクスタピッド；高コレステロール血症治療薬）	血中濃度が著しく上昇する恐れ。ロミタピドは主にCYP3A4で代謝され、強力および中程度のCYP3A阻害薬との併用禁忌。
原則禁忌	シプロフロキサシン（シプロキサン）	イブルチニブ（イムブルビカ；分子標的治療薬）	イブルチニブの血中濃度が上昇し、副作用が増強される恐れ。イブルチニブは主にCYP3Aで代謝。
併用慎重		CYP3A4で代謝される薬剤（グリベンクラミド［オイグルコン］、ジアゼパム［セルシン］、クロザピン［クロザリル］など）、カルバマゼピン［テグレトール］など）	グリベンクラミド長期投与患者にシプロフロキサシンを1週間投与した後、低血糖の出現およびグリベンクラミドの血中濃度が1050ng/mLに上昇（通常値200～300ng/mL）。クロザピン（CYP3A4、1A2）血中濃度が29%上昇（CYP1A2阻害も関与）。カルバマゼピン血中濃度が上昇し、中毒（眠気、悪心、嘔吐、めまい等）の恐れ。
	ノルフロキサシン（バクシダール）	CYP3A4で代謝される薬剤（シクロスポリン［サンディミュン、ネオーラル］など）	CYP3A4で代謝される薬剤の血中濃度上昇の可能性。

70歳代女性Aさん。

［処方箋］

① テオドール錠200mg　2錠
　1日2回　朝夕食後　14日分
② レンドルミン錠0.25mg　1錠
　1日1回　寝る前　14日分
③ シプロキサン錠200mg　2錠
　1日2回　朝夕食後　5日分

慢性気管支炎でテオドール（テオフィリン）を服用中のAさんに、上気道感染のためシプロキサン（塩酸シプロフロキサシン）が処方された。

シプロキサンによるCYP1A2阻害によりテオフィリンの代謝が阻害され、また高齢者でもあることから、テオフィリン中毒が発症する恐れがある。テオフィリンの血中濃度モニタリング（TDM）は実施されてないため、担当薬剤師はテオドール投与量の減量あるいはシプロキサンの他剤への変更が適切であると考え、患者の了解を得て医師に問い合わせた。医師が、緑膿菌に対する抗菌活性の強いキノロン系薬への変更を希望したことを受け、薬剤師は、緑膿菌への抗菌作用が強く、かつ1A2阻害効果が弱いグレースビット（シタフロキサシン）を提案し、処方変更となった。

注意

シプロフロキサシン、ノルフロキサシンによるCYP3A4阻害

in vitro実験で、ノルフロキサシン（バクシダール）はCYP3A4によるエリスロマイシンの脱メチル化を約64%阻害することが報告され、ノルフロキサシンがCYP3A4阻害作用を有することが示唆されている（**表5-37**）。従来、ノルフロキサシンはシクロスポリンの血中濃度を上昇させることも報告されていたが、この相互作用もCYP3A4阻害に起因すると考えられる。

シプロフロキサシン（シプロキサン）も中等度のCYP3A4阻害作用が報告されており、主にCYP3Aで代謝されるロミタピド（ジャクスタピッド）との併用禁忌、イブルチニブ（イムブルビカ）との併用は原則禁忌、またグリベンクラミド（オイグルコン）と併用すると血中濃度を上昇させて低血糖を誘発することがある。これらのキノロン系薬によるCYP3A4阻害効果は、特に高用量を投与した場合に起こりやすいと考えられている。

一方、オフロキサシン（タリビッド）には、このようなCYP3A4阻害作用の報告はない。

したがって、キノロン系薬によるCYP450阻害はCYP1A2に特異的であるとは限らず、CYP1A2および3A4への阻害作用の強さは全てのキノロン系薬で同等ではないと考えられる。

② CYP2C8（☞p.298表5-36②）

ファビピラビル（アビガン；抗インフルエンザ治療薬）は、CYP450で代謝されずにCYP2C8を阻害することが知られている。また、ST合剤（バクタ配合錠）に含まれるトリメトプリムは、CYP2C8の弱い特異的阻害剤である。これらCYP 2C8阻害薬とCYP2C8で代謝されるレパグリニド（シュアポスト；速効型インスリン分泌促進薬）との併用では、血中濃度が上昇し、低血糖発作が起こる恐れがあり要注意である。

③ CYP2C9（☞p.298表5-36③）

ピラゾロン系薬（フェニルブタゾン、スルフィンピラゾン）、ブコローム（パラミヂン）、カペシタビン（ゼローダ）、レフルノミド（アラバ）の活性代謝物であるA771726は、CYP2C9を阻害する。

CYP2C9で代謝される薬剤は、ワルファリンカリウム（ワーファリン）、フェニトイン（アレビアチン）、SU薬、ナテグリニド（スターシス）などの酸性薬剤である。そのためCYP2C9阻害薬との相互作用には、代謝阻害に加えて、血漿タンパク結合置換（☞**表2-1**）や腎OAT（☞**表4-34**）が関与している場合が多く、薬効増強の程度も大きい。ワルファリンの併用は極力避けた方がよく、併用する場合は定期的に凝固能検査を実施する（カペシタビンでは添付文書上で警告されている）。フェニトインの併用についても同様にTDMを実施し、SU薬とナテグリニドでは低血糖の発現に注意する。

一方、レフルノミド（アラバ；抗リウマチ薬、DMARDs；☞**表5-36**）については、それ自体にCYP2C9阻害作用はないが、活性代謝産物のA771726は特異的にCYP2C9を阻害することがin vitroで示されている。in vitroでのA771726によるCYP2C9阻害は、ヒトの血漿中濃度に比べて高濃度で起こることから、CYP2C9阻害効果は弱いと推測される。しかしながら、レフルノミドとワルファリンとの併用により多量の血尿が出現したケースが報告されているほか、レフルノミドは重篤な肝障害も誘発することから、ワルファリン以外のCYP2C9で代謝される薬剤との併用についても、同様に注意した方がよいだろう。

また、レフルノミドは主にCYP3A4により速やかに代謝されてA771726になるが（CYP1A2、2C9、2C19、2D6も関与；☞**表5-2**）、A771726は再度CYP3A4で徐々に代謝されるため、A771726の血中濃度の消失半減期（$t_{1/2}$）は約2週間と長い。したがって、レフルノミド投与中止後もCYP2C9阻害効果が持続する可能性があり、長期にわたって2C9阻害に起因する相互作用に留意しなくてはならない。体内から薬物が消失するまでには血中濃度$t_{1/2}$の約4～5倍の時間を要すると仮定すると、A771726が体内から完全に消失するまでには約10週間かかると推測される。

なお、ブコローム（パラミヂン）はCYP2C9を競合的に阻害し、S体ワルファリンの7位の水酸化を抑制して抗凝固作用を増強するが、ブコロームはNSAIDsであるため、本相互作用の一部には血漿タンパク結合置換も関与していると考えられる。

注意

モダフィニルが関与する相互作用

ナルコレプシーに伴う過度の眠気に用いられるモダフィニル（モディオダール）は、一部CYP3A4で代謝されるが、in vitroでは濃度依存的にCYP2C9を阻害するほか、可逆的に2C19を阻害することが示されている（機序不明）。一方、同薬はCYP1A2、3A4、2B6を濃度依存的に誘導し、二相効果を有することも認められている（☞ **表5-53、5-58**）。

作用する薬剤	作用を受ける薬剤	起こり得る事象
モダフィニル（モディオダール）	CYP2C9で代謝される薬剤（ワルファリンなど）、2C19で代謝される薬剤（PPI）	作用増強の恐れ。
	CYP1A2、3A4、2B6で代謝される薬剤	作用減弱。特に経口避妊薬、シクロスポリン、トリアゾラムなどで注意。

いずれも併用慎重。

④ CYP2D6（☞ p.299 表5-36④）

2011年に発売された選択的β_3刺激薬のミラベグロン（ベタニス：OAB治療薬）は、ブチリルコリンエステラーゼ、グルクロン酸転移酵素（UGT）、CYP3A4（一部CYP2D6）などの代謝酵素やP-gpの基質であるが、特異的にCYP2D6を阻害することも示されている。阻害の大半（約76%）は可逆的であり、阻害作用は反応時間およびNADPHに依存的であるため（in vitro実験）、肝ミクロソームによるミラベグロンの代謝物によって阻害が起こると推測されている。CYP2D6阻害効果は中程度（AUCを2倍から5倍未満に上昇させる）とされ、デシプラミンやメトプロロール（セロケン）の血中濃度が3倍以上に上昇するとの報告もある。

表5-36④に示した特異的CYP2D6阻害薬の中で、併用禁忌があるのはミラベグロンとアスナプレビルである。ミラベグロンには催不整脈作用もあり、CYP2D6で代謝され、かつQT延長誘発作用があるフレカイニド酢酸塩（タンボコール）やプロパフェノン塩酸塩（プロノン）を併用した場合、ミラベグロンによる血中濃度上昇だけでなく、協力作用によるQT延長発症の危険性が高くなるためである。またアスナプレビルの催不整脈作用は示されていないが、CYP2D6阻害により治療域の狭いフレカイニド、プロパフェノンの血中濃度が上昇し、重篤な不整脈を引き起こす恐れがあるため併用禁忌となっている。

アリルアミン系抗真菌薬のテルビナフィン塩酸塩（ラミシール）は少なくとも7種類のCYP450分子種（主にCYP1A2、2C8、2C9、2C19、3A4）によって代謝されるが（☞ **表5-2**）、特異的にCYP2D6を阻害するため、併用した二級アミン類三環系抗うつ薬（ノルトリプチリン［ノリトレン］）の血中濃度などを上昇させる。テルビナフィンのCYP2D6競合阻害効果は、キニジンと同程度とかなり強力であり（in vitro）、また、爪白癬（爪水虫）に対し長期にわたって経口投与されるため、CYP2D6で代謝される薬剤との併用には常に注意して対処した方がよい。

一方、COX2選択的阻害薬のセレコキシブ（セレコックス）は、CYP2C9の競合阻害だけでなく（☞ **表5-30**③）、阻害機序は不明だがCYP2D6阻害に起因する相互作用を引き起こす。

セレコキシブのin vitroにおけるCYP2D6、2C19、2C9に対する見かけのKi値は、それぞれ4.19μM、17.8μM、44.4μMであることが示されている。Ki値の逆数は酵素と阻害薬の親和性（結合力）と比例し、Ki値が小さいほど親和性が高く阻害効果が強いことから、CYP2C9に比べて、2D6の阻害効果は約10倍強力であり、セレコキシブの阻害効果の強さは、CYP2D6＞2C19＞2C9の順である。実際、パロキセチン塩酸塩水和物（パキシル）、デキストロメトルファン臭化水素酸塩水和物（メジコン）の血中濃度が約1.5～2.6倍に上昇するケースが報告されており、他のCYP2D6で代謝される薬剤との併用も同様に注意した方がよい。

また、相互作用の報告はないが、CYP2C19阻害効果は2C9よりも強力であるため、セレコキシブとCYP2C19で代謝される薬剤との併用にも注意した方がよいだろう。

その他の特異的CYP2D6阻害薬としては、シナカルセト（レグパラ；CYP3A4、2D6、1A2で代謝）が強力な阻害作用を持ち、デキストロメトルファンのAUCを11倍にも増加したとの報告がある。また、ダコミチブ水和物（ビジンプロ；分子標的治療薬）でもデキストロメトルファンのAUClastおよびCmaxがそれぞれ855％および874％増加するとの報告がある。中等度のCYP2D6阻害薬としては、SNRIのデュロキセチン（サインバルタ；主にCYP1A2、2D6でも代謝）、SSRIのエスシタロプラム（レクサプロ；主にCYP2C19で代謝）、軽度の阻害薬としてはゲフィチニブ（イレッサ；CYP3A4で代謝）、クロバザム（マイスタン：CYP3Aで代謝。活性代謝物はCYP2C19で代謝）がある。これらの薬剤は、CYP2D6の基質となる全ての薬剤の血中濃度を増加させる恐れがある。

60歳代女性Bさん。

［処方箋］
① ラミシール錠125mg　1錠
　1日1回　朝食後　14日分
② パキシル錠10mg　1錠
　1日1回　夕食後　14日分

パキシル（パロキセチン塩酸塩水和物）を服用中のBさんに、爪白癬の治療のためラミシール（テルビナフィン）が処方された。テルビナフィンの強力なCYP2D6阻害により、パロキセチンの代謝が阻害され、副作用が発現する恐れがある。

薬剤師が患者に対し、日中の強い眠気、ふらつき、集中力の低下などの症状に注意するように伝えたところ、併用2週間後にふらつきが頻繁に発現したとの相談があった。薬剤師は直ちに処方医に連絡し、パキシルの投与量を半量に変更することとなった。減量後、ふらつきなどの症状は改善され、病状も安定した。

通常、爪白癬でのラミシール投与期間は3～6カ月間であるが、ラミシール中止後もCYP阻害効果は数カ月持続することがあるため、中止後の2～3カ月間は自己判断でパキシルの投与量を元に戻したりしないように伝えた。ラミシール中止後、6カ月以上経過した現在も患者の病状は安定しているため、パキシルは半量のまま継続中である。

⑤ CYP3A4（☞p.300表5-36⑤）

グレープフルーツジュース（GFJ）はCYP3A4による薬物代謝を阻害する。ジヒドロピリジン系のCa拮抗薬やBZP系薬、タクロリムス水和物（プログラフ）、脂溶性スタチン系薬などで血中濃度の上昇が報告されている。キニジン硫酸塩水和物（硫酸キニジン）で代謝阻害に伴う中毒や、テルフェナジンでは死亡例も報告されている。

阻害成分として、GFJ中に含まれるフラボノイド（ナリンジン、ナリンゲニン［ナリンジン加水分解産物］、クエルセチンなど）、フラノクマリン（6', 7'-ジヒドロキシベルガモチンなど）、8-ゲラニルオキシソラレン誘導体（この誘導体はケトコナゾールと同程度かそれ以上に強くCYP3A4を阻害）などの可能性が示されている。

臨床的には、CYP3A4で代謝される薬剤の中でも、特にTDMを必要とする薬剤、QT延長を誘発する薬剤（キニジン、テルフェナジン、シサプリド、ピモジド［オーラップ］）、エベロリムス（アフィニトール［抗悪性腫瘍薬］、サーティカン［免疫抑制剤］）、分子標的治療薬であるイマチニブメシル酸塩（グリベック）、ラパチニブ（タイケルブ）、血中濃度上昇の恐れがあるシンバスタチン（リポバス）、ロミタピド（ジャクスタピッド）、バニプレビル（バニヘップ）、シロスタゾール（プレタール）などを服用中の患者には、GFJの飲用を避けるよう指導する。

Ca拮抗薬に関しては、全てのジヒドロピリジン系薬が影響を受けるわけではなく、主にニソルジピン（バイミカード）、フェロジピン（ムノバール）、ニトレンジピン（バイロテンシン）、ニフェジピン（アダラート）、ニカルジピン塩酸塩（ペルジピン）、アゼルニジピン（カルブロック）の6種類で血中濃度が2～3倍上昇することが報告されている。これらの薬剤の服用時にもGFJの摂取を避けるよう指導した方がよいだろう。フェロジピンにおいて、GFJ飲用直後から4時間後までは代謝阻害効果が著しく強いことが示されていることから、飲用してしまった場合、少なくとも4時間はこれらの薬剤の服用を控えさせる。

なお、GFJによるCYP3A4阻害効果は、飲用後1～2時間が最も強く、阻害形式は不可逆的と考えられている。1回の飲用でも酵素阻害の影響がなくなるまで2～4日かかるという報告もあり、ニソルジピンの添付文書には、「GFJを常飲している場合、飲用中止4日目から投与することが望ましい」と記載されている。

また、新規作用機序を有するパーキンソン病治療薬のイストラデフィリン（ノウリアスト；アデノシンA_{2A}受容体拮抗薬）は主にCYP1A1、3A4/5で代謝され、3A4/5に対して不可逆的な阻害効果を示すことが知られている（in vitro；機序不明）。阻害効果の影響が消失するまでの時間は明らかではないが、GFJと同様な注意が必要であろう。強力なCYP3A4阻害薬（ケトコナゾール、14員環マクロライド系薬など）と併用した場合は、イストラデフィリン自身の代謝が阻害されるが、CYP3A4に対して親和性の低い薬剤（ミダゾラム、アトルバスタチンなど）と併用した場合に、イストラデフィリンのCYP3A4阻害効果が現れる。併用によるアトルバスタチンの血中濃度上昇には、イストラデフィリンによるCYP3A4代謝阻害に加え、肝P-gp阻害効果も関与すると考えられている（☞**表4-21**）。

一方、バンコマイシン耐性菌感染症に有効であるキヌプリスチン・ダルホプリスチン（注射用シナシッド；ストレプトグラミン系抗菌薬）も、特異的にCYP3A4を阻害する。同薬の併用禁忌薬剤は、QT延長を誘発する薬剤（キニジン、ピモジド、テルフェナジン、アステミゾール、シサプリド）である。CYP3A4で代謝される全ての薬剤について相互作用の有無が検証されているわけではないが、特にTDMの必要な薬剤（シクロスポリン［サンディミュン、ネオーラル］、タクロリムス水和物［プログラフ］など）と併用する場合はTDMを実施し、必要に応じて投与量を減らすなど、適切に対処する必要がある。

また、抗CMV薬のレテルモビルは特異的に中等度にCYP3Aを阻害すると考えられる。併用禁忌はピモジド、エルゴタミン製剤である。その他、スタチン系薬との併用にも注意が必要である。シクロスポリン、タクロリムス、シロリムスでは併用時、中止時に血中モニタリングが必要である。

注意

GFJの酵素阻害と作用組織

GFJによるCYP3A4阻害は、併用薬を静注した場合には認められないことから、肝よりは主に小腸粘膜上皮細胞での阻害に起因すると考えられている。しかし、GFJ摂取後のヒトの血漿や尿中にもGFJの成分が十分量検出されることから、消化管だけでなく肝・腎への阻害作用にも注意した方がよい。

また、GFJには、CYP3A4阻害のほか、P-gp阻害、OATPs阻害、MRP2阻害といった作用もあるため注意が必要である（☞**表4-11、4-15**）。これらの酵素の基質となる薬剤を服用している患者では、薬効が変動する可能性があるため、GFJの飲用は避けるように指導すべきである。

症例 70歳代女性Cさん。

[処方箋]
ミカルディス錠40mg　1錠
カルブロック錠16mg　1錠
　1日1回　朝食後　14日分

高血圧の治療ためミカルディス(テルミサルタン)を服用中だったCさん。今回、血圧上昇のためカルブロック(アゼルニジピン)が追加された。

Cさんは介護施設に入所中だが、自由に外出できるため、グレープフルーツ(GF)などの果物を購入して時々食べている。担当薬剤師はCさんに対し、GFの成分がアゼルニジピンの作用を増強して急激な血圧低下、頭痛、動悸などを起こす恐れがあるので、GFおよびGFJは摂取しないこと、摂取すると数日間は影響が残ることなどを説明して投薬した。また、同効薬への変更など、回避策があることも説明し、どうしても摂取が中止できなければ、必ず相談するように伝えた。さらに施設の担当者にも、提供する飲食物にはGFやGFJを加えないように依頼した。

その後、患者はGFおよびGFJの飲食制限を厳守し、血圧も正常値となり、副作用症状も認められず現在に至っている。

なお、実際に生鮮果実を食べた場合に相互作用が起こるかどうかは、明らかにされていない。しかし、市販GFJ(Dole100%ジュース)200mLにはGF約1個半分相当の果実が含まれるため、果実摂取にも注意した方がよいであろう(**p.143**参照)。

参考

ワルファリンの光学異性体

ワルファリンカリウム(ワーファリン)には、光学異性体であるS体およびR体が等量含まれている。S体はR体に比べて抗凝固作用が約5倍強く、血漿タンパク結合率も高いが、半減期は短い。未変化体の腎排泄はほとんどなく、肝においてS体はCYP2C9で、またR体はCYP1A2、3A4で代謝されて不活性体となり、胆汁中や腎に排泄される(☞**表5-2**)。そのため、ワルファリンの薬動態学的相互作用には、血漿タンパク結合置換や肝代謝に起因するものが多い。

ワルファリンの肝代謝を抑制する薬剤には、光学異性体に特異性を示すものがある。

- **S体の代謝を特異的に阻害**…メトロニダゾール(フラジール)、ジスルフィラム(ノックビン)、サルファ剤、ピラゾロン系薬
- **R体の代謝を特異的に阻害**…シメチジン(タガメット)
- **ワルファリンの代謝を非特異的に(S体・R体両方)阻害**…アミオダロン塩酸塩(アンカロン)

R体よりもS体の代謝を阻害する薬剤の方が、ワルファリンの作用を増強すると考えられる。

参考

キノロン系薬とワルファリンの相互作用

キノロン系薬とワルファリンカリウム(ワーファリン)を併用すると、ワルファリンの作用が増強することがある。エノキサシン、シプロフロキサシン(シプロキサン)、ノルフロキサシン(バクシダール)、パズフロキサシンメシル酸塩(パシル、パズクロス)は、ワルファリンとの併用が慎重である。相互作用の発現機序は解明されていないが、腸内細菌叢の変化に起因する可能性がある(**表1-7**)。そのため、ワルファリンとキノロン系薬との併用時には常に凝固能検査値に注意して対処した方がよい。

4 CYP450阻害の影響を受けやすい薬剤

CYP450阻害の影響を受けやすい薬剤を**表5-38**に示す。特にテオフィリン（テオドール）、ワルファリンカリウム（ワーファリン）、フェニトイン（アレビアチン）、バルビツール酸系薬は、TDMや凝固能検査などを要する薬剤であり、しかもCYP450に対する親和性が低いため代謝阻害を受けやすく、肝クリアランスの変化が直接、薬効や血中濃度の変化と結びつく場合が多い。これらの薬剤の代謝を阻害すると考えられる薬剤を**表5-39**にまとめ、**表5-40～5-43**では、各薬剤の代謝阻害に伴う動態学的変化などについて、代謝の関与が不明な場合や、これまで述べた相互作用も含めて整理した。なお、「その他」はこれまでに本書で述べていない相互作用を主に示している。バルビツール酸系薬およびフェニトインには酵素誘導作用がある点にも留意する（☞ **表5-48、5-49**）。

表5-38　CYP450の臨床基質の例と治療域の狭い基質の例（FDAによる分類）

CYP分子種	感受性の高いCYP基質	中程度に感受性が高い基質	治療域の狭いCYP基質
CYP1A2	カフェイン、デュロキセチン（サインバルタ）、メラトニン受容体アゴニスト（メラトニン［メラトベル］、ラメルテオン［ロゼレム］）、チザニジン（テルネリン）	クロザピン(クロザリル)、ピルフェニドン(ピレスパ)、ラモセトロン(イリボー)、テオフィリン(テオドール)	テオフィリン（テオドール）、チザニジン（テルネリン）
CYP2B6		エファビレンツ（ストックリン）	
CYP2C8	レパグリニド（シュアポスト）	モンテルカスト(キプレス)、ピオグリタゾン(アクトス)	パクリタキセル（タキソール）
CYP2C9	セレコキシブ(セレコックス)	グリメピリド(アマリール)、フェニトイン(アレビアチン)、ワルファリン(ワーファリン)	ワルファリン（ワーファリン）、フェニトイン（アレビアチン）
CYP2C19	S-メフェニトイン★、オメプラゾール（オメプラゾン）	ジアゼパム(セルシン)、ランソプラゾール(タケプロン)、ラベプラゾール(パリエット)、ボリコナゾール(ブイフェンド)	S-メフェニトイン★、バルビツール酸系薬
CYP2D6	アトモキセチン(ストラテラ)、デシプラミン★、デキストロメトルファン(メジコン)、エリグルスタット(サデルガ)※1、ノルトリプチリン(ノリトレン)、ペルフェナジン(トリラホン)、トルテロジン(デトルシトール)、ベンラファキシン(イフェクサー)	イミプラミン(トフラニール)、メトプロロール(セロケン)、プロパフェノン(プロノン)、プロプラノロール(インデラル)、トラマドール(ツートラム)、トリミプラミン(スルモンチール)	ピモジド(オーラップ)、チオリダジン★
CYP3A	ダルナビル(プリジスタ)、エバスチン(エバステル)、エベロリムス(アフィニトール)、イブルチニブ(イムブルビカ)、ロミタピド(ジャクスタピッド)、ロバスタチン★、ミダゾラム(ドルミカム)、シンバスタチン(リポバス)、トリアゾラム(ハルシオン)、バルデナフィル(レビトラ)、ブデソニド(パルミコート)、ダサチニブ(スプリセル)、エレトリプタン(レルパックス)、エプレレノン(セララ)、フェロジピン(スプレンジール)、ルラシドン(ラツーダ)、マラビロク(シーエルセントリ)、クエチアピン(セロクエル)、シルデナフィル(バイアグラ)、チカグレロル(ブリリンタ)、トルバプタン(サムスカ)	アルプラゾラム(ソラナックス)、アプレピタント(イメンド)、アトルバスタチン(リピトール)、コルヒチン、エリグルスタット※1(サデルガ)、ピモジド(オーラップ)、リルピビリン(エジュラント)、リバーロキサバン(イグザレルト)、タダラフィル(ザルティア)	シクロスポリン（サンディミュン、ネオーラル）、ジヒドロエルゴタミン（ジヒデルゴット）、エルゴタミン（クリアミン配合錠）、フェンタニル（アブストラル、イーフェン、デュロテップ、ワンデュロ、フェントス）、ピモジド（オーラップ）、キニジン（硫酸キニジン）、シロリムス（ラパリムス）、タクロリムス（プログラフ、グラセプター）、アステミゾール★、シサプリド★、テルフェナジン★

(Drug Development and Drug Interactions | Table of Substrates, Inhibitors and Inducers［2019年12月］を基に作成：https://www.fda.gov/drugs/drug-interactions-labeling/drug-development-and-drug-interactions-table-substrates-inhibitors-and-inducers)
感受性の高い基質とは、CYP阻害薬と併用した場合に血漿AUCが5倍以上上に上昇する可能性のある薬剤。中程度に感受性の高い基質は、CYP阻害薬と併用した場合に血漿AUCが2～5倍に上昇する可能性のある薬剤。

※1 CYP2D6の高感度基質およびCYP3Aの中程度に感受性の高い基質
★ 販売中止または国内未発売

表5-39 テオフィリン、ワルファリン、フェニトイン、バルビツール酸系薬の代謝を阻害する主な薬剤

	① CYP450と結合する薬剤	② 同一代謝酵素による競合阻害が起こる薬剤	③ 阻害機序不明	④ その他
テオフィリン(テオドール；☞**表5-40**)	シメチジン(タガメット)、アゾール系薬、イソニアジド(イスコチン)、マクロライド系薬、エチニルエストラジオール(プロセキソール)、チクロピジン(パナルジン)、カプマチニブ(タブレクタ)	プロプラノロール(インデラル)、メキシレチン(メキシチール)、ベラパミル(ワソラン)、ジルチアゼム(ヘルベッサー)、シクロスポリン(サンディミュン、ネオーラル)、HIVプロテアーゼ阻害薬、リルゾール(リルテック)	アロプリノール(ザイロリック)、ジスルフィラム(ノックビン)、アミオダロン(アンカロン)、フルボキサミン(デプロメール、ルボックス)、キノロン系薬、ザフィルルカスト(アコレート)	イプリフラボン(オステン)、ワクチン(インフルエンザウイルスワクチン、BCG)、インターフェロン、アシクロビル(ゾビラックス)、バラシクロビル(バルトレックス)
ワルファリン(ワーファリン；☞**表5-41**)	シメチジン(タガメット)、アゾール系薬、PPI、イソニアジド(イスコチン)、マクロライド系薬、クロラムフェニコール系薬、セリチニブ(ジカディア)	SU薬、ナテグリニド(スターシス、ファスティック)、フェニトイン(アレビアチン)、イマチニブ※(グリベック)、フルバスタチン(ローコール)、HIVプロテアーゼ阻害薬、ベンズブロマロン(ユリノーム)、セレコキシブ(セレコックス)	アロプリノール、ジスルフィラム(ノックビン)、シアナミド(シアナマイド)、アミオダロン(アンカロン)、メチルフェニデート(コンサータ、リタリン)、フルボキサミン(デプロメール、ルボックス)、パロキセチン(パキシル)、デラビルジン★、ザフィルルカスト(アコレート)、ビカルタミド(カソデックス)、キノロン系薬?、サルファ剤、フェニルブタゾン★、スルフィンピラゾン★、フィブラート系薬、カペシタビン(ゼローダ)、オピオイド系薬(モルヒネ、オキシコドン[オキシコンチン]、トラマドール[トラマール])、ベネトクラクス(ベネクレクスタ)	コデイン、プロパフェノン(プロノン)、ジソピラミド(リスモダン)、タモキシフェン(ノルバデックス)、インフルエンザウイルスワクチン、FU系薬、インターフェロン、ゲフィチニブ※(イレッサ)、トラマドール(トラマール)、ソラフェニブ※(ネクサバール)、ブコローム(パラミヂン)、エスシタロプラム(レクサプロ)、ロミタピド(ジャクスタピッド)
フェニトイン(アレビアチン；☞**表5-42**)	シメチジン(タガメット)、アゾール系薬、PPI、イソニアジド(イスコチン)、チクロピジン(パナルジン)、セリチニブ(ジカディア)	ワルファリン、フルバスタチン(ローコール)	アロプリノール(ザイロリック)、ジスルフィラム(ノックビン)、シアナミド(シアナマイド)、アミオダロン(アンカロン)、バルプロ酸(デパケン)、メチルフェニデート(リタリン)、フルボキサミン(デプロメール、ルボックス)、フェニルブタゾン、カペシタビン(ゼローダ)	三環系抗うつ薬、スルチアム(オスポロット)、d-クロルフェニラミン(ポララミン) 代謝関与不明： トピラマート(トピナ)、カルバマゼピン(テグレトール)、クロナゼパム(リボトリール)、ゾニサミド(エクセグラン)、エトスクシミド(ザロンチン)、ジルチアゼム(ヘルベッサー)、FU系薬
バルビツール酸系薬(フェノバルビタール[フェノバール]；☞**表5-43**)	MAO阻害薬、チクロピジン(パナルジン)	イミプラミン(トフラニール)	ジスルフィラム(ノックビン)、バルプロ酸(デパケン)、メチルフェニデート(リタリン)、フルボキサミン(デプロメール、ルボックス)	代謝関与不明： クロナゼパム(リボトリール)

? 明らかでない
★ 販売中止　※分子標的治療薬の相互作用については**付録C 表S-8**参照。

表5-40　テオフィリンの代謝を阻害する主な薬剤（いずれもテオフィリンの作用増強；併用慎重）

阻害薬	報告されている事象など
①CYP450酵素と結合	
シメチジン（タガメット）	テオフィリン血中濃度2.7倍上昇。
アゾール系薬	テオフィリン半減期16時間から33時間に延長、血中濃度1.44倍上昇（チアベンダゾール［駆虫薬］との併用時）。
イソニアジド（イスコチン）	テオフィリンクリアランス（CL）20%低下。
マクロライド系薬	併用4～5日は変化が少ないが、7日以降にテオフィリン血中濃度30～100%上昇、半減期21～50%延長。エリスロマイシン、ロキシスロマイシン併用でテオフィリンCL20～40%、14%低下。トリアセチルオレアンドマイシン併用後10日以上でCL50%低下。クラリスロマイシン併用5日目でCmax26%上昇。
エチニルエストラジオール（プロセキソール）	テオフィリンCL25～34%低下。
チクロピジン（パナルジン）	併用10日後にテオフィリン血中濃度2.3倍、半減期1.4倍延長、CL37%低下。
カプマチニブ（タブレクタ）	テオフィリンの血中濃度が上昇し、副作用が増強される恐れ。
②同一代謝酵素による競合阻害	
β遮断薬：プロプラノロール（インデラル）	テオフィリンCL30～52%低下。
メキシレチン（メキシチール）	テオフィリン血中濃度1.6～3倍、テオフィリンCL50%低下。
ベラパミル（ワソラン）	テオフィリンCL14～23%低下。
ジルチアゼム（ヘルベッサー）	テオフィリンCL12%低下。
その他：シクロスポリン（サンディミュン、ネオーラル）、HIVプロテアーゼ阻害薬、リルゾール（リルテック；筋萎縮性側索硬化症治療薬）	
③阻害機構不明	
アロプリノール（ザイロリック）	テオフィリンCL21%低下。
ジスルフィラム（ノックビン）	テオフィリンCLがジスルフィラム250mg/日、500mg/日で21%、33%低下。
アミオダロン（アンカロン）	テオフィリンCL17～48%低下。
フルボキサミン（ルボックス、デプロメール；SSRI）	テオフィリンAUC 2.7倍上昇。
ザフィルルカスト（アコレート）	欧米でごくまれにテオフィリン血中濃度上昇。ザフィルルカスト血中濃度上昇。
キノロン系薬：	
エノキサシン★	AUC 84%上昇、テオフィリン血中濃度1.8～2.5倍、CL42～74%低下。
ピペミド酸（ドルコール）	AUC 79%上昇、テオフィリンCL45～49%以下に低下。
シプロフロキサシン（シプロキサン）	AUC 22%上昇、テオフィリンCL25～55%低下、血中濃度約8倍または2～4倍、死亡例（76歳）。
トスフロキサシン（オゼックス）	AUC 24%上昇、テオフィリン血中濃度23%上昇、CL20～34%低下。
ノルフロキサシン（バクシダール）	テオフィリンCL15%低下、血中濃度50%上昇。
パズフロキサシン（パズクロス点滴静注液）	Cmax、$AUC_{0-\infty}$が27%、33%上昇。
プルリフロキサシン（スオード）	Cmax、AUC約20%上昇。
ガレノキサシン（ジェニナック）	AUC、Cmax 20%上昇（ただし、CYP450阻害には起因しない）。
オフロキサシン（タリビッド）	AUC 11%上昇、テオフィリン血中濃度30～60%上昇。
レボフロキサシン（クラビット）、ノルフロキサシン（バクシダール）、ロメフロキサシン（ロメバクト）、フレロキサシン★、スパルフロキサシン★；AUCの変化がそれぞれ2、4、-13、-4、0（%）の報告あり。	
④その他	
イプリフラボン（オステン）	テオフィリンCL26%低下。
ワクチン	インフルエンザウイルスワクチン、BCGワクチンでテオフィリンCLがそれぞれ25～50%、21%低下。
インターフェロンα、インターフェロンβ	テオフィリンCLがそれぞれ10～50%、20%低下。
アシクロビル（ゾビラックス）、バラシクロビル（バルトレックス、活性代謝物はアシクロビル）	テオフィリンCL31%低下。

★ 販売中止

表5-41　ワルファリンの代謝を阻害する主な薬剤

阻害薬	報告されている事象など
①CYP450酵素と結合	
シメチジン（タガメット）	ワルファリン血中濃度3.4倍上昇。
アゾール系薬（イトラコナゾール、ボリコナゾール、フルコナゾールなど）	併用は極力避ける。メトロニダゾール（フラジール；抗トリコモナス薬）と併用1週間以内にプロトロンビン時間17～19秒から147秒に延長。ミコナゾール（フロリード）ゲル塗布後、11日目に出血、血尿。ミコナゾール（ゲル・注射・経口剤）では併用禁忌、膣剤・クリーム剤では併用注意。海外ではクリーム剤において出血例あり。他のアゾール（イトラコナゾール、ボリコナゾール［プロトロンビン時間1.9倍上昇、フルコナゾールなど）に関しても、著しいPT-INR上昇が見られる症例報告があるため慎重投与。血漿タンパク結合置換も関与。
PPI	オメプラゾール併用時、トロンボテスト値がわずかに減少（－2.4%）。エソメプラゾール併用時にR体ワルファリンの血漿中トラフ濃度13%上昇。
イソニアジド（イスコチン）	2倍量（600mg）の誤使用によりプロトロンビン時間28.7から53.3秒に延長。
マクロライド系薬	エリスロマイシン併用1週間以内プロトロンビン時間64秒に延長。エリスロマイシン8日間投与後、ワルファリン1回投与でワルファリンクリアランス14%低下。
ケトライド系薬（テリスロマイシン★）	Cmax、AUCが1.1倍上昇、プロトロンビン時間延長。腸内細菌叢変化も関与。
クロラムフェニコール系薬	ジクマロール半減期延長。腸内細菌からのビタミンK供給不足の可能性。
セリチニブ（ジカディア）	Cmax1.1倍、AUC1.5倍上昇。プロトロンビン比のモニタリング頻度を増やす。
②同一代謝酵素による競合阻害	
SU薬、ナテグリニド（スターシス、ファスティック）	薬効変動、相互に作用増強。SU薬の作用増強（併用継続でワルファリンによるSU薬代謝抑制？腎分泌抑制も関与）。トルブタミド（ヘキストラスチノン）の半減期4.9から17.5時間に延長（ジクマロール★併用時）、クロルプロパミド（アベマイド）の血中濃度2倍上昇（ジクマロール併用時）。ワルファリン作用増強（血漿タンパク結合置換関与）。なお、SU薬によるCYP誘導によりワルファリン作用減弱。
フェニトイン（アレビアチン）	血中濃度変動、フェニトイン中毒発現。ワルファリン作用増強（後腹膜出血で死亡例の報告あり）。血漿タンパク結合置換も関与。なお、フェニトインのCYP450誘導作用によりワルファリン代謝が促進され、ワルファリン作用は減弱する。
イマチニブ※（グリベック）	プロトロンビン比が著明に上昇。
その他：フルバスタチン（ローコール；CYP2C9阻害）、HIVプロテアーゼ阻害薬、トラニラスト（リザベン；トロンボテスト値低下）、ベンズブロマロン（ユリノーム）、セレコキシブ（セレコックス）	
③阻害機構不明	
アロプリノール（ザイロリック）	プロトロンビン時間71秒に延長し肺出血した例。
禁酒薬（ジスルフィラム［ノックビン］、シアナミド［シアナマイド］）	ジスルフィラムの併用は避けるべき（ワルファリンAUC 27%上昇。8例中7例でワルファリン血中濃度20%上昇）。併用する場合は凝固能検査を頻回に行う。
アミオダロン（アンカロン）	併用は極力避ける（9例のうち5例で出血、アミオダロン中止後も代謝抑制4カ月持続）。
メチルフェニデート（コンサータ、リタリン）	クマリン系抗凝血薬のビスクマアセテート★の半減期が2倍に延長。
フルボキサミン（デプロメール、ルボックス）	ワルファリン血中濃度が2倍上昇。
パロキセチン（パキシル）	ワルファリンの作用増強の恐れ。
デラビルジン★	ワルファリンの作用増強の恐れ。
ザフィルルカスト（アコレート）	S体ワルファリン血中濃度上昇。
ビカルタミド（カソデックス）	凝固能検査など実施。

★ 販売中止

表5-41（つづき）　ワルファリンの代謝を阻害する主な薬剤

阻害薬	報告されている事象など
キノロン系薬（相互作用の発現機序は明らかでない）：	
エノキサシン★	ワルファリンの作用増強の恐れ。
シプロフロキサシン（シプロキサン）	プロトロンビン時間12～22%延長、血尿。
ノルフロキサシン（バクシダール）	死亡例（91歳）。プロトロンビン時間14.4～22秒が36.5秒に延長。
その他：パズフロキサシン（パシル点滴静注液、パズクロス点滴静注液）、モキシフロキサシン（アベロックス）	
サルファ剤	ST合剤の併用は極力避ける。血尿・歯出血や、スルフイソキサゾール★などでプロトロンビン時間が60秒に延長したケースが報告されている。血漿タンパク結合置換関与、腸内細菌からのビタミンK供給不足の可能性。
ベネトクラクス（ベネクレクスタ）	R体ワルファリンのAUC、Cmaxはいずれも1.2倍。S体ワルファリンのAUC1.3倍、Cmax1.2倍上昇。
フェニルブタゾン★（ピラゾロン系薬）	併用は極力避ける。重篤消化管出血・吐血・血尿。ビタミンK投与で回復。血漿タンパク結合置換が関与。
スルフィンピラゾン★（ピラゾロン系薬）	併用は極力避ける。併用7日以内に重篤な消化管出血が生じたり、ワルファリン投与量を平均46%減量したなどの報告がある。主な機序は代謝抑制だが、血漿タンパク結合置換、血小板機能抑制も関与。
フィブラート系薬（特に、クロフィブラート［同名］、シンフィブラート★）	併用は極力避ける。大量出血による死亡例もある（65歳）。血漿タンパク結合置換、ビタミン代謝も関与。
カペシタビン（ゼローダ）	添付文書では、「出血で死亡例があるため凝固能検査を実施する」ことが警告されている。
レフルノミド（アラバ）	併用2日目に多量の血尿、INR（国際標準化比）が3.4から11に上昇。レフルノミドの活性代謝物（A771726）によるCYP2C9阻害。
ブコローム（パラミヂン）	併用は極力避ける。ワルファリンの作用を増強するために使われることあり。血漿タンパク結合置換も関与（☞**表2-2**）。
④ その他	
イグラチモド（ケアラム、コルベット；抗リウマチ薬；CYP2C9阻害）	**併用禁忌**。肺胞出血による死亡例（**2013年5月17日 安全性速報［ブルーレター］**）。併用により出血または血液凝固能検査値の異常変動（PT-INR増加）が9例（うち、重篤3例〔死亡例を含む〕）報告。機序不明だが、イグラチモドおよびその主代謝物（M-2）のCYP2C9阻害作用によるワルファリンの代謝抑制が関与すると考えられる。
麻薬性鎮痛・鎮咳薬（コデイン［コデインリン酸塩］など）	麻薬性鎮痛薬の長期併用でミクロゾーム酵素阻害？　凝固因子合成阻害？
プロパフェノン（プロノン）	血中濃度38%増加し、8例のうち5例のプロトロンビン時間が有意に4～5秒延長。
ジソピラミド（リスモダン）	増強または減弱（機序不明）。ジソピラミド中止後、ワルファリン投与量を2倍にした例あり（誘導？）。
タモキシフェン（ノルバデックス）	併用は極力避ける。6週間併用でプロトロンビン時間206秒延長例。
エスシタロプラム（レクサプロ）	ラセミ体であるシタロプラム併用時にプロトロンビン時間が軽度（約5%）延長。機序不明。
インフルエンザウイルスワクチン	プロトロンビン時間40%延長、出血。
フルオロウラシル（FU）系薬（テガフール［フトラフール］など）	ワルファリンの作用を増強するので、凝固能の変動に注意。FU誘導体は強力なCYP2C9阻害薬（☞**表5-14**）。
インターフェロン	ワルファリンの作用を増強する恐れ。ワルファリン血中濃度0.4μg/mLから5.2μg/mLに上昇。
ゲフィチニブ※（イレッサ）	INR上昇や出血の報告。定期的にINRまたはプロトロンビン時間のモニターを行うこと。
トラマドール（トラマール）	斑状出血などの出血を伴うプロトロンビン時間延長。ワルファリン投与量を25～30%減らす。

★ 販売中止もしくは国内未発売

※ 分子標的治療薬の相互作用については**付録C 表S-8**参照。　いずれもワルファリンの作用増強。併用慎重。　？ 明らかでない

阻害薬	報告されている事象など
ソラフェニブ※（ネクサバール）	出血またはプロトロンビン時間延長（INR上昇）。機序不明。ただし、ソラフェニブにはCYP2C9、2C8、2B6阻害作用あり。
トピロキソスタット（ウリアデック、トピロリック；非プリン骨格XOD阻害薬）	ワルファリンS体の$AUC_{0\text{-}144h}$上昇（併用投与/ワルファリン単独投与＝1.4746）。トピロキソスタットによるCYP2C9阻害が関与の可能性。
ロミタピド（ジャクスタピッド；2C9阻害）	血中濃度上昇し、PT-INR上昇の恐れ。

表5-42　フェニトインの代謝を阻害する主な薬剤

阻害薬	報告されている事象など
①CYP450酵素と結合	
シメチジン（タガメット）	フェニトイン血中濃度13～33%上昇。
アゾール系薬	フルコナゾール（ジフルカン）併用でフェニトイン$AUC_{0\text{-}24h}$が75%上昇。ミコナゾール（フロリード）併用でフェニトインの血中濃度1.48倍上昇。
PPI	フェニトイン半減期が1.3倍に延長（オメプラゾール併用時）、AUC 13%上昇（エソメプラゾール併用時）。
イソニアジド（イスコチン）	患者の10～20%がフェニトイン中毒を来し、血中濃度3倍上昇。相互に薬効増強。
チクロピジン（パナルジン）	併用7日後、フェニトイン血中濃度19から34μg/mLに上昇。
セリチニブ（ジカディア）	フェニトインの血中濃度が上昇し、副作用の発現頻度および重症度が上昇する恐れ。
②同一代謝酵素による競合阻害	
ワルファリン（ワーファリン）	薬効変動、フェニトイン中毒（代謝競合）。ワルファリン作用増強（血漿タンパク結合置換関与。後腹膜出血で死亡例）、ワルファリン作用減弱（フェニトインのCYP450誘導によりワルファリン代謝促進）。
フルバスタチン（ローコール；CYP2C9阻害）	抗凝血作用が増強することがある。
③阻害機構不明	
アロプリノール（ザイロリック）	併用7日後に嗜眠、フェニトイン血中濃度上昇（7.5→20.8μg/mL）。
禁酒薬（ジスルフィラム［ノックビン］、シアナミド［シアナマイド］）	併用9日後に血中濃度100～500%上昇、フェニトイン中毒（めまい、運動失調、眼振）。患者の大半で相互作用を認めるため併用すべきではない。併用する場合は2～4日後にフェニトインのTDM実施。
アミオダロン（アンカロン；抗不整脈薬）	アミオダロンは蓄積性が高いので要注意。
バルプロ酸（デパケン）	血中濃度変動、フェニトイン血中濃度上昇、変化なし、または低下（弱いながらバルプロ酸による酵素誘導のため）。遊離型フェニトイン上昇（血漿タンパク結合置換による）。 なお、フェニトインによる肝CYP450誘導でバルプロ酸血中濃度が30～45%低下。
メチルフェニデート（リタリン）	フェニトインCmaxが4.1倍に上昇。併用1カ月後、血中フェニトイン濃度が4.7倍上昇。
フェニルブタゾン★	フェニトイン半減期60%延長、血中濃度15.2から21.8μg/mL（フェニトイン中毒）。血漿タンパク結合置換関与。
フルボキサミン（デプロメール、ルボックス）、カペシタビン（ゼローダ）	ワルファリン血中濃度2倍上昇（フルボキサミン併用時）、カペシタビン併用時には血液凝固能検査を定期的に実施。
④その他	
トピラマート（トピナ）	フェニトインAUC 25%上昇。トピラマートはCYP3A4（主）、1A1、2C群で代謝され、弱いCYP2A6、2B6、2D6阻害作用あり。フェニトイン代謝酵素のCYP2C9、2C19をトピラマートが阻害？　一方、CYP3A4誘導作用によるトピラマート血中濃度低下（48%低下例）に注意。
三環系抗うつ薬	イミプラミン（トフラニール）併用でフェニトイン血中濃度2倍上昇（フェニトイン中毒）。
スルチアム（オスポロット）	フェニトイン血中濃度75%上昇、消失半減期は2倍に延長。
d-クロルフェニラミン（ポララミン）	フェニトイン代謝抑制の可能性。なお、クロルフェニラミンは二相効果を有する（誘導でフェニルブタゾン半減期短縮）。
トラゾドン（デジレル、レスリン）	フェニトイン血中濃度2.6倍上昇（17.846μg/mL）。
FU系薬（テガフール［フトラフール］、FU［5-FU］、ドキシフルリジン［フルツロン］、カルモフール★）	投与開始48日後、フェニトイン濃度6.25から35μg/mLに上昇。血中濃度3～10倍上昇、めまい、手指振戦、意識障害などが出現。

★ 販売中止

表5-42（つづき） フェニトインの代謝を阻害する主な薬剤

阻害薬	報告されている事象など
⑤ 代謝関与不明	
カルバマゼピン（テグレトール）	薬効変動、フェニトイン血中濃度上昇・低下（カルバマゼピンによるCYP450誘導によりフェニトイン代謝促進のため）。P-gp競合関与の可能性あり。なお、カルバマゼピン血中濃度43%低下例（フェニトインによるCYP450酵素誘導・消化管吸収阻害のため）も報告されている。
クロナゼパム（リボトリール、ランドセン；BZP系薬）	フェニトイン血中濃度変動。
ゾニサミド（エクセグラン、トレリーフ）	フェニトイン血中濃度2.1倍上昇。
エトスクシミド（ザロンチン）	併用3カ月後、フェニトイン血中濃度2.2倍上昇（エトスクシミドを減量したが血中濃度が高値のため、フェニトインを減量）。
ジルチアゼム（ヘルベッサー）	併用3カ月後、フェニトイン血中濃度17.5から38μg/mLに上昇、フェニトイン中毒発現。両剤ともにP-gpの基質であるためジルチアゼムのP-gp阻害に起因する可能性。なお、フェニトインによるCYP450誘導によりフェロジピン（ムノバール）血中濃度が低下する点にも注意。

いずれもフェニトインの作用増強（中毒域20μg/mL 以上）。併用慎重。
★ 販売中止

表5-43 バルビツール酸系の代謝を阻害する主な薬剤

阻害薬	報告されている事象
① CYP450酵素と結合	
MAO阻害薬	昏睡3例（トラニシルプロミン★とアモバルビタール［イソミタール］の併用）。
チクロピジン（パナルジン）	チクロピジンがヘキソバルビタール★の代謝に関与する酵素阻害（動物実験）。
② 同一代謝酵素による競合阻害	
三環系抗うつ薬（イミプラミン［トフラニール］）	相互に作用増強。三環系の呼吸抑制に注意。なお、バルビツール酸のCYP450誘導でノルトリプチリン（ノリトレン）血中濃度14～60%低下、デシプラミン★では50%低下。
③ 阻害機構不明	
ジスルフィラム（ノックビン；禁酒薬）	バルビツール酸系薬の代謝を阻害する可能性。
バルプロ酸（デパケン）	血中濃度変動、フェノバルビタール（フェノバール）血中濃度50%上昇。なお、フェノバルビタールのCYP450誘導でバルプロ酸血中濃度が19%低下、プリミドン（プリミドン；代謝されてフェノバルビタールとなる）によるCYP450誘導で、バルプロ酸血中濃度低下。
メチルフェニデート（リタリン）	フェノバルビタールのCmax 1.7倍上昇、プリミドンCmax 4.8倍上昇。
④ その他	
クロナゼパム（リボトリール；BZP系薬）	代謝関与不明。プリミドン（プリミドン）の血中濃度上昇。

いずれもバルビツール酸系薬の作用増強。併用慎重。
★ 販売中止

5 CYP450阻害に起因する その他の相互作用

これまで述べなかったCYP450阻害に関与すると考えられる相互作用や、動態学的変化は認められるが発現機序が不明な相互作用を**表5-44**にまとめた。

特に急性のアルコールの摂取は、薬剤全ての肝代謝を抑制する可能性がある。タンパク同化ステロイドホルモンによる代謝阻害、またTDMを必要とする薬剤（ゾニサミド、カルバマゼピン）の作用増強に注意する。

表5-44 CYP450阻害に関係するその他の相互作用

(1) 肝CYP450阻害

	阻害薬	阻害を受ける薬剤	報告されている事象
原則禁忌	アルコール(急性摂取)	中枢神経系(CNS)用薬	急性のアルコール摂取は肝で代謝される全ての薬剤の代謝を抑制。
	Ca拮抗薬(ジルチアゼム[ヘルベッサー]、ベラパミル[ワソラン]など)、抗癌剤(イマチニブ※[グリベック]など)、アプレピタント(イメンド)、トフィソパム(グランダキシン)、シプロフロキサシン(シプロキサン)など	ボスチニブ※(ボシュリフ;チロシンキナーゼ阻害薬)	血中濃度上昇。
	シクロスポリン(サンディミュン、ネオーラル)、Ca拮抗薬(ジルチアゼム、ニカルジピン[ペルジピン]、ベラパミル)、抗真菌薬(フルコナゾール[ジフルカン]など)、マクロライド系薬(エリスロマイシン[エリスロシン]など)、メトクロプラミド(プリンペラン)、ブロモクリプチン(パーロデル)、シメチジン(タガメット)、ダナゾール(ボンゾール)	シロリムス※(ラパリムス;mTOR阻害薬)	血中濃度上昇。
	クリゾチニブ※ (ザーコリ;チロシンキナーゼ阻害薬)	CYP3Aの基質となる薬剤(ミダゾラムなど)	ミダゾラムのAUCおよびCmaxはそれぞれ3.7倍および2.0倍。
併用慎重	アビラテロン (ザイティガ;前立腺癌治療薬)	CYP2D6基質:デキストロメトルファン(メジコン)、プロパフェノン(プロノン)、フレカイニド(タンボコール)、ハロペリドール(セレネース)など	デキストロメトルファンのAUCは200%上昇。デキストロメトルファンの活性代謝物デキストルファンのAUCは33%上昇。
		ピオグリタゾン(アクトス)	ピオグリタゾン(CYP2C8の基質)のAUCは46%上昇し、活性代謝物M-III、M-IVのAUCは10%減少。
	タンパク同化ステロイドホルモン(メスタノロン★、メテノロン[プリモボラン]、ナンドロロンデカン酸エステル★など)	フェニルブタゾン★	フェニルブタゾンまたはオキシフェンブタゾン(フェニルブタゾン代謝物)の作用増強。オキシフェンブタゾン血中濃度5~100%上昇。オキシフェンブタゾンの半減期57時間から150時間に延長。
		SU薬、ナテグリニド (スターシス、ファスティック)	メタンジェノン★とトルブタミド静注で血中インスリン値が最大で3倍上昇例。ホルモン自体にも血糖降下作用あり(☞**表7-45**)。ナテグリニドも同様に注意。
	トログリタゾン★、エパルレスタット(キネダック;アルドース還元酵素阻害薬)	ナテグリニド (スターシス、ファスティック)	トログリタゾンまたはエパルレスタットとの併用でナテグリニドの血中濃度が最大で1.7または1.5倍に上昇の可能性(in vitro)。エパルレスタットはCYP2C競合阻害の可能性。
	プロプラノロール(インデラル)	マプロチリン(ルジオミール;四環系抗うつ薬)	マプロチリン血中濃度56%上昇(口渇、振戦、鎮静、幻覚、見当識障害)。CYP2D6代謝競合の可能性。
	中枢神経系(CNS)抑制薬(バルビツール酸系、向精神薬、麻薬性鎮痛薬など)	ケタミン(ケタラール)	ジアゼパム(セルシン)で1.6倍、セコバルビタール(アイオナールナトリウム)で1.3倍にケタミンの半減期延長。
	イミペネム・シラスタチン(チエナム)	ペネム系薬 (ファロペネム[ファロム])	シラスタチンによりファロペネムの代謝が阻害され血中濃度上昇(ラット)。イミペネムは腎のデヒドロペプチダーゼ(DHP-I)により加水分解されて腎毒性を示すため、これを軽減する目的でチエナムにはDHP-I阻害剤のシラスタチンが配合。
	サリチル酸系薬(アスピリン製剤[バファリン配合錠、バイアスピリン]など)	バルプロ酸 (デパケン、バレリン)	バルプロ酸の作用増強で振戦誘発。血漿タンパク結合置換も関与(☞**表2-4**)。

★販売中止もしくは国内未発売　※分子標的治療薬の相互作用については**付録C表S-8**参照。

表5-44（つづき）　CYP450阻害に関係するその他の相互作用

併用慎重	カプマチニブ※（タブレクタ）	CYP1A2の基質となる薬剤（チザニジン、ピルフェニドン）	血中濃度上昇の可能性。

（2）肝代謝関与不明

	阻害薬	阻害を受ける薬剤	報告されている事象
併用慎重	トピラマート（トピナ）	アミトリプチリン（トリプタノール）	アミトリプチリンAUC0-12hが13％上昇。トピラマートはCYP3A4（主）、1A1、2C群で代謝され、弱いCYP2A6、2B6、2D6阻害作用あり。またアミトリプチリンはCYP1A2、2C19、3A4、2D6で代謝されるため、CYP2C19、3A4の競合？
	ベラパミル（ワソラン；Ca拮抗薬）	メトプロロール（セロケン；β遮断薬）	メトプロロールCmax 3～205%上昇。
	メトクロプラミド（プリンペラン）	カルバマゼピン（テグレトール）	急速に血中濃度上昇、不随意運動誘発、吸収増大？（☞ **表1-8**）。
	ゾニサミド（エクセグラン、トレリーフ）	カルバマゼピン（テグレトール）	血中濃度変動、カルバマゼピン血中濃度30%上昇。逆にラットではゾニサミド半減期の短縮（カルバマゼピンによるCYP3A4の誘導）。
	アジスロマイシン（ジスロマック；15員環マクロライド系薬）	シクロスポリン（サンディミュン、ネオーラル）	シクロスポリンCmax、AUC0-4hが24%、31%上昇。AUC0-∞には変化なし。
	クロバザム（マイスタン；BZP系抗痙攣薬）	バルプロ酸（デパケンなど）	バルプロ酸の血中濃度が上昇し作用増強。
	タキソイド系薬（パクリタキセル［タキソール］など）	アントラサイクリン系薬（ドキソルビシン［アドリアシン］、エピルビシン注［ファルモルビシン］など）	投与順序をタキソイド系からアントラサイクリン系にするとエピルビシン血中濃度上昇（骨髄抑制増強）。投与順序を逆にする。
	シスプラチン（ランダ、ブリプラチン）	タキソイド系薬（パクリタキセル［タキソール］など）	投与順序をシスプラチンからタキソイド系にするとタキソイド系の血中濃度上昇（骨髄抑制増強）。投与順序を逆にする。
	ロピナビル・リトナビル配合剤（カレトラ；HIVプロテアーゼ阻害薬）、アタザナビル（レイアタッツ）、リトナビル（ノービア）	ロスバスタチン（クレストール）	AUC、Cmaxが約2～3倍、5～7倍上昇。ロスバスタチンはわずかにCYP450で代謝されるのみで機序は不明だが、ロピナビルまたはリトナビルのOATP2阻害、BCRP阻害が関与している可能性がある。
	インジナビル★	ロスバスタチン（クレストール）	血中濃度上昇により横紋筋融解症を含むミオパチー発症の可能性。OATP2の関与不明。
	ソラフェニブ※（ネクサバール；キナーゼ阻害薬）	カペシタビン（ゼローダ；FU系薬）	カペシタビンおよびその活性代謝産物（FU）のAUCがそれぞれ50%、52%上昇。
		パクリタキセル（タキソール；タキソイド系薬）、カルボプラチン（白金製剤）	パクリタキセルとその活性代謝物（6-OH体）のAUCがそれぞれ29%、50%上昇し、ソラフェニブのAUC 47%上昇。ソラフェニブはCYP3A4、UGT1A9、P-gpの基質であり、2C8、2C9、2B6、UGT1A1・1A9阻害作用あり。パクリタキセルはCYP2C8（主）、3A4、P-gpの基質で胆汁排泄型。カルボプラチンは重篤な腎毒性あり。
	オクトレオチド（サンドスタチン；持続性ソマトスタチンアナログ）	ブロモクリプチン（パーロデル；麦角系薬）	AUC上昇の報告。

※ 分子標的治療薬の相互作用については**付録C 表S-8**参照。

コラム43

構造式からみたキノロン系薬のCYP阻害作用

キノロン系薬によるテオフィリン（CYP1A2）代謝の阻害効果の強さは、薬剤によって異なる。そのCYP1A2阻害能は、金属キレート形成能と相関している可能性があるが（☞ **p.26「注意」**）、阻害の強弱の機序は明らかではない。しかし、各薬剤の構造に注目すると差異を理解しやすい（**図5-15**）。

ピリドピリミジン系やナフチリジン系は8位にN（窒素）原子がある。これらの薬剤は、8位がC（炭素）であるキノリン系に比べて阻害効果が強いことから、8位のNの存在が酵素阻害に関与している可能性が示唆される。

キノリン系のうち、ピペラジニル基に置換基がなく、4' 位のNの反応性が高いノルフロキサシンとシプロフロキサシンでは、酵素阻害効果が強い。一方、4' 位のNまたは3'、5' 位のCにメチル基が置換された薬剤では、阻害効果が弱い。後者では、4' 位のNの反応性をメチル基が直接あるいは立体的障壁となって阻害すると考えられる。いずれの場合もN原子が酵素阻害に関わっている可能性があることは興味深い。

図5-15　キノロン系薬の化学構造による分類

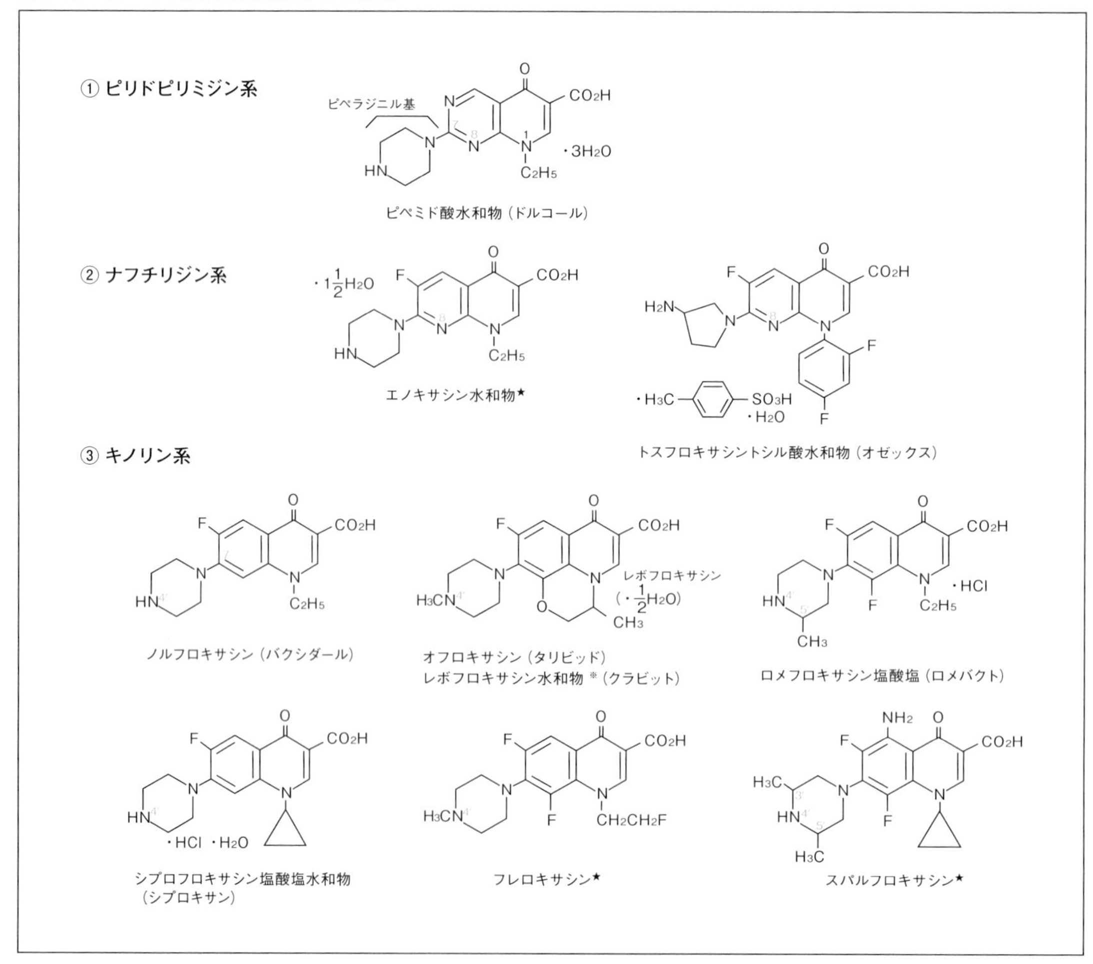

※ レボフロキサシンはオフロキサシンの光学異性体である。
★ 販売中止

第3節
CYP450誘導に起因する相互作用

❶ CYP450誘導薬剤と相互作用

肝CYP450誘導作用を持つ薬剤は、併用薬の代謝を促進することにより、相互作用を引き起こすことがある。CYP450誘導作用を持つ主な薬剤を**表5-45**に示す。

CYP450誘導は主に、①薬物による核内受容体の活性化（AhR、CAR、PXRなどの活性化；☞**表5-54**）、②CYP450遺伝子の転写亢進（mRNAの増加）、③リボソームにおけるCYP450タンパク質の合成促進（タンパク質増加）――のステップで起こる。そのためCYP450阻害効果と異なり、誘導効果は発現するまでに数日～数週間を要し、中止後も持続しやすい。

一般に、CYP450が誘導されると薬物代謝が促進して併用薬の薬効が減弱する。ただし、**表5-46**に示す薬剤は例外的に作用・副作用が増強する（関連事項☞**コラム30、コラム31**）。

CYP450誘導効果が強い薬剤や食品には、リファンピシン（リファジン）、バルビツール酸系薬（フェノバルビタール［フェノバール］）、ヒダントイン系薬（フェニトイン［アレビアチン］；プロドラッグであるホスフェニトイン［ホストイン］も同様）、カルバマゼピン（テグレトール）、また、ハーブの一種であるセイヨウオトギリソウ（セント・ジョーンズ・ワート、SJW）含有食品がある（**表5-45**）。それぞれの薬剤・食品が関与する相互作用を**表5-47～5-51**に示した。これらは、CYP2D6を除くCYP450で代謝される全ての薬剤の血中濃度を低下させると考えてよい。

リファンピシンと同系のリファマイシン系に分類

表5-45　CYP450誘導作用を持つ主な薬剤（FDAによる分類）

誘導するCYP	強力誘導薬	中等度誘導薬	軽度誘導薬
CYP1A2		モンテルカスト（キプレス、シングレア）、フェニトイン（アレビアチン）、喫煙（非喫煙に比べて）	オメプラゾール（オメプラゾン、オメプラール）、フェノバルビタール（フェノバール）
CYP2B6		エファビレンツ（ストックリン）、リファンピシン（リファジン）	ネビラピン（ビラミューン）
CYP2C8		リファンピシン（リファジン）	
CYP2C9		カルバマゼピン（テグレトール）、リファンピシン（リファジン）	アプレピタント（イメンド）、ボセンタン（トラクリア）、フェノバルビタール（フェノバール）、セント・ジョーンズ・ワート、ダブラフェニブ（タフィンラー）
CYP2C19		リファンピシン（リファジン）	アルテミシニン★
CYP3A	カルバマゼピン（テグレトール）、フェニトイン（アレビアチン）、リファンピシン（リファジン）、セント・ジョーンズ・ワート	ボセンタン（トラクリア）、エファビレンツ（ストックリン）、エトラビリン（インテレンス）、モダフィニル（モディオダール）、ロルラチニブ（ローブレナ）、ダブラフェニブ（タフィンラー）	アンプレナビル★、アプレピタント（イメンド）、アルモダフィニル★、ピオグリタゾン（アクトス）、副腎皮質ホルモン製剤、ルフィナミド（イノベロン）、ベムラフェニブ（ゼルボラフ）、ベキサロテン（タルグレチン）
CYP2D6	報告なし	報告なし	報告なし

（米国食品医薬品局［FDA］の製薬企業向けドラフトガイダンス［2012年2月］を基に作成）
強力誘導薬：AUC80%以上低下　中等度誘導薬：AUC50～80%低下　軽度誘導薬：AUC20～50%低下
★販売中止または国内未発売

されるリファブチン（ミコブティン；CYP3A4で代謝）もCYP誘導作用を有する。ただし、リファブチンの肝CYP誘導作用はリファンピシンに比べて弱いと考えられる（このことは、リファブチンによるPXR活性化がリファンピシンの1/3程度とするin vitro実験の結果にも裏付けられている［Drug Metab Dispos.2009；37：1259-68.］）。

このほか、副腎皮質ホルモン製剤（**表5-52**）、リトナビル（ノービア；HIVプロテアーゼ阻害薬；PXR活性化）、ネビラピン（ビラミューン）、エファビレンツ（ストックリン；CAR活性化）、ボセンタン水和物（トラクリア；PXR活性化）、モダフィニル（モディオダール）、プロトンポンプ阻害薬（AhR活性化）、タモキシフェン（ノルバデックス；PXR活性化）などにもCYP誘導作用があるが、前述の薬剤に比べてその作用は弱い（**表5-53**）。これらの薬剤の相互作用を見ると、作用を受ける薬剤にはCYP1A2、2C9、3A4で代謝される薬剤が多いが、誘導されるCYP分子種の特異性が全て明らかになっているわけではない。

また、慢性的な飲酒および喫煙による酵素誘導も非特異的であると考えられるが、飲酒ではCYP2E1、喫煙では核内受容体AhRを介してCYP1A1と1A2が誘導されやすい。これらの酵素で代謝される薬剤を服用中の患者には飲酒、喫煙の有無を常に確認する必要がある（☞ **付E**）。

一方、CYP450誘導の影響を受ける薬剤の中では、併用が禁忌や原則禁忌となる薬剤を把握することが肝要である。併用禁忌薬は、①抗ウイルス薬（抗HVC薬、抗HIV薬、HIVプロテアーゼ阻害薬、アメナメビル［アメリーフ；抗ヘルペスウイルス薬］）、②抗真菌・吸虫・マラリア薬（ボリコナゾール［ブイフェンド］・プラジカンテル［ビルトリシド］・アルテメテル/ルメファントリン［リアメット配合錠］）、③肺高血圧治療薬（タダラフィル［アドシルカ］、マシテンタン［オプスミット］）、④チカグレロル（ブリリンタ；抗血小板薬）、⑤ロルラチニブ（ローブレナ；分子標的治療薬）―などがある。また原則禁忌薬剤には、トルバプタン（サムスカ）、イリノテカン塩酸塩水和物(カンプト、トポテシン)、分子標的治療薬（付録C表S-8参照）、アピキサバン（エリキュース）、クロピドグレル（プラビックス）などが挙げられる。クロピドグレルでは代謝促進によって抗血小板作用が増強するため注意する（☞ **表5-46**）。また、イリノテカンは主にカルボキシエステラーゼ（CES2；☞ **第6章［第10節］**）で代謝され活性型のSN-38となるが、イリノテカンの一部はCYP3A4により代謝される。そのため、CYP3A4を誘導する薬剤や食品を併用するとSN-38生成が減少し、薬効が減弱する恐れがある（原則併用禁忌）。SN-38のグルクロン酸抱合阻害に起因する相互作用にも注意する（☞ **表6-4**）。

CYP450誘導に起因する相互作用で留意すべき

表5-46　代謝促進によって作用・副作用が増強する薬剤

薬剤	増強・誘発される作用
ジソピラミド（リスモダン）	抗コリン作用増強
フェナセチン★	メトヘモグロビン血症誘発
イソニアジド（イスコチン）	肝障害（劇症肝炎）誘発
イホスファミド（イホマイド）	中枢性神経毒誘発、抗癌作用増強
シクロホスファミド（エンドキサン）	抗癌作用増強
タモキシフェン※（ノルバデックス）	抗癌作用増強
発癌物質（ベンゾ［α］ピレンなど）	発癌作用増強
アセトアミノフェン（カロナール）	肝障害誘発
ロサルタン（ニューロタン）	降圧効果増強
レフルノミド（アラバ）	抗リウマチ作用増強、副作用増強
クロピドグレル（プラビックス）	抗血小板作用増強
コデイン（コデインリン酸塩）	中枢性副作用増強、モルフィン作用増強
DPP4阻害薬：サキサグリプチン（オングリザ；CYP3A4/5で代謝）、トレラグリプチン（ザファテック；CYP2D6で代謝）	血糖降下作用増強

いずれもCYP450誘導により作用が増強する。
※ タモキシフェンはCYP3A4で脱メチル化され、続いてCYP2D6で水酸化を受け活性型が生成する。
★ 販売中止

注意点は、以下の2点である。

①誘導作用を有する薬剤（誘導薬）を常用している患者に、作用を受ける薬剤の投与を開始すると、後者の代謝が促進して血中濃度が低下する。このような場合には薬効が減弱し、想定された治療効果が得られないため、投与量を増やすことが多い。ただし、その後CYP450誘導薬を中止すると、増加したCYP450量が徐々に正常レベルに戻るため、ある日突然薬効が増強し、副作用などが現れて問題となる。したがって、増やした投与量は、徐々に通常量に戻していく必要がある。

②CYP450で代謝される薬剤を服用中の患者に、誘導作用を有する薬剤を追加する場合は、徐々に前者の代謝が促進して血中濃度が低下し、薬効が減弱する。このため安定していた病状が急激に悪化する可能性がある。特にTDMを必要とする薬剤では注意が必要である。

表5-47　リファンピシンによるCYP450誘導に起因する相互作用

（1）誘導作用を受ける薬剤の主なCYP450分子種

誘導作用を受ける薬剤のCYP450分子種	CYP450誘導の影響を受ける薬剤
1A2	キサンチン系薬（テオフィリン［テオドール］）、オランザピン（ジプレキサ）、チザニジン（テルネリン）
2C8	ピオグリタゾン（アクトス）、レパグリニド（シュアポスト）、トレプロスチニル（トレプロスト；肺動脈性肺高血圧症治療薬）、エンザルタミド（イクスタンジ；前立腺癌治療薬）、ダプロデュスタット（ダーブロック：腎性貧血治療薬）、セレキシパグ（ウプトラビ；肺動脈性高血圧症治療薬）など
2C9	ワルファリン（ワーファリン）、SU薬（トルブタミド［ヘキストラスチノン］、クロルプロパミド［アベマイド］など）、ナテグリニド（スターシス、ファスティック）、ヒダントイン系薬（フェニトイン［アレビアチン］など）、シポニモド（メーゼント；多発性硬化症治療薬）
2C19	ボリコナゾール（ブイフェンド；アゾール系薬）、クロピドグレル（プラビックス）
2D6	β遮断薬、メキシレチン（メキシチール）、プロパフェノン（プロノン）、ACE阻害薬（エナラプリル［レニベース］）、セビメリン（エボザック、サリグレン）
3A4	キニジン（硫酸キニジン）、リドカイン（キシロカイン）、ジソピラミド※（リスモダン）、レフルノミド※（アラバ）、スタチン系薬（シンバスタチン［リポバス］、アトルバスタチン［リピトール］）、Ca拮抗薬（ベラパミル［ワソラン］、ジルチアゼム［ヘルベッサー］、ニフェジピン［アダラート］、フェロジピン［ムノバール］）、BZP系薬（トリアゾラム［ハルシオン］）、非BZP系薬（ゾルピデム［マイスリー］、エスゾピクロン［ルネスタ］）、ステロイド系薬（副腎皮質ホルモン製剤、経口避妊薬、ジギタリス製剤）、シクロスポリン（サンディミュン、ネオーラル）、トルバプタン（サムスカ）、OAB治療β_3刺激薬（ミラベグロン［ベタニス］、ビベグロン［ベオーバ］）、抗HCV薬（テラプレビル★、シメプレビル★、アスナプレビル★、バニプレビル★、ダクラタスビル★、グラゾプレビル★、エルバスビル★）、パリタプレビル・リトナビル★）、抗HIV薬（エルビテグラビルまたはコビシスタットを含有する製剤［スタリビルド配合錠］、ビクテグラビル［ビクタルビ配合錠］、HIVプロテアーゼ阻害薬、マラビロク［シーエルセントリ；CCR5阻害薬］、非ヌクレオシド系抗HIV薬［ネビラピン〈ビラミューン〉、デラビルジン★、エファビレンツ〈ストックリン〉、エトラビリン〈インテレンス〉、リルピビリン〈エジュラント、オデフシィ配合錠〉］、ドラビリン［ピフェルトロ］）、アメナメビル（アメナリーフ；抗ヘルペスウイルス薬）、マクロライド系薬、ケトライド系薬★、ドネペジル（アリセプト）、抗てんかん薬（カルバマゼピン［テグレトール］、ゾニサミド［エクセグラン、トレリーフ；抗パーキンソン薬］、ペランパネル［フィコンパ］）、分子標的治療薬（ゲフィチニブ［イレッサ］、レゴラフェニブ（スチバーガ）、エベロリムス［アフィニトール、サーティカン］、オシメルチニブ［タグリッソ］、ポナチニブ［アイクルシグ］、ギルテリチニブ［ゾスパタ］、キザルチニブ［ヴァンフリタ］、カボザンチニブ［カボメティクス］、イキサゾミブ［ニンラーロ］、セリチニブ［ジカディア］、ロルラチニブ［ローブレナ］、ブリグチニブ［アルンブリグ］、エヌトレクチニブ［ロズリートレク］、イブルチニブ［イムブルビカ］、アカラブルチニブ［カルケンス］、チラブルチニブ［ベレキシブル］、カプマチニブ［タブレクタ］、ベネトクラクス［ベネクレクスタ］、パルボシクリブ［イブランス］、アベマシクリブ［ベージニオ］、オラパリブ［リムパーザ］、ベムラフェニブ［ゼルボラフ］、ペミガチニブ［ペマジール］、ラロトレクチニブ［ヴァイトラックビ］、ダブラフェニブ［タフィンラー］など）、カバジタキセル（ジェブタナ点滴静注；抗悪性腫瘍剤）、前立腺癌治療薬（アビラテロン［ザイティガ］、ダロルタミド［ニュベクオ］）、PDE5阻害薬、イトラコナゾール（イトリゾール）、トピラマート（トピナ）、スボレキサント（ベルソムラ；オレキシン受容体拮抗薬）、リオシグアト（アデムパス；グアニル酸シクラーゼ［sGC］刺激薬）、エルゴタミン製剤（麦角系薬）、フェンタニル（デュロテップ他）、マシテンタン（オプスミット；エンドセリン受容体拮抗薬）、トルバプタン（サムスカ；V_2-受容体拮抗薬）、フェソテロジン（トビエース；OAB治療抗コリン薬）、ルラシドン（ラツーダ；DSA；抗精神病薬/双極性障害のうつ症状治療薬）、チカグレロル（ブリリンタ；抗血小板薬）、イストラデフィリン（ノウリアスト）、アルテメテル・ルメファントリン（リアメット配合錠；抗マラリア薬）、ブレクスピプラゾール（レキサルティ；SDAM）、ロミタピド（ジャクスタピッド；ホモ接合体家族性抗コレステロール血症治療薬）、イバブラジン(コララン:HCNチャネル遮断薬)、エサキレノン（ミネブロ；アルドステロン阻害作用）など
複数のCYP450	テルビナフィン（ラミシール）、ベルパタスビル（エプクルーサ配合錠；抗HCV薬）、ボルチオキセチン（トリンテリックス；S-RIM）
不明	フェニルブタゾン★、イソニアジド※（イスコチン）、フルコナゾール（ジフルカン）、クロラムフェニコール系薬、ドキシサイクリン（ビブラマイシン）、ジアフェニルスルホン（レクチゾール、プロトゲン；治らい薬）、ピルシカイニド（サンリズム）、ジドブジン（レトロビル；非ヌクレオシド系抗HIV薬）

（2）リファンピシンによるCYP450誘導に起因する相互作用

	CYP450誘導の影響を受ける薬剤	報告されている事象など
併用禁忌	CYP3Aで代謝される抗HCV薬（ダクラタスビル★、シメプレビル★、アスナプレビル★、バニプレビル★、テラプレビル★、パリタプレビル・リトナビル★、グラゾプレビル★、エルバスビル★、ソホスブビル・ベルパタスビル［エプクルーサ配合錠］）	血中濃度低下、効果減弱の恐れ。テラプレビルAUC92%低下など。ただし、バニプレビル、グラゾプレビルとの併用初期にリファンピシンの肝OATP2/8阻害により血中濃度上昇（☞**表4-20**）。ソホスブビルおよびベルパタスビルの血中濃度上昇。シメプレビル、アスナプレビル、バニプレビル、ダクラタスビル、グラゾプレビル、エルバスビルはリファブチン（ミコブティン）との併用も禁忌。
	エルビテグラビルまたはコビシスタットを含有する製剤（スタリビルド配合錠など；抗HIV薬）	エルビテグラビルおよびコビシスタットの血中濃度が著しく低下する可能性。P-gp誘導も関与。
	ビクテグラビル・テノホビルアラフェナミドを含有する製剤（ビクタルビ配合錠など；抗HIV薬）	ビクテグラビルおよびテノホビルアラフェナミドの血中濃度低下（ビクテグラビルのAUCが75%低下）。UGT1A1、P-gp誘導も関与。
	HIVプロテアーゼ阻害薬：インジナビル★、アンプレナビル★、ホスアンプレナビル（レクシヴァ）、サキナビル★、アタザナビル（レイアタッツ）、ネルフィナビル★	インジナビルでは血中濃度が1/10以下に低下、アンプレナビルでは血中濃度が70%低下、サキナビルでは血中濃度が80%低下、アタザナビルでは血中濃度低下の可能性、ネルフィナビルでは血中濃度が20～30%に低下。
	非ヌクレオシド系抗HIV薬（デラビルジン★、リルピビリン［エジュラント、オデフシィ配合錠］、ドラビリン［ピフェルトロ］）	デラビルジン血中濃度が100%低下。リルピビリンCmin、Cmax、AUC_{24h}が89%、69%、80%低下。ドラビリンAUC88%、Cmax57%低下。
	アメナメビル（アメナリーフ；抗ヘルペスウイルス薬）	アメナメビルにもCYP3A誘導作用があるため、相互に血中濃度が低下する恐れ。アメナメビルのCmax、AUCが58%、83%低下。リファブチンは併用慎重。
	ボリコナゾール（ブイフェンド；抗真菌薬）	Cmax、AUCが93%、96%低下。リファブチン（ミコブティン）との併用も禁忌。リファブチン併用下でボリコナゾール200mgを1日2回投与した場合、ボリコナゾールAUCおよびCmaxは78%、69%低下。一方、ボリコナゾール400mgを1日2回投与した場合、ボリコナゾールのCYP3A4阻害によりリファブチンAUC、Cmaxが331%、195%増大（☞**表5-17**）。
	プラジカンテル（ビルトリシド；吸虫駆除剤）	血中濃度が100%低下。
	アルテメテル・ルメファントリン（リアメット配合錠；抗マラリア薬）	アルテメテルのAUC0－12が約89%減少、ルメファントリンのAUCが約68%低下。
	タダラフィル20mg（アドシルカ錠20mg）	Cmax、AUCが46%、88%低下。
	マシテンタン（オプスミット；エンドロリン受容体拮抗薬）	マシテンタン曝露量79%低下。リファブチン（ミコブティン）との併用も禁忌。
	ルラシドン（ラツーダ；DSA；抗精神病薬/双極性障害のうつ症状治療薬）	Cmax85%、AUC81%低下
	チカグレロル（ブリリンタ；抗血小板薬）	血中濃度が著しく低下。血小板凝集抑制作用の減弱。リファブチンとの併用も禁忌。
	ロルラチニブ（ローブレナ；分子標的治療薬）	Cmax76%、AUC85%低下。中等度からの重度の可逆的な薬剤性肝障害の恐れ。
	ドラビリン（ピフェルトト;非ヌクレオチド系抗HIV薬）	AUC88%、Cmax57%低下。
原則禁忌	エサキレノン（ミネブロ;アルドステロン阻害作用）	AUC、Cmax が0.31倍、0.66倍に低下。
	トルバプタン（サムスカ；V2受容体拮抗薬）	AUCが1/8に低下。P-gp誘導も関与。
	イリノテカン（カンプト、トポテシン）	活性代謝物（SN-38）の血中濃度が低下し薬効減弱の恐れ。
	分子標的治療薬：スニチニブ（スーテント）、ダサチニブ（スプリセル）、レゴラフェニブ※（スチバーガ）、エベロリムス（アフィニトール）、シロリムス（ラパリムス）、パノビノスタット（ファリーダック）、セリチニブ（ジカディア）、ロルラチニブ（ローブレナ）、ブリグチニブ（アルンブリグ）、アカラブルチニブ（カルケンス）、ペミガチニブ（ペマジール）、ラロトレクチニブ（ヴァイトラックビ）	スニチニブとN-脱エチル体を合わせてCmax、AUCが23%、46%低下。ダサチニブCmax、AUCが81%、82%低下。レゴラフェニブ未変化体のAUC、Cmaxが50%、20%低下。主活性代謝物M-2のCmaxは1.6倍上昇し、活性代謝物M-5のAUC、Cmaxが3.6倍、4.2倍上昇。エベロリムスCmax、AUCが58%、63%低下。シロリムスCmax、AUCが71%、82%低下。パノビノスタットAUCは、約70%低下すると推定。エベロリムス、シロリムスおよびパノビノスタットはリファブチン（ミコブティン）との併用も原則禁忌。
	カバジタキセル（ジェブタナ点滴静注）	クリアランスが21%上昇。これはAUCの17%低下に相当。

原則禁忌	アピキサバン（エリキュース）	静脈血栓塞栓症患者場合のみ原則禁忌。リファンピシンのP-gp 誘導作用により、アピキサバンのAUCおよびCmaxが54%、42%低下。CYP3A4誘導も関与。
	クロピドグレル（プラビックス）	活性代謝物の血漿中濃度が上昇する。
併用慎重	キサンチン系薬	5日後テオフィリン血中濃度20%低下。クリアランス20～80%上昇。アミノフィリンでは半減期30%低下（7から4.8時間）。
	クマリン系薬	ワルファリン併用11日以降に血中濃度が1/6まで低下し、8人中3人では血中濃度がほぼゼロに等しかったとの報告がある。ワルファリンのAUCが600から258μg/h/mLに低下。
	SU薬	トルブタミド投与量を2倍にする必要あり。併用4週後、トルブタミド血中濃度49%低下、半減期43%低下。
	フェニトイン（アレビアチン）	リファンピシンを2週投与した前後のフェニトイン注射では、フェニトインクリアランスが46.7から97.8mL/分に上昇。リファンピシン併用中止後、2週間でフェニトイン血中濃度14.4から22μg/mLに上昇。
	β遮断薬	リファンピシンを3週服用した場合、プロプラノロール（インデラル）クリアランスが35.7から96.1mL/分に上昇。リファンピシン併用中止後、元の正常なプロプラノロールのクリアランスに戻るまでに4週間を要した。
	エバスチン（エバステル）	活性代謝物カレバスチンの $AUC_{0-\infty}$ 85%低下。
	OAB治療 β_3 刺激薬（ミラベグロン［ベタニス］、ビベグロン［ベオーバ］）	ミラベグロン血中濃度0.56倍低下。ミラベグロンは一部がCYP 3A4で代謝。P-gp誘導関与。
	メキシレチン（メキシチール）	半減期40%低下（8.5から5時間）。
	プロパフェノン（プロノン）	血中濃度低下。
	エナラプリル（レニベース）	血圧16mmHg上昇。
	キニジン（硫酸キニジン）	キニジン投与量を2倍に増量しても不十分な可能性。キニジン半減期が6.1から2.3時間に低下。ただし、キニジンの血中濃度が低下しても代謝産物による抗不整脈作用が認められることもある。
	ジソピラミド*（リスモダン）	ジソピラミドの血中濃度は低下するが、代謝物の強い抗コリン作用により口渇などの副作用増強。
	Ca拮抗薬：ベラパミル（ワソラン）、ニフェジピン（アダラート）	Ca拮抗薬の血中濃度が検出不能になるケースもある。ニフェジピンCmax 89.6から45.8ng/mLに低下。
	ジルチアゼム（ヘルベッサー）	併用の1カ月後、胸部痛。
	副腎皮質ホルモン製剤	プレドニゾロン（プレドニン）のクリアランス91%上昇、半減期45%に短縮。
	経口避妊薬（黄体・卵胞ホルモン製剤）	避妊効果の減弱による妊娠例の報告あり。リファンピシン投与6日後のエチニルエストラジオールの水酸化の程度は4倍高い。腸内細菌も関与（再吸収抑制）。
	イストラデフィリン(ノウリアスト)	イストラデフィリンCmax、AUCが55.5%、19.2%に低下。
	オキシコドン(オキシコンチン)	オキシコドン塩酸塩を単回静脈内投与した場合でAUCが53%減少、単回経口投与した場合でAUCが86%減少。
	オンダンセトロン（ゾフラン）	オンダンセトロンを単回静脈内投与した場合でAUCが48%減少、単回経口投与した場合でAUCが65%減少。
	ジギトキシン★	血中濃度54%低下、半減期8.2から4.5日に短縮。
	ジゴキシン（ジゴシン）	2倍の投与量を要した例あり。ジゴキシンは約70%が未変化体として腎排泄されるので、腎障害または腎以外のクリアランスが大きい人が影響を受けやすい。
	シクロスポリン	併用11日以内に重篤な拒絶反応。併用2日後、シクロスポリン血中濃度検出限界以下になったケースも報告されている。
	フェニルブタゾン★、クロフェゾン★	半減期低下。

表5-47（つづき）　リファンピシンによるCYP450誘導に起因する相互作用

併用慎重	イソニアジド※	9日後に劇症肝炎による死亡例（ただし、フェノバルビタールも併用）。イソニアジドは代謝促進により肝毒性誘発。またリファンピシン自体も肝毒性を示す。
	フルコナゾール	フルコナゾールAUCが160から124μg/時間/mLに低下。
	クロラムフェニコール系薬	クロラムフェニコールCmax 94%低下。個体差あり。
	ドキシサイクリン	ドキシサイクリンの半減期14.5から7.99時間に短縮。個体差あり。
	ネビラピン	最低血中濃度が37%低下。
	レフルノミド※（アラバ）	レフルノミドからA771726（活性代謝物）の変換が促進し、A771726 Cmax、AUCが1.4倍、1.1倍上昇。
	ピオグリタゾン	AUC 54％低下。ピオグリタゾンの代謝にはCYP1A1/2、2C8（主）、2C9/19、2D6、3A4が関与。CYP2C8誘導薬（PXR、CAR活性化薬；☞**表5-54**）との併用は全て注意。
	スタチン系薬：シンバスタチン、アトルバスタチン	アトルバスタチンCmax、AUCが40%、80%低下。
	アプレピタント（イメンド；選択的NK_1受容体拮抗型制吐薬）	アプレピタントCmax、AUCが0.38倍、0.09倍に低下。
	スボレキサント	スボレキサントCmax、$AUC_{0-\infty}$が64%、88%低下。
	活性化第X因子（FXa）阻害薬	リバーロキサバン（イグザレルト）AUC50%低下。アピキサバン（エリキュース）Cmax、AUCが42%、54%低下
	フェソテロジン（トビエース；OAB治療抗コリン薬）	活性代謝物［5-HMT］Cmax、AUCが約70%、75%低下［5-HMTはCYP3A4・2D6で代謝］）。
	アビラテロン	AUC55%低下。リファブチン（ミコブティン）とも併用慎重。
	肺動脈性肺高血圧症治療薬：トレプロスチニル（トレプロスト）、セレキシパグ（ウプトラビ）	トレプロスチニルCmax、AUCが16.6%、21.7%低下。セレキシパグ活性代謝物のAUCが0.52倍に低下。
	エンザルタミド、イバブラジン(コララン;HCNチャネル遮断薬)	血中濃度が低下し、作用が減弱する恐れ。
	ダロルタミド	AUC72%、Cmax52%低下。CYP3A誘導作用のない薬剤または中程度以下のCYP3A誘導薬への代替を考慮する。
	シポニモド（メーゼント；多発性硬化症治療薬）	シポニモドのCmax45%、AUC57%低下。

いずれもCYP450誘導により作用減弱。ただし※は代謝促進により副作用が増強（☞**表5-46**）。
分子標的治療薬の相互作用については**付録C表S-8**参照。

★ 販売中止

表5-48　バルビツール酸系薬によるCYP450誘導に起因する相互作用

(1) 誘導作用を受ける薬剤の主なCYP450分子種

作用を受ける薬剤のCYP450分子種	CYP450誘導の影響を受ける薬剤
1A2	キサンチン系薬（テオフィリン［テオドール］）、オランザピン（ジプレキサ）、アセトアミノフェン※（カロナール）
2C8	エンザルタミド（イクスタンジ；前立腺癌治療薬）
2C9	ワルファリン（ワーファリン）
2C19	ボリコナゾール（ブイフェンド；アゾール系薬）、クロピドグレル（プラビックス）
2D6	三環系抗うつ薬（ノルトリプチリン［ノリトレン］、デシプラミン★）、β遮断薬（アルプレノロール［スカジロール］、メトプロロール［セロケン］）、フェノチアジン系（クロルプロマジン［コントミン］など）、フレカイニド（タンボコール）、パロキセチン（パキシル）、リスペリドン（リスパダール）
3A4	抗てんかん薬（カルバマゼピン［テグレトール］、ゾニサミド［エクセグラン、トレリーフ；抗パーキンソン薬］、ペランパネル［フィコンパ］）、キニジン（硫酸キニジン）、Ca拮抗薬（ベラパミル［ワソラン］、ニフェジピン［アダラート］、フェロジピン［ムノバール］）、ステロイド系（副腎皮質ホルモン製剤、経口避妊薬）、シクロスポリン（サンディミュン、ネオーラル）、タクロリムス（プログラフ）、抗HCV薬（アスナプレビル★、パリタプレビル・リトナビル★、バニプレビル★、ダクラタスビル★、グラゾプレビル★、エルバスビル★、ベルパタスビル［エプクルーサ配合錠］）、非ヌクレオシド系抗HIV薬（リルピビリン［エジュラント、オデフシィ配合錠］、ドラビリン［ピフェルトロ］）、抗HIV薬（エルビテグラビルまたはコビシスタットを含有する製剤［スタリビルド配合錠］、ビクテグラビル［ビクタルビ配合錠］、HIVプロテアーゼ阻害薬、マラビロク［シーエルセントリ；CCR5阻害薬］、非ヌクレオシド系抗HIV薬［リルピビリン〈エジュラント〉］）、ドネペジル（アリセプト）、分子標的治療薬（イマチニブ［グリベック］、ゲフィチニブ［イレッサ］、エベロリムス［アフィニトール、サーティカン］ポナチニブ［アイクルシグ］、パルボシクリブ［イブランス］、オラパリブ［リムパーザ］、ラロトレクチニブ［ヴァイトラックビ］など）、前立腺癌治療薬（アビラテロン［ザイティガ］、ダロルタミド［ニュベクオ］）、エレトリプタン（レルパックス）、クエチアピン（セロクエル）、ペロスピロン（ルーラン）、メフロキン（メファキン）、セビメリン（エボザック、サリグレン）、PDE5阻害薬、レトロゾール（フェマーラ；アロマターゼ阻害薬）、スボレキサント（ベルソムラ；オレキシン受容体拮抗薬）、リオシグアト（アデムパス；グアニル酸シクラーゼ［sGC］刺激薬）、活性化第X因子（FXa）阻害薬（リバーロキサバン［イグザレルト］、アピキサバン［エリキュース］）、マシテンタン（オプスミット；エンドセリン受容体拮抗薬）、ルラシドン（ラツーダ；DSA；抗精神病薬/双極性障害のうつ症状治療薬）、チカグレロル（ブリリンタ；抗血小板薬）、アルテメテル・ルメファントリン（リアメット配合錠；抗マラリア薬）、アメナメビル（アメナリーフ；抗ヘルペスウイルス薬）、ロミタピド（ジャクスタピッド；ホモ接合体家族性抗コレステロール血症治療薬）、イバブラジン(コララン:HCNチャネル遮断薬)、エサキレノン（ミネブロ；アルドステロン阻害作用）など
2B6	シクロホスファミド※（エンドキサン）、イホスファミド※（イホマイド）、トピラマート（トピナ）
複数のCYP450	ベルパタスビル（　エプクルーサ配合錠；抗HCV薬）
不明	バルプロ酸（デパケン）、ピラゾロン系（フェニルブタゾン★、イソプロピルアンチピリン［SG配合顆粒］）、ドキシサイクリン（ビブラマイシン；テトラサイクリン系薬）、甲状腺ホルモン製剤、クロラムフェニコール系薬

(2) バルビツール酸系薬によるCYP450誘導に起因する相互作用

	CYP450誘導の影響を受ける薬剤	報告されている事象など
併用禁忌	抗HCV薬（アスナプレビル★、バニプレビル★、ダクラタスビル★、パリタプレビル・リトナビル★、グラゾプレビル★、エルバスビル★、ソホスブビル・ベルパスタビル［エプクルーサ配合錠］）	血中濃度低下し効果減弱の恐れ。
	エルビテグラビルまたはコビシスタットを含有する製剤（スタリビルド配合錠など）、リルピビリン（エジュラント、オデフシィ配合錠）	血中濃度が著しく低下、作用減弱の恐れ。P-gp誘導も関与。
	ビクテグラビル・テノホビルアラフェナミドを含有する製剤（ビクタルビ配合錠など）	血中濃度低下し、作用減弱。
	ボリコナゾール（ブイフェンド）	血中濃度低下の可能性。
	アルテメテル・ルメファントリン（リアメット配合錠；抗マラリア薬）	作用減弱の恐れ。
	タダラフィル20mg（アドシルカ錠20mg）	血中濃度が低下しタダラフィルの効果減弱の恐れ。
	マシテンタン（オプスミット）	曝露量の減少。
	ドラビリン（ピフェルトロ）	血中濃度が低下し、治療効果が減弱する恐れ。
	チカグレロル（ブリリンタ；抗血小板薬）	血中濃度が著しく低下。血小板凝集抑制作用の減弱。
原則禁忌	イリノテカン（カンプト、トポテシン）	活性代謝物（SN-38）の血中濃度が低下し薬効減弱の恐れ。
	分子標的治療薬（スニチニブ［スーテントカプセル］、ダサチニブ［スプリセル］、シロリムス［ラパリムス］、パノビノスタット［ファリーダック］、ラロトレクチニブ［ヴァイトラックビ］など）	血中濃度低下の恐れ。
	アピキサバン（エリキュース）	静脈血栓塞栓症患者場合のみ原則禁忌。P-gp誘導作用により、アピキサバンの血中濃度の低下。CYP3A4誘導も関与。
	クロピドグレル（プラビックス）	活性代謝物の血中濃度が上昇する。
併用慎重	テオフィリン	フェノバルビタール（フェノバール）の併用でテオフィリン血中濃度33%低下（クリアランス33%上昇）。セコバルビタール（アイオナール・ナトリウム）の併用でテオフィリンクリアランス340%上昇。ペントバルビタール（ラボナ）の併用でテオフィリンクリアランス95%上昇。
	アセトアミノフェン※	バイオアベイラビリティー、半減期の短縮。
	ワルファリン	併用4週でワルファリン投与量25%増量。ワルファリンを減量せずにフェノバルビタール中止後、重篤な低プロトロンビン血症·血尿発現。一般的にフェノバルビタールによる最小誘導量は60mg/日で、併用の約50%にワルファリン効果の減弱が認められる。この併用効果は1週間でほとんど現れ、中止後2～3週間で回復。消化管吸収低下の可能性（☞**表1-8**）。
	三環系抗うつ薬	ノルトリプチリン血中濃度14～60%低下。デシプラミン血中濃度50%低下。なお、三環系抗うつ薬の（過量）投与では、代謝を競合し相互に作用が増強する。特に、抗うつ薬の毒性（呼吸抑制）に注意。
	β遮断薬	10日間の併用でアルプレノロール血中濃度60%低下、メトプロロールAUC 32%低下。
	フェノチアジン系	クロルプロマジン血中濃度低下（誘導に起因するかどうかは不明）。なお、協力作用により鎮痛効果は増強するが、バルビツール酸系の抗痙攣効果は増強しない（☞**表7-3**）。

いずれもCYP450誘導により作用減弱。ただし※は代謝促進により副作用が増強（☞**表5-46**）。
★販売中止
分子標的治療薬の相互作用については**付録C表S-8**参照。

併用慎重	カルバマゼピン	カルバマゼピン血中濃度57%低下。消化管吸収阻害も関与。
	キニジン	効果短縮。
	Ca拮抗薬	3週間併用でベラパミルクリアランス4倍上昇、バイオアベイラビリティーが1/5に低下。2週間併用でニフェジピンのAUCが60%低下。
	副腎皮質ホルモン製剤	効果減弱。
	経口避妊薬	避妊効果の減弱による妊娠例の報告多数。
	シクロスポリン	フェノバルビタール併用中止後、シクロスポリンクリアランスが12.6から3.8mL/kg/分に低下（70%低下）。
	シクロホスファミド※	代謝促進で薬効が増強するので注意。
	イホスファミド※	代謝されてクロルアセトアルデヒドになるため、代謝促進で中枢毒性増強、薬効増強。
	バルプロ酸	血中濃度19%低下。なお、バルプロ酸によるCYP450阻害でフェノバルビタール血中濃度50%上昇。
	フェニルブタゾン	半減期短縮。
	アンチピリン	フェノバルビタール2週間併用でアンチピリン半減期約37%短縮。アモバルビタールでは半減期35%短縮。
	甲状腺ホルモン製剤	T_4（チロキシン）血中濃度低下（効果減弱）。グルクロン酸抱合の関与の可能性（☞**表6-4**）。
	アビラテロン	血中濃度低下の恐れ。
	エンザルタミド、イバブラジン(コララン;HCNチャネル遮断薬)	血中濃度が低下し、作用が減弱する恐れ。
	ダロルタミド	有効性が減弱する恐れ。CYP3A誘導作用のない薬剤又は中程度以下のCYP3A誘導薬への代替を考慮する。
	ルラシドン（ラツーダ；DSA；抗精神病薬/双極性障害のうつ症状治療薬）	血中濃度が低下し、作用が減弱する恐れ。
	アメナメビル（アメナリーフ；抗ヘルペスウイルス薬）	アメナメビルにもCYP3A誘導作用があるため、相互に血中濃度が低下する恐れ。

表5-49　ヒダントイン系薬によるCYP450誘導に起因する相互作用

（1）誘導作用を受ける薬剤の主なCYP450分子種

誘導作用を受ける薬剤のCYP450分子種	CYP450誘導の影響を受ける薬剤
1A2	キサンチン系薬（テオフィリン［テオドール］）
2C8	エンザルタミド（イクスタンジ；前立腺癌治療薬）
2C9	クマリン系薬（ワルファリン［ワーファリン］）、SU薬、ナテグリニド（スターシス、ファスティック）、フレカイニド（タンボコール）
2C19	ボリコナゾール（ブイフェンド；アゾール系薬）、クロピドグレル（プラビックス）
2D6	メキシレチン（メキシチール）、パロキセチン（パキシル）、セビメリン（エボザック、サリグレン）
3A4	抗てんかん薬（カルバマゼピン［テグレトール］、ゾニサミド［エクセグラン、トレリーフ；抗パーキンソン薬］、ペランパネル［フィコンパ］）、キニジン（硫酸キニジン）、Ca拮抗薬（ベラパミル［ワソラン］、フェロジピン［ムノバール］）、ステロイド系薬（副腎皮質ホルモン製剤、経口避妊薬）、シクロスポリン（サンディミュン、ネオーラル）、ビンカアルカロイド系薬（ビンクリスチン［オンコビン］など）、抗HCV薬（アスナプレビル★、バニプレビル★、ダクラタスビル★、パリタプレビル・リトナビル★、グラゾプレビル★、エルバスビル★、ベルパタスビル［エプクルーサ配合錠］）、抗HIV薬（エルビテグラビルまたはコビシスタットを含有する製剤［スタリビルド配合錠］、ビクテグラビル［ビクタルビ配合錠］、HIVプロテアーゼ阻害薬、マラビロク［シーエルセントリ；CCR5阻害薬］、非ヌクレオシド系抗HIV薬［リルピビリン〈エジュラント、オデフシィ配合錠〉］、ドラビリン［ピフェルトロ］）、ドネペジル（アリセプト）、分子標的治療薬（イマチニブ［グリベック］、ゲフィチニブ［イレッサ］、エベロリムス［アフィニトール、サーティカン］、オシメルチニブ［タグリッソ］、ポナチニブ［アイクルシグ］、ギルテリチニブ［ゾスパタ］、キザルチニブ［ヴァンフリタ］、イキサゾミブ［ニンラーロ］、ロルラチニブ［ローブレナ］、ブリグチニブ［アルンブリグ］、エヌトレクチニブ［ロズリートレク］、イブルチニブ［イムブルビカ］、アカラブルチニブ［カルケンス］、チラブルチニブ［ベレキシブル］、パルボシクリブ［イブランス］、アベマシクリブ［ベージニオ］、オラパリブ［リムパーザ］、ベムラフェニブ［ゼルボラフ］、ペミガチニブ［ペマジール］、ラロトレクチニブ［ヴァイトラックビ］など）、カバジタキセル（ジェブタナ点滴静注；抗悪性腫瘍剤）、アビラテロン（ザイティガ；前立腺癌治療薬）、エレトリプタン（レルパックス）、クエチアピン（セロクエル）、ペロスピロン（ルーラン）、メフロキン（メファキン）、セビメリン（エボザック、サリグレン）、PDE5阻害薬、イトラコナゾール（イトリゾール）、トピラマート（トピナ）、スボレキサント（ベルソムラ；オレキシン受容体拮抗薬）、リオシグアト（アデムパス；グアニル酸シクラーゼ［sGC］刺激薬）、活性化第X因子（FXa）阻害薬（リバーロキサバン［イグザレルト］、アピキサバン［エリキュース］）、マシテンタン（オプスミット；エンドセリン受容体拮抗薬）、ルラシドン（ラツーダ；DSA；抗精神病薬/双極性障害のうつ症状治療薬）、チカグレロル（ブリリンタ；抗血小板薬）、アルテメテル・ルメファントリン（リアメット配合錠；抗マラリア薬）、エサキレノン（ミネブロ；アルドステロン阻害作用）、イバブラジン(コララン:HCNチャネル遮断薬)など
複数のCYP450	ベルパタスビル（エプクルーサ配合錠；抗HCV薬）、ボルチオキセチン（トリンテリックス；S-RIM）
不明	バルプロ酸（デパケン）、甲状腺ホルモン製剤、ドキシサイクリン（ビブラマイシン）

（2）ヒダントイン系薬によるCYP450誘導に起因する相互作用

	CYP450誘導の影響を受ける薬剤	報告されている事象など
併用禁忌	抗HCV薬（アスナプレビル★、バニプレビル★、ダクラタスビル★、パリタプレビル・リトナビル★、グラゾプレビル★、エルバスビル★、ソホスブビル・ベルパスタビル［エプクルーサ配合錠］）	血中濃度低下し効果減弱の恐れ。
	エルビテグラビルまたはコビシスタットを含有する製剤（スタリビルド配合錠など）、リルピビリン（エジュラント、オデフシィ配合錠）	血中濃度低下、作用減弱の恐れ。P-gp誘導も関与。
	ビクテグラビル・テノホビルアラフェナミドを含有する製剤（ビクタルビ配合錠など）	血中濃度低下し、作用減弱。P-gpも関与。
	アルテメテル・ルメファントリン（リアメット配合錠；抗マラリア薬）	作用減弱の恐れ。

併用禁忌	タダラフィル20mg（アドシルカ錠20mg）	血中濃度が低下しタダラフィルの効果減弱の恐れ。
	マシテンタン（オプスミット）	曝露量の減少。
	ドラビリン（ピフェルトロ）	血中濃度が低下し、治療効果が減弱する恐れ。
	ルラシドン（ラツーダ；DSA；抗精神病薬/双極性障害のうつ症状治療薬）	Cmax85%、AUC81%低下。
	チカグレロル（ブリリンタ；抗血小板薬）	血中濃度が著しく低下。血小板凝集抑制作用の減弱。
	エサキレノン（ミネブロ；アルドステロン阻害作用）	血中濃度が低下し、作用減弱の恐れ。
原則禁忌	イリノテカン（カンプト、トポテシン）	活性代謝物（SN-38）の血中濃度が低下し薬効減弱の恐れ。
	分子標的治療薬（スニチニブ［スーテントカプセル］、ダサチニブ［スプリセル］、シロリムス［ラパリムス］、パノビノスタット［ファリーダック］、ロルラチニブ［ローブレナ］、ブリグチニブ［アルンブリグ］、アカラブルチニブ［カルケンス］、ペミガチニブ［ペマジール］、ラロトレクチニブ［ヴァイトラックビ］など）	血中濃度低下の恐れ。
	カバジタキセル（ジェブタナ点滴静注）	血中濃度低下の恐れ。
	アピキサバン（エリキュース）	静脈血栓塞栓症患者場合のみ原則禁忌。P-gp 誘導作用により、アピキサバンの血中濃度の低下。CYP3A4誘導も関与。
	クロピドグレル（プラビックス）	活性代謝物の血中濃度が上昇する。
併用慎重	テオフィリン	血中半減期1/2（10.1から5.2時間）に短縮。テオフィリンクリアランス35～75%上昇。
	ワルファリン	薬効変動、ワルファリン作用減弱（フェニトイン［アレビアチン］のCYP450誘導によりワルファリン代謝が促進されるため）。ワルファリン作用増強（血漿タンパク結合置換関与。後腹膜出血で死亡例）。フェニトイン中毒（CYP450代謝競合のため）。
	ボリコナゾール	Cmax、AUCが49%、69%低下。フェニトインのCmax、AUCは1.7倍、1.8倍上昇（☞ **表5-18**）。
	メキシレチン	メキシレチン半減期1/2に短縮。併用後、フェニトイン中止でメキシレチン血中濃度が2.9倍に上昇。
	カルバマゼピン	カルバマゼピン血中濃度が43%低下。フェニトイン、プリミドン、フェノバルビタールでカルバマゼピン血中濃度68%低下。フェニトインの血中濃度が低下（カルバマゼピンによるCYP450誘導のため）、および上昇（機序不明）する点にも注意。
	キニジン	キニジン効果短縮。
	ベラパミル、フェロジピン	血中濃度低下。なお、ジルチアゼム（ヘルベッサー）では、併用3カ月後にフェニトインの血中濃度17.5から38μg/mLに上昇したケースあり（代謝関与不明）。
	副腎皮質ホルモン製剤	デキサメタゾンクリアランスが3倍に上昇、AUCが60%に低下。プレドニゾロンの半減期45%短縮。
	経口避妊薬	避妊効果の減弱による妊娠例。
	シクロスポリン	4日間併用後、シクロスポリンAUCが約1/2に低下。シクロスポリン投与量を3倍としたが、血中濃度上昇が認められない例。消化管吸収阻害も関与（☞ **表1-17**）。
	バルプロ酸	血中濃度30～45%低下。なお、バルプロ酸によるCYP450阻害でフェニトイン血中濃度上昇、血漿タンパク結合置換でフェニトイン遊離型増大（☞ **表2-3**）。

併用慎重	甲状腺ホルモン製剤	T_4（チロキシン）血中濃度低下（効果減弱）。グルクロン酸抱合の促進関与の可能性（☞ **表6-4**）。なお、血漿タンパク結合置換によりチロキシンの遊離型が増大し心室性頻脈を起こした例も報告されている（☞ **表2-4**）。
	ドキシサイクリン	ドキシサイクリン血中半減期が15から7.2時間に短縮。
	トピラマート	トピラマート血中濃度が48%低下。なお、フェニトインAUCが25%上昇した例もある（機序不明；☞ **表5-42**）。
	アビラテロン	血中濃度低下の恐れ。
	エンザルタミド、イバブラジン(コララン;HCNチャネル遮断薬)	血中濃度が低下し、作用が減弱する恐れ。

いずれもCYP450誘導により作用　減弱。
分子標的治療薬の相互作用については**付録C表S-8**参照。

表5-50　カルバマゼピンによるCYP450誘導に起因する相互作用

（1）誘導作用を受ける薬剤の主なCYP450分子種

誘導作用を受ける薬剤の CYP450分子種	CYP450誘導の影響を受ける薬剤
1A2	キサンチン系薬（テオフィリン［テオドール］）、オランザピン（ジプレキサ）
2C8	エンザルタミド（イクスタンジ；前立腺癌治療薬）
2C9	ワルファリン（ワーファリン）、フェニトイン（アレビアチン）、シポニモド（メーゼント；多発性硬化症治療薬）
2C19	ボリコナゾール（ブイフェンド）、クロピドグレル（プラビックス）
2D6	三環系抗うつ薬、ブチロフェノン系薬（ハロペリドール［セレネース］）、フレカイニド（タンボコール）、リスペリドン（リスパダール）
3A4	BZP系薬（アルプラゾラム［コンスタン、ソラナックス］、クロナゼパム［リボトリール、ランドセン］）、ステロイド系（経口避妊薬、ジギタリス製剤）、シクロスポリン（サンディミュン、ネオーラル）、抗てんかん薬（ゾニサミド［エクセグラン、トレリーフ；抗パーキンソン薬］、ペランパネル［フィコンパ］）、エトスクシミド（ザロンチン）、タクロリムス（プログラフ）、Ca拮抗薬（フェロジピン［ムノバール］）、抗HCV薬（アスナプレビル★、バニプレビル★、ダクラタスビル★、パリタプレビル・リトナビル★、グラゾプレビル★、エルバスビル★、ベルパタスビル［エプクルーサ配合錠］）、抗HIV薬（エルビテグラビルまたはコビシスタットを含有する製剤［スタリビルド配合錠］、ビクテグラビル［ビクタルビ配合錠］、HIVプロテアーゼ阻害薬、マラビロク［シーエルセントリ；CCR5阻害薬］、非ヌクレオシド系抗HIV薬（リルピビリン［エジュラント、オデフシィ配合錠］、ドラビリン［ピフェルトロ］）、ドネペジル（アリセプト）、分子標的治療薬（イマチニブ［グリベック］、ゲフィチニブ［イレッサ］、エベロリムス［アフィニトール、サーティカン］、オシメルチニブ［タグリッソ］、ポナチニブ［アイクルシグ］、ギルテリチニブ［ゾスパタ］、キザルチニブ［ヴァンフリタ］、カボザンチニブ［カボメティクス］、イキサゾミブ［ニンラーロ］、セリチニブ［ジカディア］、ブリグチニブ［アルンブリグ］、イブルチニブ［イムブルビカ］、アカラブルチニブ［カルケンス］、チラブルチニブ［ベレキシブル］、カプマチニブ［タブレクタ］、ベネトクラクス［ベネクレクスタ］、アベマシクリブ［ベージニオ］、オラパリブ［リムパーザ］、ベムラフェニブ［ゼルボラフ］、パルボシクリブ［イブランス］、ペミガチニブ［ペマジール］など）、カバジタキセル（ジェブタナ点滴静注；抗悪性腫瘍剤）、前立腺癌治療薬（アビラテロン［ザイティガ］、ダロルタミド［ニュベクオ］）、エレトリプタン（レルパックス）、トラマドール（トラマール）、クエチアピン（セロクエル）、ペロスピロン（ルーラン）、リスペリドン（リスパダール）、アリピプラゾール（エビリファイ）、ブレクスピプラゾール（レキサルティ）、メフロキン（メファキン）、セビメリン（エボザック、サリグレン）、PDE5阻害薬、トピラマート（トピナ）、スボレキサント（ベルソムラ；オレキシン受容体拮抗薬）、リオシグアト（アデムパス；グアニル酸シクラーゼ［sGC］刺激薬）、活性化第X因子（FXa）阻害薬（リバーロキサバン［イグザレルト］、アピキサバン［エリキュース］）、マシテンタン（オプスミット；エンドセリン受容体拮抗薬）、ルラシドン（ラツーダ；DSA；抗精神病薬/双極性障害のうつ症状治療薬）、チカグレロル（ブリリンタ;抗血小板薬）、イストラデフィリン（ノウリアスト）、アルテメテル・ルメファントリン（リアメット配合錠;抗マラリア薬）、アメナメビル（アメナリーフ;抗ヘルペスウイルス薬）、ロミタピド（ジャクスタピッド;ホモ接合体家族性抗コレステロール血症治療薬）、エサキレノン（ミネブロ；アルドステロン阻害作用）など
複数のCYP450	ボルチオキセチン（トリンテリックス；S-RIM）
不明	バルプロ酸（デパケン）、イソニアジド※（イスコチン）、甲状腺ホルモン製剤、アゾール系薬、メチルフェニデート（リタリン）

(2) カルバマゼピンによるCYP誘導に起因する相互作用

	CYP450誘導の影響を受ける薬剤	報告されている事象など
併用禁忌	抗HCV薬（アスナプレビル★、バニプレビル★、ダクラタスビル★、パリタプレビル・リトナビル★、グラゾプレビル★、エルバスビル★、ソホスブビル・ベルパスタビル［エプクルーサ配合錠］）	血中濃度低下し効果減弱の恐れ。
	エルビテグラビルまたはコビシスタットを含有する製剤（スタリビルド配合錠など）、リルピビリン（エジュラント、オデフシィ配合錠）	血中濃度低下、作用減弱の恐れ。P-gp誘導も関与。
	ビクテグラビル・テノホビルアラフェナミドを含有する製剤（ビクタルビ配合錠など）	血中濃度低下し、作用減弱。
	ボリコナゾール（ブイフェンド）	血中濃度低下の可能性。
	アルテメテル・ルメファントリン（リアメット配合錠；抗マラリア薬）	作用減弱の恐れ。
	タダラフィル20mg（アドシルカ錠20mg）	血中濃度が低下しタダラフィルの効果減弱の恐れ。
	マシテンタン（オプスミット）	曝露量の減少。
	ドラビリン（ピフェルトロ）	血中濃度が低下し、治療効果が減弱する恐れ。
	チカグレロル（ブリリンタ；抗血小板薬）	血中濃度が著しく低下。血小板凝集抑制作用の減弱。
	エサキレノン（ミネブロ；アルドステロン阻害作用）	血中濃度が低下し、作用減弱の恐れ。
原則禁忌	イリノテカン（カンプト、トポテシン）	活性代謝物（SN-38）の血中濃度が低下し薬効減弱の恐れ。
	分子標的治療薬（スニチニブ［スーテントカプセル］、ダサチニブ［スプリセル］、シロリムス［ラパリムス］、パノビノスタット［ファリーダック］など）、セリチニブ［ジカディア］、ブリグチニブ［アルンブリグ］、アカラブルチニブ［カルケンス］、ペミガチニブ［ペマジール］	血中濃度低下の恐れ。
	カバジタキセル（ジェブタナ点滴静注）	血中濃度低下の恐れ。
	アピキサバン（エリキュース）	静脈血栓塞栓症患者場合のみ原則禁忌。P-gp 誘導作用により、アピキサバンの血中濃度の低下。CYP3A4誘導も関与。
	クロピドグレル（プラビックス）	活性代謝物の血中濃度が上昇する。

いずれもCYP450誘導により作用減弱。ただし、※は代謝促進により副作用が増強（☞**表5-46**）。
分子標的治療薬の相互作用については**付録C表S-8**参照。

	薬剤	内容
併用慎重	テオフィリン	テオフィリンクリアランス50%上昇。
	ワルファリン	ワルファリン血中濃度50%低下。
	フェニトイン	薬効変動、相互にCYP450誘導。フェニトイン半減期10.6から6.4時間へ短縮。 なお、フェニトインのCYP450誘導によりカルバマゼピン血中濃度低下（消化管吸収阻害も関与）。カルバマゼピンによりフェニトイン血中濃度が上昇することあり（機序不明）。
	抗てんかん薬	相互にCYP450誘導するため抗てんかん作用減弱。特にフェニトイン、フェノバルビタール、プリミドンはカルバマゼピンの代謝促進・消化管吸収を阻害する。
	ハロペリドール	併用9日以降、ハロペリドールの血中濃度が60%減少し、興奮・せん妄発現。
	リスペリドン	21日間併用後、Cmax、AUCがそれぞれ約50%低下。リスペリドンはCYP2D6と一部3A4で代謝される。
	アルプラゾラム	併用11日後、アルプラゾラム血中濃度が56%低下し興奮誘発。
	クロナゼパム	血中濃度低下。
	経口避妊薬	避妊失敗、出血例。
	シクロスポリン	カルバマゼピン服用患者にシクロスポリンを投与したところ、血中シクロスポリン濃度が治療域以下で効果なし。
	バルプロ酸	血中濃度低下。なお、バルプロ酸によるCYP450阻害でカルバマゼピンの血中濃度上昇（☞ **表5-34**）。
	エトスクシミド	17日間併用でエトスクシミド血中濃度20%低下。
	イソニアジド※	肝毒性誘発に注意。なお、イソニアジドによるCYP450阻害によりカルバマゼピン中毒発現。
	アリピプラゾール	カルバマゼピン400mgとアリピプラゾール30mg併用によりCmax、AUCが68%、73%低下。
	甲状腺ホルモン製剤	T_4（チロキシン）血中濃度低下（効果減弱）。グルクロン酸抱合の関与の可能性（☞ **表6-4**）。
	トピラマート	トピラマート血中濃度が40%低下。
	アビラテロン	血中濃度低下の恐れ。
	エンザルタミド	血中濃度が低下し、作用が減弱する恐れ。
	ダロルタミド	有効性が減弱する恐れ。CYP3A誘導作用のない薬剤または中程度以下のCYP3A誘導薬への代替を考慮する。
	アメナメビル（アメナリーフ；抗ヘルペスウイルス薬）	アメナメビルにもCYP3A誘導作用があるため、相互に血中濃度が低下する恐れ。
	ルラシドン（ラツーダ；DSA；抗精神病薬/双極性障害のうつ症状治療薬）	血中濃度が低下し、作用が減弱する恐れ。

表5-51　セイヨウオトギリソウ（セント・ジョーンズ・ワート、SJW）によるCYP450誘導の影響を受ける薬剤

誘導作用を受ける薬剤のCYP450分子種	CYP450誘導の影響を受ける薬剤
1A2	キサンチン系薬（テオフィリン［テオドール］、アミノフィリン［ネオフィリン］、コリンテオフィリン★）
2C8	エンザルタミド（イクスタンジ；前立腺癌治療薬）
2C9	ワルファリン（ワーファリン）、フェニトイン（アレビアチン）
2C19	バルビツール酸系薬
2D6	プロパフェノン（プロノン）
3A4	抗てんかん薬（カルバマゼピン［テグレトール］、ゾニサミド［エクセグラン、トレリーフ；抗パーキンソン薬］、ペランパネル［フィコンパ］）、抗不整脈薬・局所麻酔薬（キニジン［硫酸キニジン］、リドカイン［キシロカイン］、アミオダロン［アンカロン］、ジソピラミド［リスモダン］、プロパフェノン［プロノン］）、タクロリムス（プログラフ）、ステロイド系（ジギタリス製剤、経口避妊薬）、シクロスポリン（サンディミュン、ネオーラル）、トルバプタン（サムスカ）、**抗HCV薬**（テラプレビル★、アスナプレビル★、バニプレビル★、ダクラタスビル★、パリタプレビル・リトナビル★、グラゾプレビル★、エルバスビル★）、抗HIV薬（**エルビテグラビルまたはコビシスタットを含有する製剤**［スタリビルド配合錠］、**ビクテグラビル**［ビクタルビ配合錠］、HIVプロテアーゼ阻害薬※1、マラビロク［シーエルセントリ；CCR5阻害薬］、非ヌクレオシド系抗HIV薬※2（リルピビリン［エジュラント、オデフシィ配合錠］、ドラビリン［ピフェルトロ］など）、イリノテカン（カンプト、トポテシン）、エプレレノン（セララ）、分子標的治療薬（エベロリムス［サーティカン、アフィニトール］、スニチニブ［スーテント］、ダサチニブ［スプリセル］、パノビノスタット［ファリーダック］、ラパリムス［シロリムス］、ラロトレクチニブ［ヴァイトラックビ］、オシメルチニブ［タグリッソ］、ポナチニブ［アイクルシグ］、ギルテリチニブ［ゾスパタ］、カボザンチニブ［カボメティクス］、イキサゾミブ［ニンラーロ］、キザルチニブ［ヴァンフリタ］、セリチニブ［ジカディア］、ブリグチニブ［アルンブリグ］、イブルチニブ［イムブルビカ］、アカラブルチニブ［カルケンス］、パルボシクリブ［イブランス］、オラパリブ［リムパーザ］）、カバジタキセル（ジェブタナ点滴静注；抗悪性腫瘍剤）、アビラテロン（ザイティガ；前立腺癌治療薬）、リオシグアト（アデムパス；グアニル酸シクラーゼ刺激薬）、活性化第X因子（FXa）阻害薬（リバーロキサバン［イグザレルト］、アピキサバン［エリキュース］）、**マシテンタン**（オプスミット；エンドセリン受容体拮抗薬）、ルラシドン（ラツーダ；DSA；抗精神病薬/双極性障害のうつ症状治療薬）、チカグレロル（ブリリンタ；抗血小板薬）、ベンラファキシン（イフェクサー；SNRI）、イストラデフィリン（ノウリアスト）、アルテメテル・ルメファントリン（リアメット配合錠;抗マラリア薬）、アメナメビル（アメナリーフ；抗ヘルペスウイルス薬）、イバブラジン(コララン；HCNチャネル遮断薬)など
複数のCYP450	ベルパタスビル（エプクルーサ配合錠；抗HCV薬）

太字は併用禁忌薬

いずれもSJW含有食品との併用により薬効が減弱する恐れがある。上記の薬剤を使用する際は、SJW含有食品を摂取しないよう注意する（原則禁忌）。ただし、エルビテグラビルまたはコビシスタットを含有する製剤、リルピビリン、抗HCV薬（アスナプレビル、バニプレビル、ダクラタスビル、パリタプレビル・リトナビル、グラゾプレビル、エルバスビル）、マシテンタン、チカグレロルでは併用禁忌。なお、表には添付文書上に注意が記載されている薬剤のみ示したが、CYP2C群、3A4で代謝される他の薬剤、またP-gpの基質となる薬剤（☞**表4-10**）、MRPの基質となる薬剤（☞**表4-1**）の投与時にも、SJW含有健康食品を摂取しないように注意すべきである。

※1　リトナビル（ノービア）、インジナビル★、ホスアンプレナビル（レクシヴァ）、サキナビル★、ネルフィナビル★など
※2　**リルピビリン**（エジュラント；併用禁忌）、ネビラピン（ビラミューン）、デラビルジン（販売中止）、エファビレンツ（ストックリン）、エトラビリン（インテレンス）

分子標的治療薬の相互作用については**付録C 表S-8**参照。　★ 販売中止

表5-52　副腎皮質ホルモン製剤によるCYP450誘導に起因する相互作用

	CYP450誘導の影響を受ける薬剤	報告されている事象など
併用禁忌	リルピビリン（エジュラント、オデフシィ配合錠）、抗HCV薬（アスナプレビル［スンベプラ］、ダクラタスビル［ダクルインザ］）	作用減弱の恐れ。デキソメタゾン（デカドロンなど）全身投与時のみ禁忌（ただし、リルピビリンの併用禁忌については、デキサメタゾン単回投与を除く）。
原則禁忌	分子標的治療薬：スニチニブ（スーテント）、ダサチニブ（スプリセル）、パノビノスタット（ファリーダック）、ロルラチニブ（ローブレナ）	CYP3A4に影響を及ぼす薬剤との併用は可能な限り避けること（スニチニブ）。CYP3A4誘導作用の強い薬剤との併用は推奨されない（ダサチニブ）。デキサメタゾンとの併用でパノビノスタットのAUCは20%減少する傾向。
併用慎重	シクロホスファミド※（エンドキサン）	プレドニゾロン（プレドニン）長期併用で薬効増強。ただし、併用初期にはプレドニゾロンによる代謝競合でシクロホスファミドの活性化が抑制され作用減弱（☞ **表5-30**⑥）。
	ピラゾロン系薬（フェニルブタゾン★、クロフェゾン★）	腎排泄促進関与。逆に、フェニルブタゾンの酵素誘導作用でコルチゾンの作用減弱の可能性。
	サリチル酸系薬（アスピリン製剤［バファリン配合錠］）	併用1週間後、血中濃度116から38μg/mLに低下。コルチゾン併用中止でサリチル酸血中濃度70から240μg/mLに上昇（減量時の投与量に注意）。腎排泄促進関与（☞ **表3-6**）。
	β遮断薬（ボピンドロール★）	β遮断薬の血中濃度低下の恐れ。ボピンドロールの添付文書には「デキサメタゾンによるCYP2D6誘導により代謝が促進される」と記載されていたが、臨床ではこの可能性は低い（基本的にCYP2D6は誘導されない酵素であるため）。
	エベロリムス（アフィニトール）	エベロリムスの血中濃度低下の恐れ。低用量のエベロリムス（サーティカン;免疫抑制剤）には記載がない。
その他：CYP3A4で代謝される薬剤（テラプレビル★、サキナビル★、ドネペジル、イマチニブ、カボザンチニブ（カボメティクス）、エレトリプタン、エプレレノン、メフロキンなど）		

いずれも薬効減弱の恐れがある。ただし、※は代謝促進で作用増強、逆に抑制で作用減弱（☞**表5-46**）。
分子標的治療薬の相互作用については**付録C 表S-8**参照。　★ 販売中止

表5-53　CYP450誘導が関与するその他の相互作用

（1）誘導

	CYP450誘導薬	誘導作用を受ける薬剤のCYP分子種	作用を受ける薬剤	報告されている事象
併用禁忌	ネビラピン（ビラミューン）	3A4、2C9、2C19	経口避妊薬	経口避妊薬の血中濃度低下。
		3A4	ケトコナゾール内服薬★（アゾール系薬）	ケトコナゾール血中濃度低下（AUC 63%低下）、ネビラピン血中濃度15～28%上昇（ケトコナゾールによる代謝阻害）。
	リトナビル（ノービア；PXR活性化薬※1；HIVプロテアーゼ阻害薬）、リトナビル含有製剤（カレトラなど）、エファビレンツ（ストックリン；CAR活性化薬※1）	2C19、2C9、3A4	ボリコナゾール（ブイフェンド；アゾール系薬）	リトナビルとの併用でボリコナゾールCmax、AUCが66%、82%低下。エファビレンツとの併用でボリコナゾールCmax、AUCが61%、77%低下（ボリコナゾールの3A4阻害によりエファビレンツのCmax、AUCが38%、44%上昇；☞ **表5-17**）。リトナビル、エファビレンツのCYP3A4誘導に起因する可能性が高い。
	非ヌクレオシド系抗HIV薬※2（リルピビリン［エジュラント］を除く）、モダフィニル（モディオダール）、ボセンタン（トラクリア；PXR活性化薬※1）	3A	アスナプレビル（スンベプラ;抗HCV薬）	血中濃度低下、効果減弱の恐れ。
	強力なCYP3A誘導薬;エンザルタミド（イクスタンジ；抗アルドステロン薬；前立腺癌治療薬）、ミトタン（オペプリム；副腎皮質ホルモン合成阻害薬）	3A4	ドラビリン（ピフェルトロ；非ヌクレオシド系抗HIV薬）	血中濃度が低下し、治療効果が減弱する恐れ。ミトタンとCYP3A4で代謝される薬剤（ミダゾラム、アムロジン、クラリスロマイシンなど）との併用は常に注意。
	エファビレンツ（ストックリン；CAR活性化薬）	3A4	抗HCV薬（シメプレビル★［ソブリアード］、パリタプレビル・リトナビル★［ヴィキラックス配合錠］、グラゾプレビル［グラジナ］、エスバスビル［エレルサ］）	血中濃度低下、効果減弱の恐れ。、グラゾプレビル、エスバスビルは消化管P-gp（☞ **表4-11**）、肝P-gp誘導も考えられる（☞ **表4-22**）。
原則禁忌	リトナビル（ノービア；PXR活性化薬）	3A4	イリノテカン（カンプト）	活性代謝物（SN-38）の血中濃度が低下し薬効減弱の恐れ。
	モダフィニル（モディオダール）	3A4	ロルラチニブ（ローブレナ）	血中濃度低下。効果減弱の恐れ。
併用慎重	中程度以上のCYP3A4誘導薬：エファビレンツ（ストックリン）等	3A4	シポニモド（メーゼント；多発性硬化症治療薬）	シポニモドの有効性が減弱する恐れ。CYP2C9※1/※3又はCYP2C9※2/※3を保有する患者では、これらの薬剤と併用する際は注意する。
	アルコール（エタノール）の常用	2E1	肝代謝される全ての薬剤	CYP2E1を強く誘導（特に、アセトアミノフェンの代謝促進に起因する肝障害発現に注意）。逆に急性飲酒ではCYP450酵素阻害。

※1　核内受容体は表5-54参照
※2　非ヌクレオシド系抗HIV薬：エファビレンツ（ストックリン）、エトラビリン（インテレンス）、ネビラピン（ビラミューン）
※3　いずれも作用を受ける薬剤・物質の効果が減弱するが、アセトアミノフェン、喫煙（ベンゾ［α］ピレン）、ニトロソアミンは代謝されて毒性が増強する。

表5-53（つづき） CYP450誘導が関与するその他の相互作用

	CYP450誘導薬	誘導作用を受ける薬剤のCYP分子種	作用を受ける薬剤	報告されている事象
併用慎重	CYP2E1誘導薬（アルコール、イソニアジド［イスコチン］）、CYP3A4・1A2誘導薬（PXR、CAR活性化薬など）、	2E1、3A4、1A2	アセトアミノフェン[※2]（カロナール；代謝の一部が関与）	アセトアミノフェンの肝毒性発現[※3]。CYP2E1、3A4、1A2による代謝が促進し、肝毒性の原因である活性中間代謝物（N-アセチル-p-ベンゾキノンイミン）の産生が増大するため（☞ **図5-17**）。 【警告】アセトアミノフェンとアセトアミノフェンを含む他の薬剤（一般用医薬品）との併用は、過量投与による重篤な肝毒性の恐れがあるため禁忌である。
	喫煙（ベンゾ［α］ピレンによるAhR活性化[※1]；☞ **表5-54**）	1A1、1A2	肝代謝される全ての薬剤	特にCYP1A1、1A2を強く誘導。CYP1A1の誘導によりベンゾ［α］ピレン[※2]の発癌作用増強、CYP1A2の誘導によりテオフィリン（テオドール）、プロプラノロール（インデラル）、オランザピン（ジプレキサ）、ピルフェニドン（ピレスパ；抗線維化薬）、チザニジン（テルネリン）、メラトニン（メラトベル）、イストラデフィリン（ノウリアスト）、リオシグアト（アデムパス；CYP1A1で代謝；原則禁忌［禁煙させることが望ましい］）の作用減弱。ピルフェニドンではAUC 50%低下、チザニジンではAUC 30%低下、イストラデフィリンでは$AUC_{0\text{-}24h}$、Cmaxが非喫煙者の58.4%、79.3%に低下、リオシグアトでは血中濃度50～60%低下。喫煙にはGST誘導作用もある。禁煙によるCYP1A2で代謝される薬剤の血中濃度上昇に注意（禁煙後、誘導効果が消失するまでの時間は1週間～2年とかなりの個人差がある）。メラトニンは禁煙前と比較し血清中濃度が約2.9倍と有意に上昇し、AUCも増加したとの報告がある。
	ニコチン（喫煙、禁煙補助薬［ニコチネルTTS］）	2E1	アセトアミノフェン[※2]（カロナール）、ニトロソアミン[※2]（発癌物質）、テオフィリン（テオドール）	アセトアミノフェンの肝毒性、ニトロソアミンによる発癌の恐れ。慢性飲酒で喫煙者では要注意。一方、テオフィリンではニコチンにより薬効減弱の可能性あり。
	β刺激薬	1A2（主）、3A4、2E1	テオフィリン（テオドール）	イソプレナリン（プロタノール）併用時にクリアランス21～45%上昇。テルブタリン（ブリカニール）併用時は12～23%上昇。
	ニフェジピン（アダラート）	3A4	キニジン（硫酸キニジン）	ニフェジピン（アダラート）中止後24時間以内にキニジン血中濃度2倍。機序不明。
	サリチル酸系（バファリン配合錠、バイアスピリン）	2C9	NSAIDs	相互に作用減弱。ジクロフェナク（ボルタレン）のAUC 1/2に低下。血漿タンパク結合置換関与。NSAIDs副作用（消化管出血、痙攣）誘発の可能性。
	ピラゾロン系薬（フェニルブタゾン★、クロフェゾン★）	3A4	ステロイド系薬（副腎皮質ホルモン製剤、経口避妊薬、ジギタリス製剤）	コルチゾンの作用減弱の可能性。避妊薬（黄体・卵胞ホルモン）の作用を減弱。ジギトキシン血中濃度50%低下。
		2C11	アミノピリン★	効果減弱の可能性。血漿タンパク結合置換ではピリン系（アミノピリン）作用増強。
	グリセオフルビン★	2C9、1A2、3A4	ワルファリン（ワーファリン）	併用12週後、ワルファリン投与量41%増量。ワルファリンの消化管吸収阻害の可能性。
		3A4	経口避妊薬	出血、避妊失敗例の報告がある。エチニルエストラジオールAUC減少。
	SU薬、ナテグリニド（スターシス、ファスティック）	2C9、1A2、3A4	クマリン系薬（ジクマロール★、ワルファリン［ワーファリン］）	血中濃度変動。ワルファリン作用減弱（SU薬によるCYP450誘導）、ワルファリン作用増強（血漿タンパク結合置換関与）、相互に作用増強（代謝競合）、SU薬の作用増強（腎分泌阻害関与。併用継続でワルファリンによるSU薬代謝抑制？）。

★ 販売中止もしくは国内未発売

表5-53（つづき）　CYP450誘導が関与するその他の相互作用

	CYP450誘導薬	誘導作用を受ける薬剤のCYP分子種	作用を受ける薬剤	報告されている事象
併用慎重	アプレピタント（イメンド）；CYP2C9、3A4誘導作用	2C9、1A2、3A4	ワルファリン（ワーファリン）	併用8日目のS体ワルファリン（2C9）の血漿中濃度のトラフ値は0.66倍に低下しINRは0.86倍に低下。
		2C9	トルブタミド（ヘキストラスチノン）	AUCが0.72～0.85倍に低下。
		3A4、2C9、2C19	経口避妊薬	効果減弱の恐れ。デキサメタゾン（同名）、オンダンセトロン（ゾフラン）、アプレピタント併用時に血中濃度のトラフ値が最大で0.36倍（エチニルエストラジオール）、0.4倍（ノルエチステロン）に低下。アプレピタント投与期間中および投与後1カ月間は他の避妊法を行う。
	デフェラシロクス（ジャドニュ；鉄キレート剤）；弱いCYP3A4誘導作用	3A4	CYP3A4で代謝される薬剤；シクロスポリン（サンディミュン、ネオーラル）、シンバスタチン（リポバス）、ミダゾラム（ドルミカム、ミダフレッサ；BZP系薬）、経口避妊薬など	ミダゾラムでAUC 17%低下。
	イソニアジド（イスコチン；抗結核薬）	3A4	イトラコナゾール（イトリゾール；アゾール系）	血中濃度15～25%低下。
			シクロスポリン（サンディミュン、ネオーラル）	イソニアジド併用中止後、シクロスポリン血中濃度250から400ng/mLに上昇。
	d-クロルフェニラミン（ポララミン、セレスタミンなど）	不明	フェニルブタゾン★	半減期短縮。
	甲状腺ホルモン製剤、抗甲状腺薬（チアマゾール［メルカゾール］、プロピルチオウラシル［チウラジール］）	1A2（主）、3A4、2E1	テオフィリン（テオドール）	テオフィリン作用増減。甲状腺機能亢進（低下）時にはテオフィリン代謝が促進（抑制）され血中濃度低下（上昇）。
	プロトンポンプ阻害薬（AhR活性化薬※1；☞**表5-54**）	1A2（主）、3A4、2E1	テオフィリン（テオドール）	クリアランス7～17%上昇。PPIは二相効果を有する。
		1A2、2D6	オランザピン（ジプレキサ）	血中濃度低下の可能性。
	バルプロ酸（デパケン）；ヘテロ二量体［CAR/RXR、PXR/RXR］と応答配列との結合促進（☞**コラム44**）	2C9（主）、2C19	フェニトイン（アレビアチン）	バルプロ酸によるCYP450阻害でフェニトインの血中濃度上昇。フェニトインによるCYP450誘導でバルプロ酸濃度30～45%低下。
		3A4	カルバマゼピン（テグレトール）	カルバマゼピン血中濃度29%低下。 バルプロ酸のCYP450阻害作用によりカルバマゼピン血中濃度上昇。カルバマゼピンのCYP450誘導でバルプロ酸の血中濃度低下。
	ソマトロピン（ジェノトロピン、ノルディトロピン、ヒューマトロープ他）（☞**コラム42**）	3A4	主にCYP3A4で代謝される薬剤；性ホルモン製剤、シクロスポリン、抗てんかん薬など	血中濃度低下。作用減弱。
	タモキシフェン（ノルバデックス；抗エストロゲン薬）；PXR活性化薬※1（☞**表5-54**）	3A4	レトロゾール（フェマーラ；アロマターゼ阻害薬）	レトロゾールのAUCが40%低下。

5 CYP450による代謝

表5-53（つづき） CYP450誘導が関与するその他の相互作用

	CYP450誘導薬	誘導作用を受ける薬剤のCYP分子種	作用を受ける薬剤	報告されている事象
併用慎重	インターフェロン（INF）製剤	2C8、2C9、2D6	CYP2C8、2C9、2D6で代謝される薬剤	薬効減弱。C型慢性肝炎患者（外国人24例）にペグINF α-2b（ペグイントロン；INF α-2bをポリエチレングリコールで修飾し作用時間を持続させた薬）を投与した結果、CYP2C8、2C9を介するトルブタミドの代謝が28%亢進し、また2D6を介するデキストロメトルファンの代謝が67%亢進。
	ボセンタン（トラクリア；非選択的エンドセリン受容体拮抗薬）；PXR活性化薬※1（☞**表5-54**）	2C9、1A2、3A4	ワルファリン（ワーファリン）	S体（2C9）の血中濃度29%低下。R体（1A2、3A4）の血中濃度38%低下。
		3A4（主）、2C9	シンバスタチン（リポバス）	血中濃度低下。バニプレビル併用時には、バニプレビルの肝OATP2/8阻害作用によりボセンタンの血中濃度上昇の恐れ（☞**表4-20**）。
		3A4（主）	Ca拮抗薬、経口避妊薬、アトルバスタチン（リピトール）、PDE5阻害薬、リオシグアト（アデムパス；グアニル酸シクラーゼ［sGC］刺激薬）、抗HCV薬（バニプレビル［バニヘップ］、グラゾプレビル［グラジナ］、エルバスビル［エレルサ］）、ルラシドン（ラツーダ；DSA；抗精神病薬/双極性障害のうつ症状治療薬）など	
	リトナビル（ノービア；PXR活性化薬※1）	1A2（主）、3A4、2E1	テオフィリン（テオドール）	AUC 45%低下。
		2D6	モルヒネ系薬（モルヒネ、コデイン）、パロキセチン（パキシル）	パロキセチンで血中濃度60%低下。
		3A4、2C9、2C19	経口避妊薬	エチニルエストラジオールのAUC 41%低下。
		不明	ジドブジン（レトロビル）、ラモトリギン（ラミクタール）、バルプロ酸（デパケン）	ジドブジンCmax 27%低下、AUC 25%低下。グルクロン酸抱合促進の可能性（☞**表6-4**）。
	サキナビル★	3A4、2C9、2C19	経口避妊薬	エチニルエストラジオールの血中濃度低下の恐れ。

★ 販売中止

表5-53（つづき）　CYP450誘導が関与するその他の相互作用

	CYP450誘導薬	誘導作用を受ける薬剤のCYP分子種	作用を受ける薬剤	報告されている事象
併用慎重	非ヌクレオシド系抗HIV薬（ネビラピン［ビラミューン］、エファビレンツ［ストックリン］、エトラビリン［インテレンス］）	3A4	HIVプロテアーゼ阻害薬（インジナビル★、アンプレナビル★など）、エベロリムス（サーティカン；免疫抑制剤）、カプマチニブ（タブレクタ）、クラリスロマイシン、スタチン系薬（シンバスタチン［リポバス］、アトルバスタチン［リピトール］、プラバスタチン［メバロチン；機序不明］）、カルバマゼピン（テグレトール）、経口避妊薬、イトラコナゾール（イトリゾール）、ジルチアゼム（ヘルベッサー）、抗HCV薬（バニプレビル［バニヘップ］、ダクラタスビル［ダクルインザ］：ネビラピン併用時を除く）など	エファビレンツとの併用で血中濃度低下（インジナビルAUC 31%低下、アンプレナビルAUC 24%低下、クラリスロマイシンAUC 39%低下。シンバスタチン、アトルバスタチン、プラバスタチンのAUCがそれぞれ69%、43%、40%低下。カルバマゼピンAUC27%、TDMを実施すべきである）。 ただしエトラビリンと経口避妊薬との併用時、エトラビリンのCYP2C9、2C19阻害のためエチニルエストラジオールのAUCが22%増加。
	エファビレンツ（ストックリン）、エトラビリン（インテレンス）	3A4	ルラシドン（ラツーダ；DSA；抗精神病薬/双極性障害のうつ症状治療薬）	作用が減弱する可能性。
	アメナメビル（アメナリーフ；抗ヘルペスウイルス薬）	3A4	CYP3Aの基質となる薬剤：ミダゾラム（ドルミカム、ミダフレッサ）、ブロチゾラム（レンドルミン）、ニフェジピン（アダラート）など	ミダゾラムCmax、AUCが32%、49%低下。
		2B6	CYP2Bの基質となる薬剤；エファビレンツ（ストックリン）など	効果減弱
	モダフィニル（モディオダール；ナルコレプシー症状の眠気治療薬）	3A4	CYP1A2、3A4、2B6で代謝される薬剤：経口避妊薬（エチニルエストラジオール）、トリアゾラム（ハルシオン）、シクロスポリン（サンディミュン、ネオーラル）、抗HCV薬（バニプレビル［バニヘップ］、グラゾプレビル［グラジナ］、エルバスビル［エレルサ］）、ロミタピド（ジャクスタピッド；ホモ接合体家族性抗コレステロール血症治療薬）など、エヌトレクチニブ（ロズリートレク）、ルラシドン（ラツーダ：DSA；抗精神病薬/双極性障害のうつ症状治療薬）など	血中濃度低下。エチニルエストラジオールAUC_{0-24h} 18%低下、トリアゾラム$AUC_{0-\infty}$ 59%低下、シクロスポリン血中濃度50%低下。 なお、モダフィニルはCYP2C9、2C19阻害作用があるため注意（☞**表5-58、p.303「注意」**）。ロミタピドとの併用でロミタピドAUC0.87倍に低下。

★ 販売中止

表5-53（つづき） CYP450誘導が関与するその他の相互作用

	CYP450誘導薬	誘導作用を受ける薬剤のCYP分子種	作用を受ける薬剤	報告されている事象
併用慎重	エファビレンツ、モダフィニル	CYP3A	チカグレロル（ブリリンタ；抗血小板薬）	血中濃度低下の恐れ。
	トログリタゾン★	3A4	経口避妊薬	エチニルエストラジオールのCmax、AUCが32%、29%低下。ノルエチステロンのCmax、AUCが31%、30%低下。
			テルフェナジン★	テルフェナジンのCmax、AUCが67%、71%低下。
			シクロスポリン（サンディミュン、ネオーラル）、スタチン系薬（アトルバスタチン［リピトール］）	
	妊婦	3A4	リルピビリン（エジュラント、オデフシィ配合錠、ジャルカ配合錠）	リルピビリンのCmax、AUC24hおよびCminは、出産後(6~12週)と比較してそれぞれ21%、29%および35%減少し、妊娠後期では、それぞれ20%、31%および42%減少した。
	エファビレンツ（ストックリン）	3A4	ベネトクラクス（ベネクレクスタ）	生理学的薬物動態モデルによるシミュレーションからベネトクラクスのAUCは61%低下と推定される。
	スピロノラクトン（アルダクトン）	3A4	ジギトキシン★	ジギトキシン$t_{1/2}$（半減期）短縮。逆に延長したという報告もある。
	ニンニク含有製品（☞付E）	2D6、3A4	サキナビル★（HIVプロテアーゼ阻害薬）	ニンニク成分により誘導されたCYP450がサキナビルの代謝促進。ニンニク含有健康食品を摂取しないこと。ニンニク約8gを摂取した場合、サキナビルのAUC 51%低下、8時間後の平均トラフ値が49%低下、Cmaxが54%低下。
	トピラマート（トピナ；抗てんかん薬）	2D6（主）、3A4	リスペリドン（リスパダール；SDA）	リスペリドンCmax、$AUC_{0\text{-}12h}$が29%、23%低下。
		2C8（主）	ピオグリタゾン（アクトス）	ピオグリタゾン$AUC_{0\text{-}24h}$が15%低下。ピオグリタゾンの活性代謝物（ケトン体）$AUC_{0\text{-}24h}$も60%低下。ピオグリタゾンはCYP2C8以外にも多くのCYP分子で代謝（☞**表5-2**）。
		3A4、2C9、2C19	経口避妊薬（エチニルエストラジオールなど）	バルプロ酸、トピラマート併用時にエチニルエストラジオール$AUC_{0\text{-}24h}$が18～30%低下。トピラマートのみとの併用の場合には変化なし。
		3A4	ジゴキシン（ジゴシン）	ジゴキシンの$AUC_{0\text{-}\infty}$12%低下。ジゴキシンのCYP3A4による代謝はわずか。
	アスナプレビル（スンベプラ；抗HCV薬；CYP3A4誘導作用は弱い）	3A4 2C9、2C19	エチニルエストラジオール含有製剤（経口避妊薬など）	血中濃度低下の恐れ。
		3A4	ミダゾラム（ドルミカム、ミダフレッサ）	血中濃度低下。
	エンザルタミド（イクスタンジ；抗アンドロゲン薬；前立腺癌治療薬；強いCYP3A誘導薬）	3A4	3A4の基質：ミダゾラムなど	ミダゾラムのAUC、Cmaxが0.14倍、0.23倍に低下。ドラビリン（ピフェルトロ；抗HIV薬）との併用は禁忌（☞**表5-53**）。
		2C9	2C9の基質：ワルファリン（ワーファリン）など	S-ワルファリンのAUC、Cmaxが0.44倍、0.93倍に低下。
		2C19	2C19の基質：オメプラゾール（オメプラール、オメプラゾン）など	オメプラゾールのAUC、Cmaxが0.30倍、0.38倍に低下。

	CYP450誘導薬	誘導作用を受ける薬剤のCYP分子種	作用を受ける薬剤	報告されている事象
併用慎重	CYP誘導薬（リファブチン［ミコブティン］、エファビレンツ）	2C8？ 2B6？ 3A4	ベルパタスビル（エプクルーサ配合錠；抗HCV薬）	P-gpおよびCYP誘導作用により、ベルパタスビルの血中濃度低下の恐れ。
	ロルラチニブ（ローブレナ）	3A4	3Aの基質：ミダゾラム、アトルバスタチン、フェンタニル	ミダゾラムのAUC61%、Cmax40%低下。
	ダブラフェニブ（タフィンラー）	3A4、2C9	ミダゾラム、経口避妊薬、ワルファリン	ミダゾラムのAUC約74%低下、S-ワルファリンのAUC約37%、Cmax約18%低下。
	ベキサロテン（タルグレチン）	3A	アトルバスタチン、シンバスタチン、ミダゾラム	アトルバスタチンのAUCが約50%低下。
	レテルモビル（プレバイミス；抗CMV薬）	2C9、2C19	CYP2C9、2C19の基質 ボリコナゾール、フェニトイン、ワルファリン等	血中濃度低下、効果減弱の恐れ。ボリコナゾールのAUC0.56倍、Cmax0.61倍に低下。

（2）機序不明

	CYP450誘導薬	作用を受ける薬剤のCYP分子種	作用を受ける薬剤	報告されている事象
併用禁忌	ミトタン（オペプリム；副腎皮質ホルモン合成阻害）	2C19	ペントバルビタール （ラボナ）	併用禁忌。ペントバルビタールの睡眠作用を減弱させるとの海外報告がある。ミトタンは強いCYP誘導薬。
併用慎重	PXR活性化薬（リトナビル［ノービア］、フェニトイン［アレビアチン］、カルバマゼピン［テグレトール］、フェノバルビタール［フェノバール］）	不明	アルベンダゾール （エスカゾール；駆虫薬、ベンズイミダゾール系）	アルベンダゾールの活性代謝物（スルホキシド型）の血中濃度低下（効果減弱）。代謝酵素不明。
併用慎重	トラゾドン（デジレル、レスリン；5-HT再取り込み阻害薬）	2C9、1A2、3A4	ワルファリン （ワーファリン）	プロトロンビン時間短縮（作用減弱）。
	クロナゼパム （リボトリール、ランドセン；BZP系薬）	2C9、2C19	抗てんかん薬	フェニトイン（アレビアチン）の血中濃度変動。プリミドン（同名）の血中濃度上昇、フェノバルビタール（フェノバール）、フェニトイン、プリミドンの血中濃度無影響の報告。
	フェノチアジン系薬、ブチロフェノン系薬	2C9、2C19	フェニトイン （アレビアチン）	フェニトイン血中濃度が44%低下（フェノチアジン系併用時）。
		2C9、1A2、3A4	ワルファリン （ワーファリン）	ハロペリドールの併用でトロンボテストのコントロール不能。
		2C19	バルビツール酸系薬	フェノバルビタール（フェノバール）血中濃度約30%低下（フェノチアジン系併用時）。逆に、バルビツール酸によるクロルプロマジンの血中濃度が低下することもある（併用時には協力作用により鎮静作用は増強するが、抗痙攣作用は増強しない；☞ **表7-3**）。
	ST合剤（バクタ配合錠）	1A2、2C19、3A4、2D6	三環系抗うつ薬（クロミプラミン［アナフラニール］、イミプラミン［トフラニール］、アミトリプチリン［トリプタノール］など）	抑うつ症状の再発（三環系抗うつ薬の効果減弱）。サルファ剤には誘導作用はないと考えられるので、トリメトプリムによる誘導作用の関与が濃厚。

	CYP450誘導薬	作用を受ける薬剤のCYP分子種	作用を受ける薬剤	報告されている事象
併用慎重	テルビナフィン（ラミシール）	3A4	シクロスポリン（サンディミュン、ネオーラル）	血中濃度が低下することがあるため、血中濃度を参考に投与量を調節。拒絶反応に注意。
	チクロピジン（パナルジン）	2C19、2B6、1A2、2D6、3A4	シクロスポリン（サンディミュン、ネオーラル）	シクロスポリン血中濃度が172ng/mLから78ng/mLに低下。
	クエチアピン（セロクエル）	2D6	チオリダジン★	チオリダジンCmax・AUCが40～50％低下。経口クリアランスが1.7倍上昇。
	キニジン（硫酸キニジン）	3A4	メロキシカム（モービック；選択的COX2阻害薬）	キニジンがCYP3A4のアロステリック部位に結合して酵素活性を増大させるため、部分的にCYP3A4で代謝されるメロキシカムの代謝が亢進し薬効が減弱した可能性。
	ルフィナミド（イノベロン；抗てんかん薬）	3A4	経口避妊薬、抗てんかん薬（カルバマゼピン［テグレトール］、ゾニザミド［エクセグラン］、エトスクシミド［エピレオプチマル、ザロンチン］、トピラマート［トピナ］など）、BZP系抗てんかん薬（ミダゾラム［ドルミカム；睡眠鎮静薬、ミダフレッサ］、クロナゼパム［ランドセン、リボトリール］、クロバザム［マイスタン］）、BZP系薬（トリアゾラム［ハルシオン］など）	薬効減弱。経口避妊薬の血中濃度低下（エチニルエストラジオールCmax、AUCが31％、22％低下。ノルエチステロンCmax、AUCが18％、14％低下）。トリアゾラムCmax、AUCが24％、36％低下。
	テラプレビル★	3A4	経口避妊薬	
	ペランパネル（フィコンパ；抗てんかん薬）	3A4	経口避妊薬（レボノルゲストレル）	レボノルゲストレルの血中濃度低下（機序不明）。

★販売中止

❷薬物代謝酵素の誘導機序

細胞質および核内に存在する核内受容体は、それ自体が転写（DNAからmRNAを写し取る過程）の調節因子である（☞付D）。これらは、ホルモン、薬物、脂肪酸といった脂溶性リガンドが結合すると活性化され、標的遺伝子（DNA）の転写を制御する特定のDNA領域に結合し、転写頻度を調節する。

薬剤による薬物代謝酵素の誘導も、核内受容体を介して起こることが明らかになっている（ただし、CYP2D6は核内受容体の標的遺伝子とならない）。つまり、薬物代謝酵素を誘導する薬剤（誘導薬）の多くは、細胞膜を通過した後、細胞内でそれぞれの核内受容体（PXR［プレグナンX受容体］など）と特異的に結合して活性化し、核内へ移行する。その後、薬物代謝酵素遺伝子の転写頻度を調節するDNA領域（エンハンサー領域）に結合してmRNAの生成を促進し、酵素タンパク質の合成を増やす（**図5-16**）。

薬物代謝酵素（xenobiotic metabolizing enzymes）には、第1相（Phase Ⅰ）の酸化反応を担うCYP450、第2相（Phase Ⅱ）の抱合反応を担うUGTやGSTなどがある。さらに、細胞内に薬物を取り込むOATP2などのトランスポーターを第0相（Phase 0）、代謝された薬物を排泄するトランスポーター（P-gp、MRPなど）を第3相（Phase Ⅲ）として、異物解毒の流れにトランスポーターが含まれるようになった（第4章参照）。

これまでに報告されている主な酵素誘導薬の核内受容体と、その標的遺伝子を**表5-54**にまとめてみた。核内受容体を介して誘導される代謝酵素は、第1相（酸化）だけでなく、第2相、第3相、第0相まで及ぶ。例えば、プロトンポンプ阻害薬（PPI）や、たばこの煙に含まれるベンゾ［α］ピレンは、核内受容体のAhR（アリル炭化水素受容体）を活性化し、CYP1A1/2、1B1、GST、UGT1A1/1A6などを誘導する。また、CYP450誘導作用の強い薬剤群（☞**表5-47～5-52**）は、CAR（構成的アンドロスタン受容体）やPXRの活性化を介してCYP2B、3A4、2C群、UGT、P-gp、MRP、OATP2などを誘導する。

図5-16　核内受容体を介した薬物代謝酵素の誘導機序

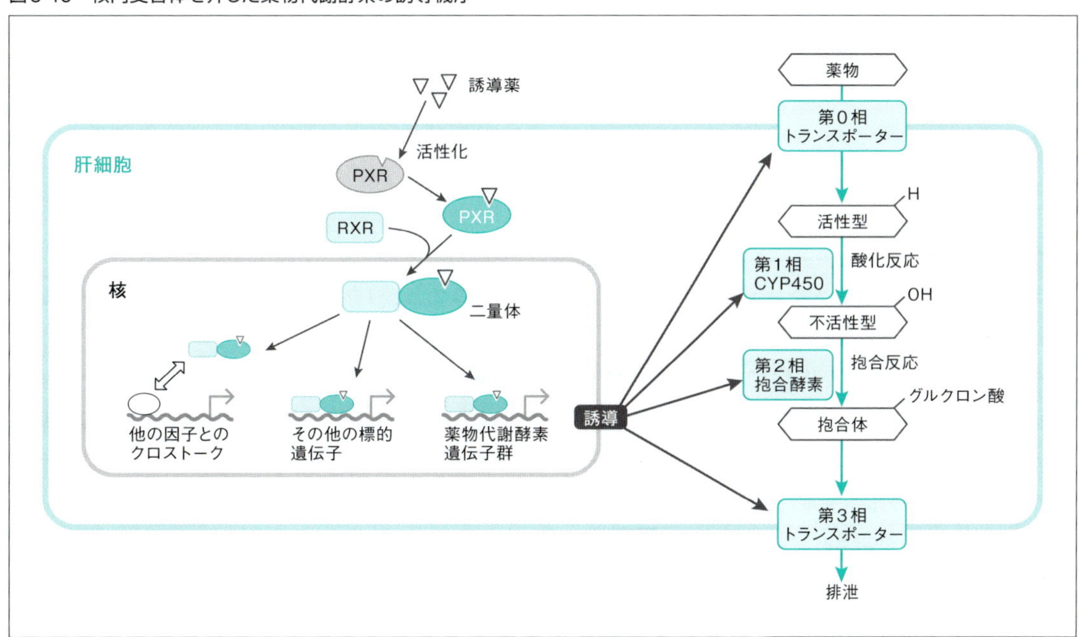

（加藤茂明編『受容体がわかる』［羊土社、2003］　一部改変）

表5-54 代謝酵素を誘導する薬剤・物質の核内受容体とその標的遺伝子

代謝酵素を誘導する薬剤・物質（各受容体のリガンド）	核内受容体	標的遺伝子（薬物代謝酵素）		
		第1相（CYP450の分子種）	第2相（抱合酵素）	第3相（トランスポーター）
喫煙（**ベンゾ[α]ピレン**、ベンゾフルオレン、テトラクロロジベンゾ-p-ダイオキシン、フルオランセンなど）、**3-メチルコランスレン**、**2,3,7,8-四塩化ダイオキシン**、**PPI**※1、レフルノミド（アラバ）など	AhR	1A1/2、1B1	GST、UGT1A1/1A6	
バルビツール酸系薬、**フェニトイン**（アレビアチン）、エファビレンツ（ストックリン）	CAR※2	**2B6**、2C8/9/19、3A4	UGT1A1	P-gp、MRP2～7、OATP2
リファンピシン（リファジン）、**リトナビル**※2（ノービア）、**バルビツール酸系薬**>**フェニトイン**（アレビアチン）、**カルバマゼピン**（テグレトール）、**SJW**>**副腎皮質ホルモン** その他：ボセンタン（トラクリア）、タモキシフェン（ノルバデックス）、パクリタキセル（タキソール）など	PXR※3	**3A4**、2C8/9/19、2B6、2A6	UGT1A1	**P-gp**、MRP2、OATP2
副腎皮質ホルモン	GR※4	2B6、2C8/9/19、3A4	UGT1A1	
活性型ビタミンD_3	VDR	3A4		P-gp
甲状腺ホルモン	TR※5	誘導しない		P-gp
フィブラート系薬※6、**EPA**	PPARα	4A1/3、3A4、2C8	UGT1A1	MRP3/4、P-gp
レチノイド※7	RXR、PXR、VDR	3A4		

太字は強力に誘導される薬剤・物質。核内受容体の分類は**図S-4参照**。

※1 PPIによるCYP3A4誘導の報告はあるが（Eur J Pharmacol. 2003；466：7-12.）、その機序は不明である。

※2 CARとPXRは相互に活性化を調節し合う（クロストーク）可能性がある。エファビレンツはCARを活性化（J Pharmacol Exp Ther.2007;320:72-80.）

※3 PXRの活性化は、リファンピシン、バルビツール酸系が最も強く、次いでカルバマゼピン、フェニトイン、SJWが中程度、副腎皮質ホルモンはこれらに比較すると軽度と考えられる。リトナビルによるPXRの活性化は強力だが、CYP3A4の強力な阻害効果（タンパク質の共有結合）も併せ持っているため、結果的にCYP3A4活性の低下が認められる場合が多い。なお、リファンピシンにはOATP2阻害作用もある（☞**表4-2**）。

※4 GRによる代謝酵素誘導作用は、CAR、PXRを介して行われる可能性も示されている（GR-〔CAR/PXR〕-P450cascade）。

※5 甲状腺ホルモンはP-gpを誘導するが、CYP3A4誘導作用はない。

※6 β酸化、脂肪酸取り込みなどの酵素を誘導（血中の中性脂肪量低下作用）。ただし、ゲムフィブロジルではCYP2C8阻害、フェノフィブラート（リピディル）ではP-gp阻害の報告あり（in vitro）。フェノフィブラートのCYP2C8誘導能は強いため要注意。なお、ペマフィブラート（パルモディア）では臨床上問題となる誘導作用は認められていない。

※7 all-trans-RAおよび9-cis-RA（レチノイド酸）とその前駆体の9-cis-レチナールの3種類がホモ二量体のRXR/RXR（RXR：レチノイドX受容体）、ヘテロ二量体のRXRα/VDRおよびPXR/RXRを活性化する。また、13-cis-RAとその前駆体の13-cis-レチナールなどでもPXR/RXRは活性化され、それぞれCYP3A4転写を促進するが、RAR（retinoic acid receptor：レチノイン酸受容体）を介したCYP3A4の誘導は報告されてない（☞**表5-57**）。

【注意】バルプロ酸はリガンドではないが、核内受容体のヘテロ二量体（CAR/RXR、PXR/RXR）とそのDNA応答領域（配列）との結合を促進させて、代謝酵素などを誘導すると考えられている。また、ソマトロピンもリガンドではないが、転写因子HNF-4αを刺激して、PXR発現量を増加させるほか、CYP3A4遺伝子のDNA応答領域（プロモーター領域）におけるPXR-RXRの結合を促進すると考えられている（☞**コラム44**）。

特にPXRは、代謝酵素を誘導する様々な薬剤によって活性化されることが報告されている。ヒト初代肝培養細胞を用いた実験では、PXR活性化作用は強い順にリファンピシン（リファジン）、バルビツール酸系薬>フェニトイン（アレビアチン）、カルバマゼピン（テグレトール）、SJW>副腎皮質ホルモンであることが示されている（Luo G, et al. Drug Metab Dispos. 2002；30：795-804.）。興味深いことに、誘導作用を受ける薬剤の数に注目してみると、リファンピシン、バルビツール酸系薬が最も多く、次いでフェニトイン、カルバマゼピン、SJWであり、副腎皮質ホルモンでは少ない。すなわち、PXR活性化の強さと誘導作用を受ける薬剤の数が相関している。さらに、PXRが活性化されると、CARも影響を受け活性化されること（クロストーク）が報告されている。これらの結果は、薬物による代謝酵素の誘導機序が主にPXRの活性化に起因することを示唆している。

一方、CYP2D6は核内受容体による制御を受けないことが知られている。一般に、CYP2D6で代謝される薬剤は塩基性であり、P-gpの基質となることが多い（☞**表4-10**）。すなわち、CYP2D6で代謝される薬剤の血中濃度の低下は、CYP2D6の誘導によるものではなく、P-gpの誘導に起因する可能性が高いと考えられる。

なお、PXRを活性化する薬剤（PXR活性化薬）と相互作用を起こす薬剤には、CYP1A2で代謝されるオランザピン（ジプレキサ）やキサンチン系薬（テオフィリン［テオドール］）も含まれている。しかし、PXR欠損動物においては、肝CYP1A2活性が低下するという報告はあるものの、CYP1A2がPXRの活性化によって誘導されるという報告はほとんどなされていない。オランザピンはP-gpの基質であるため、P-gp誘導に起因する可能性が高いが、テオフィリンがP-gpの基質であるという報告はない。テオフィリンはCYP1A2のほか、一部はCYP3A4でも代謝されることから（☞**表5-2**）、誘導されたCYP3A4による部分的な代謝促進が主な原因と考えられる。

（関連事項☞**コラム44、コラム45 、コラム46**）

　70歳代男性Aさん。

[処方箋]

① アレビアチン錠100mg　3錠
　　1日3回　毎食後　14日分
② クラリシッド錠200mg　2錠
　　1日2回　朝夕食後　5日分

抗てんかん薬のアレビアチン（フェニトイン）を服用中のAさん。今回、上気道感染のため抗菌薬としてクラリシッド（クラリスロマイシン）が処方された。

アレビアチンのPXR活性化により誘導が起こり、CYP3A4およびP-gpの基質であるクラリシッドの抗菌効果が不十分となる恐れがある。Aさんが高齢であることも考慮し、薬剤師はAさんの了解を得て医師に問い合わせた。その結果、誘導作用を受けにくいキノロン系抗菌薬のクラビット（レボフロキサシン水和物）に変更となった。患者は肺炎などの合併症を併発することなく治癒した。

　70歳代男性Bさん。

[処方箋]

① オイグルコン錠1.25mg　1錠
　　1日1回　朝食後　14日分
② レザルタス配合錠HD　1錠
　　1日1回　朝食後　14日分
③ テグレトール錠100mg　3錠
　　1日3回　毎食後　14日分

糖尿病と高血圧の既往があるBさん。帯状疱疹の後遺症による三叉神経痛のため、テグレトール（カルバマゼピン）が追加された。

オイグルコン（グリベンクラミド：CYP2C9、3A4で代謝）およびレザルタスの配合成分であるCa拮抗薬のアゼルニジピン（CYP3A4で代謝）はCYP450とP-gpの基質であり、レザルタスのもう一つの配合成分であるオルメサルタンメドキソミルはP-gpの基質と考えられる。

テグレトールの誘導作用により血糖降下や降圧の効果が減弱する恐れがあるため、担当薬剤師はBさんに、数週間は毎日家庭での血圧測定を継続し、定期的な血液検査を必ず受けるように説明した。その後、血圧には多少の変動があったが、血圧、血糖値、HbA1c値は正常範囲内であり、数カ月後に神経痛は軽減した。現在も同じ薬剤を服用中である。

症例③　50歳代男性Cさん。

[処方箋]

① テオドール錠200mg　2錠
　　1日2回　朝夕食後　14日分
② シングレア錠10mg　1錠
　　1日1回　就寝前　14日分
③ フルタイド200ディスカス　1個
　　1回1吸入　1日2回　朝夕食前

Cさんは、数年前から気管支喘息に対し、①～③を服用している。テオフィリン（テオドール）の血中濃度のモニタリングは実施していない。以前からCさんには喫煙の習慣があり、何度も禁煙を勧めてきたが、2010年秋のたばこの値上げをきっかけに禁煙に挑戦すると話していた。

喫煙によりCYP1A2の誘導が起こりテオフィリンの血中濃度が低下していると考えられるが、今回の禁煙により突如として血中濃度が上昇してテオフィリン中毒を発症する恐れがある。

そこで薬剤師は、禁煙によってテオドールの作用が増強する可能性を説明し、頭痛、動悸、吐き気、手足の震え、引きつけなどの症状が現れた場合は、テオドールの服用を中止し、直ちに連絡するよう指導した。しかし残念なことに禁煙は1カ月で中断され、禁煙中にこれらの症状が現れることはなかった。

処方例には示していないが、当薬局では、プロトンポンプ阻害薬（PPI）とテオフィリンを継続服用していた患者で、PPI投与が中止となった場合にも、同様の指導を行っている。

参考

甲状腺ホルモン製剤がCYP450を誘導しない理由

表5-54に示す誘導薬のうち、甲状腺ホルモン製剤はP-gpのみを誘導する。すなわち、甲状腺ホルモン製剤はリファンピシン（リファジン）などとは異なり、PXRやCARを介さずにP-gpを誘導することを示している。

このほかに、PXRを介さずP-gpやCYP3A4を誘導する物質として、1α,25-ビタミンD_3（活性型ビタミンD_3）がある。

一般に、活性化されたPXR、CAR、PPARαなどは、同じ核内受容体のRXR（レチノイドX受容体）とヘテロ二量体（PXR/RXR）を形成し、核内へ移行して標的遺伝子の転写頻度を調節するDNA領域（エンハンサー領域）に結合して誘導作用を発揮する（☞**図S-4、S-5**）。活性型ビタミンD_3の場合、活性化されたビタミンD受容体（VDR）が、RXRとヘテロ二量体（VDR/RXR）を形成してエンハンサー領域に結合することによって、P-gp、CYP3A4を誘導すると考えられる。

これらのことから、甲状腺ホルモン製剤についても、活性化された甲状腺ホルモン受容体（TR）がRXRとヘテロ二量体（TR/RXR）を形成し、エンハンサー領域に結合してP-gp遺伝子の転写を促進すると考えられる。

一方、甲状腺ホルモン製剤は活性型ビタミンD_3と異なり、CYP3A4を誘導しない。その理由には、これらのヘテロ二量体が結合するエンハンサー領域の塩基配列（応答配列）の違いが関わっている。

PXR/RXRが認識して結合できる応答配列は、DR3（direct repeat 3）、DR4、DR5と呼ばれている（**表5-55**）。VDR/RXRではDR3、TR/RXRではDR4のみである。P-gp遺伝子の応答配列はDR4およびDR3であるため、PXR/RXR、VDR/RXR、TR/RXRが結合できる。そのため、リファンピシンや活性型ビタミンD_3などと同様、甲状腺ホルモン製剤もP-gpを誘導する。一方、CYP3A4遺伝子の応答配列はDR3であるため、PXR/RXR、VDR/RXRは結合できるが、TR/RXRは結合できない（CYP3A4のDR4は、TR/RXRの結合に必須なグアニン［G］がアデニン［A］へと変化しているため不完全である）。すなわち、リファンピシンや活性型ビタミンD_3はCYP3A4を誘導するが、甲状腺ホルモン製剤はCYP3A4を誘導しない。

表5-55　P-gpおよびCYP3A4の応答配列

核内受容体（二量体）	応答塩基配列	P-gp（DR3、DR4）	CYP3A4（DR3）
PXR/RXR	DR3、DR4、DR5	○	○
VDR/RXR	DR3	○	○
TR/RXR	DR4	○	×

❸ アルコールによるCYP450誘導

これまでに述べたように、CYP450酵素の誘導は、主に核内受容体の活性化を介してmRNAが増加することに起因する。一方、mRNAの増加を伴わない機序によって、酵素活性を増大させる薬剤（物質）もある。

例えば、アルコール（エタノール）やイソニアジド（イスコチン）によるCYP2E1の誘導は、これらの物質がCYP2E1と結合してタンパク質分解酵素を阻害するため酵素が安定化し、結果的に酵素量を増やすことに起因している（☞**表5-53（1）**）。特にCYP2E1はこのような作用を受けやすい。なお、キニジンはCYP3A4のアロステリック部位に結合して酵素活性を増大すると考えられている（☞**表5-53（2）**）。

体内に吸収されたアルコールは、大部分が肝臓におけるアルコール脱水素酵素/アルデヒド脱水素酵素系（ADH/ALDH系）で代謝されるが、約1割はミクロソーム・エタノール酸化系（microsomal ethanol-oxidizing system：MEOS）で代謝される。MEOSは、様々なCYP450分子種から構成されており、CYP2E1が約50％を占めるが、CYP1A2、3A4なども含まれている。そのため、エタノールとこれらのCYP450で代謝される薬剤を同時に摂取した場合、代謝が競合阻害され、双方の作用が増強する可能性がある。

適量の飲酒ではこれらの相互作用は問題ないが、一度に大量のアルコールを摂取すると、ADH/ALDH系による代謝が飽和し、MEOSでも盛んに代謝されるようになるため問題になると考えられる。

一方、慢性的なアルコールの摂取により、MEOSを構成するCYP450が誘導されることも知られている。特に、CYP2E1は慢性飲酒によって活性が4～10倍以上に上昇するため、CYP2E1で代謝される薬剤の効果は著しく減弱する。慢性飲酒の患者では、CYP2E1で代謝されるテオフィリン（テオドール）やエンフルラン（吸入麻酔薬；販売中止）などの効果減弱に注意が必要である。

また、アセトアミノフェンや、発癌物質のニトロソアミンなどは、CYP2E1で代謝されると活性中間体となり毒性を示すことが知られている。したがって、慢性飲酒によってCYP2E1が誘導されると、アセトアミノフェンによる肝毒性発現（☞**次項❹**）や、食品・喫煙などによる発癌の危険性が高まる恐れがある。

さらに、CYP2E1は、エタノールからアセトアルデヒドを生成するだけでなく、エタノールを反応性の高い1-ヒドロキシエチルラジカルにも変換する。加えてCYP2E1は、CYP分子種の中では最も高いNADPHオキシダーゼ活性を持つことも知られている。

NADPHオキシダーゼは酸素分子を一電子還元して活性酸素（スーパーオキサイド；O_2^-）を産生する酵素である。活性酸素は極めて反応性が高く、生体内で好中球の殺菌作用を担うが、過剰に産生されると脂質過酸化などを引き起こし、肝毒性を生じる。また、活性酸素は炎症性疾患と考えられる癌、老化、生活習慣病（動脈硬化、虚血性心疾患、糖尿病、高血圧など）、パーキンソン病、アルツハイマー型認知症など、様々な疾患の発症や増悪に関わると考えられている。

このように、CYP2E1が誘導されると活性酸素が恒常的に過剰産生され、炎症の亢進を招く恐れがあることから、炎症性疾患の患者に対しては慢性的な飲酒を控えるように指導しなければならない。また、ニコチンにもCYP2E1誘導作用があるため、慢性飲酒者が喫煙したり、禁煙補助薬としてニコチン製剤を使用する場合には、CYP2E1を介した毒性がさらに生じやすくなるため要注意である。

適切なエタノール量（20～30g/日以下）の飲酒であれば健康に問題ないと考えられるが、健康男性が肝障害を起こさない程度のエタノール量（40g/日＝ワイン約3杯、ウイスキーダブル約2杯、日本酒約2合、ビール約1L、焼酎約0.8合）を毎日摂取した場合でも、CYP2E1活性は1週間後に2

倍、4週間後には5倍に上昇することが報告されている（Oneta CM, et al. J Hepatol. 2002；36：47-52.）。さらに同研究では、アルコール性肝障害患者が断酒した場合、CYP2E1活性は断酒後3日目までに急速に減衰し、その後15日まで緩やかに低下するものの、15日目の活性は3日目と比較して有意差がみられなかったと報告している。

欧米人を対象とした研究結果であるが、このように、CYP2E1の誘導や減衰は短期間で起こることを示唆している。これは、一般にCYP450の誘導が遺伝子発現の促進に起因するのに対し、エタノールによるCYP2E1誘導は、タンパク質分解酵素（プロテアソームなど）の阻害に起因するためと考えられる。慢性飲酒の患者がCYP2E1で代謝される薬剤を服用する場合は、少なくとも3日間は断酒する必要があるだろう。

なお、1時間に分解できるアルコール量は体重1kg当たり0.1gである。つまり、体重60kgのヒトが適量のアルコール20gを摂取した場合は3時間で体内から消失すると考えられる（p.425参照）。

症例 30歳代男性Aさん。

[処方箋]
① リバロ錠1mg　1錠
　1日1回　夕食後　14日分
② テオドール錠200mg　2錠
　1日2回　朝夕食後　14日分

喘息様気管支炎のためテオドール（テオフィリン）の服用を数年間続けているAさん。テオフィリンの血中濃度モニタリングは行っていない。時々飲酒する程度だったが、アルコール摂取によりアセトアルデヒドが増加し、ヒスタミンの遊離が促進され咳の発作が誘発されること、大量飲酒ではテオフィリンの代謝が阻害を受けて震え、吐き気、頭痛といったテオフィリンの副作用が発現しやすくなることを説明し、飲酒は控えるよう指導していた。

しかし、Aさんは仕事上のストレスのため数カ月前から毎晩、晩酌をするようになり、飲み過ぎる日もあるとのこと。肝機能は正常だが、慢性飲酒によりCYP2E1が誘導されていると考えられた。そこで、慢性飲酒によってテオフィリンの効果が減弱する恐れがあることを再度説明し、発作的な咳や呼吸困難の頻度が増えた場合には必ず受診するように伝えた。今のところ病状変化はなく、適量の飲酒と休肝日を設けるよう指導を続けている。

❹アセトアミノフェンによる肝毒性の発現

慢性的にアルコールを摂取している患者がアセトアミノフェン（カロナール）を服用した結果、トランスアミナーゼの上昇（特にAST［GOT］の突出値：3000～4万8000 IU）や、ビリルビン値上昇、凝固障害、肝性脳症、肝壊死などの重篤な肝障害の発症が認められた。このような海外での報告を受けて、わが国でもアセトアミノフェンを含有する各医薬品の添付文書の『併用注意』に、アルコールが追記されている。

2011年2月には、アセトアミノフェン（カロナールなど）の添付文書に「警告」の項が設けられ、①同薬により重篤な肝障害が発現する恐れがあることに注意し、1日総量1500mgを超す高用量で長期投与する場合は、定期的に肝機能等を確認するなど慎重に投与すること、②同薬とアセトアミノフェンを含む他の薬剤（一般用医薬品を含む）との併用により、アセトアミノフェンの過量投与による重篤な肝毒性が発現する恐れがあるため、これらの薬剤との併用を避けること――という文言が追加された。高用量でない場合であっても、長期服用患者においては定期的に肝機能検査を行うことが望ましいとされている。

この肝障害の誘因には、アセトアミノフェンの代謝経路とエタノールによるCYP2E1の誘導およびグルタチオンの枯渇が関与すると考えられている。

体内に吸収されたアセトアミノフェンの大部分（80～90％）は、非毒性の抱合体となり腎で排泄されるが、一部（5％以下）はCYP2E1などにより活性中間代謝物へと変換された後、抱合体を形成して尿中に排泄される（**図5-17**）。ここで産生され

図5-17　生体内におけるアセトアミノフェンの代謝経路

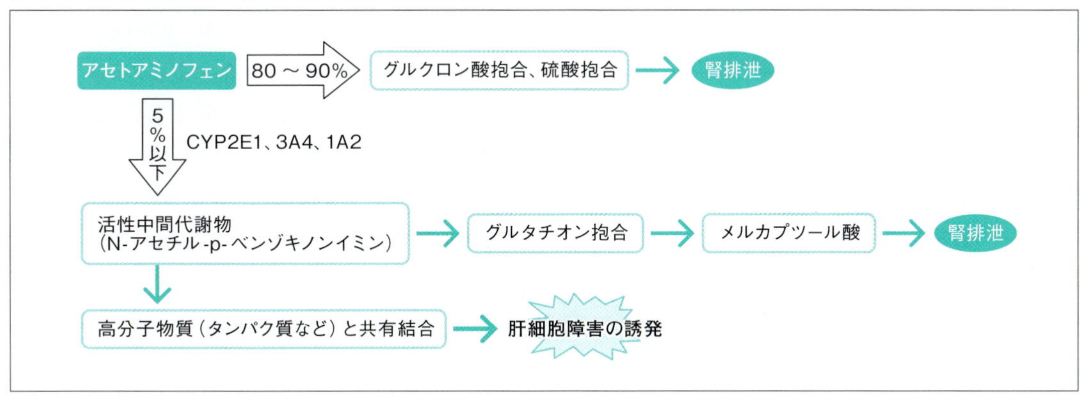

る活性中間代謝物は高反応性の求電子性物質であり、肝細胞内の高分子物質(タンパク質など)と容易に共有結合を形成して細胞障害を引き起こす原因であると考えられている。したがって、グルタチオン量の低下やグルクロン酸抱合障害、アセトアミノフェンの投与量の増量などにより、活性中間代謝物が増加し、アセトアミノフェンの肝毒性を発現する可能性が高くなる。アルコールには直接的なグルタチオン合成の阻害作用に加えCYP2E1誘導作用もあるため、容易に活性中間代謝物の産生増大を来し、肝毒性を発現させると考えられる。

一方、動物実験では、フェノバルビタール(フェノバール)や副腎皮質ホルモン製剤などのPXR活性化薬によって、アセトアミノフェンの肝毒性が起こりやすいことも示されている(Jaw S, et al. Biochem Pharmacol. 1993；46：493-501.)。また、CYP3A4阻害薬であるトリアセチルオレアンドマイシン(14員環マクロライド系)がアルコールによるアセトアミノフェンの肝毒性を抑制することがラットを用いた実験で示されており、アルコールによるCYP3A4誘導も前述の肝毒性発現に関与していると考えられる(Sinclair JF, et al. Biochem Pharmacol. 2000；59：445-54.)。ただし、カフェイン投与後またはPXR欠損マウスにおいて肝CYP3A4は活性化するが、CYP1A2活性は低下しアセトアミノフェンの肝毒性が減弱するとの報告もある(Wolf KK, et al. Drug Metab Dispos. 2005；33：1827-36.)。

これらの結果は、アセトアミノフェンから活性中間代謝物への変換には、肝CYP2E1だけでなく、CYP3A4や1A2による代謝も関与していることを示唆している。したがって、これらのCYP450を誘導する薬剤を服用中の患者がアセトアミノフェンを服用すると、肝障害が誘発されやすくなると考えられるため注意が必要である(☞ **表5-53**)。

アニリン系のアセトアミノフェンは、他のNSAIDsに比べて副作用の発現頻度や投与禁忌疾患が少なく、安全性の高い解熱・鎮痛薬として頻用されているが、慢性的にアセトアミノフェンを服用している患者や、アルコールを常飲する患者、CYP2E1、3A4、1A2誘導薬を服用している患者などでは、肝障害を引き起こす可能性があることを念頭に置いて投与する必要がある。なお、アセトアミノフェン過量投与時の解毒には、グルタチオンの前駆物質であるアセチルシステイン(アセチルシステイン内用液)が用いられる。

症例 50歳代男性Bさん。

[処方箋]
① ベザトール SR 錠200mg　2錠
1日2回　朝夕食後　14日分
② ミオナール錠50mg　3錠
1日3回　毎食後　14日分
③ カロナール錠200mg　2錠
頭痛時　7回分

脂肪肝に対してベザトールSR（ベザフィブラート）を服用中のBさん。今回、緊張性頭痛のためにミオナール（エペリゾン塩酸塩）とカロナール（アセトアミノフェン）が追加された。

以前からBさんは、焼酎を毎晩1～2合ほど飲む習慣があったため、CYP2E1が誘導されていると考えられた。飲酒により脂肪肝が悪化しやすいほか、慢性飲酒が高血圧や糖尿病など様々な炎症性疾患の誘因となり、喫煙によってさらに助長されることを説明し、適量の飲酒と禁煙を指導していた。ただ禁煙は実現できていたものの、飲酒は唯一の楽しみで肝機能も正常だったため、飲酒制限は実行していなかった。

今回追加されたアセトアミノフェンは、CYP2E1で代謝されて肝毒性を起こす可能性があり、慢性飲酒によるCYP2E1の誘導により、さらにその危険性が高くなると判断された。担当薬剤師はBさんに対し、飲酒によって肝障害の危険性が増すことを説明し、習慣的に服用しないこと、また飲酒制限をできる限り厳守するように指導した。現在のところ肝機能は正常だが、肝機能障害の初期症状発現に常に注意しながら定期的に肝機能検査を受けるよう指導している。

❺抗てんかん薬によるビタミンDの不活性化と骨軟化症

ヒダントイン系薬（フェニトイン［アレビアチン］）やバルビツール酸系薬（フェノバルビタール［フェノバール］）などの抗てんかん薬によってビタミンDの作用が低下して骨の石灰化が障害されると、成人では骨軟化症、小児ではくる病を発症することがある。

骨形成とビタミンD_3には密接な関係があり、活性型ビタミンD_3（活性型D_3；1α,25-$(OH)_2$-D_3）は、小腸や骨、腎などに存在するビタミンDの核内受容体（VDR）を介して、骨やCaの代謝を制御している。具体的には、小腸でのCa^{2+}およびPO_4^{2-}（リン）の吸収促進、骨からのCa^{2+}の動員（骨吸収促進）、腎でのCa^{2+}およびP再吸収促進、副甲状腺ホルモン合成抑制などの働きによって、骨密度を維持している。したがって、活性型D_3製剤（カルシトリオール［ロカルトロール］など）は、骨粗鬆症やビタミンD代謝異常に伴う症状改善に用いられている。

活性型D_3はVDRを介してCYP3A4を誘導することも知られているが（**表5-54**）、興味深いことに、抗てんかん薬による骨軟化症は核内受容体のPXRやCARを介したCYP450活性変化による活性型D_3量の低下に起因する可能性が示されている。

図5-18に示すように、D_3（コレカルシフェロール）は食物から直接摂取するか、または太陽光（紫外線）を浴びることで、皮膚でプロビタミンである7-デヒドロコレステロール（7-DHC）から合成される。7-DHCは皮膚に多く蓄積されているが、これは7-DHCからD_3を合成する酵素が皮膚に少ないためである。日光不足によるくる病は、皮膚におけるD_3合成低下に起因する。

一方、摂取または合成されたD_3は、直ちに体内で働くわけではなく、まずは肝に取り込まれ、律速段階であるCYP450酵素による25位の水酸化を受ける。続いて主に腎に取り込まれ、CYP27B1による1α位の水酸化を受けて、最終的に活性型D_3となり、生理活性を発揮する。さらに、活性型D_3は、ヒトの肝や小腸にあるCYP3A4、腎のCYP24A1により、23位または24位が水酸化されて失活することも示されている（Xu Y, et al. Mol Pharmacol.2006；69：56-65.）。

肝臓ではブタを用いた実験ではあるが、フェノバルビタールが直接的に、あるいはPXR（主）やCARを介して25位を水酸化する酵素（2D25、

図5-18　ビタミンD_3の代謝経路

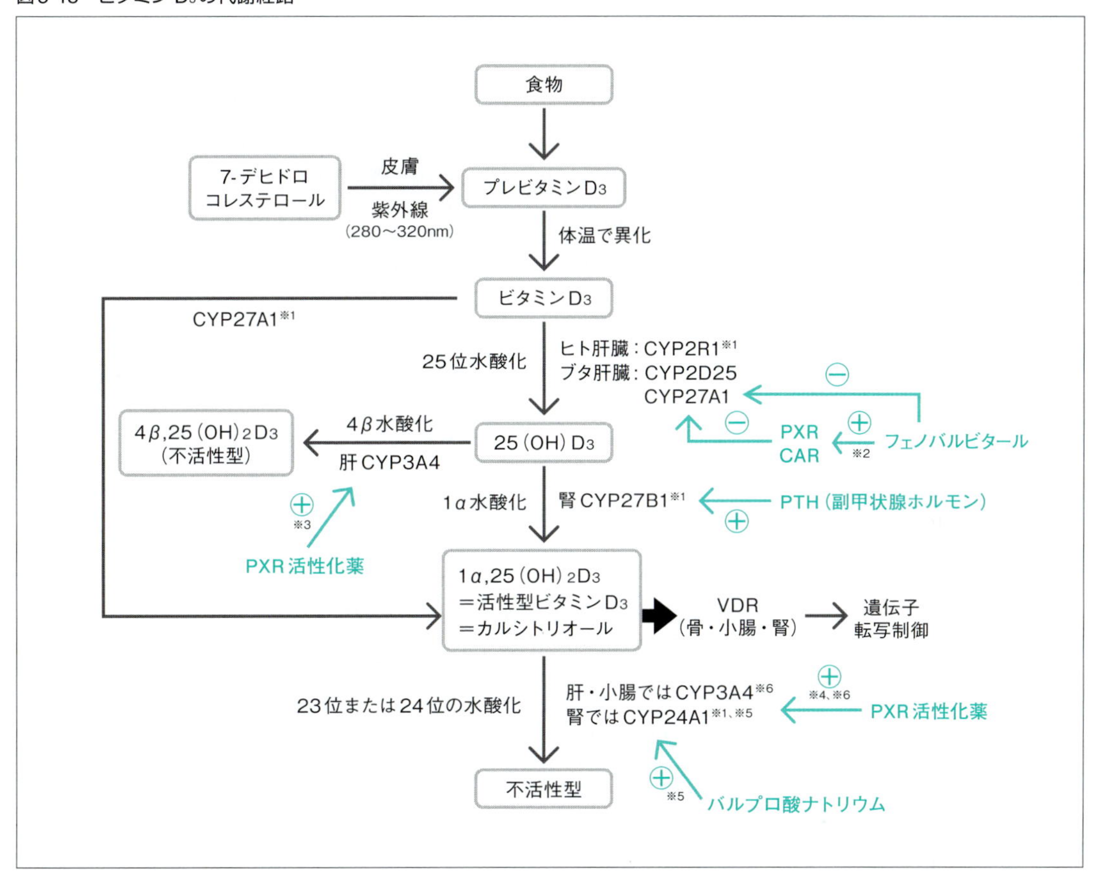

※1　Sakaki T. Clin Calcium.2006;16:1129-35.
※2　Hosseinpour F, et al. Biochem Biophys Res Commum.2007;357:603-7.
※3　Wang Z, et al. Mol Pharmacol.2012;81:498-509.
※4　Gröber U, et al. Med Monatsschr Pharm.2011;34:377-87.
※5　Vrzal R, et al. Toxicol Lett.2011;200:146-53.
※6　Xu Y, et al. Mol Pharmacol. 2006;69:56-65.
主に植物から摂取されるビタミンD_2（エルゴカルシフェロール）も、D_3と同程度の生物活性があるが、代謝経路はD_3と同様であるため図には記載していない。

CYP27A1）の発現を抑制し、活性型D_3の生成量を低下させる可能性が指摘されている（Biochem Biophys Res Commum.2007;357:603-7.）。また、PXR活性化作用のある薬剤が肝臓のCYP3A4を誘導して25（OH）D_3の代謝を促進する結果、活性型D_3の生成量が減少することも報告されている。さらに、PXR活性化薬やバルプロ酸Na（デパケン）が、肝臓や小腸、あるいは腎臓のCYP450を誘導することで、活性型D_3の不活化を促進することも示唆されている。バルプロ酸は核内受容体のリガンドではないが、CYP3A4誘導作用にはPXR、CAR活性化が関与している（☞**コラム44**）。

このように、抗てんかん薬は、核内受容体のPXRやCARなどを介して、活性型D_3の合成および不活化に関わる様々なCYP450の発現に影響し、活性型D_3量を低下させることで、骨軟化症（くる病）を誘発する可能性が高いと考えられる。なお、PXRやCARの活性化は代謝酵素の転写を促進するのが一般的であるが、抗てんかん薬によるPXRやCARの活性化は、D_3の25位水酸化酵素（2D25、CYP27A1）の転写抑制を招く点に留意する。

以上の結果から、骨軟化症の副作用は、抗てん

表5-56　くる病・骨軟化症を誘発する可能性がある薬剤とその発現機序

発現機序		薬剤	起こり得る事象など
ビタミンD_3作用低下	消化管における吸収阻害	コレスチラミン （クエストラン；脂質異常症治療薬）	コレスチラミンと胆汁酸が結合することで胆汁酸が不足し、脂溶性VD_3の吸収が低下する。
	CYP代謝阻害	PXR活性化薬；抗てんかん薬（バルビツール酸系のフェノバルビタール［フェノバール］、ヒダントイン系のフェニトイン［アレビアチン、ヒダントール］、イミノスチルベン系のカルバマゼピン［テグレトール］）[※1、2] リファンピシン（リファジン；抗結核薬）	・肝臓のCYP27A1とCYP2D25の発現を抑制し、活性型VD_3の産生量を減少させる。 ・腎臓CYP24A1、肝臓・小腸CYP3A4を誘導することで活性型VD_3の不活化を促進する。 ・カルバマゼピンは骨粗鬆症も誘発する。
		バルプロ酸（デパケン；抗てんかん薬）	腎臓CYP24A1を誘導することで、VDR発現が増強し活性化VD_3の不活化を促進する。
	活性型VD_3の産生量低下	人工腎臓透析用剤	腎不全ではCYP27B1（1α水酸化）障害、尿細管障害が発症する。
		日焼け止め	紫外線不足によるVD_3供給低下。
低P血症	消化管におけるP吸収阻害	Al含有製剤：制酸剤、アスピリン・ダイアルミネート配合（バファリン配合錠A81）など	・長期投与によりAl骨症を発症。 ・Alにはヒドロキシアパタイトの形成抑制、骨芽細胞増殖抑制、骨形成系細胞の活性抑制作用もある。 ・Al脳症の誘発にも注意。
	尿細管障害によるP再吸収阻害	ファンコニー症候群誘発薬剤；アデホビル（ヘプセラ；B型肝炎治療薬）、デフェラシロクス（エクジェイド；鉄キレート剤）、カルボプラチン（パラプラチン）、シスプラチン（ランダ、ブリプラチン、アイエーコール）、エムトリシタビン・テノホビル（ツルバダ；抗HIV薬）、テノホビル（ビリアード；抗HIV薬、ベムリディ；抗HBV薬）、テノホビルアラフェナミド含有製剤（オデフシィ配合錠、ビクタルビ配合錠など；抗HIV薬）、イホスファミド（イホマイド；アルキル化薬）、ゾレドロン酸（ゾメタ、リクラスト；ビスホスホネート系薬）	・ファンコニー症候群は近位尿細管における複数の再吸収障害により、腎性糖尿・アミノ酸尿・リン酸尿・低K血症・低P血症を誘発する。 ・代謝性アシドーシスを併発し、その結果腎臓のCa、P排泄を促進する。 ・慢性的な代謝性アシドーシスではpHが低下し、ヒドロキシパタイトが溶けることにより石灰化障害を誘発。
		アセタゾラミド （ダイアモックス；利尿薬、抗てんかん薬）	・尿細管障害と代謝性アシドーシスを誘発し、CaやPの排泄を増加させる。 ・バルビツール酸系、ヒダントイン系の抗てんかん薬の骨代謝障害作用を増強させる（併用注意）。
		注射用鉄剤（フェジン；含糖酸化鉄）	・長期間の使用で近位尿細管障害誘発。腎臓での1α水酸化を障害する。 ・直接的骨形成阻害作用もあり。
		ベンセラジド含有製剤（イーシー・ドパール、ネオドパゾール、マドパー）	・骨軟化症の患者には慎重投与。動物実験において骨端軟骨板の内軟骨性骨化の異常の報告がある。 ・アミノ酸異常蓄積による尿細管障害の可能性もあり。
その他		アセチルフェネトライド （クランポール；抗てんかん薬）	PXR活性化作用があるヒダントイン系の開環構造類似物であることから、活性化VD_3の分解を促進する可能性がある。
		ゾニサミド（エクセグラン、トレリーフ）	単独投与での発症報告はないが、バルビツール酸系やカルバマゼピン系の抗てんかん薬の併用時には骨軟化症の危険性が高くなる。
		エチドロン酸二ナトリウム（ダイドロネル）、フッ素	・骨代謝回転を抑制し、骨形成過程での類骨の石灰化を遅延させる。 ・エチドロン酸は既に骨軟化症を発症している患者への投与は禁忌。

※1　表に示す以外の抗てんかん薬では骨軟化症の報告はない。

※2　バルビツール酸系含有剤にはベゲタミン-A配合錠/B配合錠、トランコロンP配合錠、アストモリジン配合胃溶錠/腸溶錠、複合アレビアチン配合錠などもあるので注意が必要。

かん薬のみならず、PXRやCARを活性化する他の薬剤（副腎皮質ホルモン製剤など）においても起こり得ると考えられる。また相互作用では、CAR、PXR活性化薬と骨軟化症（くる病）を誘発する薬剤との併用には注意が必要である（**表5-56**）。骨軟化症を誘発する薬剤の中には、核内受容体の関与は明らかでない抗てんかん薬のほか、ファンコニ症候群誘発薬剤、アセタゾラミド（ダイアモックス）、注射用Fe剤（フェジン）、ベンセラジド含有製剤（イーシー・ドパール）などでは、尿細管障害に伴うリンの再吸収障害による低リン（P）血症が関与している。さらに、Al含有製剤（マーロックスなど）はAl脳症・骨症を引き起こすが、消化管におけるリン吸収阻害やヒドロキシアパタイトの形成抑制による石灰化障害などを起こして、骨軟化症を誘発すると考えられている。また、エチドロン酸二Na（ダイドロネル；骨軟化症患者には投与禁忌）では、骨代謝回転を抑制して骨形成過程での類骨の石灰化を遅延させる。

一方、ビタミンD関係では、コレスチラミン（コレバイン）では胆汁酸との結合により消化管内の胆汁酸が不足してビタミンD_3吸収阻害が、人工腎臓透析用剤および注射用Fe剤（フェジン）では尿細管障害および腎での1α水酸化阻害が、また日焼け止めによるビタミンD_3供給不足などがそれぞれ起こり、骨軟化症を引き起こす恐れがある。

症例①　9歳男児A君（体重13kg）。

[処方箋]
① ランドセン細粒0.1%　0.03g
　1日1回　夕食後　14日分
② テグレトール細粒50%　0.28g
　デパケンシロップ5%　2.5mL
　イーケプラ錠250mg　5錠
　1日2回　朝夕食後　14日分

A君は幼児期にてんかんと診断されている。数カ月前からイーケプラ（レベチラセタム）が追加された。母親には、テグレトール（カルバマゼピン）とデパケン（バルプロ酸Na）は飲み合わせが問題になる薬剤が多いため、OTC医薬品を服用する場合にも必ず相談するように伝えている。また、治療により、骨が変形するくる病や血液障害（白血球減少）、肝・腎機能障害などの副作用が出る恐れがあることを伝え、薬局でも定期的な検査の結果を確認している。

症例②　80歳代女性Bさん。

[処方箋]
① バファリン配合錠A81　1錠
　ディオバン錠40mg　1錠
　ノルバスク錠2.5mg　1錠
　1日1回　朝食後　14日分
② セルベックスカプセル50mg　3カプセル
　つくしA・M散　3.9g
　1日3回　毎食後　14日分
③ テグレトール錠100mg　1錠
　1日1回　朝食後　14日分

Al含有製剤のバファリン配合錠A81（アスピリン・ダイアルミネート）とつくしA・M散を数年間服用しているBさん。2週間前に三叉神経痛に対してテグレトール（カルバマゼピン）が追加された。同薬を長期服用すると、ビタミンD3作用低下による骨軟化症や、降圧薬の代謝促進による効果の減弱が起こる恐れがある。Bさんは高齢で、Al含有製剤も併用しているため、副作用を起こす危険性が高いと推測されたため、これまでと同様に血液検査を継続し、家庭血圧を測定する重要性を伝えた。また転倒や骨折に注意し、関節、腰、背中、大腿部の痛みや、力が入らないなどの症状が認められた場合は、かかりつけ医に相談するよう指導している。

❻ ビタミンAの体内動態とCYP3A4誘導

ビタミンA（VA）は、シクロヘクセニル環を有するポリイソプレノイド化合物であり、細胞の分化や成熟、視覚機能の維持などに不可欠な脂溶性ビタミンである。体内で主に作用するVAは、レチノール（$-CH_2OH$）、レチナール（-CHO）、レチノイン

図5-19　細胞におけるレチノールの代謝経路

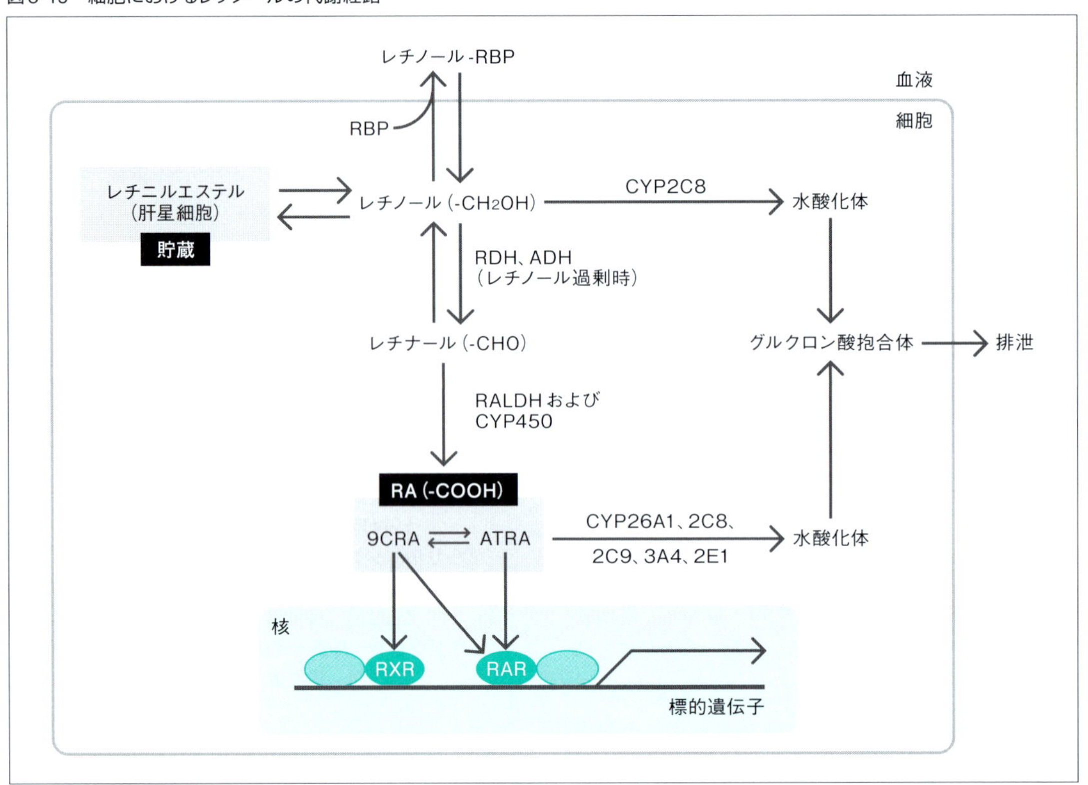

RBP：retinol-binding protein
RDH：retinol dehydrogenase
ADH：alcohol dehydrogenase
RALDH：retinaldehyde dehydrogenase
RA：retinoic acid
9CRA：9-cis-RA
ATRA：all-trans-RA
RXR：retinoid X receptor
RAR：RA receptor

※細胞内において、レチノールおよびレチナールはCRBP（cellular RBP）と、レチノイン酸はCRABP（cellular RA-binding protein）と、それぞれ結合している。

酸（-COOH）であり、これらのレチノール類似化合物をレチノイドと総称する。狭義のVAはレチノールを指す。

また、生体内でVAに変換される化合物をプロビタミンAと呼ぶ。植物中のβ-カロチンはプロビタミンAであり、分子の中央で切断すると2分子のレチナールを生じる。β-カロチン類似化合物は、カロチノイドと呼ばれる。

VAは食事により供給され、レバーなどの脂肪中にエステル型として存在しているVAは、消化管内で胆汁酸存在下で加水分解されてレチノールとなり小腸で吸収される。一方、野菜中のβ-カロチンは胆汁酸存在下でジオキシゲナーゼによって2分子のレチナールに変換された後、小腸粘膜でアルコール脱水素酵素/還元酵素（ADH）によって還元されてレチノールとなる。また、少量のレチナールはカイロミクロンとして取り込まれる。

生体内のレチノールはエステル型で存在し、主に肝に貯蔵されている。必要に応じてレチノール結合タンパク質（RBP：retinol binding protein；肝で合成）と結合して血中を移動する。標的臓器内では**図5-19**のように相互に変換される。

細胞内でのレチナールからレチノイン酸（RA）への変換は不可逆的である。レチノイドの最終活性代謝物であるRAは、活性型ビタミンAとも呼ばれ、核内受容体であるRA受容体（RAR）やレチノイドX受容体（RXR）と結合し生理作用（成長・分化促進）を発揮する。RARおよびRXRにはα、β、γの3つのアイソタイプがあり、RAがリガンドとして結合すると活性化されてヘテ

表5-57　ビタミンA（VA、レチノイド）が関与する相互作用

薬剤A	薬剤B	併用により起こり得る事象	備考
（1）薬力学的相互作用			
・VA剤：レチノールパルミチン酸エステル（チョコラA他）、VA含有輸液・経腸用液（エルネオパなど） ・VA含有医薬品・健康食品（カワイ肝油ドロップ、チョコラADなど）	レチノイド製剤：エトレチナート（チガソン）、トレチノイン（ベサノイド：ATRA）、タミバロテン（アムノレイク）、ベキサロテン（タルグレチン）	併用禁忌。VA過剰症と類似する症状が出現（VA作用の協力）	エトレチナートの併用時には血中VA濃度が正常であっても発症。レチノイド製剤のVA過剰症患者への投与は禁忌。タミバロテンはATRAよりも強力にRARαを活性化。妊娠3カ月前から妊娠3カ月までの間にVAを1万IU（国際単位）/日以上摂取した妊婦で、先天異常の割合が上昇。VA剤およびVA含有品は、①妊娠3カ月以内または妊娠を希望する婦人には、VA欠乏症治療の場合を除いて投与しない、②VA補給の目的での投与は5000 IU/日未満にとどめる。
（2）薬動態学的相互作用			
①吸収阻害			
陰イオン交換樹脂：コレスチミド（コレバイン）、コレスチラミン（クエストラン）、セベラマー（レナジェル、フォスブロック）	VA剤、VA含有品、レチノイド製剤	VA剤、レチノイド製剤の消化管吸収低下（薬効減弱）の可能性	陰イオン交換樹脂の胆汁酸吸着作用により混合ミセルの形成が阻害され、脂溶性レチノイドの吸収が低下。陰イオン交換樹脂の単独長期投与時はVA補給を考慮。レチノイドの吸収は食事の影響を受けるため、食後服用あるいは食事の質を均一化する。
②代謝阻害・誘導			
VA剤、VA含有品、ATRA	パクリタキセル（タキソール；抗悪性腫瘍薬）	CYP2C8代謝競合（パクリタキセルの血中濃度上昇、骨髄抑制などの副作用増強の可能性）	レチノール、ATRA、パクリタキセルはCYP2C8で代謝される※1。併用する場合は患者の状態を観察し、パクリタキセル投与量を減量するなど対処する。
アゾール系薬： ケトコナゾール（内服薬は国内未発売；CYP3A4、26A1阻害）、フルコナゾール（ジフルカン；CYP2C9/19、3A4阻害）など	VA剤、VA含有品、レチノイド製剤	ATRA代謝阻害（ATRAの作用増強、ATRA治療時の耐性化抑制の可能性）	ATRAはCYP26A1、2C8、2C9、3A4で代謝され※2、アゾール系薬によりATRA代謝抑制※4。ATRA治療時、誘導されたCYP26A1を阻害（耐性化抑制）※3、ケトコナゾール併用28日後に血中ATRA72%上昇※4、フルコナゾール併用時に血中ATRA2～3倍上昇※5。併用時はATRA減量を考慮。タミバロテンはCYP3A4で主に代謝される。
クロフィブラート（ビノグラック；PPARα刺激薬）		ATRA作用増強（ATRA治療時の耐性化抑制）	クロフィブラートのCYP26A1、26B1転写抑制に起因。ATRA治療時、誘導されたCYP26A1を阻害（耐性化抑制）※6。
ピオグリタゾン（アクトス；PPARγ刺激薬；CYP26A1阻害）		相互に作用増強の可能性	ピオグリタゾンのCYP26A1阻害作用により9CRA（血糖値改善作用あり）量が増え、相互に作用増強（血糖値低下）の可能性※3（ピオグリタゾンによるCYP26の転写促進の報告あり※6）。トログリタゾン（販売中止）、9CRA、ATRAはPPARγ、RAR、RXRの発現を増加させ抗腫瘍効果（増殖抑制、細胞死促進）を増強※7。
VA剤、VA含有品、レチノイド製剤	CYP3A4で代謝される薬剤	CYP3A4代謝促進（薬効減弱）。アセトアミノフェンでは肝毒性発現の恐れ	9CRA、ATRAはPXR/RXR※8、RXR/CAR※9、RXR/VDR※10の活性化を介してCYP3A4誘導（特にPXR/RXR活性化はリファンピシンと同等かそれ以上に強力）。アセトアミノフェン（カロナール）併用時は活性中間体（N-アセチル-p-ベンゾキノンイミン）が増え肝毒性増強の可能性※8。ベキサロテン（タルグレチン；レチノイド製剤）とアトルバスタチンとの併用でアトルバスタチンのAUCが約50%低下。

表5-57（つづき） ビタミンA（VA、レチノイド）が関与する相互作用

（3）機序不明			
テトラサイクリン（TC）系薬；ミノサイクリン（ミノマイシン）、テトラサイクリン（アクロマイシン）	VA剤、VA含有品、レチノイド製剤	頭蓋内圧上昇（機序不明）による頭痛、めまい、食欲不振、嘔吐など発症	にきび治療でTC（1g/日）を1カ月間服用している患者にVA5万単位（隔日）投与したところ、併用開始3週間後に両側性頭痛、嘔吐、複視が出現。両剤を中断後、デキサメタゾン2週間投与で症状改善。低用量のTC系薬あるいはVA剤であっても併用により発症する可能性※11。
飲酒（エタノール）		レチノイド効果減弱（欠乏症）の可能性	慢性飲酒は肝レチノイド含量を低下させるため、夜盲症、生殖器機能障害などに注意。（急性飲酒でも同様）。詳細な機序は不明だが、エタノールによる胆汁分泌低下（VA吸収阻害）、肝CYP2E1誘導によるRA分解促進、肝VA動員促進（肝外組織ではレチノイド含量増加あり）、肝レチノールプール枯渇、肝RDH阻害などの可能性※12。
		肝毒性誘発	VA、アルコールともに肝毒性があり、併用には注意※12。
エトレチナート（チガソン）	ワルファリン（ワーファリン）	ワルファリン薬効減弱（機序不明）	臨床上問題にならない程度と考えられるが、評価が確立するまで念のため注意が必要。

レチノイドとは、レチノール、レチナール、レチノイン酸とこれらの類似化合物の総称。狭義のVAはレチノールである。本コラムでレチノイド製剤とは、VA剤、VA含有品以外を指す。ATRA：all trans-retinoic axid

※1 Arch Biochem Biophys. 1989；269：305-12.
※2 Biochem Pharmacol. 2010；80：903-12.
※3 Mol Pharmacol. 2011；80：228-39.
※4 J Natl Cancer Inst. 1993；85：1921-6.
※5 Biochem Pharmacol. 1995；50：923-8.
※6 Mol Pharmacol. 2010；77：218-27.
※7 Clin Cancer Res. 2010；16：2235-45.
※8 Toxicol Sci. 2006；92：51-60.
※9 Biochem Pharmacol. 2010；79：270-6.
※10 Biochem Pharmacol. 2008；75：2204-13.
※11 Functional Food 2008；2：203-8.
※12 Nutrients 2012；4：356-71.

ロ二量体（RAR/RXR）やホモ二量体（RAR/RAR、RXR/RXR）を形成し、標的遺伝子のプロモーター領域にあるRA応答配列（RARE：RA response element）に結合して転写を制御する。

例えば、ヒト神経芽腫細胞においては、RAがRARα/RXRαなどを介してB型モノアミンオキシダーゼ（MAO-B）を誘導することが報告されている（Wu JB, et al. J Biol Chem. 2009；284：16723-35.）。特にall-trans-RA（ATRA）および9-cis-RA（9CRA）は極めて重要なレチノイドであり、両者ともにRARに結合し、また9CRAのみRXRにも結合して標的遺伝子の発現を制御している。このように、VAの多彩な生理作用は、RARやRXRを介した情報伝達により発揮されるため、現在は、これらの核内受容体と結合して生物活性を示す化合物群をレチノイドと呼んでいる。

薬物代謝酵素との関連性については、レチノイドがRXR、PXR、VDRのリガンドとして働き、二量体のPXR/RXRやRXR/RXR、RXR/VDRを介して、CYP3A4を誘導することがin vitro実験で報告されている（Toxicol Sci. 2006;92:51-60.、Biochem Pharmacol.2008;75:2204-13.）（☞**表5-54**）。レチノイドのうち、ATRAおよび9CRAとその前駆体である9-cis-レチナールの3種類がPXR/RXR、RXR/RXRあるいはRXRα/VDRを介して、また、13-cis-RAとその前駆体の13-cis-レチナールなどもPXR/RXRを介して、それぞれCYP3A4を誘導することが示されている。特にPXR/RXRの活性化はリファンピシン（リファジン）と同等に強力であり、9CRAで処理した細胞では、CYP3A4誘導によりアセトアミノフェンの活性中間代謝物と高分子物質との共有結合が増えることから、ヒトではレチノイドによってアセトアミノフェンの肝毒性が増強する可能性が指摘されている（☞**本節❹**）。

レチノイドを含む薬剤としては、角化性皮膚疾患およびVA欠乏症の予防・治療薬であるレチノールパルミチン酸エステル（チョコラA）、乾癬治療薬のエトレチナート（チガソン；合成レチノイド）、急性前骨髄性白血病（APL）の分子標的治療薬のトレチノイン（ベサノイド；ATRA）、タミバロテン（アムノレイク：CYP3A4で代謝）、また皮膚T細

胞性リンパ腫の分子標的治療薬にはベキサロテン（タルグレチン）がある（☞**表S-7**）。なお、わが国で2008年に発売された外用尋常性ざ瘡治療薬のアダパレン（ディフェリンゲル）は、化学構造上の分類は天然レチノイドと異なるが、RARに結合してレチノイド様作用（表皮角化細胞分化抑制など）を示す。

VAが関与する相互作用を**表5-57**に示す。まず、レチノイド同士の併用はVA過剰症を引き起こす恐れがあるため禁忌である。また前述のように、レチノイドによるCYP3A4誘導は強力と考えられるため、これらのレチノイドの服用時にはCYP3A4で代謝される薬剤との併用は慎重に行い、VA含有健康食品・飲食物（肝油、レバー、卵黄、牛乳、魚油など）を過剰摂取しないよう指導する。レチノイドはPXR、VDR、RXRをそれぞれ活性化するため、VAだけでなくビタミンD作用の増強や第0・2・3相（☞**図5-16**）の薬物代謝酵素を誘導する可能性がある。

その他、RAやレチノールは、肝のCYP450により4位が水酸化された後、グルクロン酸抱合体となって排泄される。この水酸化に関与するCYP450分子種は、レチノールではCYP2C8（Arch Biochem Biophys.1989;269:305-12.）、ATRAではCYP2C8（主）、3A4（主）、2C9、2E1（Biochem Pharmacol. 2000;60:517-26.；CYP26A1［ATRA治療時の耐性化抑制］の関与も示唆されている）である。したがって、レチノイドと、これらCYP450で代謝される薬剤との競合に起因する相互作用にも注意が必要である（☞**表5-30**②）。

70歳代女性Aさん。

［処方箋］
①コレバインミニ83%　3.62g
　1日2回　朝夕食前　14日分
②ベザトールSR錠200mg　2錠
　1日2回　朝夕食後　14日分
③ディオバン錠80mg　1錠
　1日1回　朝食後　14日分

脂質異常症のAさんは①②の薬剤を数年間服用中である。コレバインミニ（コレスチミド）の長期服用により、脂溶性ビタミンや葉酸の吸収が低下している恐れがあるため、来局時にはこれらのビタミン欠乏症状の有無について尋ねるようにしている。特に、夜中に物がよく見えない、目が乾燥する、皮膚が硬くざらざらするといったビタミンA（VA）欠乏症の症状が現れた場合は、必ず相談するよう指導している。また、ベザトールSR（ベザフィブラート）はPPARα、γ、δ（β）を同等に刺激するため、VAの作用を増強する可能性も考慮する。

30歳代女性Bさん。

［処方箋］
①ミオナール錠50mg　3錠
　1回3回　毎食後　14日分
②ノイロトロピン錠4単位　4錠
　1日2回　朝夕食後　14日分
③カロナール錠200　2錠
　頭痛時　10回分

Bさんは、緊張性頭痛のため①～③を1年以上服用している。カロナール（アセトアミノフェン）はCYP2E1、3A4、1A2による代謝が亢進すると、肝毒性発現の可能性が高くなる。Bさんには喫煙（CYP1A2誘導）、飲酒（CYP2E1誘導）の習慣はなく、定期的な血液検査で肝機能異常も認められていない。妊娠の予定はないが、目の疲れや乾燥があったため、指定第2類医薬品のカワイ肝油ドロップSを数カ月前から飲み始めた。同薬の1日投与量にはビタミンA（VA）4000 IU（レチノール当量［RE］1200μg）が含まれており、2万5000 IU（RE 7500μg）を毎日服用すると慢性過剰症が現れやすくなると考えられた。

薬剤師は、肝油は取り過ぎると頭痛、悪心、嘔吐、めまいなどの症状やカロナールによる肝障害を助長する恐れがあるため、用法・用量を厳守するよう指導。また、全身倦怠感や黄疸、痒みなど、気になる症状があれば必ず相談するよう伝えるとともに、定期的に血液検査を受けるよう指導した。現在のところＢさんの肝機能は正常であるが、引き続き注意を促している。

第４節
二相効果

同一薬剤がCYP450酵素の阻害と誘導作用の両方を有することを「二相効果」という。二相効果を有する薬剤では、一般に、まず阻害作用が現れ、続いて誘導作用が認められる。これまでに述べた薬剤の中で、二相効果を有するものを**表5-58**に示す。それぞれの相互作用例や動態変化などについては、阻害・誘導の節を参照されたい。

表5-58　二相効果を有する薬剤

CYP450を阻害・誘導する薬剤	CYP450阻害の作用を受ける薬剤	CYP450誘導の作用を受ける薬剤
アルコール（エタノール、飲酒）	肝で代謝される全ての薬剤（アルコールの急性摂取や、アルコールが血中に存在している状態で薬剤を服用）	肝で代謝される全ての薬剤（アルコールの慢性摂取、主にCYP2E1で代謝される薬剤）
副腎皮質ホルモン製剤	シクロスポリン（サンディミュン、ネオーラル）、シクロホスファミド（エンドキサン）	シクロホスファミド（エンドキサン）、サリチル酸系、ピラゾロン系薬（フェニルブタゾン★、クロフェゾン★）
フェニルブタゾン★、クロフェゾン★	ワルファリン（ワーファリン）、フェニトイン（アレビアチン）、ペニシリン系薬	ステロイド系薬（副腎皮質ホルモン製剤、経口避妊薬、ジギタリス製剤）、ピリン系；アミノピリンなど
SU薬	ワルファリン（ワーファリン）	ワルファリン（ワーファリン）
イソニアジド（イスコチン）	テオフィリン（テオドール）、ワルファリン、フェニトイン（アレビアチン）、カルバマゼピン（テグレトール）	シクロスポリン（サンディミュン、ネオーラル）、イトラコナゾール（イトリゾール）
d-クロルフェニラミン（ポララミン）	フェニトイン（アレビアチン）	フェニルブタゾン★
プロトンポンプ阻害薬（PPI）：オメプラゾール（オメプラゾン）、ランソプラゾール（タケプロン）など	ワルファリン、フェニトイン（アレビアチン）、ジアゼパム（セルシン）	テオフィリン（テオドール）、イトラコナゾール（イトリゾール）
バルプロ酸（デパケン；誘導効果は弱い）	フェニトイン（アレビアチン）、バルビツール酸系薬、カルバマゼピン（テグレトール）、エトスクシミド（ザロンチン）	フェニトイン（アレビアチン）、カルバマゼピン（テグレトール）
リトナビル（ノービア；HIVプロテアーゼ阻害薬）	CYP3A4で代謝される薬剤	テオフィリン（テオドール）、経口避妊薬（エチニルエストラジオール）など
非ヌクレオシド系抗HIV薬：エファビレンツ（ストックリン）、エトラビリン（インテレンス）	エファビレンツ併用時はCYP2C9、2C19、2D6、エトラビリン併用時はCYP2C9、2C19で代謝される薬剤	CYP3A4で代謝される薬剤
モダフィニル（モディオダール；ナルコレプシー症状の眠気治療薬）	CYP2C9、CYP2C19で代謝される薬剤	CYP1A2、3A4、2B6で代謝される薬剤
アプレピタント（イメンド；選択的NK_1受容体拮抗型制吐薬）	CYP3A4で代謝される薬剤	CYP2C9、3A4で代謝される薬剤

★ 販売中止

コラム44

バルプロ酸、ソマトロピンによるCYP3A4およびP-gp誘導機序

バルプロ酸Na（デパケン）はCYP2C群や3A4、P-gpに対する阻害作用のほか、CYP3A4およびP-gpの誘導作用も有する（☞**コラム22、表5-33、5-58**）。リファンピシン（リファジン）のCYP3A4誘導活性はバルプロ酸を併用すると、約2倍に上昇することが知られている。

これらの酵素誘導の機序は、PXRやCARを介したCYP3A4およびP-gp遺伝子の転写促進である（P-gpは主にCARに起因する）。ただし、バルプロ酸が核内受容体のリガンドとして働くのではなく、バルプロ酸自体がヘテロ二量体（CAR/RXR、PXR/RXR）とその応答配列（DR3、DR4）との結合を促進させることがin vitro実験で示唆されている（Cerveny L, et al. Drug Metab Dispos. 2007；35：1032-41.）。

また、ソマトロピン（ジェノトロピン、ノルディトロピン、ヒューマトロープほか；ヒト成長ホルモン製剤）もCYP3Aを誘導するが、その機序はPXR-CARのリガンドとして働くのではなく、転写因子HNF-4α（hepatocyte nuclear factor-4；肝細胞核因子4）を刺激することにより、PXR発現量を増大させるほか、CYP3A4遺伝子のDNA応答領域におけるPXR-RXRの結合を促進させることと考えられている。

コラム45

炎症反応によるCYP450の発現抑制

炎症性ストレスや感染症が、CYP3A4の代謝活性を低下させるとの報告がある。これは、炎症などによって、ヘテロ二量体（PXR/RXR）と応答配列との結合が抑制されるためと考えられている（Xinsheng G, et al. J Biol Chem. 2006；281：17882-9.）。この論文では、炎症により活性化される転写因子であるNF-κBがヘテロ二量体（PXR/RXR）のRXR部位に結合して、PXR/RXRの応答配列への結合を阻害することで、CYP3A4の転写が抑制されると考察している（炎症反応については☞**図S-10**）。

実際、炎症反応を有する関節リウマチなどの患者では、炎症性サイトカインであるIL6の過剰産生によりCYP450発現が抑制されていることや、ヒト抗IL6受容体モノクローナル抗体のトシリズマブ（アクテムラ）をリウマチ患者に投与すると、IL6阻害に伴いCYP3A4、2C19、2D6の発現量が増加することが示唆されている（参考：アクテムラ添付文書）。これらのことから、IL6がNF-κBの活性化を介してPXR/RXRの応答配列への結合を阻害することで、PXRの標的遺伝子であるCYP450の転写が抑制されると推測される（ただしCYP2D6は核内受容体によって制御されない［IL6による発現抑制機序は不明］）。そのため、トシリズマブの投与により炎症反応は抑制されるのに伴い、CYP3A4、2C19、2D6の発現が回復し、これらの酵素で代謝される併用薬の効果が減弱する可能性がある（併用慎重）。

NF-κBがRXRに結合するならば、NF-κBはCYP3A4遺伝子だけでなく、RXRを二量体のパートナーに持つ全ての核内受容体（TR、VDR、RAR、PPARなど）の標的遺伝子の転写を抑制する可能性が高いと考えられる（☞**図S-5**）。したがって、炎症や感染症罹患時には、甲状腺ホルモンやビタミンD・Aの作用減弱、糖・脂質代謝異常などの毒性発現に注意が必要だろう。

コラム46

核内受容体の転写共役因子（co-factor）

核内受容体による標的遺伝子の転写促進能は、コレプレッサー（co-repressor：共役抑制因子）とコアクチベーター（co-activator：共役活性化因子）という2つの転写共役因子によって調節されている。

核内受容体は、ホルモンやビタミン、薬物などの

リガンドが結合していない状態ではコレプレッサーが結合しており転写が抑制されているが、リガンドが結合するとコレプレッサーが遊離し、替わりにコアクチベーターが結合して転写促進を促すと考えられている。

そのため転写共役因子は、生体の恒常性などをつかさどる遺伝子の転写促進に影響を与える可能性があり、その機能異常は白血病や乳房・前立腺・腸・肝臓などの悪性腫瘍、内分泌・代謝疾患など、様々な疾患の発症に関与すると考えられている。

一方、転写共役因子の遊離・結合を変化させ、核内受容体による標的遺伝子（薬物代謝酵素など）の転写促進に影響を与える薬剤も明らかになりつつある。

例えば、PPAR γの部分的アゴニストであるテルミサルタン（ミカルディス）は、真性アゴニストのピオグリタゾン塩酸塩（アクトス）に比べて、体重増加などの副作用の発現頻度が低い。その理由として、① PPAR γはテルミサルタンが結合すると、ピオグリタゾンの結合の場合とは異なる立体構造変化を示す、②それにより、コレプレッサーのNCoR（核内受容体コレプレッサー）の遊離が抑制されるとともに、コアクチベーターのTIF2（transcriptional intermediary factor-2）の結合も完全に阻害される、③その結果、これらの転写共役因子により調節されている体重増加（脂肪生成促進）に関わる遺伝子群の転写促進が抑制される――といったメカニズムが考えられている（Schupp M, et al. Diabetes. 2005；54：3442-52.）。

また、アゾール系薬によるPXR活性化の阻害も、PXRのコアクチベーターであるSRC-1（ステロイド受容体コアクチベーター1）に依存して起こることが示唆されている（☞ **コラム37**）。

第6章

その他の薬物代謝酵素（系）

薬物代謝の過程では、CYP450以外にもキサンチンオキシダーゼや抱合酵素、モノアミンオキシダーゼなどの多数の酵素が重要な働きを担っている。主な薬物代謝酵素（系）について、生体内での作用や相互作用の発現機序などを解説する。

本章では、CYP450以外に相互作用が問題となる主な代謝酵素（系）として、①ウラシル脱水素酵素、②キサンチンオキシダーゼ、③アルコール代謝酵素系、④抱合、⑤モノアミンオキシダーゼ、⑥コリンエステラーゼ、⑦チオプリンメチルトランスフェラーゼ、⑧エポキシド加水分解酵素、⑨葉酸代謝、⑩カルボキシエステラーゼ――の順に解説する。

第1節

ウラシル脱水素酵素（表6-1）

核酸（DNA、RNA）の塩基であるシトシン・ウラシルは、いずれもピリミジン体であり、ウラシル脱水素酵素（ジヒドロピリミジンデヒドロゲナーゼ［DPD］）によりジヒドロ化合物となった後、ウレイド化合物を経て、アラニンやアミノイソ酪酸などのアミノ酸となり、主に尿中へ排泄される。

ピリミジン骨格を有するシトシン・ウラシル誘導体の薬剤（フルオロウラシル［FU］など）も、同酵素により代謝されて不活性型となる。したがって、ウラシル脱水素酵素を阻害する薬剤（抗ウイルス薬のソリブジン）は、ピリミジン骨格を有する薬剤の作用を増強する。

相互作用が注目されるきっかけとなったのは、ウラシル脱水素酵素を不可逆的に阻害するソリブジンと、フッ化ピリミジン系薬のFU（5-FU）の併用により、短期間で15人が死亡した1993年の「ソリブジン事件」である。

現在は、FUの抗腫瘍効果を高めるためにウラシル脱水素酵素の可逆的阻害薬であるギメラシルを配合した、テガフール・ギメラシル・オテラシルカリウム（ティーエスワン）が臨床使用されている。この配合剤と、フッ化ピリミジン系（FU系、カペシタビン［ゼローダ；腫瘍選択的FU生成］、フルシトシン［アンコチル；抗真菌薬］）を併用すると、ギメラシルの酵素阻害によりFUの血中濃度が著しく上昇する可能性があるため、両者の併用は禁忌となっている。

表6-1　ウラシル脱水素酵素が関与する相互作用

	作用する薬剤	作用を受ける薬剤	起こり得る事象
併用禁忌	ソリブジン（販売中止）	フッ化ピリミジン系薬：FU系（5-FU、テガフールなど）	薬効増強、死亡例の報告あり。
	テガフール・ギメラシル・オテラシルカリウム配合剤（ティーエスワン）	フッ化ピリミジン系薬：FU系（カペシタビン［ゼローダ］など）、フルシトシン（アンコチル；抗真菌薬）	ギメラシルによるFU血中濃度の著しい上昇。配合剤投与中止後も少なくとも7日間は投与しないこと。

第2節
キサンチンオキシダーゼ
（表6-2）

核酸を構成する塩基のうち、アデニン・グアニンはいずれもプリン体であり、ヒポキサンチンやキサンチンを経て、最終代謝産物の尿酸となり排泄される。ヒポキサンチンからキサンチンへの変換およびキサンチンから尿酸への変換を担っているのが、キサンチンオキシダーゼ（XOD）である。プリン骨格を有する全ての薬剤は、基本的にXODによって不活化されて排泄される（**図6-1**）。また、プリン骨格類似構造のファビピラビル（アビガン）も一部はXODにより代謝されることが知られている。

一方、高尿酸血症治療薬のアロプリノール（ザイロリック；プリン骨格）およびフェブキソスタット（フェブリク；非プリン骨格）、トピロキソスタット（ウリアデック、トピロリック；非プリン骨格）はXODを阻害し、尿酸の生成を抑制する。したがって、これらのXOD阻害薬と、プリン骨格を有する薬剤（プリン系薬）を併用すると、後者の不活化が抑制され、作用/副作用が増強する恐れがある。プリン系薬には、キサンチン系薬（テオフィリン［テオドール］）、チオプリン系薬（メルカプトプリン水和物［ロイケリン；抗白血病薬］、アザチオプリン［アザニン、イムラン；免疫抑制剤］）、ジダノシンカプセル（ヴァイデックスECカプセル）などがある。また、XOD阻害薬を服用中の患者がカフェインを含有する感冒薬（☞**表8-8**）や食品を摂取すると、カフェインの作用が増強される可能性もある（☞**付E**）。

特に、非プリン骨格のXOD阻害薬（フェブキソスタット、トピロキソスタット）とチオプリン系薬（メルカプトプリン、アザチオプリン）を併用すると、メルカプトプリン（6-MP）の濃度が上昇し、骨髄抑制などの副作用が増強する可能性があり、両者の併用は禁忌である。アロプリノールとチオプリン系の併用時には、チオプリン系の用量を1/3～1/4に減量することとされているが、非プリン骨格のXOD阻害薬においては減量の目安が不明であるため、チオプリン系との併用は禁忌となっている。

また、XODは肝の鉄貯蔵タンパク質であるフェリチン-Fe（Ⅲ）複合体の鉄を還元してFe（Ⅱ）に変換することで、鉄をフェリチンから遊離させる作用も有している（☞**図6-1**）。したがって、アロプリノールとFe剤や高濃度のFe含有食品（Fe含有ウエハースなど）を併用すると、肝での鉄蓄積が過剰になる恐れがある。

なお、メトトレキサート（メソトレキセート）、ジスルフィラム（ノックビン）にもXOD阻害作用があるため、XOD阻害薬と同様な相互作用に注意が必要である（☞**表6-2**）。

図6-1　キサンチンオキシダーゼの作用

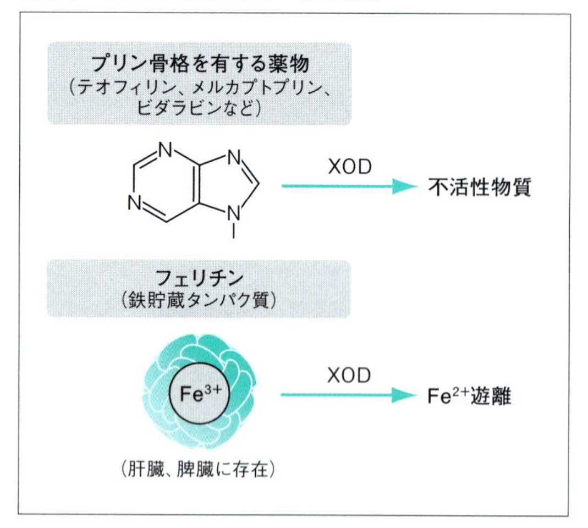

注意

高尿酸血症とプリン体

カフェインやテオフィリン（テオドール）はメチルキサンチン系薬とも呼ばれ、プリン骨格のそれぞれ3カ所と2カ所にメチル基が置換している。これらメチルキサンチン系の代謝産物には、1-メチル尿酸や 2-メチル尿酸などがあるが、尿酸そのものは産生されない。メチル尿酸は、高尿酸血症・痛風の誘因とはならないので、コーヒーや紅茶、緑茶などに含まれるカフェインの摂取が同症の原因となることはまずない。

同様に、テオフィリンの代謝産物にも尿酸そのものは含まれないが、テオフィリンを服用している喘息患者では、血清尿酸値が上昇する場合が多い。これは、テオフィリンが生体内のプリン体の分解を促進することに起因すると考えられている。

参考

非プリン系 XOD 阻害薬の作用

キサンチンオキシダーゼ（XOD）は、基質（プリン系薬）を酸化することによって酸化型（Mo^{6+}活性型）から還元型（Mo^{4+}）に変化する。代謝された基質が基質結合部位から離れると、再び酸化型に変わり、新たな基質を代謝する。

プリン骨格を有するアロプリノール（ザイロリック）は、XOD によって活性代謝産物であるオキシプリノールとなり、還元型 XOD の活性中心部位に共有結合を形成して XOD に対して競合的な阻害効果を示す。一方、酸化型 XOD では共有結合を作れず、その阻害効果を失う。したがって、アロプリノールの十分な効果を得るには、オキシプリノールと還元型 XOD との結合を体内で維持させるために、1 日数回の服用が必要である。

一方、プリン骨格を有さないフェブキソスタット（フェブリク）は、酸化型および還元型 XOD のいずれの活性中心にも強力に結合して、強い阻害効果を示す（イオン結合、水素結合、疎水相互作用、ファンデルワールス相

表 6-2　キサンチンオキシダーゼが関与する相互作用

	作用する薬剤	作用を受ける薬剤	起こり得る事象など
併用禁忌	非プリン骨格XOD阻害薬（フェブキソスタット［フェブリク］、トピロキソスタット［ウリアデック、トピロリック］）	チオプリン系薬：メルカプトプリン（6-MP；ロイケリン；抗白血病薬）、アザチオプリン（アザニン、イムラン；免疫抑制剤）	6-MPの血中濃度上昇。骨髄毒性などの副作用が増強する恐れ。
併用慎重	アロプリノール（ザイロリック；プリン骨格）、非プリン骨格XOD阻害薬（フェブキソスタット［フェブリク］、トピロキソスタット［ウリアデック、トピロリック］）	プリン系薬：キサンチン系薬（テオフィリン［テオドール］、カフェイン、テオブロミン）、チオプリン系薬（メルカプトプリン［ロイケリン］、アザチオプリン［イムラン］）、ビダラビン（アラセナ-A；抗ウイルス薬）、ジダノシンカプセル（ヴァイデックスECカプセル；抗HIV薬）	テオフィリンではクリアランス21%低下。チオプリン系は、アロプリノール併用時に投与量を1/3～1/4に減量する（フェブキソスタットは併用禁忌）。ビダラビンでは主代謝産物ヒポキサンチンアラビノシドが蓄積。ジダノシンではアロプリノール併用によりCmax、AUCが2倍に上昇。
		Fe剤	肝での鉄蓄積。
	高用量メトトレキサート（メソトレキセート；20mg/m^2、経口）	チオプリン系薬：メルカプトプリン（ロイケリン）、アザチオプリン（イムラン）	6-MPのAUC約31%上昇。アザチオプリン併用時、適切な白血球数を維持するよう用量調節。メトトレキサートにはXOD阻害作用あり（in vitro）。
	ジスルフィラム（ノックビン；禁酒薬）	キサンチン系薬（テオフィリン［テオドール］など）	ジスルフィラムにはCYP450阻害作用（☞**表5-34**）とXOD阻害作用がある。
	テオフィリン（テオドール）	ファビピラビル（アビガン；抗インフルエンザ治療薬）	ファビピラビルのCmax33%、AUC27%上昇。両剤ともにXODの基質である。

互作用、π-π相互作用などの複合的な結合を形成する）。また、フェブキソスタットは1日1回投与と、アロプリノールに比べて少ない投与回数と投与量で有効性が持続される。

また、同様にプリン骨格を有さないトピロキソスタット（ウリアデック、トピロリック）は、アロプリノールと同様にXODの自殺基質であり、酸素により水酸化される過程で、活性中心部位にあるMo^{4+}（モリブデン）と共有結合を形成するほか、フェブキソスタットと同様に、XODのアミノ酸残基と水素結合、疎水性相互作用、芳香環相互作用、ファンデルワールス相互作用などによって強力に結合して阻害効果を示す。つまり、アロプリノールの特徴である「反応機構に基づく阻害」とフェブキソスタットの特徴である「構造に基づく阻害」の両者の阻害機構を兼ね備えている。

フェブキソスタット、トピロキソスタットは非プリン骨格であるため、グアニンデアミナーゼ、プリンヌクレオシドホスホリラーゼ、サルベージ酵素などのXOD以外のプリン代謝酵素への阻害効果は認められず、アロプリノールに見られる重篤な副作用（腎不全、肝障害、血管炎、皮膚炎［アロプリノール過敏症候群］など）を引き起こしにくいと考えられている。

コラム 47

アルデヒドオキシダーゼ

アルデヒドオキシダーゼ（AOX）は、主に肝、膵、肺、骨格筋または脂肪細胞の可溶性画分（サイトゾル画分）に存在する酵素である。AOXは、FAD結合ドメインおよび基質結合サイトとモリブデンコファクターを持つドメインからなる約150kDaのサブユニットのホモ2量体で構成され、構造的、化学的にキサンチンオキシダーゼに非常に類似しており、ヒポキサンチンチンをキサンチンに変換する。しかしながら、AOXではキサンチンの尿酸への変換は見られない。AOXはアルデヒドを有する化合物のみならず、含窒素ヘテロ芳香環を有する化合物も基質とするため、薬物代謝酵素として大きく関与することが明らかとなっている。また、その活性には、17倍以上[※1]ともいわれる個体間差が認められている。

日本国内で市販されているAOX阻害作用を有する薬剤および基質となる薬剤の一覧を示す（☞p.368表）。AOX阻害薬とAOX基質薬との併用には注意が必要であるが、基質薬の全身クリアランスに含まれるAOXによる代謝の寄与が小さい場合、阻害薬が基質薬の血中濃度に与える影響は軽微と考えられる。

抗インフルエンザ薬ファビピラビル（アビガン）の体内からの消失はAOXによる代謝に大きく依存する。従って、AOX阻害薬とファビピラビルを併用した場合、ファビピラビルの代謝クリアランスが低下し、ファビピラビルの血中濃度が上昇する可能性がある。生体内でのAOXに対する阻害の影響が最も大きいと考えられているクロミプラミン（アナフラニール）との併用でファビピラビルの血漿中濃度は約1.5倍に上昇する可能性があるとの報告があるが、これはAOX活性の個体間差の範囲内とも考えられるため、AOX阻害薬とファビピラビルとの併用による安全性への影響は少ないと考えられている[※2]。

一方、ファビピラビルはAOXに対して濃度及び時間依存的な不可逆的阻害作用を示す。このためファビピラビルは、AOX基質薬との併用にも注意が必要であるが、比較的安全域が狭いと考えられるメトトレキサート（メソトレキセート）及びジドブジン（レトロビル）と併用した場合でも、それぞれの全身クリアランスに含まれるAOXによる代謝の寄与が小さいため、AUCの上昇はそれぞれ1.1倍および1.4倍程度と推定され、添付文書上で制限や使用上の注意への記載はない。しかしながら、同じくAOXの基質薬であるヒドララジン（アプレゾリン）の全身クリアランスに対するAOXの寄与率は62.8%と高く見積もられており、ファビピラビルがAOXを完全に阻害した場合、ヒドララジンAUCは約2.7倍上昇すると推定される。このためヒドララジンはファビピラビルと併用する場合、急激な血圧低下を引き起こす可能性が否定できないためファビピラビルの添付文書上では併用注意薬とされている[※2]。

ファムシクロビル（ファムビル）とスリンダク（クリノリル）はいずれもAOXで代謝され活性体を生成する。これらの薬剤とAOX阻害薬を併用した場合、これらの薬剤の活性体への代謝が阻害され、効果が減弱する可能性があり注意が必要である。

※1　Challenges and Opportunities with Non-CYP Enzymes Aldehyde oxidase, Carboxylesterase and UDP-glucuronosyl transferase. AAPS J.2016Nov;18(6):1391-1405

※2　アビガン錠200mg 臨床的安全性、富山化学工業（株）

6 その他の薬物代謝酵素（系）

表　アルデヒドオキシダーゼの阻害薬と代表的な基質

[阻害薬] ファビピラビル（アビガン）、二・三級アミン三環系抗うつ薬（クロミプラミン［アナフラニール］、ノルトリプチリン［ノリトレン］、マプロチニン［クロンモリン］）、抗精神病薬（クロルプロマジン［ウインタミン］、クロザピン［クロザリル］、オランザピン［ジプレキサ］、クエチアピン［セロクエル］、ペルフェナジン［ピーゼットシー］）、抗ドパミン薬（メトクロプラミド［プリンペラン］、ドンペリドン［ナウゼリン］）、Ca拮抗薬（アムロジピン［アムロジン］、ベラパミル［ワソラン］）、エストロゲン製剤（エチニルエストラジオール［プロセキソール］、エストラジオール［エストラーナ］）、タモキシフェン（ノルバデックス；抗エストロゲン薬）、オンダンセトロン（ゾフラン★；5HT3拮抗薬）、ラロキシフェン（エビスタ；エストロゲン作動薬）、抗ヒスタミン薬（プロメタジン［ヒベルナ］、ジフェンヒドラミン［レスタミン］）エリスロマイシン、プロパフェノン（プロノン）、ケトコナゾール（ニゾラール）、ロペラミド（ロペミン）、サルメテロール（アドエア）、メサドン（メサペイン）、シクロスポリン（サンディミュン）
[基質] 抗ウイルス薬（ファビピラビル［アビガン］、アシクロビル［ゾビラックス］、ファムシクロビル［ファムビル］、ジドブジン［レトロビル］）、アロプリノール（ザイロリック）、ヒドララジン（アプレゾリン）、メトトレキサート（メソトレキセート）、ピラジナミド（ピラマイド；抗結核薬）、スリンダク（クリノリル）、ゾニサミド（エクセグラン）レチノール、ピリドキサール、ニコチンアミド、分子標的治療薬（カプマチニブ［タブレクタ］、レンバチニブ［レンビマ］）

第３節
アルコール代謝酵素系
（ADH/ALDH系）（表6-3）

体内に吸収されたアルコール（エタノール）は、肝の細胞質に存在するアルコール脱水素酵素（alcohol dehydrogenase：ADH2）によりアセトアルデヒドとなり、続いてミトコンドリアのアルデヒド脱水素酵素（aldehyde dehydrogenase：ALDH2）によって酢酸に変換され、最終的にTCAサイクルに入る（**図6-2**）。

したがって、これらの酵素を阻害する薬剤を服用中の患者は、エタノール中毒を誘発する可能性が高く、飲酒は控えなければならない。特に、ALDH2阻害作用を有する薬剤は、アセトアルデヒドを増やし、顔面紅潮や頭痛、呼吸困難、血圧低下、悪心・嘔吐などの発作（antabuse:アンタビュース効果）を引き起こすことがあるので注意が必要である※。

また、抱水クロラール（同名）は、体内で活性代謝物のトリクロルエタノールになって持続性の催眠作用を示すが、トリクロルエタノールはADH2の基質でもある。そのため、同薬を服用中の患者がアルコールを摂取すると、代謝が競合し双方の作用が増強する恐れがあるので、飲酒は控えさせる。H_2拮抗薬やフェノチアジン系薬にもADH2阻害作用があるので、同薬を服用中の患者の飲酒は控えさせる（☞付E）。

アンタビュース効果発現のためアルコール摂取が禁忌となっている薬剤を服用中の患者には、エタノール含有製剤（エリキシル剤、HIVプロテアーゼ阻害薬［リトナビル〈ノービア〉、インジナビル硫酸塩エタノール付加物★］、パクリタキセル注射液［タキソール注射液］、ジゴキシン液剤・注射剤、ジメチコン［バロス消泡内用薬；胃内有泡性粘液除去剤］など）の併用を避け、アルコールを含む飲食物（薬用酒、奈良漬け、ケーキなど）の摂取についても、中止または注意するよう指導する。特にジスルフィラム（ノックビン）を投与中の場合は、アフターシェーブローションなどのアルコールを含む化粧品の使用も中止させる。

なお、エタノールは主にADH/ALDH系で代謝されるが、約1割はCYP450分子種から構成されているミクロソーム・エタノール酸化系（microsomal ethanol-oxidizing system：MEOS）でも代謝され、アセトアルデヒドが生成する（$C_2H_5OH + NADPH_2 + O_2 \rightarrow CH_3CHO + NADP + 2H_2O$）。慢性的なアルコールの摂取により、MEOSの50%を構成しているCYP2E1が誘導されることから、アルコール性肝障害の病態に

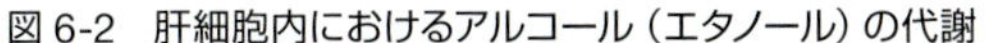
図6-2　肝細胞内におけるアルコール（エタノール）の代謝

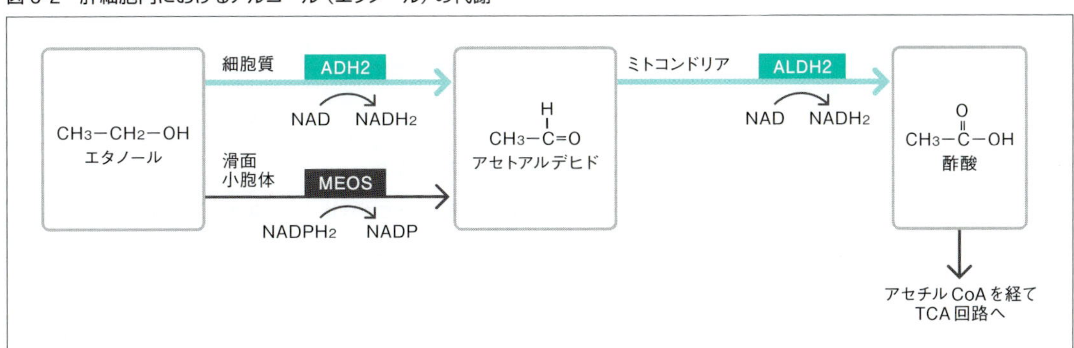

・アルコール（エタノール）は、90%以上が細胞質内に局在するアルコール脱水素酵素（ADH2）によりアセトアルデヒドに代謝される。
・NAD：ニコチンアミドアデニンジヌクレオチド
・NADP：ニコチンアミドアデニンジヌクレオチドリン酸

深く関わっていると考えられている（☞第5章［第3節］❸）。

エタノールのほかにADH/ALDH系で代謝される薬剤として、シロドシン（ユリーフ；α1遮断薬、部分的に代謝）、アバカビル（ザイアジェン；抗HIV薬）、ヒドロキシジン（アタラックス；ADHで代謝）などがある。これらの薬剤を服用している患者が飲酒すると、エタノールやアセトアルデヒドとの代謝が競合し、作用が増強する可能性がある。

ただし、シロドシンの添付文書にはエタノールとの相互作用についての記載はなく、アバカビルでもAUCが41%上昇するため併用注意となっているが、臨床的に重要な相互作用ではないとされている。また、これらの薬剤はエタノール代謝に影響を与えないと考えられている。

一方、ALDH2の基質として知られているのがニトログリセリン（NTG）である。興味深いことに、NTGは血管平滑筋細胞に存在するALDH2によって代謝されて一酸化窒素（NO）を産生し、冠動脈拡張作用を発揮することが示されている。さらに、NTG連用による耐性化に伴ってALDH2活性が低下することや、不活性型のALDH2*2遺伝子を持つ人ではNTGの活性化能が弱く、薬効が減弱する可能性も示唆されている。

これらのことから、NTGを服用中の患者が飲酒すると、ALDH2を競合してNTGの代謝が抑制され、薬効が減弱する恐れがある（ただし、ALDH2との結合部位は、アセトアルデヒドとNTGで異なるという報告もある）。薬力学的には、両者の併用により血管拡張作用が相加的に増強して低血圧が

表6-3　アルコール代謝酵素系が関与する相互作用

	作用する薬剤	作用を受ける薬剤	起こり得る事象
併用禁忌	アルデヒド脱水素酵素（ALDH）阻害作用を有する薬剤：メトロニダゾール（フラジール）、チニダゾール（チニダゾール）、プロカルバジン（塩酸プロカルバジン；アルキル化薬）、シアナミド（シアナマイド）、ジスルフィラム（ノックビン）、MTT基含有セフェム系薬、カルモフール★	アルコール（飲酒）、エタノール含有製剤	アンタビュース効果。
併用慎重	ALDH阻害薬：フェノチアジン系薬、クロラムフェニコール系薬、グリセオフルビン★、SU薬（クロルプロパミド［アベマイド］、トルブタミド［ヘキストラスチノン］など）	アルコール（飲酒）	アンタビュース効果。
	アルコール脱水素酵素（ADH）阻害薬：フェノチアジン系薬、H_2拮抗薬（シメチジン［タガメット］など）		アルコール中毒。
	ADHの基質となる薬剤：抱水クロラール		同一酵素を競合するので相互に増強。ジスルフィラム様反応が起こることがある。
	アルコール（飲酒）	ADH/ALDH系の基質；シロドシン（ユリーフ）、アバカビル硫酸塩（ザイアジェン）、ヒドロキシジン塩酸塩（アタラックス；ADHの基質）	エタノールとの代謝競合（阻害）により血中濃度上昇の可能性。アバカビルのAUCが41%上昇。
	アルコール（飲酒）	ALDHの基質；ニトログリセリン製剤	NO産生低下の可能性（薬効減弱の可能性）。

★ 販売中止

以下に示すMTT基を有するセフェム系薬（注射剤）は、強いジスルフィラム様作用を示し、アンタビュース効果を引き起こす。

CPZ：セフォペラゾン（スルペラゾン、セフォペラジン）、CBPZ：セフブペラゾン（販売中止）、CMD：セファマンドール（販売中止）、LMOX：ラタモキセフ（シオマリン）、CMZ：セフメタゾール（セフメタゾン）。

※参考：ALDH2はノルアドレナリン（NAd）の代謝に関与していると考えられている。ALDH2を阻害する薬剤とモノアミンオキシダーゼ（MAO）阻害薬を併用すると、NAdの濃度が上昇し、中枢神経症状（めまい、過敏症、不眠）が現れることがある。

起こる可能性も考えられることから、NTGを投与中の患者には、飲酒を避けるよう指導した方がよいだろう。

（関連事項☞ **コラム48**）

重要

お酒に弱い遺伝子タイプ

ADH2およびALDH2には遺伝子多型が存在し、体質的に活性が低下している人がいる。ADH2にはADH2*1（不活性型）とADH2*2（活性型）が、またALDH2にはALDH2*2（不活性型）とALDH2*1（活性型）の対立遺伝子が存在し、両親からそれぞれ1つずつ受け継がれる。

日本人では、ADH2はADH2*1/*1型（完全欠損）が5％、ADH2*1/*2型が35％、ADH2*2/*2型が60％を占める。また、ALDH2はALDH2*2/*2型（完全欠損）が10％、ALDH2*1/*2型が45％、残りをALDH2*1/*1型が占める。

酒酔いの症状はエタノールによる中枢神経の抑制作用に起因する。顔面紅潮や心拍数増加などの「アンタビュース効果」は、アセトアルデヒドの作用（ヒスタミン、ブラジキニン、カテコールアミンの遊離促進など）であり、二日酔いや悪酔い、低血圧、喘息発作などを誘発して、最悪の場合は死に至らしめる。

一般に、低活性型のADH2*1を持つ人は、顔面紅潮を起こしにくく、翌日まで酒臭く、アルコール依存症や脳梗塞になりやすい。また、日本人の約55％は非活性型のALDH2*2を持つため、アンタビュース効果を起こしやすいほか、10人に1人はALDH2*2/*2型のため酒を全く飲めないとされている。両酵素のいずれかの活性が低下していると、咽頭・食道癌の発症リスクが高くなることも示唆されている。

 60歳代男性Aさん。

［処方箋］

① ノルバスク錠5mg　1錠
　1日1回　朝食後　14日分
② ニトロペン舌下錠0.3mg　1錠
　胸痛時　10回分

高血圧症のためノルバスク（アムロジピンベシル酸塩）を服用中のAさんに、狭心症発作治療薬のニトロペン（ニトログリセリン）が処方された。Aさんは、週に1～2回飲酒する程度であり、コップ1杯のビールで顔面紅潮や動悸などのアンタビュース効果が現れることから、薬剤師はAさんの遺伝子タイプがお酒に弱いALDH2*1/*2型（低活性型）であると判断した。

飲酒はニトロペンの血管拡張作用を増強して低血圧を誘発する可能性がある一方、ALDH2代謝を競合的に阻害する恐れがある。Aさんは体質的にもニトロペンの効果が十分に発揮できない可能性もあるが、飲酒によりその傾向がさらに強まることが推測される。

薬剤師はAさんに対し、できる限り飲酒を控えるように伝え、ニトロペンの効果が不十分な場合には、直ちに受診するように指導した。その後Aさんは、飲酒を控えるようになり、発作時にニトロペンを1回使用したが十分な効果が得られ、低血圧や頭痛、ふらつきなどの異常も認めなかったとのことだった。

第4節
抱合（表6-4）

薬物代謝酵素群は、体内の薬剤（活性型）を水溶性に代謝（不活性化）して、最終的に尿中や胆汁中へと排泄する一連の酵素群であり、第0相のトランスポーター、第1相のCYP450酸化反応、第2相の抱合反応、第3相のトランスポーターに分けられる（☞図5-16）。

第2相の抱合は、抱合酵素によって水溶性の原子団を薬物に付加する反応である。本項では、**A** グルタチオン抱合、**B** グルクロン酸抱合、**C** 硫酸抱合、**D** アセチル抱合——の順に、それぞれが関与する相互作用について解説する。

A グルタチオン抱合（グルタチオンS転換酵素）

グルタチオン（GSH）はグルタミン酸、システイン、グリシンの3つのアミノ酸からなるペプチドである。システインのSH基がグルタチオンの反応性に関与している。

潜在毒性を持つ多くの薬剤は、肝のグルタチオンS転換酵素（GST）によりグルタチオンの抱合を受けた後、代謝され、最終的にアセチルシステインが抱合（結合）したメルカプツール酸となって体外へ排泄される。したがって、GSTによるグルタチオン抱合は、肝の解毒機構の一つといえる。

GSTを阻害し、グルタチオン抱合を抑制する薬剤として、プロベネシド（ベネシッド）がある。抱合を受ける薬剤とプロベネシドを併用すると、抱合が抑制されて作用が増強したり、毒性が発現しやすくなる恐れがあるため、両者の併用には注意する（**表6-4 A**）。

B グルクロン酸抱合（UDP-グルクロン酸転移酵素）

グルクロン酸抱合は、肝細胞の小胞体膜に存在するUDP-グルクロン酸転移酵素（UGT）によって触媒される重要な反応である。多くの薬剤は、グルクロン酸抱合を受けて水溶性が高まり、尿中または胆汁中に排泄されている。

したがって、UGT阻害作用を有する薬剤（アタザナビル硫酸塩［レイアタッツ］、ジフルニサル、ジドブジン［レトロビル］、サリチルアミド［サリチル酸系薬］、トラニラスト［リザベン］、プロベネシド［ベネシッド］、スルフィンピラゾン、チロシンキナーゼ阻害薬［イマチニブメシル酸塩〈グリベック〉、エルロチニブ塩酸塩〈タルセバ〉など］、バルプロ酸Na［デパケン］、フルコナゾール［ジフルカン］など）を、グルクロン酸抱合を受ける薬剤（**表6-5、6-12**）と併用すると、後者の血中濃度が上昇し、薬効が増強する可能性がある（**表6-4 B1**）。また、グルクロン酸抱合を受ける薬剤同士の併用の場合は、UGTによる抱合が競合し、両剤の抱合が抑制されて、相互に作用（副作用）が増強すると考えることもできる。

一般にグルクロン酸抱合に関わる相互作用の報告は少ないが、これは、UGTは基質特異性が低く、さらには多くのUGT分子種が存在することにより、基質が重複しているためと考えられる（☞**コラム50**）。

ジフルニサルやジドブジンは、グルクロン酸抱合の阻害作用が強いので注意する。プロベネシドはUGTのほか、OAT（陰イオン輸送系）による腎分泌も阻害し、特にジドブジンやNSAIDsなどの作用を増強させる（☞**表4-33**）。

UGT分子種のUGT1A1を特異的に阻害する薬剤にはアタザナビル（レイアタッツ；HIVプロテアーゼ阻害薬）がある。イリノテカン塩酸塩水和物（カンプト）の活性代謝物であるSN-38は、UGT1A1でグルクロン酸抱合を受けるため、アタザナビルとイリノテカンを併用するとSN-38の抱

表6-4　抱合反応が関与する相互作用

	作用する薬剤	作用を受ける薬剤	起こり得る事象など
A グルタチオン抱合の阻害（作用増強）			
併用慎重	プロベネシド（ベネシッド）	グルタチオン抱合を受ける薬剤（☞**表4-1**）	薬効増強。プロベネシドはグルタチオンS転換酵素（GST）阻害作用があり、GSTで代謝される薬剤の作用（副作用）が増強。
B1 グルクロン酸抱合の阻害・競合（作用増強）			
併用禁忌	アタザナビル（レイアタッツ；HIVプロテアーゼ阻害薬、UGT1A1阻害薬）	イリノテカン（カンプト；抗悪性腫瘍薬）	SN-38（イリノテカンの活性代謝物）は肝UGT1A1によりグルクロン酸抱合体となるが、UGT1A1阻害作用のあるアタザナビルとの併用でSN-38の抱合化が抑制され、排泄が遅延し重篤な副作用（下痢※1、骨髄抑制［好中球減少症など］）を発現する可能性。
	ジフルニサル★（サリチル酸系薬）	インドール酢酸系NSAIDs（インドメタシンファルネシル［インフリー］、プログルメタシン［ミリダシン］、スリンダク［クリノリル］、アセメタシン［ランツジール］）	血中インドメタシン濃度40%上昇。AUC 2～3倍上昇。胃腸出血。死亡例。
	ジドブジン（レトロビル；抗HIV薬）	イブプロフェン（ブルフェン）	相互に副作用増強（骨髄抑制）の恐れ。血友病患者で出血傾向が増強することがある。
原則禁忌	サリチルアミド（非ピリン系感冒薬のPL配合顆粒、ペレックス配合顆粒に含有）	ペンタゾシン（ソセゴン；κオピオイド作動薬）	ペンタゾシンCmaxが2倍上昇、高用量のペンタゾシン投与でサリチルアミドCmaxが2.5倍上昇。
併用慎重	アタザナビル（レイアタッツ）	ブプレノルフィン（レペタン；モルヒネ類似物質）	ブプレノルフィン（BUP）血中濃度上昇の恐れ。アタザナビルのUGT1A1およびCYP3A4阻害起因。BUPは主にCYP3A4で代謝され、UGT1A1、1A3、2B7で抱合されるため。併用時は鎮静状態、認知機能のモニタリングとBUP減量を考慮。併用は推奨されない。
	UGT1A1を阻害する薬剤：トラニラスト（リザベン；肝UGT1A1阻害薬）、プロベネシド（ベネシッド）、スルフィンピラゾン★、イマチニブ※2（グリベック；チロシンキナーゼ阻害薬）など	アセトアミノフェン（カロナール）	アセトアミノフェン血中濃度上昇の恐れ。肝毒性誘発などに注意。培養細胞実験結果で、トラニラストは強力な肝UGT1A1阻害作用（硫酸抱合も阻害）、プロベネシドはグルクロン酸抱合の非競合的阻害作用（硫酸抱合も阻害）、スルフィンピラゾン（UGT1A9で代謝）は非選択的UGT阻害作用を持つことが報告されている。イマチニブでは重篤な肝障害（外国で死亡例）、アセトアミノフェンのグルクロン酸抱合阻害の報告がある。
	分子標的治療薬※2（UGT1A1阻害薬：ソラフェニブ、エルロチニブ、ニロチニブ）、トラニラストなど	モリデュスタット（マスーレッド；腎性貧血治療薬）	薬効増強。併用する場合はモリデュスタットの減量を考慮。
	プロベネシド（ベネシッド）	グルクロン酸抱合を受ける薬剤（ジドブジン［レトロビル；ジドブジン半減期1.5倍に延長、クリアランス1/3に低下。腎分泌阻害関与］、アセトアミノフェン［カロナール］、インドメタシン［血中濃度2倍上昇］、アスピリン製剤［バファリン配合錠、バイアスピリン］、ナプロキセン［ナイキサン；血中濃度50%上昇］）、ロキサデュスタット［エベレンゾ；腎性貧血治療薬；UGT1A9の基質<表6-14>；OAT1/3阻害も関与<表4-32>］）。 なお、プロベネシドは腎の陰イオン分泌阻害作用もある。また、アスピリンはプロベネシドの尿酸排泄作用に拮抗する。	
	分子標的治療薬※2（UGT1A1阻害薬：エルロチニブ［タルセバ］、ダサチニブ［スプリセル］、ラパチニブ［タイケルブ］、ソラフェニブ［ネクサバール］、イマチニブ［グリベック］、レゴラフェニブ［スチバーガ］など）	イリノテカン（カンプト）	薬効増強。ソラフェニブ併用時、イリノテカンおよびSN-38（活性代謝物）のAUCが26～42%および67～120%上昇。ラパチニブとの併用時にSN-38のAUCが40%上昇。レゴラフェニブ併用時、イリノテカンおよびSN-38のAUCはそれぞれ28%および44%上昇。分子標的治療薬のUGT1A1阻害作用によるSN-38の抱合抑制のため。

表 6-4（つづき） 抱合反応が関与する相互作用

併用慎重	バルプロ酸（デパケン）	ラモトリギン（ラミクタール：抗てんかん薬、他剤効果不十分時に併用）	ラモトリギン作用増強。ラモトリギン$t_{1/2}$が約2倍延長。肝グルクロン酸抱合競合（主にUGT1A4）のため。併用する場合にはラモトリギンを1回25mgの隔日投与で開始。ただし、バルプロ酸を併用せずにグルクロン酸抱合誘導薬（フェニトイン、カルバマゼピン、バルビツール酸系［フェノバルビタール、プリミドン］など）と併用する場合は、ラモトリギンを1日1回50mgで開始。
		ロラゼパム（ロラピタ；注射剤）	ロラゼパムの消失半減期が延長する恐れ。肝におけるグルクロン酸抱合の競合が関与。
	フルコナゾール（ジフルカン）、ホスフルコナゾール静注液（プロジフ静注液；フルコナゾールのプロドラッグ）	ジドブジン（レトロビル）	ジドブジンのAUC、Cmaxが74%、84%上昇。尿中のジドブジンに対するジドブジングルクロン酸抱合体の割合（グルクロン酸抱合体濃度／ジドブジン濃度）が34%低下。
	オムビタスビル・パリタプレビル（ヴィキラックス配合錠；抗HCV薬）	フロセミド（ラシックス）	フロセミドの血中濃度上昇。オムビタスビルおよびパリタプレビルがUGT1A1を阻害するためと考えられる。
	メドキシプロゲステロン（ヒスロン；黄体ホルモン製剤）	UGT2B7で代謝される薬剤（プロピオン酸系など）	in vitro実験においてUGT2B7の阻害効果が報告されている。
B2 グルクロン酸抱合の促進（薬効減弱）			
併用禁忌	カルバペネム系薬：注射薬（パニペネム・ベタミプロン［カルベニン］、メロペネム［メロペン］、イミペネム・シラスタチン［チエナム］、ビアペネム［オメガシン］、ドリペネム［フィニバックス］）、経口薬（テビペネム［オラペネム小児用］）	バルプロ酸（デパケン）	バルプロ酸の血中濃度が低下し、痙攣発作頻度上昇。バルプロ酸グルクロン酸抱合体の生成促進または分解抑制。消化管吸収阻害の報告あり。
	リファンピシン（リファジン）	ビクテグラビル（ビクタルビ配合錠）	UGT1A1誘導によりビクテグラビルのAUCが75%低下。3A4、P-gpも関与。
原則禁忌	リファブチン（ミコブティン）、フェニトイン（アレビアチン）、抗HIV薬（エファビレンツ［ストックリン］、ホスアンプレナビル［レクシヴァ］）	ポサコナゾール（ノクサフィル）	リファブチン併用によりポサコナゾールのCmax43%、AUC49%低下。リファブチンによるUGT1A4誘導および消化管P-gp誘導に起因。一方、ポサコナゾールによりCYP3A4が阻害されリファブチンのCmax1.3倍、AUC1.7倍上昇。エファビレンツおよびホスアンプレナビルは、主に胆汁排泄のため肝のP-gp誘導も関与。

★ 販売中止

※1 副作用である下痢の誘因として、アセチルコリンエステラーゼの阻害が示唆されている（☞ **表 7-22**）。

※2 分子標的治療薬の相互作用については**付録C 表 S-8** 参照。

表 6-4（つづき）　抱合反応が関与する相互作用

併用慎重	PXR 活性化薬（リファンピシン［リファジン］、バルビツール酸系薬［フェノバルビタール〈フェノバール〉］、フェニトイン［アレビアチン］など）	ジドブジン（レトロビル）	リファンピシン併用でジドブジンAUC 32%低下。リファンピシン投与中止後2.5カ月目にジドブジンAUC 50%上昇。
		エゼチミブ（ゼチーア；小腸コレステロールトランスポーター阻害薬）	エゼチミブ効果減弱。リファンピシンによる小腸UGT1A1、小腸・肝MRP2、P-gpの誘導により、小腸粘膜上皮細胞内のエゼチミブ（未変化体；活性体）濃度低下、糞中排泄増加（☞**表 4-13、4-22**）。UGT1A1阻害薬では未変化体が増加しエゼチミブの薬効増強の可能性。
		ミコフェノール酸モフェチル（セルセプト）	ミコフェノール酸（MPA；活性体）の作用減弱。リファンピシン8日間投与後、MPAの$AUC_{0\text{-}12h}$およびトラフ値がそれぞれ17.5%および48.8%低下。特に、腸肝循環の時間帯である$AUC_{6\text{-}12h}$（投与後6～12時間）は32.9%低下。リファンピシンによるUGTの誘導により血中MPA濃度が低下するが、主に小腸UGT1A7、8、9の誘導により、再吸収されたMPAが直ちに抱合体へと変換されるためと考えられる（腸肝循環阻害）。リファンピシンによる腸内細菌叢の乱れで再吸収抑制（腸肝循環阻害；☞**表 1-7**）、肝MRP2競合（消化管への抱合体分泌抑制；☞**表 4-22**）なども関与の可能性。
		デフェラシロクス（エクジェイド；鉄キレート剤）	デフェラシロクスAUC44%低下（リファンピシン10日間の反復投与の9日目にデフェラシロクス単回併用投与した場合）。主にUGT1A1および1A3誘導によるデフェラシロクス抱合促進。
		カナグリフロジン（カナグル；SGLT2阻害薬）	リファンピシン併用でカナグルCmax、$AUC_{0\text{-}\infty}$が28%、51%低下。リファンピシンによるUGT1A9・2B4誘導に起因。
	PXR 活性化薬：抗てんかん薬（フェニトイン［アレビアチン］、バルビツール酸系薬、カルバマゼピン［テグレトール］など）	甲状腺ホルモン製剤	甲状腺ホルモン製剤の効果減弱。T_4（チロキシン）血中濃度低下。
	PXR 活性化薬：リファンピシン、抗てんかん薬（ヒダントイン系薬、バルビツール酸系薬、カルバマゼピン［テグレトール］など）	ステロイド系薬（副腎皮質ホルモン製剤、経口避妊薬、ジギタリス製剤）	ステロイド系薬の作用減弱。グルクロン酸・硫酸抱合促進。
	リファンピシン（リファジン）	レテルモビル（プレバイミス；抗CMV薬）	レテルモビルの血中濃度低下。併用終了後も血中濃度低下。AUC0.15倍、Cmax 0.27倍に低下。UGT1A1/3の誘導も関与。レテルモビルは主に糞中排泄のため、消化管・肝のP-gp、UGT1A1/3誘導が関与すると考えられる。
	グルクロン酸抱合酵素（主にUGT1A4）誘導薬（フェニトイン、カルバマゼピン、バルビツール酸系、リファンピシンなど）	ラモトリギン（ラミクタール）	ラモトリギン血中濃度低下。バルプロ酸（肝グルクロン酸抱合を競合しラモトリギン血中濃度上昇）を併用せずにグルクロン酸抱合誘導薬と併用する場合は、ラモトリギンを1日1回50mgで開始。
	HIVプロテアーゼ阻害薬（リトナビル［ノービア］／アタザナビル［レイアタッツ］）	ラモトリギン（ラミクタール；主にUGT1A4で代謝）	3剤併用時、ラモトリギンAUC、Cmaxが32%、6%低下。併用時は投与量調節を考慮。ラモトリギンのグルクロン酸抱合促進。リトナビル（PXR活性化薬）によるUGT1A4誘導に起因する可能性が高い。
	経口避妊薬	アセトアミノフェン（カロナール）	アセトアミノフェン血中濃度低下（血漿クリアランス64%上昇）。エチニルエストラジオール（EE_2）によるグルクロン酸抱合促進。一方、アセトアミノフェンはEE_2の硫酸抱合を阻害する作用がある（副作用増強）。
		ラモトリギン（ラミクタール；抗てんかん薬）	ラモトリギン血中濃度低下（AUCが52%低下）。
		モルヒネ、サリチル酸	サリチル酸クリアランス41%上昇。

C 硫酸抱合の阻害（薬効増強）			
併用慎重	アセトアミノフェン（カロナールなど）	経口避妊薬	エチニルエストラジオール（EE_2）AUCが22%上昇（副作用増強）。EE_2硫酸抱合体の$AUC_{0\text{-}24h}$が44%低下。アセトアミノフェンによる内在性硫酸塩の枯渇作用でEE_2硫酸抱合が阻害。一方、EE_2によるアセトアミノフェンのグルクロン酸抱合促進にも注意（薬効減弱）。
	ビタミンC	経口避妊薬	EE_2の血中濃度47%上昇（ビタミンC 1g同時投与した場合）。ビタミンCによる内在性硫酸塩の枯渇作用でEE_2の硫酸抱合阻害。
		アセトアミノフェン（カロナール）	アセトアミノフェン$t_{1/2}$が2.3hから3.1hに延長。アセトアミノフェンの硫酸抱合体の腎排泄低下、グルクロン酸抱合体の排泄増加。
	プロベネシド（ベネシッド）、トラニラスト（リザベン）	アセトアミノフェン（カロナール）	アセトアミノフェン血中濃度上昇の恐れ（肝毒性に注意）。培養細胞実験ではあるが、プロベネシドは硫酸抱合の競合的阻害作用およびグルクロン酸抱合の非競合的阻害作用を持ち、トラニラストは強力な肝UGT1A1阻害であるがアセトアミノフェン硫酸抱合も阻害すると示唆されている。
	グレープフルーツジュース、オレンジジュース、緑茶、紅茶など	SULT1A1、1A3の基質（経口β_2刺激薬；サルブタモール［ベネトリン］など）	果実ジュース、お茶にはSULT1A1、1A3阻害効果あり（in vitro）。特にお茶はSULT1A3阻害が強力。

合が阻害され胆汁排泄が抑制されて、重篤な副作用が発現する可能性が高くなる（併用禁忌）。

また、トラニラストやチロシンキナーゼ阻害薬（イマチニブ、ダサチニブ［スプリセル］、ソラフェニブトシル酸塩［ネクサバール］、エルロチニブ、ゲフィチニブ［イレッサ］、ラパチニブトシル酸塩水和物［タイケルブ］、ニロチニブ塩酸塩水和物［タシグナ］など）、オムビタスビル・パリタプレビル（ヴィキラックス配合錠）もUGT1A1阻害作用を有するため、イリノテカンとの併用には注意が必要だろう。なお、トラニラストのUGT1A1阻害効果は強力であり、高ビリルビン血症などの肝毒性の誘発にも関与している。また、チロシンキナーゼ阻害薬のうち、イマチニブ、ダサチニブ、ソラフェニブはUGT1A9と2B15も強力に阻害し、それ以外のチロシンキナーゼ阻害薬は弱いながらもアセトアミノフェン（UGT1A1基質）の抱合阻害作用も有していると考えられる（in vitro実験、Liu Y, et al. Br J Clin Pharmacol. 2011；71：917-20.）。

また、ブプレノルフィン（レペタン；モルヒネ類似物、主にCYP3A4で代謝）はUGT1A1、1A3、2B7による抱合を受けるため、アタザナビルのUGT1A1阻害によりブプレノルフィンの血中濃度が上昇する可能性がある（CYP3A4阻害も関与）。そのほか、アセトアミノフェンは主に肝UGT1A1によるグルクロン酸抱合を受けるため、UGT1A1阻害薬を併用すると血中濃度が上昇し、肝毒性などの副作用発現の可能性が高くなるため注意が必要である（アセトアミノフェンは硫酸抱合も受ける）。さらにラモトリギン（ラミクタール）はUGT1A4で主に代謝され、バルプロ酸と抱合を競合して血中濃度が上昇することにも注意したい。メドキシプロゲステロンは強力にUGT2B7を阻害することがin vitroで報告されているため、UGT2B7で代謝される全ての薬剤との併用には注意が必要であろう。

一方、グルクロン酸抱合の促進に起因する相互作用もある（**表6-4** **B2**）。まず、カルバペネム系抗菌薬はバルプロ酸の血中濃度を低下させててんかん発作を再発させることがあるため、両者の併用は禁忌である。バルプロ酸の血中濃度の低下は、カルバペネム系薬によるグルクロン酸抱合体量の増大に起因すると考えられているが、この相互作用の機序については様々な報告がある（☞**コラム49**）。また、肝CYP450誘導作用を持つリファンピシン（リファジン）や抗てんかん薬（ヒダントイン系薬、バルビツール酸系薬、カルバマゼピン［テグレトール］、リトナビル［ノービア］など）、喫煙（主にベンゾ［α］ピレン）は、核内受容体の活性化を介してUGTも誘導する（☞**表5-54**）ので、グルクロン酸抱合を受ける薬剤（ジドブジン、エゼチミブ

表6-5　グルクロン酸抱合を受ける薬剤で相互作用に関わるもの

SN-38（イリノテカン［カンプト、トポテシン］の活性代謝物）
プロベネシド（ベネシッド）
ジドブジン（レトロビル；抗HIV薬）
スルファメトキサゾール・トリメトプリム（ST合剤［バクタ配合錠］）
NSAIDs： 主にアニリン系薬（アセトアミノフェン［カロナール］）、サリチル酸系薬（アスピリン［バファリン配合錠］、ジフルニサル、サリチルアミド［PL配合顆粒、ペレックス配合顆粒に含有］）、インドール酢酸系薬（インドメタシンファルネシル［インフリー］など）、プロピオン酸系薬（イブプロフェン［ブルフェン］、ナプロキセン［ナイキサン］、ロキソプロフェン［ロキソニン］など）
ペンタゾシン（ソセゴン；κオピオイド作動薬）
アヘンアルカロイド系薬（モルヒネなど）
甲状腺ホルモン製剤
ステロイド系薬：副腎皮質ホルモン製剤、経口避妊薬、ジギタリス製剤など
抗てんかん薬（バルプロ酸［デパケン］、ラモトリギン［ラミクタール］、ロラゼパム［ロラピタ；注射薬］）
エゼチミブ（ゼチーア）、ミコフェノール酸モフェチル（セルセプト）、デフェラシロクス（エクジェイド）、カナグリフロジン（カナグル；SGLT2阻害薬）
テルミサルタン（ミカルディス；AT_1拮抗薬）
ラロキシフェン（エビスタ；選択的エストロゲン受容体モジュレーター）
シロドシン（ユリーフ；α_{1A}遮断薬）
ダサチニブ（スプリセル；チロシンキナーゼ阻害薬）
フロセミド（ラシックス）
モリデュスタット（マスーレッド；腎性貧血治療薬）

［ゼチーア］、ミコフェノール酸［ミコフェノール酸モフェチル〈セルセプト〉の活性体］、デフェラシロクス［エクジェイド］、カナグリフロジン［カナグル］など）の抱合を促進し、作用を減弱させることがある。そのほか、エチニルエストラジオール（経口避妊薬に含有）にもグルクロン酸抱合を促進する作用があるため、ラモトリギン（ラミクタール；主にUGT1A4で代謝）やアセトアミノフェンなどの効果を減弱させる可能性がある。甲状腺ホルモン製剤（ **コラム70**）やステロイド系薬（副腎皮質ホルモン製剤、経口避妊薬、ジギタリス製剤）もグルクロン酸抱合を受けて排泄されるので、同様の相互作用を受ける可能性がある。臨床的には、抗結核薬のリファンピシンと抗HIV薬のジドブジンとの併用は特に注意する。この場合、結核予防にはイソニアジドの方が望ましいだろう。

症例①　60歳代男性Aさん。

［処方箋］
① ゼチーア錠10mg　1錠
　　1日1回　朝食後　14日分
② リザベンカプセル100mg　3カプセル
　　1日3回　毎食後　14日分

脂質異常症のためゼチーア（エゼチミブ）を服用中のAさんに、胃切除術後の吻合部の肥厚性瘢痕による狭窄を防ぐ目的で、リザベン（トラニラスト）が処方された。

リザベンの強力なUGT1A1阻害作用により、ゼチーアの副作用である筋肉障害、肝障害が増強する恐れがある。薬剤師はAさんに対し、手足のしびれ、引きつけ、痛みなどがあれば必ず相談すること、定期的な血液検査（CPK値、肝機能障害のチェック）を受けるように伝えた。

また、UGT1A1で代謝されるアセトアミノフェンを含有する一般用医薬品を服用する可能性もあるため、新たに薬を購入する場合には必ず相談するように伝えた。

症例②　60歳代女性Bさん。

［処方箋］
【医科】
① デパケンR錠200mg　4錠
　　1日2回　朝夕食後　14日分
【歯科】
② ファロム錠150mg　3錠
　　1日3回　毎食後　3日分

てんかん治療のためにデパケンR（バルプロ酸Na）を服用中のBさんに、歯科から化膿止めとしてファロム（ファロペネムNa水和物）が処方された。

両剤は併用禁忌ではないが、ペネム系のファロムがバルプロ酸の作用を減弱させ、てんかん発作を再発させる可能性があると考えられた。念のため薬剤師は、Bさんに了解を得た後に処方元の歯科医に問い合わせた結果、フロモックス錠100mg（セフカペンピボキシル塩酸塩水和物）に変更となった。

C 硫酸抱合（スルホトランスフェラーゼ）

硫酸抱合は、肝細胞や小腸粘膜上皮細胞などの細胞質に存在するスルホトランスフェラーゼ（硫酸転移酵素、SULT）によって触媒される。SULTは、補酵素となる3'-ホスホアデノシン-5'-ホスホ硫酸（PAPS）から硫酸（スルホニル基；$-SO_3^-$）を基質（薬剤）に転移する作用を持つため、PAPS濃度が低下すると活性も低くなる。

また、硫酸抱合はグルクロン酸抱合と同様、薬剤の体外排泄に重要な役割を担っているが、これらの抱合反応は競合し、薬剤の濃度に依存して主となる抱合反応が変化することが知られている。例えば、アセトアミノフェンは低濃度（<0.5mM）では主に肝SULT1A1によって硫酸抱合を受けるが（Km値＝0.3mM）、高濃度（5mM）では硫酸抱合が飽和し、主にUGT1A1によってグルクロン酸抱合を受けるようになる[※1]（Km値＝6mM）。

相互作用が問題となるSULTの基質には、フェノール性化合物（アセトアミノフェン［カロナール］

など）やステロイド系薬（主にエチニルエストラジオール［EE_2、経口避妊薬に含有］など）、ビタミンCなどがある（☞表6-4 C）。

例えば、アセトアミノフェンと経口避妊薬とを併用すると、アセトアミノフェンによりEE_2の硫酸抱合が阻害され、EE_2の血中濃度が上昇する恐れがある。実際、アセトアミノフェンを1g服用した1時間後に経口避妊薬を投与した結果、EE_2硫酸抱合体の$AUC_{0\text{-}24h}$が44%低下し、EE_2の$AUC_{0\text{-}24h}$が22%上昇することが示されている[※2]。この報告では、EE_2のAUCの増加は、経口避妊薬投与から0～3時間（$AUC_{0\text{-}3h}$）に54%と最も高くなっていた。これは、内在性の硫酸貯蔵量がアセトアミノフェン投与から2時間後をピークとして6時間後まで低下する結果、肝・小腸のPAPS貯蔵量が低下してSULT活性が減弱するためと考えられる。また、同時にEE_2のグルクロン酸抱合体の$AUC_{0\text{-}24h}$も代償的にわずかに増加するが、EE_2の血中濃度は上昇することから、EE_2は主に硫酸抱合体となり排泄されると思われる。

一方、アセトアミノフェンと同様、ビタミンC（1g）の同時投与が内在性硫酸塩を枯渇させ、24時間後のEE_2の血中濃度を47%上昇させたとの報告もある[※3]。アセトアミノフェンやビタミンCを常用している女性では経口避妊薬の効果が増強するため、血栓症などの副作用の発現に注意した方がよいだろう（なお、EE_2にはアセトアミノフェンのグルクロン酸抱合を促進し、効果を減弱させる作用がある）。

また、アセトアミノフェン自体も、硫酸抱合によって影響を受けると考えられる。例えば、健康な成人を対象に、アセトアミノフェンを投与した後にビタミンCを投与した結果、アセトアミノフェン硫酸抱合体の腎排泄が減少し、代償的にグルクロン酸抱合体が増えた（アセトアミノフェンの$t_{1/2}$は2.3時間から3.1時間に延長）という報告がある[※4]。そのほか、強力な肝UGT1A1阻害薬であるトラニラスト（リザベン）がアセトアミノフェンの硫酸抱合およびグルクロン酸抱合を阻害することや、プロベネシド（ベネシッド）がアセトアミノフェンの硫酸抱合の競合的阻害およびグルクロン酸抱合の非競合的阻害を引き起こすことなども報告されている[※1]。これらの薬剤の併用によって、アセトアミノフェンの血中濃度が上昇して肝毒性などの副作用が発現する恐れがあるため、併用時には肝機能検査を実施するなど注意する必要がある。

なお、SULTはフェノール性水酸基などを基質とするSULT1ファミリー、アルコール性水酸基（ステロイドなど）を基質とするSULT2ファミリー、アミンを基質とするSULT3ファミリーに分けられる。サルブタモール硫酸塩（ベネトリン）などのβ_2刺激薬の抱合反応にはSULT1A1、1A3が、ロチゴチン（ニュープロパッチ；ドパミン作動薬［非麦角系］；抗パーキンソン薬、レストレスレッグス症候群治療薬）にはSULT1A1、1A2、1A3、1E、ボノプラザンフマル酸塩（タケキャブ：PPI）にはSULT2A1が関与している。果実ジュース（グレープフルーツジュース、オレンジジュースなど）やお茶（緑茶、紅茶、烏龍茶など）にはSULT1A1（肝）、1A3（小腸）の阻害効果があるが、特にお茶のSULT1A3阻害効果は強力であることが報告されている（Nishimuta H, et al. Biopharm Drug Dispos. 2007；28：491-500.）。

※1　Riches Z, et al. Xenobiotica. 2009 ; 39 : 374-81.
※2　Rogers SM, et al. Br J Clin Pharmac. 1987 ; 23 : 721-5.
※3　Back DJ, et al. Br Med J. 1981 ; 282 : 1516.
※4　Houston JB, et al. J Pharm Sci. 1976 ; 65 : 1218-21.

30歳代女性Cさん。

［処方箋］
① プラノバール配合錠　1錠
　　1日1回　朝食後　21日分
② カロナール錠200mg　1回2錠
　　頭痛時　10回分

月経困難症のため卵胞・黄体ホルモン製剤のプラノバール（ノルゲストレル・エチニルエストラジオール）を服用中のCさん。今回、頭痛のためカロナール（アセトアミノフェン）が処方された。

カロナールによりプラノバールの成分であるEE2の硫酸抱合が抑制される結果、副作用が現れる可能性がある。また、両者は共通して重篤な肝障害を引き起こす恐れがある（☞**表4-25**）。担当薬剤師はCさんに、まず両剤の併用で肝障害を起こす危険性が高くなるため自覚症状に注意して定期的に肝機能検査を受けるように説明した。さらに、プラノバールによる血栓症などが発症する恐れがあるため、足の痛み・むくみ、息苦しさ、頭痛や胸痛といった症状にはより注意するよう指導した。

一方、EE2はグルクロン酸抱合を促進させてカロナールの鎮痛効果を減弱させる恐れがあるほか、発症した頭痛がEE2による血栓症に起因している可能性もある。したがって、カロナールが効かないような頭痛時には、服用量や回数を増やさず、直ちに連絡するように伝えた。

D アセチル抱合（アセチルトランスフェラーゼ）

イソニアジド（イスコチン）およびプロカインアミド塩酸塩（アミサリン）は、肝細胞質に存在するアセチルトランスフェラーゼによってアセチル化（アセチル抱合）を受け不活化する。

イソニアジド／プロカインアミド+アセチルCoA
→ アセチルイソニアジド／アセチルプロカインアミド
　＋ CoA

アセチルトランスフェラーゼには、アセチル化が速いタイプと遅いタイプがある。つまり、遅いタイプ（日本人の10%）では代謝が遅くなり、イソニアジドやプロカインアミドの作用が増強しやすく、相互作用も受けやすいので、慎重に投与する必要がある（☞**第5章［第2節］1 B**）。

第５節
モノアミンオキシダーゼ（MAO）／カテコール -O- メチル基転移酵素（COMT）（表 6-7）

モノアミンオキシダーゼ（MAO）は、細胞内のミトコンドリア外膜に存在するフラビン酵素で、NAd、Ad、ドパミン、5-HT、ヒスタミンなどの生体モノアミンを、酸化的に脱アミノ化して不活化する（☞第７章［第３節］）。MAO は、基質特異性と阻害物質に対する感受性によって、A 型と B 型のサブタイプに分けられる。MAO-A は NAd、Ad、5-HT、チラミン（モノアミン）を、MAO-B は神経細胞外（シナプス間隙）でドパミン、チラミンを不活化する（**表6-6**）。脳、肝には MAO-A、MAO-B の双方が、胎盤には MAO-A のみが、またリンパ球には MAO-B のみが存在するが、脳内でのドパミン代謝は主に MAO-B によって行われている。

MAO-A と MAO-B の双方を阻害する非選択的 MAO 阻害薬には、サフラジン、イソニアジド（イスコチン）、プロカルバジン塩酸塩（塩酸プロカルバジン；アルキル化薬）、リネゾリド（ザイボックス；抗菌薬）がある。アメジニウムメチル硫酸塩（リズミック；昇圧薬）、メチルチオニニウム塩化物水和物（メチレンブルー；メトヘモグロビン血症治療薬）は MAO-A を、セレギリン塩酸塩（エフピー；抗パーキンソン薬）、ラサギリン（アジレクト；抗パーキンソン薬）は MAO-B を不可逆的かつ選択的に阻害し、サフィナミド（エクフィナ）は可逆的かつ選択的に MAO-B を阻害する。

また、ゾニサミド（エクセグラン錠100mg［抗てんかん薬］、トレリーフ錠25mg［抗パーキンソン薬］）には MAO-B 阻害作用があるが、有効性および安

表 6-6　MAO-A および MAO-B の生体内での局在、基質、阻害物質

サブタイプ	主な局在（存在比率）	主な基質	阻害作用を有する薬剤・物質	
			非選択的	選択的
MAO-A	胎盤（100％）、腸管壁（80％）、肝臓（50%）、末梢神経、肺など	NAd、Ad、5-HT、ドパミン、チラミン※1、ヒスタミン※2、プロプラノロール（インデラル）※3、トリプタン系薬（スマトリプタン［イミグラン］、ゾルミトリプタン［ゾーミッグ］、リザトリプタン［マクサルト］）	サフラジン★、イソニアジド（イスコチン）、プロカルバジン（塩酸プロカルバジン）、リネゾリド（ザイボックス）、セント・ジョーンズ・ワート※5、喫煙※6	アメジニウム（リズミック）、メチルチオニニウム（メチレンブルー；メトヘモグロビン血症治療薬）
MAO-B	血小板（100％）、脳（85％）、肝臓（50%）など	ドパミン、チラミン、ヒスタミン、フェニルエチルアミン※4	（同上）	セレギリン（エフピー）、ラサギリン（アジレクト）、サフィナミド（エクフィナ）、ゾニサミド※7（エクセグラン、トレリーフ）、ピオグリタゾン※8（アクトス）

※1　チラミン含有量の多い食品には、チーズ（0～5.3mg/10g）、ビール（1.1mg/100mL）、赤ワイン（0～2.5mg/100mL）、酵母エキス、キャビア、ニシン、ソラマメ、ヨーグルト、レバー、ドライソーセージ、アボカド、チョコレートなどがある。カジキマグロはチラミン、ヒスチジンの前駆物質であるチロシン、ヒスチジンを含有する。

※2　一部が MAO で代謝される。赤身魚にはヒスチジンが多く含まれ、魚に付着する細菌によって脱カルボキシル化されるため、ヒスタミン含量が高い。

※3　プロプラノロールは N- 脱アルキル化された後、MAO により脱アミノ化される。

※4　ヒトの脳において神経修飾物質や神経伝達物質として機能するとされている。

※5　セント・ジョーンズ・ワート（SJW）の抗うつ効果は MAO 阻害に起因しない（CNS Drugs. 2003；17：539-62.）

※6　脳内 MAO-B 量の低下を招くという報告がある（Nature. 1996；379：733-6.）。

※7　ゾニサミドは抗てんかん薬（エクセグラン）としては、100～600mg/ 日、抗パーキンソン薬およびレビー小体型認知症に伴うパーキンソニズム治療薬（トレリーフ）としては 25mg/ 日を投与する。

※8　ACS Med Chem Lett. 2011；3：39-42.

★販売中止

表 6-7　MAO および COMT が関与する相互作用

	作用する薬剤	作用を受ける薬剤	起こり得る事象など
併用禁忌	非選択的MAO阻害薬（サフラジン★）	MAOの基質となる薬剤（ドパミン［イノバン］、レボドパ［ドパストン；ドパミン前駆体］）	高血圧クリーゼの恐れ。
	MAO-A阻害薬★	MAO-Aで代謝される$5\text{-HT}_{1B/1D}$作動薬（トリプタン系；ゾルミトリプタン［ゾーミッグ］、スマトリプタン［イミグラン］、リザトリプタン［マクサルト］）	MAO-Aで代謝されるトリプタン系の血中濃度上昇の可能性。MAO阻害薬の投与を中止し、投与中止から2週間以内はトリプタン系を投与しない。エレトリプタン（レルパックス）、ナラトリプタン（アマージ）はMAO-Aで代謝されないので禁忌ではない。
	プロプラノロール（インデラル）	MAO-Aで代謝される$5\text{-HT}_{1B/1D}$作動薬（トリプタン系薬※：リザトリプタン［マクサルト］、ゾルミトリプタン［ゾーミッグ］、スマトリプタン［イミグラン］）	トリプタン系のMAO-Aによる代謝をプロプラノロールが競合して阻害し、血中濃度上昇の可能性（薬効増強）。リザトリプタンのCmax、$AUC_{0\text{-}\infty}$が1.8倍、1.3倍上昇（プロプラノロール投与後にリザトリプタンを投与する場合、錠剤で24時間、徐放製剤では48時間空けること）。他のβ遮断薬やエレトリプタン（レルパックス）、ナラトリプタン（アマージ）は、MAO-Aで代謝されないため併用は問題ない。
併用慎重	MAO-B阻害薬（セレギリン［エフピー］、ゾニサミド［エクセグラン、トレリーフ］）	チラミン含有食品、フェニレフリン（ネオシネジン）	MAO-B阻害薬では、セレギリン代謝酵素（CYP2D6、3A4）阻害薬と併用した場合にのみ注意。
	セレギリン（エフピー）＋CYP2D6・3A4阻害薬（**表5-13、5-14**）	チラミン含有食品	チーズ効果などのモノアミン毒性出現に注意。
	ラサギリン（アジレクト；抗パーキンソン病薬）		
	MAO阻害作用のある薬剤：セレギリン（エフピー）、ゾニサミド（エクセグラン、トレリーフ）、イソニアジド（イスコチン）、プロカルバジン（塩酸プロカルバジン;アルキル化薬）、リネゾリド（ザイボックス；抗菌薬）	ヒスタミン含有食品：ヒスチジン含有食品（鮮度の低い赤身魚［マグロ、ブリ、ハマチなど］、干物［サンマ、イワシ、アジなど］、赤身魚の缶詰など）	ヒスタミン中毒（口周囲のヒリヒリ感、顔面紅潮、頭痛、吐き気、嘔吐、発疹など）。MAO阻害に起因する食品中のヒスタミン代謝抑制。
	MAO-B阻害薬	COMT阻害薬:エンタカポン（コムタン）	交感神経作用増強（血圧上昇など）。併用時、セレギリン1日量は10mgを超えないこと。セレギリンの用量増加とともにMAO-B選択性が低下し、非選択的となり、協力してカテコールアミン（CA）代謝阻害。
	COMT阻害薬：エンタカポン（コムタン）	CA系薬（ドパミン、NAd、Ad、イソプロレナリン、ドブタミン、レボドパ、メタンフェタミン、カフェイン、エストロゲンなど）	交感神経作用増強（心拍数増加、不整脈、血圧変動）。COMT阻害によりCA系薬の代謝が阻害され作用増強。エンタカポンはレボドパ・カルビドパ（ネオドパストン）およびレボドパ・ベンセラジド（イーシー・ドパール）投与時に現れる症状の日内変動（wearing off現象）の改善に併用して使用される。

★ 販売中止
※ リザトリプタン以外のトリプタン系薬であるゾルミトリプタン、スマトリプタンは添付文書上は禁忌ではないが、相互作用は同様に起こるため本書では禁忌に分類している。

全性の比較臨床試験の結果から、レボドパ含有製剤（レボドパ［ドパストン］）に他の抗パーキンソン薬を使用しても十分に効果を得られなかった場合、あるいはレビー小体型認知症に伴うパーキンソニズムの場合に、低用量製剤（トレリーフ）だけがレボドパ賦活型抗パーキンソン薬として、レボドパ含有製剤と併用して用いられている。さらに、セント・ジョーンズ・ワート（SJW）含有食品にもMAO-B阻害作用があると考えられている。

これらのMAO阻害作用を有する薬剤と、MAOで代謝される薬剤を併用すると、後者の代謝が抑制されて作用が増強する。MAOで代謝される薬剤や物質には、ドパミン塩酸塩（イノバン）、レボドパ（ドパミン前駆体）、チラミン（間接型交感神経刺激薬；☞**表7-15**）、フェニレフリン塩酸塩（ネオシネジン）、5-HT1B/1D作動薬（トリプタン系薬：ゾルミトリプタン［ゾーミッグ］、スマトリプタン［イミグラン］、リザトリプタン安息香酸塩［マクサルト］；主にMAO-Aで代謝）などがある。ただし、トリプタン系のエレトリプタン臭化水素酸塩（レルパックス；主にCYP3A4で代謝）、ナラトリプタン塩酸塩（アマージ；複数のCYP450分子種で代謝）は、MAO-Aではほとんど代謝されないため、MAO阻害作用を有する薬剤との併用は問題ない。

β遮断薬のプロプラノロール塩酸塩（インデラル）は主にCYP2D6、1A2、2C19で代謝されるが、MAO-Aによる代謝も受けるため、同じくMAO-Aで代謝されるトリプタン系薬（ゾルミトリプタン、スマトリプタン、リザトリプタン）と併用すると、トリプタン系の代謝を競合阻害し血中濃度を上昇させる可能性があり（薬効増強）、禁忌である。なお、添付文書上はプロプラノロールと併用禁忌であるトリプタン系はリザトリプタンのみであるが、同様の相互作用が起こるため、本書では禁忌に分類した。ただし、プロプラノロールとMAO-Aではほとんど代謝されないエレトリプタン、ナラトリプタンとの併用は問題ない。

MAO阻害作用がある薬剤を服用中の患者が、チーズやワイン、酵母エキスなどのチラミンを多く含有する飲食物を摂取すると、NAdの遊離が促進して急激な血圧上昇発作（高血圧クリーゼ）、顔面紅潮、心拍数増加などの症状を呈することがある（チーズ効果）。これは、肝におけるチラミンの代謝がMAO阻害薬により抑制され、チラミンの作用が増強するためである。

選択的MAO阻害薬を服用中の患者では、MAO-AあるいはMAO-Bによるチラミン代謝が行われるため、チーズ効果などのモノアミン毒性が発現する可能性は低い。しかし、選択的MAO-B阻害薬のセレギリンと、CYP2D6または3A4を阻害する薬剤（☞**表5-13、5-14**）を併用した場合は、CYP450によるセレギリンの代謝が抑制されて血中濃度が上昇し、MAO-B阻害の選択性が消失して非選択的となる可能性がある。このような場合は、モノアミン含有量の多い食物の摂取を避けるように指導する（☞**表7-29**）。

また、MAOはヒスタミン代謝も担っているため、MAO阻害作用を有する薬剤を服用中の患者が、ヒスタミン含有量の高い食品を摂取すると、体内でのヒスタミン代謝が抑制され、発疹や口腔内のヒリヒリ感、顔面紅潮、動悸、頭痛、吐き気、下痢などのヒスタミン中毒が発現することがある。ヒスタミンは、鮮度の低下した赤身魚（マグロ、ブリ、ハマチなど）、干物類（サンマ、イワシ、アジなど）、缶詰（カツオ、マグロなど）など、ヒスチジンを高濃度に含有する魚肉に多く含まれる。ヒスチジンはヒスタミンの前駆物質であり、赤身魚の鮮度が低下すると、細菌の作用によりヒスタミンへの変換が促進され、ヒスタミンが多量に蓄積するためである。MAO阻害作用を有する薬剤を服用中の患者がこれらの食品を摂取する場合は、できる限り鮮度の高いものを選ぶようにさせる（☞**付E**）。

 60歳代男性Aさん。

［処方箋］
① インデラル錠10mg　3錠
　1日3回　毎食後　28日分
② イミグラン錠50　1錠
　頭痛時　3回分

本態性振戦のためインデラル（プロプラノロール塩酸塩）が適応外処方されているAさんは、片頭痛を発症することがあり、年に数回程度、イミグラン（スマトリプタンコハク酸塩）を服用している。インデラルとのMAO-Aの競合阻害や協力作用の結果、イミグランの血中濃度が上昇したり、著しい血管収縮が起こったりする可能性が考えられることから、薬剤師はAさんに血圧上昇や手足の冷え、しびれ、変色といった末梢循環不全の症状に注意するよう指導した。

現在のところ、これらの症状の発現は認められていないが、イミグランが処方されたときは、常にこのような注意を促すようにしている。

症例② 60歳代女性Bさん。

[処方箋]
① マドパー配合錠　4錠
　コムタン錠100mg　4錠
　　1日4回　起床後・昼夕食後・寝る前
　　14日分
② エフピーOD錠2.5　2錠
　　1日2回　朝昼食後　14日分
③ アムロジン錠2.5mg　1錠
　ディオバン錠80mg　1錠
　　1日1回　朝食後　14日分
④ クラリス錠200　2錠
　　1日2回　朝夕食後　5日分
⑤ アスベリン錠20　3錠
　ペレックス配合顆粒　3g
　　1日3回　毎食後　5日分

パーキンソン病と高血圧症などのため①～③を服用中のBさん。今回、かぜのため④⑤が追加された。

Bさんは高齢のため代謝能が低下していると考えられる。また、エフピー（セレギリン塩酸塩）は主にCYP2D6および3A4で代謝されることから、クラリス（クラリスロマイシン）の強力なCYP3A4阻害作用によって代謝が阻害されてエフピーの血中濃度が上昇し、MAO-B選択性が損なわれてチラミン含有量の多い食物の摂取によりチーズ効果が現れる恐れもある。

薬剤師がBさんに対し、クラリス服用によって血圧上昇、脈拍増加、頭痛、吐き気など、いつもと違う症状が現れた場合は直ちに連絡するよう伝え、チラミンを多く含む飲食物の摂取を控えるよう指導したところ、Bさんはクラリス服用を拒否した。そこで薬剤師は処方医に連絡し、他の抗菌薬への変更を提案。その結果、クラリスからクラビット錠500mg（レボフロキサシン水和物、1日1回投与）へと処方変更になった。

一方、COMTはドパミン、NAd、Ad、イソプロレナリン、ドブタミン、レボドパなどのカテコールアミン（CA）系薬の水酸基をメチル化する代謝酵素である（☞**図7-2、7-3**）。主にその局在によって膜結合型（membrane-bound［MB］型）と可溶性型（soluble［S］型）のアイソフォーム（構造は異なるが同じ機能を持つタンパク質）が知られている（Chen J, et al. J Biol Chem.2011;286:34752-60.）。MB型は脳などの神経細胞に存在し、シナプス内外のドパミンを不活性化している。またS型は肝臓、血液（主に赤血球）などの末梢組織に存在し、CA系薬の代謝を行っている。

COMT阻害薬にはエンタカポン（コムタン）、フロプロピオン（コスパノン）があり、主に末梢のCOMT（S型）を阻害し、CAの代謝を阻害すると考えられる。特にエンタカポンでは、MAO-B阻害薬およびCA系薬剤との併用によって、交感神経刺激作用が増強する恐れがあり注意が必要である。なお、エンタカポンは末梢COMT阻害によってレボドパの脳内移行性を向上させる作用があるため、パーキンソン病のレボドパ配合剤による治療時に見られる「症状の日内変動」の改善に使用されている（☞**第2章［第2節］**）。フロプロピオンは、末梢のCOMT阻害作用によりNAd、Ad濃度を上昇させて、消化管平滑筋・膵胆道・尿道平滑筋の痙縮を緩解するほか（抗5-HT作用も関与）、オッジ（oddi）括約筋弛緩による胆汁・膵液排泄促進作用なども示すため、肝胆膵系疾患や尿路結石の鎮痙薬として使用されている。フロプロピオンが関与する相互作用は現在のところ報告されていない。

第６節
コリンエステラーゼ（表6-8）

コリンエステラーゼは、アセチルコリンなどのコリンエステル類を、コリンと有機酸（酢酸など）に加水分解する酵素である（☞**図7-4、7-6**）。本酵素は肝で合成され、血漿中に高濃度で存在することが知られている。

相互作用では、スキサメトニウム塩化物（スキサメトニウム注；脱分極性筋弛緩薬）はコリンエステラーゼの基質となるため、コリンエステラーゼ阻害薬（☞**表7-22**）と併用すると、代謝が抑制されて筋弛緩作用が増強および延長する恐れがあり注意を要する（筋弛緩作用の協力も関与；☞**第７章［第２節］3**）。

第７節
チオプリンメチルトランスフェラーゼ（表6-9）

チオプリンメチルトランスフェラーゼ（TPMT）は細胞質に存在し、複素環芳香族のS-メチル化を触媒する酵素である。メルカプトプリン（6-MP；ロイケリン）やアザチオプリン（イムラン；6-MPのプロドラッグ）などのチオプリン系薬（プリン骨格にSH基が置換している誘導体）は、TPMTでS-メチル化（$-SCH_3$）されて不活性化することが知られている。

TPMT阻害薬として、サラゾスルファピリジン（サラゾピリン）や、その代謝物である5-アミノサリチル酸（メサラジン［ペンタサ］）などの安息香酸誘導体、フロセミド（ラシックス）などがin vitro実験で示されている（Szumlanski C, et

表6-8　コリンエステラーゼが関与する相互作用

	作用する薬剤	作用を受ける薬剤	起こり得る事象など
併用慎重	アンベノニウム（マイテラーゼ）、ネオスチグミン（ワゴスチグミン）、ジスチグミン（ウブレチド）、ピリドスチグミン（メスチノン）	スキサメトニウム （スキサメトニウム注）	コリンエステラーゼ阻害薬によるスキサメトニウム代謝抑制。脱分極性筋弛緩作用の協力も関与（☞**表7-27**）。
	コリンエステラーゼ阻害薬（ドネペジル［アリセプト］など）、コリン作動作用を有する薬剤（シクロホスファミド［エンドキサン；アルキル化薬］など；☞**表7-22**）	コリンエステラーゼの基質となる薬剤（スキサメトニウム［スキサメトニウム注］）	筋弛緩作用増強。

表6-9　チオプリンメチルトランスフェラーゼが関与する相互作用

	作用する薬剤	作用を受ける薬剤	起こり得る事象など
併用慎重	TPMTを阻害する薬剤：安息香酸誘導体（サラゾスルファピリジン［サラゾピリン］、メサラジン［ペンタサ］など）	チオプリン系薬 （メルカプトプリン［6-MP、ロイケリン］、アザチオプリン［イムラン］など）	6-MPの細胞内濃度上昇で骨髄抑制などの副作用の恐れ。

表6-10　エポキシド加水分解酵素が関与する相互作用

	作用する薬剤	作用を受ける薬剤	起こり得る事象など
併用慎重	バルプロ酸（デパケン）、ラモトリギン（ラミクタール）、クエチアピン（セロクエル）	カルバマゼピン（テグレトール）	痙攣再燃、嗜眠、錯乱、めまい、運動失調などの精神神経症状が発現。エポキシド加水分解酵素阻害によるカルバマゼピンのエポキシド化合物の血中濃度上昇のため。

al. Br J Clin Pharmacol.1995；39：456-9.）。細胞内の6-MPはTPMTによってメチル化されるため、TPMT阻害薬とチオプリン系を併用すると、6-MPの細胞内濃度が上昇し、作用や副作用（骨髄毒性など）が増強する可能性がある。実際、TPMT阻害薬のメサラジン（ペンタサ）と6-MPを併用したクローン病患者が（TPMT活性は正常）、6-MPに起因する再生不良性貧血（骨髄機能障害による貧血）を発症したとの症例報告もある（Gilissen LP, et al. Dig Liver Dis. 2007；39：182-6.）。また、TPMT活性が遺伝的に欠損している患者にアザチオプリンを投与したところ、再生不良性貧血を発症したことも報告されている（Zdziarska B, et al. Centr Eur J Immunol. 2006；30：1-3.）。

TPMTには遺伝子多型があり、白人では通常の活性を示す人が89％、活性低下を示す人が6～11％、完全欠損が0.5％を占めると報告されている。わが国での遺伝子多型については明らかでないが、TPMT活性が低下している人が存在することを常に留意してチオプリン系薬を投与すべきである（☞ **コラム51**）。

第8節
エポキシド加水分解酵素（表6-10）

エポキシドは、3員環のエーテルであるオキサシクロプロパンを構造式中に持つ化合物の総称である（$-\overset{|}{C}\underset{O}{\diagdown\!\!\diagup}\overset{|}{C}-$）。酸素原子が隣り合う2個の炭素原子と共有結合を形成しているが、構造上、2個の炭素は求電子的で反応性が高いため、エポキシド化合物は様々な毒性を有すると考えられる。

エポキシド加水分解酵素（epoxide hydrolase）は肝ミクロソームに存在し、エポキシド化合物を加水分解してジオールに変換する。カルバマゼピン（CBZ）は、肝CYP3A4によりCBZのエポキシド化合物（CBZ-10,11-epoxide；CBZ-E）へと変換され、次いでエポキシド加水分解酵素によりCBZ-ジオール（CBZ-10,11-diol）となり、最終的にグルクロン酸抱合を受けて尿中排泄される。

したがって、エポキシド加水分解酵素の阻害作用を持つ薬剤とCBZを併用すると、CBZ-Eの血中濃度が上昇し（CBZの血中濃度は不変）、CBZ-Eの副作用である痙攣再燃や嗜眠、錯乱、めまい、運動失調などの精神神経症状が現れることがある（Fitzgerald BJ, et al. Pharmacotherapy. 2002；22：1500-3.）。同酵素の阻害作用を持つ薬剤には、バルプロ酸Na（デパケン）、ラモトリギン（ラミクタール；抗てんかん薬）、クエチアピンフマル酸塩（セロクエル；MARTA）などがある（バルプロ酸のプロドラッグであるvalpromideも阻害作用を持つ）。なお、バルプロ酸については、グルクロン酸抱合阻害の関与も示唆されている（Bernus I, et al. Br J Clin Pharmacol.1997；44：21-7.）。

一方、フェニトイン（アレビアチン）やバルビツール酸系薬との併用でも、同様にCBZ-Eの血中濃度が上昇するが、これはエポキシド加水分解酵素阻害に起因するものではない。PXR活性化薬であるフェニトインやバルビツール酸系薬は、

CYP3A4だけでなくエポキシド加水分解酵素も誘導するが、その誘導作用はエポキシド加水分解酵素よりもCYP3A4に対して強力に発揮されるため、CBZ-Eの血中濃度が上昇すると考えられている。PXR活性化薬によるCBZ-E血中濃度上昇に関して、毒性発現は特に問題となっていないが、薬効減弱などの観点からCBZと他の抗てんかん薬を併用する場合は、TDMを実施する必要があることが示唆されている（Spina E, et al. Clin Pharmacokinet.1996；31：198-214.）。

参考

ベンゾピレンの発癌性物質への変換

コールタールや排気ガス、タバコの煙、焦げた食品などに含まれるベンゾ［α］ピレン（BαP）は、代謝されて発癌性物質（BαPジオールエポキシド）となる。この生成過程には、CYP1A1のほかに、エポキシド加水分解酵素も関与している。

具体的には、BαPは、①CYP1A1によるBαP-7,8-エポキシドの生成、②エポキシド加水分解酵素によるBαP-7,8-ジヒドロジオールの生成、③CYP1A1によるBαPジオールエポキシド（7R,8S-ジヒドロキシ-9S,10R-エポキシ-7,8,9,10-テトラヒドロBαP）の生成――という３つの酵素反応によって、発癌性物質へと変換される。エポキシド加水分解酵素阻害薬は、BαPによる発癌に対して抑制効果を示す可能性も考えられる。

第９節
葉酸代謝（表6-11）

葉酸は水溶性Ｂ群の一つであり、プテリジン塩基に1分子のp-アミノ安息香酸とグルタミン酸が結合したものである。細菌と異なり、動物では合成できないため葉酸の補給を必要とする。これは、動物ではp-アミノ安息香酸の合成能がないか、グルタミン酸を結合できないためである。

食物から摂取した葉酸は、十二指腸や小腸（空腸）で吸収された後、小腸粘膜上皮細胞で還元、メチル化されて5-HTメチルH_4葉酸となり、血液を介して全身の組織に供給される。

葉酸吸収には小腸粘膜上皮細胞に存在する小腸葉酸トランスポーター（proton-coupled folate transporter：PCFT）が関与している。PCFTは十二指腸に最も多く存在し、消化管の下部に移行するにつれて減少する。

PCFTを直接阻害して消化管における葉酸の吸収を阻害する薬剤を**図6-3**に示す。このうち、メトトレキサート（MTX）は、消化管における葉酸の吸収を強力に阻害することが明らかになっている。また、サラゾスルファピリジン（サラゾピリン）は、添付文書の用量の通りに1回500mg投与しても、消化管内濃度がPCFTの阻害定数（Ki値）の数倍となることが示されており、PCFTの活性を強力に阻害すると考えられる。

また、PCFTの活性はpHの上昇に伴い顕著に低下することが知られている。そのため、プロトンポンプ阻害薬（PPI）、H_2受容体拮抗薬、制酸剤、抗てんかん薬などにより消化管内のpHが上昇すると、PCFT活性が低下して葉酸の吸収が阻害される。また、抗てんかん薬には、ポリグルタミン酸型葉酸をモノグルタミン酸型に変換する酵素を阻害する作用もあり、これが葉酸欠乏に大きく関与している可能性も指摘されている（**表6-11**）。

一方、細胞内において、5-HTメチルH_4葉酸は

図 6-3　ヒトにおける葉酸の体内動態

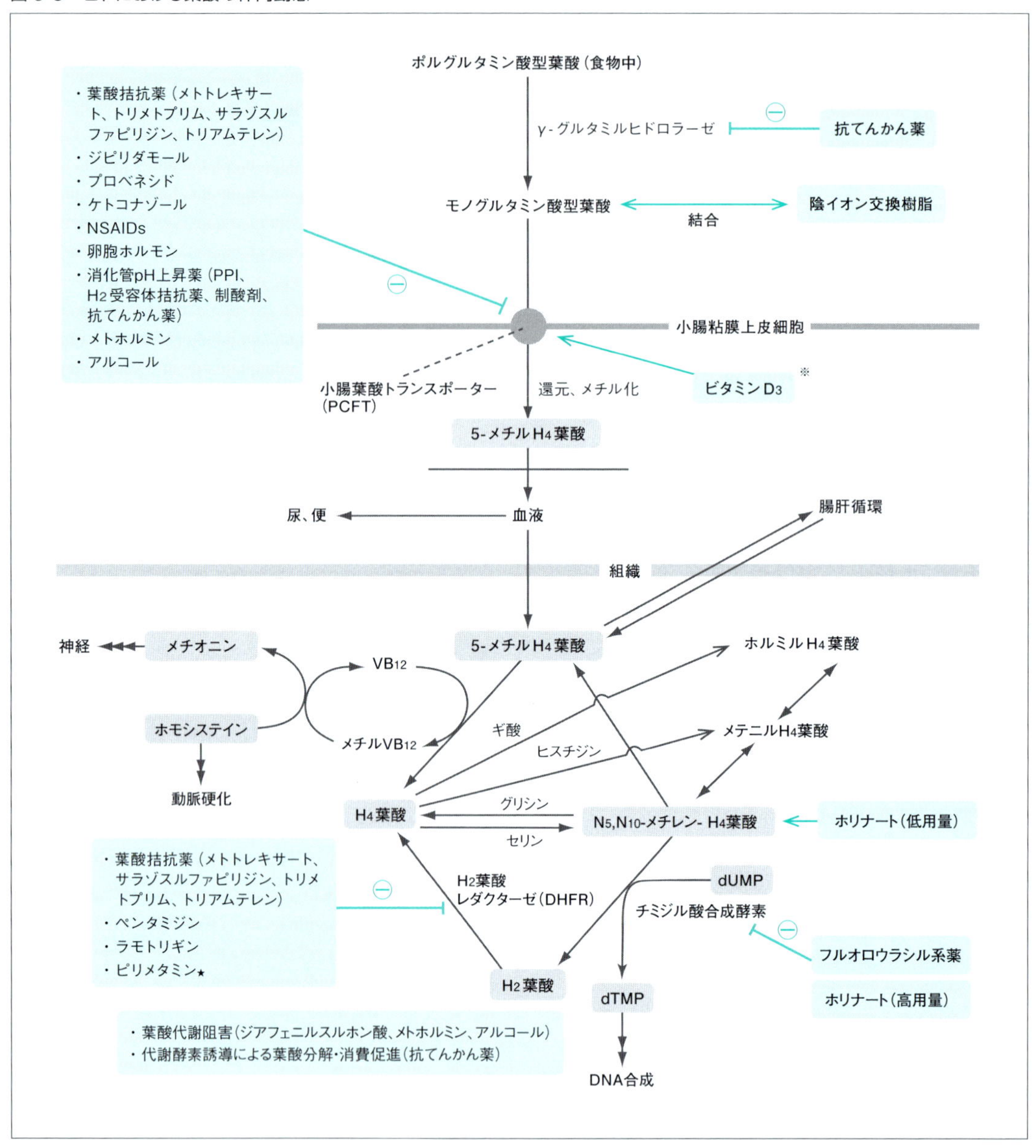

※ PCFT 発現量増大：Mol Pharmacol.2009;76:1062-71.　★ 販売中止または国内未発売

表 6-11 の参考文献

1）Am J Physiol Gastrointest Liver Physiol. 2010；298：G248-54.
2）Am J Physiol Gastrointest Liver Physiol. 2008；294：G660-8.
3）J Drug Target. 2003；11：215-23.
4）医薬ジャーナル 2004；40：161-5.
5）静脈経腸栄養 2008；23：659-62.
6）小児科 2004；45：2135-9.
7）Aging. 2012；4：480-98.
8）Metabolism. 2003；52：261-3.
9）Eur J Clin Pharmacol. 2004；60：45-9.
10）http;//www.nutri-facts.org/Detail.109+M5748e444730.0.html

表 6-11　葉酸欠乏を引き起こす可能性がある薬剤

	発現機序	薬剤（太字は巨赤芽球性貧血誘発）	機序や起こり得る事象など
消化管吸収低下	小腸葉酸トランスポーター（PCFT）阻害[1) 2) 3)]	葉酸拮抗薬（**メトトレキサート**［MTX; メソトレキセート、リウマトレックス］、**サラゾスルファピリジン**［サラゾピリン］、**トリメトプリム**［バクタ配合錠］、**トリアムテレン**［トリテレン］）、ジピリダモール（ペルサンチン）、プロベネシド（ベネシッド）、ケトコナゾール★、NSAIDs（ジクロフェナク［ボルタレン］、インドメタシン［インダシン］）、エストロン３硫酸（卵胞ホルモン；経口避妊薬など）	葉酸拮抗薬には葉酸代謝阻害効果がある。MTXはPCFTの基質。トリアムテレン（葉酸類似構造）の空腸吸収は葉酸やMTXで阻害[3)]。PCFTによる葉酸吸収はMTXで90%阻害、サラゾスルファピリジンで70%阻害、トリメトプリムで25%阻害、ジピリダモールで50%阻害、プロベネシド、ケトコナゾールでは約25%阻害を受ける[1)]（in vitro）。ラット空腸の葉酸吸収は、ジクロフェナクで80%阻害、インドメタシンで70%阻害、エストロン３硫酸で40%阻害を受ける[2)]（in vitro）。
	至適pH変化によるPCFT活性低下、PCFT発現低下	消化管pH上昇薬；PPI、H_2拮抗薬、制酸剤、抗てんかん薬（**フェニトイン系薬、バルビツール酸系薬、カルバマゼピン**［テグレトール］）	消化管内pHが上昇し、PCFTの至適pH（4.5～5.5）から外れて活性低下。フェニトイン、フェノバルビタールにはPCFT阻害効果はない[2)]（in vitro）。抗てんかん薬によるPCFT発現低下では、モノグルタミン酸型葉酸を生成する酵素の阻害作用による影響が最も大きい[4) 5)]。
		PPI	小腸PCFT発現抑制[1)]。PPI服用患者（服用歴２年以上７人、半年１人、９年１人）において、小腸のPCFTのmRNA発現が平均して50%に低下。
	葉酸結合	陰イオン交換樹脂、コレスチラミン（クエストラン）、コレスチミド（コレバイン）	陰イオン交換樹脂が葉酸と結合し、葉酸の吸収が低下。長期投与ではビタミン補給を考慮する。
	機序不明	**メトホルミン**（メトグルコ）、アスピリン（バファリン配合錠）	—
葉酸代謝※	H_2葉酸レダクターゼ（DHFR）阻害[6)]	葉酸拮抗薬［上記参照］、ペンタミジン（ベナンバックス；カリニ肺炎治療薬）、ラモトリギン（ラミクタール；抗てんかん薬）、ピリメタミン★（抗マラリア薬）	MTX（葉酸類似構造）はDHFRを阻害し抗腫瘍効果を発揮するが、トリメトプリムは細菌のDHFRを特異的に阻害するため、ヒトでの抗腫瘍効果はない。葉酸はピリメタミンの抗寄生虫効果を減弱。
	葉酸代謝阻害	**ジアフェニルスルホン酸**（レクチゾール；ハンセン病治療薬）	代謝阻害機序不明。
		メトホルミン（メトグルコ）	一炭素単位供給反応の抑制、培養癌細胞の増殖抑制（抗腫瘍効果を期待）[7)]。
	薬物代謝酵素誘導	抗てんかん薬（**フェニトイン系薬、バルビツール酸系薬、カルバマゼピン**）	葉酸欠乏の詳細な機序は不明だが、PXR活性化薬による葉酸分解酵素誘導[6)]や葉酸依存性酵素誘導による葉酸消費量増大[4) 5)]。抗てんかん薬による血清葉酸濃度の低下の頻度は平均50%に見られる（27～91%;特にフェニトインは強力）[4) 5)]。葉酸投与によってフェニトインの分解が促進し効果減弱の可能性。
その他	葉酸排泄促進（臨床的意義不明）	チアジド系薬[8)]（ヒドロクロロチアジド［ニュートライド］）	水溶性ビタミン（VB_6、VB_{12}、葉酸）の腎排泄促進。
		緩下剤（ビサコジル［テレミンソフト］、ピコスルファート［ラキソベロン］など）	高齢者での血清葉酸値低下、血漿ホモシステイン濃度上昇[9)]。腸への水溶性ビタミンの流入による排泄増大[10)]。
	ビタミンB_{12}吸収阻害	PPI、H_2受容体拮抗薬、制酸剤	胃酸（食品からVB_{12}切り出しに必要）分泌低下、内因子（VB_{12}吸収に必要）分泌低下（H_2受容体拮抗薬）など。H_2受容体拮抗薬の長期投与で巨赤芽球性貧血誘発の可能性。
		MTX、メトホルミン、レボドパ製剤（ドパストンなど）経口避妊薬、チアジド系薬、アスピリン、コルヒチン、クロルプロマジン（コントミン）	詳細な機序不明。レボドパはVB_{12}代謝阻害。
	複数の発現機序	**アルコール（飲酒）**	葉酸吸収・代謝阻害、VB_{12}吸収阻害、腎排泄阻害、腸肝循環阻害など

★ 販売中止または国内未発売

※ 葉酸代謝阻害により薬効を示す薬剤。抗菌薬では、スルホンアミド系薬（サルファ剤；サラゾスルファピリジン、スルファジアジン、スルファメトキサゾール）、スルホン酸系薬（ジアフェニルスルホン酸）がp-アミノ安息香酸類似体として細菌の葉酸合成を阻害する。また、トリメトプリムは、グラム陰性菌のDHFRの選択的阻害薬であり、MTXは強力なDHFRの阻害薬である。抗癌剤では、FU（5-FU）はその活性代謝物であるフルオロ dUMP（FdUMP）がチミジル酸合成酵素を阻害し、癌細胞内のdUMPからdTMPへの変換を抑制して抗癌作用を発揮する。

メチオニン合成酵素の補酵素として働き、テトラヒドロ葉酸（H_4葉酸）となる。H_4葉酸は、グリシン、セリン、ヒスチジン、ギ酸などと反応して、メチレン、メテニル、ホルミル基など（一炭素単位）を有するH_4葉酸となり、これらの一炭素単位を供給する酵素反応の補酵素として働く。

例えばメチレンH_4葉酸は、dUMP（デオキシウリジル酸、デオキシウリジン一リン酸）にメチル基を供給してdTMP（チミジル酸、チミジン一リン酸）を生成するチミジル酸合成酵素の補酵素として働く。そのため、H_4葉酸生成が不十分である場合、この酵素反応が抑制され、DNA合成や赤血球形成などが阻害されることになる。また、生成されたジヒドロ葉酸（H_2葉酸）は、H_2葉酸レダクターゼにより活性型のテトラヒドロ葉酸（H_4葉酸）へと還元され再利用されている。

一方、ビタミンB_{12}（B_{12}）の欠乏により貧血や末梢神経障害が起こることがあるが、ここにも、次に説明する機序で葉酸代謝が関与している。

B_{12}はホモシステインとメチルH_4葉酸から、不可逆的にメチオニンとH_4葉酸を生成し供給するメチオニン合成酵素の補酵素である。そのため、B_{12}が欠乏すると、酵素反応が抑制されてメチオニンとH_4葉酸の生成が低下する。神経障害はメチオニンの低下による二次的なものと考えられているが、貧血は、H_4葉酸の供給低下に伴いメチレンH_4葉酸の生成が抑制され、dUMPからTMPへの変換が阻害されてDNA合成が抑制されるためと考えられている。骨髄中の造血幹細胞が分化して血球を産生する過程では、複数回の細胞分裂が起こる。B_{12}の欠乏によりDNA合成阻害が起こると、この細胞分裂が抑制され、赤血球の幼若型（赤芽球）が骨髄中に蓄積して貧血を発症するためである（巨赤芽球性貧血）。

一方、葉酸代謝に影響を及ぼす薬剤としては、主に抗菌薬と抗癌剤が知られている。抗菌薬では、サルファ剤がp-アミノ安息香酸類似体として細菌の葉酸合成を阻害する。また、トリメトプリム（ST合剤［バクタ配合錠］に含有）はグラム陰性菌のH_2葉酸レダクターゼの選択的阻害薬として使用されている（哺乳類にはほとんど効果がない）。

また、抗癌剤では、メトトレキサート（メソトレキセート、リウマトレックス）が強力なH_2葉酸レダクターゼの阻害薬である。また、FU（5-FU）はその活性代謝産物であるフルオロdUMP（FdUMP）がチミジル酸合成酵素を阻害するため、癌細胞内でのdUMPからdTMPへの変換を抑制し、抗癌作用を発揮する。ホリナートCa（ロイコボリン；活性型葉酸）は、細胞内でメチレンH_4葉酸になる。低用量（5mg）では葉酸代謝拮抗薬であるメトトレキサートの毒性軽減のために使用されるが、高用量（25mg）ではメチレンH_4葉酸がチミジル酸合成酵素およびFdUMPと強固な複合体を形成し、酵素阻害作用がさらに強くなるため、テガフール・ウラシル療法時に効果増強の目的のため併用して用いられる。

以上から、葉酸代謝は骨髄障害や抗癌剤の作用点と関連していることが分かる。これは、細胞分裂が盛んな細胞（造血幹細胞、癌細胞など）ではチミジル酸合成酵素やH_2葉酸レダクターゼの活性が非常に高く、葉酸やB_{12}の欠乏の影響を受けやすいためと考えられ、興味深い。

なお、抗てんかん薬は、詳細な機序は不明であるが、葉酸の消化管吸収阻害作用や、PXRの活性化による葉酸分解酵素または葉酸依存性酵素の誘導作用によって、葉酸欠乏を引き起こすことが知られている。そのほか、葉酸拮抗薬（メトトレキサート、サラゾスルファピリジン、トリメトプリム［バクタ配合錠］、トリアムテレン［トリテレン］）、ペンタミジンイセチオン酸塩製剤（ベナンバックス）、ラモトリギン（ラミクタール）もH_2葉酸レダクターゼ阻害作用を有し、ジアフェニルスルホン（レクチゾール）、メトホルミン塩酸塩（メトグルコ）、アルコールも葉酸代謝を阻害する。これら葉酸代謝に影響を与える薬剤を併用する場合には、巨赤芽球性貧血などの葉酸欠乏症の発現に注意すべきである。

 45歳男性Aさん。

[処方箋]
① ハルシオン錠0.125mg　1錠
　レンドルミン錠0.25mg　1錠
　デパス錠0.5mg　1錠
　　1日1回　就寝前　14日分
② フォリアミン錠　3錠
　　1日3回　毎食後　14日分

（他の医療機関で処方されている薬）
テグレトール錠200mg　3錠
　　1日3回　毎食後　21日分

Aさんは3種類の睡眠薬を服用中である。また、抗てんかん薬のテグレトール（カルバマゼピン）を数年間服用している。Aさんは日常的に多量のアルコールを摂取しており、薬剤師は飲酒を減らすように何度も話をしたが、改善されなかった。最近、下痢などを訴えて受診し血液検査が実施された結果、貧血が判明。今回、葉酸（フォリアミン）が追加された。

Aさんの貧血は、カルバマゼピンと日常的なアルコール摂取を原因とした葉酸欠乏によると考えられた。Aさんには抗てんかん薬やアルコール摂取によって葉酸が欠乏しやすくなること、葉酸が欠乏すると下痢や貧血が起こることを説明し、アルコールをできるだけ控えるように指導した。

その後、Aさんは飲酒を減らすことができ、数カ月後には貧血が改善して葉酸製剤は中止となった。引き続き、葉酸欠乏の症状に注意するよう説明している。

症例② 80歳女性Bさん。

[処方箋]
① ペルサンチン錠25mg　3錠
　ムコスタ錠100mg　3錠
　　1日3回　毎食後　35日分
② アリセプトD錠5mg　1錠
　ガスター錠10mg　1錠
　　1日1回　夕食後　35日分
③ フォリアミン錠　3錠
　　1日3回　毎食後　35日分

Bさんは①、②の薬を数年間服用している。高齢に加えて、ペルサンチン（ジピリダモール）とH_2受容体拮抗薬のガスター（ファモチジン）を服用しており、葉酸欠乏を起こしやすいと考えられた。そのため、服薬指導時に葉酸欠乏の症状の有無を確認していたが、これまで異常は認められなかった。しかし今回、血液検査により葉酸欠乏性貧血と診断され、葉酸製剤が追加処方された。

その後数カ月で、Bさんの貧血は改善されて葉酸製剤は中止となった。現在も葉酸欠乏による症状に注意しながら投薬を続けているが、高齢者は症状を早く発見するのが難しいため、定期的に血液検査を受けることも必要ではないかと考えている。

第10節
カルボキシエステラーゼ

カルボキシエステラーゼ（CES）は、細胞内のミクロソーム内に存在し、エステル結合を有する薬剤をカルボン酸（R_1-COOH）とアルコール（R_2-OH）に加水分解する代謝酵素である。

$$R_1\text{-COO-}R_2 + H_2O \xrightarrow{\text{CES}} R_1\text{-COOH} + R_2\text{-OH}$$

CESは、エステル結合のほか、アミド結合やチオエステル結合も加水分解するため、これらの結合を有する多くの医薬品やプロドラッグ、有機リン系やカルバメート系農薬などの生体外異物の代謝・解毒に関与している[1]。さらに肝や脂肪細胞における中性脂肪やコレステロールの加水分解にも関与し、また糖代謝にも影響を与えるため2型糖尿病発症との関連性も指摘されている[2]。

CESは従来、その遺伝子多型が薬効の個人差や副作用発現の要因として注目されていた。相互作用の観点では、2013年5月に発売された抗てんかん薬のルフィナミド（イノベロン）の添付文書に、バルプロ酸ナトリウム（セレニカ、デパケン）との相互作用を引き起こす機序としてCES阻害が初めて明記された。

CESにはCES1～5のファミリーが存在し、様々な臓器に発現している。特に肝と小腸上皮細胞に高い活性が見られ、ヒトの肝臓ではCES1（CES1A1）が高度に、CES2（CES2A1）は中程度に、また小腸ではCES2（CES2A1）のみ強く発現している。肝ミクロソームにおけるCESの加水分解のうち95%がCES1に、5%がCES2に

表6-12　CESの基質（下線は、遺伝子多型の影響を受ける薬剤）

（1）CES1（主に肝細胞で発現）
クロピドグレル[*1]（プラビックス：代謝中間体［2-oxo体］、活性代謝物もCES1で不活性化）、ルフィナミド（イノベロン）、メチルフェニデート[*2]（コンサータ、リタリン）、エドキサバン（リクシアナ）、ペチジン（オピスタン）、コカイン、フルマゼニル（アネキセート）、カペシタビン（ゼローダ）、リルマザホン※（リスミー）、アナグリプチン※（スイニー）
【CES1により活性化される基質】 プロドラッグ型ACE阻害薬★（イミダプリル[*3]［タナトリル］、トランドラプリル［オドリック、プレラン］、ベナゼプリル［チバセン］、エナラプリル［レニベース］、キナプリル［コナン］）、オセルタミビル★[*4]（タミフル）、シンバスタチン★（リポバス）、クロフィブラート（クロフィブラート、ビノグラック）、フェノフィブラート（トライコア、リピディル）、シクレソニド（オルベスコ）、ミコフェノール酸モフェチル★（セルセプト）
（2）CES2（小腸上皮細胞に強く発現、肝細胞では中程度に発現）
オキシブチニン（ネオキシ、ポラキス）、低用量アスピリン製剤（バイアスピリンなど）、ピボキシル基含有抗菌薬（☞**表4-8**）
【CES2により活性化される基質】 イリノテカン[*5]（カンプト、トポテシン）、プラスグレル（エフィエント）、アスピリン（アスピリン）、カンデサルタン★（ブロプレス）、オルメサルタン★（オルメテック）、テノホビルジソプロキシル★（テノゼット、ビリアード）、アデホビル★（ヘプセラ）、バラシクロビル★（バルトレックス）、ガバペンチンエナカルビル★（レグナイト）、バルガンシクロビル★（バリキサ）
（3）CES1およびCES2
【CESにより活性化される基質】ダビガトランエテキシラート★[*6]（プラザキサ）

（Pharmacotherapy.2013;33:210-22.、Drug Metabol Drug Interact.2014;29:143-51. を一部改変）

★ プロドラッグ　　※特異性不明だが、構造的にCES1が不活性化に関与している可能性。

＊1、＊2：rs71647871（CES1の活性低下）→遺伝子多型保有者ではクロピドグレル活性代謝物の血中濃度の上昇、メチルフェニデート感受性が上昇（少量投与で症状改善）。

＊3：rs37855161（CES1の活性上昇に関与）の遺伝子多型を保有する日本人でイミダプリルの血圧降下作用増強
＊4：rs71647871（CES1の活性低下に関与）の遺伝子多型保有者でオセルタミビルの活性代謝物低下の可能性
＊5：rs72547531（CES2の活性低下に関与）の遺伝子多型保有者で活性代謝物／イリノテカンのAUC比の減少
＊6：rs2244613（CES1の活性低下に関与する可能性）の遺伝子多型保有者でダビガトラン（活性体）のトラフ血中濃度低下、出血リスク低下

よって触媒されるのに対して、小腸ではほとんどがCES2によることが示されている[3]。

CES1およびCES2の基質は、エステル結合、アミド結合、チオエステル結合を持つが、その構造には特徴がある（**表6-12**）。

例えばCES1の基質であるクロピドグレル硫酸塩（プラビックス）、メチルフェニデート塩酸塩（コンサータ、リタリン）、プロドラッグ型のACE阻害薬、オセルタミビルリン酸塩（タミフル）などは、エステル部分（R_1-COO-R_2）のアシル基（R_1）が、アルコール基（R_2）よりもかさ高い（空間的に占める容積が大きい）構造を持っている（分子量 $R_1 > R_2$）。一方、CES2の基質であるイリノテカン塩酸塩水和物（カンプト、トポテシン）などは、R_2が

表6-13　CESが関与すると考えられる相互作用

（1）CES1が関与する相互作用

作用する薬剤	作用を受ける薬剤	起こり得る事象
a）基質相互の併用（作用する薬剤：基質、作用を受ける薬剤：基質）		
シンバスタチン	イミダプリル★	イミダプリルの活性代謝物産生低下、作用減弱の可能性（in vitro）[1]、Ki値※は0.8（下記参照）。
プロドラッグ型のACE阻害薬	クロピドグレル	心筋梗塞患者を対象とした疫学調査において、クロピドグレルとACE阻害薬との併用により、出血リスク増大（作用増強）の報告[2]。
クロピドグレル	オセルタミビル★	オセルタミビル活性化を濃度依存的に最大90%抑制、作用減弱の可能性（培養細胞、in vitro）[3]。臨床的に問題となる可能性は低い。
b）阻害薬と基質の併用（作用する薬剤：CES1阻害薬、作用を受ける薬剤：CES1基質）		
バルプロ酸（セレニカ、デパケン）	ルフィナミド	併用慎重。CES1阻害によりルフィナミド血中濃度上昇の可能性（作用増強）。特に小児では血中濃度が60-70%上昇[4]。
飲酒	クロピドグレル、メチルフェニデート、オセルタミビル★	クロピドグレル加水分解抑制。CYP代謝による産生する中間体、5-チオール体（活性体）の加水分解抑制の可能性、作用増強の可能性（in vitro）[5]。d-メチルフェニデートのCmax40%、AUC25%増加、作用増強の可能性[6]。オセルタミビル活性体/オセルタミビルのAUC比率34%低下、作用減弱の可能性[7]。
アリピプラゾール（エビリファイ）	メチルフェニデート	d-メチルフェニデート血中濃度上昇、作用増強の可能性（動物実験）[8]。
ニトレンジピン（バイロテンシン）、テルミサルタン（ミカルディス）、トログリタゾン（販売中止）	イミダプリル★	イミダプリルの活性代謝物産生低下、作用減弱の可能性（in vitro）[1,9]。シンバスタチン（基質）、ニトレンジピン、テルミサルタン、トログリタゾンのKi値※は、それぞれ0.8、1.24、1.69、5.6（HLM:ヒト肝ミクロソーム）。
c）誘導に起因する相互作用		
プレグナンX受容体（PXR）活性化薬（フェノバルビタールなど）	ルフィナミド	ルフィナミドの血中濃度低下の恐れ。機序不明だが、PXR活性化薬はCES誘導作用あり[10]。

（2）CES2が関与する相互作用

作用する薬剤	作用を受ける薬剤	起こり得る事象
フェノフィブラート、ジルチアゼム（ヘルベッサー）、シンバスタチン、ベラパミル（ワソラン）	イリノテカン★	イリノテカンの活性代謝物（SN-38）産生低下、作用減弱の可能性（in vitro）[1,9]。フェノフィブラート（基質）、ジルチアゼム、シンバスタチン、ベラパミルのKi値※は、それぞれ0.04、0.25、0.67、3.84（recombinant human CES）[2]。

★ CES代謝により活性化されるプロドラッグ
※ Ki値は阻害薬とCES1の基質（イミダプリル）、CES2の基質（イリノテカン［CPT-11］）の親和性を示し、数値が低いほど阻害効果が強いことを示す。

1）Drug Metab Dispos.2010;38:2173-8.
2）Clin Pharmacol Ther.2014;96:713-22.
3）J Pharmacol Exp Ther. 2006;319:1477-84.
4）Epilepsia.2008;49:1123-41.
5）J Pharmacol Exp Ther.2006;319:1467-76.
6）Clin Pharmacol Ther.2007;81:346-53.
7）Clin Pharmacokinet.2015;54:627-38.
8）Toxicology.2010;270:59-65.
9）Drug Metab Pharmacokinet.2013;28:468-74.
10）Expert Opin Drug Metab Toxicol.2010;6:261-71.

R_1よりもかさ高い（分子量$R_1 < R_2$）。つまり、肝臓ではR_1のかさ高い基質が主にCES1により、小腸ではR_2のかさ高い基質がCES2により代謝されやすいと考えられる。

また、CESの基質にはプロドラッグのように代謝されて活性化する薬剤が多い。プロドラッグは、親化合物の水酸基（OH）、カルボキシ基（COOH）、アミド基（NH_2）、チオール基（SH）に、エステル結合、アミド結合、チオエステル結合を導入して合成されるが、これらの結合を導入すると、バイオアベイラビリティー（BA）が改善するためである。

例えば、ACE阻害薬のエナラプリルマレイン酸塩（レニベース）の活性化体エナラプリラート（R-COOH）を経口投与した場合、BAはわずか3%であるが、エステル結合を導入したエナラプリルでは50～60%にも上昇する。エステル型となることによって、小腸上皮で加水分解を受けずに、容易に膜を通過して肝臓に取り込まれ、速やかに肝で加水分解（初回通過効果）を受けて活性化されるためである。

CES1の基質であるクロピドグレルは、CYP450とCES1によって代謝される。同薬はまず肝CYP2C19、1A2、2B6、3Aで代謝されて中間体（2-オキソ体）に、次いでCYP2C19、2C9、2B6、3A4で代謝されて活性体（5-チオール体）になる（☞図5-12）。一方、CES1はクロピドグレル、中間体および活性体の全てを加水分解して不活化する。また、メチルフェニデートはラセミ体（d体、l体）で、d体が活性体であるが、CES1はd体とl体の双方を加水分解して不活化する。

プロドラッグとしては、プロドラッグ型のACE阻害薬、オセルタミビル、シンバスタチン（リポバス他）、ミコフェノール酸モフェチル（セルセプト他）などがCES1の基質である。

これらの基質の中で、特にクロピドグレル、メチルフェニデート、イミダプリル塩酸塩（タナトリル他）、オセルタミビルはCES1の遺伝子多型の影響を受けることから、相互作用によるCES1の活性変化により、薬効や副作用リスクが影響を受けやすいと考えられるため注意が必要である。

なお、エドキサバントシル酸塩水和物（リクシアナ）もCES1の基質である。同薬はCES1による加水分解によってM-1、M-4に代謝されるが、M-4はエドキサバンと同等の薬理活性を持つことが示されている。

一方、CES2の基質には、イリノテカン、プラスグレル塩酸塩（エフィエント）、カンデサルタンシレキセチル（ブロプレス）、抗ウイルス薬、ガバペンチンエナカルビル（レグナイト）など、小腸上皮細胞あるいは肝臓で加水分解を受けて活性化される薬剤が多い。例えば、プラスグレルは小腸のCES2で加水分解を受けた後、主にCYP3A4/5、2B6で代謝されて活性体となる。

また、イリノテカンは静注により血液から肝臓に入った後、CYP3A4により不活化される経路と、CES2により活性代謝物（SN-38）となる経路で代謝される。同薬の活性化はCES2遺伝子多型の影響を受けるため、相互作用によるCES2活性の変化で薬効が変動しやすいと考えられる。

なお、活性体のSN-38は抗腫瘍効果を示すが、肝臓でUDP-グルクロン酸転移酵素（UGT1A1）により抱合体（SN-38G）となり胆汁中に排泄され、一部は腸内細菌のβ-グルクロニダーゼにより脱抱合されて再び活性体（SN-38）となり腸管から再吸収されて肝に戻る（腸肝循環）。静注により肝臓に入ったイリノテカンやその代謝物であるSN-38、SN-38Gは、肝トランスポーターのMRP2を介して胆汁中に排泄されて初めて腸管に到達することになるが、小腸のCES2活性がイリノテカンの副作用である重篤な下痢の発現に関与する可能性が示唆されている。

CES1とCES2のいずれの基質にもなる薬剤としては、ダビガトランエテキシラートメタンスルホン酸塩（プラザキサ）がある。ダビガトランエテキシラート（DABE）はプロドラッグであり、まず小腸上皮細胞のCES2により加水分解されて中間体（M2）となった後、肝臓のCES1によって活性代謝物のダビガトラン（DAB：R-COOH）となり、

50歳代女性Aさん。

[処方箋]
①【般】アムロジピンOD錠5mg　1錠
　プラビックス錠75mg　1錠
　　1日1回　朝食後　28日分
②タナトリル錠5　1錠
　　1日1回　朝食後　14日分

Aさんは、数年前から脳梗塞の再発予防でプラビックス（クロピドグレル硫酸塩）と高血圧の治療でアムロジピンベシル酸塩を服用中であり、薬剤師は常にクロピドグレルによる出血などの副作用に注意するよう指導していた。最近、血圧が上昇傾向であり、今回、タナトリル（イミダプリル；プロドラッグ）が追加された。

クロピドグレル、イミダプリルはCES1の基質であり、併用するとCES1を競合阻害する恐れがある。イミダプリルの代謝抑制に伴い降圧作用が減弱する可能性も完全には否定できないものの、CES1に対する親和性はイミダプリルの方が強いと考えられることから、クロピドグレルやその活性体の代謝抑制に伴う抗血小板作用の増強、出血リスク上昇の可能性が高いと考えられた。薬剤師はAさんに対し、これまで以上に皮下出血、鼻血、歯肉出血、血便など、出血症状に注意するよう指導した。2週間後の来局時、出血症状は認めず血圧も順調に低下したため、現在もイミダプリルを継続している。

60歳代男性Bさん。

[処方箋]
タミフルカプセル75　2カプセル
　1日2回　朝夕食後　5日分

感冒様症状を訴えて受診し、インフルエンザウイルス陽性と診断されたBさん。症状は軽度だったが、タミフル（オセルタミビル）が処方された。Bさんは晩酌することを日課としており、薬剤師に「タミフル服用時に飲酒してもよいか」と質問した。

飲酒（エタノール）にはCES1阻害作用があり、またオセルタミビルはCES1により代謝されて活性化されるため、飲酒はオセルタミビルの抗インフルエンザ作用を減弱する可能性がある。また、飲酒はオセルタミビルによる中枢神経系（幻覚、異常行動、興奮など）、消化器系（下痢、腹痛、嘔吐など）、循環器系（動悸、心電図異常など）の副作用を増大したり、炎症反応を助長して症状悪化や治癒の遅延、利尿による脱水を招いたりする恐れがあるなど、様々な悪影響を及ぼす恐れがある。

オセルタミビル服用中の飲酒は禁忌ではないものの、薬剤師は、飲酒によってオセルタミビルの効果減弱や副作用の増強などが起こり得ることを説明し、服用中は飲酒を避けるよう指導した。

抗凝固作用を発揮する。これはDABEがエステル結合を2つ有しており、まずCES2により$R_1 < R_2$のエステル結合が、次いでCES1により$R_1 > R_2$のエステル結合が加水分解されるためである[4]。また、DABEの効果はCES1遺伝多型の影響を受けることが報告されており、rs2244613のSNP（一塩基多型）の保有者では、SNPの増加に伴いDABの血中濃度低下（15%）や出血リスクの低下が報告されている（薬効減弱）。

CESの遺伝子多型の影響を受ける薬剤（クロピドグレル、メチルフェニデート、イミダプリル、オセルタミビル、イリノテカン、ダビガトランエテキシラート）は、CESの阻害や誘導に起因する相互作用を受けやすいと考えられる。また、代謝により活性化される薬剤が相互作用を受ける場合は、代謝阻害による薬効減弱や誘導による薬効増強の恐れがあるため注意を要する。

CES阻害が関与する相互作用の発現機序は、①同一のCESで代謝される薬剤の併用（競合阻害）、②CES阻害作用を有する薬剤と基質との併用——に分けられる。

CES1の基質同士の併用による相互作用としては、シンバスタチンがイミダプリルの代謝を、ACE阻害薬がクロピドグレルの代謝を、クロピドグレルがオセルタミビルの代謝をそれぞれ抑制する可能性が示されている。つまり、CES1に対する親和性の強さは、シンバスタチン＞ACE阻害薬＞クロピドグレル＞オセルタミビルの順であると考えられる。従って、特にCES1阻害作用が強いと考えられるシンバスタチンやACE阻害薬を、CES1の基質となる薬剤と併用する際は、常に注意が必要である（**症例1**）。なお、シンバスタチンはCES2阻害作用も有している。

またCES1阻害作用を有する薬剤には、バルプロ酸、アリピプラゾール（エビリファイ）、ニトレンジピン（バイロテンシン）、テルミサルタン（ミカルディス）などがある。特にバルプロ酸はCES1選択的阻害薬として知られ、CES1で代謝される同効薬のルフィナミドの血中濃度を上昇させる可能性が指摘されており、傾眠、食欲減退、嘔吐、便秘など副作用に注意する必要がある。この相互作用は、現時点で唯一、添付文書上にCESが関与する相互作用として記載されている。

飲酒（エタノール）もCES1を阻害する。CES1によるエステル結合の加水分解によって低分子のアルコールが産生することから、フィードバック阻害によると考えられる。特にオセルタミビル、クロピドグレル、メチルフェニデートなどの薬剤を服用中の患者には、禁酒するように指導する（**症例2**）。またシンバスタチンと同様、ニトレンジピン、テルミサルタンのCES1阻害作用は強いことも留意する。

一方、CES2阻害薬としては、フェノフィブラート（トライコア、リピディル）、ジルチアゼム塩酸塩（ヘルベッサー）、シンバスタチンが強力なCES2阻害作用を有し、イリノテカンの加水分解を抑制して活性体（SN-38）の産生を低下することがin vitroで示されている。これらのCES2阻害薬は、プラスグレル、カンデサルタン、オルメサルタンメドキソミル（オルメテック）など、他のCES2の基質である薬剤との併用にも注意が必要である。なお、グレープフルーツジュースにもエステラーゼ阻害作用があることが報告されている[5]。ただし現在のところ、阻害作用の有無は明確に示されていない。

参考文献

1）J Pestic Sci.2005;30:75-83.
2）PLos One.2013;8:e56861.
3）Drug Metab Pharmacokinet.2006;21:173-85.
4）Drug Metab Dispos.2014;42:201-6.
5）Drug Metab Dispos.2007;35:1023-31.

コラム48

アルコール誘発喘息

喘息発作死亡の3大誘因はかぜ、過労、ストレスであるとされ、喫煙も致命的発作を誘発する。一方、発作の誘発頻度に注目してみると、最も多いのはかぜで、飲酒がそれに続く。意外と知られていないが、日本人の喘息患者の約半数が飲酒により発作を起こしている。

飲酒によって発作が誘発される喘息を「アルコール誘発喘息」という。エタノールあるいは添加物が原因と考えられているが、添加物が誘因である場合は、アスピリン喘息と同じ病態であり、添加物を含むビール、ワインで誘発されることが多い（☞**第8章［第4節 3 ］**）。

一方、エタノールそのものが誘因となる場合は、代謝産物のアセトアルデヒドが肥満細胞からのヒスタミンの遊離を促進することに起因すると考えられており、アルコールの種類に関係なく発作が起こる。エタノール誘発喘息は、日本人の喘息患者の約半数に認められるが欧米人にはまれである。これは、前述のように、日本人の約55%は遺伝的にALDH2の活性が低く、飲酒によりアセトアルデヒド血中濃度が上昇しやすいことに起因する（☞**p.371「重要」**）。

ALDH完全欠損（ALDH2*2/*2）の喘息患者は、飲酒によって、発作だけでなく顔面紅潮や頭痛、頻脈などのアンタビュース効果も招く恐れがあるため、禁酒させる。一方、ALDH不完全欠損（ALDH2*1/*2）では、発作誘発は飲酒量、喘息の状況に依存し、患者によっては禁酒が困難な場合もしばしばある。そのようなケースに対しては、発作予防として、飲酒の2～3時間前に H_1 拮抗薬を服用させたり、飲酒の20～30分前に短時間作用型 β 刺激薬を吸入させたりすることがある。また、飲酒の機会が多い患者に対しては、アセトアルデヒドがロイコトリエンを介して気道過敏性を亢進することに基づき、ロイコトリエン拮抗薬（プランルカスト水和物［オノン］など）を維持薬（コントローラー）として追加することも有用とされている。

コラム49

カルバペネム系薬とバルプロ酸の相互作用

カルバペネム系抗菌薬とバルプロ酸Na（VPA；デパケン）を併用すると、グルクロン酸抱合体量が増大し、VPAの血中濃度が低下する。この相互作用の機序については、様々な報告がある。

例えばYamamuraらは、抱合体量が増大するのは、UDP-グルクロン酸転移酵素（UGT）の誘導やアロステリック効果に起因するのではなく、カルバペネム系薬の投与によってUDP-グルクロン酸（UDPGA）が増加し（約1.7倍に増加するとの報告もある）、それがバルプロ酸グルクロン酸抱合体（VPA-G）の生成速度を増大させるためと報告している（Yamamura N, et al. Drug Metab Dispos. 1999；27：724-30.）。ただし、カルバペネム系がどのような機序でUDPGA量を増加させるのかは明らかになっていない。

一方、肝のVPA-Gの増加は抱合促進ではなく、分解抑制に起因するとの報告もある（Nakajima Y, et al. Drug Metab Dispos. 2004；32：1383-91.）。このin vitro実験では、VPA-Gを分解してVPAに変換する加水分解酵素（肝細胞質に存在）をカルバペネム系が強力に阻害するため、肝のVPA-Gが増加し、VPAへの変換が抑制されて血中濃度が低下すると考察している。また、UDPGA量は1.4倍にしか増加しないのに対し、VPA-G量は10～20倍と著しい増量を示した。これらのことから、相互作用の発現機序は、カルバペネム系による肝加水分解酵素の阻害に起因する可能性が高いと考えられる。

なお、カルバペネム系がVPAの消化管吸収を阻害する結果、VPAの血中濃度が低下するという報告もある（Torii M, et al. J Pharm Pharmacol. 2001；53：823-9.）。

コラム 50

UGTの分子種と遺伝子多型

UDP-グルクロン酸転移酵素（UGT）には、UGT1とUGT2の2つのファミリーがあり、さらにUGT1A、UGT2A・2Bのサブファミリーに分けられる。さらに分子種に分類され、現在までに**表6-14**に示すUGTの分子種と基質が明らかになっている。

UGT1ファミリーとUGT2ファミリーは、ステロイドホルモン、胆汁酸、性ステロイドなどを生体内基質として持つ点で共通しているが、全体的には異なる基質特異性を示す。

例えば、UGT1によって特異的に抱合化される基質や薬剤には、甲状腺ホルモン（チロキシン）、SN-38（イリノテカン塩酸塩水和物［カンプト］の活性代謝産物）、アセトアミノフェン（カロナール；アニリン系）、エゼチミブ（ゼチーア）、ミチグリニドCa水和物（グルファスト）、プロポフォール（ディプリバン；全身麻酔薬）、ミコフェノール酸（ミコフェノール酸モフェチル［セルセプト］の活性体）などがある。一方、UGT2によって特異的に抱合化される薬剤には、ジドブジン（レトロビル）、プロピオン酸系NSAIDs（ナプロキセン［ナイキサン］、イブプロフェン［ブルフェン］、ケトプロフェン［アネオール］）、アヘンアルカロイド系薬（モルヒネ、コデインリン酸塩水和物［コデインリン酸塩］）、ブプレノルフィン塩酸塩（レペタン）などがある。

UGTの阻害が相互作用の発現機序として考えられる主な薬剤には、①アタザナビル（レイアタッツ）、トラニラスト（リザベン）、チロシンキナーゼ阻害薬（エルロチニブ［タルセバ］、ソラフェニブ［ネクサバール］、ダサチニブ［スプリセル］、イマチニブ［グリベック］、ゲフィチニブ［イレッサ］、ラパチニブ［タイケルブ］、ニロチニブ［タシグナ］など）と、オムビタスビル・パリタプレビル、イリノテカン（カンプト、トポテシン）、ブプレノルフィン（レペタン）、アセトアミノフェン、フロセミド（ラシックス）との併用、②バルプロ酸Na（デパケン）とラモトリギン（ラミクタール；抗てんかん薬）との併用、③リファンピシン（リファジン）とエゼチミブ、ミコフェノール酸モフェチル、デフェラシロクス（ジャドニュ）、カナグリフロジン（カナグル；SGLT2阻害薬）との併用——などである（☞表6-4 B1 B2）。

まず、①の相互作用には、UGT1A1阻害が関与している。例えば、イリノテカンは主に肝および各組織においてカルボキシエステラーゼにより加水分解され活性代謝産物のSN-38に変換されるが（CYP3A4により一部無毒化）、SN-38はUGT1A1や1A7によってグルクロン酸抱合を受ける。特に肝に存在するUGT1A1によるグルクロン酸抱合を受け、SN-38グルクロン酸抱合体となって胆汁中に排泄されると考えられている。

一方、アタザナビルは、in vitroでUGT1A1を阻害する可能性が示されているほか、開発時の臨床試験でも、UGT1A1阻害に起因すると考えられる「総ビリルビンの上昇」が高頻度（47%）に発現していた（UGT1A1はビリルビンを基質とする）。したがって、アタザナビルとイリノテカンを併用すると、アタザナビルのUGT1A1阻害作用によりSN-38の抱合化が抑制され、SN-38の排泄が遅延し体内にとどまり、重篤な副作用発現（下痢、骨髄抑制［好中球減少症など］）の可能性が高くなることから、両剤の併用は禁忌である（下痢の誘因としてアセチルコリンエステラーゼ阻害が示唆；☞表7-22）。なお、アタザナビルほど強力ではないが、トラニラスト（副作用の肝毒性にUGT1A1阻害が関与）、チロシンキナーゼ阻害薬（ダサチニブ、イマチニブ、ソラフェニブはUGT1A9・2B5も阻害）も、UGT1A1阻害活性を有するため、イリノテカンとの併用には注意が必要である（併用慎重）。

ちなみに、イリノテカンの副作用の重篤化に、UGT1A1の遺伝子多型が関与していることが示唆されている。重篤な副作用はUGT1A1活性が遺伝的に低い患者（UGT1A1*6、UGT1A1*28の2つの遺伝子多型を、ホモ［UGT1A1*6/*6、UGT1A1*28/*28］またはヘテロ［UGT1A1*6/*28］として持つ患者）で高率に発現する。日本では2008年6月、イリノテカンの添付文書が改訂され、「重要な基本的注意」

表6-14　ヒトUDP-グルクロン酸転移酵素（UGT）の分子種と主な基質

ファミリー	分子種	組織	生体内基質	外来性基質（薬物など）
UGT1	A1	肝、胆管、胃、小腸、結腸	ビリルビン、エストリオール、エストラジオール	エチニルエストラジオール（経口避妊薬）、SN-38（イリノテカン活性代謝物）、ブプレノルフィン（レペタン）、エルトロンボパグ（レボレード；TPO受容体作動薬）、メチラポン※（メトピロン；副腎皮質ホルモン合成阻害薬）、アセトアミノフェン（カロナール）、バゼドキシフェン（ビビアント；SERM）、ナリンゲニン（フラボノイドの一種）、1-ナフトール、ケルセチン（フラボノイドの一種）、インダカテロール（オンブレス吸入用カプセル；β_2刺激薬）、エゼチミブ（ゼチーア）、デフェラシロクス（エクジェイド；鉄キレート剤）、フェブキソスタット（フェブリク；XOD阻害薬）、ルセオグリフロジン（ルセフィ;SGLT2阻害薬）、アキシチニブ（インライタ；キナーゼ阻害薬）、ビクテグラビル（ビクタルビ配合錠；抗HIV薬）、モリデュスタット（マスーレッド；腎性貧血治療薬）、レテルモビル(プレバイミス；抗CMV薬)
	A3	肝、胆管、胃、結腸	エストロン、レチノイン酸	ミチグリニド（グルファスト）、クマリン類、ブプレノルフィン（レペタン）、エルトロンボパグ（レボレード）、メチラポン※（メトピロン）、エゼチミブ（ゼチーア）、デフェラシロクス（エクジェイド；鉄キレート剤）、フェブキソスタット（フェブリク）、ラモトリギン（ラミクタール）、エンパグリフロジン（ジャディアンス;SGLT2阻害薬）、セレキシパグ（ウプトラビ；PGI2誘導体）活性代謝物（MRE-269）、レテルモビル(プレバイミス；抗CMV薬)
	A4	肝、胆管、小腸、結腸	アンドロステロン	三環系抗うつ薬（イミプラミン［トフラニール］、アミトリプチリン［トリプタノール］）、クロルプロマジン（コントミン）、イミダフェナシン（ステーブラ；OAB治療薬）、ラモトリギン（ラミクタール）、バルプロ酸（デパケン）、ポサコナゾール（ノクサフィル）
	A5	未同定	未同定	未同定
	A6	肝、胆管、胃、小腸、脳	5-HT	バルプロ酸（デパケン）、アスピリン、アセトアミノフェン、ナリンゲニン、1－ナフトール
	A7	胃、小腸、肺	未同定	バダデュスタット（バフセオ；腎性貧血治療薬）、SN-38、ベンゾピレン代謝物、ミコフェノール酸、フェブキソスタット（フェブリク）
	A8	小腸、食道	エストロン、エストラジオール、ジヒドロテストステロン	プロポフォール（ディプリバン；全身麻酔薬）、ミコフェノール酸、フェブキソスタット（フェブリク）、エンパグリフロジン（ジャディアンス;SGLT2阻害薬）
	A9	肝、腸、腎	チロキシン（甲状腺ホルモン）	腎性貧血治療薬（ロキサデュスタット[エベレンゾ]、バダデュスタット[バフセオ]）、ミチグリニド（グルファスト）、ミコフェノール酸、フェブキソスタット（フェブリク）、トピロキソスタット（ウリアデック、トピロリック、；非プリン骨格XOD阻害薬）、プロポフォール（ディプリバン）、ケルセチン（フラボノイドの一種）、ソラフェニブ（ネクサバール；キナーゼ阻害薬）、ケンフェロール（フラボノイドの一種）、スルフィンピラゾン、ロチゴチン（ニュープロパッチ；ドパミン作動薬）、SGLT2阻害薬（ダパグリフロジン［フォシーガ］、カナグリフロジン［カナグル］、エンパグリフロジン［ジャディアンス］）
	A10	胆管、胃、小腸、食道	エストロン、ジヒドロテストステロン	ミコフェノール酸、フェブキソスタット（フェブリク）、バゼドキシフェン（ビビアント）、ベンゾピレン代謝物

表 6-14（つづき） ヒト UDP- グルクロン酸転移酵素（UGT）の分子種と主な基質

ファミリー	分子種	組織	生体内基質	外来性基質（薬物など）
UGT2	A1	臭覚上皮、脳	テストステロン	未同定
	B4	肝、腎、精巣、副腎、肺	アンドロステロン	コデイン、ブプレノルフィン（レペタン）、カナグリフロジン（カナグル；SGLT2阻害薬）
	B7	肝、小腸、結腸、脳、腎、副腎、食道	アンドロステロン、エストリオール、レチノイン酸、リノール酸	モルヒネ、コデイン、ブプレノルフィン（レペタン）、シロドシン（ユリーフ；α_{1A}遮断）、ジドブジン（レトロビル）、プロピオン酸系NSAIDs（ナプロキセン［ナイキサン］、イブプロフェン［ブルフェン］、ケトプロフェン）、フェブキソスタット（フェブリク）、オキサゼパム、ラモトリギン（ラミクタール）、SGLT2阻害薬（イプラグリフロジン［スーグラ］、エンパグリフロジン［ジャディアンス］）、ロラゼパム（ワイパックス、ロラピタ）、セレキシパグ（ウプトラビ；PGI2誘導体）活性代謝物（MRE-269）
	B10	肝、食道、前立腺、乳腺	未同定	未同定
	B11	前立腺、乳腺、副腎、肝、腎、肺	未同定	未同定
	B15	肝、前立腺、食道、皮膚	ジヒドロテストステロン	S-オキサゼパム、ロチゴチン（ニュープロパッチ；ドパミン作動薬）、ロラゼパム（ワイパックス、ロラピタ）
UGT2	B17	前立腺	アンドロステロン、テストステロン、ジヒドロテストステロン	未同定
	B28	肝、肺	エストラジオール、アンドロステロン、テストステロン	未同定

※ アセトアミノフェン（UGT1A1 基質）抱合阻害の報告がある。

【注意】フェブキソスタット（フェブリク；XOD 阻害薬）は UGT1A1、1A3、1A7、1A8、1A9、1A10、2B7、ボリノスタット（ゾリンザ；ヒストン脱アセチル化酵素阻害抗癌剤）は UGT1A1、1A3、1A7、1A8、1A9、2B7、2B17、アンブリセンタン（ヴォリブリス；選択的 ET_A 受容体拮抗薬）は UGT1A3、1A9、2B7 による抱合を受ける。

に UGT1A1*6および *28に関する記述が加えられた。同時に両遺伝子多型の測定キット「インベーダー UGT1A1アッセイ」が製造販売承認を取得し、その後、発売されている。日本人の UGT1A1遺伝子多型の頻度は、*1（野生型）が54.8%、*6が13.0～17.7%、*28が8.6～13.0%と報告されている（薬学雑誌2011;131:239-46. およびイリノテカン添付文書）。イリノテカン投与前には血液検査を行い、ビリルビン値からグルクロン酸抱合（UGT1A1）異常の有無を判断することが肝要である。

また、ブプレノルフィン（BUP［レペタン；モルヒネ類似物］）は、UGT1A1、1A3、2B7によって抱合を受けることが報告されている（Rouguieg K, et al. Drug Metab Dispos. 2010；38：40-5.）。BUPとアタザナビルを併用した場合、UGT1A1阻害作用により BUP の血中濃度が上昇して、鎮静効果が増強したり認知機能障害が発症したりする恐れがあるため、併用は推奨されないとしている（アタザナビルの CYP3A4阻害も関与）。

そのほか、アセトアミノフェンは肝の UGT1A1によってグルクロン酸抱合を受けるため、UGT1A1酵素阻害によって血中濃度が上昇し、肝毒性などの副作用が発現する可能性が高くなる（アセトアミノフェンは硫酸抱合も受ける）。したがって、UGT1A1阻害薬との併用時には、定期的に肝機能検査を行うなど注意が必要である。

なお、UGT1A1に関しては、前述のように活性低下を招く1A1*28、*6の遺伝子多型の頻度が高い。UGT1A1遺伝子多型の影響を受けて抱合が阻害される薬剤（**表6-15**）と、UGT1A1阻害薬（アタザナビル、トラニラスト［リザベン］など）や UGT1A1で抱合される薬剤を併用する場合、患者が UGT1A1活性を低下させる変異型アレルを有していると、両者の血中濃度が上昇して副作用の発現リスクが高くなる。UGT遺伝子多型の影響を受ける薬剤の中には、ラロキシフェン、エゼチミブ、アセトアミノフェンといった、処方頻度が高い薬剤もあるため注意を要する。

続いて、②のバルプロ酸とラモトリギンの併用では、ラモトリギンの消失半減期が約2倍延長するとの報告がある。これは、両剤によるグルクロン酸抱合の競合に起因すると考えられている。ラモトリギンは主にUGT1A4により代謝されることから、バルプロ酸と競合するUGTの分子種はUGT1A4であると考察される。

一方、③はリファンピシンによるUGT分子種の誘導に起因する相互作用である。エゼチミブ（ゼチーア；小腸コレステロールトランスポーター阻害薬）はCYP450による代謝を受けないが、大部分が初回通過効果を受け、小腸粘膜上皮細胞のUGT1A1、肝細胞のUGT1A1・1A3・2B15（ただし2B15に対する親和性は極めて低い）によりグルクロン酸抱合体へと変換されている（Oswald M, et al. Clin Pharmacol Ther.2006;79:206-17.）。またミコフェノール酸は小腸上皮細胞のUGT1A7・1A8・1A9、デフェラシロクスは肝細胞のUGT1A1・1A3、カナグリフロジン（カナグル；SGLT2阻害薬）はUGT1A9・2B4によってグルクロン酸抱合を受ける。既に述べたように、活性型は未変化体と考えられるため、リファンピシンによりこれらのUGT分子種が誘導されると、薬効が減弱することが示されている（☞**表6-4** **B2**）。リファンピシンによる薬効減弱には、PXRを介するMRP2、P-gpの誘導も関与するが（☞**表5-54**）、特にエゼチミブの効果には小腸上皮細胞内のUGT1A1活性が深く関わっている可能性が高く、トランスポーターの誘導だけでなくUGT1A1の遺伝子多型や阻害による薬効増強にも注意が必要だろう。

今後もUGT分子種の阻害・誘導に起因する相互作用の報告は増加していくと考えられるため、常に情報収集を行うことが重要である。

コラム51

チオプリン系薬の代謝と骨髄毒性

メルカプトプリン（6-MP；ロイケリン）やアザチオプリン（イムラン）などのチオプリン系薬の代謝には、キサンチンオキシダーゼ（XOD）やチオプリンメチルトランスフェラーゼ（TPMT；☞**本章［第7節］**）、イノシン一リン酸脱水素酵素（IMPDH）が深く関与している（**図6-4**）。

既に述べたように、細胞内に取り込まれた6-MP（プリン塩基）は、肝XODおよびTPMTで代謝され不活性化されると考えられる。そのため、これらの酵素を阻害すると6-MPの濃度が上昇し、作用・副作用（骨髄毒性など）が増強する恐れがある。

一方、薬効や骨髄・肝などの毒性の発現に関与している主代謝産物は、6-チオグアニンヌクレオチド（6-TGN）および6-メチルチオヌクレオチド（6-メチル化代謝物；特に6-チオGTP）であり、それぞれ6-チオIMPからIMPDHおよびTPMTを経て生成される。

一般に、6-TGNは好中球のDNA合成抑制やT細胞のアポトーシス誘発を介して細胞増殖、免疫抑制効果を発揮し、6-メチル化体はプリン塩基のde novo合成抑制効果を介して骨髄毒性を示すと考えられている（Hindorf U, et al. Gut. 2006；55：1423-31.）。したがって、IMPDHの阻害薬であるリバビリン（レベトール；抗HCV薬）やミコフェノール酸モフェチル（セルセプト）と、チオプリン系薬を併用すると、細胞内のメチル化代謝物の濃度が上昇して骨髄毒性の可能性が高くなると考えられる（併用慎重；**表6-16**）。実際、TPMT活性が正常の患者がリバビリンとアザチオプリンを併用したところ、赤血球での6-メチル化体の濃度が上昇するのに伴い、骨髄毒性が発現したことが報告されている（Aliment Pharmacol Ther.2008;28:984-93.）。

既に述べたように、TPMT阻害薬のメサラジン（ペンタサ）と6-MPを投与した患者で骨髄毒性が認められたとの報告がある（☞**表6-9**）。興味深いことに、この患者の赤血球中6-メチル化代謝物濃度

表 6-15　UGT1A1 の遺伝子多型（活性低下）が問題となる主な薬剤

影響を受ける基質	報告されている事項、臨床上の問題点など
イリノテカン （カンプト、トポテシン）	重篤な副作用（下痢、骨髄抑制［好中球減少[1]］）の発症リスク増大。UGT1A1*28、*6アレル関与[2]。UGT活性代謝産物（SN-38）がUGT1A1で代謝された後、排泄されるため。
ラロキシフェン（エビスタ）	UGT1A1*28/*28では野生型（UGT1A1*1）に比べて、ラロキシフェンの作用増強（股関節の骨密度上昇）、ラロキシフェン抱合体濃度が2倍に上昇（未変化体の増加によるものと考えられる）。ラロキシフェンとビリルビンの血中濃度に相関関係あり（スロベニア）[2][3]。
エゼチミブ（ゼチーア）	UGT1A1*28/*28では野生型に比べて、未変化体エゼチミブの血中濃度曲線下面積（$AUC_{0\text{-}48h}$）が1.77倍に上昇（韓国）[4]。エゼチミブはUGT1A1、1A3で代謝される。
アセトアミノフェン （カロナール）	常用量のアセトアミノフェン長期投与により重篤な肝障害を起こした乳児症例の報告がある（日本）[5]。UGT1A1*6のヘテロ変異、グルタチオン枯渇が関与。乳児ではアセトアミノフェンのグルクロン酸抱合におけるUGT1A1の寄与度が大きいため。アセトアミノフェンはUGT1A1、1A6で代謝される。
ラルテグラビル （アイセントレス）	ラルテグラビルのAUCが増加するが、安全性には問題ない（米国）。UGT1A1*28/*28アレル関与[2][6]。
インジナビル★	総ビリルビン濃度上昇、黄疸のリスク上昇（スイス）[2][7]。UGT1A1*28アレル関与。UGT1A3、UGT1A7遺伝子多型も関与（ドイツ）[2][8]。
アタザナビル （レイアタッツ）	非抱合型（間接）ビリルビン濃度上昇、黄疸のリスク上昇（米国）[9]。UGT1A1*28/*28アレル関与（ドイツ）[8]。UGT1A1阻害に起因する総ビリルビン値上昇が47%と高頻度で発現。
ソラフェニブ（ネクサバール）	UGT1A1*28アレルをヘテロまたはホモ接合体で持つ患者において、ソラフェニブAUC上昇、総ビリルビン値上昇（米国）[10]。ソラフェニブはUGT1A1阻害作用あり。
トシリズマブ（アクテムラ）	UGT1A1*6/*6、*6/*28、*28/*28アレルを持つ関節リウマチ治療患者において、高ビリルビン血症誘発（日本）[11]。
アトルバスタチン （リピトール）	UGT1A1*28ではミオパチーの原因とされる血中ラクトン体（不活性型）が減少、ミオパチーを起こした患者ではラクトン体が2～3倍に増加（韓国）[12]。一方、UGT1A1*28では血中ラクトン体形成が増加、UGT1A3*2ではラクトン体形成が増加（Caucasian：ヨーロッパ系諸民族）[13]。
クロザピン（クロザリル）	UGT1A1（*28/*28）/UGT1A4（*1/*1：野生型アレル）は、UGT1A1（*1/*1）/UGT1A4（*1/*1）と比べて、クロザピンN-グルクロン酸抱合体形成が37%減少（ヒトミクロソーム）[14]。

1）J Natl Cancer Inst.2007;99:1290-5.
2）Hum Genomics.2010;4:238-49.
3）Br J Clin Pharmacol.2009;67:437-44.
4）Eur J Clin Pharmacol.2011;67:39-45.
5）日本小児臨床薬理学会誌 2004;17:93-4.
6）Clin Pharmacol Ther.2009;85:623-7.
7）J Infect Dis.2005;192:1381-6.
8）J Hepatol.2009;50:1010-8.
9）J Antimicrob Chemother.2009;64:1071-9.
10）Clin Cancer Res.2012;18:2099-107.
11）Mod Rheumatol.2012;22:515-23.
12）Mol Diagn Ther.2013;17:233-7.
13）Clin Pharmacol Ther.2010;87:65-73.
14）Pharmacogenet Genomics.2012;22:561-76.

は著しく上昇し、また6-TGN濃度は治療域以下となっていた（Dig Liver Dis.2007；39：182-6.）。チオプリン系薬の代謝経路から考えると、TPMT阻害薬を併用したにもかかわらずなぜ6-メチル化代謝物濃度が上昇したのかは不明である。未知の代謝経路が存在する可能性もあり、今後の研究が待たれる。

以上のように、チオプリン系薬と、その代謝に関与するXODやTPMT、IMPDHの阻害作用を有する薬剤を併用する際は、骨髄毒性の早期発見のため血液検査を頻回に行うなどの対処が必要である。

最近では、チオプリン系薬の代謝酵素であるNudix hydrolase 15 (NUDT15) が注目されている。NUDT15はチオプリン系薬の最終代謝産物（6-チオGTP）を6-チオGMPに変換するサルベージ酵素の一つであり、活性が低下している場合、6-チオGTPが増加するため、骨髄毒性のリスクが高まる。日本人においてArg139Cys遺伝子多型が報告されており (Kakuta,Y.,et al.：J.Gastroenterol. 2018；53：1065-1078)、日本人は約1%でNUDT15活性を著しく低下させるホモ接合対（Cys/Cys)、約20%でヘテロ接合体（Arg/Cys、Cys/His）を有している。これらの患者では、チオプリン系薬の服用による骨髄毒性（白血球減少など）を発症するリスクが高くなる。したがって、わが国ではNUDT15遺伝子多型を確認することが重要であり、初めてチオプリン系薬を開始する時は NUDT15 遺伝子多型検査を実施し、チオプリン系薬の適応を判断すべきである。

表 6-16　チオプリン系薬の代謝に関与する相互作用

	作用する薬剤	作用を受ける薬剤	起こり得る事象
併用慎重	IMPDH 阻害薬:リバビリン（レベトール、コペガス；抗 HCV 薬）	チオプリン系薬：6-MP（ロイケリン；抗白血病薬）、アザチオプリン（アザニン、イムラン；免疫抑制剤）	骨髄毒性誘発。IMPDH 阻害により 6- チオ IMP からメチル化体（6- メチルチオ IMP）への移行が促進され蓄積する。

図 6-4　チオプリン系薬の代謝経路

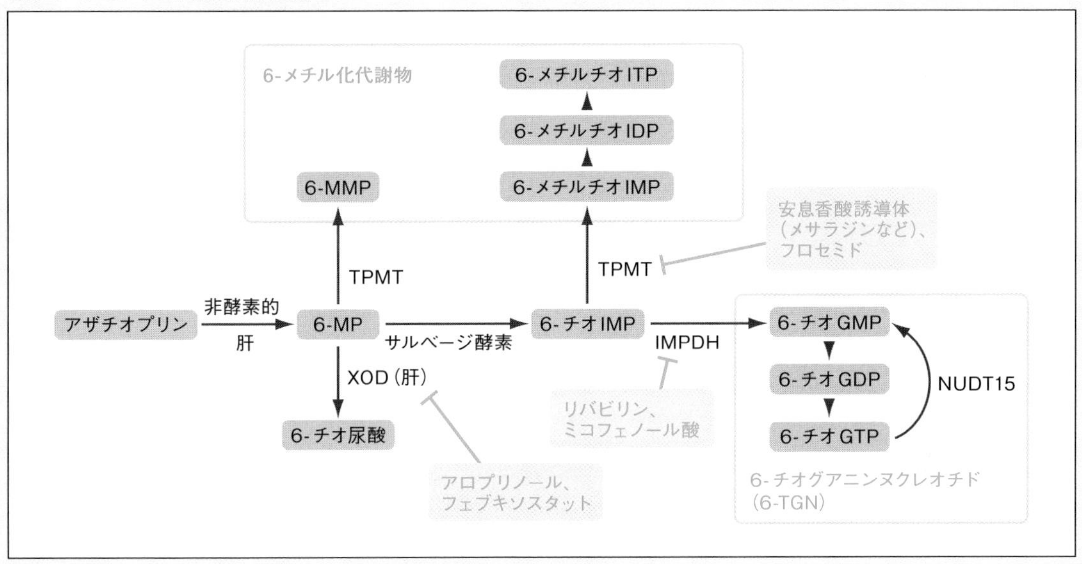

（Peyrin-Biroulet L, et al. Aliment Pharmacol Ther. 2008；28：984-93. 一部改変）

第2部

薬力学的相互作用

作用部位における複数の薬剤の薬理作用の協力・拮抗に起因する相互作用を、薬力学的相互作用（pharmacodynamic drug interaction）という。第 2 部では、主な薬理作用が関与する薬力学的相互作用について、発現機序や症状、注意すべき併用薬や対処法などを解説する。

はじめに

同じ薬理作用を持つ薬剤を相互に併用すると、主作用や副作用が協力して増強する（協力作用）。逆に、相反する薬理作用を持つ薬剤を併用すると、主作用が減弱する（拮抗作用）。このように、作用部位における相互の薬剤の薬理作用の協力および拮抗に起因する相互作用を、「薬力学的相互作用」という。

協力作用とは、それぞれの薬剤を単独で用いた場合よりも効果が大きくなることを指す。現れる相互作用の効果が各薬剤の単独での効果の和に過ぎないときは相加作用、和よりも大きいときは相乗作用となる。一般に、薬剤の作用機序（作用点）が同一の場合は相加的であり、異なる場合では相乗的である。

協力および拮抗作用による相互作用は非常に多いが、薬の作用、副作用を理解していれば容易に把握できる。第2部では、薬の主な薬理作用、副作用を便宜的に分類した上で、薬力学的相互作用の発現機序、対処法、薬を用いる病態、薬の作用、副作用の発現機序、使用上の注意点などについて解説する。

薬力学的相互作用への対処法

まず、薬物相互作用による効果を期待して処方されている場合があることに留意する。例えば、高血圧に対するCa拮抗薬とACE阻害薬のように、異なる作用機序（作用点）で同一効果を及ぼす薬剤の併用などがそれに該当する。

また、副作用を防止するために複数の薬剤が処方されている場合もある。抗精神病薬によるパーキンソニズムを防ぐ目的で抗パーキンソン薬を併用したり、NSAIDsによる消化性潰瘍を防ぐために胃腸薬を併用するといった例が挙げられる。NSAIDsは消化性潰瘍患者への投与が禁忌となっているため、この併用は一見、誤りであると考えがちである。医師によって独自の処方があるので、最初の処方時に直接問い合わせるか、患者への服薬指導の際に、潰瘍や胃炎でないことを本人に確認して投薬すべきである。

併用禁忌とされている組み合わせ以外でも、薬力学的相互作用により作用が減弱したり、作用・副作用が増強したりすると判断した場合は、処方医に疑義照会した方がよい。併用する場合は、常に患者の症状の変化に注意を払う必要があるが、患者には相互作用の可能性について、書面を渡して説明しておくとよい。相互作用が疑われる症状が認められた場合は、患者のQOLに与える影響などを考慮した上で処方医に連絡し、必要に応じて投与量の減量や休薬、薬理作用の異なる同効薬への切り替えを提案する。

第7章　薬の作用に起因する相互作用

同じ薬理作用を持つ薬剤を併用すると、協力作用によって主作用が増強したり、相反する薬理作用を持つ薬剤を併用すると、拮抗作用によって主作用が減弱したりする。本章では、このような薬剤の主作用に起因する相互作用について解説する。

第1節
中枢神経系抑制および興奮

中枢神経系（central nervous system：CNS）用薬およびCNSに作用し得る薬剤（脳代謝改善薬、抗ヒスタミン薬、β遮断薬など）を**表7-1**に示す。便宜上、（1）CNS抑制作用および（2）CNS興奮作用を有する薬剤に分類して示している。

これらの薬剤でよく見られる薬力学的相互作用を**表7-3**に示す。特に、CNS抑制作用を持つ薬剤相互の併用や、アルコールによる協力作用（CNS抑制効果の増強）には注意して対処する。主な相互作用の注意点を以下に解説する。

なお、CNS用薬の交感神経系作用、中枢性抗コリン作用、モノアミンオキシダーゼ（MAO）阻害作用による相互作用については後節で述べる。また、血液脳関門（BBB）を通過する薬剤については**表4-15**参照。

❶ 拮抗作用

近年発売されたナルメフェン塩酸塩（セリンクロ；飲酒量低減薬）はオピオイドμ（ミュー）受容体、δ（デルタ）受容体に対して拮抗作用を有するが、オピオイドκ（カッパ）受容体に対してはパーシャルアゴニスト（部分作動薬）として作用する。従って、オピオイドμ受容体作動薬（**表7-2**）と併用した場合、効果を減弱させるため要注意である（併用禁忌；**表7-3（1）**）。

また、ブプレノルフィン塩酸塩（レペタン）、ペンタゾシン塩酸塩（ソセゴン）は、オピオイドμ受容体のパーシャルアゴニスト（部分的作動薬、部分的アゴニスト）である（**表7-2**）。従ってこれらの薬剤とμ（受容体）作動薬と併用した場合、μ作動薬の鎮痛効果を減弱させる恐れや、急に中止した場合に起こる退薬症候を起こすことがある。特にナルメフェンでは併用禁忌であるため要注意である。

つまり、パーシャルアゴニスト（部分作動薬）は、受容体を少しだけ活性化させるが、受容体の状態によって、活性化薬にも阻害薬にもなる。例えば、受容体を100％活性化する薬剤をアゴニストとすると、受容体を40％まで活性化させるパーシャルアゴニストは、受容体の活性化が不十分の状態では40％まで活性化するが、受容体が十分活性化されている状態では、逆に受容体の活性を60％阻害してしまう。つまり、モルヒネなどのμ作動薬の投与によってμ受容体が十分活性化されている場合に、パーシャルアゴニストのブプレノルフィンを併用投与すると、μ受容体の活性化が阻害されて鎮痛効果が減弱すると考えられる。その他、DSSのアリピプラゾール（エビリファイ）もドパミンD_2受容体を完全に遮断するのではなく、シナプス間隙のドパミン濃度の高・低に応じてD_2受容体を遮断・刺激するパーシャルアゴニストであるという特徴がある。また2018年4月に発売されたセロトニン-ド

表 7-1　中枢神経系（CNS）に作用する主な薬剤

（1）CNS抑制作用を有する薬剤（CNS抑制薬）

a）CNS用薬

● 麻酔薬（**ハロゲンなどの吸入麻酔薬**）→心臓のカテコールアミン（CA）に対する感受性の増大作用がある。

● 催眠・鎮静薬
- BZP系薬
- 非BZP系薬：ゾルピデム（マイスリー）、ゾピクロン（アモバン）、エスゾピクロン（ルネスタ）
- バルビツール酸系薬：フェノバルビタール、プリミドン（プリミドン→代謝されフェノバルビタールとなる）など
- 非バルビツール酸系薬：カルバミン酸★、抱水クロラール（エスクレ）、トリクロホス（トリクロリール）、ブロモバレリル尿素（ブロバリン）、セミコハク酸ブトクタミド★、リルマザホン（リスミー→体内でBZP環になる）、ブロム塩製剤（臭化カリウム「ヤマゼン」など）
- メラトニン受容体アゴニスト：ラメルテオン（ロゼレム→不眠症における入眠困難改善）、メラトニン（メラトベル）
- オレキシン受容体拮抗薬：スボレキサント（ベルソムラ）

● 制吐薬；NK_1受容体拮抗薬
- アプレピタント（イメンド）→脳内サブスタンスPの受容体であるNK_1受容体遮断。抗癌剤投与の遅発性悪心・嘔吐抑制。

● 末梢性神経障害性疼痛治療薬
- プレガバリン（リリカ）→グルタミンなどの神経伝達物質遊離抑制、疼痛抑制。

● 抗痙攣薬
- 抗てんかん薬：バルビツール酸系薬（フェノバルビタール［フェノバール］、プリミドン［プリミドン］）、ヒダントイン系薬（フェニトイン［アレビアチン］など）、バルプロ酸（デパケン）、カルバマゼピン（テグレトール）、トピラマート（トピナ）、トリメタジオン（ミノアレ）、エトスクシミド（ザロンチン）、スルチアム（オスポロット）、ゾニサミド（エクセグラン）、ゾニサミド（エクセグラン）、ペランパネル（フィコンパ）、アセチルフェネトライド（クランポール；アセチル尿素系）、BZP系薬（ニトラゼパム［ネルボン、ベンザリン］、ジアゼパム［ダイアップ坐剤］、クロナゼパム［ランドセン、リボトリール］、クロバザム［マイスタン］）、アセタゾラミド（ダイアモックス）など
- 中枢性筋弛緩薬：エペリゾン（ミオナール）、トルペリゾン（ムスカルム）、クロルフェネシン（リンラキサー）、バクロフェン（ギャバロン）、フェンプロバメート★、メトカルバモール（ロバキシン）、**チザニジン**（テルネリン→α_2刺激作用あり）、プリジノール（ロキシーン）、クロルメザノン★など

● 抗パーキンソン薬[※1]（幻覚、せん妄、興奮誘発作用あり）
- **レボドパ**[※2]（ドパストン；ドパミン前駆体）
- **ドロキシドパ**（ドプス；NAd前駆体）
- アマンタジン（シンメトレル；ドパミン遊離促進→幻覚、攻撃性、意識レベル低下、昏睡、せん妄誘発など［本来は抗ウイルス薬］）
- **MAO-B阻害薬：セレギリン**（エフピー）、ラサギリン（アジレクト）、サフィナミド（エクフィナ）、**ゾニサミド**（エクセグラン、トレリーフ）
- **ドパミン作動薬**（ドパミンD_2受容体刺激薬）：**ブロモクリプチン**（パーロデル；麦角系）、**ペルゴリド**（ペルマックス；麦角系）、**カベルゴリン**（カバサール；麦角系）、**タリペキソール**[※3]（ドミン；非麦角系→抗$5\text{-}HT_3$作用、α_2刺激作用あり）、**プラミペキソール**（ビ・シフロール；非麦角系）、**ロピニロール**（レキップ；非麦角系）、ロチゴチン（ニュープロパッチ［経皮吸収型製剤］；非麦角系→突発性レストレスレッグス症候群にも適応あり）
- 中枢性抗コリン薬：プロフェナミン（パーキン）、トリヘキシフェニジル（アーテン）、ビペリデン（アキネトン）、ピロヘプチン（トリモール）、メチキセン★、マザチコール（ペントナ）など
- 抗コリン薬：スコポラミン臭化水素酸塩水和物（ハイスコ；ベラドンナアルカロイド）
- COMT阻害薬（エンタカポン［コムタン］→レボドパ・カルビドパまたはレボドパ・ベンセラジド治療中の症状の日内変動［wearing off現象］の改善のため併用）
- アデノシンA_{2A}受容体拮抗薬：イストラデフィリン（ノウリアスト→レボドパ含有製剤治療中のwearing off現象の改善に併用使用）

● 中枢性鎮痛・鎮咳薬
- 麻薬（アヘンアルカロイド系）：アヘン、モルヒネ、モルヒネ硫酸塩徐放製剤（MSコンチン、カディアン）、コデイン、ジヒドロコデイン、オキシコドン（オキシコンチン）、ペチジン（オピスタン；鎮痛効果はモルヒネとコデインの中間）、フェンタニル（アブストラル、イーフェン、デュロテップ、ワンデュロ、フェントス）、メサドン（メサペイン；NMDA受容体阻害作用）、タペンタドール（タペンタ；NAd再取り込み阻害作用）、ヒドロモルフォン（ナルサス）
- 非麻薬性鎮咳薬：デキストロメトルファン（メジコン）、エプラジノン（レスプレン）、チペピジン（アスベリン）、クロフェダノール（コルドリン）、ジメモルファン（アストミン）、ペントキシベリン（トクレス）、クロペラスチン（フスタゾール）など
- 非麻薬性鎮痛薬：ブプレノルフィン（レペタン、ノルスパン；パーシャルアゴニスト）、ペンタゾシン（ソセゴン；μ受容体パーシャルアゴニスト）、トラマドール（トラマール→中枢5-HT・NAd再取り込み阻害［SNRI］作用と弱いμ作動作用）など

太字は交感神経受容体の変化を起こし得る薬剤（☞ 本章［第2節］）。

表 7-1（つづき）　中枢神経系（CNS）に作用する主な薬剤

● 向精神薬

・抗精神病薬[※1]

抗ドパミン薬:**フェノチアジン系薬、ブチロフェノン系薬**、ベンズアミド系薬（**スルトプリド**［バルネチール］、ネモナプリド［エミレース］、スルピリド［ドグマチール］、チアプリド［グラマリール］など）、**SDA**（$5\text{-HT}_2/\text{D}_2$アンタゴニスト：リスペリドン［リスパダール］、パリペリドン［インヴェガ；9－ヒドロキシリスペリドン］、ペロスピロン［ルーラン］）、**MARTA**（オランザピン［ジプレキサ］、クエチアピン［セロクエル］）、**DSS**（アリピプラゾール［エビリファイ］）、SDAM（ブレクスピプラゾール［レキサルティ］）、**DSA**（ブロナンセリン［ロナセン］）、**ルラシドン**［ラツーダ；抗精神病薬/双極性障害のうつ症状治療薬］、**クロザピン**（クロザリル；治療抵抗性統合失調症治療薬）、**レセルピン**（アポプロン→NAd枯渇；高血圧、フェノチアジン系の使用困難な統合失調症に用いられる）、オキシペルチン（ホーリット→脳内NAdの遊離を促進して枯渇させる）など

・抗不安薬：BZP系薬、ヒドロキシジン（アタラックス；抗ヒスタミン作用）、タンドスピロン[※3]（セディール；5-HT_{1A}作動）

・抗うつ薬[※1]

三環系[※3]・四環系抗うつ薬（**マプロチリン**［ルジオミール］→NAd再取り込み阻害）、スルピリド（ドグマチール；ベンズアミド系）、四環系（**ミアンセリン**［テトラミド］、**セチプチリン**［テシプール］など→α_2遮断）、**トラゾドン**[※3]（デジレル→5-HT再取り込み阻害。α遮断作用あり）、SSRI（フルボキサミン[※3]［デプロメール］、パロキセチン[※3]［パキシル］、セルトラリン［ジェイゾロフト］、エスシタロプラム［レクサプロ］）、SNRI（**ミルナシプラン**[※3]［トレドミン］、**デュロキセチン**［サインバルタ］、ベンラファキシン［イフェクサー］）、NaSSA（**ミルタザピン**[※3]［レメロン］）、**サフラジン**（非選択的MAO阻害薬→CA分解阻害）、炭酸リチウム（リーマス→CA遊離促進作用、IP_3を介した5-HT作用増強[※3]；主に躁病に有効）

●非律動性不随意運動治療薬（抗舞踏運動薬）：**テトラベナジン**（コレアジン；モノアミン枯渇→投与初期はモノアミン作用増強、継続投与でモノアミン作用抑制）

● 注意欠陥・多動性障害治療薬（抗AD/HD薬）：**アトモキセチン**（ストラテラ；選択的NAd再取り込み阻害薬）、**アンフェタミン系薬**（**メチルフェニデート**［リタリン、コンサータ］、**リスデキサンフェタミン**［ビバンセ］）

● 中枢性降圧薬（α_2刺激薬）

・**クロニジン**（カタプレス）、**グアナベンズ**（ワイテンス）、グアンファシン★、**メチルドパ**（アルドメット）

●抗認知症薬：メマンチン（メマリー；NMDA受容体拮抗薬）→投与開始初期のめまい、傾眠、過度鎮静などに要注意。幻覚、錯乱、せん妄なども発症。

b）CNSを抑制し得る薬剤・物質

・**アルコール**（飲酒、エタノール）

・***β*遮断薬**（BBBを通過する薬剤、☞**p.149「参考」**）：プロプラノロール（インデラル）、ベタキソロール（ケルロング）など→うつ症状に注意

・抗ヒスタミン薬（BBBを通過）：クロルフェニラミン（ペレックス配合顆粒に含有）、プロメタジンメチレンジサリチル酸塩（PL配合顆粒に含有）、シプロヘプタジン[※3]（ペリアクチン→摂食中枢刺激作用、体重増加）、ダンリッチ★（抗ヒスタミン［ジフェニルピラリン］、抗コリン［イソプロパミド］、交感神経刺激［**フェニルプロパノールアミン★**］作用あり）、ジメンヒドリナート（ドラマミン）、ジフェンヒドラミン・**ジプロフィリン**含有（**トラベルミン**）など（☞**表7-20**）

・抗アレルギー薬（BBBを通過）：ケトチフェン（ザジテン）、アゼラスチン（アゼプチン）、オキサトミド（セルテクト）など

・サリドマイド（サレド；抗多発性骨肉腫薬）

・虚血性脳障害改善薬：ニゾフェノン★（→PGI_2生成促進：抗痙攣、鎮静作用）

・解熱鎮痛薬：感冒薬、ジメトチアジン[※3]（ミグリステン；フェノチアジン系、抗5-HT薬→片頭痛に用いる）、ワクシニアウイルス接種家兎炎症皮膚抽出液含有製剤（ノイロトロピン；鎮痛薬）など

・抗菌薬：テリスロマイシン★（ケトライド系薬）、モキシフロキサシン（アベロックス；キノロン系薬）**→突然の意識消失、意識レベルの低下、視調節障害（発現機序不明）。自動車運転などの危険を伴う機械の操作はさせない。**

・オセルタミビル（タミフル；抗インフルエンザ薬）→**異常行動**（発現機序不明）

・シンバスタチン（リポバス）→**記憶障害**（機序不明）。水溶性スタチンで改善。脂溶性のためBBBを通過し、脳内のミエリン生成に影響？

太字は交感神経受容体の変化を起こし得る薬剤。

※1　CNS抑制、興奮の両作用がある。また、末梢のドパミンは血管拡張作用（NAd遊離抑制）を示すためドパミン作動薬（抗パーキンソン薬など）は起立性低血圧を引き起こすことあり（☞**表7-36**）。「定型」および「非定型」抗精神病薬については**コラム72**参照。

※2　パーキンソン病の進行につれて脳内NAd系も障害を受けるため、ドロキシドパはこれを補給するのに用いる。

※3　5-HT受容体の作用は**付A**参照。

★ 販売中止または国内未発売

表 7-1（つづき） 中枢神経系（CNS）に作用する主な薬剤

（2）CNS興奮作用を有する薬剤（CNS興奮薬）

a）CNS用薬

- 抗パーキンソン薬※1→幻覚、せん妄、睡眠障害など。
- 抗精神病薬※1、抗うつ薬※1
- 抗認知症薬（AChE阻害薬）：ドネペジル（アリセプト）、ガランタミン（レミニール）、リバスチグミン（イクセロン）→不眠、興奮、幻覚、せん妄、錯乱など。
- **キサンチン系薬**（カフェイン［PL配合顆粒に含有］、ジプロフィリン［トラベルミン配合錠に含有］、プロキシフィリン［アストモリジン配合腸溶錠・胃溶錠に含有］、アミノフィリン［ネオフィリン］、テオフィリン［テオドール］など）
- 覚醒アミン（モノアミン遊離薬）：**メタンフェタミン**★、**アンフェタミン**★、アンフェタミン系薬（**マジンドール**［サノレックス→食欲抑制薬］、**メチルフェニデート**［コンサータ、リタリン］、**ペモリン**［ベタナミン］など）
- 呼吸中枢（延髄）刺激薬：**ドキサプラム**（ドプラム→末梢受容器に作用し反射的中枢興奮。強心、昇圧作用あり）、フルマゼニル（アネキセート→BZP受容体拮抗作用）

b）その他

- バレニクリン（チャンピックス：禁煙補助薬）→攻撃、抑うつ、自殺念慮、興奮、意識障害、めまい、眠気など。自動車事故に至る例も報告されている。
- 脳代謝改善薬→興奮、痙攣誘発。
- **甲状腺ホルモン製剤**→β受容体の増加作用、心臓のCAに対する感受性の増大作用。
- 三級アミンを有する局所麻酔薬：コカイン（麻薬）、合成局所麻酔薬（プロカイン［プロカイン塩酸塩］、ジブカイン［ネオビタカイン注に配合］、リドカイン［キシロカイン］など）→末梢神経薬だが三級アミンはBBBを通過。
- HIVプロテアーゼ阻害薬（リトナビル［ノービア］、インジナビル★、サキナビル★など）→幻覚、錯乱、痙攣などの誘発。
- ナルフラフィン（レミッチ；κ作動薬、そう痒症改善薬）→不眠、便秘、眠気。
- シタフロキサシン（グレースビット）→錯乱、せん妄、幻覚など。

太字は交感神経受容体の変化を起こし得る薬剤。　★販売中止

※1　CNS抑制、興奮の両作用がある。また、末梢のドパミンは血管拡張作用（NAd遊離抑制）を示すためドパミン作動薬（抗パーキンソン薬など）は起立性低血圧を引き起こすことあり（☞**表7-36**）。「定型」および「非定型」抗精神病薬については**コラム72**参照。

表 7-2　各オピオイドのオピオイド受容体タイプに対する結合親和性と代謝

オピオイド	μ受容体	δ受容体	κ受容体	代謝	代謝物（鎮痛活性の有無）
モルヒネ（麻薬）	+++		+	グルクロン酸抱合	M6G（有）
				グルクロン酸抱合	M3G※1
ヒドロモルフォン	+++			グルクロン酸抱合	ヒドロモルフォン-3-グルクロニド（有：約1/2,280と弱い）
コデイン（麻薬）	+			CYP2D6	モルヒネ（有）
オキシコドン（麻薬）	+++			CYP2D6	オキシモルフォン（有）
				CYP3A4	ノルオキシコドン（無）
フェンタニル（麻薬）	+++			CYP3A4	ノルフェンタニル（無）
メサドン（麻薬）	+++			CYP3A4・2B6	EDDP（無）
トラマドール	+※2			CYP2D6・2B6	O-デスメチルトラマドール（M1；有）
				CYP3A4	N-デスメチルトラマドール（無）
タペンタドール（麻薬）	+			グルクロン酸抱合	タペンタドールO-グルクロニド（無）
ブプレノルフィン	+++（P）	++（P）	+++（P）	CYP3A4	ノルブプレノルフィン（有：弱い）
ペンタゾシン	++（P）	+	++	グルクロン酸抱合	ペンタゾシングルクロニド（無）

（日本緩和医療学会『がん疼痛の薬物療法に関するガイドライン2014年版』を基に一部改変）

M6G；モルヒネ-6-グルクロニド　M3G；モルヒネ-3-グルクロニド　EDDP；2-ethylidene-1,5-dimethyl-3,3-diphenylpyrrolidine

（P）パーシャルアゴニスト（部分作動薬）であることを示す。

※1　鎮痛活性はないが神経毒性を有しているとの報告もある。

※2　トラマドール自体に結合親和性はなく、代謝物が部分作動薬として作用する。

パミンアクティビティモジュレーター（SDAM）のブレクスピプラゾール（レキサルティ）は、アリピプラゾールと比較して強力なセロトニン作用を示し、ドパミンD2受容体に対する刺激作用を弱めた機能的アンタゴニスト作用を有する。

なお、オピオイドは、オピオイド受容体（GPCR ☞付C）に結合して作用を示す物質の総称であり、疼痛伝達を抑制して鎮痛効果をもたらす。CNS に存在するオピオイド受容体にはμ（ミュー）、δ（デルタ）、κ（カッパ）などが知られているほか、σ（シグマ）というサブタイプも提唱されている。モルヒネ、コデイン（代謝されてモルヒネになる）、オキシコドン（オキシコドン）、フェンタニル（アブストラル、イーフェン、デュロテップ、ワンデュロ、フェントス）、メサドン塩酸塩（メサペイン；NMDA 受容体阻害作用あり）、トラマドール塩酸塩（トラマール、トラムセット配合錠）、タペンタドール塩酸塩（タペンタ）などはμ作動薬、またオピオイド受容体のパーシャルアゴニストであるブプレノルフィン塩酸塩（レペタン、ノルスパン）はμ作動薬であり、ペンタゾシン塩酸塩（ソセゴン）はκ作動薬でありμ受容体に対するパーシャルアゴニストである。その他、エプタゾシン臭化水素酸塩（セダペイン）、ナルフラフィン塩酸塩（レミッチ；そう痒症改善薬）はκ作動薬であり、メキシレチン塩酸塩（メキシチール）による糖尿病性神経障害を伴う自覚症状（自発痛、しびれ）の改善効果には、δ作動作用も関与している（☞本章［第8節❺］）。ちなみに、μ作動性鎮痛薬のトラマドールでは意識消失が現れることがあり、自動車事故に至った例も報告されている。また、アルコール、睡眠薬、鎮痛薬、オピオイド鎮痛薬または向精神薬による急性中毒患者へのトラマドールの投与は、CNS 抑制、呼吸抑制を悪化させる恐れがあるため禁忌である。また、コデイン、トラマドールは重篤な呼吸抑制があらわれる可能性があるため、12歳未満の小児、18歳未満の肥満患者、閉塞性睡眠時無呼吸症候群または重篤な肺疾患を有する患者、18歳未満の扁桃摘除術後またはアデノイド切除術後の鎮痛には使用しないこととされている。

動態学的な相互作用では、CYP3A4で代謝されるオピオイド系鎮痛薬の場合、CYP3A4阻害薬や誘導薬（PXR 活性化薬）との併用により血中濃度（鎮痛効果）が増減しやすいことに注意する。これは、オピオイド系鎮痛薬の CYP3A4 に対する親和性が弱いためである。また、CYP2D6で代謝されて活性化される場合が多いため、CYP2D6の阻害や遺伝子多型の影響にも注意した方がよい。

参考

トラマドールとタペンタドール

トラマドール（トラマール；非麻薬性）には活性代謝物 M1 によるμ作動作用以外にも未変化体による SNRI 作用があり、5-HT、NAd の再取り込みを抑制し、シナプス間隙の 5-HT、NAd 量を増加させて、下行性疼痛抑制神経系（NAd 神経系、5-HT 神経系［主］）を活性化する。つまりトラマドールは、μ受容体に対する弱い親和性と SNRI 作用の相乗効果により鎮痛効果を発揮する。一般的に、5-HT の鎮痛作用は NAd より弱いことが知られており、5-HT 作動作用は、セロトニン症候群発症の原因となり、神経障害性疼痛（痛覚を伝える神経の直接的な損傷やこれらの神経の疾患に起因する痛み）を助長する恐れが指摘されている。またトラマドールは CYP2D6、2B6 で代謝され活性代謝物 M1（μオピオイド作用）となるため、これら CYP450 活性や遺伝子多型の影響を受けて薬効が増減する可能性もある。

2014 年 8 月に登場したタペンタドール塩酸塩（タペンタ；麻薬）はトラマドールを改良した薬剤であり、トラマドールのμ作動作用や NAd 再取り込み阻害作用を強め、5-HT 再取り込み阻害作用を弱めて 5-HT による影響を減らしているため、より安全、効率的に

表 7-3　中枢神経系（CNS）の抑制および興奮に関わる主な相互作用

（1）拮抗作用

	薬剤A	薬剤B	併用により起こり得る事象など
併用禁忌	ナルメフェン （セリンクロ：飲酒量低減薬）	オピオイド系μ受容体作動薬（鎮痛、麻酔）（ただし、緊急事態により使用する場合を除く）モルヒネ（MSコンチン等）、フェンタニル（フェントス等）、フェンタニル・ドロペリドール（タラモナール）、レミフェンタニル（アルチバ等）、オキシコドン（オキシコンチン等）、メサドン（メサペイン）、ブプレノルフィン（ノルスパン等）、タペンタドール（タペンタ）、トラマドール（トラマール等）、トラマドール・アセトアミノフェン（トラムセット）、ペチジン、ペチジン・レバロルファン（ペチロルファン）、ペンタゾシン（ソセゴン等）、ヒドロモルフォン（ナルサス等）	オピオイドμ受容体の競合的阻害。離脱症状の出現、オピオイド系薬剤の鎮痛作用減弱、必要投与量が増加する恐れ。緊急手術などでオピオイド受容体作動薬を使用する場合、同薬の投与量は漸増し、呼吸抑制などのCNS抑制症状に注意。事前にオピオイド受容体作動薬の使用が分かる場合、少なくとも1週間前にナルメフェンの使用を中止。
併用注意		オピオイド系薬剤（併用禁忌の薬剤を除く） コデイン、ジヒドロコデイン、ロペラミド、トリメブチン等	オピオイド受容体作動薬の効果減弱のため効果を得られない可能性がある。
併用慎重	ブプレノルフィン（レペタン）	モルヒネ（モルヒネ塩酸塩）	モルヒネ効果減弱、禁断症状惹起。高用量（8mg連続皮下投与）においてモルヒネの鎮痛効果に拮抗。ブプレノルフィンはμ受容体のパーシャルアゴニストである。
	μ受容体部分アゴニスト（ブプレノルフィン［レペタン、ノルスパン］、ペンタゾシン［ソセゴン］）	μ作動薬（トラマドール［トラマール、トラムセット配合錠］、タペンタドール［タペンタ］、オキシコドン［オキシコンチン］、メサドン［メサペイン］、ヒドロモルフォン［ナルサス］など）	B剤の鎮痛効果が減弱。また急に中止した場合に起こるモルヒネ退薬症候を起こす恐れがある。A剤はμ受容体のパーシャルアゴニストである。
	オピオイド系薬	ナルフラフィン（レミッチ；κ作動薬；そう痒症治療薬）	ナルフラフィンの作用が減弱（または増強）する。拮抗（または増強）が考えられる。

表 7-3（つづき）　中枢神経系（CNS）の抑制および興奮に関わる主な相互作用

（2）協力作用

a）CNS 抑制

	薬剤A	薬剤B	併用により起こり得る事象など
併用禁忌	抗精神病薬：フェノチアジン系、ブチロフェノン系、イミノジベンジル系、ベンズアミド系（ネモナプリド［エミレース］、スルトプリド［バルネチール］）、チエピン系（ゾテピン［ロドピン］）、SDA、MARTA、DSS	CNS 抑制薬（バルビツール酸誘導体や麻酔薬など）の強い影響下にある患者	CNS 抑制作用が増強する恐れ。
原則禁忌	向精神薬	アルコール（飲酒）	原則的に禁酒。フェノチアジン系薬ではアンタビュース効果、アルコール中毒もあり（☞**表 6-3**）。
	BZP 系薬	アルコール（飲酒）	一過性健忘、記憶障害、もうろうなど。
		CNS 抑制薬	バルビツール酸系との併用では、抗痙攣作用増強の可能性。
	ゾピクロン（アモバン）、エスゾピクロン（ルネスタ）	アルコール（飲酒）、CNS 抑制薬、筋弛緩薬	相加的に作用増強の可能性。
	スボレキサント（ベルソムラ；オレキシン受容体拮抗薬）	アルコール（飲酒）	相加的な精神運動機能の低下。**服用時の飲酒は控えさせる。**CNS 抑制薬の併用は注意。
	パリペリドン製剤（インヴェガ、ゼプリオン水懸筋注）	リスペリドン製剤（リスパダール、リスパダールコンスタ筋注用）	抗精神病作用、副作用（錐体外路症状など）増強の恐れ。パリペリドンはリスペリドンの主活性代謝物であるため。基本的には、経口パリペリドン（インヴェガ；徐放性）と経口リスペリドン（リスパダール）との併用およびパリペリドン水懸筋注（ゼプリオン；持効性；単独投与で使用）とリスペリドン製剤、経口パリペリドンとの併用は避ける。
併用慎重	中枢性筋弛緩薬	アルコール（飲酒）、CNS 抑制薬	鎮静増強、判断力低下。
	麻薬性鎮痛・鎮咳薬	アルコール（飲酒）、CNS 抑制薬（β遮断薬、バルビツール酸系、フェノチアジン系、吸入麻酔薬、三環系抗うつ薬）	呼吸抑制、低体温、低血圧、昏睡など。
	バルビツール酸系薬	アルコール（飲酒）	急性では代謝抑制、慢性では促進。アルコールは主に CNS 抑制作用。
		CNS 抑制薬（三環系抗うつ薬、フェノチアジン系、抗パーキンソン薬、抗ヒスタミン薬、スコポラミン臭化水素酸塩水和物［ハイスコ；ベラドンナアルカロイド］、レセルピン［アポプロン］）	三環系抗うつ薬との併用では、低血圧、徐脈、呼吸抑制に注意する。フェノチアジン系との併用は以下参照。
併用慎重	アンフェタミン、甲状腺ホルモン製剤	ペチジン（オピスタン）	鎮痛作用増強。
	BZP 系薬	抗うつ薬	記憶障害、集中困難、混乱、見当識障害、中枢性抗コリン徴候など。
	スボレキサント（ベルソムラ；オレキシン受容体拮抗薬）	CNS 抑制薬	CNS 抑制作用増強の恐れ。パロキセチンとの併用時、相加的な精神運動機能の低下。
	フェノチアジン系薬	CNS 抑制薬（麻酔薬、鎮静鎮痛薬、抗ヒスタミン薬、感冒薬、モルヒネ、バルビツール酸系薬、β遮断薬）	モルヒネとの併用では、縮瞳・鎮静・鎮痛作用増強。バルビツール酸系との併用では鎮痛作用が増強するが、抗痙攣作用は増強しない。β遮断薬との併用では、相加的血圧低下、相互代謝抑制（☞**表 5-29**）もある。
	オピオイド系鎮痛薬	ガバペンチン（ガバペン；抗てんかん薬）	傾眠、鎮静、呼吸抑制の恐れ。モルヒネとの併用によりガバペンチンの Cmax、AUC が 24%、44%上昇（機序不明）。

併用慎重	プレガバリン（リリカ；末梢性神経障害性疼痛治療薬）	オピオイド系鎮痛薬	呼吸不全、昏睡の恐れ。
		オキシコドン（オキノーム、オキシコンチン）、ロラゼパム（ワイパックス）、アルコール	相加的に認知および粗大運動機能低下。
	中枢性降圧薬（α_2刺激薬）	アルコール（飲酒）、CNS抑制薬	低血圧、反射性の頻脈。
	ブプレノルフィン（レペタン）	アルコール（飲酒）、CNS抑制薬（BZP系薬、催眠・鎮静薬）	ニトラゼパム（ネルボン）で重篤な呼吸抑制例。
	ニゾフェノン★（脳代謝改善薬）	アルコール（飲酒）、CNS抑制薬（バルビツール酸系など）	鎮静作用増強（ニゾフェノンフマル酸塩はPGI_2合成促進・抗痙攣・鎮静作用あり）。
	カルバマゼピン（テグレトール）、非バルビツール酸系薬、抗ヒスタミン薬、解熱鎮痛薬、中枢性鎮咳薬など	アルコール（飲酒）、CNS抑制薬	CNS抑制作用の増強。
	メマンチン（メマリー；NMDA受容体拮抗薬）	抗認知症薬（AChE阻害薬）：ドネペジル（アリセプト）、ガランタミン（レミニール）、リバスチグミン（イクセロン）	めまい、傾眠、眠気、過度鎮静。
		NMDA受容体拮抗作用を有する薬剤：アマンタジン（シンメトレル）、デキストロメトルファン（メジコン）など	NMDA受容体拮抗作用増強。めまい、傾眠、鎮静、意識消失、幻覚など注意。アマンタジンではドパミン作動作用協力関与。
		ドパミン作動薬（抗パーキンソン薬；レボドパなど）	ドパミン作動作用増強。幻覚、せん妄、CNS抑制、胃腸障害など。
	テトラベナジン（コレアジン；非律動性不随意運動治療薬）	アルコール（飲酒）、CNS抑制薬	作用増強。鎮静、傾眠の悪化。
	ペランパネル（フィコンパ；抗てんかん薬）	アルコール（飲酒）	精神運動機能の低下が増強する恐れ。
b）CNS興奮			
併用慎重	リスデキサンフェタミン（ビバンセ；抗ADHD薬；アンフェタミン系薬）	メチルフェニデート（コンサータ；抗ADHD薬；アンフェタミン系薬）	相加作用の恐れがあるため、併用を避けることが望ましい。
	ジフェンヒドラミン・ジプロフィリン配合（トラベルミン）、キサンチン系薬	CNS興奮薬、キサンチン系薬	CNS刺激協力。
	アマンタジン（シンメトレル；ドパミン作動薬）	CNS興奮薬（抗パーキンソン薬、メタンフェタミン、マジンドール［サノレックス］など）	アマンタジンの副作用（幻覚、妄想）誘発。
	ドキサプラム（ドプラム；呼吸中枢興奮作用）	交感神経刺激薬	相乗的血圧上昇。

鎮痛効果を発揮すると考えられている。またタペンタドールは未変化体が活性体であり、CYP450でほとんど代謝されず、主にグルクロン酸抱合により代謝されるため、トラマドールのようにCYP2D6、2B6の活性変化によって薬効が増減することなく、より安定した鎮痛作用を発揮するとされている。

❷ 協力作用

バルビツール酸系薬や麻酔薬などのCNS抑制薬の強い影響下にある患者への抗精神病薬の投与は禁忌である。

また、向精神薬を服用中の患者は、原則として飲酒は禁止である（アルコールが関与する薬力学的相互作用は**表7-8**参照）。これは過度の眠気、鎮静のみならず、暴力念慮、自殺企画、心機能障害、呼吸抑制、昏睡などの致命的な作用が現れやすくなるためである。また、抗パーキンソン薬を服用中の患者も飲酒を禁止させる。フェノチアジン系薬では、飲酒によるアンタビュース効果にも注意する（☞**表6-3**）。その他のアルコールの薬理作用には、末梢血管拡張、胃酸分泌促進（少量のアルコールでも食欲・消化促進）、血糖値変動、利尿（脳下垂体後葉の抗利尿ホルモン分泌抑制）などがある（☞**表7-8**）。なお、アルコールによるCNS抑制薬の作用増強には、肝CYP450酵素阻害も関与している（ただし、長期飲酒ではCYP450酵素が誘導されるため薬効が減弱する；☞**表5-58**）。

BZP系薬も、飲酒およびCNS抑制薬との併用は原則禁忌である。アルコールはBZP系の睡眠薬に比べて筋弛緩や離脱症状、臓器障害などの作用が強く、しかも耐性を形成するため依存症になりやすい。患者によっては、寝つきをよくするために就寝前に少量のアルコールを摂取することがあるので、BZP系薬を投薬する際には必ず飲酒状況を尋ね、寝酒の習慣がある患者に対しては、アルコールが睡眠導入の方法として安全ではないことを説明する（症例参照）。

また、BZP系薬（ゾピクロン［アモバン；非BZP構造］含む）およびアルコールは、中枢神経のBZP受容体に結合してGABAの受容体結合を促進させ、抗痙攣（筋弛緩）作用を示すと考えられていることから、筋弛緩薬や抗痙攣薬との併用による協力作用にも注意する（☞**第8章［第1節］**）。特にゾピクロンと筋弛緩薬の併用は原則禁忌である。なお、ゾピクロンの薬理活性の大部分を有するS体のエスゾピクロン（ルネスタ）の筋弛緩作用はゾピクロンより弱いと考えられているが、筋弛緩薬との併用は同様に原則禁忌である。

一方、オレキシン受容体拮抗薬であるスボレキサント（ベルソムラ；不眠症治療薬）と飲酒、CNS抑制薬との併用は、傾眠、疲労、悪夢などの精神運動機能を相加的に低下させる可能性があり注意が必要である。特に飲酒との相互作用は、添付文書上は「併用注意」であるが、措置方法は「服用時に飲酒は避けさせること」と記載されており、スボレキサントを交付する際は、服用時の飲酒を避けるよう指導することが肝要である。

また、抗精神病薬のパリペリドン製剤とリスペリドン製剤との併用は、リスペリドンの活性代謝物がパリペリドンであるため原則禁忌である。基本的には、経口パリペリドン（インヴェガ）と経口リスペリドン（リスパダール）との併用、およびパリペリドン持効性懸濁注射液（ゼプリオン水懸筋注；基本的に単独使用）とリスペリドン製剤（経口リスペリドン、リスペリドン持効性懸濁注射液［リスパダールコンスタ筋注用］）、経口パリペリドンとの併用は避ける。パリペリドン水懸筋注では、同薬との因果関係は不明であるが、死亡例による安全性情報（ブルーレター）が出されているため注意が必要である（**p.418**参照）。

麻薬性鎮痛・鎮咳薬（コデインリン酸塩水和物［コデインリン酸塩］など）は、呼吸中枢抑制作用が強く、バルビツール酸系薬やフェノチアジン系薬、クラーレ様作用薬（☞**表7-27**）、三環系抗うつ薬との併用では、著しく呼吸が抑制される。また、バルビツール酸系薬と抗うつ薬の併用でも、三環系抗うつ薬の副作用（特に呼吸抑制）に注意する（代謝競合も関与；☞**表5-30**④、**表5-43**）。

また、CNS興奮作用を有するアンフェタミンと甲状腺ホルモン製剤には、鎮痛作用もあるため、ペチジン塩酸塩（オピスタン；麻薬）との併用で鎮痛作用が増強することがある。

なお、フェノチアジン系薬とバルビツール酸系薬との併用では、鎮痛作用などのCNS抑制作用は増強するが、抗痙攣作用には影響しない。フェノチアジン系には痙攣誘発作用もあることから、バルビツール酸系を抗痙攣薬として用いている場合は減量してはならない（プロペリシアジン［ニューレプチル］の添付文書には記載がある；☞**表8-1**）。他の抗痙攣薬との併用についても同様である。

その他、プレガバリン（リリカ；神経性疼痛緩和薬）は、CNSにおいて電位依存性Ca^{2+}チャネルの$\alpha_2\delta$サブユニットに結合し、神経前シナプス内へのCa^{2+}流入を低下させ、グルタミン酸などの興奮性神経伝達物質の放出を抑制して鎮痛効果を発揮する。帯状疱疹後神経痛や糖尿病性末梢性神経障害に伴う疼痛に使用されているが、主な副作用として、めまい（浮動性、回転性）、ふらつき、傾眠、浮腫が知られている。意識消失や認知障害、体重増加、眼障害（弱視、視覚異常、霧視、複視など）、血管浮腫なども引き起こすことがある。

プレガバリンが関与する相互作用としては、オピオイド系薬との併用により呼吸不全や昏睡がみられたとの報告があるほか、オキシコドン塩酸塩水和物（オキノーム、オキシコンチン；麻薬）やロラゼパム（ワイパックス）、アルコール（飲酒）との併用により、認知機能および粗大運動機能における反応速度や正答率などが、単剤投与時に比べて相加的に低下する傾向が示されている。また、急激なプレガバリンの投与中止により不眠、悪心、頭痛および下痢、不安および多汗症などの症状が現れる恐れがあり、投与を中止する場合は少なくとも1週間以上かけて徐々に減量しなくてはならない。

また、メマンチン塩酸塩（メマリー；抗認知症薬）は、脳内グルタミン酸受容体であるNMDA（N－メチル－D－アスパラギン酸）受容体を遮断することで、アルツハイマー型認知症症状の進行を抑制する。同効薬のドネペジル塩酸塩（アリセプト；AChE阻害薬）を服用中の患者にメマンチンを投与すると、CNS抑制傾向が強く現れ、過度の鎮静、眠気、傾眠などが出現する場合がある。そのほか、NMDA受容体拮抗作用を持つ薬剤との併用や、NMDA受容体の遮断によってドパミン遊離が促進されるため、ドパミン作動薬との併用による協力作用にも注意する。ドパミン遊離の促進機序は不明だが、メマンチンとアマンタジンが脳内OCT2を競合阻害するためモノアミン脳内濃度が上昇する可能性が示唆されている（Busch AE, et al. Mol Pharmacol. 1998；54：342-52.）。

一方、CNS興奮の協力作用では、アンフェタミン系薬（抗AD/HD薬）相互の併用には要注意である（原則禁忌）。また、キサンチン系薬と他のCNS興奮薬との併用にも注意する。トラベルミン配合錠はジプロフィリン（キサンチン系）を含有し、市販の滋養強壮ドリンク類やコーヒー、紅茶、緑茶、コーラ、総合感冒薬（PL配合顆粒、ペレックス配合顆粒など）などにはカフェインが含まれていることに留意する。なお、総合感冒薬には抗ヒスタミン薬や鎮静薬なども含まれているので、CNS興奮薬のみならずCNS抑制薬との併用にも注意する（☞**付E**、**表8-8**）。その他、アマンタジン塩酸塩（シンメトレル）による幻覚、睡眠障害などの副作用が、CNS興奮薬によって増強されることにも注意しておきたい。

70歳代女性Aさん。

［処方箋］

① メインテート錠5mg　1錠
　リポバス錠5　1錠
　バファリン配合錠A81　1錠
　　1日1回　朝食後　14日分

② パキシル錠10mg　1錠
　　1日1回　夕食後　14日分

③ デパス錠 0.5mg　1 錠
　レンドルミン D 錠 0.25mg　1 錠
　　1日1回　就寝前　14日分

一人暮らしのAさんは、抗うつ薬のパキシル（パロキセチン塩酸塩水和物）、不眠症に対するBZP系のデパス（エチゾラム）、レンドルミン（ブロチゾラム）を服用している。お酒は好きだが、禁酒しているとのことだった。

しかし、ある日、「起床時に自分の家と分からないことがある」と訴えたため、よく話を聞くと、再三の指導にもかかわらず、寝酒としてアルコールを摂取していることが発覚した。

薬剤師は、リポバス（シンバスタチン）にも記憶障害の副作用はあるが、アルコールとBZP系との相互作用に起因する可能性が高いと判断。再度、アルコールは睡眠薬や抗うつ薬などの作用を増強し、最悪の場合は昏睡などで致命的となることを説明した（飲酒による自殺リスクの増大はあえて説明しなかった）。特に睡眠薬では、翌日まで眠気、めまい、ふらつきが強く現れて、異常行動や寝ぼけなどを起こしやすく、今回のような記憶障害も起こることを伝えた。

さらに、少量のアルコールには覚醒作用があり、量が増えれば中途覚醒（夜中に何度も目覚める）や早朝覚醒（朝早く目覚める）などで眠りが浅くなること、アルコールには入眠作用があるが、効果は最初だけで次第に効かなくなり（耐性）、飲酒量が増えてアルコール依存症となる危険性が高いことを説明した。

この説明に対しAさんは十分に理解したため、薬剤師がすぐに処方医に連絡したところ、禁酒を条件にデパスを2倍量に変更することとなった。その後、Aさんの不眠は解消されたが、しばらくして薬局には来なくなった。近隣住民の話によると、アルコール依存症になったとのことだった。

❸ 中枢神経系に作用する薬剤の注意点

CNSに作用する薬剤について、使用上の注意や知っておくべき病態などを以下に記す。

CNSの伝達物質

CNSの刺激伝達物質は、アミノ酸、モノアミン、神経ペプチド、一酸化窒素（NO）などに分類される。それぞれの伝達物質の作用は明らかとなっていないが、**表7-4**のような作用や病態と関係があると考えられている。CNS用薬の多くは、これらのシナプス（神経細胞接合部）における情報伝達を修飾し治療効果を示すと考えられているが、不明な点も多く残されている。

表7-4　中枢神経系（CNS）の伝達物質

神経伝達物質	関係する作用や病態
アミノ酸	
グルタミン酸、アスパラギン酸	痙攣、てんかん、認知症（刺激増大により誘発）
GABA、グリシン	痙攣・てんかん抑制（抑制系、刺激低下により誘発）
モノアミン	
ドパミン	プロラクチン放出、随意運動抑制（刺激低下でパーキンソン病）、薬物依存性、嘔吐
ノルアドレナリン（NAd）	薬物依存性、抑うつ
アドレナリン（Ad）	中枢性血圧調節
アセチルコリン（ACh）	記憶障害、覚醒反応、刺激低下でアルツハイマー病、上昇でパーキンソン病
セロトニン（5-HT）	疼痛、体温調節制御、催眠・覚醒周期制御、抑うつ
ヒスタミン	痙攣・てんかん（特に小児脳で抑制系として働く）
神経ペプチド	
エンケファリン、サブスタンスP	疼痛
気体ラジカル	
一酸化窒素（NO）	運動学習機能

リチウム（Li）製剤に関与する相互作用

躁病・躁状態治療薬である炭酸Li（リーマス）は、SSRIおよびSNRIとの相互作用に注意する（**表7-5**）。LiはIP_3を介した5-HTの作用を増強するため、5-HTの再取り込みを阻害するSSRIやSNRIと併用すると、セロトニン症候群を誘発する可能性があるためである。

また、Liの作用はカルバマゼピン（テグレトール）により増強されるほか、向精神薬（ブチロフェノン系薬、三環系抗うつ薬など）との併用でも重篤な副作用を誘発する恐れがあるため、慎重に併用する（☞**第8章［第1節］**）。

なお、炭酸Liは甲状腺に蓄積し、その機能を低下させ、甲状腺腫を誘発することがある（☞**コラム70**）。

向精神薬と突然死

フェノチアジン系薬やブチロフェノン系薬、三環系抗うつ薬などの向精神薬では、血圧低下や心電図異常（QT延長など、☞**表7-33**）に続く突然死が報告されている。これらの薬剤の使用に当たっては、心電図検査を実施し、QT時間に異常が認められた場合は投与を中止する必要がある。

また、総合感冒薬の幼児用PL配合顆粒には、フェノチアジン系抗ヒスタミン薬としてプロメタジンメチレンジサリチル酸塩が含まれているが、プロメタジン製剤を小児（特に2歳未満）に投与した場合、乳幼児突然死症候群（SIDS）および乳児睡眠時無呼吸発作が現れたとの報告がある。このため、2006年6月以降、同薬は2歳未満の乳幼児への投与は禁忌となっている（☞**表8-8**）。

さらに、因果関係は不明だが、CNS興奮薬であるメチルフェニデート塩酸塩（リタリン、コンサータ）と中枢性α_2刺激薬のクロニジン塩酸塩（カタプレス）との併用による突然死も報告されている（併用慎重）。α_2刺激薬と併用した際のメチルフェニデートの安全性については、評価されてない。

パリペリドン水懸筋注による複数の死亡例

2013年11月19日から2014年4月16日の間にパリペリドン（ゼプリオン水懸筋注）を使用した患者の中で、同薬とは因果関係は不明であるが21例の死亡例が報告されたことを踏まえ、安全性速報（ブルーレター）により注意喚起が行われた。注意喚起のポイントとして以下の3点が挙げられている。①急激な精神興奮等の治療や複数の抗精神病薬の併用を必要とするような不安定な患者には使用しないこと。②リスペリドン持効性懸濁注射液（リスパダールコンスタ筋注用）からパリペリドン水懸筋注への切り替えに当たっては、過量投与にならないよう、用法・用量に注意すること。③パリペリドンまたはリスペリドンでの治療経験がない場合は、まず一定期間経口薬を投与して症状が安定していることを確認した後、これら経口薬を併用せずに水懸筋注の投与を開始すること。

表7-5　炭酸リチウムが関与する相互作用

	薬剤A	薬剤B	併用により起こり得る事象
併用慎重	炭酸Li（リーマス）	SSRI（フルボキサミン［デプロメール、ルボックス］、パロキセチン［パキシル］、エスシタロプラム［レクサプロ］）、SNRI（ミルナシプラン［トレドミン］、デュロキセチン［サインバルタ］）、S-RIM（ボルチオキセチン［トリンテリックス］）	5-HT作動作用の協力によりセロトニン症候群誘発（錯乱、発熱、ミオクローヌス、振戦、協調異常、発汗などの症状のほか、昏睡、急性腎不全を呈することもある；☞**付A**）。
		フェニトイン（アレビアチン）	Li中毒（振戦、多尿、口渇）、フェニトインをカルバマゼピンに変更して回復。
		カルバマゼピン（テグレトール）	精神神経症状誘発（錯乱、粗大振戦、失見当識、運動失調、心電図異常など）。作用機序は不明。一部の患者で効果が高まる。
		向精神薬（フェノチアジン系薬、ブチロフェノン系薬、三環系抗うつ薬など）	心電図変化、重症の錐体外路症状、持続性ジスキネジア、突発性の悪性症候群、非可逆的脳症など。Liは抗ドパミン作用を増強？
		ジアゼパム（セルシン）	Li血中濃度上昇（機序不明）。

痙攣については**第8章［第1章］**を参照。

リスペリドンの主活性代謝物がパリペリドンであり、リスペリドン持効性懸濁注射液からパリペリドンに切り替える場合は過量投与にならないように用法・用量に注意を要する。効果が2週間持続するリスペリドン持効性懸濁注射液は、初回投与3週間後以降より血中濃度が上昇するため、その間、経口抗精神病薬を併用するが、パリペリドン水懸筋注は初回投与後速やかに血中濃度が上昇するので、通常、他の抗精神病薬を併用しない。

BZP受容体と選択的BZP1作動薬

中枢型BZP受容体には、BZP1（ω1型）、BZP2（ω2型）、BZP3（ω3型）の3種類のサブタイプが存在し、末梢にはBZP3受容体が腎臓などに存在する。BZP系薬は、大脳辺縁系に存在する$GABA_A$/BZP受容体（GABA受容体にはBZPが結合するBZP受容体が存在）に結合して、GABAを産生する睡眠系の神経細胞を活性化し、視床下部・脳幹に局在する覚醒系神経（モノアミン神経系、コリン神経系）を抑制することにより睡眠をもたらすとされている（関連事項☞**コラム52**）。特にBZP系薬は小脳での存在比率の高いBZP1受容体に結合し、催眠鎮静作用や抗不安作用などを発揮すると考えられる。

従来の非選択的BZP系薬は、BZP1とBZP2受容体に同程度の親和性があるため、脊髄および海馬に存在するBZP2受容体を介して発現する筋弛緩や、運動協調性障害および記憶障害などの副作用を誘発することがあった。これに対して、選択的BZP1作動薬では、このような副作用が軽減されることに加え、非選択的BZP系薬の長期投与でみられる催眠効果の減弱（耐性）や、休薬後の離脱症状（反跳性不眠など）、興奮や異常行動などが極めて少ないことが示されている。

さらに、非選択的BZP系薬が浅睡眠期を延長させβ波の増加を示すのに対し、選択的BZP1作動薬は深睡眠期を特異的に延長してβ波を増加させないので、より自然に近い睡眠を誘発すると推察される。ちなみに、クアゼパム（ドラール）および非BZP構造のゾルピデム酒石酸塩（マイスリー）は、BZP2受容体に比べてBZP1受容体に対し、それぞれ約5.5倍および約200倍の高い親和性を示す。そのほか、非BZP系薬であるゾピクロン（アモバン）、エスゾピクロン（ルネスタ；S体ゾピクロン）も選択的BZP1作動薬である。

このような理由から、安全性の高いゾルピデムやゾピクロン、エスゾピクロンなどの非BZP系薬が、不眠症の治療によく用いられている。非BZP系薬はいずれも超短時間作用型（Tmaxは0.7～1.5時間）に分類されるが、ゾルピデムの$t_{1/2}$（半減期）は2時間であるため主に入眠薬として用いられるのに対して、ゾピクロンおよびエスゾピクロンの$t_{1/2}$は、それぞれ4時間および5～6時間と長いため、睡眠導入と睡眠維持の両症状に有用であると考えられている。

なお、ゾルピデムは向精神病薬であるため処方日数制限（30日以内）が設けられている。また、ゾピクロンは光学異性体であるS体とR体が等量含まれるが、エスゾピクロンはゾピクロンの薬理活性の大部分を有するS体であり、苦味や持ち越し効果（翌朝の眠気、ふらつき、倦怠感など）などの副作用が軽減されている。

薬剤による自殺念慮

うつ症状を呈する患者に対しては、うつによる自殺念慮・自殺企図を避けるために抗うつ薬が投与される。しかし、逆に抗うつ薬の投与によって、自殺念慮が現れる危険性もある。

実際、18歳未満の患者では、抗うつ薬の投与により、自殺念慮・自殺企図のリスクが増加するとの報告があり、パロキセチン塩酸塩水和物（パキシル）の添付文書の「警告」には、「18歳未満の大うつ病性障害患者に投与する際には適応を慎重に検討すること」と記載されている。

したがって、抗うつ薬を投薬する際は、患者の家族などに対して自殺の危険性を十分説明し、常に患者の状態および病態の変化（新たな自傷、気分変動、情緒不安定の出現や増悪など）を観察して、医師と緊密に連絡を取るように指導する。

また、抗うつ薬を含む向精神薬は、突然の中止または減量により、リバウンド現象（めまい、錯乱、不安、興奮、吐き気、振戦、頭痛、睡眠障害など）が起こり得る。患者には、自己判断で服用を中止しないこと、中止の際は数週間から数カ月かけて徐々に減量していくことを説明する。

なお、米国では、全ての抗てんかん薬の添付文書の警告欄に、「服用によって自殺関連行為や自殺念慮のリスクが高まる」と記載されている。これを受けて、わが国でも、全ての抗てんかん薬の添付文書の「その他の注意」の項に、同様の記載が追記されるようになった。

そのほか、海外では、LT拮抗薬のモンテルカストNa（キプレス、シングレア）の服用患者におけるうつ病や自殺念慮、自殺および攻撃的行動（因果関係は不明）が報告されているほか、ザフィルルカスト（販売中止）の服用患者ではうつ病を含む精神症状が報告されている。モンテルカストと自殺との関連性は低いとする報告もあるが（Philip G, et al. J Allergy Clin Immunol. 2009；124：691-6.）、抗うつ薬と同様、抗てんかん薬やLT拮抗薬においても注意が必要であろう。なお、以下に述べるバレニクリン酒石酸塩（チャンピックス）の服用患者でも自殺念慮、自殺などが報告されている。

バレニクリンによる精神神経症状

ニコチンを含まない禁煙補助薬であるバレニクリン酒石酸塩（チャンピックス）は、脳内に存在する$\alpha_4\beta_2$ニコチン性アセチルコリン受容体の部分作動薬であり、刺激作用と拮抗作用を持つ。つまり、ニコチン遮断作用（拮抗作用）を介して喫煙による満足感を抑制すると同時に、ニコチン受容体へ作用することにより、少量のドパミンを放出（刺激作用）し、禁煙に伴う離脱症状や喫煙欲求を軽減させる。

一方、バレニクリンでは、攻撃や抑うつ、自殺行動や自殺念慮など、重篤な精神神経症状の副作用が報告されている。したがって、添付文書の重要な基本的注意には、次のように記載されている。

【重要な基本的注意】

禁煙は治療の有無を問わず様々な症状（不快、抑うつ気分、不眠、いらだたしさ、欲求不満、怒り、不安、集中困難、落ち着きのなさ、心拍数の減少、食欲増加、体重増加等）を伴うことが報告されており、基礎疾患として有している精神疾患の悪化を伴うことがある。

抑うつ気分、不安、焦燥、興奮、行動又は思考の変化、精神障害、気分変動、攻撃的行動、敵意、自殺念慮及び自殺が報告されている。本剤との因果関係は明らかではないが、これらの症状があらわれることがあるので、本剤を投与する際には患者の状態を十分に観察すること。なお、本剤中止後もこれらの症状があらわれることがある。また、これらの症状・行動があらわれた場合には本剤の服用を中止し、速やかに医師等に連絡するよう患者に指導すること。

そのため、統合失調症や双極性障害、うつ病などの精神疾患のある患者へのバレニクリン投与は、特に慎重に行う必要がある。多くの症例では、これらの症状・行動はバレニクリンの服用を中止すると回復するが、服用中止後も続いたり、中止後に発症したりすることもあるため要注意である。

抗菌薬・抗ウイルス薬による精神・神経系障害

抗菌薬および抗ウイルス薬は、中枢へ移行し、精神・神経系の副作用を誘発させる可能性がある。例えば、テリスロマイシン（ケトライド系）、モキシフロキサシン塩酸塩（アベロックス；キノロン系薬）では、突然の意識消失、意識レベルの低下などが報告されている。これらの抗菌薬を服用中の患者には、自動車の運転を含め、危険を伴う機械の操作を避けるように指導すべきである。

厚生労働省は（医薬・生活衛生局医薬安全対策課長）は2018年8月21日に抗インフルエンザウイルス薬の「使用上の注意」の改訂について、平成30年度第1回薬事・食品衛生審議会薬事分科会医薬品等安全対策部会安全対策調査会（平成30年5月16日開催）及び平成30年度第4回薬事・食品衛生審議会 薬事分科会医薬品等安全対策部会安全対策調査会（平成30年7月13日開催）における審議結果等を踏まえ、医薬品の「使用上の注意」の改訂が必要と考え、従来の警告の項を削除し、重要な基本的注意に以下の文言を追加した。

【重要な基本的注意】

抗インフルエンザウイルス薬の服用の有無又は種類にかかわらず、インフルエンザ罹患時には、異常行動を発現した例が報告されている。異常行動による転落等の万が一の事故を防止するための予防的な対応として、①異常行動の発現のおそれがあること、②自宅において療養を行う場合、少なくとも発熱から2日間、保護者等は転落等の事故に対する防止対策を講じること、について患者・家族に対し説明を行うこと。なお、転落等の事故に至るおそれのある重度の異常行動については、就学以降の小児・未成年者の男性で報告が多いこと、発熱から2日間以内に発現することが多いことが知られている。

つまり、異常行動と抗インフルエンザウイルス薬との因果関係は不明であるが、インフルエンザ罹患時には異常行動（急に走り出す、徘徊するなど）の危険性があるため、服薬中の見守りを徹底するように指導したほうがよい。

なお、他の抗インフルエンザウイルス薬（ザナミビル水和物［リレンザ］、ペラミビル水和物［ラピアクタ］、ラニナミビルオクタン酸エステル水和物［イナビル］）については、10歳代の患者への投与に関する制限はないが、10歳以上の未成年患者に投与する際は、前述の【B】について患者・家族に説明する必要がある。

ジスキネジア

ジスキネジアとは、薬などの服用によって起こる不随意運動の総称であり、抗精神病薬などを長期に服用している患者に起こる場合（遅発性ジスキネジア）と、レボドパ製剤、ドパミン作動薬などの抗パーキンソン薬による場合（ジスキネジア、ジストニア、舞踏様運動）の2つに区別されている。遅発性ジスキネジアの発症頻度は若年者より老年者で高く、物を食べている時のように口をもぐもぐ動かしたり、ぴちゃぴちゃと音を立てる、歯を食いしばる、顔をくしゃくしゃにゆがめる、首を捻転するといった、顔面・口・舌・首の症状が見られやすい。原因薬剤を中止しても症状が消失しないことがあるため、常に注意すべきである。

一方、抗パーキンソン薬による場合では、足首がぐるぐる回る、足・膝がくねくね勝手に動くといった四肢の症状のほか、躯幹（胴体部分）や頸部が勝手にねじれたり（ジストニア）、踊りを踊るような動きも見られやすい（舞踏様運動）。また、人によってはじっとしていられずに同じ動きを繰り返す症状（アカシジア）などが現れる。

レボドパ製剤によるドパミン補充療法は、パーキ

表7-6　ジスキネジアが関与する相互作用

	薬剤A	薬剤B	併用により起こり得る事象
併用慎重	抗パーキンソン薬：レボドパ製剤、中枢性抗コリン薬、アマンタジン（シンメトレル）、ドロキシドパ（ドプス）、エンタカポン（コムタン；末梢COMT阻害薬）、B型MAO阻害薬（セレギリン［エフピー］、ラサギリン［アジレクト］、サフィナミド［エクフィナ］、ゾニサミド［エクセグラン、トレリーフ］など）	ドパミン作動薬：プラミペキソール（ビ・シフロール）、ロチゴチン経皮吸収型製剤（ニュープロパッチ）	・ジスキネジア、幻覚、錯乱などが相互に増強。 ・アマンタジンでは腎尿細管分泌OCT競合も関与（☞**表4-31**）。 ・ドパミン作動薬投与におけるジスキネジアの発症頻度は、ロチゴチンは7.5%、ペルゴリド、ロピニロールは5%以上、ブロモクリプチン、タリペキソール、プラミペキソールは0.1～5%未満、カベルゴリンは1%未満（添付文書参照）。
	イストラデフィリン（ノウリアスト；アデノシンA_{2A}受容体拮抗薬）	エンタカポン（コムタン；末梢COMT阻害薬）	ジスキネジアの発症頻度上昇（機序不明）
	抗精神病薬（フェノチアジン系薬、ブチロフェノン系薬）	炭酸リチウム（リーマス）	心電図変化、重症錐体外路症状、持続性ジスキネジア、突発性悪性症候群、非可逆性脳症など。

ンソン病の最も有効で必須の薬物治療方法であるが、長期使用（数カ月以上）によってジスキネジア（レボドパ効果増強）、日内変動（効果減弱）などの副作用を起こしやすい。

ジスキネジア発症時の対策は、レボドパの減量であるが、薬効減弱によりパーキンソン症状が発現する恐れがあり難しい。それゆえ、最善策としては、ジスキネジアの発症をできる限り予防することであり、そのためにはレボドパの使用開始時期をできる限り遅らせる必要がある。一般にレボドパによるジスキネジアは、高齢者よりも若年者に現れやすいことから、若年者に対してはドパミン作動薬が第一選択薬となる。高齢者および認知症患者では、ドパミン作動薬の副作用（幻覚、妄想、錯乱など）を発症しやすくレボドパの副作用が起こりにくいことから、レボドパ製剤が第一選択薬となっている。

なお、併用によってジスキネジアの発症頻度が上昇する相互作用を**表7-6**に示す。

ドパミン作動薬による病的賭博と突発的睡眠

レボドパ製剤（ドパストン）やドパミン作動薬を投与されたパーキンソン病患者やアリピプラゾール（エビリファイ）、ブレクスピプラゾール（レキサルティ）を投与された患者において、病的賭博（個人生活の崩壊など、社会的に不利な結果を招くにもかかわらず、持続的にギャンブルを繰り返す状態）が報告されている。

また、非麦角系ドパミン作動薬であるプラミペキソール塩酸塩水和物（ビ・シフロール、ミラペックス）、ロピニロール塩酸塩（レキップ）やロチゴチン（ニュープロパッチ）の添付文書の「警告」には、「前兆のない突発的睡眠および傾眠等がみられることがあり、突発的睡眠等により自動車事故を起こした例が報告されているので、患者には本剤の突発的睡眠及び傾眠等についてよく説明し、本剤服用中には危険を伴う作業（自動車運転、機械操作、高所作業等）に従事させないように注意すること」と記載されている。突発的睡眠を起こした症例の中には、投与開始後1年以上経過した後に発現した例もあることから、ドパミン作動薬を服用している患者には、継続して注意を促す必要がある。ただし、非麦角系の同効薬であるタリペキソール（ドミン）には、「警告」としての記載はない。この理由は明らかではないが、突発的睡眠の報告はあるため、同様な注意が必要である。

アルコールが関与する薬力学的相互作用

アルコールはCNSを抑制する方向に作用し、その作用は血中アルコール濃度に依存して増強する。これは、アルコールは脂溶性が高く、脂肪組織の多い脳やCNSに容易に移行しやすいためである。脳内では、$GABA_A$受容体、NMDA受容体（グルタミン酸受容体）や$5\text{-}HT_3$受容体などに作用してCNS抑制効果を示すと考えられている。

社会問題となっているアルコール依存症は、毎日の大量飲酒（慢性大量飲酒）による$GABA_A$受容体の感受性低下やダウンレギュレーション（受容体数低下）、$GABA_A$神経を介した側坐核からのドパミン放出の増大に起因すると考えられ、治癒率は1～2割とされる。また、大量飲酒による健忘症は、感情と記憶をつかさどる大脳辺縁系の抑制に起因する。

アルコールは睡眠にも影響を与える。飲酒すると、睡眠前半にレム睡眠（交感神経刺激状態）の抑制とノンレム睡眠（脳の休息状態）の増加、睡眠後半にノンレム睡眠の抑制とレム睡眠の増加を起こす。ただし慢性大量飲酒では、常にノンレム睡眠が抑制された状態となり、次第に熟眠障害を来す。したがって、寝酒は睡眠の質を低下させ、中途覚醒や早朝覚醒を招く（**p.425症例**）。アルコール依存症患者が飲酒を突然中止すると、レム睡眠が過度に増加し、振戦や幻視などの離脱症状が出現することも知られている。

なお、大量飲酒が脳や脊髄、末梢神経系などに障害を引き起こすメカニズムとして、アルコー

表 7-7　習慣性の大量飲酒に伴う臓器障害

- 消化器疾患 ……食道・胃・十二指腸潰瘍、食道・胃・十二指腸炎、食道静脈瘤、吸収障害、マロリー・ワイス症候群、下痢、脂肪肝、肝炎、肝線維症、肝硬変、膵炎
- 脳神経障害 ……脳血管障害（特に脳出血）、ウェルニッケ・コルサコフ症候群、小脳変性症、多発神経炎、大脳萎縮、認知症、睡眠障害、うつ病
- 運動器疾患 ……筋炎、骨粗鬆症、大腿骨骨頭壊死
- 循環器疾患 ……高血圧、心筋症、虚血性心疾患、不整脈
- 造血器障害 ……貧血、血小板減少
- 代謝障害 ………糖尿病、高脂血症、高尿酸血症
- 悪性腫瘍 ………口腔咽頭喉頭癌、食道癌、肝細胞癌、大腸癌、乳癌

出典：厚生労働科学研究「わが国における飲酒の実態把握およびアルコールに関連する生活習慣病とその対策に関する総合的研究」で作成された冊子「お酒による健康・社会問題」

ルが細胞内の転写因子であるNF-κBを活性化して炎症性サイトカインの遺伝子発現を促進することや、NADPHオキシダーゼを誘導して活性酸素を過剰に産生することが示唆されている（J Neuroinflammation.2012;9:5. ☞**第５章［第３節❸］**）。

アルコールと、CNS抑制効果のある薬剤を併用すると、CNS症状が誘発される恐れがある。特にCNS用薬の中で、添付文書上、「飲酒を避けることが望ましい」「できるだけ飲酒を避ける」（原則飲酒禁止）とされている薬剤には注意が必要である（☞**表7-3（2）**）。

精神疾患（うつ病、統合失調症、てんかん発作、パーキンソン病、認知症など）の発現率は大量飲酒で高まり、治療薬の効果を減弱させる恐れがあるため、これらの疾患を有する患者の大量飲酒は禁止する。中でも、睡眠・鎮静薬や向精神薬（抗うつ薬、抗不安薬、抗精神病薬）を服用中の患者では、わずかな量でも原則飲酒を禁止した方がよい。これは、飲酒により過度のCNS抑制が起こり、眠気や鎮静のほか、暴力、希死念慮、自殺企図、心機能障害、呼吸抑制、昏睡などが現れ、致命的となり得るためである。

特にベンゾジアゼピン（BZP）系薬を服用中の患者では、前向性健忘、記憶障害、奇異反応、せん妄、異常行動、持ち越し効果などの副作用が現れやすくなり、非常に危険である。うつ病、統合失調症、不眠症の患者は、アルコール依存症になりやすい観点からも、飲酒を禁止すべきだろう。

抗パーキンソン薬を服用中の患者では、適量の飲酒時にもCNS抑制効果によって転倒を起こしやすくなる。一方、てんかん患者では適量飲酒が有効である場合もあり、病型や症状、服用中の薬剤に応じて、アルコール摂取制限の程度が異なる。CNS用薬はいずれも、適量飲酒であっても用量調節を要する場合があるため、服用中の飲酒の可否については、担当医に確認後、患者に指導した方がよいだろう。

アルコールには、CNS抑制のほか、多彩な作用により薬力学的相互作用を引き起こす恐れがある。

まず、アルコールは、肝臓における糖新生抑制（血糖値低下）と、肝グリコーゲン分解促進（血糖値上昇）の両作用を示す。慢性大量飲酒者ではグリコーゲンが枯渇しているため、糖尿病用薬との併用による低血糖の誘発に注意が必要である。また、糖新生の抑制を主作用とするビグアナイド系薬には、乳酸アシドーシスのリスクがある。大量飲酒では解糖系が促進され乳酸アシドーシスの誘発リスクが高まるため、慢性大量飲酒者への同薬の使用は禁忌である。

一方、アルコールには血圧低下（血管拡張、顔面紅潮など）作用もある。これは、アセトアルデヒドのアンタビュース効果に起因する。日本人の約55％はALDH2*2（不活性型）を持つために、血

表 7-8 アルコールと医薬品の薬力学的相互作用

発現機序	医薬品	相互作用により起こり得る事象など（大量飲酒は常に避ける）
中枢神経系（CNS）抑制協力	CNS用薬：睡眠・鎮静薬、向精神薬（抗不安薬、抗うつ薬、抗精神病薬）、抗てんかん薬、抗パーキンソン薬、認知症治療薬、中枢性鎮痛・鎮咳薬、中枢性筋弛緩薬、中枢性α_2刺激薬など CNSを抑制し得る薬剤：抗ヒスタミン薬、抗アレルギー薬、β遮断薬など	・CNS抑制作用が相互に増強（相加、相乗的）。精神機能、知覚、注意力、集中力、反射運動能力などの低下、眠気や鎮静、倦怠感などの増強。 ・添付文書上、CNS抑制協力に起因する飲酒禁止のCNS用薬はないが、睡眠・鎮静薬、向精神薬を服用中の患者は原則飲酒禁止。その他の薬剤では適量飲酒（1日アルコール量20g）を指示。 ・原則飲酒禁止薬剤（添付文書に「飲酒を避けることが望ましい」「できるだけ飲酒は避ける」との記載がある薬剤）：BZ系薬（フルジアゼパム［エリスパン］、ニメタゼパム［エリミン］、クロナゼパム［ランドセン、リボトリール］、トリアゾラム［ハルシオン］、ブロチゾラム［レンドルミン］、ゾルピデム［マイスリー］、フルニトラゼパム［サイレース、ロヒプノール］）、SSRI（パロキセチン［パキシル］、フルボキサミン［デプロメール、ルボックス］、セルトラリン［ジェイゾロフト］、エスシタロプラム［レクサプロ］）、SNRI（ベンラファキシン［イフェクサー］）、NaSSA（ミルタザピン［リフレックス、レメロン］）、トラゾドン（デジレル、レスリン他） ・併用時に用量調節やアルコール摂取制限等を考慮する薬剤：ピパンペロン（プロピタン；ブチロフェノン系）、ベンザミド系薬（スルトプリド［バルネチール］、ネモナプリド［エミレース］）、クロルフェネシン（リンラキサー）、スチリペントール（ディアコミット）、クロルフェニラミンマレイン酸塩（ポララミン）、ケトチフェン（ザジテン）、ブロムワレリル尿素 ・その他：プレガバリン（リリカ；認知機能、粗大運動障害増強）など。
血糖値変動（☞本章［第8節］）	経口血糖降下薬、インスリン製剤	・低血糖の恐れ。アルコールは肝グリコーゲン分解促進（血糖値上昇）、糖新生抑制（血糖値低下）の両作用を有する。急な大量飲酒による低血糖のほか、常習飲酒でも肝グリコーゲン枯渇で糖新生抑制のみが起こり得る。 ・ビグアナイド系薬は大量飲酒者には投与禁忌。血中乳酸値上昇による乳酸アシドーシスの恐れ。 ・慢性飲酒は肥満、膵炎（インスリン分泌低下）となり糖尿病を招きやすい（飲酒時の食品摂取によるカロリー・塩分過多も関与）。
血管拡張増強（☞本章［第6節］）	血管拡張作用を有する薬剤：冠拡張薬（ニトログリセリンなど）、α_1遮断薬（ドキサゾシン［カルデナリン］など）、チアジド系利尿薬（トリクロルメチアジド［フルイトラン］など）、チアジド系類似薬（メフルシド［バイカロン］など）	・起立性低血圧、失神などの恐れ。アセトアルデヒド増加により一時的に血圧低下・脈拍増加。特に飲酒1時間後にニトログリセリンを投与した場合に効果が強く出るとの報告がある。なお、長期飲酒、日常的に飲酒量が多いと血圧は上昇する（血管収縮反応上昇、交感神経興奮［☞**第7章〈第2節〉**］、腎におけるMg・Ca喪失、カロリー摂取増大、体重増加、塩分過多などが関与？） ・利尿薬の作用増強。飲酒の利尿作用に起因。
血液凝固抑制、促進（☞本章第7節）	抗凝固薬（ワルファリン［ワーファリン］など）	・出血の可能性。肝臓での凝固因子産生が低下。 ・血栓の可能性（心・脳梗塞に注意）。飲酒の利尿作用による脱水が関与。
消化管障害増強	消化管障害誘発薬剤：NSAIDs（アスピリンなど）、麦角系ドパミン作動薬（テルグリド［テルロン］、抗パーキンソン薬（ブロモクリプチン［パーロデル］、カベルゴリン［カバサール］、ペルゴリド［ペルマックス］）など	・胃粘膜障害、消化管出血増強（☞**第8章［第4節］**）。アルコールには胃酸分泌促進、血液凝固抑制作用がある。アスピリンで軽度の胃出血の発現率が2倍に増加との報告。 ・飲酒によりドパミン感受性が増大する恐れ（機序不明）。 ・ドパミン作動薬（特に麦角系）は消化管のアセチルコリンの遊離を抑制するため、消化不良、悪心、嘔吐、胃十二指腸潰瘍悪化などの消化器症状を誘発。テルグリド以外は添付文書中に飲酒に関する記述はないが、同様に注意した方がよい。
肝毒性増強（☞第8章［第5節❷］）	肝毒性を有する薬剤：メトトレキサート（メソトレキセート、リウマトレックス）、アセトアミノフェン、ベンズブロマロン（ユリノーム）、グリベンクラミド（オイグルコン、ダオニール）など	・肝毒性の増加、飲酒は最小限にする。 ・大量飲酒により高頻度で肝障害発症。脂肪肝からアルコール性肝炎を経て、最終的に肝硬変となる。慢性飲酒者では健常者に比べ、薬剤性肝障害を誘発しやすい。

圧低下を起こしやすいことが知られている（☞第6章［第3節］）。したがって、降圧薬や末梢血管拡張薬、冠拡張薬などの血管拡張薬を服用中の患者では、大量飲酒に注意する。

さらに、大量飲酒には、血液凝固を抑制・促進する作用もある。血液凝固抑制作用には肝臓での凝固因子産生低下が、促進には利尿作用（脳下垂体後葉の抗利尿ホルモン分泌抑制）による脱水が関与していると考えられる。また、アルコールが胃壁を刺激し、胃酸分泌促進や消化管出血、胃粘膜障害を発症するケースも多い。抗凝固薬や、胃腸障害を起こしやすい非ステロイド性抗炎症薬（NSAIDs）、ドパミン作動薬（特に麦角系）を服用している患者には、飲酒の影響を必ず説明する（☞p.425症例）。

慢性大量飲酒により最も起こりやすいのは、アルコール性肝障害である。脂肪肝に始まり、慢性肝炎を経て、最終的には肝硬変や食道静脈瘤、肝癌へと進展する。アルコール依存症の患者の約8割が肝障害を発症し、肝硬変を来し、致命的となる。慢性飲酒者が肝障害を誘発する可能性のある薬剤を服用している場合は、定期的な肝機能検査を実施し、大量飲酒を避けるように指導する。

アルコールによる薬効への影響を避けるためには、体内アルコール残存量を考慮するとよい。血中アルコール量は通常、飲み始めてから30～60分で最高値に達し、1時間に分解できるアルコール量は体重1kg当たり約0.1gとされている。したがって、体重60kgの人が適量のアルコール20gを摂取した場合、約3時間で体内から消失すると考えられる。

また、「血中アルコール濃度＝純エタノール量（g）／（体重×分布係数［男性0.7、女性0.6］）－時間×0.15」で表されるWidmark式を用いる方法もある（Biochem Z.1922;131:473-84.、medicina.2005;42:1531-3.）。

一般に、適量の飲酒後、約3時間以上空けて薬を服用することは問題ないと考えられる。ただし、アルコールの分解速度には個人差があるほか、女性はホルモンによるアルコール代謝阻害作用への影響があるため、適量は男性の約半量とされている。したがって、夕食後や就寝前服用の睡眠薬や向精神薬に関しては、適量であっても、飲酒した日の服用は避けるよう指導した方がよいだろう。

70歳代男性Cさん。

［処方箋］

① ワーファリン錠1mg　3錠
　ワーファリン錠0.5mg　1.5錠
　バイアスピリン錠100mg　1錠
　　1日1回　朝食後　14日分

②【般】ピルシカイニド塩酸塩カプセル50mg
　　3カプセル
　　1日3回　朝昼夕食後　14日分

③ ブロプレス錠12　1錠
　【般】ベニジピン塩酸塩錠2mg　1錠
　　1日1回　就寝前　14日分

④【般】ファモチジン錠20mg　2錠
　　1日2回　朝夕食後　14日

心房細動と高血圧があるCさん。心房細動は飲酒した翌日に起こりやすいため禁酒するよう指導しているが、「酒をやめるなら死んだ方がよい」と言って聞かない。医師と相談の上、飲酒は適量にとどめ、休肝日を設けることを決めた。担当薬剤師は、来局時には毎回、大量飲酒の影響（血圧の低下・上昇、アスピリンによる胃腸障害、ワルファリンカリウムおよびアスピリンの血液凝固作用の変動）について伝え、大量飲酒を避けるよう指導していた。

しかし、ある日、友人と飲酒した際、飲み過ぎて転倒したことが発覚。軽度の外傷のみだったが、帰宅後直ちに家庭血圧計を測定した結果、低血圧を来していた。この話を聞いた担当医は、今後、会合などで飲酒する際は、降圧薬の服用を中止するよう指示した。

飲酒量の制限を指導することは容易ではないが、担当薬剤師はCさんに適量の飲酒を厳守するよう、根気よく指導を継続している。

コラム 52

メラトニン受容体作動薬とオレキシン受容体拮抗薬

睡眠薬には、GABA_A/BZP受容体に作用するBZP系薬や非BZP系薬のほか、新しい作用機序を持つメラトニン受容体作動薬やオレキシン受容体拮抗薬が登場して脚光を浴びている。

メラトニンは、脳の松果体においてトリプトファンからセロトニンを経て合成されて分泌されるホルモンである。メラトニン受容体には主に1型（MT_1）と2型（MT_2）がある。MT_1受容体は視交叉上核領域を含む視床下部や大脳皮質、海馬、小脳、角膜などに分布して睡眠作用を発揮し、MT_2受容体は網膜、海馬、視交叉上核、小脳などに分布して概日リズムを調節している。2010年に発売されたラメルテオン（ロゼレム）は、メラトニンに比べてMT_1およびMT_2受容体に対する親和性がそれぞれ5倍および3倍以上高いメラトニン受容体作動薬であり、「不眠症における入眠困難の改善」に適応を持つ。

概日リズム（概日周期）とは、覚醒・睡眠をコントロールする体内時計（視神経が交差する視床下部視交叉上核細胞の集団）が、25時間、つまり“概ね1日”の周期でリズムを刻んでいることをいう。体内時計と実際の1日の長さ（24時間）とのズレを調節してリセットする因子が、光やメラトニンなどである。朝日が目に入ると体内時計が1時間巻き戻され、約14～16時間後にはメラトニンが分泌されて睡眠効果が現れるサイクルとなっている。

この体内時計に異常が起こると、概日リズム睡眠障害（時差症候群、睡眠相後退症候群、睡眠相前進症候群、交代勤務睡眠障害［昼夜逆転］など）と呼ばれる睡眠障害が発現する。高齢者では、メラトニン分泌量の低下などにより睡眠の時間帯が早くなる睡眠相前進症候群になりやすい。ラメルテオンはMT_2受容体に対する親和性も高いため、概日リズム睡眠障害に対する治療効果が期待されているが、現時点では保険適応外である。

一方、オレキシンは、1998年に2つの研究グループによってほぼ同時に同定された脳の神経伝達物質（神経ペプチド）である（Sakurai T et al.Cell 1998;92:573-85.、de Lecea L et al.Proc Natl Acad Sci USA.1988;95:322-7.）。オレキシンを産生するオレキシン神経細胞は、摂食中枢とされる視床下部内（外側野）に局在するため、当初、オレキシンは摂食量を増加させる物質として注目された。しかし、ナルコレプシー（過眠症）の原因がオレキシンの欠乏であること、オレキシン神経細胞の軸索（神経突起）の投射が、視床下部以外では脳幹にある覚醒系神経（モノアミン神経、コリン神経）の起始核に密に見られること、またオレキシン量が覚醒時に最も高くなり睡眠時に最も低くなることなどから、オレキシンは覚醒の維持・安定化にも重要な役割を担っていることが明らかとなった。

眠りは「覚醒」と「睡眠」よってコントロールされている。覚醒時は、上述の覚醒系神経が活性化され、大脳皮質に投射して覚醒を維持する一方で、睡眠時には視床下部（視索前野）のGABAを産生する睡眠系の神経細胞が活性化され、覚醒系神経を抑制して睡眠を作り出す。また、覚醒系神経はGABA産生細胞を抑制する。このように覚醒系と睡眠系の神経が相互に抑制し合って眠りを調整しているが、オレキシン神経は、覚醒すべき時に覚醒系神経を活性化してバランスを覚醒に傾け、覚醒を維持していると考えられる。また、オレキシン神経は情動に応じて覚醒を維持して摂食を促す働きがあるほか、血糖値やレプチン量の上昇により抑制されるため、肥満症における覚醒レベルの低下にも関与すると考えられている。

オレキシン受容体には、オレキシン1（OX1）受容体とオレキシン2（OX2）受容体があり、視床下部やオレキシン神経細胞の軸索の投射先に一致して分布している。2014年に発売されたスボレキサント（ベルソムラ）は、OX1受容体およびOX2受容体に可逆的に結合する選択的拮抗薬であり、オレキシン神経を抑制することにより睡眠を誘導する薬剤として注目されている。

コラム 53

カフェインが関与する相互作用

カフェインは、テオフィリンや、カカオの主成分であるテオブロミンなどと同様、プリン骨格にメチル基が付いたキサンチン誘導体である。このうち、中枢神経系（CNS）興奮作用が最も強いカフェインは、眠気防止や疲労感軽減、鎮痛作用増強を目的とし、解熱鎮痛薬や総合感冒薬、滋養強壮ドリンクなど様々なOTC薬や指定医薬部外品に配合されている（**表7-9**）。コーヒーや煎茶、コーラなどの食品にも含まれる（**表7-10**）。とても身近な成分ではあるが、海外では以前からカフェイン含有飲料の過剰摂取による死亡例が報告されている。カフェインによる相互作用や中毒の危険性について、来局者に周知することが極めて重要である。

カフェインの薬理作用

カフェインは、CNS興奮、強心、利尿、気管支拡張、骨格筋収縮など、様々な作用を有する。主な機序は、①非選択的アデノシン受容体拮抗作用、②非選択的ホスホジエステラーゼ（PDE）阻害作用、③細胞内貯蔵Caイオンの遊離促進作用──である（**表7-11**）。①は②③に比べ、低濃度のカフェインで惹起されることから、日常生活でのカフェイン摂取の影響は、主に①に起因すると考えられる。

アデノシン受容体には、A_1、A_{2A}、A_{2B}、A_3のサブタイプがあるが、カフェインは主にA_1とA_{2A}受容体に拮抗して作用を発揮すると考えられている[1]。A_1およびA_{2A}受容体は、アデニル酸シクラーゼ（AC）活性をそれぞれ阻害および促進してcAMP産生量を制御する。つまり、カフェインの抗A_1作用はcAMP濃度を上昇させ、抗A_{2A}作用はcAMP濃度を低下させることで、薬理作用を示す。カフェインのCNS興奮、利尿作用は抗A_1、抗A_{2A}、心機能亢進と抗片頭痛作用は抗A_1、眠気覚醒作用、血管収縮作用は抗A_{2A}に関連すると考えられる[1)2)]。

一方、カフェインは摂取量の増加に伴いPDE阻害作用が現れ、cAMP産生が増大して交感神経β_1（心機能亢進）およびβ_2（気管支拡張、痙攣、高血糖、低カリウム血症など）作用が発現する。抗A_1作用とPDE阻害作用は、いずれもcAMP産生を増大させることから、カフェイン中毒症状はcAMP濃度の上昇に起因すると考えられる。さらに、カフェインは小胞体に存在するリアノジン受容体を活性化してCaイオンチャネルを介したCaの遊離を促進するため、細胞内Ca濃度が上昇し、骨格筋が収縮する。これは、カフェイン中毒症状で見られる振戦や痙攣、横紋筋融解症の発症にも関与している[3)]。

なお、A_{2A}受容体拮抗薬のイストラデフィリン（ノウリアスト）は、γアミノ酪酸（GABA）神経の過剰興奮を抑制してパーキンソン病（PD）の運動症状を改善する（☞ **コラム71**）。そのためカフェインは、モノアミンオキシダーゼ（MAO）とA_{2A}受容体の両阻害作用を有するPD治療薬のリード化合物として注目されている[4)]。

カフェインの摂取量上限

カフェインは精神依存性や耐性を有し、離脱症状（頭痛、疲労感、過眠、抑うつ、不安など）や中毒を引き起こす。海外の規制当局は、悪影響のないカフェイン最大摂取量を、健康な成人400mg/日、妊婦200～300mg/日、小児2.5mg/kg/日と規定している[5)]。日本ではカフェイン摂取許容量の規定はないが、海外と同様、成人の摂取量上限は400mg/日と考えられる。

カフェイン中毒を防ぐためには、カフェインを含有する薬剤や食品の重複摂取（併用）に注意することが重要である（**表7-12**）。カフェインを含有する食品を常用している患者に、カフェインを含有する薬剤を交付したりOTC薬を販売する場合は、カフェイン含有食品の摂取を控えるよう指導する。ただし、250mg/日以上の摂取でも、不眠や吐き気、興奮、顔面紅潮、頻脈、頻尿などの症状が現れるほか、カフェイン過敏症であれば少量のカフェイン摂取でも中毒症状を起こす恐れがあることに留意する。

なお、成人では一度に1g以上摂取すると中毒症状が現れる恐れがある。実際に1g以上2g未満で

表7-9　カフェインを含有する医薬品の例

分類	販売名または名称	カフェイン含有量	
医療用医薬品		1回量	1日の服用回数
中枢興奮・鎮痛薬	［日本薬局方］無水カフェイン※1	100～300mg	2～3回
	［日本薬局方］カフェイン水和物※1	100～300mg	2～3回
	［日本薬局方］安息香酸ナトリウムカフェイン※1	100～600mg	2～3回
総合感冒薬	PL配合顆粒	60mg	4回
	SG配合顆粒	50～100mg	3～4回
	ペレックス配合顆粒	30mg	3～4回
抗てんかん薬	ヒダントールD／E／F配合錠	200mg（12錠）を分割投与	
頭痛薬	クリアミン配合錠A1.0／S0.5	50～100mg	2～3回
鎮痛薬	キョーリンAP2配合顆粒	10mg	3～4回
OTC薬			
眠気防止薬	カフェロップ	167mg/4粒	3回（12粒）
	カーフェソフト錠	93mg/1錠	5錠まで
解熱鎮痛薬	バファリンプレミアム	80mg/2錠	3回まで
	セデスキュア	80mg/2錠	3回まで
	ナロンエース	50mg/2錠	3回まで
総合感冒薬	パブロンエース錠	25mg/3錠	3回
	ベンザブロックIP	25mg/2錠	3回
	新ルルAゴールドDX	20mg/3錠	3回
鎮咳去痰薬	ブロコデせき止め液	15mg/10mL	6回まで
	新ブロン液エース	10.3mg/10mL	6回まで
鼻炎用内服薬	パブロン鼻炎錠S	50mg/2錠	3回
	コルゲンコーワ鼻炎持続カプセル	50mg/2cap	2回
乗り物酔い予防薬	トラベルミン内服液	30mg/本（20mL）	3回まで
	アネロン「ニスキャップ」	20mg/1cap	1回

※1　胃潰瘍または既往のある患者（胃酸分泌を促進するため）、心疾患のある患者（徐脈または頻脈の恐れ）、緑内障患者（症状が悪化する恐れ）には慎重投与。

頻回嘔吐や血清カリウム低下、2g以上で頻脈、心電図異常（心室性期外収縮、QT延長）、筋症状（振戦、硬直、筋肉痛）、クレアチンキナーゼ上昇、5g以上で興奮、頻呼吸、痙攣、7g以上で難治性心室細動の出現が報告されている[3]。また明確ではないが、急性致死量（経口）は5～10gと考えられている[6]。

日本でも2015年12月、20代の男性がカフェイン中毒で死亡したと報じられた。この男性は、24時間営業のサービス業に従事しており、眠気覚ましにカフェインを含有するエナジードリンクを長期にわたって頻繁に飲用し、カフェイン錠剤も併用していたとされる。短時間の併用や継続使用が中毒を引き起こした可能性が指摘されている。

国内では10～20代の若者が自殺企図・自傷行為でOTC薬の眠気防止薬を大量服用し、カフェイン中毒を起こしたケースが散見されている。カフェインを含有するOTC薬を販売する際は、販売個数の制限を自主的に設けるといった対策も必要だろう。

薬物動態学的相互作用

消化管吸収や代謝に起因する相互作用としては、まず、カフェインはエルゴタミンと複合体を形成するか、エルゴタミンの消化管内での溶解性を上昇させ、エルゴタミンの吸収を増大させる可能性が示されている。また、カフェイン含有飲料は、胃酸分泌促進作用などにより消化管内や口腔内の pH を低下させるため、併用薬の胃内での溶解性の変化、酸による口腔内での解離度の変化、酸による分解、析出、苦味の出現──を引き起こす。イトラコナゾール（イトリゾール）やレボドパ製剤の消化管吸収増大、ニコチンガムの口腔内吸収低下に注意する。また、酸による影響を受ける抗菌薬のドライシロップや細粒剤は、カフェイン含有飲料で服用しないよう指導する。

カフェインは摂取後、速やかに小腸粘膜より吸収される。最大血中濃度に達する時間は 30 ～45 分であり、半減期は成人で３～6 時間、新生児で 100 時間であることが知られている [3]。カフェインは主に CYP1A2、キサンチンオキシダーゼなどによって代謝され、代謝産物の大部分は尿中に排泄される。したがって、これらの代謝酵素阻害薬や基質と併用すると、カフェインの血中濃度が上昇する恐れがある。

なお、カフェインは弱いながら競合的 MAO 阻害作用を有している [7]。また、喫煙者では、CYP1A2 誘導によりカフェインの代謝が促進されるため、カフェインの半減期は 1.5 時間に短縮する [2]。

薬力学的相互作用

カフェインの薬理作用に起因する相互作用の発現機序は、① CNS 興奮（抗 A_1、抗 A_{2A}）、覚醒（抗 A_{2A}）、②心カテコールアミン感受性増大、強心作用（抗 A_1、PDE 阻害）、③血管収縮作用（抗 A_{2A}）、④利尿作用（抗 A_1）、⑤鎮痛効果（抗 A_{2A}）、⑥胃酸分泌促進（抗 A_1）、⑦アデノシン作動薬の効果減弱──などに分類できる。

まず、飲酒時のカフェイン摂取は、急性アルコール中毒を誘発させる恐れがあり極めて危険である。カフェインの CNS 興奮作用が、アルコールの CNS 抑制作用をマスクし、酔う感覚が抑えられてアルコー

表 7-10　カフェインを含有する嗜好品・食品の例

分類	販売名または名称	カフェイン含有量
滋養強壮ドリンク	アリナミンV	50mg/本（50mL）
	リポビタンD	50mg/本（100mL）
コーヒー	焙煎・粉砕コーヒー（10gを熱湯150mLで抽出）	約60mg/100mL
	インスタントコーヒー（2gを熱湯140mLで溶解）	約57mg/100mL
茶	玉露（10gを60℃の湯60mLで2.5分抽出）	約160mg/100mL
	紅茶（5gを熱湯360mLで１～4分抽出）	約30mg/100mL
	煎茶（10gを90℃の湯430mLで1分抽出）	約20mg/100mL
	ほうじ茶（15gを90℃の湯650mLで0.5分抽出）	約20mg/100mL
	ウーロン茶（15gを90℃の湯650mLで0.5分抽出）	約20mg/100mL
	番茶（15gを90℃の湯650mLで0.5分抽出）	約10mg/100mL
	麦茶・黒豆茶など	なし
炭酸飲料	モンスターエナジー	142mg/本（355mL）
	レッドブル	80mg/本（250mL）
	ペプシストロングゼロ	95mg/本（500mL）
	メガシャキ	約100mg/本（100mL）
清涼飲料水	眠眠打破	120mg/本（50mL）
	強強打破	150mg/本（50mL）

ルを過剰摂取してしまう。その結果、カフェインの作用が薄れるとともに、急激に酔いが回って急性中毒を起こす[8]。FDAは2010年、生命を脅かす可能性があるとして、カフェイン入りアルコール飲料の販売を事実上禁止した。飲酒時はカフェイン摂取を避けると同時に、ウーロンハイ、ウイスキーのコーラ割などのカフェインを含むアルコールの飲み過ぎにも注意する。なお、カフェインにはアルコール代謝促進作用はないため、酔い覚ましの効果は期待できない。

そのほか、心臓のcAMP活性を上昇させる薬剤と併用すると、心房細動や心停止など重篤な副作用が現れる恐れがある。ジギタリスとの併用では低カリウム血症（β_2刺激作用）によるジギタリス中毒の誘発、エルゴタミン製剤との併用では血管収縮作用の増強、また利尿薬との併用では血栓・塞栓症（脳・心筋梗塞）、頻尿や脱水などに注意する。NSAIDsと併用すると、鎮痛作用は増強するが、胃潰瘍の発症リスクが高まる可能性がある。

カフェインと併用禁忌である薬剤として、心疾患診断補助薬のアデノシン（アデノスキャン）がある。また、ジピリダモール（ペルサンチン）、ジラゼプ塩酸塩水和物（コメリアン）、アデノシン三リン酸二ナトリウム水和物（アデホス、トリノシン）も、カフェインにより薬効減弱の可能性がある。

60歳代男性Bさん。

［処方箋］
①テオドール錠200mg　2錠
　1日2回　朝食後・就寝前　28日分
② テルネリン錠1mg　3錠
　1日3回　朝昼夕食後　28日分
③ シムビコートタービュヘイラー60吸入　1本
　1回1吸入　1日2回

Bさんは以前から気管支喘息のためテオドール（テオフィリン）を服用しており、コーヒーを1日4杯ほど飲む習慣があった（カフェイン360mg/日）。いずれもCYP1A2で代謝されるため、薬剤師はCNS興奮やCYP1A2代謝競合によるテオフィリン中毒（カフェイン中毒に類似した動悸、振戦、嘔吐など）の恐れがあると考え、これらの症状に注意するよう伝えていた。

今回、肩凝りのためテルネリン（チザニジン塩

表7-11　機序別にまとめたカフェインの主な作用

作用機序	主な作用
アデノシン受容体阻害	抗A_1受容体作用（アデニル酸シクラーゼ［AC］を活性化、cAMP上昇）
	・心機能促進：陽性変時・変力作用（心拍数増加、強心［心筋収縮力増強］） ・利尿：腎尿細管水・Na再吸収抑制、輸入細動脈弛緩（糸球体濾過量上昇、尿量増大） ・中枢神経系（CNS）興奮：脳機能促進・興奮性伝達物質遊離促進 ・抗片頭痛：脳細動脈収縮 ・胃酸分泌促進：プロトンポンプ活性化、胃潰瘍誘発
	抗A_{2A}受容体作用（AC活性を抑制、cAMP低下）
	・眠気覚醒、疲労除去、CNS興奮、抗パーキンソン効果、鎮痛作用：GABA神経興奮抑制、ドパミン作動神経増強 ・血管収縮（末梢血管、冠動脈）：血圧上昇、狭心症誘発
ホスホジエステラーゼ（PDE）阻害（cAMP上昇）	・β_1刺激：心機能促進（陽性変時・変力作用）、脂肪燃焼促進など ・β_2刺激：平滑筋弛緩（気管支・末梢血管拡張→血圧低下）、骨格筋攣縮時間減少（振戦・痙攣誘発）、血糖値上昇、Na-K-ATPase促進（低カリウム血症）など
細胞内貯蔵Ca^{2+}遊離促進	・小胞体からのCa^{2+}遊離促進
	［骨格筋］骨格筋収縮：疲労軽減、活動性増大（過剰摂取により振戦） ［血管内皮］NO産生増大（血管平滑筋弛緩）：血圧低下
その他	大腸蠕動運動亢進（便秘解消）、カルシウム排泄促進作用（骨粗鬆症リスク増加）、胎児発育阻害、高血圧リスク上昇（肝機能低下の患者）、緑内障症状悪化など

酸塩）が追加。同薬もCYP1A2で代謝されるため、テオフィリン、カフェインとの代謝競合やチザニジン血中濃度が上昇する可能性が考えられた。薬剤師は、チザニジンによりテオフィリンやカフェインの作用が増強する可能性を説明し、コーヒーは必ず１日４杯以内とし、中毒症状やチザニジンの副作用（低血圧、眠気など）が現れた場合はすぐ受診するよう伝えた。

症例②　60歳代女性Ａさん。

［処方箋］
① **メインテート錠5mg　1錠**
　アテレック錠10　1錠
　　1日1回　朝食後　28日分
② **ジピリダモール錠12.5mg「JG」　3錠**
　　1日3回　朝昼夕食後　28日分

Ａさんは狭心症の症状が悪化したため、ジピリダモールが追加された。ジピリダモールはアデノシンの作用を高めて冠状動脈を拡張し効果を発揮するため、カフェインの摂取で作用が減弱する可能性がある。Ａさんは、煎茶を１日５～６杯ほど飲む（カフェイン100～120mg/日）という。薬剤師は、カフェイン摂取がジピリダモールの薬効減弱につながることを伝え、カフェイン含有品の一覧表を渡して、カフェイン摂取量上限を厳守するよう指導した。

症例③　30歳代男性Ｃさん。

夜間交代制の職業に従事する30代男性のＣさんが、眠気防止薬のカフェロップ（第３類医薬品）の購入を希望した。同薬は１回量（４粒）中にカフェイン167mgを含有しており、１日３回（カフェイン500mg/日）まで服用可能とされている。Ｃさんには併用薬はないが、日中にコーヒー２～３杯、夕食時に缶ビール500mL、夜勤時にコーヒーをさらに２～３杯飲むという。

薬剤師は、Ｃさんがカフェロップを１回服用すると、カフェイン摂取量上限400mg/日を大きく超えるため、中毒症状（初期症状は食欲不振、振戦、悪心、嘔吐、頻脈、頭痛など）が現れる恐れがあることを説明。カフェロップを服用した場合は、夜勤時のコーヒーを控えるよう指導した。また、飲酒時はカフェロップの服用は避け、効果が認められない場合には、自己判断で服用量を増やさず、医師に相談するよう伝えた。Ｃさんは、十分理解してカフェロップを購入した。

表 7-12　カフェインが関与する主な相互作用

発現機序	カフェインと相互作用を起こす薬剤・食品	結果および留意事項など
過剰摂取（カフェイン中毒）		
重複摂取・併用	カフェイン含有医薬品、嗜好品	カフェイン中毒誘発（効果増強）。CNS興奮。エナジードリンク、カフェイン錠剤の摂取などで死亡例あり。総摂取量を400mg/日以内にとどめる。
動態学的相互作用　☞第1章		
消化管吸収	麦角系薬（エルゴタミン製剤）：クリアミン配合錠など	エルゴタミン吸収増大（薬効増強）。クリアミンは主成分のエルゴタミンの吸収促進と鎮痛効果増強の目的で無水カフェインが配合されている。エルゴタミン製剤服用中は、カフェイン含有食品の過剰摂取は控える。血管収縮（抗片頭痛）作用の協力も関与（抗A_1）。
	胃酸分泌により吸収が増大する薬剤：イトラコナゾール（イトリゾール）、 酸で溶けやすい薬剤：レボドパ製剤	吸収増大（薬効増強）。酸性飲料（カフェイン含有飲料）でのイトラコナゾール服用は避ける（ただしプロトンポンプ阻害薬［PPI］、H_2拮抗薬と併用時、効果増強のため酸性飲料で服用する場合あり）。レボドパも同様に酸性飲料で服用することがある。
	ニコチンガム（ニコレット）	ニコチン（弱塩基性）吸収量低下（薬効減弱）：口腔内pH低下に起因。コーヒーなどの摂取後しばらく（30～40分間）ガムの使用は避ける。
	胃酸で分解されやすい薬剤：エリスロマイシン（エリスロシン）、アンピシリン（ビクシリン）	分解促進（消化管吸収低下、薬効減弱）：酸性飲料での服用を避ける。
	ペミロラスト（アレギサール、ペミラストン）	ドライシロップで主成分析出（効果減弱）。
	抗菌薬のドライシロップ：マクロライド系（クラリスロマイシン［クラリシッド、クラリス］など）、アンピシリン（ビクシリン）、抗菌薬の細粒：スルタミシリン（ユナシン）、セフカペン（フロモックス）など	苦味発現（苦味を抑える特殊な加工が酸により消失）。酸性飲料での服用を避ける。
代謝 （CYP1A2、キサンチンオキシダーゼ［XOD］、モノアミンオキシダーゼ［MAO］）	CYP1A2で代謝される薬剤:キサンチン系薬（アミノフィリン［ネオフィリン］、テオフィリン［テオドール］、ジプロフィリン［ジプロフィリン、ハイフィリン］など）、チザニジン（テルネリン）、オランザピン（ジプレキサ）など	カフェイン血中濃度上昇（作用増強、過度のCNS興奮など）。代謝阻害に起因。CYP1A2で代謝される薬剤は代謝競合により相互に血中濃度上昇。キサンチン系薬ではCNS興奮作用の協力も関与。
	CYP1A2阻害薬：キノロン系薬、SSRI、シメチジン（カイロック、タガメット）など	強力なCYP1A2阻害薬（シプロフロキサシン［シプロキサン］、フルボキサミン［デプロメール、ルボックス］は特に注意）。
	キサンチンオキシダーゼ阻害薬：アロプリノール（ザイロリック）、フェブキソスタット（フェブリク）など	カフェイン血中濃度上昇の恐れ。
	MAO-B阻害薬：セレギリン（エフピー）	MAO-B阻害薬との併用で頻脈、高血圧などが出現。カフェインのMAO阻害と抗A_{2A}作用による抗パーキンソン作用増強の可能性。
	CYP1A2誘導薬：喫煙、PPIなど	カフェイン効果減弱（カフェインの代謝促進）。

表 7-12（つづき）　カフェインが関与する主な相互作用

薬力学的相互作用		
中枢神経系（CNS）	アルコール（飲酒）	急性アルコール中毒誘発。カフェインのCNS興奮作用によりアルコールのCNS抑制作用がマスクされて過剰飲酒を招く。飲酒時のカフェイン摂取は避ける。
	CNS興奮薬：キサンチン系薬（テオフィリンなど）、抗認知症薬（ドネペジル［アリセプト］など）、メチルフェニデート（コンサータ、リタリン）	過度のCNS興奮。抗パーキンソン薬、抗精神病薬、抗うつ薬もCNS興奮作用を呈することがあるので併用注意。抗パーキンソン効果増大の可能性（抗 A_{2A} 作用）。
	睡眠薬：ベンゾジアゼピン系薬など	睡眠誘導効果減弱（覚醒作用のため）。
心カテコールアミン感受性増大・強心作用 ☞**本章［第2節］**	β_1 刺激薬、甲状腺ホルモン製剤（レボチロキシン［チラーヂンS］など）、ハロゲン吸収麻酔薬（ハロタン［フローセン］）	心機能亢進（頻脈、心房細動、心停止）。ハロゲン吸収麻酔薬は心筋cAMP系の賦活作用、甲状腺ホルモンは心筋 β 受容体増加あり。
	ジギタリス製剤	心筋収縮力増強。ジギタリス中毒誘発：低カリウム血症（β_2 刺激）により助長。
血管収縮 ☞**本章［第6節］**	麦角系薬（エルゴタミン製剤；クリアミン配合錠など）	エルゴタミン製剤の血管収縮作用増強。
利尿（血液凝固促進）作用 ☞**本章［第7節］**	利尿薬：チアジド系（ヒドロクロロチアジド）、ループ系（フロセミド［ラシックス］など）など	利尿作用増強。血栓・塞栓誘発、脱水症状、低血圧。カフェイン血管収縮（抗 A_{2A}）作用もあるため血圧変動に注意。
鎮痛効果	非ステロイド抗炎症薬（NSAIDs） ☞**第8章［第4節］**	NSAIDs効果増強。カフェインには消炎鎮痛薬の相対有効率を1.4倍上昇させるとの報告あり。カフェインの鎮痛効果が関与（抗 A_{2A} 作用）。
	アミトリプチリン（トリプタノール）など	アミトリプチリンの鎮痛効果を減弱させるとの報告（機序不明［抗 A_1 作用関与？］）。
胃酸分泌 ☞**第8章［第4節］**	NSAIDs	胃酸分泌促進（胃潰瘍誘発）。
アデノシン受容体拮抗 ☞**本章［第6節］**	アデノシン（アデノスキャン）	アデノシンによる虚血診断に影響（併用禁忌）。カフェイン、カフェイン含有食品、テオフィリンなどのメチルキサンチン系薬の摂取後、12時間以上空けてアデノシン投与。
	アデノシン作動薬：ジピリダモール（ペルサンチン）、ジラゼプ（コメリアン）、アデノシン三リン酸二ナトリウム（アデホス、トリノシン）など	アデノシン作動作用が減弱する可能性。

参考文献

1）Curr Neuropharmacol.2015;13:71-88.
2）Rev Bras Anestesiol.2012;62:387-401.
3）日本中毒情報センター保健師・薬剤師・看護師向け中毒情報
http://www.j-poison-ic.or.jp/ippan/M70093.pdf
4）内閣府・食品安全委員会ファクトシート
http://www.fsc.go.jp/sonota/factsheets/caffeine.pdf
5）日臨救医誌 2014;17:711-5.
6）J Caffeine Res.2011;1:153-62.
7）Life Sci.2013;93:283-7.
8）Cur Med Chem.2015;22:975-88.

第2節
末梢神経系

末梢神経系には自律神経と体性神経があり、前者は呼吸、循環、消化、分泌などの自律機能、後者は運動、知覚に関わっている。両神経は中枢神経系（CNS）によって統合されている。

解剖学的に、自律神経は交感神経と副交感神経、体性神経は運動神経と知覚神経に分けられる。知覚神経のみ、器官から中枢へ興奮を伝達するが（求心性）、他の神経は中枢から各標的臓器に興奮が伝達される（遠心性）。遠心性の神経系と、その伝達物質および受容体を**図7-1**に示す。交感神経終末のみがノルアドレナリン（NAd）を遊離し、神経節および副交感神経終末ではアセチルコリン（ACh）が神経伝達を担っている。

交感神経のアドレナリン（Ad）受容体にはα_1、α_2、β_1、β_2、β_3受容体（**表7-13**）、ACh受容体にはムスカリン受容体とニコチン受容体がある。さらにムスカリン受容体にはM_1、M_2、M_3がある（☞**表7-19**）。ムスカリン受容体は副交感神経の標的臓器、ニコチン受容体は節および骨格筋に存在するが、それぞれの受容体感受性は異なり、ムスカリン受容体はアトロピンに、節のニコチン受容体はヘキサメトニウムに、骨格筋のニコチン受容体はツボクラリン（クラーレともいう）に、それぞれ感受性が高い。

本節では、交感神経系（SNS）、副交感神経系、運動神経系、節遮断について簡単に説明した後、これらの神経系に関わる主な薬力学的相互作用について解説する。

（関連事項☞**コラム54**）

❶ 交感神経系（SNS）

交感神経終末から分泌されるカテコールアミン（CA）のNAdは、受容体に結合して作用した後、神経終末に再び取り込まれ、ミトコンドリア外膜に存在するモノアミンオキシダーゼ（MAO）によって分解される（**図7-2**；NAdは各臓器にあるカテコール-O-メチル転移酵素［COMT］でも代謝される）。一方、Adは、交感神経系の動員ホルモンとして副腎髄質から分泌され、受容体に作用する。

SNSに作用する薬剤（SNS用薬）は、刺激薬と遮

図7-1　末梢神経系（遠心性）の模式図

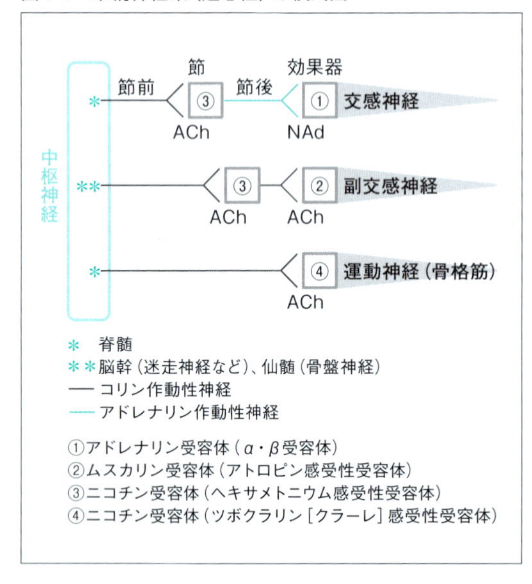

図7-2　交感神経終末における興奮伝達の模式図

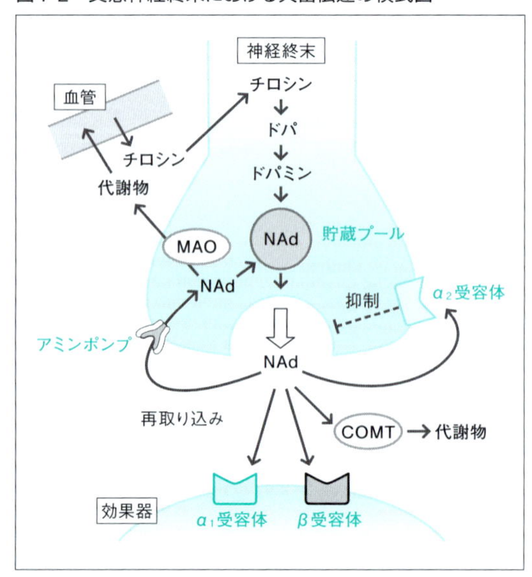

表7-13　交感神経受容体の主な作用

分類	作用
$α_1$	平滑筋収縮[※1]（血管、泌尿・生殖器）、血糖値上昇（グリコーゲン分解亢進、インスリン分泌抑制）、瞳孔拡大（散瞳）
	【参考】$α_1$受容体には1A（c）、1B（b）、1D（a）などのサブタイプがあり、1Bは主に血管（高齢者）、1Dは主に膀胱、脊髄、1Aは主に前立腺の平滑筋収縮に関与することが示唆されている[※2]。
$α_2$（抑制系）[※3]	NAd遊離抑制
$β_1$	心機能促進（心拍数増加、心筋収縮増強）、脂肪分解促進
$β_2$	平滑筋弛緩（気管支、血管、生殖器［子宮］）、血糖値上昇（肝における糖新生促進、肝・筋肉におけるグリコーゲン分解亢進）、放出増加（インスリン、グルカゴン、レニン）、骨格筋攣縮時間減少（振戦、痙攣）
$β_3$[※4]	膀胱平滑筋弛緩（蓄尿期の膀胱弛緩）、脂肪分解・熱産生促進（白色・褐色脂肪細胞）

※1　平滑筋で構成されている組織は、血管、気管支、子宮、膀胱、尿路、前立腺、消化管など。
※2　$α_{1A}$受容体は唾液腺、鼻粘膜にも存在し、粘液分泌を促進。また、消化管、虹彩（散大筋）にも存在。
※3　$α_2$受容体は神経終末、血管内皮細胞、静脈平滑筋細胞、血小板、脂肪細胞などに存在する。
※4　$β_3$受容体は褐色脂肪と白色脂肪に存在し、熱産生と脂肪分解に関与（肥満と糖尿病発症に関連）し、抗肥満薬のシブトラミン（国内未承認：SNRI）は$β_3$受容体刺激を介した効果もある。

表7-14　交感神経刺激および遮断を起こす薬剤の作用機序

交感神経に対する作用	作用機序
刺激薬	（1）受容体に直接作用して刺激（直接型、受容体刺激）
	（2）神経終末に取り込まれてNAd遊離を促進（間接型）
	（3）（1）、（2）の混合型（中間型）
	（4）CAの神経終末への再取り込みを阻害（再取り込み阻害）
	（5）CA分解抑制（MAO阻害薬）
遮断薬	（1）受容体に結合またはNAdと競合して結合を阻害（受容体遮断）
	（2）神経終末に取り込まれ貯蔵部位からのNAdの遊離を促進（NAd枯渇）
	（3）神経終末の$α_2$受容体を刺激してNAd遊離抑制（NAd遊離抑制）

断薬に分けられる。

交感神経刺激作用および遮断作用を有する薬剤を**表7-15**と**表7-16**に分類して示す。$α_1$刺激薬は血管収縮作用を示し、片頭痛、鼻閉、結膜充血、膀胱括約筋収縮不全の治療や、昇圧薬、散瞳薬として用いられる。$α_2$刺激薬はNAd遊離抑制に働くため、中枢性降圧薬として使用される。$β_1$刺激薬は心不全や徐脈に対する強心薬、$β_2$刺激薬は気管支拡張薬、$β_3$刺激薬は過活動膀胱治療薬として用いられる。

一方、$α_1$遮断薬は高血圧や末梢循環不全、前立腺肥大、$β_1$遮断薬と$α_1β$遮断薬は高血圧や狭心症、不整脈の治療に用いられる。このうち、内因性交感神経刺激作用（ISA、$β$遮断薬が$β$受容体を刺激する作用）のない薬剤は慢性心不全にも使用される。

SNS用薬のほかに、CNS用薬にも交感神経系に作用を及ぼす薬剤がある（表中の太字の薬剤）。特に、抗パーキンソン薬（レボドパ製剤）、抗うつ薬、精神刺激薬などは交感神経刺激作用、抗精神病薬（抗ドパミン薬）や中枢性降圧・筋弛緩薬などはSNS遮断作用を有する場合があるので、SNS用薬との併用には慎重に対処する。

なお、カテコールアミン（CA）はカテコール環を持つアミンの総称で、生体内ではドパミン、NAd、Ad（合成順）が主な物質であり、薬剤としてはイソプレナリン塩酸塩（プロタノール）、ドブタミン塩酸塩（ドブトレックス）が加わる（**図7-3**）。レボドパはドパミン前駆体、ドロキシドパ（ドプス）はNAd前駆体のためCA類（系）である。交感神経刺激薬にはCA系が多い（☞**表7-15**）。

SNSにおける主な相互作用を、協力作用は**表7-17**、拮抗作用は**表7-18**に示した。以下、発現機序別に見ていく。

表 7-15　交感神経系（SNS）作動作用を持つ主な薬剤・食品

（1）受容体刺激（直接型）	
・α / β 刺激薬[※1]	NAd（$\alpha>\beta$：昇圧・強心薬）、Ad（$\alpha<\beta$：ボスミン；昇圧・強心薬）、エチレフリン（エホチール；昇圧薬・散瞳薬）、**ドロキシドパ**[※2]（ドプス；NAd前駆体）
・α 刺激薬	フェニレフリン[※1]（ネオシネジン；昇圧薬・散瞳薬）、メトキサミン★[※1]（昇圧薬）、ミドドリン[※1]（メトリジン；昇圧薬）、ナファゾリン（プリビナ；局所血管収縮薬）、ナファゾリン類似薬（オキシメタゾリン［ナシビン点眼・点鼻液］、テトラヒドロゾリン［コールタイジン点鼻液］、トラマゾリン［トラマゾリン点鼻液］など）
・β_1/β_2 刺激薬[※1]	イソプレナリン（プロタノール；気管支拡張・強心薬）、オルシプレナリン★（気管支拡張）、クロルプレナリン、メトキシフェナミン（メトキシフェナミン塩酸塩；気管支拡張）、フェノテロール（ベロテック；気管支拡張）、マブテロール★（気管支拡張）、イソクスプリン（ズファジラン；子宮・末梢血管拡張）
・β_1 刺激薬[※1]	ドブタミン（ドブトレックス）、デノパミン（カルグート）
・β_2 刺激薬[※3]	リトドリン（ウテメリン；子宮拡張薬）、気管支拡張薬[※1]（サルブタモール［ベネトリン］、プロカテロール［メプチン］、ツロブテロール［ベラチン、ホクナリン］、トリメトキノール［イノリン］、テルブタリン［ブリカニール］、ホルモテロール［アトック］、クレンブテロール［スピロペント］、サルメテロール［セレベント］、インダカテロール［オンブレス］、ホルモテロール［オーキシス、シムビコート、フルティフォーム；喘息・COPD治療配合剤］、ビランテロール［アノーロ；COPD治療配合剤、レルベア；喘息治療配合剤］など）
・β_3 刺激薬	OAB治療 β_3 刺激薬（ミラベグロン［ベタニス］、ビベグロン［ベオーバ］）
（2）NAd 遊離促進（間接型）	
・アメジニウム（リズミック；昇圧薬、MAO-A阻害作用あり） ・覚醒アミン[※1]：**アンフェタミン★、メタンフェタミン★** ・アンフェタミン系薬：**マジンドール**（サノレックス）、精神刺激薬[※4]：**メチルフェニデート**（コンサータ、リタリン）、**リスデキサンフェタミン**（ビバンセ）、**ペモリン**（ベタナミン） ・四環系抗うつ薬（α_2 遮断[※5]）：**ミアンセリン**（テトラミド）、**セチプチリン**（テシプール） ・**ミルタザピン**（レメロン、リフレックス；NAd・5-HT作動性抗うつ薬［NaSSA］、α_2 遮断[※5]） ・チラミン[※1]、チラミン含有食品：チーズ（0～5.3mg/10g）、ビール（1.1mg/100mL）、赤ワイン（0～2.5mg/100mL）、キャビア、ニシン、バナナ、ソラマメ、ヨーグルト、酵母エキス、レバー、ドライソーセージ、アボカドなど（☞**付E**）、長期大量飲酒、喫煙（ニコチンによるSNS刺激）、気温低下（体温上昇によるSNS刺激）、高温入浴、肥満・過食、ストレス	
（3）上記（1）、（2）の混合型[※1]（中間型）	
・ドパミン（イノバン；昇圧・強心薬、主に β 作用、BBB通過しにくい） ・**レボドパ製剤**[※6]（ドパストン［抗パーキンソン薬］など、ドパミン前駆体） ・**モダフィニル**[※7]（モディオダール）　・メタラミノール★（$\alpha>\beta$：昇圧・強心薬） ・エフェドリン（α、β）、メチルエフェドリン（α、β：メチエフ）、マオウ（麻黄、エフェドリン含有） ・フェニルプロパノールアミン★（別名ノルエフェドリン[※8]）	
（4）NAd の再取り込み抑制	
・**三環系抗うつ薬**[※9]　・**マプロチリン**[※9]（ルジオミール；四環系抗うつ薬） ・**ミルナシプラン**（トレドミン；SNRI）、**デュロキセチン**（サインバルタ；SNRI、ベンラファキシン［イフェクサー；SNRI］） ・**アトモキセチン**（ストラテラ；選択的NAd再取り込み阻害薬、注意欠陥・多動性障害治療薬）	
（5）NAd 分解抑制	
・MAO阻害薬[※9]：**サフラジン★**（ヒドラジン系）、B型MAO阻害薬（セレギリン［エフピー］、ラサギリン［アジレクト］、サフィナミド［エクフィナ］） ・MAO阻害作用のある薬剤：イソニアジド（イスコチン；抗結核薬）、アメジニウム（リズミック）、プロカルバジン（塩酸プロカルバジン；アルキル化薬、MAO阻害作用は弱い）、リネゾリド（ザイボックス；オキサゾリジノン系抗菌薬） ・COMT阻害薬：エンタカポン（コムタン）	

太字の薬剤は CNS 作用を有する。　★ 販売中止

※1　CA 系。CA とは、NAd、Ad、イソプレナリン（イソプロテレノール）、ドブタミン、ドパミンを指す。多くの交感神経刺激薬が CA 誘導体で CA 系である。

※2　パーキンソン病は進行に伴って脳内 NAd 系も障害を受ける。ドロキシドパは、これを補給するのに用いられる。

※3　β_2 刺激薬は、肥満細胞からのケミカルメディエーター（ロイコトリエン、ヒスタミンなど）の遊離を強力に抑制するほか、肥満細胞以外の細胞からのサイトカインやケモカインの産生、遊離、また接着分子の発現など抑制し、抗アレルギー作用、抗炎症作用を示す。また QT 延長、低 K 血症なども誘発する可能性がある。

※4　メチルフェニデート類は、アンフェタミン様作用を持つが末梢交感神経刺激作用はないとされているが、神経外モノアミン濃度の上昇や NAd 感受性を増大させる。

※5　α_2 受容体遮断により NAd 遊離が促進するのでここに加えた。

※6　末梢のドパミンは血管拡張作用を示すため起立性低血圧を誘発することがある（☞**表 7-36**）。

※7　モダフィニルの交感神経刺激作用は不明であるが、ドパミン遊離作用があることから、便宜的に混合型とした。

※8　以前は OTC 薬（感冒薬、鎮咳去痰薬、鼻炎用薬など）にも配合されていたが、脳出血リスク増大の恐れがあるとして現在はほとんど使用されていない。

※9　三・四環系抗うつ薬、MAO 阻害薬は起立性低血圧を誘発することがある（☞**表 7-36**）。三環系薬には α_1 遮断、抗コリン、抗ヒスタミン作用あり。

A 協力作用

1 交感神経系刺激薬／遮断薬の相互の併用（☞表7-17）

交感神経系（SNS）刺激薬の相互の併用、あるいはSNS遮断薬の相互の併用には、常に注意する。SNS刺激薬相互の併用では、高血圧発作（α_1）、不整脈・心悸亢進・心停止（β_1）、過度の子宮弛緩·血管拡張·振戦（β_2）のほか、不眠、発汗、全身脱力、精神興奮などの恐れがある。SNS遮断薬相互の併用では、降圧・血管拡張（α_1）、降圧・徐脈・心拍数抑制（β_1）などの作用が増強する恐れがある。特にドロキシドパを含むCA相互の併

表7-16　交感神経系（SNS）遮断作用を持つ主な薬剤

（1）受容体遮断	
α_1遮断薬	**塩酸モキシシリト**★、キナゾリン系降圧薬（プラゾシン［ミニプレス］、ブナゾシン［デタントール］、ドキサゾシン［カルデナリン］、テラゾシン※1［ハイトラシン］など）、タムスロシン※1（ハルナールD）、シロドシン※1（ユリーフ；α_{1A}遮断）、**イフェンプロジル**（セロクラール；脳循環代謝改善薬）、麦角系薬※2（エルゴタミン製剤、**ドパミンD_2受容体刺激薬**など）、**ブチロフェノン系薬**、**フェノチアジン系薬**、**非定型抗精神病薬**（**SDA**［リスペリドン〈リスパダール〉、パリペリドン〈インヴェガ〉、ペロスピロン〈ルーラン〉］、**MARTA**［オランザピン〈ジプレキサ〉、クエチアピン〈セロクエル〉］、**DSS**［アリピプラゾール〈エビリファイ〉］、**DSA**［ブロナンセリン〈ロナセン〉、**ルラシドン**〈ラツーダ；DSA；抗精神病薬／双極性障害のうつ症状治療薬〉］、**クロザピン**［クロザリル］）、**スルトプリド**（バルネチール；ベンズアミド系）、**トラゾドン**（デジレル；抗うつ薬）
β_1/β_2遮断薬（ISAなし）※3	プロプラノロール（インデラル）、ナドロール（ナディック）、ニプラジロール（ハイパジール）、チリソロール★、チモロール
β_1/β_2遮断薬（ISAあり）※3	ピンドロール（カルビスケン）、アルプレノロール（スカジロール）、カルテオロール（ミケラン）、ボピンドロール★
β_1遮断薬（ISAなし）※3	メトプロロール（セロケン）、アテノロール（テノーミン）、ベタキソロール（ケルロング）、ビソプロロール（メインテート）
β_1遮断薬（ISAあり）※3	アセブトロール（アセタノール）、セリプロロール（セレクトール）
$\alpha_1\beta$遮断薬	ラベタロール（トランデート）、アロチノロール（同名）、アモスラロール（ローガン）、カルベジロール（アーチスト）、ベバントロール（カルバン）
（2）NAd枯渇薬※4	
・降圧薬：グアネチジン★、ベタニジン★ ・レセルピン★（降圧薬、抗精神病薬［ブチロフェノン系薬の使用不可のとき］） ・テトラベナジン（コレアジン；非律動性不随意運動治療薬）	
（3）NAd遊離抑制※5（α_2刺激薬）	
クロニジン（カタプレス；降圧薬）、グアナベンズ（ワイテンス；降圧薬）、グアンファシン★、メチルドパ（アルドメット；降圧薬）、**チザニジン**（テルネリン；筋弛緩薬）、**タリペキソール**（ドミン；ドパミン作動薬）	

太字の薬剤はCNS作用を有する。

※1　前立腺肥大症に用いられる薬剤。

※2　末梢のドパミンには血管拡張作用があるため、ドパミン作動薬は起立性低血圧を引き起こすことが多い。これは、交感神経終末のシナプス前ドパミン受容体が刺激され、NAdの遊離が抑制されるためと考えられる。また、麦角系のエルゴタミン·カフェイン配合剤（クリアミン配合錠）、ジヒドロエルゴトキシン（ヒデルギン）、ブロモクリプチン（パーロデル；ドパミンD_2刺激薬）などはα受容体に親和性を示し、弱いながらα_1遮断作用がある。しかし、ブロモクリプチンには逆に機序不明の血圧上昇作用も示されており、これにはエルゴタミン類似の血管収縮作用の関与が考えられている（☞**表7-36**）。

※3　ISAとは、内因性交感神経刺激作用（intrinsic sympathomimetic activity）のこと。ISAを有するβ遮断薬は、部分アゴニスト（partial agonist）であり、例えば交感神経が興奮しているときはβ受容体を抑え、興奮していないときはむしろβ受容体をわずかに刺激する性質を持つ。したがって、β遮断薬による徐脈（心機能抑制）、糖代謝抑制（低血糖）、脂質代謝抑制、気管支収縮（喘息）、退薬性症候群（心筋梗塞発作、高血圧）、末梢血管収縮などの副作用を軽減するために用いられる。

※4　グアネチジンは、まずNAdの貯蔵部位から遊離を促進し、次いで遊離を抑制、再取り込みを抑制し、NAdプールを枯渇させる。また、レセルピンはNAd遊離を促進し、貯蔵部位への取り込み阻害作用によりNAdプールを枯渇させる。テトラベナジンは、神経終末内に存在する小胞へのモノアミン取り込みを阻害し、次いで神経終末、シナプス間隙に増えたドパミンがMAO、COMTにより徐々に分解されてドパミン（NAdなど）プールを枯渇させる。したがって、これらの薬剤の投与初期にはNAd刺激作用があるので、血圧上昇などに注意が必要である。

※5　α_2刺激作用によりNAd遊離が抑制されるのでここに加えた。ミアンセリン（テトラミド）、セチプチリン（テシプール）にはα_2遮断作用がある（☞**表7-15**）。

★ 販売中止

用や、CA、(メチル) エフェドリン塩酸塩 (メチエフ) とβ_1/β_2刺激薬との併用は、過度の交感神経興奮 (相乗) による重篤な副作用 (不整脈、高血圧) が現れる恐れがあり、禁忌である。また、NAd 枯渇作用を有するレセルピンとテトラベナジン (コレアジン) との併用も、投与初期では交感神経刺激作用の協力が、また投与継続では交感神経遮断作用の協力があり、禁忌である。

β_2刺激薬とβ_1/β_2刺激薬、CA、(メチル) エフェドリンとの併用は慎重投与とされているが、同様に注意した方がよいだろう。β刺激薬のリトドリン塩酸塩 (ウテメリン) やイソクスプリン塩酸塩 (ズファジラン) と他のβ刺激薬との併用、β_3刺激薬 (ミラベグロン [ベタニス；OAB 治療薬]) と CA との併用も慎重に行う。また、NAd 枯渇薬の投与初期には、必ず NAd 遊離促進が起こり交感神経を刺激するので、交感神経を刺激する薬剤 (NAd 枯渇薬、抗うつ薬、昇圧薬など) と併用すると協力して作用が増強し、高血圧や心機能促進などの症状が現れる可能性がある。

SNS 刺激/遮断作用を有する CNS 用薬にも注意する (☞表7-15、7-16の太字の薬剤)。例えば、フェノチアジン系薬、ブチロフェノン系薬、非定型抗精神病薬はα_1遮断作用を有するので、降圧薬との併用では、降圧効果の協力作用に注意する。ただし、フェノチアジン系薬とグアネチジン様降圧薬を併用する場合では作用が拮抗する。この拮抗作用の原因については明らかとされてないが、フェノチアジン系薬がグアネチジンの神経終末への取り込みを阻害するためと考えられている (☞表7-18)。また、ブロモクリプチンメシル酸塩 (パーロデル；麦角系薬；ドパミン作動薬) は交感神経終末の NAd 遊離を抑制して SNS 遮断作用を示すが、逆に機序不明の血圧上昇作用もあるため注意する (☞表7-36)。

2 CA 感受性の増大 (☞表7-17)

a 抗うつ薬によるα_1受容体感受性増大

NAd の再取り込みを抑制する抗うつ薬 (三環系薬など) を投与すると、α_2、β受容体の数が減少するため、α_1受容体の感受性が増大する。このため、抗うつ薬を服用中の患者にα受容体刺激薬 (直接型および間接型;昇圧薬、気管支拡張薬など) やα受容体遮断薬 (降圧薬など) といったα_1受容体に作用して効果を発現する薬剤を投与すると、薬効が増強することがある。例えば、昇圧薬や強心薬などの CA 系薬 (受容体刺激) との併用によって血圧上昇・不整脈が発現したり、モキシシリトなどのα受容体遮断作用を有する薬剤の併用によって、降圧作用が増強されることがある。抗うつ薬を投与中の患者では、血圧の変動に注意を払う。なお、三環系薬はα_1遮断作用も持つ。

図 7-3 カテコールアミン

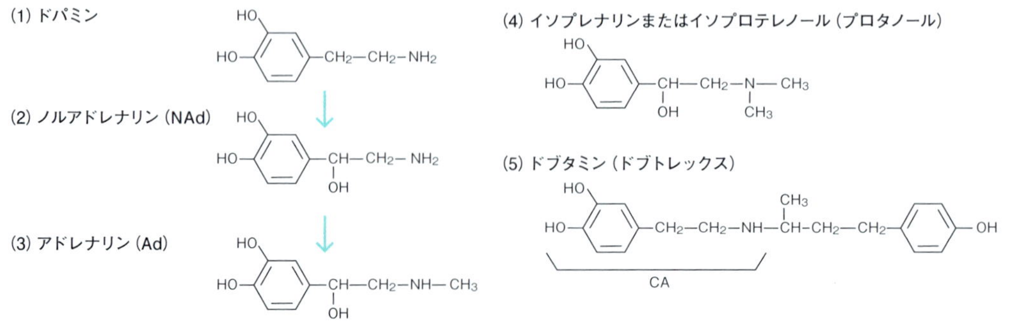

(1) ドパミン
HO-C6H3(OH)-CH_2—CH_2—NH_2

(2) ノルアドレナリン (NAd)
HO-C6H3(OH)-CH(OH)—CH_2—NH_2

(3) アドレナリン (Ad)
HO-C6H3(OH)-CH(OH)—CH_2—NH—CH_3

(4) イソプレナリンまたはイソプロテレノール (プロタノール)
HO-C6H3(OH)-CH(OH)—CH_2—N(CH_3)—CH_3

(5) ドブタミン (ドブトレックス)
HO-C6H3(OH)-CH_2—CH_2—NH—CH(CH_3)-CH_2—CH_2-C6H4-OH
CA

表 7-17　交感神経系（SNS）刺激/遮断作用の協力に起因する主な相互作用

（1）刺激薬相互または遮断薬相互の併用

	薬剤A	薬剤B	併用により起こり得る事象など
併用禁忌	CA（☞**図 7-3**）、（メチル）エフェドリン（メチエフなど）	Ad、NAd、ドロキシドパ（ドプス；NAd前駆体）	不整脈、心停止。
		β_1/β_2刺激薬（イソプレナリン［プロタノール］など）、（メチル）エフェドリン	心悸亢進、不整脈、死亡例。
	レセルピン★	テトラベナジン（コレアジン；非律動性不随意運動治療薬；モノアミン枯渇薬）	作用増強。両剤は類似した作用機序を有する。投与初期には高血圧（NAd作用協力）。投与継続では低血圧（NAd枯渇作用協力）。
併用慎重	CA系：		
	フェニルプロパノールアミン（PPA）★	チラミン含有量の多い飲食物（チーズ、ビール、赤ワインなど）	高血圧発作、動悸。
	β刺激薬：		
	β_2刺激薬	β_1/β_2刺激薬、CA、（メチル）エフェドリン（メチエフなど）	不整脈、心停止。
	リトドリン（ウテメリン；β_2刺激薬）、イソクスプリン（ズファジラン；β刺激薬）	β刺激薬	過度の血管拡張、子宮弛緩の恐れ。動悸・振戦・嘔気など。
	β_3刺激薬（ミラベグロン［ベタニス；OAB治療薬］）	CA	頻脈、心室細動発現の危険性増大。
	NAd枯渇薬：		
	レセルピン★	β遮断薬	過度の交感神経遮断。
		交感神経遮断薬	徐脈、起立性低血圧誘発。
		NAd枯渇薬：グアネチジン★、ベタニジン★	投与初期に高血圧（NAd遊離促進のため）。
		抗うつ薬	投与初期に興奮、躁状態（レセルピンのNAd遊離促進のため）。
	テトラベナジン（コレアジン；非律動性不随意運動治療薬）	降圧薬	起立性低血圧誘発。
	グアネチジン★、ベタニジン★	昇圧薬	投与初期に血圧上昇、心刺激（NAd枯渇剤のNAd遊離促進のため）。
		α_1遮断薬	起立性低血圧誘発。
	α_1遮断作用を有する薬剤：		
	フェノチアジン系薬、ブチロフェノン系薬、非定型抗精神病薬	降圧薬（β遮断薬、クロニジン［カタプレス；α_2刺激薬］、Ca拮抗薬）	相互に作用増強。【注意】ただし、グアネチジン様製剤（NAd枯渇薬；降圧薬）は作用拮抗（グアネチジンの神経終末への取り込みがフェノチアジン系により阻害されるためと考えられる☞**表 7-18**）。
	ドパミンD_2受容体刺激薬：		
	ブロモクリプチン（パーロデル；麦角系薬）※	降圧作用を有する薬剤	降圧効果増強。交感神経遮断の協力。
		交感神経刺激薬（Adなど）、子宮収縮薬（麦角系；エルゴメトリン［エルゴメトリンマレイン酸塩注］、メチルエルゴメトリン［メテナリン］）	血圧上昇、頭痛、痙攣。機序不明だが血管収縮作用の協力関与。
	NAdの再取り込み抑制薬		
	SNRI（デュロキセチン、ベンラファキシン）	NAd、Ad	心血管作用の増強、血圧上昇。

※ 主に NAd 遊離抑制作用（血管拡張）、弱いα_1遮断作用、エルゴタミン類似の血管収縮作用を有する（☞ **表 7-36**）。
★ 販売中止

表 7-17（つづき） 交感神経系（SNS）刺激/遮断作用の協力に起因する主な相互作用

（2）CA 感受性増大

a 抗うつ薬 →α_1受容体感受性増大			
併用慎重	三環系抗うつ薬、マプロチリン（ルジオミール；四環系抗うつ薬）	交感神経刺激薬（NAd、Ad、フェニレフリン［ネオシネジン］、メトキサミン★、イソプレナリン［プロタノール］、ドロキシドパ［ドプス］、メタンフェタミン★など）	血圧上昇、不整脈。
併用慎重	抗うつ薬	モキシシリト★（α_1遮断作用）	低血圧、反応能力低下。三環系にはα_1遮断作用あり。
b 吸入麻酔薬（心筋c-AMP系の賦活）、甲状腺ホルモン製剤（心筋β受容体増加）→心筋CA感受性増大			
併用慎重	ハロゲン吸入麻酔薬（ハロタン［フローセン］）	CA系薬（NAd、ドロキシドパ［ドプス；NAd前駆体］、メタラミノール★、アンフェタミン系薬、レボドパ製剤［ドパストンなど；ドパミン前駆体］、エチレフリン［エホチール］、エフェドリン「エフェドリン塩酸塩」、Ad）	頻脈、心室細動（不整脈）、心停止。吸入麻酔薬には心筋cAMP賦活作用、α、β受容体感受性増大、甲状腺ホルモンには心筋β受容体増加作用がある。
		キサンチン系薬（テオフィリン［テオドール］、カフェインなど；非選択的PDE阻害）	不整脈。
	甲状腺ホルモン製剤（レボチロキシン［チラーヂンS］）	Ad、NAd、エフェドリン系薬（メチルエフェドリン［メチエフ］）	頻脈、不整脈。
c レセルピンなどのNAd枯渇剤（CA感受性増大）とISAを有するβ遮断薬の併用			
併用慎重	レセルピン（アポプロン）	ピンドロール（カルビスケン）	β遮断による徐脈作用が消失し、心拍数が著明に上昇することがある。
d アンフェタミン系薬（NAd遊離促進）は末梢神経興奮作用はないがCA感受性を増大			
併用禁忌	抗AD/HD薬；メチルフェニデート（コンサータ、リタリン、リスデキサンフェタミン(ビバンセ)	MAO阻害薬（セレギリン［エフピー］、ラサギリン［アジレクト］、サフィナミド［エクフィナ］；MAO-B阻害薬）	血圧上昇（☞**表7-29**）。MAO阻害剤を投与中あるいは投与中止後2週間以内の患者には投与しない。
併用慎重	メチルフェニデート（コンサータ、リタリン）、ペモリン（ベタナミン）	CA系薬、三環系抗うつ薬（イミプラミンなど）、SSRI（フルボキサミン、パロキセチン、セルトラリン）、アトモキセチン（ストラテラ；選択的NAd再取り込み阻害薬）	血圧上昇、心拍数増加などの恐れ。
		昇圧薬	昇圧作用増強、デキストロメトルファン様中枢神経興奮。

★ 販売中止

b 心筋の CA 感受性増大

吸入麻酔薬には心筋の c-AMP 生成系の賦活作用があり、α、β受容体の感受性を高める。また、甲状腺ホルモン製剤（レボチロキシン Na 水和物［チラーヂン S］）にはβ受容体数の増加作用がある。これらの薬剤を投与すると、心筋の CA の感受性が著しく上昇する。したがって、これらの薬剤を使用中の患者に SNS 刺激薬を投与すると、著しい心機能亢進が認められる。特に、ハロゲン吸入麻酔薬と CA 系薬（Ad 以外）およびキサンチン系薬の併用では、頻脈や心室細動などが起こるため要注意である。

c NAd 枯渇薬による CA 感受性の増大

レセルピン（アポプロン）などの NAd 枯渇薬を服用中の患者では、一定期間、CA の刺激を受けていないために CA の受容体感受性が増大し、SNS 刺激薬などを併用すると作用が増強することがある。レセルピンと内因性交感神経刺激作用（ISA）を有するβ遮断薬との併用では、ISA による SNS 刺激作用が強く発現し、β遮断による徐脈作用が消失して心拍数が著明に上昇することがある。レセルピン服用患者には ISA のないβ遮断薬を投与すれば問題ないと考えられる。

d アンフェタミン系薬による CA感受性の増大

アンフェタミン系抗AD/HD薬（メチルフェニデート塩酸塩［リタリン、コンサータ］、リスデキサンフェタミン［ビバンセ］）はCNSに作用し、NAdやドパミンの遊離を促進してシナプス内のCA量を増加させる。副作用も少なく安全域の広い薬剤であるが、神経外モノアミン濃度の上昇やCAの感受性を増大する交感神経刺激作用があるため、NAdの作用を相加的または相乗的に増強する可能性がある。したがって、CA量を増加させるMAO-B阻害薬との併用は禁忌である。他のCA系薬、昇圧薬、三環系抗うつ薬、SSRI、選択的NAd再取り込み阻害薬との併用でも、患者の血圧上昇やCNS興奮、心拍数増加などに注意して対処する。他の昇圧薬との併用でも、患者の血圧の変動やCNS興奮に注意して対処する。なおメチルフェニデートによる非特異的な肝CYP450酵素の阻害作用にも注意する（☞表5-33、5-34④）。

症例①　20歳代男性Aさん。

［処方箋］

① イナビル吸入粉末剤 20mg　2キット
　　1日1回　吸入
② ブロチンシロップ 3.3%　3mL
　スルピリン水和物「ヨシダ」 0.6g
　セネガシロップ　3mL
　フスコデ配合シロップ　2mL
　ベラチンドライシロップ小児用 0.1%　1g
　　1日3回　毎食後　5日分

Aさんに、抗インフルエンザ薬のイナビル（ラニナミビルオクタン酸エステル水和物）と、フスコデ（ジヒドロコデイン、メチルエフェドリン［α/β刺激薬］、クロルフェニラミン含有）やベラチン（ツロブテロール塩酸塩；β_2刺激薬）などが混合された液剤②が処方された。

交感神経刺激薬を相互に併用すると、不整脈や動悸、振戦などの副作用が現れる可能性がある。副作用を避けるために小児用のベラチンを使用して投与量を調節したと考えられたが、薬剤師は念のため、処方医に疑義照会を行った。

その結果、Aさんの咳が極めてひどいことから、処方の通りに投薬するよう指示された。薬剤師はAさんに、②のような神経に働いて気管支を広げて咳を鎮める薬には、心臓を早く動かす、手が震えるなどの副作用もあることを説明。このような症状が現れたら、服用を中止して直ちに受診するよう伝えた。さらに、用量と服用時点を厳守し、残薬を決して他人に譲渡しないように指導した。数カ月後、来局したAさんによると、副作用は現れなかったとのことだった。

当薬局では、高血圧、甲状腺機能亢進、糖尿病、心疾患のある患者に②が処方された際には、必ず処方医に疑義照会を行っている。

症例②　60歳代男性Bさん。

［処方箋］

① ハルナールD錠 0.2mg　1錠
　アムロジピンベシル酸塩錠 2.5mg　1錠
　　1日1回　朝食後　28日分
② セロクエル 25mg錠　1錠
　　1日1回　夕食後　14日分

Bさんは前立腺肥大症と高血圧のため、4～5年前からα_1遮断薬のハルナール（タムスロシン塩酸塩）とカルシウム拮抗薬のアムロジピンベシル酸塩を服用していたが、妄想や幻覚などの症状が出現したためセロクエル（クエチアピンフマル酸塩）が処方された。

セロクエルはα_1遮断作用を持つため、ハルナールとの協力作用により、アムロジピンの降圧効果をさらに増強させる可能性がある。

薬剤師はBさんに、気分を落ち着かせる薬が追加されたと説明し、併用により降圧薬の作用が強まる可能性があることを伝えた。Bさんは家庭血圧を測定していなかったため、起床時にはゆっくり起き上がり、座った状態から急に立ち上がらないよう指導するとともに、立ちくらみやふらつき、めまいなど、普段と異なる症状が現れた場合は直ちに受診するように伝えた。

2週間後の再診時までにこれらの症状は認められず、血圧も正常だったため、以降セロクエルは徐々に増量され、現在は1日2錠（朝夕食後）を服用中である。精神症状は安定しており、低血圧や立ちくらみなどの異常も認められていない。Bさんには、抜歯時に使用する局所麻酔薬はセロクエルと併用できない場合があることを説明

表 7-18　交感神経系（SNS）刺激/遮断作用の拮抗に起因する主な相互作用

（1）交感神経系（SNS）刺激薬と遮断作用薬の併用

	薬剤A	薬剤B	併用により起こり得る事象など
併用慎重	リトドリン（ウテメリン；β_2刺激薬）、イソクスプリン（ズファジラン；β刺激薬）	β遮断薬	相互に作用減弱。
	交感神経刺激薬	α_1遮断作用薬（フェノチアジン系薬、ブチロフェノン系薬）	交感神経刺激作用の減弱。
	交感神経刺激薬（ドパミン［イノバン］、レボドパ［ドパストン；ドパミン前駆体］、ドロキシドパ［ドプス；NAd前駆体］）	α_1遮断作用薬（フェノチアジン系薬、ブチロフェノン系薬）	パーキンソン病悪化。フェノチアジン系薬、ブチロフェノン系薬は抗ドパミン薬である。
		レセルピン（アポプロン;NAd枯渇薬）	ドパミン作動薬の効果減弱。B剤は脳内ドパミン減少作用あり。
	NAd遊離促進薬（アンフェタミン系薬；メタンフェタミン[※1,★]、マジンドール［サノレックス］）	NAd枯渇薬（降圧作用；レセルピン［アポプロン］、グアネチジン★、ベタニジン★）	降圧作用減弱。B剤投与初期にはNAd遊離促進のため血圧上昇の協力作用に注意。
		メチルドパ[※2]（アルドメット；降圧薬）	降圧作用減弱。
	α_2遮断薬（四環系抗うつ薬：ミアンセリン［テトラミド］、セチプチリン［テシプール］）	α_2刺激薬（クロニジン［カタプレス］；降圧薬）	相互に作用減弱の可能性あり。

（2）神経終末の薬剤の取り込み阻害

	薬剤A	薬剤B	併用により起こり得る事象など
併用禁忌	三環系抗うつ薬（NAd再取り込み阻害）	NAd枯渇薬（降圧薬：グアネチジン★、ベタニジン★）	降圧作用減弱。
併用慎重	四環系抗うつ薬（マプロチリン［ルジオミール］）	NAd枯渇薬（レセルピン［アポプロン］、グアネチジン★、ベタニジン★）	降圧作用減弱。
	フェノチアジン系薬	グアネチジン★	降圧作用減弱。心停止。

（3）逆転作用

	薬剤A	薬剤B	併用により起こり得る事象など
併用禁忌	α遮断薬（ブチロフェノン系薬［ピモジドを除く］、フェノチアジン系、SDA、MARTA、DSS、ルラシドン［ラツーダ；DSA；抗精神病薬/双極性障害のうつ症状治療薬］、クロザピン［クロザリル］、キナゾリン系薬）	Ad（β＞α；Ad配合局所麻酔薬）、アドレナリン（ボスミン）、アナフィラキシーの救急治療に使用する場合を除く	昇圧作用が逆転し低血圧。Adは歯科用の局所麻酔薬に配合されているので注意（**関連事項☞コラム29**）。ただし、アナキラフィシーの救急治療に使用する場合は併用禁忌ではない。歯科用の局所麻酔薬に配合されているAdは注意。
併用慎重	α遮断薬（スルトプリド［バルネチール；ベンズアミド系］）	Ad	昇圧作用逆転。
	β遮断薬（プロプラノロール［インデラル］など）		血圧上昇、反射性の徐脈。
	αβ遮断薬（カルベジロールなど）		

（4）リバウンド現象

	薬剤A	薬剤B	併用により起こり得る事象など
併用慎重	β遮断薬	クロニジン（カタプレス；α_2刺激薬）	α_2刺激薬の服用中止でα_1作用増強（血圧上昇）。クロニジン投与を中止する場合は、β遮断薬を先に中止し、数日間経過を観察した後に行うこと。

※1　エフェドリン、メチルフェニデート（リタリン）、ペモリン（ベタナミン）もメタンフェタミンほどではないが同様に注意する。
※2　メチルドパ（α_2刺激薬）は神経終末で取り込まれた後、αメチルNAdとなり放出され、偽性伝達物質として交感神経を遮断する。
★ 販売中止

し、歯科受診時にはお薬手帳を必ず見せるように伝えている。

症例③　50歳代男性Cさん。

[処方箋]
① テノーミン錠25　1錠
　ノルバスク錠5mg　1錠
　　1日1回　朝食後　28日分
② テルネリン錠1mg　3錠
　　1日3回　朝昼夕食後　7日分

Cさんは狭心症と高血圧のため、数年前からβ遮断薬のテノーミン（アテノロール）とノルバスク（アムロジピンベシル酸塩）を服用中であり、良好な血圧コントロールが得られていた。

担当薬剤師は、SNSを刺激すると血管が縮まったり心拍数が増えたりして血圧が上昇することを説明し、SNS刺激作用を持つマオウ含有漢方薬（葛根湯、麻黄湯、小青竜湯など）の使用時には相談するよう伝えていた。また、チラミン含有食品の過剰摂取や長期大量飲酒、喫煙、過食を避けること、ストレスをためないこと、入浴の際は37～40℃のぬるめのお湯に浸かること、冬には防寒対策を取ることなど、生活習慣指導も日ごろから行っていた。

今回、Cさんには強い肩凝りと頭痛のため、テルネリン（チザニジン塩酸塩）が処方された。テルネリンにはα_2刺激を介したNAd遊離抑制作用があるため、降圧薬の作用が増強すると考えられる。そのためCさんには、低血圧や徐脈、ふらつき、動悸、ほてりなどが現れる可能性があることを説明し、家庭血圧の測定を続けるように指導した。

1週間後に来局したCさんは、少し眠気はあるものの血圧や脈拍数は正常範囲にあり、肩凝りが改善したと喜んでいた。その後も肩凝りがある際にはテルネリンが頓用で処方されているが、異常は認められていない。

参考

フェニルプロパノールアミンによる脳出血

フェニルプロパノールアミン塩酸塩（PPA、別名ノルエフェドリン）は、交感神経系（SNS）刺激作用を有し（☞**表7-15**）、わが国では血管収縮作用により鼻粘膜の充血・腫れを抑制し鼻閉を改善させる薬剤として、医療用医薬品や市販の感冒薬、鎮咳去痰薬、鼻炎用薬に配合されていた。海外では食欲抑制剤としての使用例もあった。

しかし、脳出血などの副作用が報告されたため、厚生労働省は2003年8月、PPA配合製品を販売する場合は情報提供・服薬指導を徹底するとともに、安全性の高い塩酸または硫酸プソイドエフェドリンを含有する製品に速やかに切り替えるよう指示した。現在では、PPA含有製品はほとんど販売されていない。

B 拮抗作用（☞表7-18）

❶SNS刺激薬とSNS遮断薬の併用

SNS刺激作用を有する薬剤と、遮断作用を有する薬剤は併用慎重であるが、基本的には避けた方がよい。リトドリン塩酸塩（ウテメリン）、イソクスプリン塩酸塩（ズファジラン）などのβ刺激薬とβ遮断薬との併用は特に注意が必要である。チラミン含有食品の過剰摂取や長期大量飲酒、喫煙、高温入浴などにもSNS刺激作用がある。そのため、特に降圧薬や狭心症治療薬を服用中の患者には、これらの嗜好品や生活習慣が血圧上昇や頻脈などを招く恐れがあることを説明しておく（左の症例3）。

❷ 神経終末への薬剤の取り込み阻害

三環系抗うつ薬はNAdの再取り込みを抑制するため、受容体部位でのNAd量は増加する（血圧上昇）。したがって、降圧薬と併用すると、作用が拮抗し降圧効果が減弱する。特に、神経終末で取り込まれて作用を発揮するグアネチジンやベタニジンは、薬剤自体の神経終末への取り込みが三環系抗うつ薬によって阻害されるため、降圧作用が著しく減弱する。

また、フェノチアジン系薬はα_1遮断作用を有するため、降圧薬と併用すると協力作用によって降圧効果が増強する。ただし、グアネチジン様降圧薬との併用では、神経終末における降圧薬の取り込みをフェノチアジン系薬が阻害するため、降圧効果が減弱すると考えられている。

❸ 逆転作用

フェノチアジン系薬、ブチロフェノン系薬のようなα_1遮断作用を有する薬剤による低血圧に対して、β刺激作用の強いAd（$\alpha<\beta$）を用いると、Adの作用がαよりβ受容体に強いためβ刺激作用（血管拡張）が優位となり、Adの昇圧作用を逆転して血圧が降下することがあるので、Adをアナフィラキシーの救急治療に使用する場合を除いて併用禁忌となっている。このような場合は、Adの代わりに、β作用の弱いNAdやフェニレフリン塩酸塩（ネオシネジン；$\alpha>\beta$）を投与する。

一方、非選択性β遮断薬（β_1/β_2；プロプラノロール塩酸塩［インデラル］など）を服用中の患者に、蕁麻疹や外科手術のためにAdを投与すると、Adの作用がα受容体に優位となり、血圧が著しく上昇したり、反射性の副交感神経刺激で徐脈になることがある。実際、併用により血圧が190/110mmHg、260/150mmHgに上昇したケースや、心拍数が30回/分や平均20回/分に低下したケースのほか、心停止を来した例も1例報告されている。

❹ リバウンド現象

β遮断薬とα_2刺激薬（クロニジン塩酸塩［カタプレス］；NAd遊離抑制、降圧薬）との併用後にα_2刺激薬を中止したり、併用時に患者が飲み忘れたりすると、α_2刺激作用により神経終末からの遊離が抑制されていたNAdが、反動（リバウンド）によって急激に遊離し、α_1作用が著しく増強することがある（血圧が300/185mmHgまで上昇したとの報告がある）。先にβ遮断薬を中止し、数日間経過を観察した後にクロニジンの投与を中止する必要がある。

参考

受容体の種類と臨床作用

交感神経系用薬は、作用する受容体によってα、β、$\alpha_1\beta$作用薬に分けられる。

α_1受容体刺激薬は、その血管収縮作用により昇圧薬として低血圧、起立性低血圧、循環不全などに用いられるほか、片頭痛や鼻閉、結膜充血、膀胱括約筋収縮不全および散瞳薬としても用いられる。また、α_2刺激薬はNAdの遊離を抑制するため中枢性降圧薬として用いられる。β_1刺激薬は強心薬として心不全や徐脈に、β_2刺激薬は気管支拡張薬として気管支喘息、肺気腫などに用いられる。

一方、α_1遮断薬には血管拡張作用があり、降圧薬や血管拡張薬としてそれぞれ高血圧や末梢循環障害に用いられるほか、前立腺肥大症にも使われる。β_1遮断薬は高血圧、狭心症、不整脈などに、$\alpha_1\beta$遮断薬も降圧薬として用いられる。一般に、心不全にβ遮断薬は禁忌であるが、近年ではISAのないβ遮断薬の低用量投与が慢性心不全に有効であることが示されている。$\alpha_1\beta$遮断薬のカルベジロール（アーチスト）、β_1遮断薬（ISAなし）のビソプロロールフマル酸塩（メインテート）

には、虚血性心疾患および拡張型心筋症に基づく慢性心不全に適応がある。

参考

シロドシンの作用機序と副作用

選択的 α_{1A} 遮断薬のシロドシン（ユリーフ）は、前立腺、尿道、膀胱三角部の α_{1A} 受容体に作用する（☞図 7-5）。下部尿路組織の平滑筋を弛緩し、尿道内圧の上昇を抑制することで、前立腺肥大に伴う排尿障害の症状を改善する。

シロドシンの α_{1A} 受容体に対する親和性は、血管に存在する α_{1B} 受容体の約 162 倍と高いため、α_{1B} 遮断による起立性低血圧の発症頻度は低い。ただし、α_{1A} 遮断薬に起因する副作用として、後述する射精障害（発現率約 20%）、口渇（5%以上）、下痢軟便、鼻閉などがある（原因不明の高トリグリセリド血症［7.4%］もある）。

また、α_{1A} 受容体は虹彩の散大筋に存在することから、α_1 遮断薬を服用中または過去に服用経験のある患者では、白内障手術中の虹彩の異変である IFIS（intraoperative floppy iris syndrome：術中虹彩緊張低下症候群）を引き起こすことがある。国内での IFIS の発症率は、白内障手術を施行した患者 1968 人 2643 眼球のうち 29 眼球（1.1%）で、タムスロシン塩酸塩（ハルナール D）投与患者の 43.1%、ナフトピジル（フリバス）投与患者の 19.0%だったと報告されている（Am J Ophthalmol.2007;143:150-1.）。IFIS は、白内障手術の難易度を上げる原因となるが、事前に想定して準備を整えておけば、ほとんど問題とならないため、術前に α_1 遮断薬を中止する必要はないとされている。したがって、α_1 遮断薬を服用中または過去に服用経験のある白内障患者には、必ず眼科医に伝えるよう指導する。

参考までに、選択的 α_{1A} 遮断薬による射精障害について解説しておく。

射精時には、まず精嚢や精管の平滑筋が収縮し、精液が尿道に送り出される。続いて、尿道海綿体筋が収縮し、尿道から精液が体外に放出される。通常、射精時には膀胱括約筋が収縮して閉じているため、精液は膀胱に逆流しない。

選択的 α_{1A} 遮断薬のシロドシンは、これらの筋収縮を抑制する作用が強いため、精液の尿道への移行が抑制されるとともに、精液が膀胱内へ流入しやすくなり（逆行性射精）、結果的に射精時の精液量の低下を引き起こす。シロドシンの服用患者の約 20%に見られ、そのうち約 70%は服用して 4 週間以内に起こるが、可逆性の副作用であり、約 80%が服用中または服用を中止して 4 週間以内に回復する。

膀胱内の精液は尿と一緒に排泄されるため、健康には害はないが、患者の同意を得て服用させる必要がある。筆者は、服薬指導時に、以下のように説明している。「射精障害は勃起障害ではなく、精液量が少なくなったり、出なくなったりするものです。薬を飲み始めて 1 カ月以内に起こることが多く、薬の効果があるほど、起こりやすいといわれています。健康には害はありませんし、服用を続けていても、また服用をやめても、1 カ月以内に元に戻るといわれています。心配しなくてよいと思いますが、子供を望む場合や、どうしても気になる場合は医師に相談してください」

なお、α_1 遮断薬の副作用として、持続性勃起症も知られている。

❷ 副交感神経系

A 抗コリン薬、コリン作動薬

副交感神経終末から分泌される伝達物質は、四級アンモニウムのAChである。ムスカリン受容体へ結合した後、血漿のコリンエステラーゼにより分解される（**図7-4**）。ムスカリン受容体には3種類のサブタイプがあり、M_1受容体は胃や脳、M_2受容体は心臓、M_3受容体は平滑筋や腺に存在し、それぞれの生理作用を発現する（**表7-19**）。

図7-4　副交感神経終末における興奮伝達の模式図

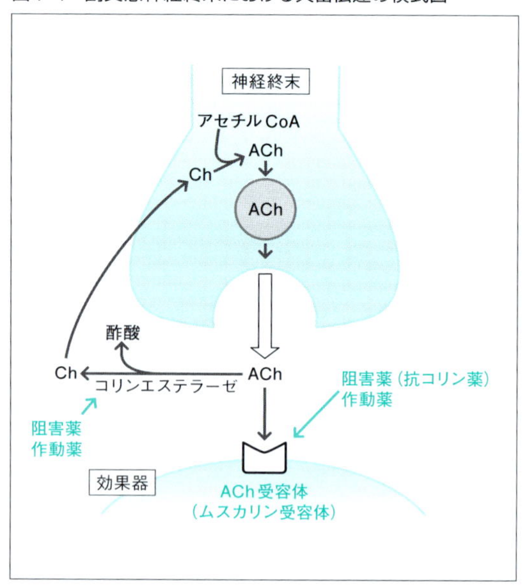

副交感神経系に作用する薬剤は、抗コリン薬とコリン作動薬に大別される。抗コリン薬は、ムスカリン受容体を遮断して作用する。**表7-20**に示すように、抗コリン薬および抗コリン作用を有する薬剤は多数あることから、抗コリン作用を有する薬剤を相互に併用する頻度は必然的に高くなる。

抗コリン作用を有する薬剤に共通して発現し得る副作用として、便秘、口渇、排尿障害（尿閉）、心悸亢進（頻脈）、視力障害（眼圧上昇、散瞳、かすみ目、緑内障）、熱射病、麻痺性イレウス（腸閉塞）などがある（**表7-21**）。また、抗コリン作用を有するCNS用薬では、抗コリン徴候と呼ばれる記憶障害や幻覚、見当識障害、錯乱、不安感などが出現することもある。

特に高齢者では、抗コリン作用による副作用が出現しやすい。加齢に伴い体内のACh量が減少するほか、慢性疾患になりやすく、長期にわたり多剤併用することが多くなるためである。日本老年医学会「高齢者の安全な薬物療法ガイドライン2015」の「高齢者に対して特に慎重な投与を要する薬物のリスト」には、抗コリン作用を有する薬剤が多数含まれる。抗コリン作用を持つ薬剤を継続服用している高齢者の8割に軽度認知機能障害が見られたとの報告もある（BMJ.2006;332:455-9.）。認知機能低下には、単剤の抗コリン作用の強弱ではなく、併用薬の総コリン負荷が関与するとされる。高齢者における、抗コリン作用に起因する副作用の発現リスクを表す指標もある。合計点数が高くなるほど副作用の発現リスクが高まる（**表**

表7-19　ムスカリン受容体の分布と作用

サブタイプ	主な生理作用
M_1（胃、脳、交感神経節）	胃酸分泌促進（ヒスタミンの遊離を促進し間接的に胃壁細胞からの分泌を促進）。皮質、海馬での記憶、学習など。
M_2（心臓、後脳、平滑筋）	心機能抑制：収縮力の減弱、脈拍数減少（c-AMP生成低下で交感神経β_1作用減弱）。
M_3（平滑筋、腺、脳）	平滑筋収縮：腸管運動亢進、気管支収縮、膀胱体部平滑筋収縮。
	腺分泌促進：唾液、涙液、気管支粘液、汗腺など、全ての腺分泌促進。
？	毛細血管拡張（血圧低下）、虹彩の括約筋収縮（縮瞳）、毛様体筋収縮（近接視調節、眼圧低下）。

【参考】M_4は脳（前脳、線条体）、M_5は脳（黒質）、眼に分布している。
【注意】AChによる血管平滑筋拡張作用は、血管内皮細胞でのNO（一酸化窒素）の生成に起因することが明らかになっている（☞ **コラム61**）。中枢（脳）や末梢（消化管平滑筋、動脈壁、陰茎海綿体平滑筋など）におけるNO作動性神経の存在も近年、明らかになりつつある。

表 7-20　抗コリン薬および抗コリン作用を有する薬剤

（1）抗コリン薬

鎮痙・抗消化性潰瘍薬
ベラドンナアルカロイド： ロートエキス散（同名）、アトロピン（硫酸アトロピン）、スコポラミン（オピスコ）
三級アミン： ピペリドレート（ダクチル）、ジサイクロミン配合顆粒（コランチル配合顆粒）、ピペタナート配合錠（イリコロンM配合錠）
四級アンモニウム塩： ブチルスコポラミン（ブスコパン）、プロパンテリン（プロ・バンサイン、メサフィリン）、メチルベナクチジウム、ブトロピウム（コリオパン）、メペンゾラート（トランコロン）、チメピジウム（セスデン）、グリコピロニウム、N-メチルスコポラミン（ダイピン）、メチルオクタトロピン★、プリフィニウム★、バレタメート★、チエモニウム★、オキサピウム★、ヨウ化イソプロパミド、トロスピウム★
選択的ムスカリン M_1 受容体拮抗薬： チキジウム（チアトン）、ピレンゼピン（ガストロゼピン）
吸入気管支拡張薬（COPD治療薬）
イプラトロピウム（アトロベント）、フルトロピウム★、オキシトロピウム（テルシガン）、チオトロピウム（スピリーバ）、ウメクリジニウム臭化物（エンクラッセ、アノーロ）、アクリジニウム臭化物（エクリラ）、グリコピロニウム臭化物（シーブリ）
排尿障害治療薬（OAB治療薬）
フラボキサート[※2]（ブラダロン）、プロピベリン（バップフォー）、オキシブチニン（ポラキス、ネオキシ）、ソリフェナシン（ベシケア）、トルテロジン（デトルシトール）、フェソテロジン（トビエース）、イミダフェナシン（ウリトス、ステーブラ）
抗パーキンソン薬
中枢性抗コリン薬： プロフェナミン（パーキン）、トリヘキシフェニジル（アーテン）、ビペリデン（アキネトン）、ピロヘプチン（トリモール）、メチキセン★、マザチコール（ペントナ）
ベラドンナアルカロイド： スコポラミン（ハイスコ）
散瞳薬（点眼液）
アトロピン（日点アトロピン）、トロピカミド（ミドリン）、シクロペントラート（サイプレジン）

（2）抗コリン作用を有する薬剤

節遮断薬
ヘキサメトニウム★、トリメタファン★
非脱分極性筋弛緩薬
ツボクラリン★、アルクロニウム★、パンクロニウム★、ベクロニウム（マスキュラックス）
抗結核薬
イソニアジド（イスコチン→抗コリン薬との併用で相加的に抗コリン作用を示す）
抗不整脈薬
キニジン（硫酸キニジン）、ジソピラミド（リスモダン）、シベンゾリン（シベノール）、ピルメノール（ピメノール）、プロパフェノン（プロノン）
抗ヒスタミン薬
ジメンヒドリナート（ドラマミン）、ジフェニルピラリン（ハイスタミン）、クレマスチン（タベジール）、d-クロルフェニラミン（ポララミン、ペレックス配合顆粒、セレスタミン配合錠）、メキタジン（ゼスラン、ニポラジン）、ジフェンヒドラミン（レスタミン、ベナ、トラベルミン配合錠、カフコデN配合錠）、ジフェニドール（セファドール）、メクリジン★、ヒドロキシジン（アタラックス）、クロペラスチン（フスタゾール）、フェノチアジン系薬（PL配合顆粒［プロメタジンメチレンジサリチル酸塩含有］）
解熱鎮痛薬
ジメトチアジン（ミグリステン；フェノチアジン系）
総合感冒薬（抗ヒスタミン薬、抗コリン薬配合）
PL配合顆粒、ペレックス配合顆粒、ダンリッチ[※1]（ヨウ化イソプロパミド［抗コリン薬］・ジフェニルピラリン［抗ヒスタミン薬］・フェニルプロパノールアミン［中間型交感神経刺激薬］配合）など

［以下はCNS用薬］

催眠・鎮静薬
BZP系薬、非BZP系薬
抗てんかん薬
カルバマゼピン（テグレトール）、BZP系薬
中枢性筋弛緩薬
プリジノール（ロキシーン）、チザニジン[※2]（テルネリン）など
抗パーキンソン薬（ドパミン作動薬）
レボドパ製剤（ドパストン；ドパミン前駆体）、アマンタジン（シンメトレル）
中枢性鎮咳薬
ペントキシベリン（トクレス）、クロペラスチン（フスタゾール；抗ヒスタミン作用）
中枢性鎮痛薬（オピオイド系鎮痛薬）
モルヒネ、オキシコドン（オキシコンチン）、メサドン（メサペイン）、ヒドロモルフォン（ナルサス）
向精神薬
抗精神病薬：フェノチアジン系薬、ブチロフェノン系薬、SDA、MARTA、DSS、DSA、クロザピン（クロザリル） 抗うつ薬：SSRI[※3]、SNRI[※3]、三・四環系抗うつ薬、MAO阻害薬、トラゾドン（デジレル） 抗不安薬：BZP系薬、ヒドロキシジン（アタラックス-P；抗ヒスタミン作用）
精神刺激薬
メチルフェニデート（リタリン）

※1　ダンリッチは販売中止（2005年）。
※2　抗ムスカリン作用は弱い（in vitro）。
※3　抗ムスカリン作用は三環系抗うつ薬に比較して弱い。
★ 販売中止

表 7-21　抗コリン薬の副作用と注意すべき疾患

副作用（抗ムスカリン作用）
便秘、口渇、排尿障害（尿閉）、熱射病、麻痺性イレウス、涙液分泌抑制（コンタクト使用時に角膜上皮障害）、視力障害（眼圧上昇、散瞳、かすみ目、緑内障など）、心悸亢進（頻脈）、不整脈（期外収縮、胸部不快感、一般的には頻脈であるが徐脈になる場合もある） 【注意】中枢性抗コリン徴候（記憶障害、幻覚、見当識障害、錯乱、不安感）

禁忌疾患
閉塞隅角緑内障※、前立腺肥大、重症筋無力症に禁忌となる薬剤が多い。吸入薬は気管支拡張薬として気管支喘息に用いられるが、内服薬は口渇や気道粘液分泌抑制のため喘息には慎重投与。 【注意】M_1特異的拮抗阻害薬は、緑内障、前立腺肥大、心疾患に用いてもよい。

※ 緑内障に禁忌でない薬剤は、BZP系薬ではエスタゾラム（ユーロジン）、排尿障害治療薬ではフラボキサート（ブラダロン）である。また、抗コリン薬自体に眼圧を上昇させる作用があるため、開放隅角緑内障でも注意が必要だが、医師により見解は異なる。

【参考】閉塞隅角緑内障に禁忌である薬剤にはニトロ製剤、アトモキセチン（ストラテラ：選択的 NAd 再取り込み阻害）、デュロキセチン（サインバルタ［コントロール不良の閉塞隅角緑内障に禁忌］）、メチルフェニデート（コンサータ、リタリン）、アメジニウム（リズミック）、アセタゾラミド（ダイアモックス［緑内障悪化が不顕性化の恐れ、長期投与しない］）、原則禁忌にはスキサメトニウム（眼圧亢進のため）がある。ミラベグロン（ベタニス：β_3刺激薬、OAB 治療薬）、エルゴタミン製剤、パパベリン（ストミンA 配合錠に含有）、カフェイン、ミルナシプラン（トレドミン：SNRI、α_1刺激、散瞳）も緑内障を悪化させることがあるので注意が必要。

表 7-22　コリン作動薬およびコリン作動作用を有する薬剤

（1）コリン作動薬（商品名/適応症）

受容体刺激薬：
アクラトニウム（アボビス/慢性胃炎）、アセチルコリン（オビソート/麻酔後の腸管麻痺）、ベタネコール（ベサコリン/慢性胃炎、術後のイレウス）、カルニチン（エルカルチン）、ピロカルピン点眼液（サンピロ/緑内障）、セビメリン（エボザック、サリグレン/シェーグレン症候群による口腔乾燥症状改善；選択的M_3刺激薬）など
コリンエステラーゼ（AChE）阻害薬：
アンベノニウム（マイテラーゼ/重症筋無力症）、ジスチグミン（ウブレチド/重症筋無力症、排尿障害）、ネオスチグミン（ワゴスチグミン/慢性胃炎、便秘症、筋無力症、排尿障害）、イトプリド（ガナトン；抗ドパミン作用/消化管運動賦活）、ドネペジル※1（アリセプト）、ガランタミン※1（レミニール）、リバスチグミン※1（イクセロンパッチ）、ニザチジン（アシノン；H_2拮抗薬、唾液分泌促進?）、アコチアミド（アコファイド；機能性ディスペプシア治療薬）

（2）コリン作動作用を有する薬剤

・**抗ドパミン薬**（ドパミンD_2遮断）： スルピリド（アビリット、ドグマチール）、メトクロプラミド（プリンペラン）、ドンペリドン（ナウゼリン）など ・**5-HT_4作動薬**※2： シサプリド（ドパミンD_2遮断作用あり）、モサプリド（ガスモチン） ・アミノグリコシド系（ストレプトマイシン、カナマイシンなど） ・イリノテカン※3（カンプト；抗悪性腫瘍薬） ・シクロホスファミド※4（エンドキサン；抗癌剤）

※1　アルツハイマー型認知症治療薬。ガランタミンにはニコチン性 ACh 受容体刺激作用、リバスチグミンにはブチリルコリンエステラーゼ阻害作用もある。
※2　5-HTの作用は**付A** 参照。
※3　SN-38（活性代謝物）によるコリンエステラーゼ阻害作用。副作用の下痢誘発と関与（☞**表 6-4**）。
※4　コリンエステラーゼ阻害作用、代謝物にもコリン作動作用あり。

7-23）。

抗コリン作用を有する薬剤を相互に併用すると、抗コリン作用の協力により、これらの副作用が強く現れる恐れがある。これらの副作用は、必ずしも重篤ではないものの、患者のQOLに支障が生じる場合もあるため注意を要する。患者には投薬時に副作用（特に便秘、口渇、尿閉、視力障害など）が現れる可能性について説明し、これらの症状が著明に現れた場合は、処方医に連絡し対処する。

なお、抗コリン薬が禁忌となる主な疾患には、閉塞隅角緑内障、下部尿路閉塞（前立腺肥大など）、重症筋無力症などがある（**表7-21**）。抗コリン作用の吸入薬は気管支拡張薬として気管支喘息に有用であるが、内服薬では口渇や気道粘液分泌抑制のため喘息患者への投与は慎重に行う。

一方、コリン作動薬およびコリン作動作用を有する薬剤を**表7-22**に示す。コリン作動薬には、受容体刺激薬とコリンエステラーゼ阻害薬があり、コリン作動作用を有する薬剤には抗ドパミン薬などがある。消化管運動賦活薬として広く用いられている抗ドパミン薬は、上部消化管のドパミン様受容体（抑制系）を遮断して消化管運動を亢進する（☞**コラム73**）。コリン作動薬が禁忌となる疾患には、喘息、パーキンソン病、てんかん、甲状腺機能亢進症、消化性潰瘍（活動期）、徐脈など、著明な副交感神経亢進（コリン作動性）状態のものが多く、急性胃炎には不適である。これらの疾患の治療薬との併用には留意する。なお、コリン作動薬は、一般に活動期の消化性潰瘍患者への投与は禁忌であ

表7-23　抗コリン作用リスクスケール（Anticholinergic Risk Scale）

3点	2点	1点
アミトリプチリン（トリプタノール） アトロピン製剤 イミプラミン（トフラニール） オキシブチニン（ポラキス） クロルフェニラミン（ポララミン） クロルプロマジン（コントミン） シプロヘプタジン（ペリアクチン） ジサイクロミン（コランチル） ジフェンヒドラミン（レスタミン） チザニジン（テルネリン） ヒドロキシジン（アタラックス） ヒドロキシジンパモ酸塩（アタラックス-P） ヒヨスチアミン（スコポラミン）製剤（ロートエキス） フルフェナジン塩酸塩（フルメジン） ペルフェナジン（ピーゼットシー） メクリジン★	アマンタジン（シンメトレル） オランザピン（ジプレキサ） クロザピン（クロザリル） ノルトリプチリン（ノリトレン） シメチジン（タガメット） セチリジン（ジルテック） ロラタジン（クラリチン） トリプロリジン（ベネン） トルテロジン（デトルシトール） プロクロルペラジン（ノバミン） ロペラミド（ロペミン） バクロフェン（ギャバロン、リオレサール）	エンタカポン（コムタン） レボドパ・カルビドパ（ネオドパストン、メネシット） クエチアピン（セロクエル） リスペリドン（リスパダール） ハロペリドール（セレネース） セレギリン（エフピー） プラミペキソール（ビ・シフロール、ミラペックス） トラゾドン（デジレル、レスリン） ミルタザピン（リフレックス、レメロン） パロキセチン（パキシル） メトカルバモール（ロバキシン） メトクロプラミド（プリンペラン） ラニチジン（ザンタック）

Arch Intern Med.2008;168:508-13. の表から日本で現在使用可能な薬剤を抜粋。　★販売中止

る。ただし、ベンズアミド系の抗ドパミン薬であるスルピリド（ドグマチール）は、コ リン作動性であるにもかかわらず、少量投与では抗潰瘍薬としての適応がある。作用機序は明らかでないが、強い抗ガストリン作用を有するためと考えられている。

抗コリン作用やコリン作用の協力・拮抗による主な相互作用を**表7-24**に示す。特に、抗コリン作用を有する向精神薬などのCNS用薬を相互に併用すると、腸閉塞（死亡例あり）や緑内障、中枢性抗コリン徴候（幻覚、錯乱など）などの重篤な副作用が現れることがあるため、慎重に対応する。

また、モルヒネ硫酸塩水和物徐放錠（MSコンチン）、コデインリン酸塩水和物（コデインリン酸塩）、ペチジン塩酸塩（オピスタン）などの麻薬性鎮痛・鎮咳薬も、麻痺性イレウスや便秘などを引き起こしやすいため、抗コリン薬との併用には注意する。これらの鎮痛薬の副作用は、腸管壁からセロトニン（5-HT）の遊離が促進するために消化管平滑筋の持続的な緊張亢進が起こり蠕動運動が低下することや、腸管神経叢でのAChの遊離が抑制されることなどに起因する。

同様に、中枢性非麻薬性鎮咳薬のチペピジンヒベンズ酸塩（アスベリン）やデキストロメトルファン臭化水素酸塩水和物（メジコン）、鎮咳去痰薬である桜皮エキス（ブロチン）によっても便秘が起こる（☞**表7-21**）。また、抗コリン作用を持たないが腸閉塞を誘発する薬剤もある（☞**コラム57**）。したがって、これらの薬剤と抗コリン薬を併用する際は、便秘や腸閉塞症状に注意する。

なお、麻薬性鎮痛・鎮咳薬は、気管支喘息発作中の患者への投与は禁忌である。気道粘液分泌の抑制作用により痰が粘稠となり、気管支収縮作用（☞**本章［第4節］**）もあるため、喘息発作を誘発しやすくなる。

一方、コリン作動作用の協力では、アセチルコリンエステラーゼ（AChE）阻害作用を有するアルツハイマー型認知症治療薬のドネペジル塩酸塩（アリセプト）、ガランタミン臭化水素酸塩（レミニール）、リバスチグミン（イクセロンパッチ）の相互の併用は禁忌である。併用によりコリン作動性の副作用である心拍数・心収縮力低下（徐脈）、消化管運動・胃酸分泌促進（悪心・嘔吐）、膀胱・気管支収縮、気管支分泌亢進、痙攣発作、錐体外路症状などが相加的に増強・悪化する恐れを避けるためである。

作用拮抗に起因する相互作用では（**表7-24（2）**）、主にコリン作動薬の薬効が抗コリン薬との併用により減弱することや、コリン作動薬によるコリン作動性クリーゼなどの副作用症状が抗コリン

表 7-24　抗コリン作用およびコリン作用の協力・拮抗に起因する主な相互作用

（1）協力作用

	薬剤A	薬剤B	併用により起こり得る事象など
a）抗コリン協力作用			
原則禁忌	フェノチアジン系薬	BZP系薬	口渇、かすみ目。CNS症状（中枢性抗コリン徴候）が現れることもある。
併用慎重	麻薬性鎮痛薬（ペチジン［オピスタン］、ヒドロモルフォン［ナルサス］）	抗コリン薬	麻痺性腸イレウス、重篤な便秘。他の中枢性鎮痛・鎮咳薬（モルヒネ、コデインリン酸塩、デキストロメトルファン［メジコン］など）による便秘も抗コリン薬とその併用により増強。
併用慎重	抗コリン薬	三環系抗うつ薬、フェノチアジン系、レボドパ製剤（ドパストン）	【注意】逆に抗コリン薬によりレボドパ・フェノチアジン系の消化管吸収低下（作用減弱）も起こり得る（☞**表1-8**）。
併用慎重	抗コリン薬	その他の抗コリン作用を有する薬剤：BZP系薬、イソニアジド（イスコチン）、抗ヒスタミン薬など	
併用慎重	中枢性抗コリン薬（抗パーキンソン薬）	フェノチアジン系薬	重篤便秘、イレウス、アトロピン中毒（精神運動性興奮）、横紋筋融解症、死亡例（トリヘキシフェニジル塩酸塩［アーテン］との併用）。 【注意】フェノチアジン系の抗ドパミン作用により、イレウスによる悪心、嘔吐の不顕化が起こる可能性がある。
併用慎重	中枢性抗コリン薬（抗パーキンソン薬）	三環系抗うつ薬	口渇、イレウス、尿閉、緑内障、興奮、錯乱、幻覚。
併用慎重	中枢性抗コリン薬（抗パーキンソン薬）	アマンタジン（シンメトレル；抗パーキンソン薬）	抗コリン作用増強による錯乱、幻覚（アマンタジンは幻覚、妄想を誘発）。
併用慎重	フェノチアジン系薬	三・四環系抗うつ薬	クロルプロマジン（コントミン）とイミプラミン（トフラニール）併用で死亡例。
b）コリン作動協力作用			
併用禁忌	ドネペジル（アリセプト）、ガランタミン（レミニール）、リバスチグミン（イクセロン）の相互の併用		相加的にコリン作動性の副作用が発現する可能性。AChE阻害作用を有するアルツハイマー型認知症治療薬を相互に併用しないこと。
併用慎重	コリン作動薬（アセチルコリン［オビソート］、カルプロニウム［フロジン］、ベタネコール［ベサコリン］、アクラトニウム［アボビス］など）	コリン作動薬、コリンエステラーゼ阻害薬（ネオスチグミン［ワゴスチグミン］）	相互に作用が増強。

（2）拮抗作用

	薬剤A	薬剤B	併用により起こり得る事象など
併用慎重	コリンエステラーゼ阻害薬（アンベノニウム［マイテラーゼ］、ジスチグミン［ウブレチド］、ネオスチグミン［ワゴスチグミン］）	抗コリン薬	抗コリン薬は、A剤によるコリン作動性クリーゼの初期症状（腰痛、下痢、発汗、唾液分泌過多、縮瞳、線維束攣縮など）を不顕化し、A剤の過剰投与を招く恐れがあり、**常時併用は避ける**。
併用慎重	スルピリド（ドグマチール、アビリット）	抗コリン薬	スルピリドの作用が減弱。
併用慎重	ドンペリドン（ナウゼリン）	抗コリン薬	胃排出作用減弱。症状により一方を減量、中止。
併用慎重	アセチルコリン（オビソート；筋・平滑筋収縮）	Ad作動薬	交感・副交感神経の両支配を受けている臓器への作用が拮抗する。
併用慎重	アセチルコリン（オビソート；筋・平滑筋収縮）	抗コリン薬	競合的拮抗。
併用慎重	アセチルコリン（オビソート）	亜硝酸・亜硝酸塩系薬（ニトログリセリン［ニトロダームTTS］；血管平滑筋弛緩作用）	A剤の作用減弱。

薬によって不顕化することに注意が必要である。
（関連事項☞**コラム55、コラム56、コラム57**）

症例①　60歳代女性Aさん。

[処方箋]
① **ポラキス錠２　３錠**
　１日３回　毎食後　14日分
② **デパス錠0.5mg　３錠**
　酸化マグネシウム原末「マルイシ」　3g
　１日３回　毎食後　14日分
③ **センノサイド錠12mg　２錠**
　便秘時　５回分

頻尿、便秘症で①②を服用中のAさん。今回、③のセンノサイド（センノシド）が追加となった。薬剤師が症状を尋ねると、便通が４～５日に一度しかないとのこと。ポラキス（オキシブチニン塩酸塩）の抗コリン作用は強力であり、デパス（エチゾラム）と協力して便秘症が悪化したと考えられた。また、これまでにも口渇があり、あめをなめたり水で口の中を潤して対処するよう指導していたが、思いのほか症状が強くなっているようであった。

そこで薬剤師はAさんの了解を得て、後日、処方医に患者情報提供を書面で行った。便秘、口腔内乾燥は抗コリン作用の協力による可能性が高いことを示し、対策として ①ポラキスを他の同効薬に変更、②ポラキス、デパスの減量、③消化管運動促進薬の追加、④口渇に対するサリベートエアゾール（人工唾液）口腔内噴霧――を提案した。

医師は③④を選択し、次回の受診時にガナトン錠（イトプリド塩酸塩）50mg（１回１錠、１日３回毎食前）とサリベートが追加処方となった。ガナトンにはコリン作動作用があるが、その後、ポラキスの効果減弱も認められず、便通・口渇共にQOLに支障がないほどに改善したため、センノサイドが中止された。

　70歳代男性Bさん。

[処方箋]
スピリーバ吸入カプセル18μg　28カプセル
　１回１カプセル　１日１回吸入　朝食後

肺気腫で治療中のBさん。大学病院から内科診療所に転院となり、抗コリン薬のスピリーバ（チオトロピウム臭化物水和物）を処方されて当薬局に初めて来局した。

薬剤師がお薬手帳を確認したところ、別の泌尿器科診療所でハルナール（タムスロシン塩酸塩）を処方されていることが判明。また、手帳に記載はないが、会話の中で、眼科で緑内障の治療中であることも分かった。スピリーバは前立腺肥大と緑内障に禁忌のため、念のため眼科に問い合わせたところ、閉塞型の疑いがあるとのことだった。これらについて内科処方医に報告した結果、大学病院で処方されていたというアドエア250ディスカス60吸入用（サルメテロールキシナホ酸塩・フルチカゾンプロピオン酸エステル）に変更となった。

症例③　70歳代女性Cさん。

[処方箋]
①**【般】アムロジピン錠2.5mg　１錠**
　１日１回　朝食後　14日分
②**デパス錠0.5mg　３錠**
　１日３回　朝昼夕食後　14日分
③ **ジルテック錠10　１錠**
　レクサプロ錠10mg　１錠
　１日１回　夕食後　14日分
④ **リスミー錠2mg　１錠**
　１日１回　就寝前　14日分

Cさんは３年以上にわたって①～④を服用していた。１年前から頻繁に薬の飲み忘れがあったほか、反応・意欲の低下などが現れ、要介護認定を受けた。医師の診断ではアルツハイマー型認知症は否定的で、脳卒中の既往歴もない。デパス、ジルテック（セチリジン）、リスミー（リルマザホン塩酸塩水和物）など、抗コリン作用を有する薬剤を長年併用していたことから、これらが認知機能低下に関与している可能性が考えられた。

薬剤師は医師らの依頼を受け、１カ月前からCさんへの訪問薬剤管理指導を開始。初回訪問時の会話の中で、緑内障で点眼薬を使用中であることが判明したが、眼科医に確認したところ、開放型のため内服薬の使用は問題ないとのことだった。

お薬カレンダーを用いた服薬管理を始めた結果、次第に飲み忘れが減った。だが、リスミーの残薬が認められたため、Cさんに理由を尋ねたところ、「飲んでも飲まなくてもよく眠れる」とのことだった。薬剤師はこれらについて処方医に報告し、抗コリン作用のある薬剤の減量を提案。その結果、リスミーは中止され、デパスが1日3回から1日2回に変更された。現在、経過観察中である。

症例④ 40歳代女性Dさん。

近隣の内科診療所の医師より、緑内障であるDさんの処方薬について相談があった。その内容および薬局の返答、最終的な処方内容などを症例として提示する。

処方内容

① ベゲタミン-A配合錠　1錠
　サイレース錠2mg　　1錠
　　1日1回　寝る前　7日分
② ウインタミン細粒10%　1g
　ピレチア細粒10%　0.5g
　セパゾン錠2mg　3錠
　　1日3回　毎食後　7日分

相談内容（内科医より書面にて）

強い不眠症で精神科より上記の薬剤を服用中の患者（Dさん）がおられます。しかし、患者は緑内障であり、眼科医からはサイレースを中止するように言われていますが、精神科医は中止できないと話しているそうです。当院での治療を望まれていますが、緑内障患者の睡眠に何かよい処方例がありますでしょうか。

当薬局の返答（書面にて）

Dさんは閉塞隅角緑内障と思われますが、BZP系睡眠薬で緑内障患者に禁忌でない薬剤は、ユーロジン（エスタゾラム）しかありません。サイレース（フルニトラゼパム：BZP系薬）と同じ中間型なので、まずはサイレースをユーロジンに変更して様子をみるのがよいと思います。また、当薬局では、強い不眠にはベゲタミン-A配合錠（クロルプロマジン塩酸塩、プロメタジン塩酸塩、フェノバルビタール）、BZP系薬、習慣性はありますがブロバリン（ブロモバレリル尿素）の3剤を併用した処方で著効を示した例もありました。

しかし、眼科医がなぜサイレースのみを中止するようDさんに話したのか、理解に苦しみます。Dさんの聞き違いかもしれませんが、ピレチア（プロメタジン；おそらくベゲタミン-A配合錠、ウインタミン［クロルプロマジン］によるパーキンソニズム予防に使用）、セパゾン（クロキサゾラム；BZP系抗不安薬；長時間型）も緑内障患者への投与は禁忌です。ですから、緑内障患者に投与が可能である抗パーキンソン薬（シンメトレル［アマンタジン塩酸塩］、麦角アルカロイド系薬［パーロデル、ペルマックス、ドミンなど］；レボドパ製剤は禁忌）や、抗不安薬（セディール［タンドスピロンクエン酸塩；$5\text{-}HT_{1A}$作動薬］など）に変更する必要もあると思われます。

当薬局では以前、禁忌の薬剤でも、有効性を重視して緑内障患者に投薬されたケースがありました。ただし、患者は定期的に眼科を受診し、眼圧をチェックすることが必要となります。

以上、参考にしてください。

実際の処方内容

ユーロジン2mg錠　1錠
セディール錠10mg　1錠
ブロバリン原末　0.6g
　1日1回　寝る前　7日分

数日後、Dさんは内科を受診した帰り道に処方箋を持って来局した。その後、睡眠は良好となり、緑内障の悪化も認められなかった。

なお、症例には示していないが、数カ月後、Bさんは泌尿器科を受診してバップフォー錠20mg（プロピベリン塩酸塩；1回1錠、1日1回）が処方された。担当薬剤師は直ちに処方医に連絡し、緑内障に投与が可能なブラダロン錠200mg（フラボキサート塩酸塩；1回1錠、1日3回毎食後）を提案し、処方変更となった。

図7-5　下部尿路の神経支配

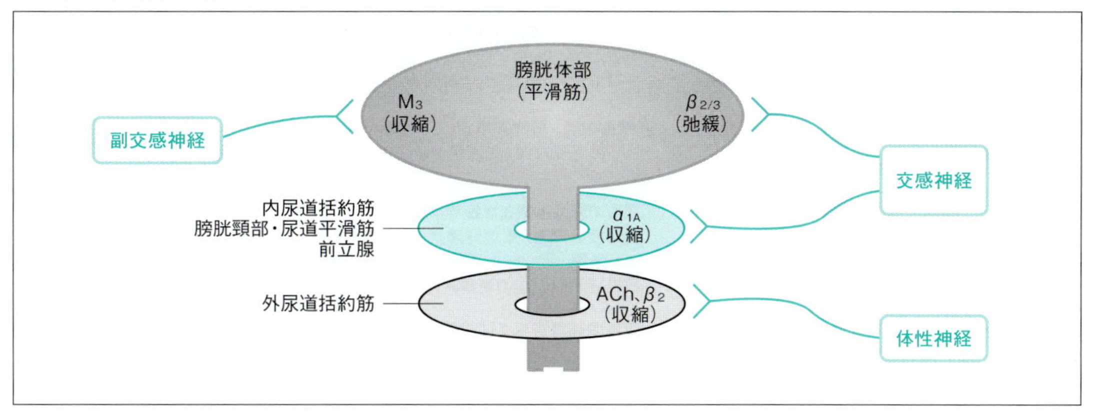

表7-25　下部尿路の神経受容体

部位	神経系（受容体）	機能	結果	備考
膀胱体部平滑筋	副交感神経（主にM_3受容体）	収縮	排尿	・抗ムスカリン薬、β_2刺激薬により膀胱弛緩が起こり排尿抑制（蓄尿）。 ・α_1刺激薬により尿道、膀胱頸部が収縮し排尿抑制（蓄尿）。
	交感神経（主に$\beta_{2/3}$受容体）	弛緩	蓄尿	
内尿道括約筋、膀胱頸部・尿道平滑筋、前立腺	交感神経（主にα_{1A}受容体）	収縮	蓄尿	
外尿道括約筋	体性神経（β_2受容体、ニコチン受容体）	収縮	蓄尿	

参考　過活動膀胱と抗コリン薬、β_3刺激薬

排尿障害は、排出障害と蓄尿障害に大別される。排尿障害の主な症状は、蓄尿症状、排尿症状（尿勢低下、尿線途絶、腹圧排尿など）、排尿後症状（残尿感など）である。さらに蓄尿症状には、尿意切迫感、昼間頻尿（昼間の排尿回数が多過ぎるという患者の愁訴）、夜間頻尿（排尿のため夜間1回以上覚醒するという愁訴）、尿失禁（不随意の尿漏れ）がある。誘因として加齢、薬剤（抗コリン薬、α_1刺激薬など）、前立腺肥大、前立腺癌、尿路感染症、尿路結石、糖尿病、脳卒中、脊髄損傷、骨盤内臓器の手術、分娩による骨盤底筋群の弱体化・損傷などが知られている。

下部尿路障害の発症機序を理解するためには、膀胱と尿道の解剖学、すなわち膀胱体部平滑筋（排尿筋）、内尿道括約筋（平滑筋）、膀胱頸部と尿道周囲の平滑筋、外尿道括約筋（横紋筋）および前立腺などを支配している神経系の受容体について把握しておく必要がある。

膀胱体部平滑筋は自律神経（交感神経、副交感神経）が支配し、主にM_3受容体を介した収縮と、$\beta_{2/3}$（主にβ_3）受容体を介した弛緩により拮抗的に調節されている（**図7-5、表7-25**）。体内のβ_3受容体の9割が、膀胱平滑筋に存在している。内尿道括約筋、膀胱頸部、尿道平滑筋、前立腺は主に交感神経が支配し、α_{1A}受容体を介して収縮する。一方、外尿道括約筋は体性神経が支配し、刺激を受けると横紋筋β_2受容体およびニコチン受容体を介して収縮する。

したがって、抗コリン薬（抗ムスカリン薬）および$\beta_{2/3}$刺激薬は、主に膀胱体部平滑筋を弛緩させたり、α_1刺激薬は膀胱頸部や尿道を収縮させたりして、排出障害を引き起こす可能性がある。一方、排尿障害治療薬として、過活動膀胱（OAB）などの尿意切迫感（抑えきれない強い尿意が急に起こり、我慢することが困難な状態）を主症状とする蓄尿障害に対しては、後述の抗ムスカリン薬とβ

表 7-26 肝・腎障害患者に対するOAB治療薬投与時の注意点

<table>
<tr><th rowspan="2">OAB治療薬</th><th rowspan="2">用法・用量</th><th colspan="2">用法・用量に関連する使用上の注意</th><th rowspan="2">代謝酵素</th></tr>
<tr><th>肝障害患者</th><th>腎障害患者</th></tr>
<tr><td>トルテロジン
(デトルシトール)</td><td>4mg/回/日
(患者の認容性に応じて減量)。</td><td colspan="2">肝障害患者、腎障害患者、CYP3A4阻害薬(マクロライド系薬、アゾール系薬など)を服用中の患者では、2mg/回/日投与。</td><td>CYP2D6、次いで3A4</td></tr>
<tr><td>フェソテロジン
(トビエース)</td><td>4mg/回/日
(症状に応じて1日1回8mgまで)</td><td colspan="2">・重度の肝障害患者は投与禁忌
・中等度肝障害、重度腎障害、強力なCYP3A4阻害薬(マクロライド系薬、アゾール系薬など)を服用中の患者では、4mg/回/日投与(8mgへの増量は行わない)。</td><td>2D6、3A4</td></tr>
<tr><td rowspan="3">ソリフェナシン
(ベシケア)</td><td rowspan="3">5mg/回/日(年齢・症状により適宜増減)。1日最大量は10mg。</td><td>・重度の肝障害患者は投与禁忌。</td><td>・重度腎障害では2.5mg/回/日から開始(1日最大量5mg)。</td><td rowspan="3">CYP3A4</td></tr>
<tr><td>・中等度肝障害では2.5mg/回/日から開始(1日最大量5mg)。</td><td rowspan="2">・中等度・軽度の腎障害では5mg/回/日から開始(増量慎重)。</td></tr>
<tr><td>・軽度肝障害では5mg/回/日から開始(増量慎重)。</td></tr>
<tr><td>イミダフェナシン
(ウリトス、ステーブラ)</td><td>0.2mg/2回/日(効果不十分のときは1日0.4mgまで増量)。</td><td>中等度以上の肝障害では0.2mg/2回/日投与。</td><td>重度腎障害患者では0.2mg/2回/日投与。</td><td>CYP3A4、UGT1A4</td></tr>
</table>

OAB治療に用いる抗コリン薬について、各薬剤の添付文書の「用法・用量に関する使用上の注意」に記載されている内容を抜粋してまとめた。

$_{3}$刺激薬(ミラベグロン[ベタニス]、ビベグロン[ベオーバ])が用いられるほか、腹圧性尿失禁(咳など腹部に力が加わるときに尿が出る病態)には、β_2受容体を刺激し膀胱体部平滑筋の弛緩と外尿道括約筋の収縮を引き起こすβ刺激薬(クレンブテロール塩酸塩[スピロペント])が用いられる。

また、前立腺肥大は、肥大による物理的な尿道の狭窄と過度のα_1受容体(主にα_{1A})刺激によって、前立腺や尿道が収縮し排尿障害を来す。そのため、治療にはα_1遮断薬が用いられる。なお、前立腺肥大症が進行すると、充満した膀胱から尿が漏れる溢流性(いつりゅうせい)尿失禁が起こることがある。

過活動膀胱の発症機序

過活動膀胱(OAB)は、蓄尿障害の一つで、わが国の患者数は約810万人と推定されている。

通常、蓄尿期には交感神経が刺激され、$\beta_{2/3}$(主にβ_3)受容体を介する膀胱平滑筋の弛緩とα_1受容体を介する尿道の収縮が起こり、十分量の尿が膀胱に蓄積される。また、排出期には交感神経が抑制されるだけでなく、副交感神経が刺激され、M_3受容体を介する膀胱平滑筋の収縮が起こり、円滑に尿が排泄される(☞図7-5)。一方、OABは、蓄尿期においても副交感神経が刺激されるため、膀胱平滑筋の異常な収縮が起こり、十分な尿を蓄積できなくなって発症する。

従来、OABの診断のためには尿流動態検査を行う必要があった。しかし、2002年の国際禁制学会で用語基準が大幅に見直された結果、「OABとは、尿意切迫感を主症状とし、通常はこれに頻尿および夜間頻尿を伴い、切迫性尿失禁(尿意切迫感と同時または尿意切迫感の直後に、不随意に尿が漏れるという愁訴)を伴うこともあれば(wet OAB)、伴わないこともある(dry OAB)状態」と定義されるようになった。すなわち、OABは蓄尿障害の中でも、尿意切迫感を必須とし、頻尿、夜間頻尿、切迫性尿失禁などの症状を伴う機能障害と定義され、自覚症状に基づく診断が可能となった。現在では泌尿器科に限らず一般医家でも薬物治療が行われている。

OAB治療薬投与時の注意点

OABの薬物治療の中心は、膀胱体部平滑筋のM_3受容体を遮断する抗コリン薬（抗ムスカリン薬）と、選択的β_3受容体刺激薬（ミラベグロン［ベタニス］、ビベグロン［ベオーバ］）である。

従来の抗コリン薬では、オキシブチニン塩酸塩（ポラキス、ネオキシ；CYP3A4/5で代謝）およびプロピベリン塩酸塩（バップフォー；CYP3A4で代謝）の有効性が示唆されている。副作用に関しては、オキシブチニンは口内乾燥（口渇）などの抗コリン作用に起因する副作用の発現頻度が高く、低用量から投与を開始することが推奨されている。さらにオキシブチニンは、血液脳関門（BBB）を通過して認知機能障害などのCNS副作用を起こす可能性もあり、高齢者への投与には特に注意が必要とされている。

OAB治療抗コリン薬には、酒石酸トルテロジン（デトルシトール；ムスカリン受容体サブタイプの選択性はない）、フェソテロジンフマル酸塩（トビエース；活性体はトルテロジンの活性代謝物と同一；ムスカリン受容体サブタイプの選択性はない）、コハク酸ソリフェナシン（ベシケア；ムスカリン受容体親和性は$M_3>M_1>M_5>M_4>M_2$［in vitro］）、イミダフェナシン（ウリトス、ステーブラ；$M_3 \geqq M_1>M_2$［in vitro］）がある（**表7-26**）。これらは、唾液腺に比較して膀胱への移行性が高く、口渇を引き起こしにくいなど、従来の抗コリン薬に比べて副作用が少ない。

トルテロジンは、他の薬剤よりも水溶性が高くBBBを通過しにくいため、CNSの副作用の発現頻度が低く、添付文書上、高齢者に対して慎重投与とされていない点が特徴である。フェソテロジンはプロドラッグであり、活性体はトルテロジンの活性代謝物と同一のトルテロジン5-ヒドロキシメチル体（5-HMT）である。フェソテロジン経口投与後、速やかに5-HMTに加水分解されて血液中で検出されるが（経口投与後、フェソテロジンは血漿中に検出されない）、5-HMTの脳内移行性は低いことが示されており、トルテロジンと同様に高齢者に対して慎重投与とされてない。また、ソリフェナシンは、緩やかに吸収され血中半減期が38時間と長いため、持続性があり、副作用の発現率も低いとされている（幻覚、せん妄の報告あり）。

ただし、トルテロジンは、肝のCYP2D6で代謝されて同程度の活性代謝産物（5-HMT）を生成し、次いでCYP3A4で代謝され不活化されることから、肝障害またはCYP3A4阻害薬（マクロライド系、アゾール系など）を服用中の患者では、血中濃度が上昇する恐れがある（低用量［2mg/回/日］で投与するよう添付文書に記載されている）。活性体（5-HMT）がトルテロジンの活性代謝物と同一のフェソテロジンは、経口投与後、非特異的エステラーゼ（個体差が少ない）により速やかにその大部分が活性体の5-HMTとなり、肝においてCYP2D6および3A4が関与する2つの主代謝経路を経て不活化される。つまり、5-HMTの血中濃度が上昇する恐れがある重度肝障害の患者への投与は禁忌であり、中等度肝障害、強力なCYP3A4阻害薬を服用中の患者では、1日投与量を4mgまでとし、8mgへの増量は避けなければならない。

また、トルテロジンより脂溶性が高いソリフェナシンは、特に肝CYP3A4による代謝の影響を受けやすく、肝障害患者では血中濃度が過度に上昇する恐れがある。そのため、ソリフェナシンは重度の肝機能障害患者に禁忌であり、中等～軽度の肝障害患者に投与する場合も注意を要する（低用量から投与を開始）。トルテロジン、フェソテロジン、ソリフェナシンとも約70％以上が尿中へ排泄されるため、腎障害患者への投与についても、添付文書上で注意喚起している（**表7-26**）。

一方、イミダフェナシンは、肝CYP3A4、UGT1A4により代謝され、約66％が尿中に排泄されるが、添付文書では、中等度以上の肝障害患者、重度の腎障害患者についてのみ、用法・用量に関する使用上の注意が記載されていることから、他のOAB治療薬に比べて、肝・腎機能障害による血中濃度上昇の可能性は低いと考えられ

図 7-6 神経-筋接合部における興奮伝達の模式図

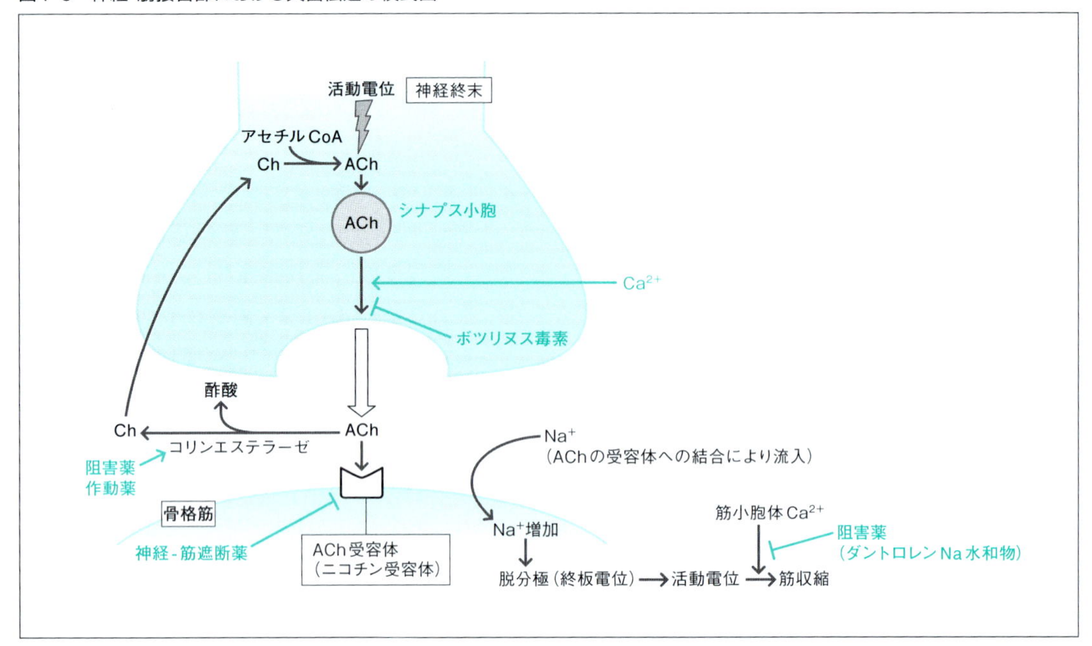

る。

これらのOAB治療に用いられる抗コリン薬に共通する投与禁忌は、同薬への過敏症、腸管閉塞および麻痺性イレウス、消化管運動・緊張低下(胃アトニーまたは腸アトニー)、尿閉・排尿困難(下部尿路閉塞症状)、閉塞隅角緑内障、重症筋無力症、授乳婦、重篤な心疾患(抗コリン作用による頻脈・収縮)などの患者である(トルテロジンではQT延長の報告あり;☞表7-33)。

一方、2011年に承認されたβ_3刺激薬のミラベグロン(ベタニス)は、蓄尿機能を亢進させる一方で、自然尿排泄時の膀胱収縮には影響を及ぼしにくい。また、抗コリン薬に共通して見られる口渇、便秘、霧視や、膀胱収縮抑制による排尿困難、残尿量増加および尿閉などの副作用が少なく、下部尿路閉塞疾患(前立腺肥大症など)、緑内障(定期的眼科診察必要)にも使用できる。ただし、妊婦、授乳婦、重篤な心疾患(交感神経刺激による心拍数増加)、重度の肝機能障害(血中濃度上昇)などの患者には投与禁忌である。生殖器系への影響があることから、添付文書の「警告」には、「生殖可能な年齢の患者への投与は出来る限り避けること」と記載されている。また中等度の肝機能障害、重度の腎機能障害の患者への投与は半量(25mg/日)から開始する必要がある。

相互作用では、ミラベグロンによるCYP2D6阻害、QT延長誘発に特に注意が必要であり、フレカイニド酢酸塩(タンボコール)およびプロパフェノン塩酸塩(プロノン)との併用が禁忌となる。また、5α還元酵素阻害薬、OAB治療抗コリン薬との併用は安全性および臨床効果が確認されていないため原則禁忌である。なお、ミラベグロンは一部が肝CYP3A4で代謝され、P-gpの基質となるため、これらの酵素阻害・誘導が関与する相互作用にも注意する。

なお、2018年には新たなOAB治療β3刺激薬として、ビベグロン(ベオーバ)が発売された。ビベグロンは、過敏症の既往歴のある患者以外に投与禁忌はなく、生殖系への影響もなく、また、肝あるいは腎機能障害患者に対する用量調節も不要である。相互作用では、同効薬のミラベグロンは、中等度のCYP2D6阻害作用のためフレカイニドあるいはプロパフェノンとの併用が禁忌であるが、ビベグロンにはこのような相互作用はない。しかし、ビベグロンはCYP3A4またはP-gpの基質であることが示唆されているためアゾール系薬、抗HIV薬、リファンピシン、フェニトイン、カルバマゼピンとの併用に注意が必要である。

B 運動神経遮断薬（筋弛緩作用）

神経-筋接合部における興奮伝達と骨格筋収縮の機序を**図7-6**に示す。まず、活動電位が神経終末に伝わると、Ca^{2+}が流入してAChが遊離する。続いて、AChが骨格筋のニコチン受容体に可逆的に結合し、陽イオンチャネルが開放されてNa^{+}が流入する。この流入で脱分極が起こり、それが活動電位となって、Ca^{2+}の存在下で筋が収縮する。

末梢性筋弛緩薬には、①興奮伝達を神経-筋で遮断する受容体遮断薬、②骨格筋内での遊離Ca^{2+}の増大を阻害する薬剤（ダントロレンNa水和物［ダントリウム］）、③神経終末でACh小胞がシナプス前膜へ結合・融合するのを阻害してACh遊離を抑制するA型ボツリヌス毒素製剤（ボトックス注；骨格筋弛緩薬）がある。一方、コリンエステラーゼ阻害薬は、筋収縮薬として重症筋無力症などに用いられている（☞**表7-22**）。

神経-筋遮断薬（筋弛緩薬）は、作用機序の違いから、非脱分極型（ニコチン受容体競合型；ツボクラリン［別名クラーレ］など）と、脱分極型（受容体結合型；スキサメトニウム［別名サクシニルコリン］など）の2種類に分類できる。一般に、AChを分解するコリンエステラーゼ（AChE）阻害薬は、非脱分極型の筋弛緩作用（クラーレ様作用）を抑制するが、脱分極型の作用（骨格筋麻痺）には無効である。ただし、AChE阻害薬のニコチン様作用には脱分極性筋弛緩作用があるため、脱分極型のスキサメトニウム塩化物水和物（スキサメトニウム注）とAChE阻害薬を併用すると、筋弛緩作用が増強する。この増強作用には、AChE阻害薬によるスキサメトニウムの代謝抑制も関与する（☞**表6-8**）。

神経-筋遮断作用を有する主な薬剤とその相互作用を**表7-27**に示す。特に末梢性筋弛緩薬と、筋弛緩作用を増強し得る薬剤との併用に注意する（協力作用）。クラーレ様作用を示す薬剤（クラーレ様作用薬）では、筋弛緩作用を増強させる結果、呼吸抑制（呼吸麻痺、無呼吸）が強く現れることがある。また、AChE阻害薬のアンベノニウム塩化物（マイテラーゼ）、ネオスチグミン（ワゴスチグミン）、ジスチグミン臭化物（ウブレチド）、ピリドスチグミン臭化物（メスチノン）と、脱分極性筋弛緩薬（スキサメトニウム塩化物水和物）との併用は禁忌である。

なお、発現機序は明らかでないが、スキサメトニウムとジギタリス製剤との併用により心室細動、torsades de pointes（トルサード・ド・ポワント、TdP；心室性頻拍の一種）が発現することがある（原則禁忌、☞**表7-34（3）**）。また、スキサメトニウムは高K血症を誘発するため（☞**表8-5**）、ジギタリス製剤との併用で心停止を起こす可能性がある。

C 自律神経節遮断薬

神経節の伝達物質であるAChの興奮伝達を遮断する薬剤であり、強力な降圧作用を有している（臭化ヘキサメトニウム、カンシル酸トリメタファンなど）。降圧作用、筋弛緩作用、抗コリン作用を有する薬剤（筋弛緩薬、抗不整脈薬など）との併用による協力作用に注意する（☞**表7-27**）。

表 7-27　筋弛緩作用を有する主な薬剤と相互作用

(1) 末梢性筋弛緩薬および筋弛緩作用を増強し得る薬剤

薬剤	作用機序など
a) 末梢性筋弛緩薬	
・非脱分極性：ツボクラリン★、アルクロニウム★、パンクロニウム★、ベクロニウム（マスキュラックス）	ニコチン受容体競合型。
・脱分極性：スキサメトニウム（スキサメトニウム）	ニコチン受容体結合型。
・ダントロレン（ダントリウム）	筋小胞体からのCaイオン遊離抑制。
・ボツリヌス毒素製剤：A型ボツリヌス毒素（ボトックス注；骨格筋弛緩薬）	毒素が神経－筋接合部の神経終末に取り込まれACh遊離抑制。
b) クラーレ様（神経－筋接合部遮断）作用を有する薬剤→呼吸抑制に注意	
● 抗コリン薬	一般に、四級アンモニウム塩は神経－筋遮断作用を兼有（☞**表7-20**）。
● 節遮断薬：トリメタファン★	大量投与で神経－筋遮断。
● H_2拮抗薬：ラニチジン（ザンタック）、シメチジン（タガメット）など	☞**p.471「注意」**
● 抗不整脈薬（β遮断薬、キニジン［硫酸キニジン］、プロカインアミド［アミサリン］、リドカイン［キシロカイン］）	心、骨格筋の不応期を増長し、AChに対する感受性低下。キニジン、プロカインアミド、リドカインなどは局所麻酔作用あり。
● 吸入麻酔薬（ハロタン［フローセン］）	膜安定化作用あり。筋弛緩作用は弱い。
● 抗菌薬※	
・内耳神経障害を誘発する抗菌薬（☞**表8-20**）	
ポリペプチド系薬：コリスチン（コリマイシン）、ポリミキシンB	抗菌薬の中で最も強力な筋弛緩作用。ACh受容体の非競合的阻害・脱感作（ACh感受性低下）、Ca^{2+}チャネル阻害によるACh放出抑制。
アミノグリコシド系：フラジオマイシン（ソフラチュール）、ゲンタマイシン（ゲンタシン）など	強力なCa^{2+}チャネル阻害によりACh放出抑制。
エンビオマイシン（ツベラクチン；抗結核薬）	低Ca血症などの電解質異常が現れる。
・テトラサイクリン系薬	オキシテトラサイクリン（テラマイシンに含有）はCaイオンチャネル阻害によりACh放出抑制、テトラサイクリン（アクロマイシン）はそれ以外の機序でACh放出抑制。
・リンコマイシン系薬	Ca^{2+}チャネル阻害以外の機序でACh放出抑制、ACh受容体の非競合的阻害（ACh感受性低下）。クリンダマイシン（ダラシン；キニジン類似構造）は筋細胞膜活動電位を抑制（局所麻酔的な作用）。
● Ca拮抗薬	神経細胞内に流入するCa^{2+}の減少でACh遊離抑制。統一した見解は得られていない。
● 硫酸マグネシウム製剤（硫酸Mg補正液、マグネゾール、マグセントなど）	血中のMg^{2+}が増加しCa^{2+}との平衡が破れ（低Ca血症）、骨格筋弛緩作用、CNS抑制作用誘発。子宮筋弛緩作用あり。Ca拮抗薬の作用（血圧低下・神経筋伝達遮断）増強。
c) 筋弛緩作用を増強し得る薬剤	
● 低K血症誘発薬（☞**表8-5**）	筋力低下。ただし、低K血症を引き起こす副腎皮質ホルモン製剤は長期投与で筋弛緩作用を減弱させる。
● コリンエステラーゼ（AChE）阻害薬（☞**表7-22**）	本剤のニコチン様作用には脱分極性筋弛緩作用がある。SN-38（イリノテカン［カンプト］の活性代謝物）はAChE阻害作用あり。
● 非選択的MAO阻害薬★	血清偽AChE阻害作用のため、本酵素で不活化されるスキサメトニウムの作用増強（☞**表6-8**）。
● 中枢性筋弛緩作用；中枢性筋弛緩薬、BZP系薬、バルビツール酸系薬　☞**表7-1**	
● 平滑筋弛緩作用；Ca拮抗薬（ジルチアゼム［ヘルベッサー］など）、亜硝酸塩系薬（ニトログリセリン）　☞**表7-35**	
● プロタミン製剤（ヘパリンの拮抗薬）、メトロニダゾール（フラジール；抗トリコモナス）、炭酸Li（リーマス）：機序不明。	

※ 単独では筋弛緩作用は弱く問題ないが、筋弛緩薬や麻酔薬などとの併用時に筋弛緩作用を増強させる（岩崎寛編『筋弛緩薬』［克誠堂出版、2010］）。
★ 販売中止

表7-27（つづき）　筋弛緩作用を有する主な薬剤と相互作用

（2）相互作用

	薬剤A	薬剤B	併用により起こり得る事象など
a）筋弛緩協力作用			
併用禁忌	AChE阻害型筋弛緩薬：アンベノニウム（マイテラーゼ）、ネオスチグミン（ワゴスチグミン）、ジスチグミン（ウブレチド）、ピリドスチグミン（メスチノン）	スキサメトニウム（スキサメトニウム；脱分極性）	脱分極性筋弛緩作用の協力。遷延性無呼吸（持続性呼吸麻痺）の可能性。AChE阻害薬によるスキサメトニウム代謝抑制も関与する（☞**表6-8**）。スキサメトニウムの添付文書では併用注意。
原則禁忌	ゾピクロン（アモバン）、エスゾピクロン（ルネスタ）	筋弛緩薬	相加的に筋弛緩作用増強。
併用慎重	AChE阻害型筋弛緩薬、脱分極型筋弛緩薬（スキサメトニウム）	AChE阻害抗認知症薬：ドネペジル（アリセプト）、ガランタミン（レミニール）、リバスチグミン（イクセロンパッチ）	筋弛緩作用増強。
	ボツリヌス毒素製剤（A型ボツリヌス毒素：ボトックス注；骨格筋弛緩薬）	テトラサイクリン系薬、ポリペプチド系薬	過剰な筋弛緩の恐れ。頸部筋脱力、閉瞼不全、嚥下困難、呼吸抑制などのリスクが高まる。
	硫酸Mg製剤（硫酸Mg補正液、マグネゾール、マグセントなど）	Ca拮抗薬（ニフェジピン［アダラート］など）	神経筋伝達遮断・降圧作用増強。MgはCa拮抗薬の作用を強める可能性（特にニフェジピンで注意）。
		骨格筋弛緩薬（ツボクラリンなど）、アミノグリコシド系薬、バルビツール酸系薬、催眠薬、麻酔薬	筋弛緩作用増強。
	非脱分極性筋弛緩薬（ベクロニウム［マスキュラックス］）	他の筋弛緩作用を増強し得る全ての薬剤	キニジン（ツボクラリン併用で無呼吸、呼吸抑制発現）、β遮断薬（アトラクリウム併用で42人中8人が徐脈、低血圧）、トリメタファン★（大量投与で呼吸停止［塩化アルクロニウム併用］）、リドカイン（キシロカイン；パンクロニウム併用時、筋弛緩作用増強［機序不明］）、ハロタン（フローセン；膜安定化作用を持つためA剤の競合的遮断作用を協力的に増強）。
	炭酸Li（リーマス）	麻酔用筋弛緩薬（スキサメトニウムなど）	筋弛緩作用増強（機序不明）。
	末梢性筋弛緩薬	リンコマイシン系薬（クリンダマイシン［ダラシン］など）	筋弛緩作用増強。
		アミノグリコシド系薬	術後に突発的呼吸困難。
	トリメタファン★（節遮断薬）	筋弛緩薬、抗不整脈薬（プロカインアミド［アミサリン］など）	筋弛緩増強、血圧低下。
	ポリミキシンB	麻酔薬、筋弛緩薬、筋弛緩作用のある薬剤（アミノグリコシド系薬、コリスチン［コリマイシン］）	クラーレ様作用による呼吸抑制が強く現れることがある。

★ 販売中止

b）拮抗作用（筋弛緩作用減弱）			
併用慎重	非脱分極性筋弛緩薬（ベクロニウム［マスキュラックス］）	KCl、$CaCl_2$（Ca製剤）	両イオンは筋収縮に必要。
		副腎皮質ホルモン製剤	機序不明だが長期投与で筋弛緩作用減弱。副腎皮質ホルモンには、ACh遊離促進、コリン取り込み抑制、シナプス小胞の増大化作用がある。
		抗てんかん薬（カルバマゼピン［テグレトール］、フェニトイン［アレビアチン］）	機序不明だがカルバマゼピンを長期投与した場合、ベクロニウムのクリアランスが2倍に上昇。酵素誘導の関与低い。
		プロテアーゼ阻害薬（ガベキサート［エフオーワイ］、ウリナスタチン［ミラクリッド］）	機序不明だが筋弛緩作用減弱。
	スキサメトニウム（スキサメトニウム）	イリノテカン（カンプト、トポテシン）	イリノテカンは筋収縮増強作用あり（動物実験）。活性代謝物（SN-38）はコリンエステラーゼ阻害作用あり（☞**表7-22**）。

コラム54

セカンドメッセンジャーの働き

各種受容体の刺激による種々の生理作用は、細胞内のセカンドメッセンジャーの生成を介して発現している。セカンドメッセンジャーにはサイクリックAMP（c-AMP）、ジアシルグリセロール（DG）、イノシトール三リン酸（IP_3）、Ca^{2+}、c-GMPなどがある（☞**付C**）。

例えば、β_1、β_2、β_3受容体（Gタンパク質共役受容体；GPCR）はc-AMP合成酵素であるアデニル酸シクラーゼを活性化し、c-AMP濃度を上昇させて作用を発現する（**図7-7**）。図には示していないが、グルカゴンおよびプロスタサイクリン（PGI_2）も各受容体（GPCR）に結合した後、アデニル酸シクラーゼの活性化を介してc-AMPの生成を促進し、血糖上昇作用（☞**表7-45**）および血小板凝集阻害作用（☞**図7-12、表7-40**）を示す。一方、α_2受容体（GPCR）、ムスカリンM_2受容体（GPCR；心臓：☞**表7-19**）やインスリン受容体（PTK内蔵型受容体）は、c-AMP濃度を低下させて生理作用を発現するので、c-AMPを上昇させる薬剤と作用が拮抗する。

c-AMPは、生理活性物質による細胞外からの受容体刺激を細胞内に伝達するセカンドメッセンジャーである。細胞内のタンパク質リン酸化酵素（プロテインキナーゼA［PKA］）を活性化し、最終的に酵素などをリン酸化して生理作用を発現させる。

受容体に作用する薬剤のほかに、c-AMP濃度を上昇させて作用を発現する薬剤には、c-AMP分解酵素のホスホジエステラーゼ（PDE）を阻害するものが多く、キサンチン系の気管支拡張薬（テオフィリン［テオドール］など）や冠拡張薬、抗血小板薬などがある（☞**表7-39、付B**）。臨床的には、気管支拡張薬のβ刺激薬はもちろんのこと、テオフィリンにおいても、c-AMP濃度上昇に伴うβ刺激作用により、心機能亢進、高血糖、振戦、低カリウム血症などが副作用として現れやすい（併用慎重）。患者には、これらの副作用について説明しておくようにしたい。

ちなみに、一般にβ_2刺激薬を連用すると、肺のβ_2受容体数がdown-regulationを受けて10～20%減少するが、副腎皮質ホルモン製剤を投与するとup-regulationを受けて増加する。したがって、両剤を併用すると薬効（気管支拡張）が増強すると考えられる。実際、喘息の長期管理薬（コントローラー）として、副腎皮質ホルモン製剤と長時間型β_2

図7-7　セカンドメッセンジャーの作用

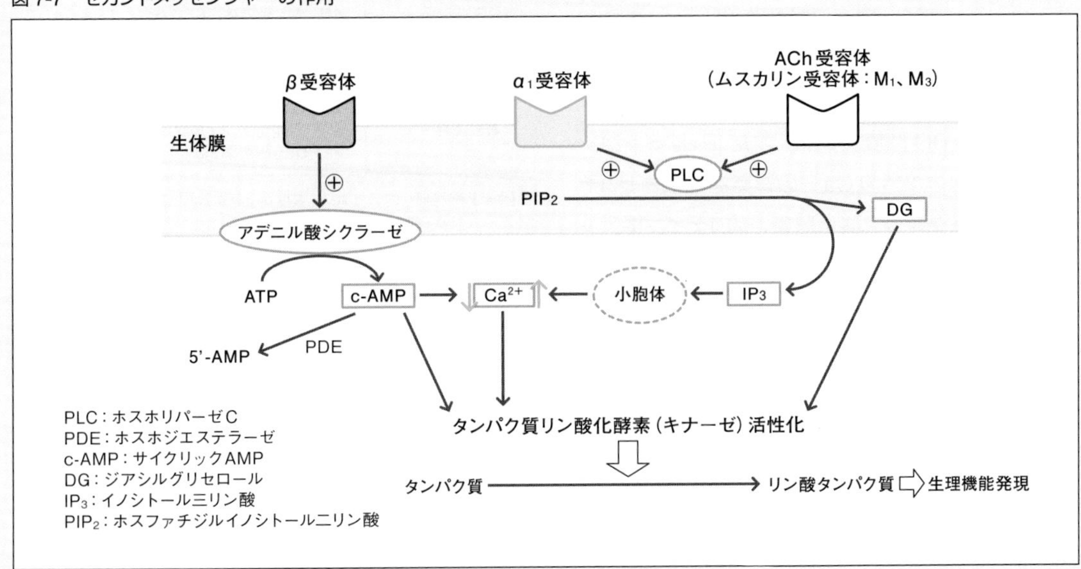

図 7-8　PLC による DG および IP_3 の生成

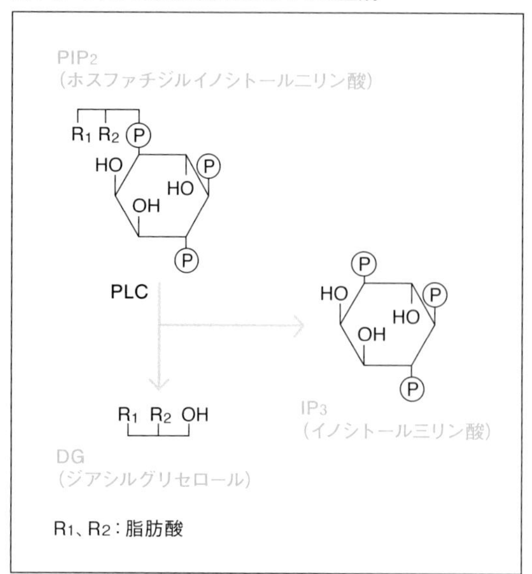

刺激薬の吸入配合剤（サルメテロールキシナホ酸塩・フルチカゾンプロピオン酸エステル［アドエア］、ブデソニド・ホルモテロールフマル酸塩水和物［シムビコート］）が用いられている。

一方、その他のセカンドメッセンジャーである DG や IP_3、Ca^{2+} は、次のような機序で作用する。

α_1 受容体（GPCR）、ムスカリン M_1 受容体（胃、脳）、M_3 受容体（GPCR；平滑筋、腺；☞ **表 7-19**）に刺激が伝達されると、リン脂質分解酵素であるホスホリパーゼ C（PLC）が活性化し、生体膜のリン脂質であるホスファチジルイノシトール二リン酸（PIP_2）が加水分解されて、DG と IP_3 が生成する（**図 7-8**）。DG は直接的に、また IP_3 はミトコンドリアや小胞体からの Ca^{2+} の遊離を増加させ、それぞれタンパク質リン酸化酵素（プロテインキナーゼ C［PKC］など）を活性化し、生理作用を発現すると考えられている。図には示していないが、血小板に作用するトロンビン、TXA_2、ADP なども、受容体（GPCR）に結合した後、PLC を活性化して血小板凝集を引き起こすと考えられている（☞ **図 7-11**）。

細胞内の遊離 Ca^{2+} 濃度に注目してみると、DG、IP_3 系では上昇するが、c-AMP 系が発動すると、DG、IP_3 系が抑えられ、Ca^{2+} 濃度は低下する。つまり、c-AMP 生成系と DG、IP_3 生成系では、発現する生理作用が拮抗することになる。例えば、α 刺激作用（平滑筋収縮）と β 刺激作用（平滑筋弛緩）の拮抗、血小板凝集における PGI_2（抑制）と TXA_2（促進）の拮抗などがある。

なお、c-AMP と同様、c-GMP 生成系が血管の拡張、増殖制御に深く関わっていることが明らかになりつつある。具体的には、PGI_2、アドレノメデュリンなどは c-AMP 生成系を、また NO（一酸化窒素）、硝酸薬、AT_2 受容体、Na 利尿ペプチドなどは c-GMP 生成系をそれぞれ促進して、血管平滑筋を弛緩すると考えられている（☞ **本章［第 6 節］**）。c-GMP は、生体膜のグアニル酸シクラーゼにより GTP から合成され、細胞内の遊離 Ca^{2+} 濃度を低下させて生理作用（平滑筋弛緩）を発現する。

以下に、生理作用の発現に関わるセカンドメッセンジャーと、カップルしている主な受容体、生理活性物質、薬剤を示す。

c-AMP	濃度上昇	β 受容体、キサンチン系薬（テオフィリン製剤：非選択的 PDE 阻害※1）、グルカゴン、PGI_2（血管内皮細胞で生成し血小板の c-AMP 上昇）、アドレノメデュリン、ドパミン D_1 受容体、5-HT_4 受容体※2、PDE 阻害薬※1
	濃度低下	α_2 受容体、ムスカリン M_2 受容体（心臓）、ドパミン D_2 受容体、5-HT_1 受容体※2、インスリン
DG、IP_3 系		α_1 受容体、ムスカリン M_1（胃、脳）、M_3（平滑筋、腺）受容体、トロンビン、TXA_2、ADP（血小板）、5-HT_2 受容体※2、AT_1 受容体
c-GMP 濃度上昇		NO（一酸化窒素）、NO 作動性神経、硝酸薬（ニトログリセリンなど）、ANP、PDE 阻害薬※1（シルデナフィルクエン酸塩［バイアグラ：PDE5 阻害薬］など）、AT_2 受容体

【注意】肥満細胞内の c-AMP 濃度が上昇するとヒスタミン遊離は抑制される（☞ **本章［第 4 節］**）

※1　PDE は **付 B** 参照。
※2　5-HT 受容体は **付 A** 参照。

コラム55

SSRI、SNRI、NaSSAと緑内障、下部尿路閉塞

SSRI（フルボキサミンマレイン酸塩［デプロメール、ルボックス］、パロキセチン塩酸塩水和物［パキシル］、塩酸セルトラリン［ジェイゾロフト］、エスシタロプラムシュウ酸塩［レクサプロ］）、SNRI（ミルナシプラン塩酸塩［トレドミン］、デュロキセチン塩酸塩［サインバルタ］）、NaSSA（ミルタザピン［リフレックス、レメロン］）は、三環系抗うつ薬に比べて副作用の発現頻度や投与禁忌疾患（閉塞隅角緑内障、下部尿路閉塞など）が少ないことから、処方頻度が高い。

例えば緑内障では、パロキセチンは抗コリン作用による散瞳の可能性があるが、緑内障の患者には慎重投与である。また、ミルナシプランおよびミルタザピンには交感神経刺激作用（α_1刺激；散瞳、排尿障害）、ミルナシプランには抗コリン作用、ミルタザピンには抗ヒスタミンH_1作用があるが、緑内障または眼圧亢進のある患者には慎重投与である。ただし、SNRI効果が強いとされるデュロキセチンは、コントロール不良の閉塞隅角緑内障の患者への投与は禁忌である。一方、前立腺肥大などにより下部尿路閉塞のある患者に対しては、ミルタザピンとデュロキセチンは慎重投与であるが、ミルナシプランについては、尿閉のある患者への投与は禁忌となっている（SSRIについては添付文書上、尿閉の副作用が報告されているため慎重に投与する）。

ちなみに、パロキセチンおよびミルタザピンの国内臨床試験では、傾眠の副作用がそれぞれ24%、50%の患者で認められており、夕食後および就寝前に服用させる必要がある。一方、デュロキセチンは傾眠が31%で認められたにもかかわらず、朝食後投与になっている。これは交感神経刺激による不眠を避けるためである。当然、患者が眠気を訴える場合には夜に服用させる。

表7-28　緑内障または下部尿路閉塞のある患者に対するSSRI、SNRI、NaSSAの投与可否（添付文書による）

	緑内障	下部尿路閉塞
フルボキサミン（デプロメール、ルボックス）	慎重投与	記載なし※1
パロキセチン（パキシル）	慎重投与	記載なし※1
セルトラリン（ジェイゾロフト）	慎重投与	記載なし※1
エスシタロプラム（レクサプロ）	慎重投与※2	記載なし※1
ミルナシプラン（トレドミン）	慎重投与	禁忌
デュロキセチン（サインバルタ）	禁忌※3	慎重投与
ミルタザピン（リフレックス、レメロン）	慎重投与	慎重投与
ボルチオキセチン（トリンテリックス）	慎重投与	記載なし

※1　添付文書では慎重投与の記載はないが、副作用報告に尿閉がある
※2　閉塞隅角緑内障のみ慎重投与
※3　コントロール不良の閉塞隅角緑内障のみ禁忌

コラム56

抗認知症薬の作用機序

ドネペジル塩酸塩（アリセプト）、ガランタミン臭化水素酸塩（レミニール）、リバスチグミン（イクセロンパッチ、リバスタッチパッチ）は、アセチルコリンエステラーゼ（AChE）阻害作用を有し、脳内ACh神経系を賦活することで、アルツハイマー型認知症（Alzheimers disease：AD）症状の進行を抑制する。加えて、ガランタミンにはニコチン性ACh受容体を増強するAPL（allosteric potentiating ligand）作用があり、リバスチグミンはAChを分解するもう一つの酵素であるブチリルコリンエステラーゼの阻害作用を持つ。

なお、ADでは脳内ACh量が減少していることから、抗コリン薬が認知症の原因になるという説もある。そのため抗コリン薬は、60歳以上の患者には慎重に用いられる傾向があり、抗認知症薬の作用に拮抗するため要注意である。

一方、ADの原因として、脳内グルタミン酸受容体の一つであるNMDA（N-メチル-D-アスパラギン酸）受容体の過剰な活性化も指摘されている。後シナプスのNMDA受容体への過度な刺激により、神経細胞内へCaイオンが過剰に流入し、大量のNO

が産生されて神経細胞を破壊すると考えられている。この仕組みに着目したAD治療薬がNMDA受容体拮抗薬のメマンチン塩酸塩（メマリー）である。

なお、保険適応に関しては、ドネペジルではAD症状の全ての重症度（軽度、中等度、高度）、ガランタミンとリバスチグミンでは軽度と中等度、メマンチンでは中等度と高度に適応が認められている。

認知症の症状には、「中核症状」と「周辺症状」がある。中核症状は脳神経の脱落によって直接起こる記憶・判断力・見当識・実行力障害などを指すのに対し、周辺症状はBPSD（behavioral and psychological symptoms of dementia）や問題行動とも呼ばれ、周囲の人との関わりの中で起こってくる妄想や攻撃、徘徊、暴言・暴力、不潔行為などの行動・心理症状を指し、介護負担を増やす要因となる。メマンチンのNMDA拮抗作用やガランタミンのAPL作用は、BPSDに有効である可能性が示唆されている。また、ブチリルコリンエステラーゼ阻害作用の臨床的意義は明らかではないが、リバスチグミンにはCYP450が関与する相互作用がみられず、唯一のパッチ剤であるため、経口のAChE阻害薬に共通してみられる胃腸障害などの副作用が起こりにくいなどの利点がある。メマンチンも肝CYP450で代謝されにくいことが示されている。

コラム 57

経口腸管洗浄剤による腸管穿孔

経口腸管洗浄剤のニフレック配合内用剤（電解質配合剤）は、抗コリン作用を持たないが、1992年の発売から11年間に、同薬との関連性が否定できない腸管穿孔および腸閉塞が報告されている。具体的には、腸管内圧上昇による腸管穿孔症例11例（うち死亡例5例）、腸閉塞症例7例（うち死亡例1例）が報告されている。

これを受けて2003年、添付文書が改訂され、胃腸管閉塞症および腸閉塞の疑いのある患者は禁忌とされたほか、「警告」が追記された。さらに用法・用量に関連する使用上の注意には、「排便・腹痛などの状況を確認しながら慎重に投与し、高齢者では十分な観察を行うこと」などが盛り込まれた。ニフレックの添付文書の警告欄には、「投与により、腸管内圧上昇による腸管穿孔を起こすことがあるので、排便、腹痛等の状況を確認しながら、慎重に投与するとともに、腹痛等の消化器症状があらわれた場合は投与を中断し、腹部の診察や画像検査（単純X線、超音波、CT等）を行い、投与継続の可否について慎重に検討すること。特に、腸閉塞を疑う患者には問診、触診、直腸診、画像検査等により腸閉塞でないことを確認した後に投与するとともに、腸管狭窄、高度な便秘、腸管憩室のある患者では注意すること」と記載されている。

類薬であるリン酸ナトリウム塩配合剤のビジクリアについても、添付文書上で同様な注意喚起がなされている。

第３節
MAO阻害

モノアミンオキシダーゼ（MAO）阻害薬には、①A型MAO（MAO-A）およびB型MAO（MAO-B）を共に阻害する非選択的MAO阻害薬、②選択的MAO-A阻害薬、③選択的MAO-B阻害薬——の3種類がある（**☞第6章［第5節］**）。それぞれ代表的な薬剤は、①サフラジン、②アメジニウムメチル硫酸塩（リズミック）、③セレギリン塩酸塩（エフピー）、ラサギリン（アジレクト）、サフィナミド（エクフィナ）である。また、ゾニサミド（エクセグラン、トレリーフ）、セント・ジョーンズ・ワート（SJW）含有食品にもMAO-B阻害作用があると考えられている。

MAO-A阻害薬の添付文書には相互作用の記載がなく、安全性は高いようである。一方、非選択的MAO阻害薬のサフラジンは販売中止となっているが、イソニアジド（イスコチン）、プロカルバジン塩酸塩（塩酸プロカルバジン；アルキル化薬［MAO阻害作用は弱い］）、リネゾリド（ザイボックス；オキサゾリジノン系抗菌薬）は非選択的にMAOを阻害する作用を持ち、また多くの薬剤の添付文書には非選択的MAO阻害薬との相互作用について記載されているので、MAO-B阻害薬と併せて本節で説明する。

非選択的MAO阻害薬は、神経伝達物質であるモノアミン（ドパミン、NAd、Ad、5-HT、ヒスタミン）を分解する酵素であるMAOと不可逆的に結合して阻害し、シナプス（神経の接合部）での刺激伝達を修飾して抑うつ状態を改善する。非選択的MAO阻害薬の主な相互作用は、中枢神経作用、交感神経作用、抗コリン作用の協力に起因している（**表7-29**）。ほぼ全てのCNS用薬は、非選択的MAO阻害薬と併用すると作用が増強すると考えられる（MAO阻害薬によるCYP2C9、2D6、3A4の阻害作用や、MAOの基質となる薬剤も関与；**☞表5-20、6-7**）。

MAO阻害薬は生体モノアミンの合成には影響を及ぼさないので、MAO阻害薬を服用中の患者では常に交感神経細胞内のアミン含量は増加している。したがって、非選択的MAO阻害薬を服用している患者に、交感神経を刺激する薬剤を投与すると、急激に神経終末でのNAdの遊離が促進して交感神経作用が増強する。特に、NAdの遊離を促進するチラミンやアンフェタミン系薬、およびNAd枯渇を引き起こすグアネチジンやベタニジン（投与初期には必ずNAd遊離がある）とMAO阻害薬を併用すると、著明なNAd遊離が起こり、高血圧クリーゼ（頭痛、悪心、嘔吐、動悸、痙攣、興奮、そう状態、錯乱など）などの重篤な副作用が起こる恐れがあるため、これらは絶対に併用してはならない（併用禁忌；チーズ効果については**☞第6章［第5節］**）。また、MAO阻害薬は抗コリン作用も著明に増強させるため、抗コリン薬との併用にも注意を要する。

一方、MAO-B阻害薬のセレギリン、ラサギリン、サフィナミドに関しては、5-HT作用増強に起因するCNSの相互作用が多い。ペチジン塩酸塩（オピスタン；神経系の5-HT再取り込み阻害）、三環系抗うつ薬（5-HT、NAd再取り込み阻害）、非選択的MAO阻害薬、SSRI（選択的5-HT再取り込み阻害）、SNRI（5-HT、NAd再取り込み阻害）、NaSSA（NAd・5-HT作動）との併用は禁忌であり、トラゾドン塩酸塩（デジレル；5-HT再取り込み阻害）は併用慎重である。これらの薬剤は、いずれも脳内5-HT濃度を上昇させるため、MAO-B阻害薬と併用すると5-HT作用を増強すると考えられる。

なお、MAO阻害薬とモノアミンに影響する薬剤（ペチジン、リスデキサンフェタミン［ビバンセ；抗AD/HD薬；アンフェタミン系薬］、トラマドール、タペンタドール、他のMAO阻害薬、三・四環系抗うつ薬、SSRI、SNRI、ボルチオキセチン、アトモキセチン、ミルタザピン）との併用は禁忌となっている。加えて、MAO阻害薬からこれらの薬剤

表 7-29　MAO 阻害作用の協力に起因する相互作用

	薬剤A	薬剤B	併用により起こり得る事象
(1) 中枢神経作用			
併用禁忌	非選択的MAO阻害薬（サフラジン★）	アルコール（飲酒）、フェノチアジン系薬、三・四環系抗うつ薬	興奮、高熱、痙攣、昏睡。死亡例あり。
		鎮痛・鎮咳薬（デキストロメトルファン［メジコン；非麻薬性］、ペチジン［オピスタン；麻薬］）	興奮、低血圧、吐き気、めまい、昏睡。ペチジンでは死亡例あり。
		オキシペルチン（ホーリット；脳内NAd遊離）大量投与	中枢神経興奮。
		トリプタン系薬（ゾルミトリプタン［ゾーミッグ］、リザトリプタン［マクサルト］、スマトリプタン［イミグラン］）	MAO-Aで代謝（☞**表6-6**）。エレトリプタン（レルパックス）、ナラトリプタン（アマージ）は併用禁忌でない。
	レセルピン★	テトラベナジン （コレアジン；非律動性不随意運動治療薬）	相互に作用増強。類似したメカニズムを有する。MAO阻害剤の作用増強の恐れ。
	MAO-B阻害薬（セレギリン［エフピー］、ラサギリン［アジレクト］、サフィナミド（エクフィナ）	ペチジン（オピスタン;麻薬）、トラマドール（トラマール;SNRI作用;非麻薬性）、タペンタドール（タペンタ;麻薬）	高度の興奮、精神錯乱。トラマドールにはSNRI作用があり、セロトニン症候群誘発。
		三・四環系抗うつ薬	高血圧、失神、不全収縮、発汗、てんかん、動作・精神障害の変化や筋強剛（死亡例）。
		SSRI（フルボキサミン［デプロメール、ルボックス］、パロキセチン［パキシル］、セルトラリン［ジェイゾロフト］、エスシタロプラム［レクサプロ］）、SNRI（ミルナシプラン［トレドミン］、デュロキセチン［サインバルタ］、シブトラミン★、ベンラファキシン［イフェクサー］）、NaSSA（ミルタザピン［レメロン、リフレックス］）、ボルチオキセチン（トリンテリックス；セロトニン再取り込み阻害・セロトニン受容体調節薬）、アトモキセチン（ストラテラ；選択的NAd再取り込み阻害薬）、S-RIM（ボルチオキセチン［トリンテリックス］）	セロトニン症候群（錯乱、発熱、ミオクローヌス、振戦、発汗など。昏睡状態、急性腎不全）。B剤を投与する場合、MAO-B阻害薬中止後14日間の間隔を置くこと。これらの薬剤に切り替える場合、フルボキサミンは7日間、パロキセチン、セルトラリン、アトモキセチン、ミルタザピンは14日間、ミルナシプランは2～3日間、デュロキセチンは5日間の間隔を置くこと。ベンラファキシンは投与前では14日間、投与後は7日間の間隔を置くこと。
		抗AD/HD薬；アンフェタミン系薬（リスデキサンフェタミン［ビバンセ］、メチルフェニデート［リタリン、コンサータ］）	高血圧クリーゼの恐れ。A剤投与中あるいは投与中止後2週間以内の患者にはB剤を投与しない。
	セレギリン（エフピー）	非選択的MAO阻害薬（サフラジン★）	高度の起立性低血圧。
原則禁忌	非選択的MAO阻害薬（サフラジン★）	BZP系薬（トフィソパム［グランダキシン］を除く）	舞踏病がクロルジアゼポキシド（バランス）で誘発。
併用慎重	非選択的MAO阻害薬（サフラジン★）	モルヒネ、コデイン（コデインリン酸塩散1%）、ジヒドロコデイン（ジヒドロコデインリン酸塩散1%）、アヘンアルカロイド・スコポラミン（オピスコ注）	興奮、低血圧、吐き気、めまい。
		NAd作動性神経刺激薬（ドロキシドパ［ドプス］、抗パーキンソン薬、レセルピン［アポプロン］、フェニレフリン［ネオシネジン］、メトキサミン★、エフェドリン製剤など）	エフェドリンでは死亡例あり。
		抱水クロラール（エスクレ）	頭痛、吐き気、高血圧。
		ドキサプラム（ドプラム；呼吸中枢興奮作用）	高血圧。
		抗ヒスタミン薬	抗ヒスタミン作用増強。
	イソニアジド（イスコチン；MAO阻害作用）	ペチジン（オピスタン）	有害反応。
	セレギリン（エフピー）、ラサギリン（アジレクト）、サフィナミド（エクフィナ）	トラゾドン（デジレル）、デキストロメトルファン（メジコン）	有害反応、セロトニン症候群発現に注意。
		モノアミン（チラミンなど）含有量の多い食物	CYP2D6・3A4阻害薬の併用時にチーズ効果などのモノアミン毒性発現に注意（☞**第6章［第5節］**）。

★ 販売中止もしくは国内未発売

表7-29（つづき）　MAO阻害作用の協力に起因する相互作用

併用慎重	ゾニサミド（トレリーフ、エクセグラン；MAO-B阻害作用）	三環系抗うつ薬、四環系抗うつ薬	高血圧、失神、不全収縮、発汗、てんかん、動作・精神障害の 変化および筋強剛。
併用慎重	リネゾリド（ザイボックス；MAO阻害作用）	モノアミン（NAd、Ad、ドパミン、5-HT）作動薬、チラミン含有量の多い飲食物、フェニルプロパノールアミン（PPA）含有薬品	モノアミン毒性発現に注意（☞付E）。
併用慎重	メチルチオニニウム（メチレンブルー）	三・四環系抗うつ薬、SSRI、SNRI、NaSSA	セロトニン症候群の恐れ。
（2）交感神経作用			
併用禁忌	非選択的MAO阻害薬（サフラジン★）	CA系薬（チラミン、NAd、Ad、ドパミン［イノバン］、ドブタミン［ドブトレックス］、イソプレナリン［プロタノール］、レボドパ製剤［ドパストン；ドパミン前駆体］）	急激な高血圧、不整脈。
併用禁忌	非選択的MAO阻害薬（サフラジン★）	α刺激薬（直接型）（ナファゾリン［プリビナ］、オキシメタゾリン［ナシビン点眼・点鼻薬］、テトラヒドロゾリン［コールタイジン点鼻薬］、トラマゾリン［トラマゾリン点鼻薬］）	急激な高血圧。
併用禁忌	非選択的MAO阻害薬（サフラジン★）	CA遊離促進薬（間接型）（チラミン、アンフェタミン系薬：メタンフェタミン★、マジンドール［サノレックス］、メチルフェニデート［リタリン］、ペモリン［ベタナミン］）	高血圧クリーゼ。
併用禁忌	非選択的MAO阻害薬（サフラジン★）	CA枯渇薬（グアネチジン★、ベタニジン★）	高血圧クリーゼ。
併用禁忌	MAO-B阻害薬（セレギリン［エフピー］）、ラサギリン［アジレクト、サフィナミド［エクフィナ］）	抗AD/HD薬；アンフェタミン系薬（メチルフェニデート［リタリン、コンサータ］、リスデキサンフェタミン［ビバンセ］）	高血圧クリーゼ（☞表7-17；CA感受性増大）。神経外モノアミン濃度上昇。MAO阻害薬を投与中あるいは投与中止後2週間以内にB剤を投与しない。
（3）抗コリン作用			
併用禁忌	非選択的MAO阻害薬（サフラジン★）	抗コリン薬、ジメンヒドリナート（ドラマミン；抗ヒスタミン薬）、ヘキサメトニウム★（節遮断薬）	抗コリン作用増強。
（4）その他			
併用慎重	非選択的MAO阻害薬（サフラジン★）	筋弛緩薬	筋弛緩作用協力。

注意：一般的に、投与中止後でもMAO阻害薬の作用は持続するので、使用後2～3週間は上記の薬剤は服用させない。
★ 販売中止

への切り替えでは14日間の間隔を置くことが必要である。しかし一方で、MAO阻害剤へ切り替えの場合、パロキセチン、セルトラリン、ボルチオキセチン、アトモキセチン、ミルタザピン、エスシタロプラムでは14日、フルボキサミン、ベンラファキシンで7日、デュロキセチンで5日、三・四環系抗うつ薬、トラマドール、ミルナシプランで2~3日間の間隔を置くことに注意する。

第6章［第5節］で述べたように、MAO-B阻害薬を服用中の患者ではMAO-Aによるチラミンの代謝が行われるため、交感神経系を介したチーズ効果などのモノアミン毒性が発現する可能性は低い。ただし、セレギリンとCYP2D6または3A4を阻害する薬剤（☞**表5-13**）とを併用すると、セレギリンのCYP450での代謝が抑制されるため血中濃度が上昇し、MAO-B阻害の選択性が消失し非選択的となる可能性があることから、モノアミン含有量の多い食物の摂取には注意を要する。また、抗うつ薬はセレギリン、ラサギリン、サフィナミドとの併用は禁忌であるが、MAO-B阻害作用を有するゾニサミドとの併用は慎重である。しかし、併用時にはセロトニン症候群を発症する可能性が考えられるため常に注意する。

なお、MAOと同様にCA系薬を代謝して不活性化する酵素には末梢のCOMTがある。COMT阻害薬が関与する相互作用は、第6章第5節を参照されたい。

注意

テトラベナジンとMAO阻害薬、レボドパ、抗ドパミン薬との相互作用

ハンチントン病に伴う舞踏運動に用いられるテトラベナジン（コレアジン）は、中枢神経系におけるモノアミン小胞トランスポーター2（VMAT2）の特異的阻害薬であり、モノアミン（ドパミン、ノルアドレナリン、セロトニンなど）のシナプス前小胞への取り込みを阻害することにより、神経終末のモノアミンを枯渇させ、ハンチントン病の主病変部位である線条体においてドパミンを枯渇させて抗舞踏運動作用を発揮する。

相互作用では、ドパミン作用に影響を与える薬剤との併用に注意する（**表7-30**）。具体的には、セレギリン（エフピー；MAO-B阻害薬）との併用ではドパミン作動作用が協力して増強する（併用禁忌）。レセルピン（NdA枯渇薬；**表7-16**）にも同様な作用があるため、相互に作用が増強する。レボドパ（抗パーキンソン薬）との併用では逆にドパミンの作用が拮抗してレボドパの効果が減弱する（パーキンソン病悪化）。一方、抗ドパミン薬（フェノチアジン系薬、ブチロフェノン系薬など）との併用では協力して抗ドパミン作用が増強（パーキンソニズム誘発）する恐れが指摘されている（☞ **表8-2**）。

既に「第2節 末梢神経系」でも述べたが、これらの相互作用にはテトラベナジンによるモノアミン枯渇作用の機序が関係する。すなわち、投与初期には、ドパミンの神経終末内に存在するモノアミン小胞への取り込みが阻害されるため、神経終末、シナプス間隙のドパミン量が増大し、ドパミン作動作用が現れる。この状態でMAO-B阻害薬を投与すると、ドパミンのシナプス間隙での分解が抑制され、シナプス間隙におけるドパミンの濃度がさらに上昇し、結果的にMAO阻害薬のドパミン作動作用が増強することになる。

しかし、テトラベナジンを継続投与すると、シナプス間隙に存在するドパミンは、

表7-30　モノアミンが関与するテトラベナジンの相互作用

	薬剤A	薬剤B	併用により起こり得る事象など
併用禁忌	テトラベナジン（コレアジン；ドパミン枯渇薬）	セレギリン（エフピー；MAO-B阻害薬；抗パーキンソン薬）	MAO-B阻害薬の作用が増強。テトラベナジン投与初期にはシナプス間隙のモノアミンが増大するため。ただし、テトラベナジン投与継続ではドパミン作用が拮抗すると考えられる。
併用禁忌		レセルピン（販売中止）	類似したメカニズムを有するため（☞ **表7-16**）、相互に作用が増強。
併用慎重		レボドパ（ドパストンなど；抗パーキンソン薬）	ドパミン作動性神経において作用が拮抗。パーキンソン病悪化。
併用慎重		抗ドパミン薬（フェノチアジン系薬、ブチロフェノン系薬、メトクロプラミド［プリンペラン］、ドンペリドン［ナウゼリン］など）	ドパミン作動性神経において作用が協力。パーキンソニズム誘発。

MAO-B により徐々に分解されてドパミンが枯渇するようになり、最終的に抗ドパミン作用を発揮し、このためにレボドパの効果減弱や抗ドパミン薬の作用が増強すると考えられる。

したがって、テトラベナジンは、投与初期にはドパミン作動作用が現れるが、継続投与では抗ドパミン作用が発現する。これを念頭において、相互作用を考えることが肝要である。

第4節
ヒスタミン

主なヒスタミン受容体として、H_1およびH_2受容体がある※。それぞれの主作用を以下に示す。

- H_1受容体 → 気管支・胃腸の平滑筋収縮
- H_2受容体 → 強い胃酸分泌促進、弱い膵液・唾液・気道粘液分泌促進
- H_1、H_2受容体が関与 → 血管拡張（毛細血管の透過性亢進）

古典的な抗ヒスタミン薬（H_1拮抗薬）は、**表7-20**に示しているので参照されたい。H_1拮抗薬の薬理作用の中で特に問題となるのは、血液脳関門（BBB）を通過して中枢神経系（CNS）を抑制する作用（☞**表7-1**）と抗コリン作用である。つまり、H_1拮抗薬は、CNS抑制作用として鎮静、催眠、制吐、抗めまい作用や摂食中枢刺激作用（食欲増進、体重増加）を有するほか、抗ムスカリン作用として口渇、便秘、かすみ目などを呈する（☞**表7-21**）。投与の際に注意すべき疾患は、緑内障と前立腺肥大などによる下部尿路閉塞である。内服薬は口渇や気道粘液分泌抑制によって喘息発作を招くことがあるので、喘息患者に対しても慎重に投与する。また、未熟児、新生児は抗コリン作用に感受性が高く、痙攣などを誘発する可能性があるため、未熟児、新生児への投与が禁忌となっている抗ヒスタミン薬もある（☞**第8章［第1節］**）。

なお、H_1拮抗薬や抗アレルギー薬の眠気誘発には、BBBのP糖タンパク質（P-gp）も関与しており、P-gpへの親和性の高い薬剤ほど眠気誘発の程度（頻度）は低いと考えられている（☞**第4章［第3節］**）。すなわち、P-gpの基質になる可能性の低い古典的な抗ヒスタミン薬（H_1拮抗薬）は、脳内移行が促進され眠気を誘発しやすいが、抗アレルギー薬のフェキソフェナジン塩酸塩（アレグラ）、ロラタジン（クラリチン）、エバスチン（エバステル）などのP-gpの基質となる薬剤では、脳内移行が抑制され、眠気を誘発しにくい。

相互作用では、CNS抑制作用および抗コリン作用の協力に注意する。抗ヒスタミン薬の単独投与あるいは併用により、これらの作用が増強する可能性がある場合は、前述のCNS抑制作用および抗コリン副作用の症状について必ず説明し、QOLに支障を来す場合は相談するよう指導する（**表7-31**）。また、β_2遮断作用のある薬剤は、肥満細胞からのケミカルメディエーター（ヒスタミン、ロイコトリエンなど）の遊離を促進するため、減感作療法薬（シダトレンスギ花粉舌下液、アシテアダニ舌下錠、治療用ダニアレルゲンエキス皮下注など）、アレルゲン検査薬（スクラッチダニアレルゲンエキス）などとの併用では、強くアレルギー反応が起こる可能性があり注意が必要である。

一方、ベタヒスチンメシル酸塩（メリスロン；抗メニエール病薬）、麻薬性鎮痛・鎮咳薬（モルヒネ塩酸塩水和物［モルヒネ塩酸塩］、コデインリン酸塩水和物［コデインリン酸塩］、ペチジン塩酸塩［オピスタン］）は、ヒスタミン類似の作用を有する。ヒスタミン類似の作用により気管支収縮や胃酸分泌を促進する可能性があるため、気管支喘息や消化性潰瘍の患者には慎重に投与する（麻薬性鎮咳薬は気管支喘息発作患者への投与は禁忌である）。

なお、ヒスタミンの一部はMAOで代謝されるため、MAO阻害作用を有する薬剤を服用している患者がヒスタミン含有量の多い食品（ヒスチジン含有魚肉など）を摂取した場合、体内でのヒスタミン代謝が抑制され、発疹、口腔内ヒリヒリ感、顔面紅潮、動悸、頭痛、吐き気、下痢などのヒスタミン中毒が発現することがある（☞**第6章［第5節］、付E**）。例えば、ツナ入りバーガー単独によるヒスタミン中毒も報告されている。また、気管支喘息の患者は、ヒスタミンに対して過敏となっている

※ CNSにはH_1受容体とH_2受容体のほかに、H_3受容体も存在する。H_3受容体は、ヒスタミン作動性神経の終末に存在し、ヒスタミンの遊離に対して抑制的に働くことが示されている。

表7-31　ヒスタミンが関与する相互作用

薬剤A	薬剤B	併用により起こり得る事象など
抗ヒスタミン薬（☞**表7-20**）	CNS抑制作用を有する薬剤（☞**表7-1**）	CNS抑制作用が増強する恐れ。眠気、ふらつき、転倒などに注意。
	抗コリン薬（☞**表7-20**）	抗コリン作用増強（口渇、便秘など）
非選択的β遮断薬（☞**表7-16**）	減感作療法薬（シダトレンスギ花粉舌下液、アシテアダニ舌下錠、治療用ダニアレルゲンエキス皮下注など）、アレルゲン検査薬（スクラッチダニアレルゲンエキス）	減感作療法薬、アレルゲン検査薬のアレルギー反応が強く発現する恐れ。β_2遮断薬は肥満細胞からのヒスタミン、LTなどのケミカルメディエーター遊離促進。
MAO阻害作用のある薬剤（☞**表6-7**）	ヒスタミン含有食品（鮮度の低い赤み魚など；☞**表6-7**）	ヒスタミン中毒（口周囲のヒリヒリ感、顔面紅潮、頭痛、吐き気、嘔吐、発疹など）

ため、ヒスタミン中毒を発症しやすく、死亡例も報告されているため要注意である。

50歳代男性Aさん。

［処方箋］
① ハルナールD錠0.2mg　1錠
　1日1回　朝食後　14日分
② フロモックス錠100mg　3錠
　ペレックス配合顆粒　3g
　アスベリン錠20　3錠
　1日3回　毎食後　5日分

前立腺肥大のため半年前から①を服用中のAさんに、初めてかぜ薬が追加処方された。

ペレックス配合顆粒は抗ヒスタミン薬（H_1拮抗薬）のクロルフェニラミンマレイン酸塩を含有するため、前立腺肥大などよる下部尿路閉塞疾患のある患者への投与は禁忌である。担当薬剤師はAさんに尿路が閉塞する副作用について説明し、処方医に連絡。ペレックスは中止となり、カロナール錠200mg（アセトアミノフェン）2錠（頓用・5回分）に変更となった。数日後、Aさんはアレルギー性鼻炎であることが発覚し、セルテクト錠30mg（オキサトミド）2錠（分2）が処方され、数日後に治まった。

なお、症例には示していないが、疑義照会の結果、H_1拮抗薬を含むペレックス配合顆粒やPL配合顆粒が有効性を重視して前立腺肥大の患者に投与されるケースは多々ある。そこで、当薬局では服用時に尿閉などの排尿障害が認められた場合には、直ちに服用を中止して受診するように指導している。

注意

H_2拮抗薬が関与する相互作用

H_2拮抗薬は、古典的な抗ヒスタミン薬（H_1拮抗薬）が遮断効果を示さないH_2受容体に対して特異的に作用する。最も著明な作用は胃酸分泌抑制であり、消化性潰瘍治療薬として広く用いられている。また、胃酸分泌の抑制により、十二指腸内のpH低下に伴う膵液分泌亢進を抑制するので、膵炎悪化の予防に用いられることもある。さらに、ヒト皮膚血管にはH_1、H_2受容体が存在し、難治性蕁麻疹にH_1拮抗薬とH_2拮抗薬の併用が有効であることや、帯状疱疹の初期の治療薬としてH_2拮抗薬が有用であること（免疫能力を高めるため）も示されている。

H_2拮抗薬が関与する相互作用では、特にシメチジン（タガメット）によるCYP450酵素阻害作用に注意する（☞**表5-15**）。また、H_2拮抗薬に共通する薬動態学的相互作用の発現機序として、胃酸分泌抑制による消化管内pHの上昇（☞**第1章［第4節］**）、腎OCTでの分泌競合（☞**表4-30**）、アルコール脱水素酵素（ADH）阻害作用（☞**表6-3**）があり、薬力学的相互作用の発現機序として、神経-筋遮断作用の増強（☞**表7-27**）、パーキンソニズムの誘発（☞**表**

8-2）、重篤な血液障害の誘発（死亡例あり；☞ **表 8-7**）などがある。

なお、H_2 受容体は中枢神経系や心臓にも存在することが知られている。H_2 拮抗薬はBBB を通過しにくいため中枢作用も少ないと考えられているが、錯乱、幻覚、うつ状態、痙攣、頭痛、不眠、眠気、皮膚紅潮、かゆみなどが発現することがある。また、徐脈、房室ブロック、QT 延長（☞ **表 7-33**）などを引き起こすことがある。

参考

抗アレルギー薬の作用機序

アレルギー反応が起こると、肥満細胞からヒスタミンなどが遊離される。ヒスタミンは少量ではかゆみを生じ、大量では痛みを誘発するが、これは知覚神経終末の H_1 受容体が刺激されることによる。

通常、ヒスタミン放出には細胞内への Ca^{2+} 流入（細胞内 Ca^{2+} 濃度の上昇）が引き金となるが、細胞内セカンドメッセンジャーである c-AMP の濃度が上昇すると細胞内の遊離 Ca^{2+} 濃度は低下し、ヒスタミン遊離は抑制される。

したがって、β 刺激薬またはキサンチン系薬は、細胞内 c-AMP 濃度を上昇させるため（☞ **コラム 54**）、ヒスタミン遊離も抑制することになる。一方、クロモグリク酸 Na（インタール）などの抗アレルギー薬は、細胞内への Ca^{2+} の流入を阻害しヒスタミンなどの遊離を抑制する。

なお、アルコールにより誘発される喘息発作（アルコール誘発喘息）は、代謝産物のアセトアルデヒドが肥満細胞からヒスタミンの遊離を促進するために起こると考えられている（☞ **コラム 48**）。

第 5 節

心機能促進および抑制、QT 延長

心機能に関わる薬剤の作用は便宜上、**表7-32**のように分類できる。それぞれに該当する薬剤を**表7-33**に示す。心筋収縮力と心拍数を変化させる薬剤を区別して理解していただきたい。

これらの薬剤が関与する相互作用は、協力作用に起因するものが多く、陽性変力作用の増強（心悸亢進など）、陰性変時作用の増強（徐脈、低血圧、QT 延長）などが起こる（**表7-34**）。

まず、交感神経刺激作用を持つ薬剤（☞**表7-15**）は、ジギタリス製剤による心筋収縮力の増強（陽性変力）作用、キニジン硫酸塩水和物（硫酸キニジン）による心拍数の増加（陽性変時）作用を、それぞれ相加的に増強させることがある（**表7-34（1）**）。一方、抗不整脈薬（β遮断薬、フレカイニド酢酸塩［タンボコール］など）とジヒドロピリジン系 Ca 拮抗薬、ACE 阻害薬やβ遮断薬との併用では、心筋収縮力の抑制（陰性変力）作用の増強に注意する。また、ジギタリス製剤、ベラパミル塩酸塩（ワソラン）、ジルチアゼム塩酸塩（ヘルベッサー）、β遮断薬、HCN チャネル阻害薬（イバブラジン［コララン］）、シポニモド（メーゼント；多発性硬化症治療薬）では、陰性変時（徐脈）作用の協力、およびジギタリス中毒発現にも注意が必要である。特に注射用ベラパミルとβ遮断薬のプロプラノロール塩酸塩注射剤（インデラル注射液）との併用、ベラパミル、ジルチアゼムとイバブラジンとの併用、シポニモドとクラスⅠa 群、Ⅲ群、ベプリジル（ベプリコール）との併用は禁忌である。さらに、発現機序は不明であるが、アミオダロン（アンカロン）とレジパスビル・ソホスブビル配合錠（ハーボニー配合錠；抗 HCV 薬）の併用は、徐脈などの重篤な不整脈が現れる恐れがあり、死亡例も報告されていることから原則禁忌である。そのほか、ジギタリス製剤と注射用 Ca 製剤との併用も禁忌であるが、これは注射用 Ca 製剤により血中 Ca 濃度が上昇すると、ジギタリス中毒が急激に出現することがあるためである（☞**p.565「重要」**）。また、抗不整脈薬相互の併用については**表7-34（2）**を参照されたい。

なお、ドパミン塩酸塩（イノバン）で血圧を維持している患者にフェニトイン（アレビアチン；Ib 群）を投与すると、低血圧、徐脈が出現することがある。また、新生児および乳児は Ca 拮抗薬に対する感受性が高いため、徐脈、心停止などが起こる危険性が大きい。実際、ベラパミルを投与した際、重篤な徐脈や低血圧、心停止が認められたとの報告がなされているため要注意である。

一方、陰性変時作用や K^+ チャネル遮断作用を有する薬剤は、心電図上で QT 時間の延長を引き起こしやすい（☞**表7-33**）。特にⅠa 群、Ⅲ群、フレカイニド（タンボコール；Ⅰc 群）、プロパフェノン塩酸塩（プロノン；Ⅰc 群）、ベプリジル塩酸塩水和物（ベプリコール；Ⅳ群）では注意を要する（Ⅰa 群、Ⅲ群は活動電位持続時間延長作用があり、プロパフェノンは少量ではⅠa 群である）。

QT 延長は心室性頻拍（torsades de pointes：

表 7-32　心機能に影響を与える薬剤の分類

● 心機能促進作用を有する薬剤
① 交感神経刺激作用あるいは細胞内 c-AMP 濃度上昇を介する心筋収縮力増強（陽性変力）・心拍数増加（陽性変時）作用を呈する薬剤（☞**表7-15**）
② ジギタリス強心配糖体のように陽性変力作用を有するが、心拍数を減少させ（陰性変時）、徐脈を呈する薬剤
③ アトロピン硫酸塩水和物のように抗コリン作用（頻脈）により洞徐脈を改善する薬剤
● 心機能抑制作用を有する薬剤
① 心筋収縮力抑制（陰性変力）および心拍数低下（陰性変時;徐脈）作用を有する薬剤（交感神経遮断薬、Ca拮抗薬）
② 頻脈性不整脈に有効な抗不整脈薬（ジギタリス製剤も含む）：Ⅰ群（Na^+チャネル遮断）、Ⅱ群（β受容体遮断）、Ⅲ群（K^+チャネル遮断）、Ⅳ群（Ca^{2+}チャネル遮断）
③ 房室伝導を抑制し得る薬剤
④ HCNチャネル阻害薬

表 7-33　心機能促進/抑制作用を有する薬剤、QT 延長を起こし得る薬剤

（1）心機能促進作用を有する薬剤

陽性変力（心筋収縮力増強）・陽性変時（心拍数増加）作用

・交感神経刺激薬：カテコールアミン（CA）系薬、β刺激薬

・c-AMP上昇：
グルカゴン、ホスホジエステラーゼ（PDE）阻害薬※（キサンチン系薬｛アミノフィリン［ネオフィリン］、テオフィリン［テオドール］など；非選択的PDE阻害｝、アナグレリド（アグリリン；本態性血小板血症治療薬；PDE3阻害）、イブジラスト（ケタス；非選択的PDE阻害）、シロスタゾール（プレタール；PDE3阻害）、PDE3阻害薬｛ミルリノン［ミルリーラ］、オルプリノン［コアテック］、ピモベンダン［アカルディ］、アムリノン★など｝）、コルホルシンダロパート（アデール；アデニル酸シクラーゼを活性化）など

【注意】吸入麻酔薬（c-AMP系の賦活）、甲状腺ホルモン製剤（β受容体増加作用）、スキサメトニウム（CA放出促進）→CA系薬の心刺激効果を増強する。

・PTH製剤：テリパラチド製剤（テリボン、フォルテオ）→心筋細胞のPKC経路を活性化すると考えられている。

陽性変力作用と陰性変時（徐脈）作用を兼有する薬剤

・ジギタリス製剤：ジゴキシン（ジゴシン）、ジギトキシン★、メチルジゴキシン（ラニラピッド）、デスラノシド（ジギラノゲン）、プロスシラリジン★

洞徐脈に有効な薬剤

アトロピン（抗コリン薬→心機能亢進作用）

（2）心機能抑制作用を有する薬剤

陰性変力（心筋収縮力抑制）、陰性変時（心拍数減少）作用

・交感神経遮断薬：β遮断薬、CA枯渇薬（グアネチジン★、レセルピン［アポプロン］）など

・Ca拮抗薬：ベラパミル（ワソラン）、ジルチアゼム（ヘルベッサー）、ニフェジピン（アダラート→陰性変力作用のみ）

・HCNチャネル遮断薬：イバブラジン(コララン；HCNチャネル遮断薬)

・吸入麻酔薬：イソフルラン（エスカイン→陰性変力作用のみ）、セボフルラン（セボフレン）など

抗不整脈薬（陰性変時作用→頻脈性不整脈に有効）

・Ⅰa群（心室・上室性不整脈に有効）：
キニジン（硫酸キニジン）、プロカインアミド（アミサリン）、アジマリン★、シベンゾリン（シベノール）、ジソピラミド（リスモダン）、ピルメノール（ピメノール）

・Ⅰb群（心室性不整脈に有効）：
リドカイン（キシロカイン）、メキシレチン（メキシチール）、フェニトイン（アレビアチン）、アプリンジン（アスペノン）

・Ⅰc群（心室・上室性不整脈に有効）：
プロパフェノン（プロノン）、フレカイニド（タンボコール）、ピルシカイニド（サンリズム）

・Ⅱ群（ストレスによる不整脈に有効）：
β遮断薬（アテノロール［テノーミン］など）

・Ⅲ群（心室・上室性不整脈に有効）：
アミオダロン（アンカロン→重篤な副作用のため、他剤使用不可または無効時のみ使用）、ソタロール（ソタコール；クラスⅡ、Ⅲの作用→他剤の使用不可または無効時に使用）、ニフェカラント（シンビット→他剤無効時または使用不可の致死的不整脈のみに使用）

・Ⅳ群（上室性不整脈に有効；Ca拮抗薬）：
ベラパミル（ワソラン）、ジルチアゼム（ヘルベッサー）、ベプリジル（ベプリコール；クラスⅠ、Ⅲ、Ⅳの作用→他剤使用不可または無効時のみ使用）

・その他：
ジギタリス製剤（上室性不整脈に有効）：ジゴキシン、ジギトキシン、メチルジゴキシン（ラニラピッド）、デスラノシド（ジギラノゲン）、プロスシラリジン★→徐脈（陰性変時）作用と強心（陽性変力）作用

陰性変時（房室伝導抑制）作用などがあると考えられる薬剤

・K排泄型利尿薬、コリン作動薬、吸入麻酔薬、多発性硬化症治療薬（フィンゴリモド［イムセラ、ジレニア］、シポニモド［メーゼント；徐脈〈5.5%〉、房室ブロック〈1.6%〉］→陰性変時作用あり）、ラコサミド（ビムパット:抗てんかん薬;PR間隔延長）、メマンチン（メマリー；完全房室ブロック、高度な洞徐脈等の徐脈性不整脈）など

HCNチャネル阻害薬（心拍数減少）

・イバブラジン（コララン；慢性心不全治療薬）：心臓内の洞結節における自発興奮に関与しているHCNチャネルを阻害して心拍数を減少し、慢性心不全時の心臓負担も軽減。

表 7-33（つづき）　心機能促進/抑制作用を有する薬剤、QT 延長を起こし得る薬剤

（3）QT 延長を引き起こす可能性のある薬剤

- 抗不整脈薬（**Ⅰa群、Ⅲ群、フレカイニド**［タンボコール；Ⅰc群］、**プロパフェノン**［プロノン；Ⅰc群］、**ベプリジル**［ベプリコール；Ca拮抗薬、Ⅳ群］）
- **抗精神病薬**：フェノチアジン系薬、ブチロフェノン系薬、ブロナンセリン（ロナセン）、クロザピン（クロザリル）、ベンズアミド系薬（スルトプリド［バルネチール］、チアプリド［グラマリール］）、**オランザピン**（ジプレキサ）、クエチアピン（セロクエル）など
- **抗うつ薬**：三・四環系抗うつ薬（キニジン作用あり）、SSRI（エスシタロプラム［レクサプロ］、セルトラリン［ジェイゾロフト→セルトラリンでは機序不明だがピモジドのAUC、Cmaxが1.4倍上昇］など）、NaSSA（ミルタザピン［リフレックス、レメロン］、SNRI（ベンラファキシン［イフェクサー］）
- **ピペリジン系**（☞**図7-9**）：アステミゾール★、テルフェナジン★、シサプリド★、ピペリジン系フェノチアジン（チオリダジン★など）、ブチロフェノン系薬（ピモジド［オーラップ］、ドロペリドール［ドロレプタン；麻酔薬、タラモナール；麻薬にも配合］など）、プロピベリン（バップフォー）、ドネペジル（アリセプト；コリン作動薬）、テネリグリプチン（テネリア；DPP4阻害薬）、**デラマニド**（デルティバ；抗結核薬）、ドンペリドン（ナウゼリン→重篤な心室性不整脈、突然死が海外で報告）
- OAB治療β_3刺激薬：**ミラベグロン**（ベタニス）、ビベグロン（ベオーバ；頻度不明）
- **抗PTH製剤：シナカルセト**（レグパラ；二次性副甲状腺機能亢進症治療薬）→低Ca血症に起因、QT延長例5.8%（承認時）。
- ゾレドロン酸水和物（ゾメタ；骨吸収抑制薬）→低Ca血症に起因。
- **多発性硬化症治療薬**：**フィンゴリモド**（ジレニア）、**シポニモド**（メーゼント）
- **リン酸Na塩配合剤**（ビジクリア；経口腸管洗浄剤）→添付文書の警告欄に記載あり。低Kおよび低Ca血症との関連性指摘。
- **サキナビル★**（HIVプロテアーゼ阻害薬）、エファビレンツ（ストックリン）
- **テラプレビル★**（抗HCV薬）
- **プロブコール**（シンレスタール、ロレルコ：高脂血症治療薬）
- **キヌプリスチン・ダルホプリスチン**（シナシッド；ストレプトグラミン系薬）
- **低K血症誘発薬**（β_2刺激薬、K排泄型利尿薬など：☞**表8-5**）、**低Mg血症誘発薬も同様**
- ピペラジン系：キノロン系薬（**スパルフロキサシン★**、シプロフロキサシン［シプロキサン］、ガレノキサシン［ジェニナック］、レボフロキサシン［クラビット］、ガチフロキサシン★、ロメフロキサシン［バレオン、ロメバクト］など）、トラゾドン（デジレル；5-HT再取り込み阻害）、ロメリジン（テラナス、ミグシス；片頭痛治療薬、Ca拮抗薬）、ヒドロキシジン（アタラックス）、ヒドロキシジンパモ酸塩（アタラックスP）、**オランザピン**（ジプレキサ）、**ポサコナゾール**（ノクサフィル：深在性真菌症治療薬）
- **シルデナフィル**（バイアグラ、レバチオ；PDE5阻害薬）、**バルデナフィル**（レビトラ；PDE5阻害薬）
- その他：

  HCNチャネル遮断薬:イバブラジン(コララン;HCNチャネル遮断薬)、メサドン（メサペイン;オピオイド系鎮痛薬）、ガランタミン（レミニール；コリン作動薬）、**モキシフロキサシン**（アベロックス；キノロン系薬）、フルコナゾール（ジフルカン；アゾール系薬）、**トレミフェン**（フェアストン；抗エストロゲン薬、K^+チャネル遮断）、タモキシフェン（ノルバデックス；抗エストロゲン薬、トレミフェン類似薬）、分子標的治療薬（**ニロチニブ**［タシグナ］、ダサチニブ［スプリセル］、ゲフィチニブ［イレッサ］、ラパチニブ［タイケルブ］、**スニチニブ**［スーテント→心不全、左室駆出率低下］、クリゾチニブ［ザーコリ］、パゾパニブ［ヴォトリエント］、ボスチニブ［ボシュリフ］、**ベムラフェニブ**［ゼルボラフ］、**パノビノスタット**［ファリーダック］、**バンデタニブ**［カプレルサ］、オシメルチニブ［タグソッソ］、ギルテリチニブ［ゾスパタ］、キザルチニブ［ヴァンフリタ］、セリチニブ［ジカディア］、ロルラチニブ［ローブレナ］、エヌトレクチニブ［ロズリートレク］、ロミデプシン［イストダックス］）、キニーネ（キニジン異性体）類（**キニーネ**［キニマックス；抗マラリア薬］、**キニジン**［硫酸キニジン］、**メフロキン**［メファキン；抗マラリア薬］など）、マクロライド系薬（**エリスロマイシン注射剤**［注射用エリスロシン］、**クラリスロマイシン**［クラリス］、スピラマイシン）、ケトライド系薬★、アントラサイクリン系薬、造影剤、H_2拮抗薬、**ペンタミジン**（ベナンバックス注；カリニ肺炎治療薬）、オメプラゾール（オメプラゾン）、ホスフルコナゾール（プロジフ）、**三酸化ヒ素**（トリセノックス;白血病治療薬）、アデノシン（アデノスキャン）、トルテロジン（デトルシトール;OAB治療薬）、ソリフェナシン（ベシケア;OAB治療薬）、アトモキセチン（ストラテラ;選択的NAd再取り込み阻害薬）、チザニジン（テルネリン）、パロノセトロン（アロキシ;抗5-HT_3薬）、イソフルラン（エスカイン：吸入麻酔薬）、**アナグレリド**（アグリリン；本態性血小板血症治療薬）、抗てんかん薬（スチリペントール［ディアコミット］）、テトラベナジン（コレアジン;非律動性不随意運動治療薬;モノアミン枯渇薬）、ドキサプラム（ドプラム；呼吸中枢刺激薬）、トラマドール（トラマール；オピオイド系薬）、アルテメテル・ルメファントリン（リアメット配合錠；抗マラリア薬）、ヒドロキシクロロキン（プラケニル；免疫調整薬）

★ 販売中止
太字の薬剤は特に注意が必要。
※ PDE については**付B** 参照。

【参考】表の抗不整脈薬の分類は「ボーン・ウイリアムス分類」に基づいているが、近年、新たな分類法である「シシリアン・ガンビット分類」も提唱されている。同分類では、各抗不整脈薬の標的分子（チャネル、受容体、ポンプ）に対する作用や臨床効果、心電図への影響が示されており、作用、副作用を考慮した抗不整脈薬の選択の新しい指標となりつつある。

表 7-34　心機能に影響を与える薬剤が関与する主な相互作用

（1）協力作用

	薬剤A	薬剤B	併用により起こり得る事象など
陽性変力作用増強			
併用慎重	ジギタリス製剤	交感神経刺激薬 （NAd、Adなど；☞**表7-15**）	陽性変力作用増強（心筋収縮力増強）、不整脈（両剤とも異所性調律を誘発）。
陽性変時作用増強			
併用慎重	キニジン （硫酸キニジン；Ⅰa）	Ad（β刺激作用）	心室性頻拍・細動。陽性変時作用協力。キニジンには房室伝導を改善する抗コリン作用（頻脈）、Adにはβ刺激作用があるため、相互に作用増強。
陰性変力作用増強			
併用慎重	ニフェジピン （アダラート）	β遮断薬	心筋収縮抑制。ニフェジピンの末梢血管拡張作用により反射的に心拍数が増加するが、これはβ遮断薬により抑制されるため、ニフェジピンの心筋収縮抑制（陰性変力）作用が残る。
	イソフルラン（エスカイン；吸入麻酔薬）	Ca拮抗薬	陰性変力作用、低血圧などの副作用が現れやすくなる。
	フレカイニド （タンボコール；Ⅰc）	β遮断薬、Ca拮抗薬、 ACE阻害薬	陰性変力作用増強。房室伝導抑制。
	麻酔薬（セボフルラン［セボフレン；吸入麻酔薬］など）	β遮断薬 （アテノロール［テノーミン］、ビソプロロール［メインテート］）	陰性変力作用による反射性頻脈をβ遮断薬が抑制し、低血圧のリスクが増強。また、過度の心機能抑制が現れ、心停止／洞停止に至る可能性。
陰性変時作用増強			
併用禁忌	注射用ベラパミル （ワソラン静注）	静注用β遮断薬（プロプラノロール［インデラル注射液］）	陰性変時作用増強（徐脈）。内服薬では併用注意。
	ベラパミル（ワソラン）、ジルチアゼム（ヘルベッサー）	イバブラジン（コララン；HCNチャネル遮断薬；慢性心不全治療薬）	心拍数減少作用を相加的に増強。 また、CYP3A阻害作用も関与する（☞**表5-30**）。
	シポニモド（メーゼント；多発性硬化症治療薬）	クラスⅠa・Ⅲ群の抗不整脈薬、ベプリジル（ベプリコール；Ⅳ群）	心拍数が減少し、Tdpなどの重篤な不整脈が発症。
原則禁忌	シポニモド（メーゼント；多発性硬化症治療薬）	ジゴキシン（ジゴシン）、Ca拮抗薬（クラスⅣ群の抗不整脈薬）、不整脈原性を有することが知られているQT延長作用のある薬剤	心拍数の減少により、徐脈、QT延長、房室ブロックなどの徐脈性不整脈が発現する恐れ。
	アミオダロン （アンカロン）	レジパスビル・ソホスブビル配合錠※ （ハーボニー配合錠；抗HCV薬）	徐脈、心停止（死亡例）、心房性不整脈（機序不明）。多くのケースでβ遮断薬が投与されていたが、徐脈の多くはHCV治療中止後に消失。
	セリチニブ（ジカディア；分子標的治療薬）	β遮断薬、非ジヒドロピリジン系Ca拮抗薬、クロニジン	徐脈の恐れ。併用する場合には定期的に心拍数を測定するなど患者の状態に注意する。
併用慎重	ジギタリス製剤	交感神経遮断薬（レセルピン［アポプロン］、硫酸グアネチジン★、硫酸ベタニジン★）、β遮断薬	ジギタリスの陰性変時作用（徐脈）が増強。
	ベラパミル （ワソラン）	K排泄型利尿薬（チアジド系、ループ系）	心伝導抑制（徐脈）。
		ジギタリス製剤、クラスⅠ抗不整脈薬	クラスⅠ抗不整脈薬は、キニジン（Ⅰa）、リドカイン（キシロカイン：Ⅰb）、ピルシカイニド（サンリズム：Ⅰc）、フレカイニド（タンボコール：Ⅰc）、β遮断薬（Ⅱ）など。 徐脈、房室ブロック。心電図などに注意。
	β遮断薬、Ca拮抗薬	フィンゴリモド塩酸塩（イムセラ、ジレニア；多発性硬化症治療薬）	フィンゴリモドに陰性変時作用あり。同薬の投与開始時に併用すると重度の徐脈や心ブロックが認められることがある。

併用慎重	β遮断薬	シポニモド（メーゼント；多発性硬化症治療薬）	心拍数の減少により、徐脈、QT延長、房室ブロックなどの徐脈性不整脈が発現する恐れ。β遮断薬投与中の患者にシポニモドの投与を開始する場合は注意。シポニモドの維持用量を投与されている患者には、β遮断薬の投与を開始しても良い。
	β遮断薬（アテノロール［テノーミン］、ビソプロロール［メインテート］）	クラスⅠ抗不整脈薬、クラスⅢ抗不整脈薬	過度の心機能抑制が現れ、心停止／洞停止に至る可能性。
	ジゴキシン（ジゴシン）、β遮断薬	ガランタミン（レミニール；コリン作動薬）	心拍数が著しく低下。伝導抑制作用が相加的に増強。
	ジルチアゼム（ヘルベッサー）注射剤	吸入麻酔薬	心伝導抑制（徐脈）。
	ラコサミド（ビムパット；抗てんかん薬）	PR間隔の延長を起こすおそれのある薬剤	房室ブロック等が発現するおそれ。
陽性変力・陰性変時作用増強			
併用禁忌	ジギタリス製剤	注射用Ca製剤（グルコン酸Ca注射液［カルチコール注］、塩化Ca注など）	ジギタリス中毒出現。Caは強心配糖体の作用を増強。急激にCa^{2+}濃度を上昇させるような使用法は避けること。

★ 販売中止　※ やむを得ず投与する場合は、患者・家族に不整脈の恐れがあることを十分説明し、不整脈の兆候、症状（失神、不動性めまい、ふらつき、倦怠感、脱力、極度疲労感、息切れ、胸痛、錯乱、意識障害など）が認められた場合、直ちに処方医に連絡するよう指導。

（2）抗不整脈薬相互の併用

	薬剤A	薬剤B	併用により起こり得る事象など
併用禁忌、慎重	Ⅰa、Ⅰb群	Ⅰc群	併用は避けることが望ましい（Ⅰcの伝導抑制効果が強いため）。
	Ⅰa群	Ⅲ群	心室性頻拍の一種であるtorsades de pointesに注意する（QT延長）。アミオダロン塩酸塩注射薬とⅠa群との併用は禁忌。
	Ⅰc群	Ⅲ群	併用は望ましくない（アミオダロンはK^+チャネル抑制とNa^+チャネル抑制、β遮断作用も有する）。
	Ⅱ群	Ⅳ群	両剤とも陰性変力（心筋収縮力抑制）・陰性変時（洞房結節伝導抑制）作用があるため徐脈、心機能障害には注意する（心不全、徐脈などを合併している場合には使用しにくい）。
	Ⅲ群	Ⅲ群	QT延長に注意。心筋活動電位持続時間の延長が増強される。特に、アミオダロン注射剤と他のⅢ群薬剤との併用は禁忌。
	Ⅲ群	Ⅳ群	アミオダロン注射剤とベプリジル（Ⅳ群）との併用はQT延長の可能性のため禁忌。
その他の併用	Ⅰa群	Ⅰb群	併用は理にかなっている（活性化Na^+チャネル阻害作用［Ⅰa］と不活性化Na^+チャネル阻害作用［Ⅰb］との相加的効果が期待）。
	Ⅰ群	Ⅱ群	有用であるという報告が多い（異なる作用機序で不整脈抑制）。
	Ⅰ群	Ⅲ群	心筋活動電位持続時間の延長が増強される（QT延長の恐れ）。
	Ⅰ群	Ⅳ群	よく行われる併用（Ⅰ群の副伝導路抑制作用とCa拮抗薬による房室伝導抑制作用を期待）。
	Ⅱ群	Ⅲ群	作用機序が異なるので臨床的に意味がある（Ⅲ群によるQT延長の防止も期待）。
	Ⅲ群	Ⅳ群	作用機序が異なる組み合わせであるが、十分なデータがない。

表 7-34（つづき） 心機能に影響を与える薬剤が関与する主な相互作用

（3）QT 延長の誘発（torsades de pointes 誘発）

	薬剤A	薬剤B	併用により起こり得る事象など
併用禁忌	テルフェナジン★、アステミゾール★、チオリダジン★	抗不整脈薬（β遮断薬を除く）、向精神薬（フェノチアジン系、ブチロフェノン系、三・四環系抗うつ薬など）、プロブコール（シンレスタール、ロレルコ）、利尿薬、スパルフロキサシン★、シサプリド★など	チオリダジンはβ遮断薬との併用も禁忌（☞表5-30⑤）。
	スパルフロキサシン★	ジソピラミド（リスモダン）、アミオダロン（アンカロン）、キヌプリスチン・ダルホプリスチン（シナシッド;ストレプトグラミン系抗菌薬）、テルフェナジン★、アステミゾール★	QT 延長作用が相加的に増強。
	モキシフロキサシン（アベロックス;キノロン系）、バルデナフィル（レビトラ；PDE5 阻害薬）、トレミフェン（フェアストン；閉経後乳癌）、フィンゴリモド（ジレニア；多発性硬化症治療薬）	クラスⅠa群（キニジン［硫酸キニジン］、プロカインアミド［アミサリン］、ジソピラミド［リスモダン］など）、クラスⅢ群（アミオダロン［アンカロン］、ソタロール［ソタコール］など）の抗不整脈薬	QT 延長作用が相加的に増強。
	テラプレビル★ （抗HCV薬）	キニジン（硫酸キニジン：Ⅰa）、フレカイニド（タンボコール：Ⅰc）、プロパフェノン（プロノン：Ⅰc）、アミオダロン（アンカロン：Ⅲ）、ベプリジル（ベプリコール：Ⅳ）、ピモジド（オーラップ）	QT 延長作用が相加的に増強。 CYP3A4 阻害関与。
	アミオダロン注射剤 （アンカロン注 150）	クラスⅠa·クラスⅢ群の抗不整脈薬、ベプリジル（ベプリコール；Ⅳ）、エリスロマイシン注射剤（注射用エリスロシン）、ペンタミジン（ベナンバックス）	アミオダロン経口薬では併用注意。
	アミオダロン経口薬 （アンカロン錠 100）	シルデナフィル（バイアグラ［勃起不全治療薬；PDE5 阻害薬］）	アミオダロン注射剤（アンカロン注 150）とシルデナフィル（バイアグラ、レバチオ）及びアミオダロン経口薬とレバチオ（肺動脈性高血圧症治療薬）の組み合わせでは併用注意。
	クラスⅠa群（キニジン［硫酸キニジン］、プロカインアミド［アミサリン］など）、クラスⅢ群（アミオダロン［アンカロン］、ソタロール［ソタコール］など）、ベプリジル（ベプリコール：Ⅳ）	エリグルスタット（サデルガ；ゴーシェ病治療薬）	QT 延長作用増強。アミオダロンによるCYP2D6、3A 阻害によりエリグルスタットの代謝阻害も関与。
	メフロキン （メファキン；抗マラリア薬、キニーネ類）	キニーネ［キニマックス；抗マラリア薬］、キニーネ類似化合物（キニジン［硫酸キニジン］、クロロキン［アンブロクロール；抗マラリア薬］など）	少なくともキニーネ投与後12時間はメフロキンを初回投与しない。また、心毒性発現が高まるため、メフロキン投与後2週間はキニーネの投与を慎重に行う。
	ミラベグロン （ベタニス；β_3刺激薬）	フレカイニド（タンボコール：Ⅰc群）、プロパフェノン（プロノン：Ⅰc群）	QT 延長、心室性不整脈（torsades de pointesを含む）などの恐れ。ミラベグロンのCYP2D6阻害によるフレカイド、プロパフェノン血中濃度上昇関与（☞表5-36④）。クラスⅠa群（キニジン、プロカインアミドなど）、Ⅲ群（アミオダロン、ソタロール）との併用は注意（定期的に心電図検査を行う）。
	SSRI（エスシタロプラム［レクサプロ］、セルトラリン［ジェイゾロフト］）、スルトプリド（バルネチール；ベンズアミド系薬）	ピモジド（オーラップ）	QT 延長の恐れ。エスシタロプラムのラセミ体（シタロプラム）併用時にQT 延長出現。セルトラリンではピモジド AUC、Cmax が1.4倍上昇。

表7-34（つづき）　心機能に影響を与える薬剤が関与する主な相互作用

原則禁忌	パノビノスタット（ファリーダック；ヒストン脱アセチル化酵素阻害薬）	抗不整脈薬：アミオダロン（アンカロン）、ジソピラミド（ノルペース）、プロカインアミド（アミサリン）、キニジン、ソタロール（ソタコール）など	相加的なQT延長を起こすことがあるため併用を避けることが望ましい。
	バンデタニブ（カプレルサ；チロシンキナーゼ阻害薬）	・抗不整脈薬：ジソピラミド（ノルペース、リスモダン）、プロカインアミド（アミサリン）、キニジンなど ・QT延長を起こす他の薬剤：オンダンセトロン（ゾフラン）、クラリスロマイシン（クラリス）、ハロペリドール（セレネース）	QT延長を起こすまたは悪化させる恐れがあるので、QT延長を起こすことが知られている薬剤と併用する場合には、治療上の有益性が危険性を上回ると判断される場合にのみ使用する。
	ジギタリス製剤	スキサメトニウム（スキサメトニウム）	torsades de pointes発現、心室細動（特にジギタリス服用中にスキサメトニウムを投与した際に起こりやすい）。スキサメトニウムによる高K血症誘発（☞表8-5）またはCA放出促進に起因すると考えられる。

★販売中止
分子標的治療薬（パノビノスタット［ファリーダック］、バンデタニブ［カプレルサ］）の相互作用については付録C表S-8参照

トルサード・ド・ポワント、TdP）や房室ブロックを誘発する可能性があり、突然死の原因にもなり得る（☞**第7章［第1節❸］**）。これらの薬剤を併用すると、発現の危険性がさらに高くなるので注意する。患者には、胸痛（胸がドキドキする、しめつけられる）や不整脈（脈が飛ぶ）、ふらつき、めまい、失神、気が遠くなるといった症状が認められた場合は直ちに服用を中止し、医師による診察を受けるように指導する。繰り返し発生するTdPの予防には、硫酸マグネシウム製剤の静注が有効である。

単独でQT延長を引き起こす薬剤はかなり多く、これら薬剤同士の併用により相加的にQT延長が発現する可能性がある（☞**表7-34（3）**）。販売中止となったテルフェナジン、アステミゾール、チオリダジン、スパルフロキサシンと、QT延長を引き起こすこれらの薬剤との併用は禁忌であった（☞**コラム58**）。また、低K血症のある患者には、QT延長を誘発する可能性の高い薬剤（チオリダジン、スパルフロキサシン、モキシフロキサシン塩酸塩［アベロックス］、バルデナフィル塩酸塩水和物［レビトラ］、トレミフェンクエン酸塩［フェアストン］、メフロキン塩酸塩［メファキン］、リン酸Na塩配合剤［ビジクリア］、サキナビルメシル酸塩［インビラーゼ］など）を投与してはならない。

また、抗不整脈薬には不整脈を誘発する作用（催不整脈作用）もある。催不整脈作用は低K血症により促進されるので、低K血症を誘発し得る薬剤（☞**表8-5**）との併用には注意する。ジギタリス中毒も低K血症により誘発されるので同様に注意する。なお、ラウオルフィア製剤（レセルピン［アポプロン］）には単独で不整脈誘発作用がある。

注意

Ⅰa群の作用と注意点

抗不整脈薬のうち、Ⅰa群は、陰性変力作用、房室伝導抑制・促進作用、QT延長作用、抗コリン作用（☞**表7-20**）などがあるため、これらに起因する投与禁忌の疾患には注意が必要である。具体的には、陰性変力作用により低血圧（次節参照）や心不全を起こすため、うっ血性心不全の患者には禁忌となる場合がある。また、直接的な房室伝導抑制作用（心房筋、ヒス束、心室筋の刺激伝導抑制、房室結節での伝導性抑制）があるため、刺激伝導障害（房室・洞房・脚ブロックなど）の患者への投与も禁忌となることが多い。逆に、房室伝導改善のため、房室結節において

抗コリン作用（迷走神経抑制：陽性変時）を示し、心室頻拍・細動を起こすこともある（キニジン失神）。

また、低K血症の患者へのⅠa群の投与はQT延長を起こしやすいほか、閉塞隅角緑内障、前立腺肥大などによる尿貯留傾向、重症筋無力症といった抗コリン作用が関与する疾患への投与も禁忌となる。心房頻拍にⅠa群の薬剤を用いると、抗コリン作用や血圧低下に伴う反射などにより、著明な頻脈を呈することもある。

ちなみに、プロカインアミド塩酸塩（アミサリン）は局所麻酔薬のプロカインから合成された薬剤で、抗不整脈作用を持ち、かつ中枢性副作用が少ないことが見いだされて、抗不整脈薬として用いられるようになった。そのため、Ⅰ群の薬剤（Na^+チャネル遮断作用）は共通して局所麻酔作用を有している。

50歳代女性Aさん。

［処方箋］
① テノーミン錠25　0.25錠
　カルデナリン錠2mg　1錠
　　1日1回　朝食後　21日分
② ノルバスク錠5mg　2錠
　ブロプレス錠12　1錠
　カルデナリン錠4mg　1錠
　　1日1回　就寝前　21日分
③ ピルシカイニド塩酸塩カプセル50mg
　　3カプセル
　　1日3回　毎食後　21日分

2年前にバセドウ病で手術を行ったAさんは、高血圧症（早朝高血圧）と狭心症のため①②を服用していたが、心電図で不整脈の異常所見が認められたため、今回、③のピルシカイニド（先発医薬品サンリズム）が追加となった。一般名で処方されていたため、Aさんとの相談の結果、後発医薬品の塩酸ピルジカイニドカプセル50mg「タイヨー」を選択し、処方医に報告した。

薬剤師はAさんに対し、ピルシカイニド（Ic群）とテノーミン（アテノロール：β_1遮断薬）の併用によって徐脈になる恐れがあることを説明し、脈拍数が50回/分以下に低下したり、めまい、ふらつき、息切れ、過度の疲労など、いつもと違う症状が現れたりした場合には、処方医に連絡するように指示した。

服用後の翌朝、Aさんは脈拍数30回/分以下となり、めまいやふらつき、頭痛が発現したため、処方医に電話で連絡し、ピルシカイニドが中止された。中止後しばらく経過観察が行われたが、不整脈が現れて意識を失うこともあったため、2カ月後に心臓ペースメーカー植え込み術が行われ、現在に至っている。

コラム58

ピペリジン系薬とQT延長

図7-9 に示すテルフェナジン、アステミゾール、シサプリドは、QT延長誘発のため現在では販売中止になっている。これらの薬剤と、CYP3A4による代謝を抑制する薬剤（アゾール系薬、14員環マクロライド系薬、HIVプロテアーゼ阻害薬、SSRI、エファビレンツ［ストックリン；抗HIV薬］）との併用は、QT延長による死亡例などがあるため禁忌とされていた（☞ **表5-17、5-21、5-30 ⑥、5-34 ⑤⑥**）。また、QT延長を引き起こす可能性のある薬剤との併用も禁忌であった（☞ **表7-34**）。

さらに、フェノチアジン系のチオリダジン（CYP2D6で主に代謝）もQT延長を引き起こす可能性が高いため、CYP2D6の基質となる薬剤やCYP2D6阻害作用を有する薬剤、およびQT延長を誘発する薬剤との併用は禁忌とされていたが、近年、販売中止に至っている。現在、臨床使用されている薬剤では、ブチロフェノン系のピモジド（オーラップ；CYP3A4で主に代謝）がQT延長を誘発する恐れがあるため、CYP3A4阻害作用を有する薬剤（アゾール系薬、14員環マクロライド系薬、HIVプロテアーゼ阻害薬、SSRIなど）との併用が禁忌となっている。

QT延長を引き起こすこれらの薬剤には、一見、共通点がないように思われるが、化学構造を見ると、共通してピペリジン環を有しているのが分かる。他のフェノチアジン系薬、ブチロフェノン系薬にもピペリジン環を有する薬剤がある。特にフェノチアジン系では、服用期間にかかわらずQT延長などの心電図異常を引き起こし、その頻度は、多い順にピペリジン系>プロピルアミン系（脂肪族）>ピペラジン系であることが示されている（チオリダジンはピペリジン系フェノチアジンの中で最も心毒性を誘発する）。

化学構造の類似とQT延長との因果関係は明らかでないが、全く薬効の異なる薬剤で同一の副作用を示すことは興味深い。ただし、抗アレルギー薬のエバスチン（エバステル）、ロラタジン（クラリチン）、フェキソフェナジン塩酸塩（アレグラ）はピペリジン環を有するが、QT延長を引き起こさないとされている。

一方、QT延長は、ピペラジン環を有するスパルフロキサシン（販売中止；キノロン系薬；☞ **図5-15**）、塩酸ロメリジン（テラナス、ミグシス）、ポサコナゾール（ノクサフィル）によっても誘発される可能性がある。この原因は明らかではないが、QT延長を引き起こすフェノチアジン系、ブチロフェノン系にもピペラジン環を有する薬剤が多い。他のキノロン系薬によるQT延長誘発も報告されており、ピペリジン環と同様に、ピペラジン環を有する薬剤によるQT延長にも注意した方がよいであろう。

図7-9　ピペリジン環を有する薬剤

a) 抗アレルギー薬

テルフェナジン

アステミゾール

b) 消化管賦活薬

シサプリド

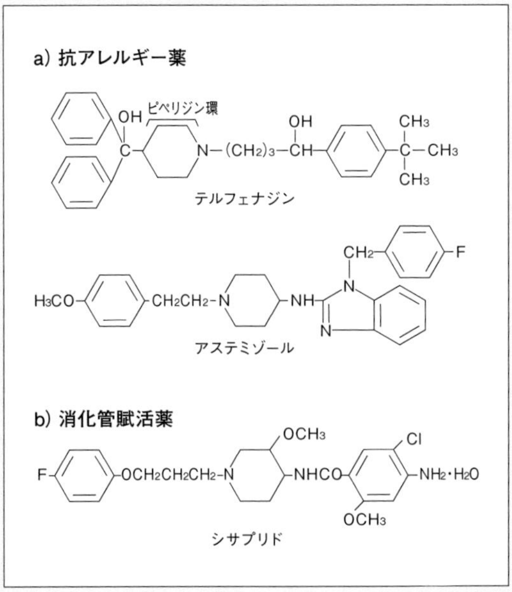

コラム 59

副甲状腺ホルモンの血管平滑筋・心筋への作用

テリパラチド製剤（テリボン、フォルテオ）は、合成ヒト副甲状腺ホルモン（PTH）のN末端の1-34ペプチド断片である。同薬の間欠投与は骨形成を促進する作用を持ち、骨折の危険性の高い骨粗鬆症患者に対して用いられる。PTHは、継続投与や二次性副甲状腺機能亢進症などにより血中濃度が高く持続されるときは主に骨吸収を促進するが、間欠投与では骨形成を促進して骨強度を増大させる（詳細な機序は不明）。

テリパラチド製剤投与時には、骨吸収促進、Ca排泄抑制（腎）、ビタミンD_3活性化（小腸Ca吸収促進）などの作用による血中Caイオン濃度の上昇に注意する。興味深いことに、PTHは、血管内皮に存在するeNOSの活性化を介してNO産生を促進し、血管平滑筋を弛緩させることや（Rashid G, et al. Nephrol Dial Transplant. 2007；22：2831-7.）、心筋細胞に対する陽性変力・陽性変時作用や心肥大作用などを有することが知られている（Schlüter KD, et al. Biochem J. 1995；310：439-44.）。PTHは、標的臓器のPTH受容体に結合してアデニル酸シクラーゼあるいはPLCを活性化し、PKA経路あるいはPKC経路を介して様々な作用を発揮しているが、心筋細胞への作用はPLC/PKCを介した経路に起因すると考えられている。

したがって、テリパラチド製剤投与時には高Ca血症だけでなく、低血圧や心疾患の悪化などの副作用に注意する必要がある。一方、抗PTH製剤（二次性副甲状腺機能亢進症治療薬）であるシナカルセト塩酸塩（レグパラ）、エボカルセト（オルケディア）、エテルカルセチド（パーサビブ静注）では、低Ca血症が誘発される恐れがあり、これら抗PTH製剤と低Ca血症誘発薬との併用による低Ca血症誘発（☞**表8-1**）には注意する。

第6節
血管拡張および収縮

血管拡張薬（降圧薬、末梢血管拡張薬［脳血管も含む］、冠拡張薬）および血管収縮薬（昇圧薬、エルゴタミン系鎮痛薬）を**表7-35**に示す。また、血管拡張および収縮作用を有する薬剤を**表7-36**に示す。

これらの薬剤が関与する相互作用は、主に①血管拡張・収縮の協力、②収縮・拡張の拮抗――の2つに分けられる（**表7-37**）。交感神経系薬については**本章［第2節 1 ］**を参照されたい。

血管拡張に起因する相互作用のうち、硝酸薬、一酸化窒素（NO）供与薬（ニトログリセリン、亜硝酸アミル、一硝酸イソソルビド［アイトロール］、ニコランジル［シグマート；硝酸エステル型のニコチン酸アミド誘導体］など）、ニプラジロール（ハイパジール；β遮断薬；NOを介する血管拡張作用あり）とPDE5阻害薬（シルデナフィルクエン酸塩［バイアグラ、レバチオ］、バルデナフィル塩酸塩水和物［レビトラ］、タダラフィル［シアリス、アドシルカ］）との併用は禁忌である（☞**付B**）。これは、NO産生によるc-GMPを介した血管拡張作用が、PDE5阻害によるc-GMP濃度の上昇によってさらに増強され、過度の血圧低下などを引き起こす恐れがあるためである（関連事項☞**コラム61**）。PDE5阻害薬の添付文書の警告欄には、「本剤を投与する場合には硝酸剤あるいはNO供与剤が投与されていないことを十分に確認し、投与中および投与後においても、これら薬剤が投与されないように十分注意すること」と記載されている。

また、PDE5阻害薬は、血管拡張に起因する血圧低下作用だけでなく、因果関係は明らかではないが心筋梗塞などの重篤な心血管系の有害事象も報告されているため（シルデナフィルクエン酸塩［バイアグラ］では心筋梗塞などによる死亡例あり）、投与前に心血管系障害の有無などを十分確認するように添付文書で注意喚起されている。さらに、PDE5阻害作用を持つ勃起不全治療薬は、①心血管系障害を有するなど性行為が不適当と考えられる患者、②脳梗塞・脳出血や心筋梗塞の既往歴が最近6カ月以内にある患者、③低血圧の患者（安静時収縮期血圧90mmHg以下）または治療による管理がなされていない高血圧の患者（安静時収縮期血圧170mmHg以上または安静時拡張期血圧100mmHg以上）――には投与禁忌である。

また、肺高血圧症治療薬のリオシグアト（アデムパス）は、内因性NOに対する可溶性グアニル酸シクラーゼ（sGC）の感受性を高める作用とNO非依存的に直接sGCを刺激する作用の2つの機序を介してc-GMP産生を促進し、血管拡張作用を発揮する。したがって、c-GMPの産生を促進する硝酸薬、NO供与薬およびPDE5阻害薬との併用は、c-GMP作用が協力して増強し、過度の血圧低下を起こす恐れがあるため禁忌である。

血管拡張薬が関与する相互作用の中でも、臨床的に最も多いのは、降圧薬相互の併用や、降圧薬と起立性低血圧を誘導する薬剤との併用である（☞**表7-37**）。急激な末梢血管の拡張により、低血圧、ふらつき、頭痛、顔面紅潮（フラッシング）、反射性頻拍、代償性浮腫などの症状が現れる。これらの症状は患者がよく訴えるものであり、注意を要する。したがって、併用する場合は、低用量から開始する。

降圧薬の注意すべき副作用を**表7-38**に示す。降圧薬を服用している患者にはこれらの症状について伝えるだけでなく、可能であればその発現機序も説明し、たとえ軽症であってもQOLに支障を来すようであれば、医師・薬剤師に相談するように指導する。また、降圧薬と脳血管拡張作用を有する薬剤（脳循環改善薬など）の併用にも注意が必要で、協力作用により低血圧の発現や起立・作業などに対する反応能力が妨げられることがある。

一方、血管収縮薬が関与する相互作用では、協力作用による血圧上昇や末梢循環障害などが起こる。特に、麦角系薬（エルゴタミン製剤）相互の併用、麦角系薬と5-HT$_{1B/1D}$作動薬（トリプタン

表 7-35　主な血管拡張薬と血管収縮薬

(1) 血管拡張薬

a) 降圧薬	備考
● **交感神経遮断薬(☞表7-16)**: β遮断薬、$\alpha_1\beta$遮断薬、α_1遮断薬、α_2刺激薬、NAd枯渇薬	β_1遮断による心機能抑制で血圧低下。$\alpha_1\beta$遮断薬(アロチノロール、カルベジロール)はα遮断:β遮断=1:8。α遮断作用による起立性低血圧には注意。α_2刺激薬(中枢性交感神経抑制薬)はNAd遊離抑制。NAd枯渇薬では血圧低下には最低1日を要す。
● **節遮断薬**:ヘキサメトニウム★、トリメタファン★	販売中止。
● **Ca拮抗薬**	ジヒドロピリジン系薬、ベンゾチアゼピン系薬。
● **ACE阻害薬**;☞**コラム60**	血管収縮作用の強いアンジオテンシン(Ang)Ⅱの合成阻害。
● **AT_1拮抗薬**:ロサルタン(ニューロタン)、カンデサルタン(ブロプレス)、バルサルタン(ディオバン)など;☞**コラム60**	AngⅡの受容体(AT_1)拮抗。
● **ARNI**(アンジオテンシン受容体ネプリライシン阻害薬):サクビトリルバルサルタン(エンレスト)	AT_1拮抗作用(バルサルタン)とサクビトリルのネプリライシン阻害によるNa利尿ペプチド血中濃度増大作用の双方を有する(血管拡張、心肥大抑制・線維化抑制などの多面的な作用があり慢性心不全、高血圧に適用)。
● **直接的レニン阻害薬**:アリスキレン(ラジレス);☞**コラム60**	レニン-アンジオテンシン(RA)系の律速酵素であるレニンを直接的に阻害。
● **血管拡張薬**:ヒドララジン(アプレゾリン)、トドララジン★、カリジノゲナーゼ(カリクレイン)	カリジノゲナーゼはブラジキニンの遊離を促進し末梢血管拡張。
● **非選択的エンドセリン受容体拮抗薬**:ボセンタン(トラクリア);☞**コラム62** ● **PGI_2誘導体製剤**:トレプロスチニル(トレプロスト)、セレキシパグ(ウプトラビ)	肺動脈性肺高血圧症に適応。
● **アルドステロン阻害薬**:選択的ミネラルコルチコイド受容体(MR)ブロッカー(エサキセレノン[ミネブロ])、選択的アルドステロンブロッカー(エプレレノン[セララ])、抗アルドステロン薬(スピロノラクトン[アルダクトンA]、カンレノ酸[ソルダクトン])	アルドステロンによる尿中Na、水分の再吸収などによる血圧上昇(血管収縮)や、心臓、血管、腎臓などの組織障害促進作用を阻害する。エサキセレノンは核内受容体であるMRに結合し、RA系などにより生成が促進されるアルドステロンによるMRの活性化を阻害して降圧効果を示す。
b) 末梢血管拡張薬(脳循環も含む)	
● **血管、骨格筋に直接作用**: ・PG関係;アルプロスタジルアルファデクス(プロスタンディン;PGE1)、ベラプロスト(ドルナー;PGI_2類似物質)、イブジラスト(ケタス→脳PDE阻害、PGI_2作用増強、抗PAF、LT拮抗) ・ニコチン酸誘導体:トコフェロールニコチン酸エステル(ユベラN)、ニコチン酸(ナイクリン)、イノシトールヘキサニコチン酸エステル★、ヘプロニカート(同名) ・ビタミンE:トコフェロールニコチン酸エステル(ユベラN) ・脳循環改善薬(狭義):Ca拮抗薬;ニルバジピン(ニバジール) ・パパベリン系薬:ジラゼプ(コメリアン)、トラピジル(ロコルナール)、ジフェニドール(セファドール)、シクランデラート★、シンナリジン★、ベンシクラン★、シネパジド★	
● **交感神経・中枢神経作用**: ・β刺激薬;イソクスプリン(ズファジラン)、バメタン★ ・α_1遮断作用:トラゾリン★、ジヒドロエルゴタミン(ジヒデルゴット;麦角系薬)、イフェンプロジル(セロクラール)、ニセルゴリン(サアミオン) ・血管運動中枢抑制薬:レセルピン(アポプロン;NAd枯渇)、ビンポセチン★	
● **その他**: ・末梢循環改善薬:バトロキソビン(デフィブラーゼ→フィブリン濃度持続的に低下)など ・血小板凝集阻害薬;低用量アスピリン製剤(バファリン配合錠A81、バイアスピリン)、チクロピジン(パナルジン)、シロスタゾール(プレタール;PDE3阻害薬)、イコサペント酸エチル(エパデール;EPA製薬)、ジピリダモール(ペルサンチン;血中アデノシン濃度上昇)、サルポグレラート(アンプラーグ;抗5-HT_{2A}薬)	

★ 販売中止　※一酸化窒素(NO)供与薬

表7-35（つづき）　主な血管拡張薬と血管収縮薬

c）冠拡張薬
● ニトロ薬（亜硝酸薬）※　● Ca拮抗薬
● **その他**：ジピリダモール（ペルサンチン；血中アデノシン濃度上昇）、ジラゼプ（コメリアン；血中アデノシン濃度上昇）、トラピジル（ロコルナール）、ニコランジル（シグマート；硝酸エステル型のニコチン酸アミド誘導体、c-GMP合成促進）※

（2）血管収縮薬（子宮収縮薬も含める）

a）交感神経刺激薬（昇圧薬、SNRIなど）；☞**表7-15**
b）麦角系（エルゴタミン製剤）：ジヒドロエルゴタミン（ジヒデルゴット）、エルゴタミン（クリアミン配合錠に含有）（末梢血管直接収縮作用；片頭痛、起立性低血圧に用いる）、エルゴメトリン（エルゴメトリンマレイン酸塩；子宮収縮薬）、メチルエルゴメトリン（メテナリン；子宮収縮薬）
c）5-$HT_{1B/1D}$作動薬（トリプタン系；抗片頭痛薬）：ゾルミトリプタン（ゾーミッグ）、エレトリプタン（レルパックス）、スマトリプタン（イミグラン）、リザトリプタン（マクサルト）、ナラトリプタン（アマージ）

系薬）との併用、5-$HT_{1B/1D}$作動薬相互の併用は、末梢血管の著明な収縮を引き起こすため禁忌である。そのほか、オキシトシン（アトニン-O；弱い血管収縮作用と、一過性の血管拡張による反射性頻拍により血圧が上昇）や麦角系薬と交感神経刺激薬との併用でも、協力作用により血圧が上昇することがある。また、麦角系薬のブロモクリプチンメシル酸塩（パーロデル）では、血管収縮および拡張の両作用があるため、血圧上昇だけでなく、血圧低下の協力作用にも要注意である。

その他の発現機序では、血管拡張因子のアデノシンに関与する相互作用は併用禁忌もあり、十分に注意が必要である。アデノシンは、アデノシン受容体（A受容体）を介して様々な生理作用を発揮するが、心臓ではA_1受容体を介して徐脈作用、房室伝導抑制作用、心筋収縮力抑制作用を、また冠動脈血管や末梢血管のA_{2a}、A_{2b}受容体を介して血管拡張作用をもたらす。冠動脈では、冠血流量を規定する抵抗血管である細い冠動脈を選択的に拡張することが知られている。

アデノシンが関与する相互作用で注意すべき薬剤には、アデノシン注（アデノスキャン注）がある。同薬は、十分に運動負荷をかけられない患者において、心筋血流シンチグラフィーによる虚血性心疾患の診断を行う際の負荷誘導に用いる。原理を簡単に説明すると、①冠動脈が狭窄（閉塞）して血流量が低下すると、虚血となりATPが消費される、②これに伴い、5'-AMPが増加し、ヌクレオチダーゼによりアデノシンへと変換される、③拡散・放出によって細胞間隙でのアデノシン濃度が上昇する。すなわち、損傷領域では内因性のアデノシン濃度は高くなり、細動脈は拡張した状態にある。このような状態でアデノシンを外部から注入すると、正常領域の冠動脈は拡張し著明に血流量が増える一方、損傷領域では外因性のアデノシンの影響を受けず、血流量はほとんど変化しない。このような仕組みで、アデノシン注を投与して冠動脈血流量を調べることで、虚血診断が明瞭となる。

したがって、アデノシン注は、アデノシンの作用を増強、または減弱させる他の薬剤との併用には特に注意が必要である。一般にヒトの血中アデノシンは、赤血球に取り込まれた後、アデノシンデアミナーゼにより急速に分解されるため、半減期は極めて短い。ジピリダモール（ペルサンチン）は、アデノシンの赤血球や血管内皮、臓器への取り込みを阻害し、血中アデノシン濃度を上昇させ冠拡張作用を発揮する。このため、ジピリダモールとアデノシン注を併用すると、協力作用によりアデノシン作用が増強し、過度の血圧低下、完全心ブロック、心停止などが発現する可能性がある（併用禁忌）。ジピリダモールとアデノシン三リン酸二ナトリウム水和物（ATP2Na：アデホスなど）の併用でも、血中アデノシン濃度が上昇する。

一方、メチルキサンチン系のテオフィリン（テオ

表 7-36 血管拡張および収縮作用を有する薬剤

(1) 血管拡張作用を有する薬剤（血管拡張薬の作用増強）

薬剤	備考
● α_1遮断作用を有する薬剤： ブチロフェノン系薬、フェノチアジン系薬、SDA、MARTA、DSS、DSA、クロザピン（クロザリル）、スルトプリド（バルネチール）、トラゾドン（デジレル）、タムスロシン（ハルナールD）、シロドシン（ユリーフ；α_{1A}遮断）など	起立性低血圧に注意（☞**表7-16**）。 【注意】三・四環系抗うつ薬、MAO阻害薬、バルビツール酸系の投与初期には起立性低血圧を誘発する可能性があり、血管拡張薬との併用でさらに誘発しやすくなる。
● ドパミン作動薬（抗パーキンソン薬）	起立性低血圧。末梢のドパミンは血管拡張作用を有する（☞**表7-1、7-16**）。
● α_2刺激作用を有する薬剤：チザニジン（テルネリン）	チザニジンは中枢性筋弛緩薬。
● 利尿薬：チアジド系薬、ループ系薬など	フロセミド（ラシックス；ループ系）は利尿作用は強いが、降圧効果は弱い。
● 麻薬性鎮痛・鎮咳薬：アヘンアルカロイド系（モルヒネ、コデイン、パパベリン、ノスカピンなど）	ヒスタミン遊離作用と直接作用による末梢血管平滑筋弛緩により、低酸素状態から二次的に血圧低下が現れる。
● ハロゲン吸入麻酔薬：ハロタン（フローセン）など	直接または副交感神経刺激による心機能抑制・降圧作用。 ただし、心筋CA感受性は増大。
● 局所麻酔薬：コカイン（コカイン塩酸塩；平滑筋収縮作用もあり）、合成局所麻酔薬（プロカイン［プロカイン塩酸塩］、ジブカイン［ネオビタカイン］、リドカイン［キシロカイン］）	平滑筋直接拡張作用。
● 抗不整脈薬：キニジン（硫酸キニジン；α遮断作用もある）、プロカインアミド（アミサリン）、メキシレチン（メキシチール）、フレカイニド（タンボコール）	キニジンではキニジン失神に注意。
● グレープフルーツ	成分のウロデオレインによる血管拡張。
● アルコール（エタノール、飲酒）	血管運動中枢抑制により末梢血管拡張（☞**付E**）。
● アデノシン注（アデノスキャン注；心臓疾患診断補助薬）	心筋血流シンチグラフィーによる虚血性心疾患の診断時の負荷誘導に用いる。
● 心房性Na利尿ペプチド（ANP）：カルペリチド注（ハンプ注；急性心不全に適応）	α型ヒトANP受容体に結合し、血管拡張、利尿作用など発現。
● ネプリライシン阻害薬：サクビトリル配合錠（エンレスト）	ナトリウム利尿ペプチドの循環血中濃度上昇によりナトリウム排泄作用、利尿作用、抗心肥大作用、抗心繊維化作用、および血管拡張作用などの作用を示す。
● PDE5阻害薬（シルデナフィル［バイアグラ、レバチオ］、バルデナフィル［レビトラ］、タダラフィル［シアリス、アドシルカ、ザルティア］、パパベリンなど）	PDEについては☞**付B参照**。
● 可溶性グアニル酸シクラーゼ［sGC］刺激薬：リオシグアト（アデムパス；肺高血圧症治療薬）	内因性NOに対するsGCの感受性を高める作用とNO非依存的に直接sGCを刺激する作用の2つの機序を介し、c-GMP産生を促進。
● 魚油：DHA（ドコサヘキサエン酸）、EPA（エイコサペンタエン酸）含有品	☞**付E**
● アミノグリコシド系薬	神経終末のCa^{2+}取り込み阻害。
● ジメトチアジン（ミグリステン；フェノチアジン系の解熱鎮痛薬）	α_1遮断作用。
● PGE・PGI_2生成を促進する薬剤	☞**表7-40**
● ガレノキサシン（ジェニナック；キノロン系）	機序不明。
● その他：血管拡張性ペプチド（ブラジキニン、サブスタンスP、エンケファリンなど）を増す薬剤、NO産生を促進する薬剤（リオシグアト［アデムパス］など）、β_2刺激作用を有する薬剤など	

表7-36（つづき）　血管拡張および収縮作用を有する薬剤

（2）血管収縮作用を有する薬剤（血管拡張薬の作用減弱）

● 抗コリン薬、抗ヒスタミン薬	毛細血管拡張作用を抑制し血圧上昇の可能性。
● バソプレシン（ピトレシン；抗利尿ホルモン・子宮収縮薬）	末梢血管直接収縮作用。
● NSAIDs、副腎皮質ホルモン製剤	PGE、PGI_2の血管拡張作用の抑制のため。COX2阻害薬で心筋梗塞増加（☞**第8章［第4節］**）。
● 経口避妊薬	レニン-アンジオテンシン系に関与？　動・静脈血栓誘発。
● ゴセレリン（ゾラデックス；LH-RHアゴニスト）、リュープロレリン（リュープリン；LH-RH誘導体）	血栓塞栓症（心筋梗塞、脳梗塞、静脈血栓症、肺塞栓症など）誘発。LH-RH刺激で、下垂体の性腺刺激ホルモン（LH、FSH）分泌が一過性に亢進後、下垂体の反応性低下によりこれらホルモン分泌抑制（下垂体-性腺機能抑制作用、エストラジオール、テストステロン産生・分泌抑制前立腺癌、乳癌に有効）。
● SERM：ラロキシフェン（エビスタ）、バゼドキシフェン（ビビアント）	エストロゲン作用増強（冠動脈心疾患、脳卒中、静脈血栓塞栓発現の可能性）。
● グリチルリチン含有製剤	偽アルドステロン症の誘発のため（☞**第8章［第2節］**）。
● コカイン（コカイン塩酸塩）	血管平滑筋のAd感受性増大（Ad感作作用）のため。コカイン塩酸塩投与後には少量のAdで血圧上昇（コカインポテンシエーション）。
● 喫煙	☞**付E**
● メチルキサンチン系（カフェイン、テオフィリン［テオドール］、アミノフィリン［ネオフィリン］、カフェイン含有飲食物［コーヒー、紅茶、日本茶、コーラ、チョコレート］など）	アデノシン（血管弛緩因子）受容体の競合（抗A_{2A}作用；☞**コラム71**）。
● シクロスポリン（サンディミュン、ネオーラル）	交感神経興奮、RA系賦活化、血管収縮因子（TXA_2、エンドセリンなど）分泌促進、腎血管収縮（腎血流量および糸球体濾過量減少）などが関与？

（3）血管拡張・収縮作用を有する薬剤

● ブロモクリプチン（パーロデル；持続性ドパミン作動薬、麦角系薬）	主に交感神経終末のシナプス前ドパミン受容体を刺激しNAd遊離抑制（血管拡張、血圧低下）作用を示すが（☞**表7-16**）、逆に機序不明の血圧上昇作用も示されている。これには、エルゴタミン類似の血管収縮作用の関与が考えられている。
● PTH（副甲状腺ホルモン）	血管平滑筋弛緩作用（eNOS活性化）。テリパラチド製剤（PTH製剤；テリボン、フォルテオ）の間欠的投与後（骨粗鬆症治療時）に一過性の低血圧発現（投与直後から数時間後）。一方、PTHの持続的分泌状態（副甲状腺機能亢進症、テリパラチド製剤の継続投与など）では、骨吸収促進（骨量減少）により血中Ca濃度が上昇し血管平滑筋のCa濃度増加および血管の石灰化促進（血管収縮）。
● オキシトシン（アトニン-O；子宮収縮薬）	弱いながら抗利尿と血管収縮作用。一過性の血管拡張（血圧低下）作用。反射性頻拍で血圧上昇の可能性。

表 7-37　血管拡張および収縮に起因する主な相互作用

（1）協力作用

	薬剤A	薬剤B	起こり得る事象
a）血管拡張の協力作用；（起立性）低血圧、頭痛、反射性の頻脈、反応能力低下などの症状を呈する			
併用禁忌	硝酸薬およびNO供与薬：ニトログリセリン、亜硝酸アミル、一硝酸イソソルビド（アイトロール）、ニコランジル（シグマート；硝酸エステル型のニコチンアミド誘導体）、ニプラジロール（ハイパジール；β遮断薬、NOを介する血管拡張作用あり）など	PDE5阻害薬：シルデナフィル（バイアグラ、レバチオ）、バルデナフィル（レビトラ）、タダラフィル（シアリス）	NOはc-GMPの産生を刺激し、シルデナフィルはc-GMPの分解を阻害するため、c-GMPを介する作用（血管平滑筋弛緩；降圧作用）が増強。心筋梗塞などによる死亡例あり。
	リオシグアト（アデムパス；sGC刺激薬、肺高血圧症治療薬）	硝酸薬およびNO供与薬、PDE5阻害薬	c-GMP産生の協力により細胞内c-GMP濃度が上昇し、降圧作用増強。リオシグアト単回投与後にニトログリセリン舌下投与した際、収縮期血圧の有意な低下。PDE5阻害薬の併用時、症候性低血圧の発症。
	ジピリダモール（ペルサンチン）	アデノシン注 （アデノスキャン注；心臓疾患診断補助薬）	血中アデノシン濃度上昇（血圧低下、完全房室ブロック、心停止など心血管障害出現）。ジピリダモールはアデノシンの赤血球、血管内皮、各臓器での取り込みを阻害しアデノシン血中濃度を上昇させるため、相互に作用が増強。ジピリダモール投与後、少なくとも12時間空けてアデノシン注を投与する。
	ACE阻害薬	ARNI（サクビトリルバルサルタン［エンレスト；アンジオテンシン受容体ネプリライシン阻害薬］）	相加的にブラジキニンの分解を抑制し、血管浮腫のリスクを増加させる。ACE阻害薬は、サクビトリルバルサルタン投与開始36時間前に中止すること。またサクビトリルバルサルタン投与終了後にACE阻害剤を投与する場合は、サクビトリルバルサルタン最終投与から36時間後までは投与しないこと。
	アリスキレンフマル酸塩（ラジレス）（糖尿病患者に投与する場合）	ARNI（サクビトリルバルサルタン［エンレスト］）	併用により、レニン-アンジオテンシン-アルドステロン（RAA）系阻害作用が増強させる恐れ（腎血流量低下）。非致死性脳卒中、腎機能障害（腎前性急性腎障害）、高K血症、低血圧のリスク増加。
原則禁忌	アリスキレンフマル酸塩（ラジレス）（糖尿病患者除く）	ARNI（サクビトリルバルサルタン［エンレスト］）を服用中の腎機能障害患者（eGFRが60mL/min/1.73m²未満では、治療上やむを得ない場合を除き併用は避ける）	RAA系阻害作用増強。腎機能障害（腎前性急性腎障害）、高K血症、低血圧を起こす恐れがある。
	AT_1拮抗薬	ARNI（サクビトリルバルサルタン［エンレスト］）	併用により、RAA系阻害作用が増強させる恐れ（腎血流量低下）。非致死性脳卒中、腎機能障害（腎前性急性腎障害）、高K血症、低血圧のリスク増加。併用すべきでない。
	アリスキレン（ラジレス）	ACE阻害薬、AT_1拮抗薬を服用中の糖尿病患者（ただし、降圧治療薬による血圧コントロールが著しく不良の患者を除く）	レニン-アンジオテンシン（RA）系阻害の協力（低血圧、高K血症、腎機能障害、非致死性脳卒中発症リスク増加）。
併用慎重	AT_1拮抗薬	ACE阻害薬	低血圧、高K血症、腎機能障害の恐れ。
	カンデサルタン（ブロプレス）	①ACE阻害剤、β遮断剤、②ループ・カリウム保持性利尿剤	薬剤①、②の併用に加え、さらにカンデサルタン（ブロプレス：AT1拮抗薬）の併用により、立ちくらみ、ふらつき、低血圧の頻度・程度が高い

★ 販売中止

併用慎重	α遮断薬：ドキサゾシン（カルデナリン）、ブナゾシン（デタントール）、プラゾシン（ミニプレス）、テラゾシン（ハイトラシン）、タムスロシン（ハルナールD）、ナフトピジル（フリバス）、シロドシン（ユリーフ）など	PDE5阻害薬： バルデナフィル（レビトラ）など	低血圧あるいは起立性低血圧。
併用慎重	Ca拮抗薬	他の降圧薬（ACE阻害薬、利尿薬、α_1遮断薬、AT_1拮抗薬、メチルドパ［アルドメット］、節遮断薬など）、亜硝酸および NO供与剤など	低血圧、頭痛、反射性の頻脈。
併用慎重	アルコール（飲酒）	硝酸薬および NO供与薬、チアジド系薬、NAd枯渇薬（グアネチジン★、ベタニジン★など）、α_2刺激薬（クロニジン［カタプレス］など）	（起立性）低血圧、反射性の頻脈。
併用慎重	PDE5阻害薬	血管拡張作用を有する薬剤（降圧薬、カルペリチド［ハンプ注；α型ヒトANP］など）	
併用慎重	チアジド系薬	アヘンアルカロイド（モルヒネなど）	低血圧。
併用慎重	チアジド系薬	バルビツール酸系薬（フェノバルビタール［フェノバール］、プリミドン［同名］）	起立性低血圧（フェノバルビタール血中濃度上昇で、30%が傾眠傾向を示す）。
併用慎重	降圧薬（レセルピン［アポプロン］、メチルドパ［アルドメット］、節遮断薬など）	起立性低血圧誘発薬：α遮断作用のある薬剤（フェノチアジン系、トラゾドン［デジレル］など）、ドパミン作動薬（レボドパ［ドパストン；ドパミン前駆体］、アマンタジン［シンメトレル］、ブロモクリプチン［パーロデル］）など	
併用慎重	降圧薬、硝酸薬および NO供与薬	ガレノキサシン（ジェニナック；キノロン系）	血圧低下（機序不明）。
併用慎重	ジピリダモール（ペルサンチンなど）	アデノシン三リン酸二ナトリウム水和物（ATP2Na；アデホスなど）	アデノシン血中濃度上昇。心血管に対する作用増強に注意。
併用慎重	利尿降圧薬：フロセミド（ラシックス）、トリクロルメチアジド（フルイトラン）	サクビトリルバルサルタン（エンレスト；アンジオテンシン受容体ネプリライシン阻害薬）	急激な血圧低下（失神及び意識消失等を伴う）、腎前性急性腎障害を起こす恐れがある。また、利尿作用が増強される恐れがある。利尿降圧薬投与中は血漿レニン活性が上昇しており、サクビトリルバルサルタンの併用によりレニン-アンジオテンシン-アルドステロン系阻害作用が増強される可能性がある。
b）血管収縮の協力作用；血圧上昇、末梢血管収縮（手足が紫色に変色）			
併用禁忌	麦角系薬：エルゴタミン製剤（ジヒドロエルゴタミン［ジヒデルゴット］、エルゴタミン［クリアミン配合錠］、エルゴメトリン［エルゴメトリン］、メチルエルゴメトリン［メテナリン］）	$5\text{-}HT_{1B/1D}$作動薬（トリプタン系；ゾルミトリプタン［ゾーミッグ］、エレトリプタン［レルパックス］、スマトリプタン［イミグラン］、リザトリプタン［マクサルト］、ナラトリプタン［アマージ］）	相互に血管収縮作用が増強し血圧上昇、血管攣縮作用が増強。投与間隔を24時間以上空ける。
併用禁忌		麦角系薬（エルゴタミン製剤）	血管収縮作用が増強し血圧上昇、血管攣縮作用が増強。投与間隔を24時間以上空ける。
併用禁忌	$5\text{-}HT_{1B/1D}$作動薬	他の$5\text{-}HT_{1B/1D}$作動薬	血管収縮作用が増強し血圧上昇、血管攣縮作用が増強。投与間隔を24時間以上空ける。
併用慎重	麦角系薬（エルゴタミン製剤）	オクスプレノロール★（β遮断薬）	β_2作用（血管拡張）抑制で末梢血管収縮増強、虚血による壊死で足切断例。
併用慎重		プロプラノロール （インデラル；β遮断薬）	末梢血管収縮（下肢が紫色に変色）。
併用慎重		交感神経刺激薬（直接型：フェニレフリン［ネオシネジン］、エチレフリン［エホチール］、ドロキシドパ［ドプス］）	血圧上昇。
併用慎重		カフェイン	エルゴタミン製剤の作用増強、カフェインによるエルゴタミン消化管吸収増大も関与（☞**表1-17**）。クリアミン配合錠A1.0にはエルゴタミンの作用を増強させるためにカフェイン含有。

併用慎重	分娩促進薬（オキシトシン［アトニン-O］）	交感神経刺激薬	血圧上昇。オキシトシンによる反射性頻拍と血管収縮による血圧上昇の協力。
	ドロキシドパ（ドプス；NAd前駆体）	抗ヒスタミン薬	血圧上昇の可能性。
c）血管拡張および収縮の両方の協力作用（☞表7-17（1））			
併用慎重	ブロモクリプチン（パーロデル；麦角系薬）	降圧作用を有する薬剤	降圧効果増強。交感神経遮断の協力作用。
		交感神経刺激薬（Adなど）、子宮収縮薬（麦角系：エルゴメトリン［エルゴメトリンマレイン酸塩］、メチルエルゴメトリン［メテナリン］）	血圧上昇、頭痛、痙攣。機序不明だが血管収縮作用の協力関与。

（2）拮抗作用；降圧効果減弱、昇圧効果減弱

併用禁忌	アデノシン注（アデノスキャン注；心臓疾患診断補助薬）	メチルキサンチン系薬：カフェイン、テオフィリン（テオドール）、カフェイン含有飲食物（コーヒー、紅茶、日本茶、コーラ、チョコレートなど）	メチルキサンチン類はアデノシン受容体に拮抗し、アデノシンの作用を減弱し、アデノシン注による虚血診断に影響。アデノシン注投与は少なくとも12時間空ける。検査の2時間前から食事しない。
併用慎重	NSAIDs（インドメタシン［インテバン］、アセメタシン［ランツジール］、プログルメタシン［ミリダシン］など）	β遮断薬、αβ遮断薬（カルベジロールなど）、ACE阻害薬	降圧効果減弱。β遮断薬併用時、拡張期血圧81から96mmHgに上昇（降圧効果減弱）。
	ピロヘプチン（トリモール；中枢性抗コリン薬）	降圧薬（主にNAd枯渇薬：硫酸グアネチジン★、硫酸ベタニジン★など）	降圧効果減弱。
	経口避妊薬	NAd枯渇薬（硫酸グアネチジン★、硫酸ベタニジン★）	降圧効果減弱。
	昇圧アミン（NAd、Adなど）	利尿薬	昇圧効果減弱。手術前には利尿薬を一時休薬。
	メチルキサンチン系：カフェイン含有飲食物、テオフィリン（テオドール）	ジピリダモール（ペルサンチン）	ジピリダモールの血管拡張作用減弱（アデノシン受容体競合）。
	β遮断薬（メトプロロール）	SNRI（ベンラファキシン［イフェクサー］）	降圧作用減弱の可能性。一方、機序不明だがベンラファキシンの併用でメトプロロールの血中濃度が上昇するおそれがある。

注意

起立性低血圧を引き起こす薬剤

血管中枢抑制作用、α_1受容体遮断作用、ドパミン作動作用を有する薬剤では、起立性低血圧を引き起こすことが多いため、患者にはあらかじめ説明しておく必要がある。特に初回投与時や増量時にみられることから、first-dose phenomenon ともいう。これらの薬剤と降圧薬の併用時には、急激な血圧低下のために、めまい、ふらつき、失神などが起こることがあるので注意する。

表7-38　降圧薬の注意すべき主な副作用

利尿薬	●低K血症（不整脈、しびれ、痙攣、全身倦怠感、食欲不振など）、●尿酸値上昇・痛風（関節痛）、●血糖上昇、●脂質異常症、●脱水・頻尿（利尿作用）、●光線過敏症（チアジド系薬）、●膵炎（ループ系薬）など
Ca拮抗薬	●血管拡張作用（顔面紅潮、ほてり、頭痛）、●平滑筋弛緩（便秘）、●代償性上下肢浮腫/反射性頻脈、●心伝導系抑制（徐脈）、●頻尿（尿量増加）、●歯肉肥厚、●睡眠障害、●光線過敏症など
α_1遮断薬	●起立性低血圧（立ちくらみ、動悸、失神など）、●α_{1A}遮断作用（術中虹彩緊張症低下症候群・射精障害・口渇・下痢・軟便など）など
ACE阻害薬	●血管浮腫（呼吸困難）、●空咳、●高K血症、●腎前性急性腎不全、●味覚障害など
AT_1拮抗薬	●高K血症、●頭痛、●血糖値低下、●腎前性急性腎不全など
β遮断薬	●高度徐脈（低血糖発作による頻脈をマスク）、●気管支収縮（咳、呼吸困難、喘息発作誘発）、●末梢循環不全、●脂質異常症、●BBB通過性（睡眠障害、うつ病）、●中断症候群（狭心症誘発、一過性の低血圧）など

（降圧効果によるふらつき、めまい、頭痛、頻尿、浮腫などは共通して認められる）

ドール）やカフェイン、カフェイン含有飲食物（コーヒー、紅茶、日本茶、コーラ、チョコレートなど）は、アデノシンと同じプリン骨格があり、アデノシン受容体に拮抗するため、アデノシンの作用を減弱させる可能性がある。したがって、メチルキサンチン系とアデノシン注との併用は、アデノシン注の虚血診断に影響を与える恐れがある（併用禁忌）。メチルキサンチン系とジピリダモールとの併用でも、アデノシン受容体の競合によりジピリダモールの作用が減弱する可能性がある。

その他、RA系阻害薬同士の併用は禁忌や原則禁忌があり要注意である。新規の心不全治療薬であるARNI（アンジオテンシン受容体ネプリライシン阻害薬：サクビトリルバルサルタン［エンレスト］）では、ACE阻害薬との併用、糖尿病患者におけるアリスキレン（ラジレス）との併用が禁忌である。ACE阻害薬の副作用にはブラジキニンを介した血管浮腫があるが、サクビトリルもブラジキニンを分解するネプリライシンを阻害するため、併用によりブラジキニンを介した血管浮腫の発症リスクが高くなるためである。また、糖尿病患者にバルサルタン（AT_1拮抗薬）とアリスキレンとを併用投与した場合、RA系阻害効果が強く表れ、高K血症、腎機能障害、非致死的脳卒中、低血圧などのリスクが増加することが報告されたため（☞**コラム69**）、ARNIとアリスキレンとの併用は糖尿病患者において禁忌となっている。糖尿病ではなくても腎機能障害患者（eGFRが60mL/min/1.73m^{2}未満）では、アリスキレンとARNIとの併用はやむをえない場合を除き避ける（**表8-20（2）**）。また、AT_1拮抗薬とARNIとの併用でもRA系阻害作用が強く表れる可能性があり併用は原則禁忌である。

同様に、ACE阻害薬またはAT_1拮抗薬を投与中の糖尿病患者には、直接レニン阻害薬であるアリスキレンフマル酸塩（ラジレス）の投与は禁忌である（原則禁忌。ただし、ACE阻害薬またはAT_1拮抗薬投与を含む他の降圧治療を行ってもなお、血圧のコントロールが著しく不良の患者を除く）。これは、上述のように、ACE阻害薬やAT_1拮抗薬にアリスキレンを投与しても、ACE阻害薬やAT_1拮抗薬を上回る有益性が認められなかった上、RA系阻害効果が強力に現れることが報告されているためである。なお、ARNIでも述べたが、腎機能障害があり、ACE阻害薬またはAT_1拮抗薬（ARNIも含む）服用中の患者にアリスキレンを併用する場合も、血清K値、血清クレアチニン値が上昇する恐れが高いため、治療上やむを得ないと判断される場合を除いては、併用禁忌となっている（原則禁忌；**表8-20（2）**）。

 60 歳代男性 A さん。

[処方箋]

① ノルバスク錠 2.5mg　1 錠
　レニベース錠 5mg　1 錠
　　1 日 1 回　朝食後　14 日分

② メバロチン錠 10mg　1 錠
　　1 日 1 回　夕食後　14 日分

③ テルネリン錠 1mg　3 錠
　　1 日 3 回　毎食後　7 日分

A さんは、以前、強い頭痛の副作用のためにヘルベッサー R（ジルチアゼム塩酸塩）が中止された経緯がある。その後、①の薬剤の服用によって血圧（収縮期/拡張期）は正常範囲を維持しているが、仕事の関係で肩凝りがいつもあり、手足がしびれると話していた。メバロチン（プラバスタチン Na）を中止しても改善しないことから、薬剤性の筋肉障害との関連性は低く、今回、テルネリン（チザニジン塩酸塩）が追加となった。

テルネリンには中枢性 α_2 刺激作用に起因する血管拡張作用があり、降圧薬の作用が増強すると考えられる。A さんにはテルネリンと降圧薬の併用によって、血圧低下、ふらつき、頭痛、動悸、ほてりなどが現れる可能性があることを説明し、家庭血圧計での測定を続けるように指導した。

1 週間後に来局した際、B さんは、テルネリン服用後も血圧は正常値であり、少し眠気があるが生活には支障がなく、肩凝りは改善したと喜んでいた。しかし、1 カ月後、低血圧と頭痛が出現して受診。その結果、A さんの希望でテルネリンは継続されたが、レニベース（エナラプリルマレイン酸塩）が半錠へと変更となった。その後、血圧は正常値に戻った。

症例② 60 歳代女性 B さん。

[処方箋]

① アダラート L 錠 10mg　2 錠
　　1 日 2 回　朝夕食後　4 日分

② カルデナリン錠 2mg　1 錠
　　1 日 1 回　朝食後　4 日分

内科診療所を受診した B さんは、高血圧と診断され、院内でアダラート（ニフェジピン）カプセルの舌下投薬を受けた後、処方箋を持って薬局を訪れた。降圧薬の服用は初めてとのこと。通常、カルデナリン（ドキサゾシンメシル酸塩）は 1 日 1 回 0.5mg より投与を開始するため、処方医に疑義照会したところ、0.5mg へと変更となった。

B さんには降圧薬による急激な血圧の低下により、ふらつき、めまい、転倒、頭痛、ほてり、頻尿、動悸などが現れる可能性を説明し、これらの症状が軽度であっても生活に支障があれば受診するように指導した。翌日、B さんはふらつき、背中の痛み、腹痛などが出現したため直ちに受診。起立性低血圧と診断されカルデナリンが中止となった（血圧値不明）。その後、B さんにはこのような症状は認められず、1 週間後の血圧は正常値（収縮期血圧 130mmHg）となった。

コラム 60

RA 系阻害薬の作用機序

高血圧治療の第一選択薬の１つに、レニン-アンジオテンシン（RA）系阻害薬（ACE 阻害薬、AT_1 受容体拮抗薬［ARB；angiotensin-receptor blocker］、直接レニン阻害薬）がある。

ACE はアンジオテンシンⅠ（Ang Ⅰ）から Ang Ⅱを産生する Zn 含有酵素であるが、ブラジキニン、サブスタンス P、エンケファリンといった血管拡張性ペプチドの分解酵素であるキニナーゼⅡと同一である。ACE 阻害薬はキニナーゼⅡを阻害し、これらのペプチド量を増加させるが、これが ACE 阻害薬の副作用である空咳や血管浮腫（angioedema）の原因であると考えられている。特に、空咳は高頻度で起こるので患者には説明しておく（関連事項 ☞ **コラム 63**）。また、血管浮腫が喉頭に生じると呼吸困難を伴い致命的となる恐れがある。血管浮腫は喉頭のほか、顔や舌、四肢など、様々な部位で起こり得るため、患者には「舌や口唇、歯茎、喉、顔や体が腫れることはないか」と尋ねるようにする。相互作用では、血管浮腫との関連性が示唆されているプレガバリン（リリカ；末梢性神経障害性疼痛治療薬）と ACE 阻害薬との併用により、血管浮腫のリスクが高まる恐れがある（併用慎重）。

一方、Ang Ⅱ受容体には、１型（AT_1）、２型（AT_2）、３型（AT_3）、４型（AT_4）などが存在し、特に AT_1 受容体は血管収縮、心筋肥大、細胞増殖、CA 遊離促進、アルドステロン分泌促進などの古典的 Ang Ⅱ作用を全て伝達する。したがって、AT_1 拮抗薬のロサルタンカリウム（ニューロタン）、カンデサルタンシレキセチル（ブロプレス）、バルサルタン（ディオバン）、テルミサルタン（ミカルディス）、オルメサルタンメドキソミル（オルメテック）、イルベサルタン（イルベタン、アバプロ）、アジルサルタン（アジルバ）は、Ang Ⅱ作用を抑制することで降圧作用を示すと考えられる。

これらの AT_1 拮抗薬は、ACE 阻害薬と異なりキニナーゼⅡを阻害せず、空咳の副作用はほとんど認められないとされている。また生体の Ang Ⅱ産生酵素は ACE だけでなく、例えば心臓や肥満細胞、内皮細胞などでは、キモトリプシン類のキマーゼが Ang Ⅱを産生している。実際、ヒト左心室ホモジネートにおける Ang Ⅱ産生は ACE 由来が 10％で、キマーゼ由来が 80％だったとの報告がある。さらに、キマーゼは PTCA（経皮的冠動脈形成術：☞ **付 D**）後の冠動脈再狭窄および心不全悪化への関与が考えられている。

したがって、AT_1 拮抗薬は、ACE 阻害薬で抑制できない Ang Ⅱ作用に対しても有効であると考えられるが、ACE 阻害薬と同等の臓器（心臓、腎臓、脳、血管）保護作用の有無については、今後の研究成果が待たれるところである。なお、ACE 阻害薬は慢性心不全の予後改善効果が確立されているが、ARB としては 2005 年 10 月、カンデサルタンシレキセチル（ブロプレス）が国内で初めて慢性心不全への効能追加が承認されている（ただし、軽症～中等症の慢性心不全で、ACE 阻害薬の投与が適切でない場合に限る）。

AT_1 拮抗薬は血中 Ang Ⅱ濃度を著明に上昇させ、増加した Ang Ⅱが AT_2 受容体を刺激して降圧作用が発揮されると考えられている。近年、この作用機序にはブラジキニンによる一酸化窒素（NO）の産生も関与していることが示された。すなわち、AT_2 受容体刺激によって細胞内が酸性に傾き、これがカリクレイン活性を刺激してブラジキニン産生を誘導する。それにより、血管内皮が刺激され、NO が生成されて血管平滑筋が弛緩すると考えられている。成人では、AT_2 受容体は主に細小血管床、脳、副腎髄質、子宮筋に存在し、心不全、心血管リモデリング、動脈硬化巣では特に間質線維化巣で発現誘導されることが分かっている。ただし、AT_3、AT_4 受容体などを介した生理作用は十分に解明されておらず、AT_1 拮抗薬の作用・副作用は今後も重要な研究課題となるだろう。

なお、ACE 阻害薬および AT_1 拮抗薬はいずれもブラジキニンの産生を促進するが、ACE 阻害薬ではキニナーゼⅡ阻害により体内循環するブラジキニン（循環ブラジキニン）が増加して空咳が出現すると考えられるのに対し、AT_1 拮抗薬の場合は、AT_2 受容体が存在する組織のブラジキニン（局所ブラジキニン）が増加する。気管支平滑筋には AT_2 受容体が存在しないことから、AT_1 拮抗薬によって産生された組織ブラジキニンが心血管系のみで働くと考えれば、同薬による空咳の出現が少ないことを説明できる。

さらに 2009 年、わが国で 10 年ぶりとなる新機序の降圧薬のアリスキレンフマル酸塩（ラジレス）が登場した。同薬は RA 系の上流の律速酵素であるレニンを阻害して、アンジオテンシノーゲンから Ang Ⅰへの変換を抑制する結果、Ang Ⅱの生成を抑制して降圧効果などを示す。

ACE 阻害薬や AT_1 拮抗薬の長期投与は、RA-アルドステロン系（RAA 系）を代償的に活性化する結果、血漿 Ang Ⅱのみならず、アルドステロン濃度の上昇（アルドステロン・ブレイクスルー現象）や、レニン濃度の上昇などを来し（エスケープ現象）、薬効が減弱するという欠点が指摘されている。この代償性のフィードバックは主にレニン上昇に起因すると考えられていることから、アリスキレンはこれを回避できる可能性があり、ACE 阻害薬、AT_1 拮抗薬との併用療法の有用性が示されていた。さらに、キマーゼ活性が亢進している動脈硬化や腎炎などの病態においても効果が期待できる。臓器保護効果については大規模臨床試験で検証されているところだが、アリスキレンはこれまでの RA 系阻害薬とは異なる薬理作用を持つ薬剤として注目された。しかしながら、RA 系阻害薬同士の併用に関しては、その後の大規模臨床試験の結果、有用性が認められず副作用のリスクが増大することが明らかとなっている（☞ **表 7-37、表 8-5（2）、コラム 69**）。

コラム 61

血管拡張因子と収縮因子

様々な生理活性物質が血管拡張・収縮因子としての働きを担っている。血管拡張（弛緩）因子には、一酸化窒素（NO）、PGI_2、アデノシン、心房性ナトリウム利尿ペプチド（ANP）、アドレノメデュリン（adrenomedullin）、内皮由来過分極因子などがあり、血管収縮因子には、TXA_2、PGH_2、アンジオテンシンⅡ、5-HT、エンドセリンなどがある。

中でも、注目されているのが NO である。NO はラジカルの性質を持つ脂溶性の気体であり、血管内皮由来弛緩因子（endothelial-derived relaxing factor：EDRF）の本体であることが分かっている。

NO は、NO 合成酵素により L-アルギニンがシトルリンに変換される際に産生される。ACh、ブラジキニン、サブスタンス P、5-HT（☞ **付 A**）などの刺激により血管内皮の NO 合成酵素により産生された NO は、拡散により平滑筋細胞に達し、グアニル酸シクラーゼを活性化して c-GMP 濃度を上昇させる。その結果、細胞内 Ca^{2+}濃度が低下して平滑筋が弛緩する（☞ **コラム 54**）。

また、NO は神経伝達物質としても機能し、NO 作動性神経は脳や陰茎海綿体平滑筋（☞ **付 B**）、消化管平滑筋、末梢動脈壁などに存在する。カプサイシン感受性知覚神経の終末から遊離される CGRP（calcitonin gene-related peptide）や AT_2 受容体も NO を介して血管拡張作用を示すほか、マクロファージの殺傷機能は NO 産生に起因することなどが示されている。ニトログリセリンなどの硝酸薬は、c-GMP 濃度を上昇させて薬効を発現させると考えられていたが、ここにも NO 生成が関与していることが明らかとなっている（☞ **第 6 章［第 3 節］**）。

アンジオテンシン受容体 - ネプリライシン阻害薬（ARNI:angiotensin receptor-neprilysin inhibitor）のエンレスト錠は RA 系阻害薬（バルサルタン）とネプリライシン（NEP）阻害薬（サクビトリル）との合剤で新規の心不全治療薬として期待されている。NEP は中性エンドペプチダーゼであり、主な作用は内因性血管拡張作用を有するナトリウム利尿ペプチドの分解である。つまり、NEP 阻害薬は、ナトリウム利尿ペプチドの循環血中濃度を上昇させることでナトリウム排泄作用、RAA 系抑制、交感神経系抑制、利尿作用、抗心肥大作用、抗心繊維化作用および血管拡張作用などの作用を示す。

コラム62

エンドセリンと肺高血圧症

2005年6月、肺動脈性肺高血圧症に適応を持つ経口薬としてわが国では初めてとなる薬剤が登場した。非選択的エンドセリン受容体拮抗薬のボセンタン水和物（トラクリア）である。ここでは、エンドセリン（endothelin：ET）と肺動脈性肺高血圧症について簡単に説明しておく。

ETは、1988年、血管内皮由来の血管収縮性ペプチド（血管収縮因子）として、ブタの大動脈内皮細胞より検出された。21個のアミノ酸からなり、ET-1、ET-2、ET-3の3つのアイソフォームがあるが、いずれもプロテアーゼとET変換酵素（ET converting enzyme：ECE）によって前駆体からプロセッシングされて生成する。

特に、血管内皮で産生されるET-1の生理作用は重要である。様々な液性因子や血流刺激などで産生量が制御され、同じく血管内皮から分泌される血管拡張因子（NO、PGI_2、アドレノメデュリンなど）と拮抗して、血管平滑筋の血管トーヌス（緊張度）を調節している。またETは、心筋細胞、血管平滑筋、腎糸球体メサンギウム細胞などでも産生されるため、パラクリン（パラ分泌；産生細胞の周辺の細胞に作用する）・オートクリン（自己分泌；自己で産生し、自己に影響を与える）因子として働くと考えられている。

ET受容体はGPCR（Gタンパク質共役受容体）であり、ET_AとET_Bの2種類のサブタイプがある（☞ **付C**）。ET_A受容体はET-1およびET-2に選択性があり、血管平滑筋で主に発現している。同じGPCRのAT_1受容体に比べ、作用が長時間持続するのが特徴である。シグナル伝達機構はAT_1受容体に類似し、「ET_A受容体→Gタンパク質（Gq/11）→PLC活性化（効果器）→細胞内Ca^{2+}濃度上昇（セカンドメッセンジャー）、PKC活性化→Ras-［Raf-MEK-ERK］（MAPK）系活性化→PI3K/Akt系活性化」の順に情報伝達が行われている（細胞種によっては、Giとの結合を介してc-AMP濃度が低下することもある）。また、EGFR（上皮増殖因子受容体）にクロストークすることもあり、Ras-［Raf-MEK-ERK］活性化に寄与すると考えられている。一方、ET_B受容体はET-1、ET-2、ET-3に高い親和性があるため非選択的であり、主に血管内皮細胞自体に発現している。オートクリン作用によって内皮のNOやPGI_2産生を促進し、平滑筋を弛緩させるとも考えられている。

一般に、ET-1は血管収縮、細胞の増殖と肥大、細胞外マトリックスの形成に関与し、ET_A、ET_Bの両方の受容体を介して、動脈血管平滑筋（主にET_A受容体）、気管支平滑筋（ET_A、ET_B受容体）などの細胞増殖を促進すると考えられている。血中ET-1濃度が上昇する疾患には、急性心筋梗塞、冠攣縮性狭心症、腎不全、くも膜下出血、肺高血圧、高血圧（特に透析、妊娠中毒症）、ET-1産生腫瘍（血管内皮腫：高血圧を伴う）、重症外傷、手術などが報告されている。

残念ながらET受容体拮抗薬は、他の薬剤（降圧薬など）をしのぐ効果を示さないとされていたが、肺動脈性肺高血圧症に有効性が見いだされ、非選択的ET受容体拮抗薬のボセンタン水和物（トラクリア）が発売されるに至った。肺高血圧症に対してはプロスタノイドが広く使用されているが、増殖性の血管病変を主体とする病態生理の改善は困難なことが多く、ボセンタンの評価が注目されている。

ちなみに、肺動脈圧の正常値は収縮期圧15～30mmHg、拡張期圧2～8mmHg、平均圧9～18mmHgであるが、肺高血圧症は、収縮期圧で30mmHg以上、平均圧で20mmHg以上の肺動脈圧が認められる場合と定義されることが一般的である。主に、右心負荷があるため右心のポンプ機能が破綻し、心拍出量低下、低酸素血症、静脈系の血液うっ滞、肝臓の腫大、全身の浮腫などが発症する（右心室不全）。

既に述べたものもあるが、ボセンタンの副作用としては、BSEP阻害に起因する肝障害（☞ **表4-24**；投与初期3カ月は2週間に1度、その後は少なくとも1カ月に1度の肝機能検査を実施することが添付文書の警告欄に記されている）、ヘモグロビン減少（投与開始後４カ月間は毎月、その後は３カ月に１回血液検査を実施）がある。相互作用については、グリベンクラミド（オイグルコン；肝酵素値上昇の発現率が２倍に増加）、OATP2 阻害に起因するシクロスポリン（サンディミュン：ボセンタン血中濃度上昇；☞表 4-20）が併用禁忌である。

そのほか、ボセンタンは主に CYP3A4、2C9 で代謝されるため、CYP3A4 あるいは 2C9 阻害薬（タクロリムス水和物［プログラフ；併用禁忌］、シクロスポリン［サンディミュン、ネオーラル］、アゾール系薬［ケトコナゾール、フルコナゾールなど］、GFJ、HIV プロテアーゼなど）により血中濃度が上昇するほか、誘導薬（SJW など）により血中濃度が低下する恐れがある。またボセンタンは CYP2C9、3A4、2C19 を強く誘導するため、ワルファリン（2C9、3A4、1A2）、脂溶性スタチン系薬（2C9、3A4）、Ca 拮抗薬（3A4：薬力学的な血圧低下も関与）、PDE5 阻害薬（3A4：薬力学的な血圧低下も関与）、経口避妊薬（3A4）などの血中濃度を低下させる可能性がある（☞表 5-53）。また、薬力学的には Ca 拮抗薬、PDE5 阻害薬、PGI_2 製剤などの血管拡張薬との併用による血圧低下に注意する。

コラム 63

誤嚥性肺炎の予防にACE 阻害薬が有効？

独居の高齢者の増加や療養型病床の減少などで、在宅医療・介護のニーズが高まっている。患者宅や高齢者施設を訪問して薬の管理や服薬指導を行う「在宅業務」に取り組み始める薬剤師も増えている。

在宅の現場でよくみられる疾患の１つに「誤嚥性肺炎」がある。肺炎は現在も死因統計の上位を占めているが、肺炎で死亡する患者の約９割は 65 歳以上であり、大半が誤嚥に起因している。厄介なことに、偶発的に起こる誤嚥ばかりでなく、患者自身が自覚していない「不顕性誤嚥」が圧倒的に多い。

そんな中、ACE 阻害薬を誤嚥性肺炎の予防に用いる試みが注目されている。

以前から、カプサイシンやレボドパ（ドパストンなど）がサブスタンス P やドパミンの増加を介して誤嚥性肺炎の予防に効果的であることは知られていた。嚥下反射や咳反射が低下するのは、大脳基底核にある黒質線状体から産生されるドパミンが少なくなる結果、これらの反射の原動力であるサブスタンス P の量が減少するためである。大脳基底核は脳梗塞を起こしやすい部位であるため、脳血管障害のある高齢者が肺炎を起こしやすいことも説明がつく。

塩釜市立病院呼吸器科の板橋繁氏らは、サブスタンス P を増加させる作用がある ACE 阻害薬に注目。イミダプリル塩酸塩（タナトリル）を脳血管障害患者に投与し、他の降圧薬を投与した場合に比べて肺炎発生率が低下するかどうか検討した。その結果、肺炎発生率はイミダプリルの投与によって約 1/3 まで減少することが判明した（参考文献：板橋繁ほか. 呼吸. 1998；17：1342-44.）。

同氏らは次のように結論している。「ACE 阻害薬は Ca 拮抗薬に比べて降圧効果の切れ味は悪いが、心不全には有効であり、老年者では肺炎と心不全との鑑別が難しいことも少なくない。また、ACE 阻害薬の副作用として（サブスタンス P やブラジキニンなどの増加に起因する）空咳があるが、老年者では咳が出なくて肺炎になるのだから、むしろ咳を出すように仕向けた方がよい。老年者では高血圧や脳血管障害も多い。これらのことから、ACE 阻害薬は老年者の肺炎予防に極めて有望な薬剤であると考えられる」。

実際、「高血圧治療ガイドライン 2014」において、ACE 阻害薬は、副作用の咳が自制内であれば、誤嚥性肺炎の既往（不顕性を含む）のある高齢者では推奨されている。また、日本化学療法学会の「JAID/JSC 感染症ガイドラインー呼吸器感染症ー」（2014 年）においても、誤嚥性肺炎予防の一つの方法として、ACE 阻害薬やシロスタゾールなど、嚥下機能を改善する薬物について言及している。

薬剤師やケアマネジャーの立場として、高齢者の誤嚥性肺炎の予防に ACE 阻害薬の投与を提案してみてはいかがであろうか。

第7節
血液凝固抑制および促進

抗血栓薬および止血薬を**表7-39**に、血液凝固を抑制/促進し得る薬剤を**表7-40**に示す。これらの薬剤が関与する主な相互作用を**表7-41**に示した。特に留意すべきは、①抗血栓薬（主にワルファリンカリウム［ワーファリン］）と血液凝固を抑制する可能性のある薬剤（→出血傾向の増大［重篤な脳出血、消化管出血、眼底出血および皮下出血、歯肉出血、鼻出血、血尿などの可能性］）、②抗血栓薬と血液凝固を促進する可能性のある薬剤（→抗血栓薬の作用減弱）、③止血薬と血液凝固を促進する可能性のある薬剤（→血栓症）、④止血薬と血液凝固を抑制する可能性のある薬剤（→止血薬の作用減弱）―― の併用である（カッコ内は起こり得る事象）。

いずれの組み合わせも、場合によっては致命的

表7-39　主な抗血栓薬と止血薬

（1）抗血栓薬

薬剤	作用機序など
a）抗凝固薬（凝固因子に関係）	
ワルファリン（ワーファリン）	ビタミンK代謝阻害
ヘパリン（同名）	アンチトロンビンⅢの抗トロンビン作用増強
アンチトロンビン ガンマ（アコアラン）	遺伝子組換えアンチトロンビン
ダビガトランエテキシラート（プラザキサ）	直接トロンビン阻害薬、競合的かつ可逆的阻害
アルガトロバン（ノバスタン、スロンノン）	抗トロンビン薬
バトロキソビン（デフィブラーゼ）	フィブリン濃度低下作用
乾燥濃縮人活性化プロテインC（アナクトC）	第Ⅴ因子、第Ⅷ因子不活化
リバーロキサバン（イグザレルト）、エドキサバン（リクシアナ）、アピキサバン（エリキュース）	活性化第Ⅹ因子（FXa）阻害薬
b）血栓（フィブリン）溶解薬（プラスミン生成促進）：	
・ウロキナーゼ（ウロナーゼ） ・組織プラスミノーゲンアクチベーター（t-PA）；アルテプラーゼ（アクチバシン、グルトパ）、モンテプラーゼ（クリアクター）、パミテプラーゼ★、ストレプトキナーゼ★	
c）血小板凝集抑制作用（抗血小板薬）：	
低用量アスピリン製剤（バファリン配合錠A81、バイアスピリン）	PG合成阻害（TXA_2合成阻害）
サルポグレラート※1（アンプラーグ）	抗5-HT_{2A}作用
チエノピリジン系薬：チクロピジン（パナルジン）、クロピドグレル（プラビックス）、プラスグレル（エフィエント）	不可逆的ADP受容体（$P2Y_{12}$）阻害
チカグレロル（ブリリンタ）	直接的、選択的、可逆的ADP受容体（$P2Y_{12}$）阻害。血中アデノシン濃度上昇。c-AMP上昇。
シロスタゾール※2（プレタール）	PDE3阻害、c-AMP濃度上昇
リマプロストアルファデクス※3（オパルモン、プロレナール）	PGE_1誘導体、c-AMP濃度上昇
ベラプロスト（ドルナー、プロサイリン）（ケアロードLA、ベラサスLA）	PGI_2（プロスタサイクリン）製剤
EPA製剤（イコサペント酸エチル［エパデール］）	血小板のアラキドン酸代謝阻害。PG_3、TXA_3合成（☞**コラム78**）

※1　5-HTの作用は**付A**参照。　※2　PDEは**付B**参照。
※3 「後天性の腰部脊柱管狭窄症に伴う自覚症状（下肢疼痛・しびれ）および歩行能力の改善」に適応あり。
★ 販売中止

表 7-39（つづき） 主な抗血栓薬と止血薬

（2）止血薬

・トロンビン（同名）
・ビタミンK製剤（メナテトレノン［ケイツー］）
・ダビガトラン特異的中和剤（イダルシズマブ［プリズバインド静注液］）
・血管強化薬（毛細血管透過性亢進による出血［各種紫斑病］抑制：アドレノクロム類：カルバゾクロムスルホン酸［アドナ］、アドレノクロムモノアミノグアニジン［S・アドクノン］）、抗プラスミン薬（トラネキサム酸［トランサミン］、アプロチニン含有製剤［ベリプラストPコンビセット組織接着用］、イプシロンアミノカプロン酸*）、ヘモコアグラーゼ（レプチラーゼ；蛇毒酵素）、オザグレル（カタクロット；TXA_2合成酵素阻害薬）、TPO受容体作動薬（ロミプロスチム［ロミプレート］、エルトロンボパグ［レボレード］）

表 7-40 血液凝固を抑制し得る薬剤

薬剤	作用機序など
a）凝固因子に関係（ビタミンK関係も含む）	
● 急性飲酒（アルコール）	凝固因子合成障害、ワルファリン代謝阻害も関与。
● 抗甲状腺薬（チアマゾール［メルカゾール］、プロピルチオウラシル［チウラジール］）	低プロトロンビン血症、第Ⅶ因子欠乏。
● バルプロ酸（デパケン）	低フィブリノーゲン血症。
● 抗菌薬：	
テトラサイクリン系薬	プロトロンビン活性低下。
ペニシリン系薬	アンチトロンビンⅢ・血小板・フィブリンの変化など。
パラアミノサリチル酸（ニッパスカルシウム；抗結核薬）	肝のプロトロンビン形成抑制。
クロラムフェニコール系薬	肝のプロトロンビン産生低下。
● ビタミンKに関与する薬剤	
エゼチミブ（ゼチーア；NPC1L1阻害薬）	NPC1L1阻害によるビタミンK_1消化管吸収低下。
フィブラート系薬	ビタミンK代謝に影響。凝固因子合成異化促進。
キニジン（硫酸キニジン）	ビタミンK依存性凝固因子の合成抑制。血液凝固因子の異化促進。
キニーネ（硫酸キニーネ）	ビタミンK依存性凝固因子の合成抑制。
ホルモン： ・甲状腺ホルモン製剤 ・グルカゴン ・タンパク同化ステロイドホルモン（アンドロゲン製剤） ・男性ホルモン	ビタミンK依存性凝固因子の異化促進。 ビタミンK依存性凝固因子生成阻害。 肝でのビタミンK利用低下作用、凝固因子の合成抑制・分解促進。 ビタミンK依存性凝固因子の合成抑制・分解促進。
抗菌薬： テトラサイクリン系薬、アミノグリコシド系薬、クロラムフェニコール系薬、サルファ剤、マクロライド系薬 MTT基含有セフェム系	腸内細菌叢変化によるビタミンK供給低下。 ビタミンK依存性凝固因子生成阻害、出血作用。
ロミタピド（ジャクスタピッド；ホモ接合体家族性高コレステロール血症治療薬）	ビタミンK吸収低下により、出血作用増大の恐れ。
● 金属イオン結合：	
クエン酸Na（ウラリット；クエン酸K・クエン酸Na配合）	凝固に必要な第Ⅳ因子（Ca^{2+}）の結合。
ジスルフィラム（ノックビン）	プロトロンビンからトロンビンを生成する際に必要な金属のキレート。
b）血栓（フィブリン）溶解作用	
● 納豆	ナットウキナーゼによる血栓溶解。
● ACE阻害薬；スピロノラクトン（アルダクトンA）	プラスミノーゲンの作用増強。

な相互作用を発現する恐れがある。特にワルファリンとの相互作用が想定される場合は、できる限り凝固能検査を実施した方がよい。第1部で述べた血漿タンパク結合置換（☞表2-2）、肝代謝阻害（☞表5-41）・誘導（☞表5-47〜5-51）などによる薬動態学的変化にも注意する。

ワルファリンの効果減弱を避けるため、ビタミンK_2製剤との併用は禁忌である（☞表7-42（2））。飲食・嗜好品については、ビタミンKを多く含む納豆、クロレラ食品、青汁の摂取は禁止させる（納豆はそれ自体のビタミンK含有量が多いというよりも、納豆菌のビタミンK合成能が高いことが相互作用の誘因と考えられている）。緑黄色野菜はビタミンKの含有量が比較的多いが、栄養面からも摂取の禁止は望ましくないため、一時的に大量に摂取しないよう指導すべきである。また、適量のアルコール摂取は問題ないが、ワルファリンの効果は慢性的なアルコール摂取により減弱し（代謝酵素誘導が関与）、一時的な大量摂取では増強する（代謝阻害が関与）可能性がある。急性アルコール摂取によるワルファリンの効果増強を回避するため、摂取後の6〜7時間はワルファリンの服用を避け、大量に飲酒をしないよう指導すべきである。

また、ワルファリンは、イグラチモド（ケアラム、コルベット；抗リウマチ薬）、抗血栓薬、ビタミンKの作用を抑制し得る薬剤（抗菌薬、エゼチミブ［ゼチーア］など）、消化管出血作用のあるNSAIDsや副腎皮質ホルモン製剤（☞表8-12）、および血小板機能障害や血小板減少（☞表8-7）などの血液障害を誘発する薬剤などとの併用による出血にも要注意である。ただしNSAIDsに関しては、選択的COX2阻害薬の長期投与（18カ月）により、心筋梗塞などの心血管系障害の発症の増加が報告されており、わが国で用いられている選択的COX2阻害薬であるセレコキシブ（セレコックス）では、添付文書の警告欄に「心血管系血栓塞栓のリスクを増大させる可能性がある」と記載され、重篤な心機能不全の患者、冠動脈バイパス再建術の周術期患者への投与は禁忌となっている（☞第8章［第4節❻］）。これは血管内皮のPGI_2がCOX2により産生するためとも考えられるが、非選択的COX阻害薬でも同様の危険性がある。したがって、NSAIDsの長期投与は抗血栓薬の作用を減弱させる恐れがあるため注意する。

（☞コラム64、コラム65、コラム66）

なお、血液凝固を促進する薬剤同士の併用で注意すべき相互作用は、SGLT2阻害薬と利尿薬との併用であり、脱水を起こすため併用は推奨されていない（併用禁忌；第8節参照）。

SGLT2阻害薬は、2014年4月に発売された新機序の経口糖尿病用薬である。腎近位尿細管でのグルコース再吸収を阻害することにより、過剰なグルコースを体外に排出し血糖降下作用を示す。一方、尿細管の浸透圧を上昇させて水分の再吸収を抑制する結果、尿量を増やして（浸透圧利尿作用）脱水症を引き起こすなど、重篤な副作用を発現する恐れがある。残念ながら、発売後、脱水を含む重篤な副作用が起きたため、糖尿病専門医からなる委員会が「SGLT2阻害薬の適正使用に関するRecommendation」を発表した（日本糖尿病学会のウェブサイト参照 http://www.jds.or.jp/）。重症の脱水15例のほか、脳梗塞12例（発症年齢50〜80代で、投与後数週間以内に起こる）、心筋梗塞・狭心症6例が報告され、死亡例（2014年中に10人）のうち、脱水症が関与したと推測される事例があった。

その後、Recommendationでは、これまでの大規模臨床試験や市販後調査の結果からは、SGLT2阻害薬が脳梗塞の発症数を増加させるエビデンスはないが、SGLT2阻害薬投与により初期には通常体液量が減少するため、適度な水分補給を行うよう指導すること、「脱水が脳梗塞などの血栓・塞栓症の発現に至りうる」「急性腎障害を引き起こすことがある」ことを改めて注意喚起している。特に、SGLT2阻害薬は利尿薬、ACE阻害薬、AT1受容体拮抗薬、NSAIDsの併用時や高齢者など体液量の減少を起こしやすい患者への投与は慎重に行う必要がある（発熱・下痢・嘔吐などが

表 7-40(つづき) 血液凝固を抑制し得る薬剤

c) 血小板凝集抑制作用;TXA_2阻害、PGI_2合成促進、c-AMP生成促進などの作用を有する薬剤が多い	
● NSAIDs	血小板TXA_2阻害、消化管出血、血小板機能抑制。ただし、長期投与では心血管系血栓塞栓のリスク増大。
● 冠拡張薬:	
ジピリダモール(ペルサンチン)	血中アデノシン濃度上昇、c-AMP上昇。
ジラゼプ(コメリアン)	血中アデノシン濃度上昇、ホスホリパーゼ阻害?
トラピジル(ロコルナール)	TXA_2合成・作用阻害、PGI_2合成促進。
● 脳代謝改善薬:	
脳代謝改善薬も兼ねる脳循環改善薬(広義): ニセルゴリン(サアミオン)、イブジラスト(ケタス)、イフェンプロジル(セロクラール)、ビンポセチン★、シネパジド★	イブジラストは抗PAF・LT拮抗作用、ビンポセチンにはc-GMP合成促進、PDE1阻害作用あり。
その他: ニゾフェノン★ オザグレル(カタクロット)	血管内皮PGI_2合成促進。 血小板TXA_2合成阻害。
● 末梢循環改善薬:	
ビタミンE製剤(ユベラNなど:ホスホリパーゼ阻害、TXA_2合成阻害)	血小板のADP凝集、Ad凝集、コラーゲン凝集、アラキドン酸凝集の抑制効果。
ジヒドロエルゴトキシン(ヒデルギン:3種の麦角アルカロイド含有)など	交感神経終末のシナプス前ドパミン受容体刺激によるNAd放出抑制。
● PGI_2製剤(肺動脈性肺高血圧症治療薬):トレプロスチニル(トレプロスト)、セレキシパグ(ウプトラビ)	血小板凝集抑制。
● TXA_2拮抗薬:ラマトロバン(バイナス)	血小板TXA_2合成阻害。
● ピラセタム(ミオカーム;ミオクローヌス治療薬)	脳出血が確認されているまたは疑われる患者には投与禁忌。
● 魚油:DHA(ドコサヘキサエン酸)、EPA(エイコサペンタエン酸)含有品	PG_3合成促進。
d) その他	
● アナグレリド塩酸塩水和物(アグリリン;本態性血小板血症治療薬)	機序不明だが、血小板を産生する巨核球の形成・成熟を抑制し、血小板数を低下させる。
● 交感神経刺激薬、フェニルプロパノールアミン★	脳出血の恐れ。
● 5-HT再取り込み阻害薬:SSRI、三環系抗うつ薬、フェノチアジン系薬、SDA、DSA、SNRI、S-RIMなど	血小板の5-HT取り込み阻害?
● 副腎皮質ホルモン製剤、NSAIDs(アニリン系薬、ピラゾロン系薬★など)、デフェラシロクス(エクジェイド;鉄キレート剤)	消化管出血。
● 抗癌剤、抗腫瘍薬、分子標的治療薬(イブルチニブ[イムブルビカ]、アカラブルチニブ[カルケンス]、チラブルチニブ[ベレキシブル]、アフリベルセプト[ザルトラップ]、ベバシズマブ[アバスチン])、NSAIDs(ピラゾロン系薬★、インドメタシン[インテバン]、メフェナム酸[ポンタール]など)、ジドブジン(レトロビル)、プラバスタチン(メバロチン)	血小板機能障害誘発、骨髄抑制、出血。
● ビタミンC欠乏	壊血病。
e) 機序不明	
・ダナゾール(ボンゾール) ・オフロキサシン(タリビッド→腸内細菌?) ・フルコナゾール(ジフルカン;抗真菌薬) ・麻薬性鎮痛・鎮咳薬(コデインリン酸塩散1%も含む→長期投与の場合[凝固因子形成阻害?]) ・HIVプロテアーゼ阻害薬(リトナビル[ノービア]、インジナビル★、サキナビル★) ・スタチン系薬(ロスバスタチン[クレストール]、シンバスタチン[リポバス]→ワルファリン抗凝血作用増強。ロスバスタチンはワルファリン体内動態に影響を与えない) ・抗インフルエンザ薬(オセルタミビルリン酸塩[タミフル], バロキサビルマルボキシル[ゾフルーザ])	

★ 販売中止

表 7-41　血液凝固を促進させ得る薬剤

薬剤	作用機序など
● 凝固因子製剤	第Ⅶ因子製剤、第Ⅷ因子製剤、第Ⅸ因子製剤、第XⅢ因子製剤、フィブリノーゲン製剤がある。
● プロタミン（プロタミン硫酸塩静注）	ヘパリンの拮抗薬。
● 副腎皮質ホルモン製剤	血管抵抗性増大、透過性亢進抑制、血小板産生刺激で止血。【注意】PG合成阻害による消化管出血作用もある。
● 抗アンドロゲン薬：クロルマジノン（プロスタール）、アリルエストレノール（パーセリン）など	脳、心、肺、四肢などの血栓症。
● 黄体ホルモン薬、経口避妊薬：メドロキシプロゲステロン（ヒスロン、プロベラ）、ドロスピレノン・エチニルエストラジオール（ヤーズ配合錠；月経困難症）など	重篤な動・静脈血栓症、エストロゲンは肝由来の凝固因子を増加。ドロスピレノン・エチニルエストラジオール配合錠では血栓症による3例の死亡例、警告あり。
● SERM：ラロキシフェン（エビスタ）、バゼドキシフェン（ビビアント）	エストロゲン作用増強（冠動脈疾患、脳卒中、静脈血栓塞栓発現の可能性）。ラロキシフェンでは浸潤性乳癌リスクが44%低下、椎体骨折リスクが35%低下するが、静脈血栓塞栓症リスクが44%上昇、致死的脳卒中リスクが49%上昇するという報告あり。
● アプロチニン含有注射剤：ベリプラストPなど；フィブリノゲン加第XⅢ因子	アプロチニンには抗プラスミン作用あり。
● 強心配糖体（ジギタリス製剤など）	ヘパリンの抗凝固作用に拮抗？
● 多糖体分解酵素薬：リゾチーム（レフトーゼ、ノイチーム）	抗ヘパリン作用。
● ビタミンK食品（納豆、クロレラ、青汁、緑黄色野菜、春菊、ホウレン草、ブロッコリー、キャベツ）	ワルファリン服用患者は納豆、クロレラ、青汁の摂取禁止。
● 納豆菌含有製剤：ドライアーゼ配合細粒、コンクチームN顆粒、パンシロンN10（OTC）、ザ・ガードコーワ整腸錠（OTC）など	抗血栓薬の作用を減弱（長期投与）。選択的COX2阻害薬のセレコキシブ（セレコックス）に心血管系血栓塞栓のリスクを増大させる可能性が指摘されている。非選択性COX阻害薬でも同様に注意。
● NSAIDs	長期投与時、抗血栓薬の作用を減弱。選択的COX2阻害薬のセレコキシブ（セレコックス）には、警告として「心血管系血栓塞栓のリスク増大の可能性」が記載。非選択的COX阻害薬でも同様に注意。
● 脱水を誘発する薬剤・食品：利尿薬、SGLT2阻害薬、カフェイン	急激な利尿による脱水（血液濃縮）で血栓・塞栓症（脳・心筋梗塞）誘発。血流停滞による第IX因子活性化。
● 抗精神病薬	肺塞栓症、静脈血栓症などの報告。
● 喫煙	血小板凝集促進。
● トレチノイン製剤（ベサノイド；急性前骨髄球性白血病治療薬）	凝固線溶系のバランス変化。
● サリドマイド（サレド;抗多発性骨髄腫薬）、ドキソルビシン（アドリアシン）	血栓症、血栓塞栓症誘発。
● 腎性貧血治療薬（ロキサデュスタット［エベレンゾ］、バダデュスタット［バフセオ］、モリデュスタット［マスーレッド］、ダプロデュスタット［ダーブロック］、エナロデュスタット［エナロイ］）	赤血球過剰産生による血液濃縮、血流低下による。**【警告】**脳梗塞、心筋梗塞、肺塞栓症等の重篤な血栓塞栓症があらわれ、死亡に至る恐れがある。投与開始前にこれらの合併症及び既往歴の有無等を含めた血栓塞栓症の発症リスクを評価した上で投与の可否を判断する。投与中は患者の状態を十分に観察し、血栓塞栓症が疑われる症状があらわれた場合には、速やかに医療機関を受診するよう指導すること。
● 分子標的治療薬：ポナチニブ（アイクルシグ）	心筋梗塞、脳梗塞、網膜動脈閉塞症、末梢動脈閉塞性疾患、動脈血栓塞栓症等の重篤な欠陥閉塞性事象が現れることがあり、死亡に至った例も報告されている。

「?」は考えられている機序。

表 7-42　血液凝固に関わる主な相互作用

(1) 協力作用

	薬剤A	薬剤B	起こり得る事象など
a) 凝固抑制作用増強 (出血)			
併用禁忌	ワルファリン (ワーファリン)	イグラチモド (ケアラム、コルベット：抗リウマチ薬)	ワルファリンの作用増強。死亡例。機序不明であるが、イグラチモドのPG生合成阻害 (TXA_2合成阻害) により血小板凝集抑制が関与する可能性あり。
併用禁忌	ジドブジン (レトロビル)	イブプロフェン (ブルフェン)	出血のリスク増大 (作用機序不明)。
併用禁忌	インドール酢酸系NSAIDs (インドメタシン [インテバン]、アセメタシン [ランツジール]、プログルメタシン [ミリダシン])	ジフルニサル★	消化管出血などのNSAIDs副作用の可能性。グルクロン酸抱合関与 (☞**表6-4**)。
併用禁忌	ストレプトキナーゼ・ストレプトドルナーゼ★	血液凝固阻止薬 (抗凝固薬)	
併用慎重	ワルファリン (ワーファリン；☞**表5-41**)	抗凝固薬、血栓溶解薬、抗血小板薬、フィブラート系薬 (シンフィブラート★)、サルファ剤 (特にST合剤 [バクタ配合錠])、キニジン (硫酸キニジン)、甲状腺ホルモン製剤 (レボチロキシン [チラーヂンS]、リオチロニン [チロナミン])、タンパク同化ステロイドホルモン、グルカゴン、ダナゾール (ボンゾール)、麻薬性鎮痛・鎮咳薬 (長期投与：コデインリン酸塩散1%など)、スルフィンピラゾン★ (ピラゾロン系)	**併用は極力避ける**。併用する場合には患者の状態を十分に観察するなど注意。
		カペシタビン (ゼローダ)	出血のリスク (**警告：死亡例あり**)。投与開始後数日から中止後1カ月以内は要注意。
		NSAIDs：アスピリン製剤 (バファリン配合錠、バイアスピリン)、ブコローム (パラミヂン)、ピラゾロン系★ (フェニルブタゾン、クロフェゾン)、アニリン系、フェナム酸系、酢酸系、プロピオン酸系など	消化管出血、血小板凝集抑制、血小板機能抑制。血漿タンパク結合置換関与。ブコロームではCYP2C9代謝阻害関与、ワルファリン作用を増強するため使用することあり。
		ロスバスタチン (クレストール：スタチン)	PT-INR値などを確認する。機序不明。
		ヒドロモルフォン (ナルサス)	クマリン系抗凝血剤の作用が増強されることがある。機序不明。
		エゼチミブ (ゼチーア)	INR上昇。併用時は適宜INR検査を行う。NPC1L1阻害によるビタミンK_1消化管吸収低下のため。
		オセルタミビルリン酸塩 (タミフル)，バロキサビルマルボキシル (ゾフルーザ)	出血リスクの増大 (機序不明)。併用後にプロトロンビン時間が延長。併用時、患者の状態を要観察。
		血液凝固抑制作用のある全ての薬剤	
	ダビガトラン (プラザキサ：直接トロンビン阻害薬)	血小板凝集抑制作用のある薬剤：アスピリン製剤 (バファリン配合錠、バイアスピリン)、ジピリダモール (ペルサンチン)、チクロピジン (パナルジン)、クロピドグレル (プラビックス) など	併用によりヘモグロビン2g/dL以上の減少を示すような大出血の危険性が増大。やむを得ず併用する場合は治療上の有益性と危険性を十分に考慮し、**直接トロンビン阻害薬の投与が適切と判断される患者にのみ投与**すること。アスピリン、リマプロスト (オパルモン) 併用時に死亡例。
		抗凝固薬、血栓溶解薬、NSAIDs (ジクロフェナク [ボルタレン] など)	出血の危険性増大。

表7-42（つづき）　血液凝固に関わる主な相互作用

	薬剤A	薬剤B	起こり得る事象など
併用慎重	FXa阻害薬 （リバーロキサバン［イグザレルト］、エドキサバン［リクシアナ］、アピキサバン［エリキュース］）	抗凝固薬、血小板凝集抑制作用のある薬剤、血栓溶解薬	出血の危険性増大。リバーロキサバン単独投与による重篤な出血で死に至る可能性（「警告」あり）。
	抗凝固薬（ヘパリン）、抗血栓薬（ウロキナーゼ、アルテプラーゼ）	チカグレロル（ブリリンタ；抗血小板薬）	出血傾向増強。
	抗凝固薬（ヘパリンなど）	ジピリダモール（ペルサンチン）	出血傾向増強。
	アナグレリド（アグリリン；本態性血小板血症治療薬）	抗凝固薬、血小板凝集抑制作用を有する薬剤、血栓溶解薬	出血の危険性。アナグレリドによる血小板数低下作用により血小板凝集抑制。
	ロミタピド（ジャクスタピッド；ホモ接合体家族性抗コレステロール血症治療薬）		
	アスピリン製剤（バファリン配合錠、バイアスピリン）	オキシカム系薬（ピロキシカム［バキソ］、アンピロキシカム［フルカム］）	消化管出血、痙攣（☞表8-1）などNSAIDs副作用増強。血漿タンパク結合置換関与。
	抗血小板薬	NSAIDs	消化管出血リスク増大。
	NSAIDs	急性飲酒（アルコール）	消化管出血のリスク増大（胃粘膜障害作用が相互に増強）。
	出血傾向が増強する薬剤；非定型抗精神病薬、フェノチアジン系薬、三環系抗うつ薬、NSAIDs、ワルファリン（ワーファリン）等	SSRI（パロキセチン［パキシル］、フルボキサミン［デプロメール、ルボックス］、セルトラリン［ジェイゾロフト］、エスシタロプラム［レクサプロ］）、SNRI（ベンラファキシン［イフェクサー］）	消化管出血例。SSRI、SNRIにより血小板の5-HT取り込みが阻害され凝集が抑制。
b）凝固促進作用増強			
併用禁忌	メドロキシプロゲステロン200mg（ヒスロンH）	ステロイドホルモン製剤 （黄体、卵胞、副腎皮質ホルモンなど）	血栓誘発。2.5mg（プロベラ）、5mg（ヒスロン）の場合は併用慎重。
	トロンビン（同名）	抗プラスミン薬（トラネキサム酸［トランサミン］、アプロチニン含有製剤［ベリプラストPコンビセット組織接着用］、イプシロンアミノカプロン酸★）、ヘモコアグラーゼ（レプチラーゼ；蛇毒酵素）	相加的に血栓形成傾向が現れる恐れ。
	アプロチニン含有製剤（ベリプラストPコンビセット組織接着用）、トロンビン	凝固促進薬（蛇毒製剤など）、抗プラスミン薬、アプロチニン含有製剤	血栓傾向増大。アプロチニンはカリクレインを不活性化し血漿キニン生成を阻害するが、抗プラスミン作用もある。
併用慎重	SGLT2阻害薬：イプラグリフロジン（スーグラ）、ダパグリフロジン（フォシーガ）、ルセオグリフロジン（ルセフィ）、トホグリフロジン（アプルウェイ、デベルザ）、カナグリフロジン（カナグル）、エンパグリフロジン（ジャディアンス）	利尿薬	脱水作用増強。脳梗塞などの血栓・塞栓症の発現。SGLT2投与による死亡例（2014年中に10人）のうち、脱水との関与が推測される事例あり。
	ドキソルビシン塩酸塩、デキサメタゾン、経口避妊薬	サリドマイド（サレド）	血栓症と血栓塞栓症のリスクを高める危険性がある。

★販売中止もしくは国内未発売

（2）拮抗作用

	薬剤A	薬剤B	起こり得る事象など
併用禁忌	ワルファリン（ワーファリン）	骨粗鬆症治療用ビタミンK_2製剤（メナテトレノン［グラケーカプセル15mg］）、ビタミンK含有食品（納豆、クロレラ、青汁、緑黄色野菜の大量摂取）	ワルファリン効果減弱。ワルファリン治療が必要な場合、B剤投与中止。ビタミンK欠乏時に使用するメナテトレノン（ケイツーカプセル5mg）では併用注意。
併用慎重	プロピオン酸系NSAIDs経口薬・坐剤：イブプロフェン（ブルフェン）、フルルビプロフェン（フロベン）、インドメタシン（インテバン、インドメタシン坐剤）	アスピリン製剤（バファリン配合錠、バイアスピリン）	アスピリンの血小板凝集抑制作用が減弱。
	NSAIDs	抗血栓薬（ワルファリンなど）	抗血栓作用増減。NSAIDsの長期投与では抗血栓作用減弱。セレコキシブ（セレコックス）では心血管系血栓塞栓症のリスクを増大させる可能性が指摘されており、重篤な心不全の患者、冠動脈バイパス再建術の周術期患者への投与は禁忌。非選択性COX阻害薬でも同様の危険性あり。
	ワルファリン（ワーファリン）	ビタミンK食品、納豆菌含有製剤、慢性飲酒、副腎皮質ホルモン製剤、利尿薬などの血液凝固促進作用を有する全ての薬剤	納豆、クロレラ、青汁、一時的な大量の緑黄色野菜は禁止（上記参照）。
	ヘパリン（同名）	強心配糖体（ジギタリス製剤［ジゴキシン〈ジゴシン〉］）、テトラサイクリン系薬、ニトログリセリン製剤など	ヘパリンの作用減弱の恐れ。機序不明。

ある時ないしは食欲不振で食事が十分に取れない時［シックデイ］など、必ず休薬するよう提言している）。

なお、脱水による血栓形成の機序は、血液濃縮で増加した赤血球の細胞膜に存在するエラスターゼが、内因子経路の第IX因子を活性化するためと報告されている（Iwata H & Kaibara M. Blood Coagul Fibrinol.2002；13：1-8.）。

注意

低用量アスピリン製剤とイブプロフェンの併用

低用量アスピリン製剤（バファリン配合錠A81、バイアスピリン）とNSAIDsを併用すると、凝固抑制作用の協力によって出血の可能性が高くなると考えられる。しかし、イブプロフェンなど特定のNSAIDsではアスピリンの抗血小板作用を逆に抑制することが報告されている。

アスピリンは血小板シクロオキシゲナーゼ（COX1）の活性部位近くにあるセリン残基と不可逆的に結合して阻害効果を発揮するが、COX1の活性部位に結合したイブプロフェンが立体障壁となり、アスピリンが作用部位（529位セリン残基）に到達できなくなるためと考えられる（☞ **コラム79**）。

したがって、このような作用を有するイブプロフェン、フルルビプロフェン（フロベン）、スプロフェン、インドメタシン（インテバン）などのNSAIDs（経口薬、坐剤）と、低用量アスピリンとを併用する場合は、アスピリンの抗血小板作用が減弱し心血管障害のリスクが高まる可能性があり注意を要する。

注意

HIF-PH阻害薬（腎性貧血改善薬）による血液濃縮

2019年以降から急速に普及し始めた腎性貧血薬のHIF-PH阻害薬は、腎エリスロポエチン（EPO：erythropoietin）の転写促進因子である低酸素誘導因子（HIF：hypoxia-inducible factor：ヒフ）の分解酵素（HIF-プロリン水酸化酵素［PH］）を阻害する薬である。その結果、EPOの転写、発現が促進して、赤血球造血が増加するため腎性貧血が改善される。現在、ロキサデュスタット（エベレンゾ）、バダデュスタット（バフセオ）、エナロデュスタット（エナロイ）、モリデュスタットNa（マスーレッド）、ダプロデュスタット（ダーブロック）の5種類が使用されている。共通した副作用では、血栓塞栓症（脳梗塞、心筋梗塞、肺塞栓など）、高血圧症、悪性腫瘍、網膜出血などの発症の懸念がある。特に血栓塞栓症では死亡に至る可能性があり、添付文書では以下のような【警告】が記載されており要注意である。

> **【警告】**脳梗塞、心筋梗塞、肺塞栓症等の重篤な血栓塞栓症があらわれ、死亡に至る恐れがある。投与開始前にこれらの合併症及び既往歴の有無等を含めた血栓塞栓症の発症リスクを評価した上で投与の可否を判断する。また、投与中は患者の状態を十分に観察し、血栓塞栓症が疑われる症状があらわれた場合には、速やかに医療機関を受診するよう指導すること。

血栓塞栓症、高血圧は、HIF-PH阻害薬の投与により赤血球が増え続ける結果、血液濃縮や血流低下が起こり血栓形成や血圧上昇を起こしやすくなるためと推測されている。これは、赤血球造血刺激因子製剤（ESA製剤：erythropoiesis stimulating agent: エリスロポエチン類似構造ペプチド製剤）でも同様に発症することが知られている。つまり、EPO作用を増強する薬剤に共通した副作用であり、これら薬剤を投与する場合には、効き過ぎを防ぐためヘモグロビンが過剰にならないように定期的に検査を実施する必要がある。

なお、悪性腫瘍や網膜出血の原因は、HIFの標的遺伝子である血管内皮増殖因子（VGEF）の転写、発現が促進し、血管新生や血管透過性が亢進するためと推測されている。臨床試験の結果では、VGEFが関係するこれらの副作用の増加は認められてないが、長期使用臨床成績には、今後も引き続き注意が必要であろう。

相互作用では、HIF-PH阻害薬の添付文書中には、血液凝固、血圧上昇が関与する相互作用は記載されてないが、抗血栓薬や降圧薬と併用する場合には効果が減弱する可能性に留意しておく。また、動体学的相互作用では以下の①～③が関与する相互作用にも常に注意する。

② 金属錯体（キレート：**表1-1**）
② P吸着薬（高P血症治療薬：炭酸ランタン［La］<**表1-1**>、陰イオン交換樹脂［セベラマー塩酸塩、ビキサロマー］<表1-5>)
③ トランスポーター（第4章）、代謝酵素（第5章）；ロキサデュスタットはCYP2C8、UGT1A9、BCRP、OATP2［OATP1B1)］、OAT1,3の基質でありBCRP、OATP2阻害作用あり。バダデュスタットはOAT1,3の基質でありBCRP、OAT3阻害作用あり。バダデュスタット代謝物［O-グルクロン酸抱合体］はOAT3の基質および阻害作用あり。ダプロデュスタットは主にCYP2C8で代謝）。

 70歳代女性Aさん。

［処方箋］
① ワーファリン錠1mg　1錠
【般】ワルファリンカリウム錠0.5mg　0.25錠
テノーミン錠25　0.5錠
アルダクトンA錠25mg　0.5錠
バイアスピリン錠100mg　1錠
ラニラピッド錠0.05mg　1錠
タケプロンOD錠15　1錠
チラーヂンS錠50μg　1錠
　1日1回　朝食後　14日分
② セレコックス錠100mg　2錠
　1日2回　朝夕食後　14日分

脳梗塞歴と心不全があるAさんは、循環器内科で処方された①の薬剤を服用中である。定期的に血液凝固能検査を受けており、INR値は適正な治療域にあるとのことだったが、今回から選択的COX2阻害薬のセレコックス（セレコキシブ）が追加された。

ワーファリン（ワルファリンカリウム）、バイアスピリン（低用量アスピリン）などとセレコックスの協力作用により出血（消化管出血助長など）の危険性もある一方、長期投与になればCOX2阻害薬により抗血栓作用が減弱する可能性もある。処方医は、COX2阻害薬による血栓塞栓症の抑制および誘発については十分に承知しており、Aさんにも説明を行っていた。そこで薬剤師は、念のため、内出血や出血に加え、長期投与では心筋梗塞や脳卒中の症状に注意するよう説明し、次回も必ず受診して血液凝固能検査を継続するように伝えた。

しかし、2週間後の受診時にINR値の上昇（数値不明：抗凝固作用増強）が判明。セレコックスは継続したまま、ワーファリン（ワルファリン）錠1mgが1錠から0.5錠、ワルファリンカリウム錠0.5mgが0.25錠から0.125錠に変更され、ワルファリン総量は1.125mgから0.625mgに減量された。だが、さらに2週間後、逆にINR値がやや低下したとのことでワルファリンカリウム錠が0.125錠から0.25錠に増量され、ワルファリン総量は0.75mgとなった。その後、INR値は治療域内にあり、現在経過を観察中である。

なお、本症例以外にも、ワルファリンを服用中の患者が他の医療機関を受診してNSAIDsを服用し、INR値が上昇した例がある。これらの薬剤による相互作用には血漿タンパク結合置換（☞**表2-1**）、CYP2C9代謝競合（☞**表5-30**③）も関係するため要注意である。今後は、セレコックスの長期投与によるワルファリンの効果減弱にも十分に注意して経過を観察する必要がある。

症例②

近隣の内科医から抗血小板薬の併用について相談された。そのやりとりを症例として紹介する。

● 相談内容（内科医より書面にて）

他科医院で低用量アスピリンを服用しておられる患者が、左下肢ASOで当医院を受診されました。オパルモン（リマプロストアルファデクス：PGE_1誘導体）を処方したいと考えていますが、①併用投与で何か問題ありませんか、②アスピリンをdose downした方がよいと思われますか。ご教示ください。

● 当薬局の返答

① 併用について

抗血小板薬の協力作用による出血の危険性が最も考えられます。ですから、これまでのように内出血、血便、抜歯、外傷などの出血には注意するように患者さんにご説明ください。しかし、オパルモンは腰部脊柱管狭窄症に対しNSAIDsと併用するケースが多いですが、特に副作用の問題はなく、併用は安全性が高いと考えられています。また利点としては、アスピリンの胃腸障害がオパルモンによって緩和される可能性があります。

② アスピリン投与量の減量について

併用による投与量の減量の報告はないようです。また上記のように、併用による重篤な副作用の報告もありません。ですから、投与量を減量する必要はないと思われます。ちなみに、アスピリンの抗血小板作用は不可逆的であるため、投与を中止してからも血小板の寿命（3～7日）がなくなるまで持続しますが、オパルモンの効果は血中濃度に依存し、1回の投与で6～8時間しか効果が持続しません。ですから、アスピリンは手術日の7～10日前に、またオパルモンは手術日の前日に、それぞれ投与の中止を考慮する必要があるとされています（☞**コラム65**）。

ビタミンKが関与する相互作用

ワルファリンの抗凝固作用に影響する薬力学的相互作用として、臨床上問題となることが多いのは、ビタミンK（VK）を含有する医薬品や食品との併用である。以下、VKが関与する相互作用についてまとめる。

VKは脂溶性ビタミンの一種であり、基本構造としてナフトキノン骨格を有する。天然型VKとして、VK_1とVK_2が存在し、VK_2はイソプレン側鎖の単位によってMK-4からMK-14に分類される。人が摂取するVKの約9割は、食物由来のVK_1である。VKは生体内で、肝・骨・血管に存在するVK依存性タンパク質の凝固因子や、オステオカルシンおよびマトリックスGlaタンパク質を活性化するγカルボキシラーゼの補酵素として働き、血液凝固や骨代謝調節、血管石灰化抑制などの作用を発揮する（**図7-10**）。また、強力な抗酸化作用を有す。

VKは、通常の食生活の下で欠乏することはまれであり、過剰摂取しても毒性がないことが報告されている。ただし、①腸内細菌によるVK産生の低下（抗菌薬の長期投与や腸内細菌叢が未熟な新生児など）、②胆道・胃腸障害（胆汁欠如、胆管瘻、閉塞性黄疸、小腸病変、慢性重症下痢など）によるVK吸収阻害、③肝障害（VK利用率低下）、④薬剤（ワルファリン、サリチル酸、抗菌薬、エゼチミブなど）の使用──などにおいては、VK欠乏のリスクが高くなる。中でも、新生児のVK欠乏は新生児メレナ（下血）や頭蓋内出血などを来し、致命的となり得る。

VK製剤には、MK-4製剤のメナテトレノン（グラケー：骨粗鬆症治療薬、ケイツー：VK欠乏症予防･治療薬）や、VK_1製剤のフィトナジオン（ケー

図 7-10 ビタミンK（VK）の体内動態と各薬剤の作用点

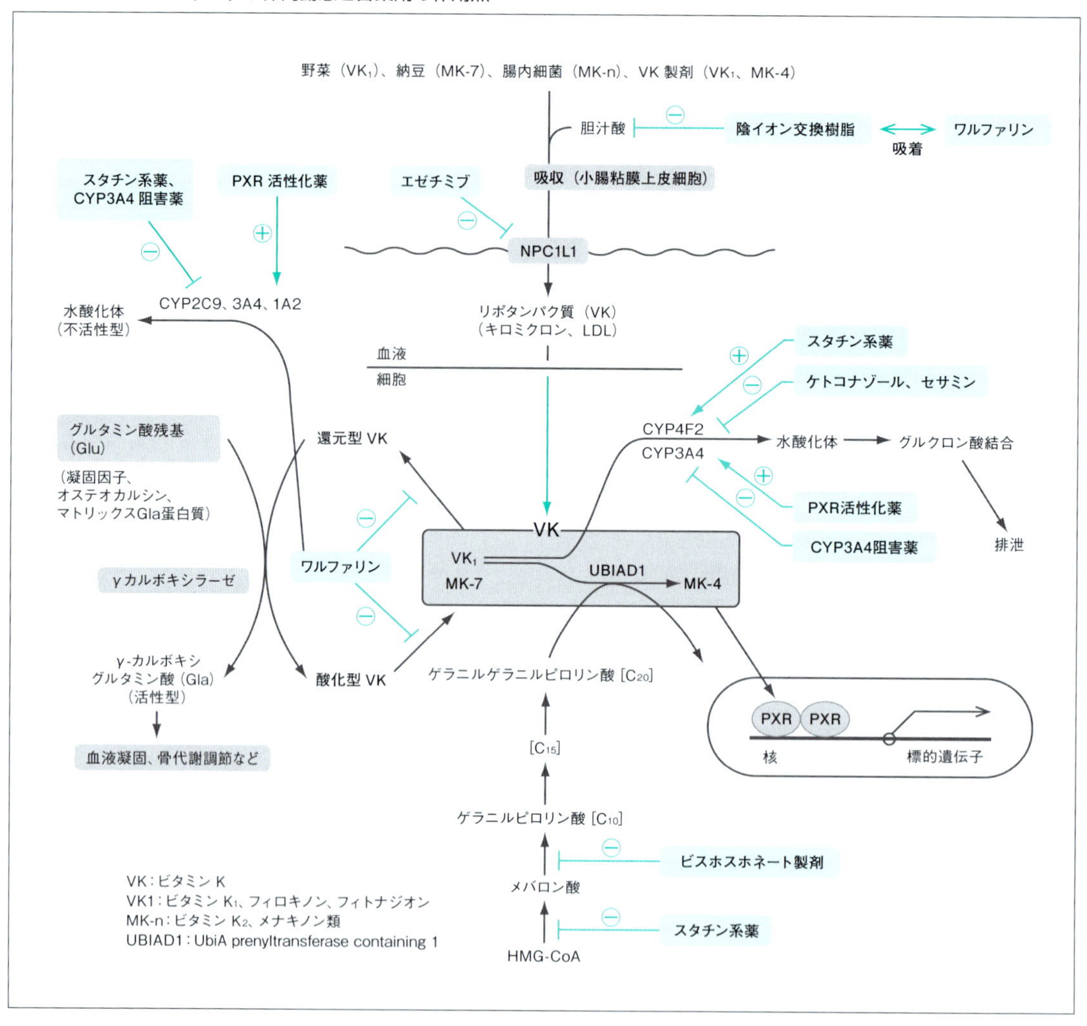

ワン）などがある。また、一部の経腸栄養剤や輸液用総合ビタミン剤もVKを含有する（**表7-43**）。

VKが関与する相互作用として臨床上問題となるのは、ワルファリンの作用にVKが拮抗することである。ワルファリンは、肝のVK代謝サイクルを阻害し、VKの再利用を抑制することで抗凝固作用を発揮するため、VKを含有する医薬品の併用や食品の摂取により薬効が減弱する。また、骨粗鬆症に対するメナテトレノンの用量は45mg/日と極めて多い（成人の食事摂取基準は男性75μg/日、女性60～65μg/日）ため、ワルファリンとの併用は禁忌である。

このほか、VKが関与する相互作用として、消化管吸収低下や代謝に起因するものが知られている（**表7-43**）。VKは脂溶性ビタミンのため、消化管吸収には胆汁酸を必要とし、小腸粘膜上皮細胞の管腔側膜に存在するNPC1L1（コレステロールトランスポーター）により、VK_1の大部分が吸収されている（Sci Transl Med.2015；7：275ra23）。したがって、VK含有医薬品と陰イオン交換樹脂（コレスチミド［コレバイン］、コレスチラミン［クエストラン］）を併用すると、樹脂の胆汁酸吸着作用により、VKの消化管吸収が減弱する（☞**表1-5**）。特に陰イオン交換樹脂を長期にわたって単独投与する場合は、VKの補給を考慮する必要がある。また、NPC1L1阻害薬のエゼチミブ（ゼチーア）では

VK_1の消化管吸収が低下し、また抗菌薬の投与などによって腸内細菌が乱れると、VK供給量が減少する（☞表1-7）。エゼチミブも抗菌薬も併用したワルファリンの効果を増強する恐れがある。

細胞内のVK_1は、主に肝CYP4F2によって水酸化された後、グルクロン酸抱合体となって排泄される（☞コラム36）。そのため、CYP4F2阻害薬（ケトコナゾール［内用薬は国内未発売］など）は、細胞内VK_1濃度を上昇させる可能性があり、VK製剤の作用を増強させると考えられる。ただし、VK_1の過剰摂取による毒性はほとんどないため、これらの併用は問題ないと考えられる。

また、CYP4F2阻害による肝VK_1濃度の上昇は、ワルファリンの作用を減弱させる恐れがある。実際、CYP4F2遺伝子の一塩基多型（SNP）により、VKの異化が抑制されて肝VK濃度が上昇し、ワルファリンの効果が減弱することが報告されている。ケトコナゾール以外のアゾール系薬のCYP4F2阻害効果は明らかでないが、アゾール系薬はCYP3A4/2C9阻害作用を持つため、CYP1A2/2C9/3A4で代謝されるワルファリンの作用を増強させる点に留意が必要である。

一方、ロバスタチン（国内未発売）はCYP4F2誘導作用を有するため、肝VK1の異化を促進してワルファリンの作用を増強させる可能性がある。他のスタチン系薬のCYP4F2阻害効果は不明だが、シンバスタチン（リポバス）、アトルバスタチンカルシウム（リピトール）、フルバスタチンナトリウム（ローコール）は、ワルファリン代謝を競合阻害して作用を増強させ得る。

なお、CYP4F2には、アラキドン酸、エイコサノイド（LTB4など）、ビタミンE、フィンゴリモド塩酸塩（イムセラ、ジレニア）などの側鎖末端のメチル基を水酸化（ω水酸化）する作用もある。

細胞内でVKは補酵素として働くほか、PXRを活性化して標的遺伝子の転写を制御し、生理作用を発揮する。興味深いことに、人が食物から摂取するVKの大半はVK_1である半面、生体内の多くの組織には主にMK-4が存在する。このことから、VKの作用は主にMK-4に起因し、また、MK-4はVK_1から産生されると考えられる。

VK_1からMK-4が産生されるメカニズムは長らく不明だったが、近年、MK-4への変換反応を担う酵素として、UBIAD1（UbiA prenyltransferase containing 1）が発見された。ヒトのUBIAD1は、ほぼ全ての組織に存在し、VK_1の側鎖を切断した後、ゲラニルゲラニルピロリン酸（GGPP）存在下にプレニル基（C5）を導入してMK-4を合成する反応を触媒する。UBIAD1の阻害・誘導に関与する相互作用は未解明だが、酵素反応にはメバロン酸経路で生成されるGGPPを要することから、ビスホスホネート製剤やスタチン系薬がVK作用に影響を与える可能性がある。

60歳代男性Aさん。

［処方箋］
ラニラピッド錠 0.1mg　1錠
ワーファリン錠 1mg　2錠
　1日1回　朝食後　7日分

胸痛を訴えて受診したAさん。心房細動と診断され、ワーファリン（ワルファリンカリウム）が処方された。薬剤師は、心房細動では血の塊（血栓）ができやすく、致命的な脳梗塞を起こす危険性があることから、血栓形成を防ぐためにワルファリンが処方されたと説明した。また、ワルファリンは血栓を作るのに必要なVKの働きを抑えることで効果を発揮するため、VKの摂取は同薬の作用を減弱させる恐れがある。そのためVKを多く含有する納豆や青汁などの摂取は中止し、緑黄色野菜の大量摂取を避けるよう伝えた。また、OTC薬や健康食品などの使用時は必ず相談するように指導した。

1週間後、Aさんは血液凝固能検査でプロトロンビン時間国際標準化比（INR）の低値を認め、ワルファリンが2.5mg/日に増量された。薬剤師は、同薬の効果増強による出血症状が現れた場合には必ず相談するよう伝えた。

表 7-43 ビタミンK（VK）が関与する相互作用

（1）薬力学的拮抗作用			
薬剤A	薬剤B、食品、生体内物質など	起こり得る事象	備考
ワルファリンカリウム（ワーファリン）	VK_2（MK-4）製剤：メナテトレノン（グラケーカプセル15mg；骨粗鬆症治療薬）	併用禁忌（ワルファリン効果減弱）	・ワルファリンは肝でのVK代謝サイクルを阻害して抗凝固作用を発揮（VK拮抗薬）。VKは肝でのVK依存性凝固因子（プロトロンビン、第VII因子、第IX因子、第X因子）産生に関与し、ワルファリンの作用と拮抗。 ・医薬品では**骨粗鬆症治療薬のVK_2製剤のみ併用禁忌**（VK欠乏症治療薬は併用注意）。VK含有食品である**納豆、クロレラ、青汁などの摂取は禁止**し、緑黄色野菜は大量摂取しないよう指導する。VK製剤はできるだけ併用を避けるが、やむを得ない場合は、VK量を問題ない程度に抑え、血液凝固能を検査する。
	VK含有食品：納豆（MK-7）、クロレラ（VK_1）、青汁（VK_1）、緑黄色野菜（VK_1）の大量摂取		
	・VK_1製剤：フィトナジオン（ケーワン） ・VK_2（MK-4）製剤：メナテトレノン（ケイツーカプセル5mg；VK欠乏症治療薬） ・VK_1含有医薬品：複合止血剤（カルバゾクロム配合剤［オフタルムK配合錠］）、経腸栄養剤（エレンタール、エンシュア・リキッドなど）、大豆油（イントラリポス輸液10%など）、輸液用総合ビタミン剤（オーツカMV注など） ・VK_2含有医薬品：輸液用総合ビタミン剤（マルタミン注射用） ・納豆菌配合消化酵素製剤（ドライアーゼ配合細粒、コンクチームN配合顆粒）	併用慎重	

 70歳代女性Bさん。

［処方箋］
① ワーファリン錠1mg　1錠
　ワルファリンK錠「トーワ」0.5mg　0.25錠
　　1日1回　朝食後　28日分
② リポバス錠10　1錠
　　1日1回　夕食後　28日分

心房細動と脂質異常症があるBさんは、ワルファリンとリポバス（シンバスタチン）を数年前から服用している。他に併用・摂取している薬剤や健康食品はなく、VK含有食品の摂取制限も守っている。定期的な血液凝固能検査でも異常値は認められていない。

ただし、スタチン系薬のCYP4F2誘導およびUBIAD1阻害作用がVK代謝に影響するほか、シンバスタチンのCYP3A4/2C9阻害作用がワルファリンの作用を増強させる可能性がある。Bさんには、ワルファリンの作用増強に伴う出血症状に注意するよう指導を続けている。

（2）薬動態学的相互作用			
薬剤A	薬剤B、食品、生体内物質など	起こり得る事象	備考
1）消化管吸収低下			
陰イオン交換樹脂：コレスチミド（コレバイン）、コレスチラミン（クエストラン）、セベラマー（レナジェル、フォスブロック）	VK製剤、VK含有医薬品、VK含有食品、生体内VK	VK作用減弱（VKの消化管吸収低下；出血傾向増強）	VKの消化管吸収に胆汁酸を要する。陰イオン交換樹脂の長期単独投与時、VK補給を考慮。VKの吸収は食事の影響を受けるため食後服用あるいは食事の質を均一化する。
	ワルファリン	ワルファリン効果変動	VK吸収阻害によりワルファリン効果増強、一方、陰イオン交換樹脂はワルファリンを吸着し効果減弱。
エゼチミブ（ゼチーア）	ワルファリン	ワルファリン効果増強	エゼチミブによるNPC1L1阻害によりVK_1の消化管吸収が抑制され、肝VK濃度低下。
抗菌薬（セフェム系、ペニシリン系、14員環マクロライド系、キノロン系など）	ワルファリン	ワルファリン効果増強（出血傾向増強）	腸内細菌叢の乱れでVK供給量低下。抗菌薬の単独投与時も出血傾向、骨粗鬆症などに注意（特に高齢者ではVK欠乏症状が現れやすい）。14員環マクロライド系薬ではCYP3A4阻害も関与。
2）代謝阻害・誘導			
CYP4F2阻害薬※1：ケトコナゾール（アゾール系薬；内用薬は国内未発売）、セサミン（ゴマの成分）	生体内VK_1、VK_1製剤、VK_1含有医薬品、VK_1含有食品	VK_1作用増強の可能性（臨床的意義不明）	CYP4F2阻害により肝細胞内VK_1濃度上昇の可能性。CYP4F2はビタミンE（VE）も水酸化するため、ゴマ摂取でVE濃度が著しく上昇（動物実験）※2。
	ワルファリン	ワルファリン効果減弱（ただしアゾール系薬はワルファリン作用増強）	CYP4F2阻害により肝VK_1濃度が上昇しワルファリン作用拮抗。CYP4F2遺伝子の一塩基多型（アジア人の30%）でワルファリン効果減弱し要求量増大※3。アゾール系薬はCYP2C9/3A4阻害によりワルファリン効果増強。
CYP4F2誘導薬：スタチン系薬（ロバスタチン［国内未発売］など）	生体内VK_1、VK_1製剤、VK_1含有医薬品、VK_1含有食品	VK_1作用減弱の可能性（出血傾向）	ロバスタチンは遺伝子発現を増大しCYP4F2誘導、肝VK_1代謝（異化）促進。
	ワルファリン	ワルファリン効果増強	シンバスタチン、アトルバスタチン、フルバスタチンなどのスタチン系薬※2、4では、ワルファリン代謝（CYP2C9/3A4）阻害も関与。
UBIAD1※5活性に影響を与え得る薬剤（スタチン系薬、ビスホスホネート製剤）	生体内VK、VK製剤、VK含有医薬品、VK含有食品	VK作用変化（臨床的意義不明）	スタチン系薬、ビスホスホネート製剤によるゲラニルゲラニルピロリン酸の供給低下作用により、UBIAD1活性が変化し、生体内のMK-4生成（VK_2生合成）に影響する可能性。

※1　ビタミン 2010;84:130-2.　※2　J Biol Chem. 2002;277:25290-6.　※3　Mol Pharmacol. 2009;75:1337-46.
※4　Pharmacotherapy. 2004;24:285-90.　※5　Nature.2010;468:117-21.

コラム 64

血栓形成のメカニズム

血栓には、血小板血栓（フィブリンと血小板からなる；白色血栓）と、強固なフィブリン網（フィブリンと赤血球・血小板よりなる；赤色血栓、フィブリン血栓）がある。

止血は、切れた血管からの出血を止めるために損傷部位で血栓が形成される生理現象である。動脈血管壁の内皮細胞が損傷を受けて形成する動脈血栓は、血管を閉塞する可能性があり特に問題となる。

止血の仕組みは次のように説明できる。血管が損傷を受けると、まず血管が収縮し血流が低下する。同時に、血小板が損傷部位に粘着し（一次凝集）、凝集が起こり（二次凝集）、血小板血栓を形成する（一次血栓）。血小板血栓は不安定であるため、続いて血液凝固反応が進展し、フィブリン網が形成される（二次血栓）。形成したフィブリン網（線維素）は、強固で剥がれにくく、血管損傷が修復されるまで再出血を防ぐが、最終的にプラスミンにより融解（線溶）される。

一般に、血流の盛んな動脈では血小板血栓、血流の遅くなった静脈では強固なフィブリン網が形成されやすい。これは、動脈中で凝集を起こした血小板血栓が静脈に運ばれ、血流が遅くなったときにそれが引き金となって、血液凝固が起こるためと考えられている。

脳梗塞や心筋梗塞を引き起こす原因としては、動脈中で形成される血小板血栓が大きな割合を占めている。凝固反応によるフィブリン網の形成は、血小板血栓により誘発されることからも、血小板凝集を薬物療法などで阻止することが非常に重要である。

表 7-39 に示したように、抗血栓薬は凝固因子系、フィブリン網溶解系、血小板系に分類される。例えば、血小板凝集（血小板血栓形成）を抑制する抗血小板薬には、血小板の ADP 受容体拮抗、TXA_2 生成阻害（PG 合成阻害、PDE 阻害、ホスホリパーゼ阻害）、c-AMP 賦活、GP Ⅱb/Ⅲa 阻害、5-HT_{2A} 受容体拮抗などの作用を有するものが多く、さらには PGI_2 製剤や血液凝固因子抑制（ビタミン K 作用抑制を含む）、アンチトロンビンⅢ作用増強（ヘパリン）、プラスミン生成促進（フィブリン網融解）などを作用点とする薬剤も多い。

したがって、抗血栓薬の作用機序や相互作用を理解するには、①血小板血栓の形成（血小板凝集）および血小板活性化機構、②フィブリン網形成（血液凝固系）と血栓融解（線溶系）――を把握する必要があるため、以下に解説する。なお、ずり応力惹起血小板凝集（SIPA）、抗血小板療法、急性冠症候群（ACS）、経皮的冠動脈形成術（経皮的冠動脈インターベンション［PCI］）については、**付 D** を参照されたい。

① 血小板血栓形成および血小板の活性化機構

●血小板血栓形成

血管に障害が起こり、血管内皮細胞が剥がれ内皮下組織のコラーゲンが露出すると、血小板血栓の形成が始まる。また、血管の損傷はなくても、「ずり応力」が誘因となることもある。

その過程は、血小板の損傷部位への粘着（一次凝集）、血小板から貯蔵顆粒の放出・血小板の凝集進展（二次凝集）に分けられる。血小板には核はないが、濃染顆粒およびα顆粒が存在し、前者には ADP、5-HT、Ca^{2+} などが、後者にはフィブリノーゲン、フォン・ウィルブランド因子（von Willebrand factor：vWF）、凝固第Ⅴ因子、血小板第Ⅳ因子などが含まれている。

正常な血管では、血小板と血管内皮細胞は結合しない。しかし、血管壁の損傷により内皮細胞が剥がれ、内皮下組織のコラーゲンが露出すると、まず血管内皮細胞内または血漿中に存在する vWF（血管内皮細胞および巨核球で産生）と呼ばれる粘着タンパク質が結合する。血小板は、コラーゲンに結合した vWF に、血小板表面膜上に存在する糖タンパク質の GPⅠb（glycoprotein Ⅰb）受容体を介して結合し接着（粘着）する。つまり、コラーゲンに粘着した vWF と GPⅠb との間に強い結合が起こり、これが一次凝集と呼ばれる血管壁への血小板の粘着現象となる。ヘパリンは、vWF と GPⅠb との結合を阻害

図 7-11　血小板凝集過程の模式図

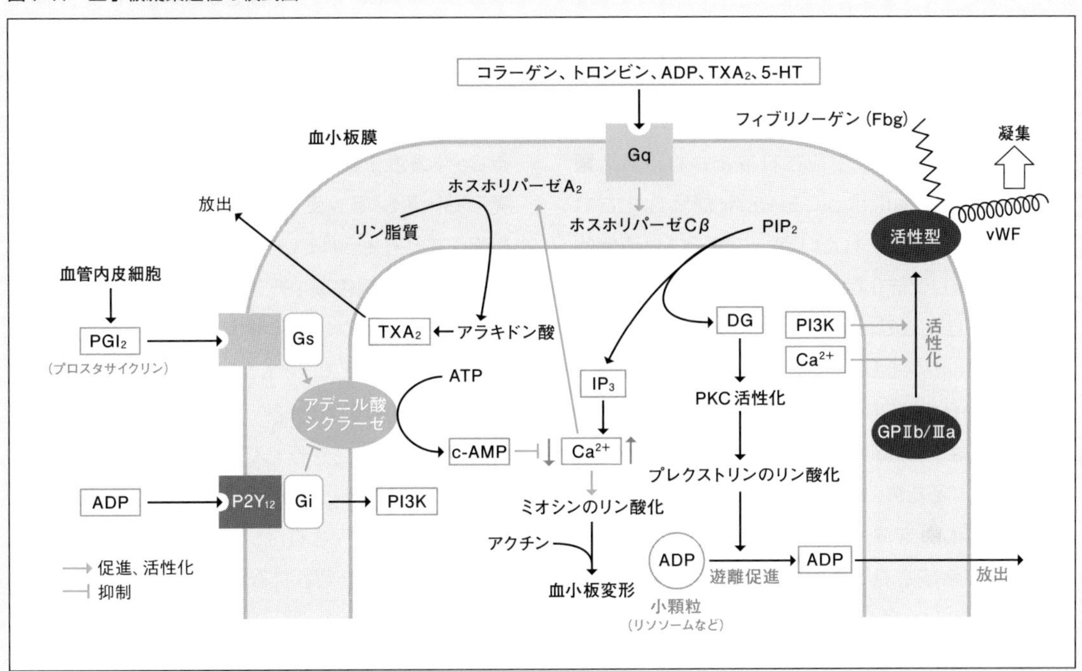

し、血小板凝集を抑制することも知られている。なお、血漿中の凝固因子がコラーゲンに接触すると血液凝固が開始し、トロンビンが生成し止血を促進する。また、vWF は血液凝固第Ⅷ因子の不活性化を防ぎ、間接的に止血（血液凝固）に役立っている。

コラーゲンに粘着した血小板は活性化され、濃染顆粒から ADP、TXA_2、5-HT など、α顆粒からフィブリノーゲン、vWF などを放出するほか、トロンビンも生成するため、粘着血小板周囲の血小板が次々と活性化されていく。二次的に活性化された血小板では、表面膜上に糖タンパク質の GP Ⅱb/Ⅲa 受容体が発現するため、血漿中のフィブリノーゲン（Fbg）や vWF と架橋を形成し、血小板同士の凝集が次々に起こる。すなわち、トロンビン、ADP、TXA_2、コラーゲン、5-HT など、血小板凝集を起こす全ての刺激物質（アゴニスト）が GPⅡb/Ⅲa を活性化し、Fbg、vWF を介して血小板凝集を進展させる。これが二次凝集である（**図 7-11**）。GPⅡb/Ⅲa のα鎖に vWF が、β鎖に Fbg が結合する。したがって、GPⅡb/Ⅲa は血小板血栓形成の最終経路に位置する不可欠な受容体である。米国では、GPⅡb/Ⅲa 阻害薬（注射剤、国内未発売）が有用な抗血小板薬として、冠動脈インターベンション（PCI）時や急性冠症候群（ACS）の日常診療に用いられている。なお、粘着活性化された血小板は、血液凝固に必要な凝固第Ⅴ因子、血小板第Ⅳ因子も放出し、止血を促進する。

●血小板の活性化機構（アゴニスト惹起血小板凝集）

図 7-11 にアゴニストによる血小板の活性化機構を示したが、これには、先に述べたセカンドメッセンジャー（Ca^{2+}、DG、IP_3、c-AMP）が深く関与する（☞ **図 7-7**）。以下に説明するように、血小板凝集は、Ca^{2+} と c-AMP の情報伝達系が複雑に絡み合い、巧みに調節されている。

まずトロンビン、TXA_2 などは、血小板の GPCR（G タンパク質共役型受容体）に結合すると、G タンパク質である Gq を介してホスホリパーゼ Cβ（PLCβ）を活性化する。活性化された PLCβ は、リン脂質のホスファチジルイノシトール二リン酸（PIP_2）を加水分解しジアシルグリセロール（DG）、イノシトール三リン酸（IP_3）を生成する。IP_3 はミトコンドリア・小胞体からの Ca^{2+} の遊離を促進し、細

胞内の遊離 Ca^{2+} 濃度を上昇させる。これによって、ミオシンのリン酸化が起こり、血小板の運動・形状に影響を与える。さらに、Ca^{2+} 濃度の上昇は、ホスホリパーゼ A_2（PLA_2）を活性化するためアラキドン酸が遊離し TXA_2 が生成され放出される（☞**図 8-1**）。コラーゲンによっても PLA_2 が活性化され TXA_2 が生成し放出されている。一方、DG は直接的にタンパク質リン酸化酵素（プロテインキナーゼ C：PKC）を活性化して、分子量 4 万 7000 のタンパク質であるプレクストリンをリン酸化し、血小板内の濃染顆粒からの ADP などの放出を起こす。放出された TXA_2 は PLC β を活性化し、また ADP も血小板を活性化するため、血小板凝集が進展する。

一方、c-AMP を介する経路も重要である。血管内皮細胞で合成されて血中へ遊離される PGI_2（プロスタサイクリン）は、血小板の受容体と結合後、Gs（促進性 G タンパク質）を介してアデニル酸シクラーゼを活性化して c-AMP の生成を促進し、細胞内への Ca^{2+} 流入阻害と細胞内遊離の Ca^{2+} を結合部位に移行させ、遊離型 Ca^{2+} 濃度を低下させる。すなわち、Ca^{2+} 濃度を上昇させる DG・IP_3 生成系に拮抗し、血小板凝集を抑制している。

また、血中のアデノシンは血小板膜上のアデノシン A2a 受容体を介してアデニル酸シクラーゼ活性を高めることによって血小板内 c-AMP 濃度を上昇、血小板凝集を抑制し、血管を拡張する。

実は、血小板には多量の ADP が蓄積されており、放出された ADP は、多くの血小板の凝集を連鎖的に拡大させるため、ADP 依存性の凝集は、動脈血栓症などの病的な血小板血栓（白色血栓）形成に極めて重要である。放出された ADP は、他の血小板細胞膜の ADP 受容体である $P2Y_{12}$（$P2Y_1$ もある）に結合した後、以下に示すような経路を経て凝集を進展させる。

> ADP → $P2Y_{12}$ → Gi（抑制性 G タンパク質）→［Ca^{2+}］上昇、PI3K 活性化→ GP Ⅱ b/ Ⅲ a（血小板接着タンパク質である Fbg、vWF の受容体）活性化→ Fbg、vWF 結合→血小板接着（凝集）

つまり、ADP が GPCR である $P2Y_{12}$ 受容体に結合すると Gi が活性化し、直接的な PI3K 活性化および c-AMP 産生の低下を介し、最終的に細胞内の Ca^{2+} 濃度が上昇するため（$P2Y_1$ は Gq を介する Ca^{2+} 濃度上昇と PKC の活性化に関与）、血小板膜の GP Ⅱ b/ Ⅲ a 受容体が活性化され血小板凝集を起こすと考えられている。したがって、不可逆的な $P2Y_{12}$ 受容体阻害薬（チクロピジン塩酸塩［パナルジン］、クロピドグレル硫酸塩［プラビックス］、プラスグレル塩酸塩［エフィエント］）が動脈血栓症の抑制や、経皮的冠動脈形成術（PCI）によりステントを留置した後に発症する「ステント血栓症」の予防に極めて有用であることが示されている（☞**付 D**）。

さらに、近年発売されたシクロペンチルトリアゾロピリミジン群に分類される新規化合物であるチカグレロル（ブリリンタ）は、チエノピリジン系と同様に $P2Y_{12}$ 受容体に対して、選択的且つ可逆的な拮抗薬であり、ADP による血小板凝集を抑制する。つまり、チカグレロルによるこの阻害作用は、従来のプロドラッグとして作用する $P2Y_{12}$ 受容体阻害薬とは異なり、未変化体のチカグレルが直接的に、かつ可逆的に阻害するため、血小板凝集抑制作用の立ち上がりが早く、投与終了後には速やかに消失するといった特徴がある。チカグレロルの適応は、「65 歳以上、薬物療法を必要とする糖尿病、2 回以上の心筋梗塞の既往、血管造影で確認された多枝病変を有する冠動脈疾患、または末期でない慢性の腎機能障害のリスク因子を 1 つ以上有する陳旧性心筋梗塞のうち、アテローム血栓症の発症リスクが特に高い場合」と「経皮的冠動脈形成術（PCI）が適用される急性冠症候群（不安定狭心症、非 ST 上昇心筋梗塞、ST 上昇心筋梗塞）」である。ただしアスピリンを含む抗血小板薬 2 剤併用療法が適切である場合で、アスピリンと併用する他の抗血小板薬の投与が困難な場合に限る」となっており、いずれの場合にも必ずアスピリンと併用する。なお、チカグレロルや冠動脈拡張薬のジピリダモール、ジラゼプなどは、血中アデノシン濃度を上昇することで、血小板の c-AMP 濃度を増大させ、血小板凝集を抑制することも知られている。

図 7-12　止血のメカニズム

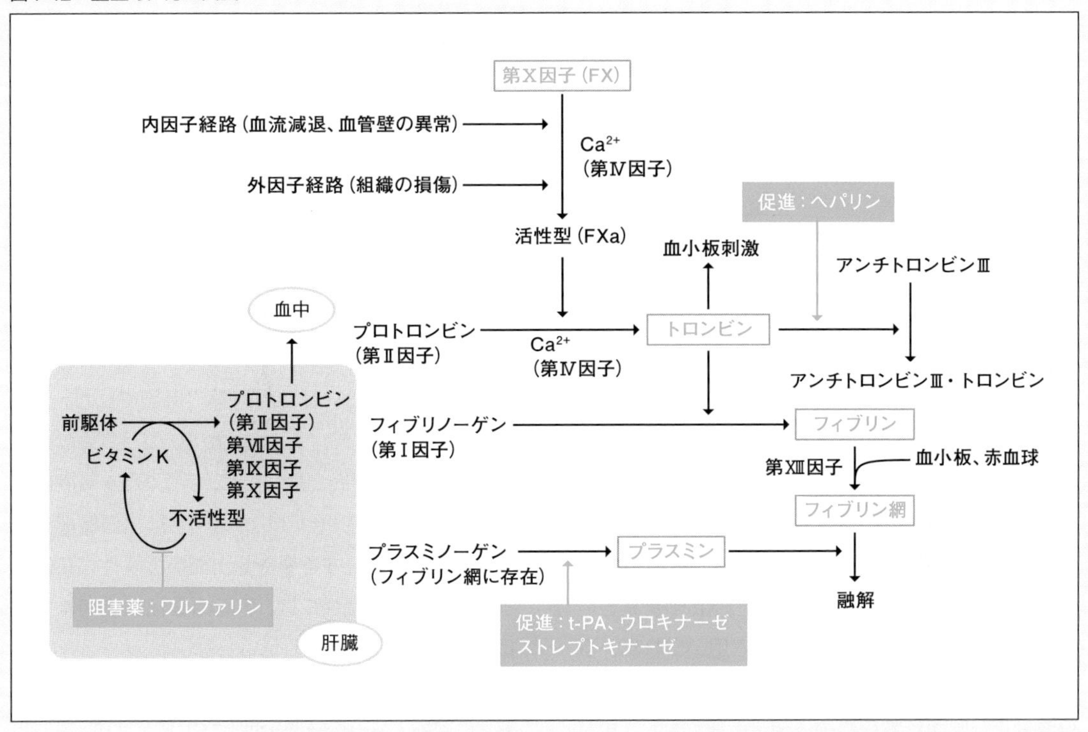

また、図には示していないが、生体内での血小板の産生は、骨髄の造血幹細胞から派生する巨核球系の前駆細胞が巨核球へと分化した後に起こり（幹細胞→巨核球系前駆細胞→巨核球→血小板）、造血因子であるトロンボポエチン（TPO）は、この巨核球への分化や増殖を促進して血小板数の増加に働いている。したがって、TPO 濃度が低いため発症する慢性 IPT（特発性血小板減少性紫斑病）患者では、TPO 受容体作動薬のロミプロスチム（ロミプレート：注射剤）、エルトロンボパグオラミン（レボレード：経口薬）が使用されている。ペプチド化合物のロミプロスチムは、TPO と同様に、巨核球系細胞膜に存在する TPO 受容体（チロシンキナーゼ［PTK］関連受容体）の細胞外部分に結合して JAK/STAT 経路、Ras/MAPK 経路および PI3K/Akt 経路の３種類の細胞内情報伝達経路を活性化するが（☞ **付 C**）、低分子化合物のエルトロンボパグは、TPO 受容体の膜貫通部分に結合し、JAK/STAT 経路と Ras/MAPK 経路の２つを主に活性化して、生理作用を発現している。

② フィブリン網形成（血液凝固）と融解（線維素溶解、線溶）

図 7-12 に示すように、フィブリン網（線維素）の形成には、血流減退および損傷していない血管壁の異常により開始する内因子経路と、組織の損傷箇所（例えば血管内皮）から組織因子（トロンボプラスチン）が放出されて開始する外因子経路がある。両経路とも最終的に第Ⅹ因子（FX）を活性化しトロンビン形成に至り、その後は共通した経路でフィブリン網を形成する。プラスミノーゲンはフィブリンに結合し、フィブリン網ができる際に、その中に一緒に取り込まれている。

両経路には、ビタミン K 存在下で肝臓で生成されるプロトロンビン（第Ⅱ因子）、第Ⅶ・Ⅸ・Ⅹ因子や、Ca^{2+}（第Ⅳ因子）、フィブリノーゲン（第Ⅰ因子）などの血液凝固因子が必要である（なお、血友病 A は第Ⅷ因子欠損、血友病 B は第Ⅸ因子欠損が原因である）。特に、フィブリン形成による血液凝固はトロンビン（セリンプロテアーゼ）濃度と深く関係しているため、血流中のトロンビン濃度は厳重に制御されており、主にアンチトロンビンⅢがトロンビンの阻害物質として調節的役割を担っている。また、トロンビンの血小板活性化は最も強力で、微量でも血小板凝集を増強する。

これらの機序に基づいた血栓塞栓性疾患の予防薬として、直接トロンビン阻害薬であるダビガトランエテキシラートメタンスルホン酸塩（プラザキサ）が、非弁膜症性心房細動患者における虚血性脳卒中および全身性塞栓症の発症抑制に用いられている。また、プロトロンビンからトロンビンを生成する活性型第Ⅹ因子（FXa：セリンプロテアーゼ）を選択的かつ直接的に阻害するリバーロキサバン（イグザレルト）、エドキサバントシル酸塩水和物（リクシアナ）およびアピキサバン（エリキュース）がFXa阻害薬として、ダビガトランと同じ効能・効果で用いられているほか、リバーロキサバン、エドキサバンは深部静脈血栓症および肺血栓塞栓症の治療・再発抑制に、エドキサバンは下肢整形外科手術施行患者における静脈血栓塞栓症の発症抑制にも用いられている。

フィブリン網は、絶えず生成と分解が行われているが、その分解過程をフィブリン融解という。融解は、フィブリンを分解するプラスミン（セリンプロテアーゼ）により行われるが、プラスミンは、フィブリン網中に存在するプラスミノーゲンが、組織プラスミノーゲンアクチベーター（t-PA）やウロキナーゼにより分解されて生成する。また、ストレプトキナーゼは、プラスミノーゲンと複合体を形成し、プラスミノーゲンからプラスミンへの変換を促進させることにより薬効（フィブリン網融解）を発揮している。

コラム65

抗血栓薬服用患者の抜歯・手術への対応

ワルファリンや抗血小板薬などの抗血栓薬を服用中の患者が抜歯を受ける前には、必ず主治医と歯科医師に相談するように指導すべきである。

ワルファリンは、投与中止から効果が消失するまでに1週間かかるとされている。ただし、リバウンドにより凝固系が亢進して血栓塞栓症（脳梗塞など）を引き起こし、重度の後遺症を残す可能性が高いことが報告されているため、ワルファリン継続下で抜歯を行うのが望ましいと考えられる。実際、ワルファリンで血液凝固能がうまくコントロールされている患者は、抜歯により出血が助長されることはあっても、入院や輸血などの重篤な出血に至った報告はないとされている。

また、直接トロンビン阻害薬であるダビガトランエテキシラートメタンスルホン酸塩（プラザキサ）は、半減期が約11時間と短いため、手術の24時間前までに投与を中止すればよいが、完全な止血機能を要する大手術を実施する場合や出血の危険性が高い患者を対象とする場合には、手術の2日以上前までの投与中止を考慮しなければならない。

FXa阻害薬では、リバーロキサバン（イグザレルト；半減期5～13時間）およびエドキサバントシル酸塩水和物（リクシアナ；半減期4.9時間）は、手術（侵襲的処置；外科的処置）の24時間以上前までに投与を中止すればよい。一方、アピキサバン（エリキュース；半減期6～8時間）は手術の程度によって時間が異なり、出血に関して低リスクまたは出血が限定的でコントロールが可能な手術は、実施の24時間以上前までに投与を中止することが望ましく、出血に関して中～高リスクまたは臨床的に重要な出血を起こす恐れのある手術の場合は、実施の48時間以上前までに投与を中止しなければならない。なお、FXa阻害薬中止時には、必要に応じて代替療法（ヘパリンなど）の実施を考慮する。

一方、抗血小板薬の低用量アスピリン製剤（バファリン配合錠A81、バイアスピリン）やチエノピリジン系薬（クロピドグレル硫酸塩［プラビックス］、チクロピジン塩酸塩［パナルジン］、プラスグレル塩酸塩［エフィエント］）についても、不可逆的な阻害作用のため、投薬中止に伴う効果の消失までには3～7日（血小板の寿命［8～10日間との報告もある］）かかると考えられる。実際は、低用量アスピリンでは抜歯7日前、手術7～10日前、クロピドグレルおよびプラスグレルは手術14日以上前、チクロピジンでは手術10～14日前の投与中止を考慮する必要がある。なお、可逆的な阻害作用を有するチカグレロルでは、手術前5日以上の休薬となっている。そのほか、EPA製剤（イコサペント酸エチル；エパデール）は手術7～10日前、シロスタゾール（プレタール）は手術2～4日前、ベラプロストNaのドルナー、プロサイリンは手術1～2日前、ベラプロストのケアロードLA、ベラサスLAは手術2～3日前、ジピリダモール（ペルサンチン）は手術前1～1.5日前、リマプロストアルファデクス（プロレナール）、サルポグレラート塩酸塩（アンプラーグ）は手術前1日の投与中止が必要である。いずれの場合も、抜歯・手術前の患者情報を医師、歯科医師、薬剤師が十分に把握した上で、これらの薬剤の継続や減量などを判断すべきだろう。

コラム66

ダビガトランの投与中は出血、腎機能障害に留意

ダビガトランエテキシラートメタンスルホン酸塩（プラザキサ）は、「非弁膜症性心房細動患者における虚血性脳卒中および全身性塞栓症の発症抑制」を適応症として、2011年3月14日に発売された。しかし、同年8月11日までの5カ月弱の間に、重篤な出血性副作用が81例報告され、そのうち因果関係が否定できない死亡例も5例あったことが判明。同年8月13日、製造販売元の日本ベーリンガーインゲルハイムは厚生労働省の指示を受けて安全性速報（ブルーレター）による注意喚起と添付文書の改訂を行った。注意喚起されたのは主に次の3つである。

① 投与中は患者の出血や貧血などの徴候を十分に観察すること。
② 患者には、出血（鼻出血、歯肉出血、皮下出血、血尿、血便など）があった場合は直ちに医師に連絡するよう、周知徹底して指導すること。
③ 必ず腎機能を確認しながら処方すること。

死亡した5人の患者はいずれも70歳代以上の高齢者であり、腎機能障害（血清クレアチニン値2.21mg/dL）を有していたり、アスピリンやPGE_1誘導体（リマプロストアルファデクス）などを併用していた。

これらのことから、ダビガトランエテキシラートは、特に①高齢（70歳以上）、②腎障害、③併用注意薬の併用、④出血や消化管潰瘍の既往──の患者に投与する際には、出血性の副作用が起こるリスクを念頭に置き、慎重に投与しなければならない。高齢者では低用量を考慮するほか、ワルファリンからの切り替え時や、他の抗凝固薬・抗血小板薬などとの併用時にも、常に注意して対処すべきだろう。

一方で、2016年11月18日にダビガトランの特異的中和剤イダルシズマブ（プリズバインド静注液）が発売された。イダルシズマブは、血漿中のダビガトランおよびそのグルクロン酸抱合代謝物と高い親和性で特異的に結合するヒト化モノクローナル抗体フラグメントであり、凝固カスケードを妨げることなくダビガトランおよびそのグルクロン酸抱合代謝物の抗凝固作用を中和する。ダビガトランエテキシラート服用中に生命を脅かす出血または止血困難な出血の発現時や、重大な出血が予想される緊急を要する手術または処置の施行時においてダビガトランの抗凝固作用を迅速に中和する場合に使用される。血栓症のリスクが上昇するため止血後は速やかに適切な抗凝固療法の再開を考慮するがダビガトランエテキシラートは、イダルシズマブ投与から24時間後に投与再開可能であり、他の抗凝固薬はイダルシズマブ投与からいつでも再開可能である。中和剤が存在することは、抗凝固薬を選択するうえで考慮すべき材料の1つになるだろう。

第8節
血糖値低下および上昇

血糖値は、主にホルモン（インスリン、グルカゴンなど）、糖代謝（糖新生、グリコーゲン分解など）、組織インスリン感受性などの影響を受ける。既に述べた交感神経系の作用でも、インスリン分泌、肝での糖新生、グリコーゲン分解・合成などが変化し、血糖値が影響を受ける（☞**表7-13**）。

糖尿病の成因は多様であるが主に2つの型がある。若年発症の1型糖尿病（インスリン依存性：IDDM）では膵β細胞が破壊されているためインスリンが欠乏するのに対し、2型糖尿病（インスリン非依存性：NIDDM）は一般に中年以降に出現し、インスリン分泌不全あるいは末梢のインスリン抵抗性（感受性低下）が原因と考えられている。

糖尿病用薬および糖尿病合併症治療薬を**表7-44**に、血糖値を変化させ得る薬剤を**表7-45**に示す。

血糖値が関わる相互作用の発現は、臨床上、極めて重要であり、相互作用を理解するためには、薬の作用・副作用の発現機序や糖尿病の病態、合併症など、様々な関連事項の把握が必要である。したがって、本節では、❶相互作用、❷糖尿病用薬の作用機序と注意点、❸メタボリックシンドローム、❹非定型抗精神病薬と糖尿病、❺糖尿病合併症の発症要因と治療法、❻糖代謝のメカニズム——に分けて解説していく。

なお、コラムでは、糖尿病と同じ内分泌疾患である甲状腺機能障害の治療薬の相互作用や、甲状腺ホルモンの合成、体内動態、生理作用について述べる。

❶ 血糖値を変動させる薬剤と相互作用

糖尿病用薬と血糖を上昇させる薬剤との併用では、糖尿病用薬の効果が減弱する（拮抗作用）。一方、糖尿病用薬と血糖値を下げる薬剤との併用では、低血糖を引き起こす可能性がある（協力作用）。特に、低血糖発作には注意が必要であり、糖尿病用薬を服用している患者には、低血糖の症状や対処法（糖分や甘味、ブドウ糖［10～25g］の摂取など）について必ず説明しておく。

表7-46は、血糖値の変化に起因する併用禁忌を示している。非定型抗精神病薬のオランザピン（ジプレキサ；MARTA［多元受容体標的化抗精神病薬］）、クエチアピンフマル酸塩（セロクエル；MARTA）は、高血糖や糖尿病性アシドーシス、糖尿病性昏睡などの重篤な症状を引き起こすことが報告されたため、糖尿病の患者あるいは既往歴のある患者への投与は禁忌である（☞**本節❹**）。また、キノロン系抗菌薬のガチフロキサシンは2002年6月の発売以来、同薬との関連性が否定できない重篤な低血糖が75例、高血糖が14例報告されたため（推定使用者数420万人［2003年2月末時点］）、2003年3月に緊急安全性情報が出され、糖尿病患者に対する経口薬のガチフロキサシン投与は禁忌となり、最終的に販売中止に至っている（点眼液は販売中）。

当然、これらの薬剤と糖尿病用薬との併用は禁忌となる。オランザピン、クエチアピンは体重増加作用などによってインスリン感受性などを低下させ、血糖値を上昇させると考えられる。キノロン系薬は、後述「重要」のようにATP依存性K^+チャネル遮断作用を有することが報告されているため、この作用が強力なガチフロキサシンは、インスリン分泌を促進し血糖を低下させると考えられるが、高血糖誘発の機序については不明である。

一方、速効型インスリン分泌促進薬（ナテグリニド［スターシス、ファスティック］、ミチグリニドCa水和物［グルファスト］、レパグリニド［シュアポスト］）とSU薬との併用は、両剤が同じ作用点でインスリン分泌を促進し、併用による相加・相乗の臨床効果および安全性が確認されてないため、禁忌となっている。

また、糖尿病用薬と非選択的β遮断薬（プロプ

表7-44　糖尿病用薬および合併症治療薬

（1）糖尿病用薬	
● インスリン製剤	グリコーゲン合成、解糖系、脂肪合成など促進。脂肪分解抑制。糖新生抑制。
● SU薬（スルホンアミド類を含む）	インスリン分泌促進。主に空腹時血糖を低下。第3世代SU薬のグリメピリド（アマリール）にはインスリン抵抗性改善作用がある（？）
● 速効型インスリン分泌促進薬（速効型食後血糖降下薬）： ナテグリニド（スターシス、ファスティック；フェニルアラニン誘導体）、ミチグリニド（グルファスト；ベンジルコハク酸誘導体）、レパグリニド（シュアポスト）	SU薬と同じ作用点に働きインスリン分泌を促進するが、インスリン分泌作用はSU薬に比べ速効的で短時間。ナテグリニドの相互作用はSU薬とほぼ同様であるが、ミチグリニドでは腎排泄、CYP450に起因する相互作用は少ない。レパグリニドは腎排泄、血漿タンパク結合置換に起因する相互作用はないが、CYP450、OATP2の阻害薬や誘導薬との併用に注意。
● ビグアナイド系薬： メトホルミン（メトグルコ、グリコラン）、ブホルミン（ジベトス）	主に肝の糖新生抑制。肝の糖放出抑制。筋肉、脂肪などの末梢での嫌気的解糖促進。消化管の糖吸収阻害（体重低下作用）。乳酸アシドーシスが問題になる。
● α-グルコシダーゼ阻害薬（消化管内炭水化物分解酵素阻害）： アカルボース（グルコバイ）、ボグリボース（ベイスン）、ミグリトール（セイブル）	**肝障害**（劇症肝炎など）、**黄疸の発現に注意**。アカルボースでは投与開始後6カ月までは月1回、その後も定期的に肝機能検査を実施すること。ボグリボースでは観察を十分に行う。ミグリトールによる劇症肝炎、重篤な肝機能障害は報告されていない。
● インスリン抵抗性改善薬（PPARγ活性化薬）	
トログリタゾン（肝障害死亡例で販売中止）	単独で使用する場合は、肥満度（BMI）24以上あるいは空腹時血中インスリン値（IRI）が5μU/mL以上であること。 【注意】服用患者には肝障害（劇症肝炎など）が発現する可能性を説明し（死亡例）、初期症状（悪心、嘔吐、全身倦怠、食欲不振、暗色尿など）が現れた場合は中止し、直ちに肝機能検査実施。
ピオグリタゾン（アクトス；チアゾリジン系薬）	血漿レニン活性を上げて腎尿細管Na^+/K^+-ATPase活性を上昇させるためNa再吸収が促進し**浮腫**を生じる（**女性では1日1回15mgで開始**）。**体重増加、心電図異常、心胸比増大に注意**。黄斑浮腫発症・増悪（視力低下注意）。必要に応じて肝機能検査実施（市販後調査で重篤な症例なし）。
● GLP-1（インクレチン）受容体作動薬： リラグルチド（ビクトーザ）、エキセナチド（バイエッタ）、リキシセナチド（リキスミア）、エキセナチド（ビデュリオン；持続性）、デュラグルチド（トルリシティ；持続性）	DPP4による分解を受けにくくGLP-1受容体に直接作用。
● DPP4阻害薬： シタグリプチン（グラクティブ、ジャヌビア）、アログリプチン（ネシーナ）、ビルダグリプチン（エクア）、リナグリプチン（トラゼンタ）、テネリグリプチン（テネリア）、アナグリプチン（スイニー）、サキサグリプチン（オングリザ）、トレラグリプチン（ザファテック；持続性）、オマリグリプチン（マリゼブ；持続性）	インスリン分泌を促進するGLP-1の分解酵素DPP4を阻害。
● SGLT2阻害薬： イプラグリフロジン（スーグラ）、ダパグリフロジン（フォシーガ）、ルセオグリフロジン（ルセフィ）、トホグリフロジン（アプルウェイ、デベルザ）、カナグリフロジン（カナグル）、エンパグリフロジン（ジャディアンス）	腎近位尿細管のSGLT2によるグルコース再吸収を阻害して、グルコースの尿中排泄を増加（血糖降下）。体重減少効果があり肥満患者への有用性が期待。利尿作用があり、**脱水に伴う脳・血管イベント発症防止が必須、利尿薬との併用は推奨されない。**
（2）合併症治療薬	
● 神経障害治療薬： アルドース還元酵素阻害薬（エパルレスタット［キネダック］）、メキシレチン（メキシチール）、プレガバリン（リリカ；末梢性神経障害性疼痛治療薬）、デュロキセチン（サインバルタ；SNRI）	エパルレスタットはアルドース還元酵素を阻害して神経内のソルビトール蓄積抑制。メキシレチンはNa^+チャネル遮断を介し末梢神経の活動電位抑制。プレガバリンはCNSにおけるCa^{2+}流入を抑えグルタミン酸などの遊離抑制（めまい、傾眠、浮腫、体重増加、心不全などに注意）。デュロキセチンは5-HTとNAdの再取り込みを抑制してシナプス間隙濃度を上昇させ、下行性疼痛抑制系を賦活。
● 糖尿病性腎症治療薬： イミダプリル（タナトリル）、ロサルタン（ニューロタン）	イミダプリルは1型糖尿病に伴う糖尿病性腎症、ロサルタンは高血圧および尿タンパクを伴う2型糖尿病における糖尿病性腎症に使用。

ラノロール塩酸塩［インデラル］など）との併用は原則禁忌である。これは、β_2遮断薬が、低血糖時に分泌されるAdによるβ_2受容体を介したグルカゴンの分泌や、肝グリコーゲンの分解などを抑制し、低血糖を助長する可能性があることや、逆にβ_2遮断によりインスリン分泌が抑制されて糖尿病用薬の作用を減弱させることなどに起因している。

糖尿病用薬相互の併用による低血糖には常に注意が必要であるが、特にDPP4阻害薬、またはSGLT2阻害薬とSU薬またはインスリンとの併用では、重篤な低血糖の発症が大きな問題となる。糖尿病専門医からなる委員会で、SU薬を服用中の患者にDPP4阻害薬やSGLT2阻害薬を併用する場合、SU薬の減量を行うように勧告（Recommendation）が発表されている（後述）。特にDPP4阻害薬との併用では、高齢者（65歳以上）、軽度腎機能低下者（Cr1.0mg/dL以上）あるいは両者が並存する場合、SU薬の減量は必須である。また、DPP4阻害薬による重篤な低血糖例にはSU薬との併用が多かったのに対し、SGLT2阻害薬ではインスリン製剤との併用例が多い特徴がある。したがって、インスリンとSGLT2阻害薬をやむを得ず併用する場合、低血糖に万全の注意を払い、インスリンをあらかじめ相当量減量して行うよう勧告している。

そのほか、血糖値を上昇させる薬剤では、アトルバスタチンCa水和物（リピトール）によるHbA1c値の上昇に注意したい（関連事項☞ **コラム2**）。ただし、高血糖の副作用は、全てのスタチン系薬に同様に認められるわけではなく、脂肪細胞に取り込まれやすいアトルバスタチンに特異的とされる。

一方、低血糖が起こる病態の一つに「インスリン自己免疫症候群」があり、その約半数が薬剤誘起性であると考えられている。実際に抗甲状腺薬の服用開始から2～3カ月ごろ、あるいは再開して2週間を過ぎたころに低血糖が現れることがある。これはインスリンの自己抗体が多量に生じるためで、自己免疫疾患である。過去にインスリンを投与されていないにもかかわらず、なぜインスリン抗体が生じるのか、また、インスリン抗体がありながら低血糖を生じる機序については明確でない。今のところ、誘発薬剤（クロピドグレル［プラビックス］、抗甲状腺薬［チアマゾール〈メルカゾール〉］、ペニシラミン［メタルカプターゼ］、グルタチオン［タチオン］、カプトプリル［カプトリル］、イミペネム水和物［チエナムに含有］など）がいずれもSH基を持つことから、SH基がインスリンのSS結合を修飾し、これが非自己として認識されて多量の抗体が生じた可能性が示唆されているほか、低血糖の原因としては、抗体と結合した大量のインスリンが何らかの機序で一時的に遊離したためと考えられている（関連事項☞ **コラム70**）。

なお、クロピドグレル投与中に重度の低血糖を誘発する可能性の高い「インスリン自己免疫症候群」を発症した症例の中には、同疾患と強い関連性がある白血球抗原遺伝子多型HLA-DR4（DRB1*0406）を保有する症例がみられた。日本人ではHLA-DR4の保有する頻度が高いという報告があるため、注意が必要である。

なお、糖尿病薬同士の併用可否について、各薬剤の添付文書中の「効能・効果」「臨床成績」「重要な基本的注意」に記載されている「併用が可能である薬剤」「併用の有効性が認められている薬剤」「併用の有効性、安全性などが確立（検討）されてない薬剤」を基に**表7-47**にまとめたので参照されたい（2016年3月現在）。

表7-45　血糖値を変動させ得る薬剤

a）血糖降下を起こし得る薬剤
● β_2遮断作用：β遮断薬 → 糖新生およびグリコーゲン分解［β作用］抑制作用のため。β_1遮断により糖尿病用薬による低血糖症状の頻脈をマスクするので注意。インスリン抵抗性が悪化する場合あり。
● インスリン分泌促進： シクロホスファミド（エンドキサン）、NSAIDs（PGE_2産生抑制→cAMP濃度上昇→インスリン分泌促進？）、α遮断薬
● ATP依存性K^+チャネル閉鎖作用： 抗不整脈薬Ⅰa群、キノロン系薬（ガチフロキサシン［経口薬★は糖尿病患者への投与禁忌］、トスフロキサシン［オゼックス］、シプロフロキサシン［シプロキサン］、オフロキサシン［タリビット］、レボフロキサシン［クラビット］、モキシフロキサシン［アベロックス］など）、サルファ剤
● インスリン感受性増大： レニン−アンジオテンシン（RA）系阻害薬（ACE阻害薬、AT_1拮抗薬→AngⅡによるインスリン感受性低下作用を阻害［☞**付C**］。AT_1拮抗薬のテルミサルタン［ミカルディス］、イルベサルタン［アバプロ］ではPPARγ活性化の報告※）、フィブラート系薬、テトラサイクリン系薬、タンパク同化ステロイドホルモン、ベキサロテン（タルグレチン；レチノイド製剤）
● 糖新生抑制： 抗不整脈薬（Ⅰa群：ジソピラミド［リスモダン］、シベンゾリン［シベノール］など）
● インスリン自己免疫症候群誘発： クロピドグレル（プラビックス）、抗甲状腺薬（チアマゾール［メルカゾール］、プロピルチオウラシル［チウラジール］）、ペニシラミン［メタルカプターゼ］、グルタチオン（タチオン）、メルカプトプリン（ロイケリン）、カプトプリル（カプトリル）、イミペネム（チエナムに含有）、チオプロニン（チオラ）、カルボシステイン？（ムコダイン）、フドステイン？（クリアナール）、チオクト酸（チオクト酸） → いずれもSH基含有。
● その他： ・サリチル酸系薬（アスピリン製剤；バファリン配合錠、バイアスピリン）→大量のアスピリンでブドウ糖消費増大、肝グリコーゲン枯渇作用、インスリン分泌増加作用、糖新生抑制作用。 ・非選択的MAO阻害薬★、MAO-B阻害薬（セレギリン［エフピー］）→糖新生抑制、インスリン分泌亢進。 ・麦角系薬；エルゴタミン製剤（ジヒドロエルゴタミン［ジヒデルゴット］など）→インスリン分泌40%増大例（機序不明）。 ・非定型抗精神病薬→インスリン値上昇。MARTA（オランザピン［ジプレキサ：投与4日目］、クエチアピン［セロクエル：投与8日目］）、SDA（リスペリドン［リスパダール：投与1日後］）。 ・クラリスロマイシン（クラリス、クラリシッド）→グリクラジド（グリミクロン）の血糖降下作用を増強し、低血糖発現（機序不明）。 ・プレガバリン（リリカ）→低血糖（機序不明） ・ボリコナゾール（ブイフェンド；アゾール系薬）→インスリン値上昇。投与中止後8日で正常域となる（機序不明） ・ヒドロキシクロロキン（プラケニル；免疫調整薬）→重度の低血糖を起こすことがある（機序不明）
b）血糖値上昇を起こし得る薬剤
● 高インスリン血性低血糖症治療薬：ジアゾキシド（ジアゾキシド；ATP依存性K^+チャネル活性化［開口］；チアジド系薬）
● β_2刺激作用、c-AMP上昇： 交感神経刺激薬（☞**表7-15**）、キサンチン系薬（テオフィリン［テオドール］→c-AMP産生上昇）、グルカゴン（同名；c-AMP産生上昇）、副腎皮質ホルモン製剤（糖質コルチコイド）、甲状腺ホルモン製剤（レボチロキシン［チラーヂンS］）

？：可能性あり　★販売中止
※ Benson SC, et al. Hypertension. 2004；43： 993-1002.

7
薬の作用に起因する相互作用

表 7-45（つづき） 血糖値を変動させ得る薬剤

● インスリン分泌抑制：
低K血症誘発薬（チアジド系薬、ループ系利尿薬など：☞**表8-5**）、SDA、フェノチアジン系薬、ブチロフェノン系薬（副腎よりAd遊離促進作用？→患者の25％が高血糖）、フェニトイン（アレビアチン→低Ca血症）、Ca拮抗薬、マジンドール（サノレックス）、タクロリムス（プログラフ→膵機能障害）

● インスリン感受性低下：
・非定型抗精神病薬：MARTA（オランザピン［ジプレキサ］、クエチアピン［セロクエル］→高血糖で死亡例。糖尿病または既往歴のある患者には投与禁忌）、SDA（リスペリドン［リスパダール］、ペロスピロン［ルーラン］）、DSS（アリピプラゾール［エビリファイ］）、SDAM（ブレクスピプラゾール［レキサルティ］）、DSA（ブロナンセリン［ロナセン］、ルラシドン［ラツーダ］）、クロザピン（クロザリル）
・性ホルモン製剤：卵胞・黄体ホルモン（経口避妊薬など→血糖値300mg/dLの例）、抗エストロゲン薬（ダナゾール［ボンゾール］、性腺刺激ホルモン放出ホルモン［GnRH］刺激薬：ゴセレリン［ゾラデックス］、フルベストラント［フェソロデックス筋注］など）、抗アンドロゲン薬（クロルマジノン［プロスタール］、アリルエストレノール［パーセリン］→昏睡例あり）
・抗結核薬：イソニアジド（イスコチン→糖代謝阻害）、リファンピシン（リファジン）、ピラジナミド（ピラマイド）

● 糖新生促進：Ad、成長ホルモン製剤（筋肉の糖利用低下）、副腎皮質ホルモン製剤

● 脂肪細胞での糖取り込み阻害：
アトルバスタチン（リピトール）→高血糖・糖尿病発症、HbA1c値上昇、糖尿病悪化。アトルバスタチンは脂肪細胞に容易に取り込まれ、GLUT4の発現を阻害し、また前駆細胞から成熟脂肪細胞への分化も抑制。脂肪組織でのアトルバスタチンのプレニル化阻害が関与。非肥満患者で起こりやすいとの報告。

● その他：
喫煙（ヘビースモーカーではインスリンが30倍必要）、スタチン系（フルバスタチン［ローコール］、ロスバスタチン［クレストール］、シンバスタチン［リポバス］；海外において、糖尿病の発症リスクが高かったとの報告あり）、ニコチン酸系薬（ナイクリン→グルコース同化の変化？）、グリセリン、低Na血症誘発薬、インターフェロン、ブセレリン（スプレキュア：機序不明）、HIVプロテアーゼ阻害薬（リトナビル［ノービア］、インジナビル★、サキナビル★→関節内出血）、チロシンキナーゼ阻害薬（ニロチニブ［タシグナ］）など

c）両方の作用を有する薬剤

● グアネチジン★、ベタニジン★
→ 投与初期では、NAd遊離のため、β刺激作用の糖新生、グリコーゲン分解促進で高血糖となるが、以後CA枯渇のために低血糖となる。内因性インスリンの感受性増大作用もある。

● 甲状腺ホルモン製剤（レボチロキシン［チラーヂンS］、抗甲状腺薬（プロピルチオウラシル［チウラジール］、チアマゾール［メルカゾール］）
→ 甲状腺ホルモン過剰（不足）時には糖分解・糖新生が促進（抑制）し、高血糖（低血糖）、インスリン作用増強（低下）。β受容体増加作用（高血糖：甲状腺ホルモン製剤）。インスリン自己免疫症候群（低血糖：抗甲状腺薬）。

● イソニアジド（イスコチン）
→ 大量では血糖値上昇（糖代謝阻害）、少量では血糖値低下。

● 三環系・四環系抗うつ薬
→ イミプラミン（トフラニール）、アミトリプチリン（トリプタノール）単独投与で血糖降下（末梢インスリン感受性亢進）、アミトリプチリンによるインスリン分泌抑制（in vitro）。交感神経（β_2）刺激を介した低血糖症状の不顕化に注意（☞**表7-13**）。

● アルコール（飲酒：☞**付E**）
→ 肝グリコーゲン分解促進（血糖値上昇）、糖新生抑制（血糖値低下）。飲酒の継続で肝グリコーゲンが欠乏し、糖新生抑制のみが起こり低血糖。

● 持続性ソマトスタチンアナログ（オクトレオチド［サンドスタチン］）、ランレオチド酢酸塩［ソマチュリン］）
→ インスリン、グルカゴンおよび成長ホルモンなどのホルモン間のバランスが変化。

● 蛋白同化ステロイド（メテノロン）
→ 機序不明。フェニルプロピオン酸ナンドロロンあるいはデカン酸ナンドロロンを筋注されている糖尿病患者では、インスリン投与量を平均36％減量しなければならなかったとの報告がある。

？：可能性あり　★ 販売中止
【注意】プラリドキシムヨウ化物（パム静注）の投与により、血糖測定用試薬および測定器により測定した血糖値が、実際よりも高値を示すことがあり注意が必要。

表 7-46　血糖の変動に関わる主な相互作用

<table>
<tr><th></th><th>薬剤A</th><th>薬剤B</th><th>併用により起こり得る事象</th></tr>
<tr><td rowspan="3">併用禁忌</td><td>MARTA：オランザピン（ジプレキサ）、クエチアピン（セロクエル）</td><td>糖尿病用薬</td><td>高血糖（死亡例あり）。MARTAは糖尿病の患者あるいはその既往歴のある患者への投与は禁忌。</td></tr>
<tr><td>ガチフロキサシン
（キノロン系薬；経口薬販売中止）</td><td>糖尿病用薬</td><td>低血糖（主）および高血糖。低血糖発作。「糖尿病の患者へのガチフロキサシン投与は禁忌」。糖尿病の既往歴のある患者にも要注意。</td></tr>
<tr><td>速効型インスリン分泌促進薬：ナテグリニド（スターシス、ファスティック）、ミチグリニド（グルファスト）、レパグリニド（シュアポスト）</td><td>SU薬</td><td>作用点が同じであり、併用における臨床効果および安全性が確認されていないため。</td></tr>
<tr><td>原則禁忌</td><td>糖尿病用薬</td><td>非選択的β遮断薬（プロプラノロール［インデラル］など）</td><td>併用は避けることが望ましい。β_2遮断により低血糖症状が助長されたり糖尿病用薬の作用を減弱するため。β_1遮断により低血糖症状の頻脈がマスクされる。</td></tr>
<tr><td rowspan="2">併用慎重</td><td>インクレチン関連薬（DPP4阻害薬、GLP-1受容体作動薬）</td><td rowspan="2">糖尿病用薬（特にSU薬、インスリン製剤）</td><td>重篤な低血糖発症。併用する場合、SU薬、インスリンの減量を検討。特にSU薬は減量が望ましい。減量の目安は、グリメピリドは2mg/日以下、グリベンクラミドは1.25mg/日以下、グリクラジドは40mg/日以下。
高齢者（65歳以上）、軽度腎機能低下者（SCr1.0 mg/dL以上）の患者ではSU薬減量が必須。</td></tr>
<tr><td>SGLT2阻害薬</td><td>低血糖発症。特にインスリン製剤をやむを得ず併用する場合、低血糖に万全の注意を払ってあらかじめインスリンを相当量減量すべきである。
SU薬にSGLT2阻害薬を併用する場合、DPP4阻害薬の場合と同様にSU薬の減量を検討する必要がある。
【参考】血糖変化に起因する相互作用ではないが、脱水はビグアナイド系薬による乳酸アシドーシスの重大な危険因子であり、利尿作用を有するSGLT2阻害薬とビグアナイド系薬の併用時には、脱水と乳酸アシドーシスに十分な注意が必要。</td></tr>
</table>

表 7-47　主な糖尿病薬の併用に関する添付文書上の記載（先発医薬品の添付文書を基に作成、－は薬剤の記載なし）

糖尿病用薬		効能・効果：併用可能	臨床成績：併用の有効性が確認されている	重要な基本的注意：併用の有効性、安全性などが確立（検討）されてない
①αGI	ボグリボース	インスリン製剤、経口血糖降下薬	インスリン製剤、経口血糖降下薬（SU薬）	－
	アカルボース	インスリン製剤、経口血糖降下薬	インスリン製剤、SU薬	
	ミグリトール	SU薬、インスリン製剤、BG系薬		
②速効型インスリン分泌促進薬	ナテグリニド	αGI、ピオグリタゾン、BG系薬		SU薬（併用しないこと）、ピオグリタゾン45mg/日
	ミチグリニド レパグリニド	－ （2型糖尿病）	αGI、ピオグリタゾン、BG系薬、DPP4阻害薬	SU薬（併用しないこと）、インスリン製剤、ピオグリタゾン45mg/日（レパグリニドでは記載なし）、GLP-1受容体作動薬
③チアゾリジン系薬	ピオグリタゾン	SU薬、インスリン製剤、αGI、BG系薬		αGI（本剤45mg/日併用時）、BG系薬（本剤45mg/日併用時）、αGI＋SU薬※1
④BG系薬	メトホルミン ブホルミン	SU薬	SU薬（メトホルミンのみ記載）	－
⑤DPP4阻害薬	シタグリプチン アログリプチン	－ （2型糖尿病）	SU薬、αGI、速効型インスリン分泌促進薬、ピオグリタゾン、BG系薬、インスリン製剤	GLP-1受容体作動薬、インスリン製剤（インスリン依存状態の2型糖尿病患者における）
	ビルダグリプチン リナグリプチン テネリグリプチン サキサグリプチン トレラグリプチン オマリグリプチン		SU薬、αGI、速効型インスリン分泌促進薬、ピオグリタゾン、BG系薬	GLP-1受容体作動薬、インスリン製剤
	アナグリプチン		SU薬、αGI、速効型インスリン分泌促進薬※2、ピオグリタゾン、BG系薬、インスリン製剤	GLP-1受容体作動薬、インスリン製剤（インスリン依存状態の2型糖尿病患者における）
⑥SGLT2阻害薬	ダパグリフロジン	－ （2型糖尿病）	経口血糖降下薬、GLP-1受容体作動薬	インスリン製剤
	イプラグリフロジン ルセオグリフロジン トホグリフロジン カナグリフロジン エンパグリフロジン	－ （2型糖尿病）	経口血糖降下薬	インスリン製剤、GLP-1受容体作動薬
⑦GLP-1受容体作動薬	リラグルチド	－ （2型糖尿病）	SU薬、αGI、速効型インスリン分泌促進薬、ピオグリタゾン、BG系薬、インスリン製剤	DPP4阻害薬
	エキセナチド	SU薬、SU薬＋ピオグリタゾン、SU薬＋BG系薬		インスリン製剤、αGI、速効型インスリン分泌促進薬、DPP4阻害薬
	持続性エキセナチド	SU薬、ピオグリタゾン、BG系薬（各薬剤単独または併用）		
	リキシセナチド	SU薬、SU薬＋BG系薬、持続型or中間型インスリン製剤、SU薬＋持続型or中間型インスリン製剤		インスリン製剤（持続型or中間型を除く）、αGI、速効型インスリン分泌促進薬、ピオグリタゾン、DPP4阻害薬
	デュラグルチド	－ （2型糖尿病）	SU薬、αGI、速効型インスリン分泌促進薬、ピオグリタゾン、BG系薬	インスリン製剤、DPP4阻害薬

αGI：α-グルコシダーゼ阻害薬　BG系薬：ビグアナイド系薬

※1　チアゾリジン系薬、αGI、SU薬の3剤併用は臨床試験で副作用発現が高くなる傾向が認められている。

※2　治療期52週までの最終評価時におけるHbA1c変化量は、－0.87±0.71%（平均値±標準偏差、n=63）だった。

重要

インスリン分泌と Ca^{2+}、K^+

血糖値の上昇に伴う膵β細胞からのインスリン分泌（血糖上昇に依存したインスリン分泌）の過程は、以下のように示される。

①細胞内 ATP 上昇→② ATP 依存性 K^+ チャネル閉鎖（不活性化）→③細胞外への K^+ 放出抑制（細胞内 K^+ 濃度上昇）→④脱分極→⑤細胞内への Ca^{2+} 流入（細胞内 Ca^{2+} 濃度上昇）→⑥インスリン分泌

すなわち、①食物摂取による血糖値上昇によって、膵β細胞のグルコースの取り込み量が増えて糖代謝が促進し ATP 生成量が上昇すると、② ATP で抑制される細胞膜上の K^+ チャネルが閉じて（ATP 依存性 K^+ チャネルの不活性化［閉鎖］）、③ K^+ の細胞外への放出が抑制され、④脱分極が起こる。⑤この脱分極により電位依存性の Ca^{2+} チャネルが開き、Ca^{2+} が細胞内に流入して、⑥最終的にインスリンが放出される。

SU 薬、速効型インスリン分泌促進薬は、K^+ チャネルを閉じることでインスリン分泌を促進し、また抗不整脈薬Ⅰa 群、キノロン系、サルファ剤なども ATP 依存性 K^+ チャネル遮断作用によりインスリン分泌を促進する可能性が報告されている。一方、細胞内の Ca^{2+} や K^+ 濃度を低下させ得る薬剤では、インスリン分泌が抑制され高血糖になる可能性がある。したがって、Ca 拮抗薬や低 K 血症を誘発する薬剤（☞ **表 8-5**）と糖尿病用薬との併用では、インスリン分泌が拮抗するため注意を要する。

症例①　50 歳代男性 A さん。

［処方箋］
アマリール 1mg 錠　4 錠
オルメテック錠 20mg　1 錠
　1 日 1 回　朝食後　21 日分

SU 薬のアマリール（グリメピリド）を数年間服用中の A さんは、時折、軽い発汗、動悸、脱力感、震えなどの低血糖症状があったが、処方医は HbA1c が高値であるため上記の薬剤を継続して服用するよう指示していた。薬局では、生活に支障となる低血糖が現れた場合には、あめや果実ジュース、あるいは薬局で渡している携帯用のブドウ糖などを摂取するよう指導していた。

今回も低血糖症状について尋ねたところ、最近、頻度が増えて 1 日 1 回低血糖の症状が現れ、時には「目の前が真っ暗となる」ことが発覚。A さんは、運動を始めたことや仕事の疲れが原因と訴えたが、症状はブドウ糖摂取で改善されるため、処方医には伝えてないとのことであった。数カ月前から服用を開始した AT_1 拮抗薬のオルメテック（オルメサルタンメドキソミル）による血糖値低下作用の協力の可能性もある。

薬剤師が A さんの了解を得て処方医に連絡し、低血糖症状について報告した結果、アマリールが 3 錠へ変更された。その後、A さんの低血糖症状はほとんど認められなくなった。

症例②　50 歳代男性 B さん。

［処方箋］
① オイグルコン錠 2.5mg　2 錠
　　1 日 1 回　朝食前　14 日分
② オイグルコン錠 2.5mg　1 錠
　　1 日 1 回　夕食前　14 日分
③ タチオン錠 100mg　3 錠
　ウルソ錠 50mg　3 錠
　　1 日 3 回　毎食後　14 日分

糖尿病、肝機能障害がある B さん。禁酒や休肝日を設けるなどの指導を行っているが、なかなか実行できていなかった。晩酌後に、ふらつき、異常な空腹感などの低血糖症状があったため、今回、夕食前のオイグルコン（グリベンクラミド）が 2 錠から 1 錠へと変更された。

飲酒によってなぜ低血糖になるか教えてほし

いとBさんが質問したため、薬剤師が慢性飲酒と血糖値との関係について説明したところ、Bさんは理解した。しかし数週間後の来局時、自己判断で夕食前は薬を服用していないことが判明。Bさんの了承を得て処方医に連絡した結果、オイグルコンの夕食前服用が昼食前に変更となった。その後、晩酌後の低血糖症状はほとんど認められなくなり、HbA1cは5.5%と安定しているが、飲酒は糖尿病を悪化させる作用があるため、アルコールを控えるように指導している。

このように、低血糖の発現の背景にはアルコール摂取が関係する場合があり注意が必要である。SU薬による低血糖誘発には、ウルソ（ウルソデオキシコール酸）との血漿タンパク結合置換の相互作用も考えられる。

❷ 糖尿病用薬の作用機序と注意点

● 速効型インスリン分泌促進薬

速効型インスリン分泌促進薬（速効型食後血糖降下薬）のナテグリニド（スターシス、ファスティック）、ミチグリニドCa水和物（グルファスト）、レパグリニド（シュアポスト）は、SU薬と同じ作用点に働きインスリン分泌を促進するが、従来のSU薬が持続的にインスリン分泌を刺激し主に空腹時血糖値を下げるのに対して、これらのグリニド系薬は速効的かつ短時間にインスリン分泌を刺激し食後血糖の上昇を抑制する。

2型糖尿病（インスリン非依存性糖尿病）の患者では、食後約30分のインスリン分泌（初期インスリン分泌）が不足している。速効型インスリン分泌促進薬の食直前（5～10分前まで）投与は、初期インスリン分泌を刺激してこれを補充し、食後血糖の上昇を抑制し（インスリン分泌は食後約2～3時間で前値に戻る）、さらには軽度ながら空腹時血糖をも抑制し得る。また、ナテグリニドによるインスリン分泌量は0～8mMのブドウ糖濃度に比例して増えるが、SU薬によるインスリン分泌量は5mM以下のブドウ糖濃度では不変である（in vitro）。したがって、ナテグリニドによる急速なインスリン分泌は低血糖時には抑制されるという性格があり、低血糖を生じにくいと思われる（正常血糖値：ブドウ糖70～110mg/dL＝約4～6mM）。

ちなみに、ナテグリニドはCYP2C9で代謝されるため、CYP2C9や腎排泄に起因する動態学的相互作用が問題となるが、ミチグリニドは主にUDP1A9、1A3によりグルクロン酸抱合体へと代謝されるためCYP450に起因する相互作用はない。また、レパグリニドはOATP2により肝に取り込まれ、CYP2C8（一部3A4）で代謝されて胆汁中に排泄されるため、CYP2C8、OATP2が関与する相互作用が問題となるが、腎排泄に起因するものはほとんどない（ただし、他の速効型インスリン分泌促進薬に比べ作用持続時間が長く、低血糖の発現頻度は高いため注意）。

● ビグアナイド系薬

ビグアナイド系薬の血糖降下作用は、主に肝臓における糖新生の抑制と考えられている。この作用機序には多くの報告があり、AMPK（AMP活性化プロテインキナーゼ）の活性化が関与する経路などが知られている（☞コラム67）。

ビグアナイド系薬は、頻度は高くないものの、重篤な乳酸アシドーシスを起こすことが報告されている（死亡例あり）。したがって、乳酸アシドーシスの初期症状（胃腸障害、倦怠感、筋肉痛、過呼吸など）の発現については、十分に注意する必要がある。

2012年2月、糖尿病専門医からなる「ビグアナイド薬の適正使用に関する委員会」は、同薬による乳酸アシドーシス症例を検討し、「ビグアナイド薬適正使用に関するRecommendation」を発表した。乳酸アシドーシス症例に認められた特徴と注意事項を抜粋して紹介する。

1 腎機能障害患者（透析患者を含む）

メトグルコを除くビグアナイド系薬は、腎機能障害患者には投与禁忌。メトグルコは中等度以上の腎機能患者のみ禁忌であり、血清クレアチニン値（SCr値［酵素法］）が男性1.3mg/dL、女性1.2mg/dL以上の成人患者、1.0mg/dL超の小児患者には投与を推奨しない（臨床試験を行っていないため）。腎機能はeGFR（estimated glomerular filtration rate：推定糸球体濾過値）なども考慮して評価する。

2 過度のアルコール摂取、シックデイ、脱水などの患者

ビグアナイド系薬は過度のアルコール摂取（乳酸アシドーシス；p.92「注意」参照）、脱水の患者には投与禁忌。患者およびその家族に、①過度のアルコール摂取を避け適量にとどめ、肝疾患がある場合は禁酒する、②シックデイの際には脱水が懸念されるので、服用を中止し、主治医に相談する、③脱水予防のために適度な水分摂取を心掛ける――ことを指導する。発熱、下痢、嘔吐、食事摂取不良などにより脱水症状が懸念される場合には、一旦服用を中止し、医師に相談する。

なお、脱水はビグアナイド系薬による乳酸アシドーシスの重大な危険因子であるため、利尿作用を有する薬剤（利尿薬、SGLT2阻害薬など）と併用する場合には、脱水と乳酸アシドーシスに十分な注意が必要である（併用慎重）。

3 心血管系・肺機能障害、手術前後、肝機能障害などの患者

ビグアナイド系薬は高度の心血管・肺機能障害、手術前後、肝機能障害の患者には投与禁忌。ただし、メトグルコは重度の肝機能障害（ALTまたはASTが基準値上限の2倍以上）には禁忌であるが、軽～中等度の肝機能障害には慎重投与。経口摂取が困難な患者、寝たきりなどの全身状態が悪い患者には投与すべきでない。

4 高齢者

メトグルコを除くビグアナイド系薬は高齢者には投与禁忌。メトグルコは投与慎重であるが、定期的に腎・肝機能や患者の状態を観察し、投与量の調節や投与の継続を検討。特に75歳以上では、原則として新規の患者への投与は推奨しない。

● α-グルコシダーゼ阻害薬

食事中の炭水化物は、消化管内で消化され、最終的に主にブドウ糖となって腸管から吸収される。そのため、食後血糖値の上昇は、消化管内での二糖類から単糖（ブドウ糖）への分解を担うα-グルコシダーゼを阻害する薬剤の投与により抑制することができる。これらのα-グルコシダーゼ阻害薬（α GI）を服用している患者に対しては、低血糖時の対処法として、単に甘い物を摂取するのではなく、ブトウ糖やブドウ糖含量の高い（10g以上）飲料水などを摂取するように指導する（炭水化物のブドウ糖への変換がα GIで阻害される可能性があるため）。

ちなみに、α-グルコシダーゼは二糖類加水分解酵素の総称であり、マルターゼ（グルコアミラーゼ）、イソマルターゼ、スクラーゼ、ラクターゼ、トレハラーゼなどがある。これらの酵素活性はいずれもミグリトール（セイブル）により抑制されるが、ボグリボース（ベイスン）はマルターゼ、イソマルターゼ、スクラーゼ活性を、アカルボース（グルコバイ）はマルターゼ、スクラーゼ活性を主に阻害する。特にアカルボースではデンプンを分解して二糖類に変換するα-アミラーゼの阻害作用があり、食後の過血糖の改善効果に寄与している。したがって、アカルボースとα-アミラーゼ活性を有する炭水化物消化酵素製剤（ジアスターゼ、パンクレアチン製剤など［リパクレオン、エクセラーゼ配合剤、ポリトーゼ、タフマックE配合剤ほか］）を併用すると、α-アミラーゼに対する作用が拮抗して両剤の薬効が減弱する可能性がある（併用慎重）。

一般に、α GIの服用時には、未消化の糖質が大腸に到達するため腸閉塞様症状（腹部膨満、放屁、便秘など）、鼓腸、下痢などの副作用が起こりやすい。ただし、ミグリトールは他のα GIとは異なり、ブドウ糖の吸収が盛んな小腸上部において、

同薬の約45%が吸収されるという特徴がある。すなわち、小腸上部から下部へと薬効が徐々に減弱する一方で、未消化の糖質が徐々に消化されブドウ糖となって吸収され、大腸へ到達する未消化の糖質量が減る。このため、消化器症状の副作用が起こりにくいとされている。また、小腸下部でブドウ糖の吸収が徐々に起こるため、食後血糖値のピークが遅れ、なだらかな血糖値推移を示すことから、インスリン需要を軽減し、インスリン分泌を節約する特性も示されている。

インスリン抵抗性改善薬

トログリタゾンおよびピオグリタゾン塩酸塩（アクトス）は、核内受容体型転写因子であるPPARγを活性化してインスリン抵抗性を改善する。最初に発売されたトログリタゾンは、重篤な肝機能障害による死亡例が続発し販売が中止され、現在わが国では同効薬のピオグリタゾンのみが使用されている。

ピオグリタゾンは従来、投与開始後1年間は定期的に肝機能検査を実施することが義務付けられていたが、その後の国内市販後調査から、同薬による劇症肝炎や肝不全の発現例はなく、また重篤と判定された症例のうち同薬との関連性が明らかであるケースもないことが示されたため、2005年11月、ピオグリタゾン投与中の定期的肝機能検査の義務は解除された。両剤で肝障害発現のリスクが異なる原因は明らかではないが、トログリタゾンでは硫酸抱合体がBSEPを阻害して胆汁酸の排泄を抑制し、肝障害を誘発する可能性が指摘されている（☞表4-24）。

一方、ピオグリタゾンの副作用には、体液貯留による浮腫や体重増加、それに伴う糖尿病性黄斑浮腫のほか、心電図異常、心胸比増大などが知られている。また、糖尿病性末梢神経障害の疼痛緩和に用いられるプレガバリン（リリカ）にも浮腫や体重増加の副作用があり、両剤を併用した患者では、いずれか一方のみを使用していた患者に比べ、体重増加および末梢性浮腫が高頻度に現れることが報告されている。心不全が発症または悪化する可能性もあり、併用は慎重に行う。

さらに最近、海外の疫学研究において、ピオグリタゾンを投与した糖尿病患者で膀胱癌リスクが増大する恐れがあり、投与期間が長くなるとそのリスクが上昇する傾向が示された（米国でのKPNC試験の中間解析結果、フランスCNAMTS試験結果）。しかし、海外で実施した糖尿病患者を対象とした疫学研究（10年の大規模コホート研究）において、膀胱癌の発症リスクに統計学的な有意差は認められなかった（BMJ.2016;354:i3903）。わが国では、添付文書の「重要な基本的注意」に、①膀胱癌治療中の患者には投与を避け、既往歴のある患者は投与可否を慎重に判断すること、②治療開始に先立ち、患者又はその家族に膀胱癌について十分な説明を行い、血尿や頻尿、排尿などの症状を認めた場合には直ちに受診するよう指導すること、③投与中は定期的に尿検査を実施することとの記載がされている（2016年10月）。

糖尿病患者は、膀胱癌に限らず様々な癌になりやすいとされているが、ピオグリタゾンを投薬する際は、膀胱癌に対する処方医の見解を十分に論議した上で、患者への服薬指導を行う必要があるだろう。ピオグリタゾン製剤（アクトス、ソニアス配合錠、メタクト配合錠）による心肥大や膀胱癌のリスクに関しては、今後の動向に引き続き注意すべきである。

インクレチン関連薬

グルカゴン様ペプチド1（GLP-1）アナログ（GLP-1受容体作動薬）およびジペプチジルペプチダーゼ4（DPP4）阻害薬は、小腸から分泌される消化管ホルモンのインクレチンに注目した薬剤である。インクレチンタンパク質には、上部消化管のK細胞から分泌されるGIPと、下部消化管のL細胞より分泌されるGLP-1の2種類がある。食物摂取により血糖値が上昇すると消化管から血液中へと分泌され、膵β細胞に働き、インスリン分泌を促進させて血糖値を低下させる作用がある。一方、血液中のGLP-1そのものは、DPP4により速やかに分解されるため、薬剤として使用しにくい。

そこで、DPP4による分解を受けにくくGLP-1受容体に直接作用するGLP-1製剤として開発されたペプチド（注射剤）が、リラグルチドとエキセナチドである。リラグルチドはGLP-1に脂肪酸を付加することで血漿アルブミンとの結合を促進しDPP4に抵抗性を示すGLP-1アナログ（ヒトGLP-1と97%の相同性）であり、エキセナチドはN末端からの2番目のアラニンをグリシンに変換することでDPP4に抵抗性を示す合成GLP-1（ヒトGLP-1と53%相同性）である。また、DPP4を阻害してGLP-1作用を増強するように開発された経口薬が、DPP4阻害薬である。

GLP-1は、膵β細胞のGLP-1受容体（GPCR）を刺激して細胞内c-AMP濃度を上昇させ、PKA依存性および非依存性経路によって起こる様々な過程、例えば① ATP依存性K^+チャネル閉鎖、②電位依存性Ca^{2+}チャネルによるCa^{2+}流入、③細胞内貯蔵Ca^{2+}プールからのCa^{2+}放出――などを増幅して、血糖上昇に依存したインスリン分泌を促進すると考えられている。このように、GLP-1は食物による血糖値の上昇時に働き空腹時には作用しないため、DPP4阻害薬は低血糖を起こしにくいと考えられる。また、血糖降下作用だけでなく、GLP-1を介した食欲抑制（体重増加抑制）、胃排出遅延（☞**表1-8**；便秘、腸閉塞などを引き起こす原因と考えられる）、グルカゴン分泌抑制、インスリン生合成促進、膵β細胞の保護（動物実験）などの作用も有すると考えられており、他の糖尿病用薬との併用も含め、インクレチン関連薬の有用性が注目されている。

それぞれのDPP4阻害薬の特徴を**表7-48**にまとめた。薬剤によって肝・腎障害患者への使用上の注意点が異なるため注意されたい。また、DPP4阻害薬が臨床導入された当初、SU薬との併用による重症低血糖が相次いで報告されたため、糖尿病専門医からなる「インクレチン（GLP-1受容体作動薬とDPP4阻害薬）の適正使用に関する委員会」が発足し、2010年4月に適正使用に関するRecommendation（勧告）を発表した。2011年9月までに8回の修正を行って現在に至る。勧告は、主にSU薬とDPP4阻害薬を併用する場合の注意事項であり、併用時には、① SU薬の減量が望ましい、②高齢者（65歳以上）、軽度腎機能低下者（血清クレアチニン1.0mg/dL以上）、あるいは両者が並存する患者においてはSU薬の減量は必須である、③ SU薬の減量はグリメピリド（アマリール）2mg/日を越えて使用している患者は2mg/日以下に、グリベンクラミド（オイグルコン、ダオニール）1.25mg/日を超えて使用している患者は1.25mg/日以下に、グリクラジド（グリミクロン）40mg/日を超えて使用している患者は40mg/日以下に減じる――などである。

幸いにも、この勧告が発表されて以来、重篤な低血糖の発症は劇的に減少した。このような経緯から、DPP4阻害薬とSU薬の併用時には、SU薬を減量する方法が普及している。なお、GLP-1受容体作動薬は、DPP4阻害薬に比べて作用が強力であるため、SU薬併用時にはかなりの慎重な対応が必要となる。

一方、GLP-1製剤のリラグルチド、デュラグルチドは添付文書の効能・効果において併用療法に制限がない（**表7-48**）。ただし、既に述べたように、GLP-1製剤はDPP4阻害薬に比べて作用が強力であるため、他の糖尿病用薬との併用による低血糖の発現に注意が必要であり、特にSU薬、インスリン製剤との併用時にはこれら薬剤の減量を検討するなど、かなりの慎重な対応が求められる。また、GLP-1製剤は消化器系の副作用症状（便秘、悪心、下痢、食欲減退、腹部不快感、嘔吐など）の発現頻度が5%以上と高い。（持続性）エキセナチドでは、重度腎機能障害患者への投与は、消化器系副作用により忍容性が認められていないため禁忌である。GLP-1製剤の胃排出遅延作用に起因する相互作用にも注意する（☞**表1-8**）。

その他、DPP4阻害薬による消化器系の重大な副作用として急性膵炎が報告されているが、糖

表 7-48 DPP4 阻害薬の薬物動態プロファイルと使用上の注意

DPP4阻害薬	尿中 排泄率※1	腎・肝機能障害患者 への投与	トランスポーター、CYP450、FMO	相互作用（血糖変化を起こす薬剤［☞**表7-44～7-46**］以外）
シタグリプチン（グラクティブ、ジャヌビア）	79～88%	・中等度腎機能障害：半量※2 ・重度腎機能障害・末期腎不全：1/4量※2	P-gp、OAT3、OATP4C1の基質（能動的尿細管分泌）。肝CYP3A4（主）、2C8（わずか）で代謝。	ジゴキシン（$AUC_{0-\infty}$ 11%上昇）。シクロスポリン（P-gp阻害薬：シタグリプチン$AUC_{0-\infty}$ 29%上昇）。OAT3阻害薬（シメチジンなど）
アログリプチン（ネシーナ）	72.8%	・中等度腎機能障害：半量※2 ・高度腎機能障害・末期腎不全：1/4量※2	能動的な尿細管分泌。弱いCYP3A4阻害・誘導作用。	P-gp、OAT3、CYP450基質との相互作用例なし。
ビルダグリプチン（エクア）	23% （糞中5%）	・重度肝機能障害：禁忌※3 ・肝機能障害、中等度以上の腎機能障害：慎重投与	能動的な尿細管分泌。P-gpの基質。	ACE阻害薬（血管浮腫が高頻度の報告）。CYP3A4、P-gp基質との相互作用例なし。
リナグリプチン（トラゼンタ）	5% （主に胆汁中排泄）	なし	P-gpの基質。肝CYP3A4でわずかに代謝。	リトナビル（リナグリプチンAUC_{0-24h} 2倍上昇）、リファンピシン（リナグリプチンAUC 40%低下）、シンバスタチン（AUC、Cmax 10～34%上昇）
テネリグリプチン（テネリア）	14.8 ～22.1% （糞中 26.1%）	高度肝機能障害：慎重投与	CYP3A4、FMO1、FMO3で代謝。P-gpの基質。P-gp阻害作用。弱いCYP2D6、3A4、FMO、OAT3阻害作用。	QT延長を引き起こし得る薬剤（☞**表7-33（3）**；協力作用）。
アナグリプチン（スイニー）	49.9 ～54.2%	重度腎機能障害・末期腎不全：1日1回100mgを目安に用量調節	能動的な尿細管分泌。P-gp、OAT1、OAT3の基質。弱いOAT3、OCT2阻害作用、弱いCYP1A2、2C8/9、2C19、3A4誘導作用。	ジゴキシン（Cmax、AUC_{0-24h}が49%、18%上昇）。
サキサグリプチン（オングリザ）	15.8%（未変化体）、22.2%（活性代謝物）	中等度以上の腎機能障害：半量※2	能動的な尿細管分泌。CYP3A4/5で代謝（代謝物も未変化体の50%程度活性あり）。未変化体（サキサグリプチン）はP-gp基質だが活性代謝物は基質でない。	CYP3A4/5阻害薬（ケトコナゾール併用で未変化体AUC_{∞}が145%上昇、活性体AUC_{∞}は88%低下）。
トレラグリプチン（ザファテック；持続性；週1回）	76.1%（主に未変化体として尿中排出）	・中等度腎機能障害：半量※2 ・高度腎機能障害・末期腎機能障害：禁忌	P-gpの基質。弱いP-gp、OCT2、CYP3A4/5阻害作用。	CYP450、P-gp、OCT2基質との相互作用例なし。
オマリグリプチン（マリゼブ；持続性；週1回）	74% （主に未変化体として尿中排泄）	重度腎機能障害・末期腎不全：半量※2	P-gp、OAT1、OAT3、OCT、OCT2の基質ではない。BCRP、OATP2、OATP8、OAT1、OAT3、OCT1、OCT2、MATE1を阻害しない。	CYP450、トランスポーターが関与する相互作用例なし。

※1 未変化体の排泄率（%）。 ※2 成人への通常用量に対する投与量。
※3 原因不明の重篤な肝機能障害（肝炎など）のため、肝機能検査は、投与開始後1年間は少なくとも3カ月ごとに、またその後も定期的に行うことが必要。

尿病自体が急性膵炎の要因であり、薬剤との因果関係は不明である。近年ではDPP4阻害薬の投与と急性膵炎の発症には関連性が認められないとする報告もある（Diabetes Obes Metab. 2015;17(4):430-4.、BMJ.2014;348:g2366.）。

SGLT2阻害薬

SGLTは体内の様々な臓器に存在する細胞膜トランスポーターであり、消化管ではグルコースの吸収に働き、腎では近位尿細管上皮細胞の管腔側膜に存在して、糸球体で濾過されたグルコースの再吸収を担っている。SGLTには幾つかのサブタイプがあり、消化管ではSGLT1、腎尿細管ではSGLT1とSGLT2が発現し、特に腎では糖再吸収の約90％がSGLT2によって行われている。すなわち、SGLT2阻害薬は、腎近位尿細管でのグルコース再吸収を阻害することにより、体内の過剰なグルコースを体外に排出することで血糖降下を示す。2014年4月以来、これまでに6成分7製品が販売され、新しい作用機序を持つ経口糖尿病治療薬として脚光を浴びている（**表7-49**）。

SGLT2阻害薬の特徴は、インスリン分泌能低下やインスリン抵抗性に関わりなく血糖降下作用を示すことである。また同薬によるグルコースの尿中排泄量は1日50～100gであり、約200～400kcalに匹敵するエネルギーが喪失するため、脂肪燃焼による体重減少効果（HbA1c値低下）が期待される。したがって、インスリンやSU薬の投与など、肥満傾向がある糖尿病患者への有効性が期待される。

さらに、低血糖発症リスクも低いと考えられる。これは、①血糖値が低い場合は糖の糸球体濾過量が減少し、尿中のグルコース量が低下して効果が減弱する、②同薬はインスリン分泌促進作用を持たないため、低血糖時にはグリコーゲン分解、脂肪分解、糖新生などが促進されて血糖値が維持される、③SGLT1によるグルコースの再吸収が促進する、④グルカゴン分泌が促進する（膵臓α細胞におけるSGLT2阻害に関与、Bonner C,et al.Nat Med.2015;21:512-7.）──ことなどに起因すると考えられる。

一方、同薬は新規の作用機序を持つために、未知の副作用が懸念されていた。具体的には、尿路・性器感染症、浸透圧利尿作用（尿管側の浸透圧上昇による水分再吸収抑制による尿量増加）による脱水、低血圧、体重減少や脱水に伴う血栓形成と脳血管イベント発症（第7節参照）、腎機能障害などが想定される。また、脂質代謝亢進によるケトン体の上昇、エネルギー喪失による筋肉量減少（サルコペニア）、皮膚症状（薬疹、発疹、皮疹など）なども起こり得る。

残念ながら、発売から1カ月間で、幾つかの重篤な副作用が起きたため、糖尿病専門医からなる委員会が発足し、2014年6月13日、「SGLT2阻害薬の適正使用に関するRecommendation（勧告）」を発表した。しかし、8月29日に同委員会は、「予測された副作用である尿路・性器感染症に加え、重症低血糖、ケトアシドーシス、脳梗塞、全身性皮疹などの重篤な副作用が増加している」として勧告を改訂し、具体的な副作用事例とその対策を公表した。また、発売から3カ月間に高齢者（65歳以上）に投与する場合には全例において、特定使用成績調査を行うことが定められ、高齢者糖尿病における副作用や有害事象の発生率や注意点についての一定のデータが得られたが、この高齢者特定使用成績調査の結果は、治験中にみられた有害事象や副作用の内容および頻度と大きく変わるものではなかった。

一方で、2018年12月以降、一部のSGLT2阻害薬（配合薬を除く）については、成人1型糖尿病におけるインスリン製剤との併用療法としての適応を取得したが、ケトアシドーシスのリスク増加が報告されている。インスリンの中止や過度の減量、極端な糖質制限、清涼飲料水多飲などが原因となっており、1型糖尿病患者の使用に際しては、十分な注意と対策が必要である。

現在の勧告改訂版（2020年12月25日）の主な内容は以下の8項目である。

1. 1型糖尿病患者の使用には一定のリスクが伴うことを十分に認識すべきであり、使用する場合は、十分に臨床経験を積んだ専門医の指導のもと、患者自身は適切かつ積極的にインスリン治療に取り組んでおり、それでも血糖コントロールが不十分な場合にのみ使用を検討すべきである。
2. インスリンやSU薬等のインスリン分泌促進薬と併用する場合には、低血糖に十分留意して、それらの用量を減じる。患者にも低血糖に関する教育を十分行う※1。
3. 75歳以上の高齢者あるいは65歳から74歳で老年症候群（サルコペニア、認知機能低下、ADL低下など）のある場合には慎重に投与する。
4. 脱水防止について患者への説明を含めて十分対策を講じる。利尿薬併用の場合には特に脱水に注意する※2。
5. 発熱・下痢・嘔吐などがあるときないしは食思不振で食事が十分摂れないような場合（シックデイ）には必ず休薬する。
6. 全身倦怠、悪心嘔吐、腹痛などを伴う場合には血糖値が正常に近くてもケトアシドーシスの可能性があるので、血中ケトン体（即時にできない場合は尿ケトン体）を確認するとともに専門医にコンサルテーションする。特に1型糖尿病患者ではインスリンポンプ使用者やインスリンの中止、過度の減量によりケトアシドーシスが増加していることに留意すべきである。
7. 本剤投与後、薬疹を疑わせる紅斑などの皮膚症状が認められた場合には※3、速やかに投与を中止し、皮膚科にコンサルテーションする。外陰部と会陰部の壊死性筋膜炎（フルニエ壊疽）を疑わせる症状にも注意を払う。また、必ず副作用報告を行う。
8. 尿路感染・性器感染※4については、適宜問診・検査を行って、発見に努める。問診では質問紙の活用も推奨される。発見時には泌尿器科、婦人科

表7-49　SGLT2阻害薬の代謝酵素および動態学的相互作用

SGLT2阻害薬	代謝酵素	トランスポーター	代謝酵素/トランスポーターが関与する相互作用
イプラグリフロジン（スーグラ）	UGT2B7で代謝	P-gpの基質	相互作用例なし
ダパグリフロジン（フォシーガ）	UGT1A9で代謝。弱いUGT1A1阻害作用	P-gpの基質。弱いOAT3、OATP1B1、OATP1B3阻害作用	相互作用例なし
ルセオグリフロジン（ルセフィ）	UGT1A1、CYP3A4/5、4A11、4F2、4F3Bで代謝。弱いCYP2C19・CYP1B3阻害作用、弱いCYP3A4誘導作用※	P-gpの基質	相互作用例なし
トホグリフロジン（アプルウェイ、デベルザ）	CYP2C18、4A11、4F3B、アルコール脱水素酵素で代謝	P-gpの基質。弱いOATP1B1阻害作用	プロベネシド（トホグリフロジンのCmax1.22倍、$AUC_{0-\infty}$2.33倍上昇；機序不明）。ケトコナゾール（トホグリフロジンのCmax1.22倍、$AUC_{0-\infty}$1.26倍上昇；P-gp阻害が関与する可能性）。ジゴキシンのP-gpを介する輸送に阻害効果なし
カナグリフロジン（カナグル）	CYP3A4、2D6、UGT1A9、2B4で代謝。弱いCYP2B6、2C8、2C9、3A4、UGT1A1、1A6阻害作用	P-gp、MRP2、BCRPの基質。弱いP-gp、MRP2阻害作用	ジゴキシン（Cmax36%、$AUC_{0-\infty}$20%上昇；P-gp阻害に起因）。リファンピシン（カナグリフロジンのCmax28%、$AUC_{0-\infty}$51%低下；UGT1A9、2B4誘導に起因）
エンパグリフロジン（ジャディアンス）	UGT2B7、1A3、1A8、1A9で代謝	P-gp、BCRP、OAT3、OATP1B1、OATP1B3の基質。弱いP-gp阻害作用	相互作用例なし

※ in vitro試験による。尿中βヒドロキシコルチゾールを指標とした検討の結果ではCYP3A4を誘導しなかった（外国人データ）。

にコンサルテーションする。

※１　報告された114例の低血糖のうち、12例は重症低血糖であり、うち9例がインスリン併用例だった。また、SU薬併用は４例であった。やむを得ずインスリン製剤と併用する場合、低血糖に万全の注意を払ってインスリンをあらかじめ相当量減量して行うべきである。SU薬にSGLT2阻害薬を併用する場合、DPP4阻害薬の場合に準じてSU薬の減量を検討する必要がある。

※２　循環動態の変化に基づく副作用として、重症の脱水15例、脳梗塞12例（発症年齢50～80代）、心筋梗塞・狭心症６例報告された。脱水はビグアナイド系薬による乳酸アシドーシスの重大な危険因子であることから、併用する場合には、脱水と乳酸アシドーシスに対する十分な注意が必要である。

※３　重篤と判定された皮膚症状が80例以上に上る（スティーブンス・ジョンソン症候群１例）。皮膚症状はSGLT2阻害薬の投与開始後１日目から２週間に発症している。

※４　尿路感染症が120例以上、性器感染症が80例以上、腎盂腎炎などの重篤な尿路感染症12例報告。

この適正使用の勧告にもかかわらず、各製薬会社による副作用調査の結果、2014年末までにSGLT２阻害薬を服用していた患者10人が死亡していたことが明らかになった。死亡の原因には不明な点が多いが、脱水が死亡につながったとみられる事例があったほか、同薬との因果関係が否定できない重篤な脱水は18例に上っていた。これを受けて厚生労働省は2015年1月、添付文書の改訂を指示し、慎重投与に「脱水を起こしやすい患者（血糖コントロールが極めて不良の患者、高齢者、利尿剤併用患者等）」が追記された。その上で、「重大な副作用」の項に、①適度な水分補給を行うように指導し、観察を十分に行う、②口渇、多尿、頻尿、血圧低下などの症状で脱水が疑われる場合には、休薬や補液等の適切な処置を行う、③脱水に引き続き脳梗塞を含む血栓・塞栓等を発現した例が報告されているので、十分注意する──ことを明記して、医療従事者に対応を求めた。

SLGT２阻害薬の使用上の注意で共通しているのは、①利尿薬との併用は注意が必要である。②重度腎機能障害患者または透析中の末期腎不全患者では効果が期待できないため投与しない、③中等度の腎機能障害のある患者への投与は効果が十分に得られない可能性があるため、投与の必要性を慎重に判断する、④重度肝機能障害患者には慎重投与（使用経験がない。ただしルセオグリフロジン［ルセフィ］、カナグリフロジン［カナグル］では添付文書上、慎重投与ではない）──などがある。また、カナグリフロジンでは、プラセボを投与された患者よりも下肢切断の発現頻度が約２倍と有意に高くなったとの報告がある。

以上から、薬局では特に利尿薬の併用チェック、脱水に対する注意喚起を行い、体重減少や腎機能障害、薬疹、尿路感染症、低血糖などの副作用に常に留意すべきである。

なお、代謝酵素は、イプラグリフロジン、ダパグリフロジン、エンパグリフロジンではUGT、トホグリフロジンではCYP450とアルコール脱水素酵素、その他はCYPとUGTの双方である。また、全てのSGLT２阻害薬はP-gpの基質だが、現在のところ、トホグリフロジンとカナグリフロジンのみ動態学的相互作用例が示されている。

❸ メタボリックシンドローム

脂質異常症や糖尿病、高血圧などの生活習慣病は、インスリン抵抗性と動脈硬化を引き起こすが、個別に発症するよりも互いに重なり合い、肥満（内臓脂肪蓄積）に伴って発症することが多い。近年、このような一連の症候群を「メタボリックシンドローム（代謝異常症候群）」と名付け、診断基準や予防策について議論されるようになった。ここでは、糖尿病にも関連しているメタボリックシンドロームを取り上げ、診断基準、分子基盤、PPAR γ 活性化薬の作用について説明する。

A 診断基準

2005年4月に策定されたわが国におけるメタボリックシンドロームの診断基準では、内臓脂肪蓄積を反映すると考えられるウエスト周囲径を重視している。それに加えて、糖代謝異常、脂質代謝異常、高血圧という3つの危険因子のうち2項目以上で基準値を超えた場合、メタボリックシンドロームと診断される（**表7-50**）。

B メタボリックシンドロームの分子基盤

生体の約15～30%の容量を占める脂肪組織は、実は生体最大の内分泌臓器である。脂肪組織から分泌される生理活性物質は、アディポカイン（アディポサイトカイン：脂肪組織由来内分泌因子）と呼ばれているが、これがメタボリックシンドロームの発症に深く関わっていることが示されている。

アディポカインには、悪玉と善玉の2種類がある。善玉には、インスリン感受性を高め動脈硬化を抑制するアディポネクチン、レプチンなどが知られている。例えばアディポネクチンは、①血管内皮のMCP-1（単球遊走促進因子）発現抑制（血管内皮への単球接着抑制）、血管平滑筋細胞の増殖抑制、マクロファージの泡沫化抑制などの作用により動脈硬化を抑制する、②骨格筋などのIRS（insulin receptor substrate）を介してPI3Kを活性化し、GLUT4発現を促進しインスリン感受性を増大させる（☞**図S-7**）、③骨格筋などにおける脂肪酸輸送タンパク質の発現を増加させてβ酸化を促進し脂肪酸代謝を改善する——といった作用を持つ。

一方、悪玉にはTNF-α、IL6、レジスチン、脂肪酸などがあり、全く逆の作用を有する（なお、レジスチンは肥大脂肪細胞で分泌される悪玉アディポカインと考えられていたが、実際は肥大脂肪細胞では発現しておらず、マクロファージに発現してメタボリックシンドロームの発症に関与していることが明らかとなっている）。

善玉および悪玉アディポカインの脂肪細胞における分泌パターンは、脂肪細胞の肥大化に伴い変化する（**図7-13**）。すなわち、非肥満時の小型の脂肪細胞では、善玉のアディポネクチンが主に分泌され、悪玉の発現･分泌は少ないが、肥満に伴って脂肪細胞が肥大化すると、悪玉分泌が優位になるパターンへと形質転換する。この形質転換の機序については明らかではないが、肥満の病態においては、脂肪組織内へのマクロファージの浸潤が認められていることから、肥大脂肪細胞から分泌されるMCP-1などのケモカイン（白血球を遊走させる働きを持つサイトカインの総称）が、マクロファージを肥大脂肪細胞に集めてTNF-αなどのサイトカインを分泌させるため、形質転換が起こると考えられている。その結果、肥大脂肪細胞からの悪玉アディポカインの発現・分泌が促進され、肝臓や骨格筋、脂肪細胞、血管内皮などでインスリン抵抗性、動脈硬化が発症・進展する。

表7-50　わが国におけるメタボリックシンドロームの診断基準

腹囲高値	男性85cm以上、女性90cm以上

※男女ともに内臓脂肪量100cm²以上に相当

上記に加え、以下のうち2項目以上

脂質異常	中性脂肪高値（150mg/dL以上）かつ/またはHDLコレステロール低値（男女とも40mg/dL未満）
血圧上昇	収縮期130mmHg以上かつ/または拡張期85mmHg以上
空腹時血糖高値	110mg/dL以上

（日本内科学会雑誌. 2005；94：794-809. 一部改変）

脂肪細胞におけるこの一連の過程は、動脈硬化（血液中の単球が損傷血管内皮細胞に接着し、内膜に侵入してマクロファージ・泡沫化細胞となり発症する）、経皮的冠動脈形成術（PCI）後の再狭窄病変（ステント部位への単球・マクロファージ浸潤が認められる）、急性冠症候群発症（ACS：不安定プラークの破壊にはマクロファージが重要な役割を果たす）などと同様に、単球・マクロファージを中心とする炎症反応である。すなわち、メタボリックシンドロームの発症機序は、脂肪細胞および血管における炎症の誘発が重要な意味を持つ。

炎症性マクロファージを活性化する物質として、前述のMCP-1が注目されている。MCP-1は単球・リンパ球を引き寄せ（遊走）、炎症を惹起するケモカインであり、肥大化した脂肪細胞、損傷を受けた血管内皮細胞で発現・分泌されるため（正常血管ではほとんど発現していない）、インスリン抵抗性および動脈硬化発症の重要な誘因となる。つまり、メタボリックシンドロームにはアディポカインだ

図7-13　脂肪細胞の分化・肥大化とPPARγ

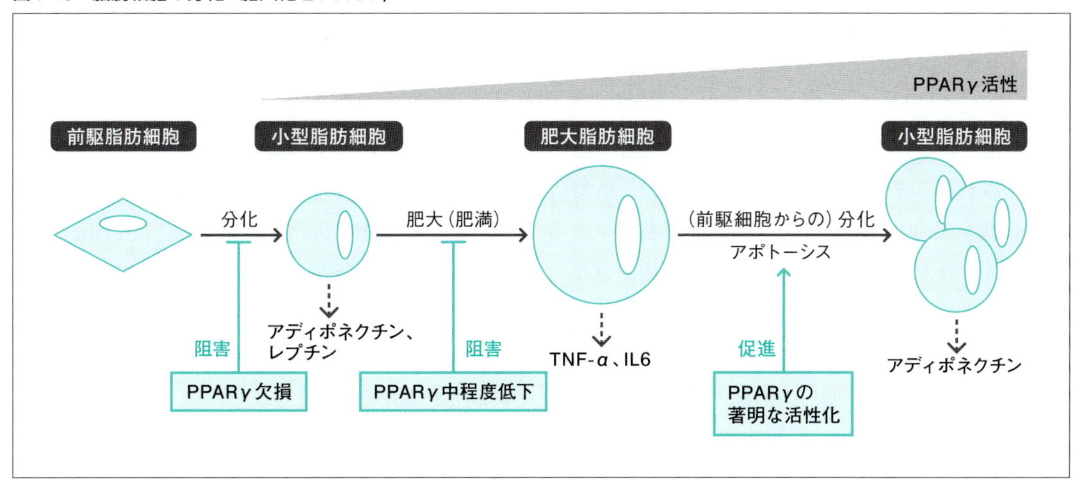

けでなく、MCP-1などのケモカインも重要な役割を果たしている。

一方、メタボリックシンドローム発症に関与する脂肪細胞の分化・肥大化には、脂肪細胞の核内転写因子（核内受容体）であるPPARγが中心的な役割を担うことが示されている（**図7-13**）。

脂肪細胞の分化については、次のような研究結果が報告されている。まず、PPARγ活性を完全に抑制したマウスでは、前駆脂肪細胞から小型脂肪細胞への分化が抑制される。その結果、脂肪組織が消失し、善玉アディポカインの生成・分泌が減り、代償的に骨格筋、肝臓などの中性脂肪が増加して、インスリン抵抗性が惹起される。一方、PPARγを著明に活性化させると、前駆脂肪細胞の分化が促進し小型脂肪細胞が増え、善玉アディポカインの効果が増強する。それに伴い、白色脂肪細胞での脂肪が蓄積して体重は増加するが、インスリン抵抗性は改善される。つまり、PPARγの著明な活性化は前駆細胞から小型脂肪細胞への分化を促進することによって、インスリン抵抗性を改善する（小型脂肪細胞説）。

一方、肥大化においては、正常のマウスに高脂肪食を与えると脂肪細胞の肥大化が起こりやすいが、PPARγ活性を中程度に低下させたマウスでは、脂肪の肥大化や肥満が起こりにくい（インスリン感受性も低下しない）。これは、PPARγの中程度の活性低下により、善玉アディポカインの効果が増強するためと考えられている（中程度の活性低下により、脂肪酸合成抑制、エネルギー消費亢進が起こり、白色脂肪、骨格筋、肝臓などの中性脂肪含量が低下）。しかし、肥満マウスにおいてPPARγを著明に活性化させると、肥大脂肪細胞のアポトーシス（自然死）が起こる。つまり、健常人のPPARγの中程度の活性低下は肥大化を抑制し、著明な活性化は肥大化した大型脂肪細胞を減少させる。したがって、PPARγを著明に活性化させると、インスリン抵抗性が改善される可能性が高いと考えられる。

その他のPPARγの作用として、①炎症誘発の中心的な転写因子であるNF-κB（☞図S-9）、AP-1（activator protein-1）などの転写活性機能を阻害し、炎症性サイトカイン（TNF-α、IL6、IL1、INF-γなど）の発現・産生を抑制（抗酸化・抗炎症効果）、②終末糖化産物（advanced glycation end-products：AGE）の産生増大に伴うRAGE（AGE受容体）遺伝子の過剰発現を抑制（糖尿病性腎症・網膜症発症抑制）、③マクロファージによるコレステロール引き抜き促進作用（動脈硬化抑制）、④血管内皮におけるエンドセリン1やAT_1受容体の発現抑制（糖尿病性腎症では、このような作用で腎血流量が増加し尿タンパク排泄促進）——といった作用を有することが知られている。

以上をまとめると、メタボリックシンドロームは、肥満によって肥大化し形質転換した大型脂肪細胞から分泌される悪玉アディポカインにより発症すると考えられる。また、PPAR γの活性化は、小型脂肪細胞への分化を促進し、大型脂肪細胞のアポトーシスを引き起こす。つまり、PPAR γのアゴニストであるチアゾリジン誘導体は、善玉アディポネクチンの効果を増強し悪玉の効果を減弱させるため、メタボリックシンドロームの様々な病態を一挙に改善できる可能性がある（以下参照）。

C PPAR γ活性化薬

チアゾリジン誘導体のピオグリタゾン塩酸塩（アクトス）は、PPAR γを著明に活性化させるリガンド（真性アゴニスト）であり、インスリン抵抗性改善薬として糖尿病治療に用いられている。また、AT_1受容体拮抗薬の中で、テルミサルタン（ミカルディス）、イルベサルタン（アバプロ）は、ピオグリタゾンの約1/3ではあるが、リガンドとしてPPAR γを活性化する部分的アゴニストであることも報告されている。

ピオグリタゾンによる著明なPPAR γ活性化は、メタボリックシンドロームの治療に有用である反面、前駆細胞から小型脂肪細胞への分化が促進されるため、白色脂肪組織での脂肪蓄積を来し、副作用として体重増加（肥満）が進行しやすいという難点がある（皮下脂肪組織が増大するのみで血糖コントロールなどには大きな問題はないとされているが、食事療法の厳守は必要である）。また、PPAR γ自体のタンパク質量、mRNA量の低下も指摘されている。

それに対し、テルミサルタンやイルベサルタンによるPPAR γ活性化は、チアゾリジン誘導体でみられる体重増加に関与するタンパク質の発現やPPAR γ発現には影響を与えずに、インスリン抵抗性を改善することが動物実験で報告されている（Schupp M, et al. Diabetes. 2005 ; 54 : 3442-52.）。このような違いは、これらのAT_1拮抗薬がPPAR γに結合した場合、ピオグリタゾンが結合した場合とは異なるPPAR γの立体構造の変化を起こすため、コレプレッサーであるNCoR（核内受容体コレプレッサー）の遊離およびコアクチベーターのTIF2（transcriptional intermediary factor-2）の結合が抑制され、その結果、これらの転写共役因子により調節されている体重増加（脂肪生成促進）などに関わる遺伝子群の転写が抑制されるためと考えられている（☞コラム46）。

以上のことから、PPAR γの部分的アゴニストであるAT_1拮抗薬のテルミサルタン、イルベサルタンは、チアゾリジン誘導体で問題となる副作用（体重増加、貧血、浮腫など）が起こりにくい新しいタイプのインスリン抵抗性改善・降圧薬として臨床的に注目されている。なお、アンジオテンシンII（Ang II）は、骨格筋のAT_1受容体を介してGLUT4の細胞膜への移行などを抑制しインスリン感受性を低下させるため、全てのAT_1拮抗薬は多かれ少なかれインスリン感受性を増大させる。

そのほか、ベザフィブラート（ベザトールSR）はPPAR αだけでなく、PPAR γやPPAR δも同様に活性化することが報告されている（in vitro実験、Willson TM, et al. J Med Chem. 2000 ; 43 : 527-50.）。ただし、他のフィブラート系薬（フェノフィブラート［リピディル］、ペマフィブラート［パルモディア］）では、PPAR γやPPAR δ活性化作用はほとんどないか、弱いことが示されている。PPAR δ（β）の活性化は、抗肥満作用やスポーツによる心肥大作用（スポーツ心臓）をもたらす可能性が示唆されており（☞付C⑥）、ベザフィブラートの多彩な作用が注目される。

❹ 非定型抗精神病薬と糖尿病

精神疾患と糖尿病との関連性については、以前から、統合失調症患者における耐糖能障害やインスリン抵抗性が指摘されている。また、従来の定型抗精神病薬のフェノチアジン系薬、ブチロフェノン系薬は一部の患者で高血糖を引き起こすことが報告されていたが、これらの薬剤が糖尿病患者に禁忌となる根拠はないとされてきた。

しかしここ10数年の間に、非定型抗精神病薬を服用中の患者において高血糖に関連する有害事象の危険性が高まることが示されてきた。

その1つがMARTA（多元受容体標的化抗精神病薬）のオランザピン（ジプレキサ）である。同薬は2001年6月の発売から半年間（推定使用者数13万7000人）で、関連性が否定できない高血糖、糖尿病性ケトアシドーシス、糖尿病性昏睡の重篤な症例9例（うち死亡例2例）が報告されたため、2002年4月に緊急安全性情報が出され、添付文書の警告欄に①投与中は血糖値の測定などの観察を十分に行うこと、②患者およびその家族に対し、口渇や多飲、頻尿などの症状について十分に説明すること——が追記されたほか、投与禁忌として「糖尿病の患者あるいは糖尿病の既往歴のある患者」が加えられた。

これを機に、非定型抗精神病薬と糖尿病との関連性が注目されるようになったわけであるが、その発現機序としては、抗精神病薬による体重増加が関与している可能性が指摘されている（Melkersson KI, et al. Psychopharmacology. 2001；154：205-12.）。オランザピンは抗精神病薬の中で最も体重増加作用が強い。そのため、特にオランザピン服用中の肥満者や脂質異常症患者では、脂肪合成が著しく促進し脂肪分解が抑制されて、著明な高インスリン血症となり、これがインスリン受容体の減少（down-regulation）を惹起し、最終的にインスリン分泌不全あるいはインスリン感受性の低下を招いて糖尿病を発症すると考えられる。抗精神病薬による体重増加は、抗ヒスタミン作用、5-HT_{2C}遮断作用による食欲増進、鎮静によるエネルギー消費の低下、口渇による高カロリー飲料水の過剰摂取などに起因すると考えられている。

一方、特に遺伝性肥満動物を用いた研究によって、その原因遺伝子産物、例えばob遺伝子産物として、動物の脂肪細胞から分泌されるホルモンのレプチンがインスリンと協力して食欲を制御していることも明らかになっている。したがって、オランザピンによる肥満時には、インスリンによりレプチン分泌が直接的に刺激され過剰となるため、視床下部でのレプチンの耐性（感受性の低下）を惹起し、結果的には肥満を助長すると推測される。また、レプチンは、他の抗精神病薬では女性が男性より多く分泌されるのに対し、オランザピンでは男性で分泌が増加して女性と同レベルになることから、オランザピンによる高血糖の誘発が男性に多い原因としてレプチンの関与が指摘されている。

さらに、MARTAと呼ばれることが多いクエチアピンフマル酸塩（セロクエル）も2001年2月の発売以降、同薬との関連性が否定できない高血糖、糖尿病性ケトアシドーシス、糖尿病性昏睡が13例（うち死亡例2例）報告されたため（推定使用者数13万人）、2002年11月に緊急安全性情報が出され、オランザピンと同様に警告（前述の①②）が添付文書に追記されたほか、投与禁忌として「糖尿病のある患者、あるいは糖尿病の既往歴のある患者」が加えられた。クエチアピンによる体重増加作用は、オランザピンに次いで強いことが報告されていることから、オランザピンと同様の機序により高血糖を誘発した可能性が高い。

一方、SDA（5-HT_2/D_2アンタゴニスト）では、クエチアピンに次いで体重増加作用の強いと考えられるリスペリドン（リスパダール）およびその主活性代謝物のパリペリドン（9-ヒドロキシリスペリドン：インヴェガ；リスペリドンと同等の抗H_1作用）にも同様に注意した方がよい。また、ペロスピロン塩酸塩水和物（ルーラン；SDA）の体重増加作用は他の非定型薬に比較してかなり少ないと推測されているが、糖尿病あるいは既往歴のある患者には慎重投与である。

2006年に発売されたDSS（ドパミン・システムスタビライザー）のアリピプラゾール（エビリファイ）では、体重増加作用は少ないとされ、また承認時までの国内臨床試験において、糖尿病アシドーシ

表 7-51　非定型抗精神病薬の高血糖・糖尿病に関する注意点

薬剤	分類	警告※1	禁忌※2	慎重投与※3	Ki値（H_1）※4
オランザピン（ジプレキサ）	MARTA	○	○	A	4.96
クエチアピン※5（セロクエル）	MARTA	○	○	A	15.7
リスペリドン（リスパダール）	SDA	×	×	B	148
ペロスピロン（ルーラン）	SDA	×	×	B	64.0
アリピプラゾール（エビリファイ）	DSS	○	×	B	11.7
ブレクスピプラゾール（レキサルティ）	SDAM	×	×	B	19
ブロナンセリン（ロナセン）	DSA	×	×	B	3660
クロザピン※6（クロザリル）	治療抵抗性統合失調症治療薬	○	△原則禁忌	A	6±2※7
クロザピン（クロザリル）	治療抵抗性統合失調症治療薬	○	△原則禁忌	A	6±2
ルラシドン（ラツーダ）	双極性障害のうつ症状治療薬(DSA)	×	×	B	＞1000※8

各薬剤の添付文書を基に高血糖・糖尿病に関する注意喚起を抜粋。警告および禁忌については○：記載あり、×：記載なし。

※1　①糖尿病性ケトアシドーシス、糖尿病性昏睡などの死亡例があるので、本剤投与中は血糖値測定など観察を十分行うこと。②患者、家族に①について十分説明し、症状（口渇、多飲、多尿、頻尿、多食、脱力感など）が現れた場合は直ちに投与を中止し、医師の診察を受けるよう指導すること。

※2　糖尿病の患者または糖尿病の既往歴のある患者への投与禁忌。

※3　A：糖尿病の危険因子（糖尿病の家族歴、高血糖、肥満など）を有する患者。B：糖尿病の患者またはその既往歴のある患者、あるいは糖尿病の家族歴、高血糖、肥満などの糖尿病の危険因子を有する患者。

※4　肥満に関与すると考えられるヒスタミンH_1受容体と阻害薬（各薬剤）との平衡定数（in vitro 実験、単位 nM）。数値が低いほど親和性が高く阻害効果が強い。なお、ハロペリドールは Ki 値＝4060nM である。（村崎光邦ら. 臨床精神薬理. 2008；11：845-54. 一部改変）

※5　SDA に分類されることもある。

※6　「クロザリル患者モニタリングサービス」に登録された医師・薬剤師の下でのみ使用。

※7　Ki 値はクロザリルのインタビューフォームから抜粋。ちなみに、同実験系での Ki 値（nM）はオランザピン、リスペリドン、ハロペリドールでそれぞれ 7 ± 0.3、155 ± 35、3630 ± 85 である。

※8　IC_{50} 値。ルラシドンのインタビューフォームから抜粋。

ス、糖尿病性昏睡の報告はなく（ただし、海外の市販後自発報告はある［頻度不明］）、高血糖が1/743例（0.1%）で認められているのみである。他の非定型薬での報告があるため、オランザピン、クエチアピンと同様の警告が添付文書に記載されてはいるが、糖尿病の患者あるいは糖尿病の既往歴のある患者への投与は、禁忌ではない（慎重投与）。

また、2008年4月に発売されたブロナンセリン（ロナセン）は、選択的に5-HT_{2A}とD_2受容体を強力に遮断するが、5-HT_{2A}よりD_2に対する親和性が高いため、SDAではなく、DSA（D_2/5-HT_{2A}アンタゴニスト）と呼ばれている。従来の非定型薬と比べて抗H_1作用は弱く、体重増加、耐糖能異常のリスクが低いことが示されているが、血糖上昇（0.3%）、体重増加（2.7%）が国内臨床試験で示されていることもあり、糖尿病あるいは既往歴のある患者などには慎重投与になっている。

さらに、2009年7月に発売されたクロザピン（クロザリル）は、薬物治療に抵抗性を示す統合失調症の最終選択薬であり、ドパミンD_4、5-HT_{2A}受容体を強力に阻害するが、D_2に対する親和性は極めて低いという特徴がある。ただし、抗H_1作用はオランザピンと同等に強く、体重増加（国内臨床試験での発現頻度18.2%）、高血糖（頻度1.3%、海外では5%以上）、また糖尿病性昏睡から死亡に至った例も報告されているため、糖尿病に関する警告が添付文書に記載されている。しかし、クロザピンの糖尿病あるいは既往歴のある患者への投与は「原則禁忌」となっている。これは、クロザピンが高血糖、無顆粒球症、心筋炎などの極めて重篤な副作用を発症する危険性が示唆されたことを受け（一時的に世界各国で販売停止となった経緯あり）、講習を受けて「クロザリル患者モニタリングサービス」に登録された医師・薬剤師の監視下でのみ、クロザピンの投与が行われるようになったためである。

2020年6月に発売されたルラシドン（ラツーダ）は、D_2受容体、5-HT_{2A}及び5-HT_7受容体遮断作用と5-HT_{1A}受容体部分アゴニスト作用により、統合失調症あるいは双極性障害におけるうつ症状の改善に用いられる。一方、抗H_1作用はほとんどなく、体重増加、耐糖能異常のリスクは低いと考えられるが、国内臨床試験において高血糖（1%未満）が報告されており、添付文書上では高血糖や糖尿病の悪化に対して注意喚起がなされている。

また、2018年4月に発売されたブレクスピプラゾール（レキサルティ）は、アリピプラゾールと比較して強力なセトロニン系への作用を示し、D_2受容体刺激作用を弱めたアンタゴニスト作用を持っている。つまり強力な5-HT_{1A}作用、部分5-HT_{2A}受容体アンタゴニスト作用を示し、かつD_2受容体部分アゴニスト作用を併せ持つ薬剤である。アリピプラゾールと同様に糖尿病あるいは糖尿病既往歴のある患者には慎重投与となっているが、アリピプラゾールとは異なりブレクスピプラゾールの添付文書には糖尿病に関する警告の記載はない。

従来の定型抗精神病薬に比較して、MARTA、SDA、DSS、DSA、クロザピンなどの非定型抗精神病薬は、陽性症状に効果があるばかりでなく、治療抵抗性統合失調症にも有用であり、二次性陰性障害、認知障害、錐体外路症状、プロラクチン分泌上昇、抗コリン症状、抗ヒスタミン症状といった副作用を起こしにくいなどの利点があり、今後の統合失調症治療の中心になると考えられている。しかし、非定型薬は高血糖を引き起こす可能性が高いことに常に留意し、2型糖尿病の家族歴、肥満、脂質異常症などの危険因子を念頭に置いて、食事療法や運動療法も含めた指導を行う必要がある。特に、MARTAのオランザピン、クエチアピンは、共に三環系構造を有し、体重増加作用が強く要注意である（定型薬でも三環系の方が体重増加、糖尿病、脂質異常症発症の危険性が高いとされている）。これらの非定型抗精神病薬について、高血糖・糖尿病に関わる添付文書の記載を**表7-51**にまとめた。

なお、非定型抗精神病薬は主として高血糖を引き起こすが、MARTA、SDA、DSS、DSAにおいては、低血糖症状も報告されている。その発現機序の詳細は不明であるが、オランザピンの例では投与4日目にインスリン値の上昇が認められている（Nagamine T. Neuropsychiatr Dis Treat. 2006；2：583-5.）。いずれの場合も、投与後の比較的早い時期に低血糖が発症しているため（オランザピン4日目、クエチアピン8日目、リスペリドン2日目）、投与初期には低血糖症状の発症にも注意が必要である。

（☞ **コラム72**）

❺ 糖尿病合併症の発症要因と治療法

慢性的に続く高血糖や代謝異常は、網膜・腎の細小血管症や神経障害、動脈硬化などの血管合併症を起こし進展させる（糖尿病におけるBBBのP-gp活性の変化が致死的な脳出血や脳梗塞などを引き起こす可能性が示唆されている（☞ **コラム26**）。これらの合併症は糖尿病患者の予後を決めるため、糖尿病合併症の進展・予防は重要な課題である。

発症要因としては、①ポリオール代謝の亢進、② PKC（プロテインキナーゼC）活性化、③グリケーション（メイラード反応；タンパク質の非酵素的糖付加反応）、④酸化的ストレスの亢進――などが相互に関与することが報告されている（参考：医学のあゆみ 1999；188（5）.）。

ここではまず、これらの異常がなぜ要因となるのかについて以下に説明する。続いて、**A** 糖尿病性腎症および網膜症に対するACE阻害薬、AT_1拮抗薬の効果、**B** 糖尿病性神経障害の治療薬について概説するので、参考にされたい。

①**ポリオール代謝の亢進**；腎、末梢神経、網膜などの合併症の発症部位は、ブドウ糖からポリオールの一種であるソルビトールへの変換を触媒するアルドース還元酵素の組織分布およびソルビトール蓄積部位とよく一致している。そのため、アルドース還元酵素阻害薬のエパルレスタット（キネダック）が疼痛・しびれなどの改善に使用されている。また、アルドース還元酵素反応で消費される $NADPH_2$ を必要とする代謝（一酸化窒素［NO］合成酵素、グルタチオン産生系など）が阻害を受け、NO および還元型グルタチオンの産生が減少し、血管拡張性の障害および酸化的ストレスの亢進が起こる可能性も指摘されている。

② **PKC 活性化**；糖尿病実験動物では、網膜、心臓、大動脈、腎糸球体において、細胞内の過剰なブドウ糖が解糖系を介してジアシルグリセロールの合成を亢進し、その結果 PKC（☞**図7-7**）を活性化することが報告されている。PKC の活性化は血管機能障害を引き起こす可能性があり、糖尿病患者の細小血管障害（糖尿病性網膜症、腎症）や末梢神経機能異常に対し、PKC 阻害薬（PKC β 阻害薬 LY333531）が有用であるとの結果も得られている。ビタミン E およびトログリタゾン（インスリン感受性増強［販売中止］）が PKC 活性を抑制することにより、糖尿病性血管合併症に有用であるという報告もある。

③**グリケーション（メイラード反応）**；グリケーションとは、タンパク質のアミノ基とブドウ糖のカルボニル基が非酵素的に反応してシッフ塩基を生成し、次いでアマドリ転移生成物となり、脱水・縮合・環状化などの反応を経て、最終的に蛍光・褐色・分子架橋形成などを特徴とする終末糖化産物（AGE）を生成する反応である。AGE の著明な蓄積は加齢関連疾患とも関係し、糖尿病性腎症の腎や粥状動脈硬化病変部などで認められている。

ただし、AGE は単なる蓄積物ではない。細胞膜の AGE 受容体（receptor for AGE：RAGE）を介して認識され、糖尿病性網膜症や糖尿病性腎症などの炎症性血管合併症の発症・進展に深く関わると考えられている。例えば、腎糸球体メサンギウム細胞を用いた in vitro の実験において、AGE は RAGE の過剰発現を誘導し、これを介して MCP-1（単球遊走促進因子）の遺伝子発現を促進することが報告されている（Matsui T, et al. J Int Med Res.2007；35：482-9.）。

既に本節❸で述べたように、MCP-1は単球・リンパ球の炎症部位への遊走を引き起こし、炎症誘発に必須のケモカインである。特に、肥大脂肪細胞や損傷した血管内皮において、その発現・分泌が亢進するため、動脈硬化やインスリン抵抗性などの炎症性疾患の発症に関わる。つまり、糖尿病の炎症性合併症（網膜症・腎症）の発症・進展においても、AGE による RAGE 過剰発現（AGE-RAGE 系）を介した MCP-1の産生促進が関与すると推測される（竹内正義. 北陸大学紀要 2004；28：33-48.）。

腎メサンギウム細胞における RAGE の過剰発現は、N-アセチルシステインや NADPH オキシダーゼ（活性酸素産生酵素）阻害薬などの抗酸化剤により抑制されるため、AGE 刺激により活性酸素の産生が増大し、RAGE の過剰発現を誘発すると考えられる。また、PPAR γ のリガンドである AT_1 拮抗薬のテルミサルタン（ミカルディス）でも RAGE の過剰発現が抑制されるが、PPAR γ 活性化作用のないカンデサルタンシレキセチル（ブロプレス）では無効であることから、AGE による活性酸素の生成抑制に PPAR γ の活性化が関係するものと思われる。一方、RAGE の過剰発現は、AT_1 受容体刺激を介しても起こることが示されており、テルミサルタンはアンジオテンシンⅡ（Ang Ⅱ）および AGE の双方の経路に作用して RAGE 以下の細胞情報伝達を阻害すると考えられ、糖尿病合併症に有用な薬剤として注目される。

④**酸化的ストレスの亢進**；活性酸素の生成量は、ソルビトール代謝亢進、PKC 活性化、AGE 蓄積などにより増加することが示されている。また高血糖では、活性酸素を産生する白血球の血管内皮細胞への接着が亢進している。抗酸化剤（リポ酸、

βカロチン、ビタミンE、ビタミンCなど）が糖尿病性網膜症・腎症・末梢神経障害に有効であるとの報告は多数ある。

A 腎症・網膜症へのACE阻害薬、AT_1拮抗薬の効果

降圧薬のACE阻害薬、AT_1拮抗薬は、糖尿病合併症の治療薬としても期待されている。

ACEにはヒトでは3タイプの遺伝子多型（II、ID、DD）があり、DD遺伝子型を高頻度に発現している糖尿病性腎症患者では血中ACE濃度が高く、早期に腎不全へ移行しやすいことも報告されている（DD遺伝子は慢性腎疾患の腎不全への移行のマーカーとして注目されている）。すなわち、ACE阻害薬が糖尿病性腎症における糸球体内圧を低下させ、タンパク尿を減少し、その進行を阻止することが多数の研究で示されている（吉田裕明. 医学のあゆみ 1997；183：304-8.）。また、AT_1拮抗薬にも同様の効果があることも示されている。

これは、両剤がAng IIの作用を抑制することにより輸出細動脈を選択的に拡張し糸球体内圧を低下させることに起因する。全てのACE阻害薬とAT_1拮抗薬はこのような作用を有すると考えられるが、わが国ではイミダプリル塩酸塩（タナトリル）が「1型糖尿病に伴う糖尿病性腎症」、ロサルタンカリウム（ニューロタン）が「高血圧及び蛋白尿を伴う2型糖尿病における糖尿病性腎症」に適応があり、米国ではイルベサルタン（イルベタン）が「2型糖尿病を合併する高血圧症における腎症」に適応がある（2012年8月現在）。

なお、ロサルタンの添付文書の「重要な基本的注意」には、2型糖尿病における糖尿病性腎症の患者では、貧血および血清K値上昇、血清クレアチニン値上昇が現れやすいため、定期的（投与開始時2週間ごと、安定後は月に1回程度）に血液検査および血清K値、血清クレアチニン値のモニタリングを実施し、観察を十分に行うこととの記載がある。

一方、網膜症そのものを抑制する治療法がない現在、ACE阻害薬のリシノプリル水和物（ロンゲス）が正常血圧の1型糖尿病において網膜症の進行を抑止するという興味深い成績も報告されている（Chaturvedi N, et al. Lancet.1998；351：28-31.）。この作用が他のACE阻害薬に共通して認められるかどうかは明らかではないが、ACEが血管内皮細胞に存在し、ACE阻害薬が血管新生・網膜血管透過性亢進の抑制作用を示すことを考えると、ACE阻害薬の網膜血管への直接的作用の可能性も考えられる。今後の研究成果が待たれるところである。

B 糖尿病性神経障害の治療薬

糖尿病性神経障害の成因として、代謝性（ポリオール代謝亢進、グリケーション亢進など）、血管性（神経内膜内の微小循環障害）などが考えられているが、現在のところ定説はない。この神経障害の多くは、多発性神経障害（感覚神経・運動神経障害；しびれ、痛み、感覚麻痺、こむら返りなど）と自律神経障害（発汗異常、起立性低血圧、便通異常、胃・胆嚢無力症、膀胱障害、勃起不全など）のいずれかである。

多発性神経障害の主な症状は、痛みとしびれであり、痛覚が鈍くなる状態（痛覚鈍麻）や触れるだけでも痛む状態（アロディニア）もみられる。対症療法としてアルドース還元酵素阻害薬（エパルレスタット［キネダック］）やγ-リノレン酸のほか、抗痙攣薬や抗てんかん薬などが経験的に用いられていたが、効果が不十分だったり、副作用が問題となっていた。

そんな中、抗不整脈薬のメキシレチン塩酸塩（メキシチール）が2000年7月、わが国で初めて「糖尿病性神経障害を伴う自覚症状（自発痛、しびれ）の改善」に適応が認められた。以前から、自発痛の原因として、障害を起こした神経細胞における異常な活動電位の放出が関与するとされていたが、メキシレチンはNa^+チャネル遮断作用を介

して末梢神経における活動電位を抑制すると考えられている。そのほかにメキシレチンの作用機序として、中枢神経のδ1-オピオイド受容体刺激、脊髄からの痛覚伝達に必要なK^+依存性サブスタンスP放出抑制、ソマトスタチン放出抑制などの報告もある。

さらに、2010年6月に帯状疱疹後神経痛治療薬として発売されたプレガバリン（リリカ）は、その後適応が拡大し、現在では糖尿病性末梢神経障害に伴う疼痛、線維筋痛症、三叉神経痛、坐骨神経痛の治療にも用いられている（☞本章［第1節］）。同薬は、過剰に興奮してグルタミン酸などの神経伝達物質を放出している中枢神経において、電位依存性Ca^{2+}チャネルの機能に対して補助的に働く$\alpha_2\delta$サブユニットとの結合を介して、Ca^{2+}チャネルのシナプス前細胞表面での発現量およびCa^{2+}流入を抑制する結果、神経伝達物質の過剰放出を抑制して鎮痛効果を示す。

プレガバリンはGABA誘導体であり、海外では神経障害性疼痛の第一選択薬として広く用いられているが、主に未変化体として尿中に排泄されるため、腎機能障害患者に投与する場合には、腎障害の程度に応じて投与量および投与間隔を調節する必要がある。さらに、副作用に関しては、浮動性めまい（23～28%）、傾眠（16～40%）、浮腫（11～17%）、体重増加（16%）などの発症頻度が高く、意識消失、血管浮腫、心不全、肺水腫なども報告されている。特に、めまい、傾眠、意識消失による自動車事故に至った例や、転倒して骨折した例などもあり要注意である。

プレガバリンの相互作用では、CNS抑制薬（オピオイド系薬；呼吸不全、昏睡例あり）、血管浮腫誘発薬（ACE阻害薬など）、末梢性浮腫誘発薬（ピオグリタゾン塩酸塩［アクトス］）や、認知機能・粗大運動機能障害誘発薬（オキシコドン塩酸塩水和物［オキシコンチン］、ロラゼパム［ワイパックス］、アルコール［飲酒］）との相加的な協力作用に注意が必要である。

なお、抗うつ薬のデュロキセチン（サインバルタ；SNRI）には、「糖尿病性神経障害に伴う疼痛」「線維筋痛症に伴う疼痛」「慢性腰痛症に伴う疼痛」「変形性関節症に伴う疼痛」に対する適応がある。中枢神経には痛みを伝導する上行性の疼痛伝導系と、痛みを抑制する下行性の疼痛抑制系という相反する神経系が存在し、後者の疼痛抑制神経の伝達物質は5-HTとNAdである。つまり、デュロキセチンは両伝達物質の神経終末での再取り込みを阻害して、シナプス間濃度を上昇させ、下行性の疼痛抑制系を賦活させることで鎮痛効果を示すと考えられる。

図7-14　糖代謝の流れ

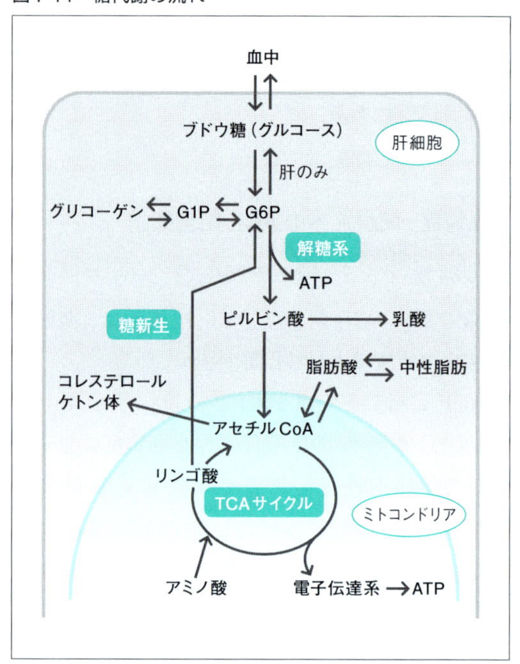

【注意】アセチルCoAからの脂肪酸合成は細胞質で行われるが、脂肪酸のβ酸化によるアセチルCoAの生成はミトコンドリアで行われている。脂肪酸（アシルCoA）のミトコンドリア膜通過にはカルニチンが必要。

インスリンには、①グリコーゲン合成促進、②解糖系促進、③糖新生抑制、④脂肪細胞における中性脂肪合成促進——などの作用がある。

G6P：グルコース-6-リン酸、G1P：グルコース-1-リン酸

❻ 糖代謝のメカニズム

平常時の生体エネルギー（ATP）の約70%は、糖代謝により供給されている。図7-14に示すように、ブドウ糖の代謝過程において、嫌気的な状態

（組織に酸素が十分にない状態）では解糖系でピルビン酸に変換される間にATPを生成するが、好気的な状態（酸素供給が十分な状態）ではピルビン酸がミトコンドリアに入り、TCAサイクルを介して内膜に存在する電子伝達系でATPを生成する（酸化的リン酸化）。ミトコンドリアでは、解糖系の約8倍のATPが生成される。筋肉のように瞬発的に動く組織では主に解糖系によって、心臓のように常に動いている組織では主にTCAサイクルを介して、ATPが生成される。このため、心臓は他の臓器に比べてミトコンドリア含量が高い。

また、解糖系でピルビン酸は乳酸となるので、過度の筋肉運動で乳酸の蓄積が起こる（乳酸アシドーシス）。ヌクレオシドアナログであるHIV逆転写酵素阻害薬（ジダノシン［ヴァイデックスECカプセル］、ジドブジン［レトロビル］、サニルブジン［ゼリット］など）、抗HCV薬のリバビリン（レベトール）などによる乳酸アシドーシスの原因として、ミトコンドリア障害による解糖系の亢進が考えられている（ジダノシンとリバビリンの併用により、乳酸アシドーシスや膵炎などのミトコンドリア毒性発現［死亡例あり］の恐れがある［併用慎重］）。

一方、**図7-14**に示すように、ブドウ糖はグリコーゲンとして肝臓か筋肉に蓄えられている。低血糖状態などでは肝臓のグリコーゲンが分解されて全身にブドウ糖が補給されるが、筋肉のグリコーゲンは筋肉自体で利用するATPを作るために蓄えられている。グリコーゲンは分解してG1P（グルコース-1-リン酸）が切り出され、次にG6P（グルコース-6-リン酸）へと変換されるが、筋肉ではG6Pの脱リン酸化酵素（ホスファターゼ：G6Pase）が存在しないためG6Pは細胞膜を通過できずに解糖系へと進むが、肝臓ではG6Paseが存在するためG6Pはブドウ糖に変換され、肝細胞膜を通過して血中にブドウ糖を放出できる。また、1型糖尿病患者では、このG6Pからブドウ糖への変換が障害されているため、グルカゴンを投与すると肝細胞内のG6P濃度が増加して解糖系が亢進し、乳酸アシドーシスを起こすことが報告されているため注意が必要である。

また、ブドウ糖は、グリセロールや糖原性アミノ酸、乳酸といった糖以外の物質から、TCAサイクルを構成しているリンゴ酸（→オキザロ酢酸）を経由し解糖系を逆行する「糖新生」によっても再生できる。糖新生はヒトでは肝臓と腎臓で行われており、不十分な食事などでブドウ糖の供給が不足したときのブドウ糖再生経路として重要である（なお、脂肪酸からの糖新生は行われない）。

血液中のブドウ糖濃度は、以上に述べた解糖系、グリコーゲン分解・合成、糖新生によって変化する。例えば、インスリンは肝でのブドウ糖取り込み促進、グリコーゲン合成促進、解糖系促進、糖新生抑制作用により血糖値を低下させるが、グルカゴンは全く逆の作用を有する。アドレナリン（Ad）もβ_2受容体に結合して血糖値を上昇させるが、グリコーゲン分解促進に関してはグルカゴンの方がはるかに強力である。これらのホルモンの作用機序には、セカンドメッセンジャーであるc-AMPが関係している。インスリンはアデニル酸シクラーゼ活性を阻害してc-AMP濃度を低下させるのに対し、グルカゴンとAdは同酵素を活性化しc-AMP濃度を上昇させて、それぞれの作用を発現すると考えられる（☞図7-7）。

また、ステロイド（コレステロール、胆汁酸、ステロイドホルモン）、ケトン体（アセトン、アセト酢酸、βオキシ酪酸）は、アセチルCoAより生成する。したがって、過食で運動不足になると、ATP合成が必要でないためにアセチルCoAが蓄積し、コレステロールの合成が促進して脂質異常症となりやすくなる。これは、精神的ストレスによっても促進される。

一方、糖尿病患者では糖代謝が異常であるためブドウ糖がうまく利用されない。これを補うため、脂肪酸が過剰に利用されアセチルCoAが蓄積しケトン体への合成が促進する。また、インスリンには脂肪の合成促進・分解抑制などの作用があるため、インスリン欠乏時には脂肪分解が亢進する場合が多い。重症の糖尿病患者には、脂肪の減少によりやせた人が多く、吐息がケトン臭を呈したり、体液がケトアシドーシスになったりするのはこのようなことに起因している。

コラム67

メトホルミンの作用機序

メトホルミンの血糖降下作用は、インスリン非依存的であり、主に肝臓における糖新生の抑制と考えられている[1]。その作用機序には数多くの報告があり、肝臓ではAMPK（AMP活性化プロテインキナーゼ）に依存的な機序[2)3)4)5)]と非依存的な機序[6)7)8)]が報告されている（**図7-15**）。

AMPKはタンパクリン酸化酵素で、低グルコース、低酸素、虚血や熱ショックなどのように細胞内のエネルギー（ATP）が不足してAMPが増加しているときに活性化し、ATPレベルを回復させる効果がある。AMPKが活性化されると、細胞内のATPを消費する糖、脂肪、タンパク質などの合成が抑えられて分解が促進するため、ATPを減少から増加に転じさせようと、代謝のスイッチが切り替わる。したがって、AMPK活性化は運動と同じ効果があり、肥満や糖尿病に有効であると考えられている。AMPKの活性化によって肝糖新生抑制、脂肪酸合成抑制（分解促進）、グリコーゲン合成抑制、グルコース取り込み促進、解糖系促進などが起こることが知られている。

メトホルミンは、主に肝AMPKを活性化して糖新生を抑制する。その活性化の機序には、ミトコンドリア複合体Iの阻害によるATP産生の抑制とAMP

図7-15　メトホルミンの作用機序

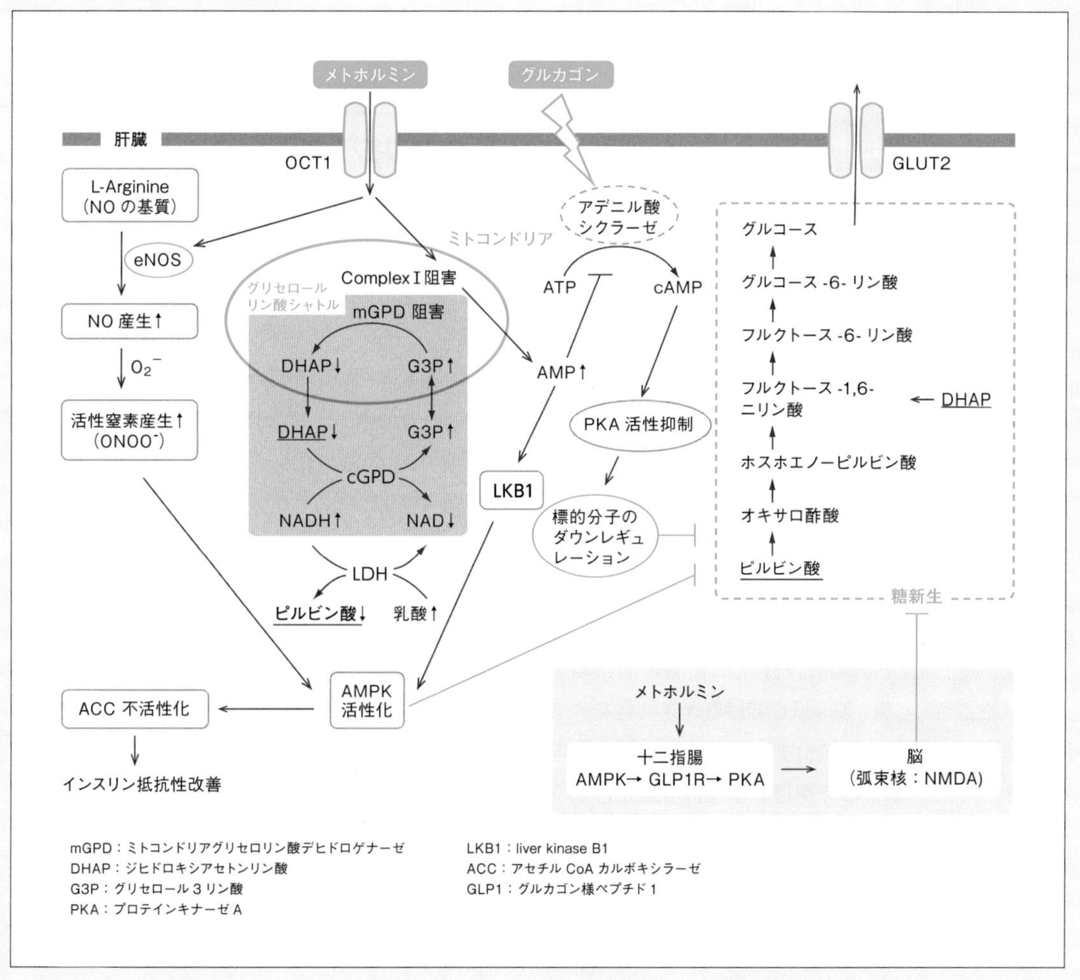

産生増大[2)]、LKB1活性化[5)]、また内皮型一酸化窒素合成酵素（eNOS）活性化によるNOおよび活性窒素（$ONOO^-$）の産生増大[3)]などが関与すると考えられている。また肝臓での脂質蓄積は、インスリン受容体の細胞内へのシグナル伝達を抑制してインスリン感受性の低下をもたらす。メトホルミンは、AMPK活性化によって脂肪酸合成酵素であるACC（アセチルCoAカルボキシラーゼ）を抑制し、肝での脂肪蓄積を減少させるため、メトホルミンにはインスリン抵抗性を改善する作用もあることが示されている[4)]。

一方で、メトホルミンの肝糖新生抑制作用は、肝臓AMPK欠損マウスやLKB1欠損マウスでも見られることから[6)]、メトホルミンの作用機序は肝臓AMPK活性に非依存的であるとの報告もある。具体的には、AMP低下によるアデニル酸シクラーゼ阻害を介する肝糖新生抑制、循環中への糖放出抑制などの関与が報告されている[7)]。

近年、メトホルミンが、肝ミトコンドリアに存在するグリセロリン酸デヒドロゲナーゼ（mGPD）を非競合的に阻害して糖新生を抑制するという新たな機序が報告されている[8)]。mGPDは、グリセロールリン酸シャトルに関与しており、グリセロール3-リン酸（G3P）をジヒドロキシアセトンリン酸（DHAP）に変換する酵素である。細胞質で生じた$NADH_2$はミトコンドリア膜を通過できないため、グリセロールリン酸シャトルを介してミトコンドリア膜を通過している。mGPD阻害によって、細胞質内$NADH_2$が増加し、DHAPやピルビン酸は減少するため、結果的にDHAPやピルビン酸からの糖新生が抑制されたと考えられている。

また、最近、メトホルミンが十二指腸におけるAMPKを活性し、腸-脳-肝における迷走神経を介して[9)]、肝臓の糖新生を抑制することが示された[10)]。つまり、メトホルミンの作用標的部位は肝臓だけではなく、十二指腸でもある可能性が示唆されている。

なお、メトホルミンは血糖降下作用以外にも様々な効果を持つとされるが、中でも注目されているのが、癌の予防や抗悪性腫瘍効果である。その機序としては、AMPKの活性化により、癌抑制遺伝子p53の活性化や、癌の発育に重要な役割を果たしているmTORC1（mammalian target of rapamycin complex1）経路を阻害して癌細胞の増殖や血管新生を抑制することや[11)]、葉酸代謝阻害作用[12)]、腫瘍細胞における脂質合成阻害作用[13)]などが関与すると考えられている。

1）Biochem J.2000;348:607-14.
2）J Clin Invest.2001;108:1167-74.
3）Diabetologia.2010;53:1472-81.
4）Nat Med.2013;19:1570-2.
5）Science.2005;310:1642-6.
6）J Clin Invest.2010;120:2355-9.
7）Nature.2013;494:256-60.
8）Nature.2014;510:542-6.
9）Nature.2008;452:1012-6.
10）Nat Med.2015;21:506-11.
11）Eur J Cancer.2010;46:2369-80.
12）Aging.2012;4:480-98.
13）Oncotaget.2015;6:23548-60.

コラム68

チアゾリジン系薬による体液貯留の発現機序

ピオグリタゾン塩酸塩（アクトス）などのチアゾリジン系薬（TZDs）は、核内受容体のPPARγを活性化してインスリン抵抗性を改善するが、体液貯留による浮腫、体重増加、それに伴う糖尿病性黄斑浮腫などの副作用が問題となる。体液貯留の原因には、PPARγの活性化による標的遺伝子の転写促進が関与すると考えられ、その主な標的遺伝子として、腎の遠位尿細管上皮細胞に存在するNa^+チャネル（ENaC：epithelial Na channel）の発現の増加が考えられていた。しかし、TZDsによるENaCの活性化や発現増加が認められない場合もあることから、遠位尿細管以外の標的部位があると推測されていた。

腎のNa再吸収に関与する輸送体は、遠位尿細管のほか、近位尿細管にも存在している。近位尿細管上皮細胞の管腔側膜に存在するNa^+/H^+交換輸送体3（NHE3：Na^+/H^+ exchanger）と、基底膜側に存在するNa^+-HCO_3^-共輸送体（NBCe1：Na^+-

HCO3⁻ cotransporter）である（**図 7-16**）。両輸送体は、協調的に働いて Na の再吸収を行っているが、TZDs により強力に活性化されることが示されている（Endo Y,et al.Cell Metab.2011;13:550-61.）。その活性化経路は、まず TZDs が PPAR γに結合した後、Src（サーク；細胞質チロシンキナーゼ非内蔵型受容体）と複合体を形成し、Src が EGFR（チロシンキナーゼ内蔵型受容体）をリン酸化して活性化した後、ERK（MAPK）をリン酸化して、最終的に 2 つの輸送体を直接的に活性化する（MAPK については ☞**p.627**）。したがって、PPAR γ活性化による転写促進を介さない。

以上の結果より、TZDs による体液貯留の発現機序には、腎の遠位および近位尿細管における Na 再吸収の促進が関与するが、その機序は異なり、PPAR γ活性化による遺伝子転写促進を介した ENaC の発現増加と、遺伝子転写を介さない PPAR γ -Src-EGFR-ERK 経路による NHE3、NBCe1 の活性化が、それぞれ関与すると考えられる。

図 7-16　腎 Na 再吸収に関与する近位尿細管のトランスポーター

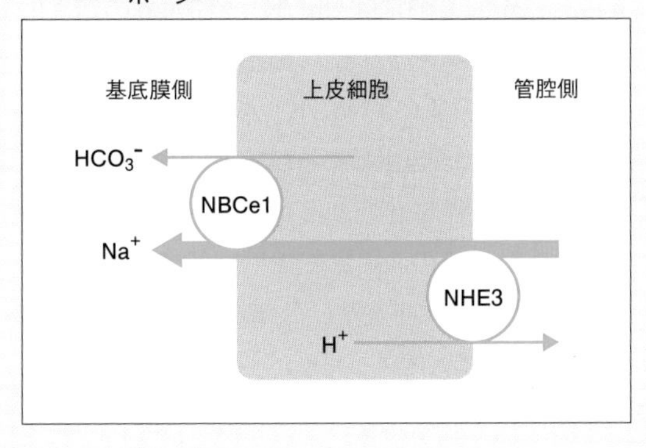

コラム 69

糖尿病合併高血圧患者におけるアリスキレンと RA 系薬との併用

降圧薬の RA 系阻害薬（ACE 阻害薬、AT_1 拮抗薬、直接レニン阻害薬）はインスリン抵抗性を改善すると考えられている。

一方、ACE 阻害薬と AT_1 拮抗薬を併用すると、RA 系阻害の協力により高 K 血症、急性腎不全のリスクが増加するとの報告がある（併用注意）。また、2 型糖尿病に伴う糖尿病性腎症の患者は、血清 K 値や血清クレアチニン値が上昇しやすい特徴がある。

RA 系薬の併用について、直接レニン阻害薬のアリスキレンフマル酸塩（ラジレス）を用いた ALTITUDE 試験（ALiskiren Trial In Type 2 diabetes Using cardio-renal Disease Endpoints）の中間解析の結果では、心血管および腎イベント発症リスクに関して、ACE 阻害薬や AT1 拮抗薬の単剤投与を上回る有益性が認められなかった。加えて、RA 系阻害作用が強力に現れ、低血圧のほか、高 K 血症、腎機能障害、非致死性脳卒中のリスク増加が懸念されたことから、同試験は中止となった。

同試験では、ACE 阻害薬または AT_1 拮抗薬を含む降圧薬により血圧がコントロールされ、腎機能障害があり、心血管および腎イベント発症リスクの高い 2 型糖尿病患者にアリスキレンが併用された。この結果を踏まえ、日本では ACE 阻害薬または AT_1 拮抗薬を投与中の糖尿病患者は、アリスキレンの投与は禁忌とされた（原則禁忌；ただし、ACE 阻害薬または AT_1 拮抗薬投与を含む他の降圧治療を行ってもなお、血圧のコントロールが著しく不良の患者を除く）。また、腎機能障害（eGFR が 60mL/min/1.73m^2 未満）があり ACE 阻害薬または AT_1 拮抗薬服用中の患者にアリスキレンを併用する場合も、血清 K 値、血清クレアチニン値が上昇する恐れが高いため、治療上やむを得ないと判断される場合を除いては、併用禁忌となっている（原則禁忌）。

コラム 70

甲状腺ホルモンが関与する相互作用

甲状腺ホルモンは、生体の代謝、発育、分化の調節に重要な働きをする。また、甲状腺機能障害（亢進／低下）は、糖尿病と共に最も多く認められる内分泌疾患である。本コラムでは、甲状腺ホルモンの合成・体内動態・生理作用とともに、甲状腺ホルモン製剤および抗甲状腺薬の相互作用をまとめる。

1 甲状腺ホルモンの体内動態と生理作用

甲状腺は、T_3（トリヨードチロニン）、T_4（チロキシンまたはテトラヨードチロニン）と呼ばれる2種類の甲状腺ホルモンを合成・分泌している。いずれもヨウ素（I）を含有する。

甲状腺でのT_3、T_4合成は次の過程で行われ、TSH（甲状腺刺激ホルモン）の刺激で分泌される。

① I^-の活性化（酸化）→②チログロブリン上のチロシン残基と活性化Iとの反応によるMIT（モノヨードチロシン）、DIT（ジヨードチロシン）の生成（有機化またはヨウ素化）→③チログロブリン上のMIT、DITの縮合反応によるT_3、T_4の生成（縮合）→④TSHの刺激により、チログロブリンとT_3、T_4の加水分解が促進し、T_3、T_4が遊離し、血中へ分泌。

これらの酸化、有機化（ヨウ素化）、縮合の過程には、甲状腺ペルオキシダーゼが関与し、T_4合成は甲状腺で100%行われる。ただし、甲状腺内でのT_3合成は20～30%とわずかであり、血中T_3の大部分（70～80%）は、甲状腺から分泌されたT_4が末梢組織に取り込まれた後に、脱ヨード化反応によりT_3へと変換することにより産生される（注意：脱ヨード化反応により、生物活性がほとんどないリバースT_3［rT_3］も産生）。T_3の生物活性がT_4より約4倍強く、T_3が主に甲状腺ホルモンとしての生物活性を発揮していると考えられていることから、この末梢でのT_4からT_3への変換は重要である。

抗甲状腺薬（チオ尿素系薬）は、ペルオキシダーゼを阻害して甲状腺ホルモンの合成を抑制するが、チオ尿素系のプロピルチオウラシル（PTU：チウラジール、プロパジール）は末梢でのT_4/T_3変換をも阻害する。また、β遮断薬、アミオダロン塩酸塩（アンカロン）、糖質コルチコイドにも末梢でのT_4/T_3変換阻害作用がある（ただし、アミオダロンでは甲状腺機能亢進症が現れることがある）。

T_3、T_4は血中ではその99.9%以上が血漿タンパク（主にチロキシン結合グロブリン：thyroxine-binding globulin［TBG］）と結合しているので（☞**コラム13**）、わずかに存在する遊離型のみが末梢細胞の細胞膜に存在するいくつかのトランスポーターを介して取り込まれ、核内受容体（TR）と結合して生理作用を発現する。TRへの親和性はT_3が約10倍高く、生理活性も強いが、血漿タンパク結合能は低いため、半減期は2日以内とT_4より短い（T_4半減期6～7日）。ちなみに、TBGを増加させる薬剤としてエストロゲン製剤、減少させる物質として男性ホルモンや糖質コルチコイドなどが知られている。

甲状腺ホルモンの主な生理作用は、代謝促進、タンパク質合成促進、発生・成長の調節である。代謝に対する甲状腺ホルモンの作用は酸素消費量を増やすことであり、これにはNa^+/K^+-ATPaseの活性化が関与すると考えられる。「細胞が消費するエネルギー（ATP）の多くはNa^+/K^+-ATPaseを動かすことにある」という仮説があるが、甲状腺ホルモンは、ほぼ全ての細胞に存在するNa^+/K^+-ATPaseの働きを強めてATPの消費量を増大させ、これを供給する酸化的リン酸化を促進して、結果的に酸素の消費量を増大させると考えられる。

なお、甲状腺ホルモンは、肝で抱合やエステル化を受けて腸肝循環に入り、腎で脱ヨウ素化されグルクロン酸抱合体として尿中に排泄されている。

2 甲状腺ホルモンが関与する相互作用

a 甲状腺ホルモン製剤

甲状腺ホルモン製剤には、乾燥甲状腺（チラーヂン末）、合成T_4（レボチロキシンNa水和物［チラーヂンS］）、合成T_3（リオチロニンNa［チロナミン］）などがあり、甲状腺機能低下症（甲状腺腫［肥

表7-52　甲状腺ホルモンが関与する主な相互作用の機序

薬動態的相互作用

- キレート形成（☞**表1-1**）
- 吸着（☞**表1-3**）
- コレスチラミン（クエストラン）結合
- セベラマー（レナジェル）結合？（☞**表1-5**）
- PEPT1タンパク質量増加（☞**第4章**）
- 血漿タンパク結合置換（☞**表2-4**）
- P-gp誘導作用（☞**表5-54**、ジギタリス製剤の腎排泄促進［☞**表3-6、4-29**］）
- バルビツール酸系薬、抗てんかん薬による代謝促進（低T_4血症：☞**表5-48～5-50**）
- テオフィリン（テオドール）の代謝促進（☞**表5-53**）
- グルクロン酸抱合（☞**表6-4**）

薬力学的相互作用

- 中枢神経興奮（☞**表7-1**）
- 鎮痛効果（☞**表7-3**）
- 交感神経興奮・心機能促進・血糖値変動（β受容体数増加：☞**表7-17、7-33、7-45**）
- 血液凝固抑制（☞**表7-40**）
- 低K血症（Na^+/K^+-ATPase促進、ジギタリス中毒誘発：☞**表8-5**）

その他・甲状腺ホルモンに関する注意事項

- 胎盤通過性（☞**第4章［第3節］**）
- 経口エストロゲン：甲状腺ホルモン値低下の恐れ：経口エストロゲンがTBGを増加させるため（コラム13参照）。
- アミオダロン（アンカロン：甲状腺機能検査値異常［発現率10.5%］；TSH上昇／低下、T_3低下、T_4上昇／低下→甲状腺ホルモンの脱ヨード化を阻害）
- 経口エストロゲン製剤（サイロキシン結合グロブリンの増加→甲状腺ホルモン値低下）
- 炭酸Li（リーマス：甲状腺腫誘発：☞**本章［第1節］**）
- フェニルプロパノールアミン（PPA：甲状腺機能障害患者への投与禁忌：☞**表7-15**）
- コリン作動性（甲状腺機能亢進症患者へのコリン作動薬投与禁忌：☞**表7-22**）
- 錐体外路症状（☞**第8章［第1節］**）
- 骨Ca量低下（骨吸収増加）
- 抗てんかん薬によるTSH分泌抑制（低T_4血症）
- 甲状腺機能低下による横紋筋融解症および高コレステロール血症（☞**第8章［第5節］**）
- ピラセタム（ミオカーム；ミオクローヌス治療薬）との併用で錯乱、興奮、不眠など誘発（機序不明）
- 喫煙（煙の成分のチオシアネートによる甲状腺ホルモン合成阻害）
- ミノサイクリン（ミノマイシン：長期使用で黒色甲状腺症候群が見られ、その中で甲状腺癌が見つかることがある）
- PGI_2製剤（エポプロステノール［フローラン：発現率2%］、トレプロスチニル［トレプロスト：甲状腺機能亢進症］、セレキシパグ［ウプトラビ：甲状腺機能異常］）

（下線では甲状腺ホルモン製剤自体の薬効が変化する）

大］、クレチン病、橋本病など）に補充療法として投与する。T_3はT_4に比べて活性は4倍強いが、半減期は短いので血中濃度の調節が難しい。

相互作用の機序を**表7-52**に示す。甲状腺ホルモンの生理作用（薬剤の排泄・代謝促進、β作用増強［心機能促進、高血糖など］、低K血症など）に起因するものが多い。下線部は薬動態学的相互作用の結果、甲状腺ホルモン製剤自体の薬効が変化する。併用する場合は、これまでと同様に甲状腺機能検査（甲状腺機能モニタリング）を定期的に行うように指導し、甲状腺機能低下症状（疲れ、意欲低下、発汗低下、便秘、浮腫など）および亢進症状（興奮、不眠、発汗促進、心機能亢進、振戦など）が現れた場合には必ず受診するように伝える。

b 抗甲状腺薬

SH基を有するチオ尿素系のチアマゾール（MMI：メルカゾール）とプロピルチオウラシル（PTU：チウラジール、プロパジール）があり、甲状腺機能亢進症（バセドウ病＝クレブス病など）に甲状腺機能モニタリングを実施しながら投与する。両剤ともペルオキシダーゼ阻害作用に基づいて甲状腺ホルモンの合成を阻害するが、PTUには末梢でのT_4/T_3変換の抑制作用もある。MMIは、PTUより約10倍活性が高く、重篤な副作用である無顆粒球症（初期症状：発熱、咽頭痛、歯肉出血など）の発現率も低い。両剤とも催奇形性、授乳は問題ないとされているが、胎児の甲状腺機能は低下する恐れがある（☞ **表4-18**）。胎盤通過性および乳汁移行性はMMIが高い。

相互作用では、薬剤投与で甲状腺ホルモン量が徐々に低下するため、甲状腺ホルモンの生理作用低下に基づく、ジギタリス製剤の腎排泄抑制（☞ **表3-6、4-27**）、血糖値変化（☞ **表7-45**）などが問題になるが、インスリン自己免疫症候群による低血糖（☞ **表7-45**）、低プロトロンビン血症・凝固第Ⅶ因子欠乏（血液凝固抑制；☞ **表7-40**）、血液障害（☞ **表8-7**）、発疹（発現率2～3%）などの副作用についても注意が必要である。当然のことながら、上記 **a** で述べた甲状腺機能低下および亢進の症状発現には常に注意して対処する。

第8章 薬の副作用に起因する相互作用

薬の副作用は、主作用と同様に、併用する薬剤によって増強することがある。協力作用だけでなく、拮抗作用によって、原疾患が増悪することもある。本章では、注意すべき主な副作用と、それらに起因する相互作用について解説する。

第1節 痙攣、パーキンソニズム

❶ 痙攣

痙攣を引き起こす可能性がある薬剤を**表8-1**に示す。併用により、痙攣の危険性は高くなる（協力作用）。

痙攣が発現するメカニズムとして、中枢神経系（CNS）の抑制性伝達物質であるGABAの受容体結合の抑制が考えられているが、いまだ明らかでない。しかしながら、BZP系薬、バルビツール酸系薬、バルプロ酸Na（デパケン）などの薬剤は、GABA伝達系を修飾し抗痙攣作用を示すようである。

特に、キノロン系薬（主にプルリフロキサシン［スオード］、ノルフロキサシン［バクシダール］、ロメフロキサシン塩酸塩［ロメバクト］、塩酸シプロフロキサシン［シプロキサン］）とNSAIDs（主にフェニル酢酸系、プロピオン酸系：☞**表8-9**）との併用には禁忌が多く、重篤な全身痙攣、意識消失などを起こす恐れがあるので要注意である。これは、キノロン系がGABAの受容体結合を阻害して痙攣を誘発することに加え、その結合阻害をNSAIDsがさらに増強するためと考えられている。

また、薬剤性パーキンソニズムを引き起こす薬剤では、筋強剛・振戦（☞**表8-2**）が起こることがあるほか、β刺激薬や甲状腺ホルモン製剤、キサンチン系薬（テオフィリン［テオドール］）、α遮断薬、低K血症誘発薬（☞**表8-3**）によっても振戦（β_2作用；骨格筋攣縮時間減少）や痙攣が起こり得るので、これらの薬剤の併用にも注意する。

そのほか、塩基性抗アレルギー薬は抗ヒスタミン作用を有しているが、脳の発作波の増多を来し、痙攣を誘発する可能性がある。特に、小児ではGABA系の発達が未熟であり、ヒスタミンが脳で抑制系として働いていると考えられるため、未熟児（低出生体重児）、新生児への投与が禁忌となっている抗ヒスタミン薬もある。また、てんかんまたはてんかんの既往歴のある患者へのヒドロキシジンパモ酸塩（アタラックス-P）、ケトチフェンフマル酸塩（ザジテン）の投与も慎重に行う。

また、リチウム（Li）中毒も初期症状として、振戦、悪心、口渇などがあり、程度は軽いが痙攣を起こすため注意する。重度の中毒の場合、筋強剛や昏睡、てんかん様発作を起こすこともある（☞**表7-5**）。Liは抗ドパミン作用を増強する可能性が指摘されており、フェノチアジン系やブチロフェノン系などの向精神薬との併用によって、錐体外路症状が現れることがある（☞**表8-2**）。

そのほか、四環系抗うつ薬のマプロチリン塩酸塩（ルジオミール）は「てんかんなどの痙攣性疾患またはこれらの既往歴のある患者」への投与は禁忌であり、オピオイド鎮痛薬のトラマドール塩酸塩（トラマール）も「治療による十分な管理がされて

表 8-1　痙攣を誘発し得る主な薬剤と相互作用

（1）痙攣を誘発し得る薬剤

● 抗菌薬： キノロン系薬（主にプルリフロキサシン［スオード］、エノキサシン★、ノルフロキサシン［バクシダール］、ロメフロキサシン［ロメバクト］、シプロフロキサシン［シプロキサン］）、カルバペネム系、ペニシリン系、セファロスポリン系、テトラサイクリン系など
● NSAIDs（特に、フェニル酢酸系、プロピオン酸系）
● パーキンソニズムを引き起こし得る薬剤（☞**表8-2**）
● 低K血症誘発薬（筋痙攣；☞**表8-5**）
● 低Ca血症誘発薬： カルシトニン製剤（エルカトニン［エルシトニン］、抗PTH製剤（シナカルセト［レグパラ］、エボカルセト［オルケディア］、エテルカルセチド［パーサビブ静注］）、ビスホスホネート系薬、副腎皮質ホルモン製剤、リン酸Na塩配合剤（ビジクリア配合錠；経口腸管洗浄剤）など
● 低Na血症誘発薬剤（☞**コラム74**）： 血糖降下薬、向精神病薬、抗痙攣薬、ループ系利尿薬、チアジド系利尿薬、経口腸管洗浄剤（電解質配合剤［ニフレック］、リン酸Na塩配合剤［ビジクリア配合錠］→嘔吐などによって低Na血症誘発）など。
● 横紋筋融解症を誘発し得る薬剤（☞**表8-18**）
● 痙攣閾値を下げ得る薬剤： フェノチアジン系薬、ブチロフェノン系薬、α遮断薬、β刺激薬、甲状腺ホルモン製剤、キサンチン系［テオフィリンなど］、トリプタン系薬、三環系抗うつ薬、トラマドール（トラマール；5-HT・NAd・μオピオイド作動性鎮痛薬）、エンザルタミド（イクスタンジ；前立腺癌治療薬）、ヒドロキシクロロキン（プラケニル;免疫調整薬）、抗マラリア薬（メフロキン［メファキン「ヒサミツ」］など）など。
● 塩基性抗アレルギー薬： ケトチフェン（ザジテン）、アゼラスチン（アゼプチン）、オキサトミド（セルテクト）など→小児への投与は注意。
● 抗ヒスタミン薬：未熟児、新生児への投与はクロルフェニラミン（ポララミン）では禁忌、トリプロリジン（ベネン）では原則禁忌。ジフェンヒドラミン（レスタミン）の小児投与は原則禁忌。クレマスチン（タベジール）は乳幼児には慎重投与。
● 三級アミンを有する局所麻酔薬（☞**表7-1**）→Ⅰa（プロカイン類）、Ⅰb（リドカイン系）およびⅠcの抗不整脈薬にも注意。
● 全身麻酔薬：エンフルラン、ドロペリドール（ドロレプタン；ブチロフェノン系）、プロポフォール（ディプリバン）、ケタミン（ケタラール）など
● 糖尿病用薬・血糖値低下を起こし得る薬剤（☞**表7-45**）
● 造影剤（尿路・血管造影剤）： イオヘキソール（オムニパーク）、イオパミドール（イオパミロン）など
● 脳代謝改善薬→共通して興奮惹起作用、痙攣誘発作用がある（☞**表7-1**）。
● HIVプロテアーゼ阻害薬： リトナビル（ノービア）、インジナビル★、サキナビル★
● その他：H_2拮抗薬、SNRI（ミルナシプラン［トレドミン］、ベンラファキシン［イフェクサー］）、ガンシクロビル（デノシン）、イソニアジド（イスコチン）、マプロチリン（ルジオミール；四環系抗うつ薬）、ドキサプラム（ドプラム→呼吸中枢刺激）、プランルカスト（オノン）、モンテルカスト（キプレス、シングレア）、ワクチン（日本脳炎、百日咳）、PDE5阻害薬など

いないてんかん患者」への投与は禁忌である。また、低Ca血症、低Na血症（☞**コラム74**）などの電解質異常を引き起こし得る薬剤によっても痙攣発作が現れる恐れがある。さらに、三環系抗うつ薬とβ刺激薬との併用でも、振戦が高率に誘発される恐れがあるため注意を要する。なお、薬剤服用によって痙攣を生じる場合、前駆症状として頭痛や嘔気を訴えることが少なくない。このような場合、抗ドパミン作用を有する制吐薬を投与すると、痙攣が起こりやすくなるので注意する。

一方、CNS抑制薬の服用中の患者が飲酒すると、全身の筋肉弛緩や失禁が現れるとの報告がある。また、BZP系薬は催眠薬、精神安定剤として汎用されているが、GABAの受容体への結合を促進するため抗痙攣薬としても用いられている（☞**表7-1**）。経口BZP系薬と痙攣を誘発する可能性

表 8-1（つづき）　痙攣を誘発し得る主な薬剤と相互作用

（2）相互作用（協力作用）

	薬剤A	薬剤B（→併用により起こり得る事象）
併用禁忌	フェンブフェン★、フルルビプロフェンアキセチル（ロピオン）、フルルビプロフェン（フロベン）	プルリフロキサシン（スオード）、エノキサシン★、ノルフロキサシン（バクシダール）、ロメフロキサシン（ロメバクト）
	ケトプロフェン★（カピステン、アネオール）	シプロフロキサシン（シプロキサン）
	フェニル酢酸系NSAIDs、プロピオン酸系NSAIDs	ノルフロキサシン（小児用バクシダール）
併用慎重	トリプタン系薬（$5\text{-}HT_{1B/1D}$作動薬：スマトリプタン［イミグラン］など）	痙攣閾値を下げ得る薬剤
	アスピリン製剤（バファリン配合錠、バイアスピリン）	オキシカム系NSAIDs（ピロキシカム［バキソ］・アンピロキシカム［フルカム］）
	フェニル酢酸系NSAIDs（ジクロフェナク［ボルタレン］など）、プロピオン酸系NSAIDs（イブプロフェン［ブルフェン］など）	キノロン系薬
	カルバペネム系（パニペネム・ベタミプロン［カルベニン］、イミペネム・シラスタチン［チエナム］、メロペネム［メロペン］）	ガンシクロビル（デノシン）→AIDS患者6例で痙攣誘発。
	マプロチリン（ルジオミール）、トラマドール（トラマール）	痙攣閾値を下げる薬剤（フェノチアジン系薬、三環系抗うつ薬など）
	ラベタロール（トランデート；$\alpha_1\beta$遮断薬）	三環系抗うつ薬→併用の23%に振戦誘発（ラベタロールによりイミプラミンの水酸化［CYP2D6］が阻害されAUCが53%上昇との報告あり）。
	シサプリド★	抗痙攣薬→機序は不明だが、シサプリドによる痙攣誘発の8例のうち、3例が痙攣薬服用。抗痙攣薬の消化管吸収が変化を受ける可能性がある（☞**表1-8**）。
	エンザルタミド（イクスタンジ；前立腺癌治療薬）	痙攣閾値を低下させる薬剤（フェノチアジン系薬、三環系および四環系抗うつ薬、キノロン系薬など）
	ヒドロクロロキン（プラケニル；免疫調整薬）	痙攣閾値を低下させる抗マラリア薬（メフロキン［メファキン「ヒサミツ」］など）
	カルシトニン、ビスホスホネート製剤、副腎皮質ホルモン	カルシウム受容体作動薬（シナカルセト塩酸塩［レグパラ］、エボカルセト［オルケディア］、エテルカルセチド［パーサビブ静注］）→血中カルシウム低下作用の増強の可能性。

★ 販売中止、ケトプロフェンは経口薬販売中止

のある薬剤（マプロチリンなど）とを併用している患者がBZP系薬を中止する際には、痙攣の発症に注意する。ただし、BZP系薬は脳内アセチルコリン（ACh）量を増加させることがあるため、パーキンソニズムを助長したり、ドパミン作動薬（抗パーキンソン薬）の作用を減弱させたりする可能性もある（☞❷**薬剤性パーキンソニズム**）。ちなみに、GABA受容体刺激薬として、抗痙縮薬のバクロフェン（ギャバロン、リオレサール）がある。同薬は血圧低下作用を有するため、降圧薬との併用は慎重に行う（心停止例もあり）。

60歳代女性Aさん。

［処方箋］

① チラーヂンS錠25μg　1錠
　チラーヂンS錠50μg　1錠
　　1日1回　朝食後　28日分
② セレキノン錠100mg　3錠
　リーゼ錠5mg　3錠
　　1日3回　毎食後　28日分
③ ナウゼリン錠10mg　3錠
　　1日3回　毎食前　28日分
④ セイブル錠50mg　2錠
　　1日2回　朝夕食直前　28日分
⑤ ボルタレンSRカプセル37.5mg
　　2カプセル
　　1日2回　朝夕食後　28日分

⑥ シプロキサン錠 200mg　2錠
　1日2回　朝夕食後　4日分

Aさんは①～⑤を服用中であるが、今回、腹痛を伴う感染性腸炎のため⑥のシプロキサン（塩酸シプロフロキサシン）が追加された。

プロピオン酸系のボルタレンSR（ジクロフェナクNa）とキノロン系抗菌薬との併用によって、痙攣が誘発される可能性がある。さらに、チラーヂンS（レボチロキシンNa水和物）はβ_2作用による振戦、ナウゼリン（ドンペリドン；抗ドパミン薬）はパーキンソニズム、セイブル（ミグリトール）は低血糖による振戦などを誘発する恐れがあり、併用により作用が協力して痙攣が現れやすくなると考えられた。

薬剤師はAさんに、シプロキサンの服用によって手足の震え、筋肉のひきつけなどが現れやすくなることを説明。その上で、ひきつけを避けるためには、シプロキサンの他剤への変更、ボルタレンの中止などの対策もあることを伝えたが、Aさんは処方通りの服用を望んだ。

4日後の来局時に確認したところ、ひきつけ、震えなどの症状は発現していなかった。Aさんの腸炎による腹痛などの症状は完全に消失したためシプロキサンは中止となった。

参考

キノロン系薬の副作用

キノロン系薬で認められる主な副作用には、痙攣のほか、ショック、アナフィラキシー様症状、QT延長（☞**表7-33**）、血糖変動（主に低血糖：☞**表7-45**）、光線過敏症（☞**表8-21**）、アキレス腱炎・腱断裂（腱中のコラーゲン分泌細胞に対する効果のため?）、大動脈瘤、大動脈解離、重症筋無力症の悪化などがある。腱障害については副腎皮質ホルモン製剤（経口剤および注射剤）との併用によって、その発症リスクが増大することが報告されており、有益性が危険性を上回る場合のみ併用が可能となっている（機序不明）。

大動脈瘤、大動脈解離のリスクについて以前から検討されていたが、近年、海外でのコホート研究により副作用との関連性が認められたため添付文書に「重大な副作用」として記載されることとなった。腹部、胸部又は背部に痛み等の症状があらわれた場合には直ちに医師の診察を受けるよう患者に指導することが必要である。

また、キノロン系は、幼若動物を用いた実験で関節障害が高率で報告されていることから、トスフロキサシントシル酸水和物細粒小児用（オゼックス）と小児用ノルフロキサシン（バクシダール）を除くキノロン系薬の小児への投与は、原則禁忌となっている。関節軟骨毒性の詳細なメカニズムは不明だが、キノロン系によるMg欠乏（キレート作用に起因）、フリーラジカル生成やカスパーゼ（caspase：システインプロテアーゼ）依存性のアポトーシス誘導などが関与すると考えられている。興味深いことに、キノロン系による未熟ラットでの関節軟骨毒性が、MgやビタミンEの供給により改善されたとの報告がある（Sheng ZG, et al. J Pharmacol Exp Ther. 2007 ; 322 : 155-65. およびPfister K, et al. Antimicrob Agents Chemother. 2007 ; 5 : 1022-7.）。

❷ 薬剤性パーキンソニズム

線条体のドパミン受容体遮断により、錐体外路症状（パーキンソニズム）を呈するほか、下垂体前葉のドパミン受容体遮断により、プロラクチン分泌亢進、成長ホルモン、副腎皮質刺激ホルモン（ACTH）、ゴナドトロピン、後葉ホルモンなどの分泌抑制が起こる。

パーキンソン病は、黒質と線条体の抑制系伝達物質であるドパミン量の減少と、これに接続するコリン作動性神経の亢進により起こると考えられている（すなわち、パーキンソン病患者では脳内ドパミン量が減少し、ACh 量が相対的に増加している）。

つまり、抗ドパミン作用や ACh 作動作用を有する薬剤は、パーキンソン病の特徴的な症状である振戦、筋強剛、無動、小刻み・すくみ歩行、仮面様顔貌などの症状（パーキンソニズム；パーキンソン症候群）を起こしやすい。実際、薬剤性パーキンソニズムを誘発する可能性がある薬剤には、これらの作用を持つ薬剤が多く（**表8-2**）、併用によりパーキンソニズム発現の可能性はさらに高くなる。

また、これらの薬剤と抗パーキンソン薬（ドパミン作動薬など）や抗コリン薬を併用すると、作用が拮抗することになるが、抗精神病薬（フェノチアジン系薬、ブチロフェノン系薬など）によるパーキンソニズムを防ぐ目的で抗パーキンソン薬を併用する場合もあるため注意が必要である。

一方、カルバマゼピン（テグレトール）は、炭酸 Li（リーマス）と併用すると Li の作用を増強し、振戦などの精神神経症状を誘発することがある（☞**表7-5**）。またメトクロプラミド（プリンペラン）とカルバマゼピンを併用すると、カルバマゼピンの血中濃度が上昇して不随意運動が出現することがある。機序は不明だが、メトクロプラミドの消化管運動賦活によるカルバマゼピンの吸収増大（☞**表1-8**）、メトクロプラミドによるカルバマゼピンの代謝抑制などが考えられる（☞**表5-44**）。

また、α 遮断薬や β 刺激薬によって β_2 作用の振戦が現れることがあるので注意する。なお、表には示していないが、甲状腺機能が亢進した状態の患者では、錐体外路症状が起こりやすい。

参考

悪性症候群（syndrome malin）

抗精神病薬（MARTA、SDA、DSS、DSA、フェノチアジン系、ブチロフェノン系、ベンズアミド系薬など）や三・四環系抗うつ薬などの重篤な副作用の一つに、神経遮断性の悪性症候群がある。悪性症候群は、強度の筋強剛、振戦、高体温、血圧変動、血漿クレアチンホスホキナーゼ（CPK）値の上昇、ミオグロビン血症、白血球増多などを伴い、死亡率が高い。

また、認知症の約 20％を占めるレビー小体型認知症の特有の症状として幻視とパーキンソニズムがあるが、幻視に対して抗ドパミン作用のある抗精神病薬を投与すると、パーキンソニズムの悪化や悪性症候群を引き起こす可能性があるため要注意である。

なお、悪性症候群は抗パーキンソン薬の急激な中断で起こる場合もあるので留意する。

70 歳代女性 B さん。

［処方箋］
① アムロジン錠 5mg　1 錠
　1日1回　朝食後　21日分
② ディオバン錠 20mg　1 錠
　ソラナックス 0.4mg 錠　1 錠
　1日1回　寝る前　21日分
③ アビリット錠 50mg　3 錠
　1日3回　毎食後　21日分

【併用薬（他院）】
ビビアント錠 20mg　1 錠（分 1、朝食後）
トラムセット配合錠　3 錠（分 3、毎食後）
プリンペラン錠 5mg　3 錠（分 3、毎食前）

高血圧症の B さんは、気持ちを落ち着かせるためにソラナックス（アルプラゾラム）、デパス（エチゾラム）を服用していたが、立ちくらみなどがあったため、今回、デパスが中止となり、アビリット（スルピリド）が追加された。他院で処方されたプリンペラン（メトクロプラミド）も服用中のため、ドパミン D_2 遮断作用が協力して薬剤性パーキンソニズムやジスキネジアが発症しやすいと考えられた。

そこで薬剤師は B さんに、アビリットとプリンペランとの併用によって、①手足の小刻みな震え、歩行困難、食べ物が飲み込みにくい（嚥下困難）といった症状（パーキンソニズム）、②物を食べているかのように口をもぐもぐ·ぴちゃぴちゃさせる、顔をくしゃくしゃにゆがめる、首を捻転するなどの症状（ジスキネジア）、③よだれ（唾液分泌亢進）、食欲不振などの症状――が現れる可能性について説明した。

それから数週間は、Bさんは少し喉が渇く程度であったが、約2カ月後、「安静時に手が震え、字を書くときにひどくなる」「足が震えて歩行中にふらつく」「度々よだれが出る」などの症状が現れたため受診。薬の副作用の可能性が高いと判断され、アビリットが中止となった。中止後、数カ月かけてこれらの症状は徐々に改善し、現在に至っている。

本症例では錐体外路症状が消失したが、原因薬剤を中止しても症状（特に遅発性ジスキネジア）が改善しない場合もあり、これら副作用症状の早期発見に努める必要がある。

表 8-2　薬剤性パーキンソニズムを誘発し得る主な薬剤と相互作用

(1) パーキンソニズムを誘発し得る薬剤

- 抗ドパミン薬(ドパミンD_2遮断):
  フェノチアジン系薬、ブチロフェノン系薬、MARTA、SDA、DSS、DSA、クロザピン(クロザリル)、ベンズアミド系薬(スルピリド[ドグマチール]、メトクロプラミド[プリンペラン]、ネモナプリド[エミレース]、スルトプリド[バルネチール]、チアプリド[グラマリール]、イトプリド[ガナトン])、ドンペリドン(ナウゼリン)、テトラベナジン(コレアジン;非律動性不随意運動治療薬;ドパミン枯渇薬[ただし投与初期にはドパミン作動作用])
- シサプリド★,※(5-HT_4作動、ドパミンD_2遮断)
- コリン作動薬(☞**表7-20**):
  アクラトニウム(アボビス)、アセチルコリン(オビソート)、コリンエステラーゼ阻害薬(イトプリド[ガナトン]、ドネペジル[アリセプト]、ガランタミン[レミニール]ほか)など
- Ca拮抗薬(ピペラジン系では頻度が高い;ドパミンD_2遮断):
  シンナリジン★、フルナリジン★、マニジピン(カルスロット)、ロメリジン(テラナス、ミグシス;片頭痛治療薬)など
- ドパミンD_2遮断作用を有する薬剤:
  レセルピン(アポプロン;ラウオルフィアアルカロイド;脳内CA枯渇)、メチルドパ(アルドメット)、オキサトミド(セルテクト)、タンドスピロン※(セディール;5-HT_{1A}作動薬)、三・四環系抗うつ薬、トラゾドン(デジレル)、セルトラリン(ジェイゾロフト;SSRI)、H_2拮抗薬、エチゾラム(デパス)、トフィソパム(グランダキシン)
- その他:キノロン系薬、バルプロ酸(デパケン)、SSRI(フルボキサミン[デプロメール、ルボックス]、パロキセチン[パキシル]、エスシタロプラム[レクサプロ])、SNRI(ミルナシプラン[トレドミン])、ケタミン(ケタラール;注射用麻酔薬)、プロピベリン(バップフォー)、インターフェロンα、シクロスポリン(サンディミュン、ネオーラル)、セファピリン(セフェム系)、FU(5-FU)、マンガン配合剤(エレメンミック)、ミダゾラム(ドルミカム、ミダフレッサ→乳・幼児において不随意運動)、オンダンセトロン(ゾフラン;抗5-HT_3)、メマンチン(メマリー;NMDA受容体拮抗薬→振戦、チック、ジスキネジア;機序不明)など

(2) 相互作用

	薬剤A	薬剤B	併用により起こり得る事象
(a) 協力作用			
併用慎重	フェノチアジン系薬、ブチロフェノン系薬	炭酸Li(リーマス)	重症の錐体外路症状、持続性ジスキネジア、非可逆的脳症、心電図変化、突発性の悪性症候群。Liは抗ドパミン作用増強?
併用慎重	ドンペリドン(ナウゼリン)、メトクロプラミド(プリンペラン)	フェノチアジン系薬、ブチロフェノン系薬、レセルピン(アポプロン)	錐体外路症状、内分泌機能調節異常。
併用慎重	スルピリド(ドグマチール)	他のベンズアミド系薬	錐体外路症状、パーキンソニズム誘発。
併用慎重	タンドスピロン※(セディール;5-HT_{1A}作動薬)	フェノチアジン系薬	錐体外路症状を増強。
併用慎重	抗ドパミン薬:フェノチアジン系薬、メトクロプラミド(プリンペラン)、ドンペリドン(ナウゼリン)など	テトラベナジン(コレアジン;ドパミン枯渇薬)	パーキンソニズム誘発。
(b) 拮抗作用			
併用慎重	抗パーキンソン薬:レボドパ製剤(ドパストンなど)、ドパミン作動薬(ブロモクリプチン[パーロデル;麦角系]など)、抗コリン薬(トリヘキシフェニジル[アーテン]など)、MAO-B阻害薬(セレギリン[エフピー]、ラサギリン[アジレクト]、サフィナミド[エクフィナ]、ゾニサミド[トレリーフ])など	ドパミンD_2遮断作用を有する薬剤(スルピリド[ドグマチール]、レセルピン[アポプロン]、フェノチアジン系など)	パーキンソン病悪化。
併用慎重	レボドパ製剤	テトラベナジン(コレアジン;ドパミン枯渇薬)	パーキンソン症状悪化。ただしMAO-B阻害薬とテトラベナジンの併用はMAO阻害作用増強のため禁忌(第3節「注意」参照;テトラベナジン投与初期にはドパミン作動作用があるため)。

太字の薬剤は特に注意が必要。　※ 5-HTの作用は**付A**参照。　★ 販売中止

コラム 71

アデノシン A_{2A} 受容体拮抗薬（非ドパミン系パーキンソン病治療薬）の作用機序と特性

パーキンソン病は、ドパミン神経の脱落変性による線条体ドパミン含量の著明な減少が原因であり、今なお対症療法として最も有効なのはレボドパによるドパミン補充療法である。しかし、レボドパ長期投与による「症状の日内変動」「ジスキネジア」など、ドパミン受容体を介した副作用の問題は解決されておらず、ドパミンを標的とした治療方法の限界を示している。

この問題を解決するため、ドパミン受容体とは異なる非ドパミン性の受容体を標的とする薬剤の開発が進められていたが、その一つとして2013年5月に登場したのがアデノシン A_{2A} 受容体拮抗薬のイストラデフィリン（ノウリアスト）である。

アデノシン受容体は、これまでに A_1、A_{2A}、A_{2B}、A_3のサブタイプの存在が知られていたが、このうち A_{2A} 受容体は大脳基底核の線条体と淡蒼球の経路（間接経路）に特異的に発現し、GABA 神経を興奮させ、運動を抑制的に調節している。一方、間接経路においてドパミンは、GABA 神経を抑制して運動の促進に働いている。パーキンソン病ではドパミン神経の変性・脱落によりドパミン量が低下しているため、GABA 神経の過剰興奮を示して運動障害に陥っている。つまり、A_{2A} 受容体拮抗薬は GABA 神経の過剰興奮を抑制して、パーキンソン病の運動機能障害を改善すると考えられる。

長期のドパミン補充療法では、症状の日内変動が伴うが、中でもレボドパが効く時と効かない時が現れる wearing off は深刻な問題となっている。これまでの wearing off 治療では、ドパミン刺激を補助する薬剤の追加が行われていたが、アデノシン A_{2A} 受容体拮抗薬は、ドパミンの受容体や代謝に影響を与えず、異なる機序で効果を示すため、ドパミン系の薬物治療で問題が生じた場合にも有効である。イストラデフィリンは、「レボドパ含有製剤で治療中のパーキンソン病におけるウエアリングオフ（wearing off）現象の改善」を効能・効果としており、パーキンソン病治療の選択肢が広がることが期待される。

コラム 72

定型抗精神病薬と非定型抗精神病薬

抗精神病薬は、第一世代（定型）抗精神病薬と、非定型抗精神病薬の2つに大きく分けられる。両者は主作用、副作用が異なる。非定型薬には MARTA（多元受容体標的化抗精神病薬）、SDA（セロトニン-ドパミン アンタゴニスト）、DSS（ドパミンシステムスタビライザー）、DSA（ドパミン-セロトニン アンタゴニスト）、クロザピン（クロザリル）があり、従来の定型薬（フェノチアジン系、ブチロフェノン系、ベンズアミド系など）に比べて以下の利点がある。

① 陽性症状（幻覚、妄想、興奮、昏迷などの急性期症状）だけでなく、陰性症状（二次的に起こる自閉、無関心・無感情・無表情、思考貧困、意欲欠如、快感消失などの症状）にも効果がある。
② 認知症に対する効果がある。
③ 錐体外路症状（薬剤性パーキンソニズム）、遅発性ジスキネジア（長期投与による口周辺部などの不随意運動）、抗コリン症状（口渇、便秘、目のかすみなど）を生じにくい。
④ プロラクチン値を上昇させない。
⑤ 治療抵抗性統合失調症にも有効である。

このような定型薬と非定型薬との相違は、脳内のドパミン神経伝達系の4つの主要経路に及ぼす効果の相違に起因すると考えられている（**表8-3**）。

統合失調症の患者では、特に**表8-3**の❶❷の経路が過活動しているが、❸❹では正常なドパミン伝達が行われている。定型抗精神病薬は、強力なドパミン D_2（D_2）遮断作用を有し、これら全ての領域を非選択的に強く阻害することが示されている。したがって、陽性症状に効果的である反面、陰性症状や錐体外路症状が発現したり、認知機能低下やプロラクチン値上昇といった副作用を引き起こしやすい。

表8-3 抗精神病薬が作用するドパミン神経伝達系

名称	経路	ドパミンD_2遮断により起こる現象
❶ 中脳辺縁系	腹側被蓋野（A10）から側坐核への経路	陽性症状改善（抗精神病作用）
❷ 中脳皮質系	A10から大脳皮質、前頭（葉）皮質への経路	陰性症状発現や認知機能低下
❸ 黒質線条体系	脳幹の黒質（A9）から線条体への経路	錐体外路症状発現（パーキンソニズム、アカシジア、ジストニアなどの運動障害）
❹ 下垂体漏斗系	視床下部から正中隆起あるいは下垂体への経路	プロラクチン分泌促進（高プロラクチン血症）

（村崎光邦ら. 臨床精神薬理. 2008；11： 845-54. 一部改変）

表8-4 抗精神病薬の受容体親和性

薬剤名	分類	D_2※1	5-HT_{2A}※1	5-HT_{2A}/D_2※2
オランザピン（ジプレキサ）	MARTA	35.4	0.787	0.022
クエチアピン（セロクエル）	MARTA	370	42.8	0.12
リスペリドン（リスパダール）	SDA	4.19	0.227	0.054
ペロスピロン（ルーラン）	SDA	0.874	0.252	0.29
アリピプラゾール（エビリファイ）	DSS	0.988	6.3	6.4
ブレクスピプラゾール（レキサルティ）	SDAM	0.3	0.47	1.6
ブロナンセリン（ロナセン）	DSA	0.284	0.64	2.3
クロザピン（クロザリル）※3	治療抵抗性統合失調症治療薬	125	12	0.096
ハロペリドール（セレネース）	定型薬	3.19	32.7	10

※1 各受容体と阻害薬（各薬剤）との平衡定数Ki値（nM）を示す。数値が低いほど親和性が高く阻害効果が強い。
※2 D_2受容体のKi値を1としたときの結合親和性比。1より低い場合は5-HT_{2A}受容体への親和性が高いことを示す
※3 クロザリルのインタビューフォームより抜粋。同実験系でのD_2のKi値（nM）はオランザピン、リスペリドン、ハロペリドールでそれぞれ11±2、3±0.1、1±0.04、5-HT_{2A}のKi値はそれぞれ4±0.4、0.6±0.2、78±22である。

一方、非定型薬については、①共通してD_2受容体と5-HT_{2A}受容体の双方に遮断作用がある（☞付A）、②親和性はD_2受容体より5-HT_{2A}受容体に対して強い（5-HT_{2A}＞D_2、ただしDSAではD_2＞5-HT_{2A}）、③D_2遮断は中脳辺縁系に選択性がある――といった特徴が挙げられる。5-HT_{2A}受容体は、黒質線条体系でドパミン遊離を抑制しているため、強力な5-HT_{2A}遮断作用を有する非定型薬は、ドパミン遊離を促進することになる。さらに、線条体のドパミン濃度は辺縁系の約100倍と高く維持されていることが示されており、D_2受容体は内因性のドパミンで占拠されていると想定できるため、D_2受容体への親和性が弱い非定型薬は、線条体のD_2受容体を遮断しにくい。これらの理由から、非定型薬は定型薬に比べて、錐体外路症状などを引き起こしにくい。なお、5-HT_{2A}受容体はA10から側坐核へのドパミン神経終末には分布せず、しかも中脳辺縁系のドパミン濃度は低いため、非定型薬の抗精神病作用（陽性症状改善）は十分に発揮されると考えられる。

2006年に販売されたDSSのアリピプラゾール（エビリファイ）は、D_2受容体を完全に遮断するのではなく、シナプス間隙のドパミン濃度の高低に応じて、D_2受容体を遮断・刺激するという特徴を持つ（部分的アゴニスト）。このため、ドパミン遮断作用に起因する副作用を起こしにくい。また、非定型薬（特にMARTA）では体重増加、糖尿病、脂質異常症などが問題になるが（☞第7章［第8節❹］）、これらの副作用も起こしにくいとされている。

また、2008年に発売されたブロナンセリン（ロナセン）は、選択的にD_2および5-HT_{2A}受容体に対して強い親和性を示し、陽性および陰性症状に有効で錐体外路症状が少ないという「非定型性」を示す薬剤である。しかし、従来のSDAやMARTAとは異なり、受容体への親和性は5-HT_{2A}よりもD_2に対し

て高いというユニークな特徴を持つため、DSAと呼ばれている。D_2親和性が高いにもかかわらず、なぜ錐体外路症状が少ないかは明らかでない（投与直後はD_2受容体を高率に占有するが、その後、急速に同受容体より解離する性質があるとの仮説がある）。臨床では、非定型薬で問題になる体重増加、糖尿病のリスクも低く、効果の点でも強力なD_2遮断作用を有する抗精神病薬として期待されている。なお、ブロナンセリンはCYP3A4で代謝されるが、その親和性は弱いため、CYP3A4阻害薬（アゾール系、HIVプロテアーゼ阻害薬は併用禁忌）、誘導薬との併用には注意が必要である（☞**表5-17、5-30**）。

さらに2009年に発売されたベンゾジアゼピン系のクロザピン（クロザリル）は、5-HT_{2A}受容体、ドパミンD_4受容体を強力に阻害する一方で、D_2受容体に対する親和性は極めて低いという特徴があり、ドパミン遮断による副作用が極めて少ない薬剤である。増加傾向にある治療抵抗性の統合失調症の最終選択薬であるが、重篤な副作用（高血糖、無顆粒球症、心筋炎など）の恐れがあるため、講習を受けて「クロザリル患者モニタリングサービス」に登録された医師・薬剤師の下でのみ用いられ、原則として投与開始後18週間は入院管理とする。同薬の詳細な作用機序は不明であるが、D_2遮断に依存しない中脳辺縁系の選択的な抑制を介して陽性症状を改善するほか、前頭皮質での5-HT_{2A}遮断により陰性症状を改善したり、大脳皮質での5-HT_{2C}、5-HT_3、α_2遮断を介して抗うつ様・抗不安様効果を発揮したりすると考えられている。

参考までに、非定型および定型抗精神病薬のD_2（$D_{2\ long}$）および5-HT_{2A}受容体遮断効果（in vitro）について**表8-4**に示す。

コラム73

ドパミン作動薬、抗ドパミン薬の副作用とドパミン受容体

末梢のドパミンはAChなどの神経伝達物質の遊離を抑制的に調節しているため、消化管運動に対して抑制的に働く。したがって、ドパミン作動薬（特に麦角系薬）は消化不良、悪心・嘔吐、便秘、胃十二指腸潰瘍の悪化などの消化器症状を誘発する。

一方、抗ドパミン薬のスルピリド（ドグマチール）、メトクロプラミド（プリンペラン）、ドンペリドン（ナウゼリン）、イトプリド塩酸塩（ガナトン）は消化管運動賦活薬として用いられる。ただし、同じ抗ドパミン薬のフェノチアジン系薬、ブチロフェノン系薬では、逆に抗コリン作用（消化管運動抑制）が強く、麻痺性イレウスを起こす恐れがある。また抗ドパミン薬は、延髄のCTZにあるドパミン受容体を遮断して制吐作用を示す。したがって、併用薬の消化器系の副作用や中毒症状を不顕化することがあるため、消化器系の中毒症状を誘発し得るジギタリス製剤、テオフィリン（テオドール）などとの併用は慎重に行う。

また、末梢のドパミンには血管拡張作用があるため、ドパミン作動薬は起立性低血圧を引き起こすことが多い（☞**表7-36**）。これは、交感神経終末で抑制的に働くシナプス前ドパミン受容体が刺激され、NAdの遊離が抑制されるためと考えられる。

なお、ドパミン受容体はD_1、D_2の2種類に分けられる。D_1受容体はc-AMP産生を介して中枢におけるドパミン生合成の調節を行っており、ブチロフェノン系の薬剤は弱いながらD_1受容体遮断作用を有するが、抗精神病効果との相関性はない。一方、D_2受容体はc-AMP産生を抑制するものと、K^+チャネルを開口（Ca^{2+}チャネルを抑制）するものがあり、パーキンソン病（脳内ドパミン量低下）、統合失調症（ドパミン神経系の機能亢進）の誘発や、前述のように胃腸運動や嘔吐の誘発の抑制に深く関わっている。最近、D_1受容体には2種（D_1、D_5）、D_2受容体には4種（$D_{2\ short}$、$D_{2\ long}$、D_3、D_4）の分子種が存在することが判明している。

第2節
低K血症、高K血症

血清カリウム（K）値の変動は、興奮性細胞、すなわち神経や骨格筋、心筋の機能に大きく影響する。低K血症では、筋麻痺、筋力低下、QT延長、房室伝導抑制、T波平低化、期外収縮、インスリン分泌量低下、尿濃縮障害、アンモニア産生量増加（肝性昏睡の誘発）、アルカローシスなどが現れる。一方、高K血症では、四肢麻痺、筋力低下、知覚障害、T波増高、PQおよびQRS延長、悪心、嘔吐、下痢、イレウス、アシドーシスなどの症状が現れ、血清K値が7mEq/L以上になると致死的不整脈を起こす可能性が高くなる。

血清K値を変動させる可能性のある薬剤を☞**8-5**に示す。これらの薬剤を併用すると、協力作用によって低K血症や高K血症の危険性が高くなる。血清K値は、筋弛緩（☞**表7-27**）、QT延長（☞**表7-33**）、催不整脈（☞**表7-33**）、血糖値上昇（☞**表7-45**）、痙攣（☞**表8-1**）、パーキンソニズム（前節）、および横紋筋融解症（☞**表8-18**）にも関係する。

細胞のNa^+/K^+-ATPase活性を上昇し得る薬剤（キサンチン系薬［テオフィリン〈テオドール〉］、β刺激薬［特にβ_2刺激薬］、甲状腺ホルモン製剤）は、細胞内へのK^+流入を促進し、低K血症を誘発する。また、ジスルフィラム－アルコール反応時には、血中アセトアルデヒド濃度が上昇し過呼吸が起こり、体内のCO_2不足でアルカローシスとなるため血中K値が低下する。一方、アルカローシスを誘発する薬剤（乳酸Na補正液［アシドーシス改善薬］など）と低K血症を誘発する薬剤を併用すると、協力作用によりアルカローシスが誘発されやすくなり、同薬と高K血症を誘発する薬剤を併用すると拮抗作用により薬効が減弱する恐れがある。

インスリン分泌にはK^+が必要なため、低K血症ではインスリン分泌が抑制され血糖値が上昇すると考えられる（☞**p.525「重要」**）。また、低K血症によるアンモニアの上昇は、低K血症に対する代償反応という説がある。

相互作用ではまず、ジギタリス中毒が低K血症によって誘発されやすい点に留意する（後述）。また、ジギタリス中毒は高Ca血症でも起こりやすいので、活性型ビタミンD_3製剤との併用は慎重に行う。さらに、活性型ビタミンD_3はMgの腸管吸収も促進するため、高Mg血症の誘発にも注意する（☞**表1-17、コラム75**）。

また、筋弛緩薬と**表8-5**に示した薬剤を併用すると、作用が増減するので注意する（低Kによる痙攣誘発の可能性もある）。K排泄型利尿薬（チアジド系、ループ系）とツボクラリン（非脱分極性筋弛緩薬）およびその類似作用物質との併用は術前に中止する。

なお、キニジン硫酸塩水和物（硫酸キニジン）は抗コリン作用（☞**表7-20**）、血圧低下作用（☞**表7-36**）、心筋収縮力抑制（陰性変力：☞**表7-33**）作用などを有し、高K血症、ジギタリス中毒、低血圧の患者には投与禁忌である。

一方で、高K血症を誘発する薬剤のK保持性利尿薬、RAA系阻害薬、シクロスポリン（サンディミュン、ネオーラル）、タクロリムス（プログラフ）などでは、併用禁忌があり注意する。

例えばACE阻害薬とAT_1拮抗薬を併用した場合、RA系阻害の協力により、高K血症、低血圧、急性腎不全のリスクが増加するとの報告がある。近年では、eGFRが60mL/min/1.73m^2未満の腎機能障害があり、ACE阻害薬またはAT_1拮抗薬を服用中の患者にアリスキレン（ラジレス；直接レニン阻害薬）を投与する場合は、血清K値、血清クレアチニン値が上昇する恐れがあるため、治療上やむを得ないと判断される場合を除いて併用は禁忌となっている（原則禁忌）。

また、2型糖尿病における糖尿病性腎症の患者では、血清K上昇、血清クレアチニン上昇が現れやすい。特にACE阻害薬またはAT_1拮抗薬を服用中の2型糖尿病患者においても、アリスキレンの

表 8-5　低 K・高 K 血症を誘発し得る主な薬剤と相互作用

(1) 低K血症

【a】低K血症を誘発し得る薬剤

- ステロイド系薬：
  - ・副腎皮質ホルモン製剤、副腎髄質ホルモン
  - ・グリチルリチン含有製剤：甘草含有薬剤（各種漢方製剤、S・M配合散、つくしA・M散など）、ネオ・ユモール★（甘草抽出物；消化性潰瘍治療薬）、強力ネオミノファーゲンシー（薬疹などの解毒剤、肝機能改善薬）、グリチロン配合錠（肝疾患用薬・アレルギー用薬）など→偽アルドステロン症誘発（☞**p.567「注意」**）
- K排泄型利尿薬：
  チアジド系（低Mg血症も誘発：トリクロルメチアジド［フルイトラン］など）、ループ系（フロセミド［ラシックス］、エタクリン酸など）、炭酸脱水酵素阻害薬（アセタゾラミド［ダイアモックス］）、インダパミド（ナトリックス；非チアジド系）
  →代償的にアルドステロン作用部位のNa^+/K^+交換系が促進（☞**コラム15**）。低Na血症誘発（☞**コラム74**）。
- Na^+/K^+-ATPase促進：
  β刺激薬（β_2刺激薬は最も注意）、キサンチン系薬（テオフィリン［テオドール］など）、甲状腺ホルモン製剤（☞**コラム70**）
- ファンコニー症候群誘発薬剤（☞**表5-56参照**）
- リン酸Na塩配合錠（ビジクリア配合錠；経口腸管洗浄剤；☞**コラム74**）
- 陽イオン交換樹脂（腸内Kを結合）：
  ポリスチレンスルホン酸Ca（カリメート）、ポリスチレンスルホン酸Na（ケイキサレート）
- アムホテリシンB（ファンギゾン；抗真菌薬；ポリペプチド系薬）
- ポサコナゾール（ノクサフィル；深在性真菌症治療薬；アゾール系薬）
- エンビオマイシン（ツベラクチン；抗結核薬）
- エルトロンボパグ（レボレード；EPO受容体作動薬）
- ジスルフィラム-アルコール反応時
- インスリン
- ピペラシリン（ペントシリン；合成ペニシリン系薬）
- アビラテロン（ザイティガ；前立腺癌治療薬；CYP17阻害薬）

【b】相互作用（協力作用）

	薬剤A	薬剤B	併用により起こり得る事象など
併用慎重	K排泄型利尿薬	ジギタリス製剤※	ジギタリス中毒の40～70%は利尿薬との併用。
		非脱分極性筋弛緩薬（ベクロニウム［マスキュラックス］）	低K血症により神経－筋遮断作用増強。
		副腎皮質ホルモン製剤、グリチルリチン含有製剤	低K血症。
		糖尿病用薬（SU薬など）	血糖降下作用減弱、併用中止で改善。
		ベラパミル（ワソラン）	心房伝導抑制（徐脈）。
		イバブラジン（コララン；HCNチャネル遮断薬）	イバブラジンの心拍数減少、低K血症により不整脈のリスクが増強する恐れがある。
	アゾセミド（ダイアート；持続型ループ系）	非脱分極性筋弛緩薬（ツボクラリン★）	低K血症により神経－筋遮断作用増強。手術前にはアゾセミド休薬。
	ステロイド系薬、K排泄型利尿薬、キサンチン系薬など	β刺激薬（主にβ_2刺激薬）：インダカテロール（オンブレス；COPD）、ホルモテロール（オーキシス［COPD］、シムビコート［喘息・COPD］、フルティフォーム［喘息］）、ビランテロール（アノーロ［COPD］、レルベア［喘息］）など	低K血症による心血管事象（不整脈など）を起こす恐れがある。
	ジギタリス製剤※	甲状腺ホルモン製剤、アムホテリシンB（ファンギゾン）、エンビオマイシン（ツベラクチン）、活性型ビタミンD_3製剤、テリパラチド製剤（合成ヒトPTH製剤：テリボン、フォルテオ→高Ca血症誘発）、陽イオン交換樹脂、Ca内服薬	ジギタリス中毒、甲状腺ホルモン製剤ではP-gp誘導によるジギタリス排泄促進（血中濃度低下）に注意。
	リン酸Na塩配合錠（ビジクリア；経口腸管洗浄剤）	低K血症を誘発する薬剤	低K血症。痙攣発作、QT延長（低K/Ca血症との関連性）など誘発。添付文書上に警告あり。リン酸Na塩配合錠は電解質異常（低K/Na/Ca/Mg血症など）を誘発しやすいため、電解質異常誘発薬剤との併用や、QT延長誘発薬剤（☞**表7-34**）、腎血流・腎機能に影響を与える薬剤との併用は注意。特に高齢者で降圧薬服用中は、腎毒性誘発のため投与禁忌（☞**表8-20**）。

※ ジギタリス中毒は低K・低Mg・高Ca血症で誘発されやすいので、この表に加えた。注射用Ca製剤により血中Ca濃度が上昇するとジギタリス中毒が急激に出現することがあるため、ジギタリス製剤と注射用Ca製剤との併用は禁忌である（☞**表7-34**）。

★ 販売中止

（2）高K血症

【a】高K血症を誘発し得る薬剤・物質

- K保持性利尿薬：スピロノラクトン（アルダクトンA；抗アルドステロン薬）、カンレノ酸（ソルダクトン）、トリアムテレン（トリテレン；抗アルドステロン作用はない）など
- レニン−アンジオテンシン−アルドステロン（RAA）系阻害薬（☞**コラム60**）：選択的ミネラルコルチコイド受容体ブロッカー（エサキレノン［ミネブロ］；アルドステロン阻害作用）、選択的アルドステロンブロッカー（エプレレノン［セララ］）、抗アルドステロン薬（スピロノラクトン［アルダクトンA］、カンレノ酸［ソルダクトン］）、ACE阻害薬、AT_1拮抗薬、直接的レニン阻害薬（アリスキレン［ラジレス］）
- ドロスピレノン配合錠（ヤーズ：卵胞ホルモン［エチニルエストラジオール］・黄体ホルモン［ドロスピレノン］配合剤：弱い抗ミネラルコルチコイド作用）
- 脱分極性筋弛緩薬（スキサメトニウム［同名］）
- NSAIDs（PGのレニン分泌促進作用を抑制、AngⅡ産生低下）
- シクロスポリン（サンディミュン、ネオーラル）
- タクロリムス（プログラフ；マクロライド様構造）
- インスリン
- ガベキサート（エフオーワイ注；タンパク質分解酵素阻害薬）
- カモスタット（フオイパン；膵疾患治療薬）
- V_2-受容体拮抗薬：トルバプタン（サムスカ；他の利尿薬で効果不十分な心不全における体液貯留に適応）
- β遮断薬
- K塩：アスパラK、クエン酸K・Na配合錠（ウラリットU）など
- ヘパリン
- ジゴキシン（ジゴシン）
- ST合剤（バクタ配合錠、ダイフェン配合錠）
- ファドロゾール（アロマターゼ阻害薬）
- ワイン（赤ワイン1本720mLには約720mgのK含有）

【b】相互作用（協力作用）

	薬剤A	薬剤B	併用により起こり得る事象など
併用禁忌	タクロリムス（プログラフ）	K保持性利尿薬（スピロノラクトン［アルダクトンA］、トリアムテレン［トリテレン］など）	高K血症。Kの過剰摂取を行わないこと。
併用禁忌	エプレレノン（セララ）	K製剤、K保持性利尿薬、エサキレノン（選択的ミネラルコルチコイドブロッカー）	K貯留作用の増強。高K血症の恐れ。
併用禁忌	エサキセレノン（ミネブロ；アルドステロン阻害作用）	K製剤、K保持性利尿剤、エプレレノン（セララ）	
併用禁忌	シクロスポリン（サンディミュン、ネオーラル）	アリスキレン（ラジレス；直接的レニン阻害薬）	アリスキレンCmax2.5倍、AUC5倍上昇（空腹時）。肝・消化管P-gp阻害に起因するが、同時に高K血症誘発も考えられる。
原則禁忌	アリスキレン（ラジレス）	ACE阻害薬、AT_1拮抗薬（eGFRが60mL/min/1.73m²未満の腎機能障害患者では治療上やむを得ない場合を除き併用は避ける）	血清K値、血清クレアチニン値が上昇する恐れがあるため。
原則禁忌		ACE阻害薬、AT_1拮抗薬を服用中の糖尿病患者（ただし、降圧薬による血圧コントロールが著しく不良の患者を除く）	レニン-アンジオテンシン系（RA）系阻害の協力（高K血症、低血圧、腎機能障害、非致死性脳卒中発症リスク増加）。
原則禁忌	スキサメトニウム	ジギタリス製剤	重篤な不整脈、心停止、TdP発現（スキサメトニウムによる高K血症誘発またはCA放出促進が原因と考察される：☞**表7-34**）。
併用慎重	AT_1拮抗薬	ACE阻害薬	高K血症、低血圧、腎機能障害の恐れ。
併用慎重	ACE阻害薬、AT_1拮抗薬	トリアムテレン（トリテレン）	高K血症。腎障害患者への投与注意。
併用慎重		スピロノラクトン（アルダクトンA）	心ブロック、死亡例。
併用慎重		ST合剤（バクタ配合錠、ダイフェン配合錠）	高K血症関連入院のリスクが6.7倍に上昇。可能ならばST合剤を他の抗菌薬に変更。
併用慎重	エプレレノン（セララ） エサキレノン（ミネブロ；アルドステロン阻害作用）	ACE阻害薬、AT_1拮抗薬、シクロスポリン、タクロリムスなど	K貯留作用の増強。高K血症。
併用慎重	K塩（L-アスパラギン酸K［アスケート、アスパラ］など）	K保持性利尿薬、ACE阻害薬、AT_1拮抗薬、シクロスポリン、β遮断薬、NSAIDs、ヘパリン、ジゴキシン（ジゴシン）	高K血症。
併用慎重	カンレノ酸カリウム（ソルダクトン；K保持性利尿薬）	K塩、K保持性利尿薬、ACE阻害薬、AT_1拮抗薬、アリスキレン、シクロスポリン	高K血症。

併用慎重	アリスキレン（ラジレス）	K塩、K保持性利尿薬、エプレレノンなど	高K血症。
	トルバプタン（サムスカ）；V_2-受容体拮抗薬	K製剤、K保持性利尿薬、ACE阻害薬、AT_1拮抗薬、レニン阻害薬、抗アルドステロン薬など	トルバプタンの水利尿作用により循環血漿量減少を来し、相対的な高K血症の恐れ。
	NSAIDs（インドメタシン［インテバン］、ジクロフェナク［ボルタレン］など）	K保持性利尿薬、抗アルドステロン薬（エプレレノンなど）、ACE阻害薬、AT_1拮抗薬、シクロスポリン	高K血症。AngⅡ作用阻害薬の併用時は、腎障害可能性増大にも注意（☞**コラム82**）。
	サクビトリルバルサルタン（エンレスト；アンジオテンシン受容体ネプリライシン阻害薬）	K保持性利尿薬：トリアムテレン（トリテレン）、スピロノラクトン（アルダクトン）、エプレレノン（セララ） K補給製剤：塩化カリウム	血清K値および血清クレアチニン値が上昇する恐れ。
		ドロスピレノン・エチニルエストラジオール（ヤーズ配合錠） トリメトプリム含有製剤：スルファメトキサゾール・トリメトプリム（バクタ配合錠） シクロスポリン（サンディミュン、ネオーラル）	血清カリウム値が上昇することがある。
	リトドリン（ウテメリン注）	硫酸マグネシウム注	出生した早産児の高カリウム血症のリスクが高いことが報告されている。CK上昇、呼吸抑制、循環器関連の副作用（胸痛、心筋虚血）が現れることがある。

投与は禁忌となっている（原則禁忌；ただしRA系阻害薬を含む降圧治療を行ってもなお、血圧のコントロールが著しく不良の患者を除く）。これは、ACE阻害薬やAT_1拮抗薬にアリスキレンを投与しても、ACE阻害薬やAT_1拮抗薬を上回る有益性が認められなかった上、RA系阻害が強力に現れて高K血症、低血圧、腎機能障害、非致死性脳卒中のリスク増加が報告されているためである。

重要

低K血症誘発薬によるジギタリス中毒

ジギタリスは、心筋細胞膜のNa^+/K^+-ATPase（Na^+流出、K^+流入）活性を阻害し、結果的に細胞内のCa^{2+}濃度を高めて、心筋収縮力を増強する。これは、Na^+/K^+-ATPase阻害により心筋細胞内のNa^+が増加して、心筋細胞膜に存在するNa^+/Ca^{2+}交換系（Na^+流出、Ca^{2+}流入）が促進されるためである。Na^+が細胞外に流出するとともにCa^{2+}が心筋内に流入して、最終的に細胞内のCa^{2+}濃度が上昇する。

したがって、ジギタリスを投与すると、心筋細胞内は低K、高Ca状態となるため、低K血症または高Ca血症を誘発する薬剤との併用では、ジギタリスの作用が増強して中毒が発生しやすくなるため注意する。注射用Ca製剤（カルチコール注、塩化Ca注など）とジギタリス製剤（ジゴキシン［ジゴシン］、メチルジゴキシン［ラニラピッド］、プロスシラリンジン、ジギトキシン）の併用は禁忌である（☞ **表7-34**）。また、細胞内のMg^{2+}濃度の上昇は、Na^+/K^+-ATPase活性を上昇させることが知られており、低Mg血症では細胞内のMg^{2+}濃度が低下するためNa^+/K^+-ATPase活性が抑制され、ジギタリス中毒が誘発されやすくなる。

80歳代男性Aさん。

［処方箋］

① バイアスピリン錠100mg　1錠
　プラビックス錠25mg　2錠
　レニベース錠5　0.5錠
　セララ錠50mg　1錠
　タケプロンOD錠15　1錠
　アーチスト錠2.5mg　1錠
　　1日1回　朝食後　28日分
② ラシックス錠40mg　1.5錠
　　1日1回　朝食後　14日分

4年前、狭心症のためステント留置術を受けたAさん。ステント血栓症の予防にバイアスピリン（低用量アスピリン）とプラビックス（クロピドグレル硫酸塩）を服用中である。心肥大、高血圧などのためレニベース（エナラプリルマレイン酸塩）、セララ（エプレレノン）、ラシックス（フロセミド）も服用しているが、今回、ラシックスの投与量が1.5錠に増量された。

レニベースとセララは高K血症、ラシックスは低K血症を誘発する恐れがある。処方医は血清K値の測定を行いながら投与量を決定しているが、薬剤師は念のためAさんに対し、低K血症の主な症状（脱力感、筋肉に力が入らない、手足のひきつけ・しびれなどの筋肉症状、不整脈や胸が苦しいなどの循環器症状、吐き気や嘔吐、便秘などの消化器症状、多尿や多飲などの腎症状）の発現に注意するように指導した。

2カ月たった現在、これらの症状は認められず、また血清K値も4.1mEq/Lと正常範囲を維持しているが、引き続き低K血症症状の発現に注意を促している。

症例② 70歳代女性Bさん。

[処方箋]
① セララ錠50mg　1錠
ラシックス錠40mg　1錠
ダイアート錠30mg　0.5錠
1日1回　朝食後　4日分
② ディオバン錠40mg　2錠
アスパラカリウム錠300mg　2錠
1日2回　朝夕食後　4日分

Bさんは他院で降圧薬を処方されていたが、下肢浮腫があり、収縮期血圧が不安定だったため循環器内科を受診し、当薬局に初めて来局した。これまで服用していた薬（詳細不明）は中止し、今回の処方薬のみを服用するよう指示があった。

これらはいずれも血清K値に影響を与える薬剤であり、セララ（エプレレノン）、ディオバン（バルサルタン；AT_1拮抗薬）、アスパラカリウム（K製剤）は高K血症、ラシックス（フロセミド）、ダイアート（アゾセミド）では低K血症を誘発する可能性がある。また体液中のKの減少が明らかな患者へのラシックス、ダイアートの投与は禁忌である。

相互作用の観点では、エプレレノンとK製剤との併用は高K血症の恐れがあり禁忌であるため、薬剤師は処方医に疑義照会した。その結果、Bさんの血清K値は3.2mEq/Lと正常範囲（3.5～5.0）より低値であり、血清K値を測定しながら様子を見たいので、処方通りに投薬するよう指示があった。Bさんには低K血症の症状だけでなく、口の周囲がしびれる、胸が苦しい、体がだるい、嘔吐や下痢といった高K血症の症状に注意するとともに、血清K値検査などのため、次回も必ず受診するよう指導した。

4日後の検査では、Bさんの血清K値は3.2mEq/Lと不変であり、収縮期血圧は130～150mmHgと安定し、足のむくみも少し改善したため、do処方（4日分）が行われた。その4日後も血清K値はやや低値であるものの（3.3mEq/L）、血圧は安定し、足のむくみは気にならない程度まで回復したため、14日処方となった。現在も経過を観察中である。

本症例のように、十分な血清K値の管理下であれば、たとえ併用禁忌であっても併用されるケースがあることに留意しておきたい。

症例③ 70歳代男性Cさん。

[処方箋]
① アリセプト錠5mg　1錠
リピトール錠10mg　1錠
バファリン配合錠A81　1錠
ラニラピッド錠0.1mg　1錠
1日1回　朝食後　7日分
② ラシックス錠20mg　2錠
1日2回　朝昼食後　7日分
② ワーファリン錠1mg　1錠
1日1回　夕食後　7日分

いつも奥さんに付き添われて来局するCさんは、上記の処方薬を1年以上服用中である。3カ月ごとにラニラピッド（メチルジゴキシン）のTDMと血液検査を実施している。

本症例には様々な相互作用が考えられる。例えば、バファリン（アスピリン）とワーファリン（ワルファリンカリウム）による出血傾向、アリセプト（ドネペジル塩酸塩）とバファリンによる胃腸障害、ラシックス（フロセミド）とリピトール（アトルバスタチンCa水和物）による高血糖、ラシックスとバファリンによる高尿酸血症、アリセプト（コリン作動薬）とラニラピッド（メチルジゴキシン）による徐脈が考えられる。また、ラシックスによる低K血症およびリピトールによる腎P-gp阻害により、ジギタリス中毒が起こりやすいと考えられた。

そのため、投薬時にはこれらの症状の有無について尋ね、注意を促していたが、ある日、持参された処方箋を確認すると、ラニラピッドが0.5錠に変更されていた。奥さんに事情を尋ねると、Cさんが吐き気、食欲不振を訴えたため受診し、ジギタリス中毒と診断されたとのことだった。中毒時の血清K値やジギタリスの血中濃度は不明であるが、Cさんから、「中毒症状についていつも説明を受けていたため素早く対応ができた」と感謝された。現在も来局しているが、その後はジギタリス中毒やその他の副作用も認められず、経過は良好である。

注意

グリチルリチン製剤による偽アルドステロン症

甘草成分のグリチルリチン（酸）は、ステロイド骨格をもつグルクロン酸抱合体である。腸内細菌内のグルクロニダーゼによって加水分解を受け、グリチルレチン酸となって腸管から吸収される。

したがって、グリチルリチン製剤の様々な薬理作用（抗炎症・抗アレルギー作用、エストロゲン様・糖質コルチコイド様・鉱質コルチコイド様作用など）は、グリチルレチン酸によって引き起こされる。特に、副作用の偽アルドステロン症は、血圧上昇、低K血症、浮腫（高Na血症）、体重増加などを引き起こすため要注意である（特に1日2.5g以上の甘草、100mg以上のグリチルリチンの摂取は注意）。この発症機序は、下図に示すように、鉱質コルチコイド受容体に対する親和性がアルドステロンと同等のコルチゾールの代謝を、グリチルレチン酸が阻害したことによる。

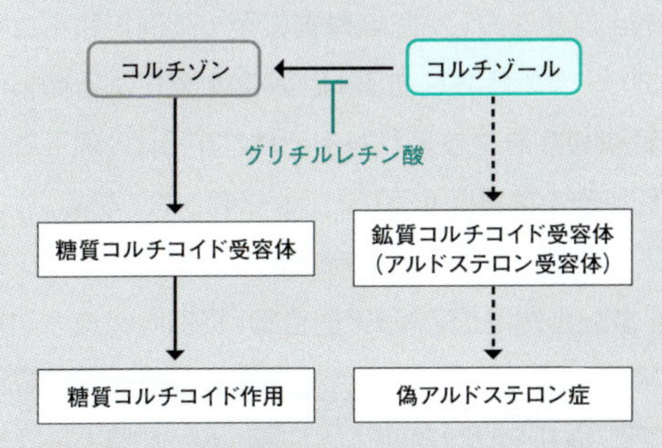

すなわち、生理的条件下で血中コルチゾールは、鉱質コルチコイド受容体が存在する組織（腎、大腸、唾液腺、海馬など）に取り込まれると、直ちにコルチゾンへと変換される。そのため、コルチゾールは細胞質および核に存在する鉱質コルチコイド受容体に結合できず、鉱質コルチコイド作用を示さない。しかし、グリチルレチン酸はこの変換酵素（11β水酸化ステロイド脱水素酵素）を阻害するため、コルチゾールが過剰となり鉱質コルチコイド受容体に結合し、アルドステロンが過剰になった場合と全く同様な症状が現れると考えられる。

したがって、グリチロン配合錠、強力ネオミノファーゲンシー、小青竜湯などのグリチルリチン含有製剤は、アルドステロン症、ミオパチー、低K血症の患者への投与は禁忌である。また、血圧上昇作用もあるため、降圧薬との併用にも注意する（ **表7-36**）。

症例　50歳代女性Dさん。

[処方箋]

① アダラートL錠10mg　2錠
　1日2回　朝夕食後　14日分
② ツムラ柴苓湯エキス顆粒（医療用）　9g
　1日3回　毎食前　14日分
③ ツムラ桔梗湯エキス顆粒（医療用）　7.5g
　1日3回　毎食前　7日分

高血圧症のAさんは、下肢浮腫があるため柴苓湯を服用中である。前回の来局時はPL配合顆粒（総合感冒薬）、メジコン（デキストロメトルファン臭化水素酸塩水和物）が処方されていたが、今回は喉が痛み、咳が治まらないため、桔梗湯が処方された。

Aさんは、漢方薬には副作用がなく、安全であると思っているようだった。しかし、柴苓湯9g、桔梗湯7.5gには甘草がそれぞれ2g、3g含まれるため、偽アルドステロン症を発症する恐れがある。薬剤師はAさんに、漢方薬でも副作用が発症する恐れがあり、併用によってその可能性はさらに高くなるので、血圧上昇やむくみ、手足のひきつけなど、いつもと異なる症状が現れたら受診するように指導した。

2日後、Aさんは頭痛、鼻血が出現したため直ちに受診。ミオパチーなどの症状は認められなかったが、収縮期血圧が180mmHgに上昇していることが発覚し、桔梗湯は中止となった。中止後、血圧は正常（収縮期130mmHg）に戻った。

コラム 74

バソプレシンと低Na血症、高Na血症

抗利尿ホルモンであるバソプレシン（ADH）は、腎集合管に存在するバソプレシン V_2-受容体を介して水再吸収を促進して循環血液量を増やす作用がある。カルバマゼピン（テグレトール）は、このADHの作用を介してSIADH（抗利尿ホルモン不適合分泌症候群）を誘発し、低Na血症を起こす可能性がある。

SIADHは、血漿の浸透圧が低下している（＝循環血液量の増加、水分の増加）にもかかわらず、ADHが過剰に分泌されるため、または腎臓のADH感受性が過剰となるために発症する。いずれにせよADHの作用増強により、腎での水の再吸収が亢進して循環血液量が増加し（低浸透圧血症）、その結果、血液が希釈され低Na血症を誘発する。さらに循環血液量の増加は、糸球体濾過量の増加や心房性Na利尿ペプチドの分泌亢進を来すため、Naの排泄はさらに促進され（尿中Na量増加、高張尿など発現）、低Na血症が助長される。このような場合には、水分摂取を制限するなどの適切な対処を行う必要がある。

これらのことから、カルバマゼピンとNa喪失性利尿薬を併用すると、低Na血症（めまい、錯乱など）を誘発しやすいので注意する。SIADHは、ブチロフェノン系薬（ハロペリドール［セレネース］）、フェノチアジン系薬（フルフェナジンマレイン酸塩［フルメジン］で報告されているほか、類似薬のペルフェナジン［ピーゼットシー］、トリフロペラジンマレイン酸塩［トリフロペラジン］、ゾテピン［ロドピン］、クロカプラミン塩酸塩水和物［クロフェクトン］でも注意）などの抗精神病薬、抗パーキンソン薬のプラミペキソール塩酸塩水和物（ビ・シフロール）により誘発される可能性がある。

デスモプレシン（ミニリンメルト）は選択的にバソプレシンV2受容体に親和性を示し、男性における夜間多尿による夜間頻尿に適応がある。低ナトリウム血症を誘発する薬剤である副腎皮質ステロイド剤（注射薬、経口薬、吸入薬、注腸薬、坐薬）、チアジド系利尿薬、チアジド系類似薬、ループ系利尿薬との併用は相加的に低Na血症を誘発する恐れがあり、禁忌である。また、抗利尿ホルモン不適合分泌症候群を惹起する薬剤（三環系抗うつ薬、SSRI、クロルプロマジン、カルバマゼピン、クロルプロパミド）、低ナトリウム血症を誘発する薬剤（スピロノラクトン、オメプラゾールなど）に加え、NSAIDs（体内貯留のリスク増大）、ロペラミド（デスモプレシンの血中濃度上昇）との併用も低ナトリウム血症のリスクが増す恐れがあるため、慎重にすべきである。

一方、ADHを阻害する薬剤には、ビタミン D_3 製剤、トルバプタン（サムスカ）などがある。ビタミン D_3 製剤は高Ca血症を介してADHを阻害し脱水を進行させると考えられている。また、トルバプタンは V_2- 受容体拮抗薬であり、ADHによる水の再吸収を阻害して選択的に水を排泄させるため、従来の利尿薬とは異なり、Na^+ や K^+ などの電解質の排泄を増大させずに利尿作用を示す。その反面、血液の濃縮を来すため高Na血症や高K血症となりやすい。特に高Na血症は要注意であり、トルバプタンの添付文書の警告欄には、「急激な水利尿から脱水症状や高Na血症を来し、意識障害に至った例が報告されており、また急激な血清Na濃度上昇による橋中心髄鞘崩壊症を来す恐れがあることから、入院下で投与開始または再開すること」と記載されている。

そのほか、低Na血症を誘発する薬剤にはリン酸Na塩配合錠（ビジクリア配合錠；経口腸管洗浄剤）、血糖降下薬、向精神薬、抗痙攣薬などがある。また、フェニルブタゾンは高Na血症（Na貯留）を誘発することが知られている。腎性尿崩症は、口渇・多飲を認める。原因薬剤として、炭酸リチウムや抗HIV薬、抗菌薬、抗ウイルス薬などが知られているので注意が必要である。

コラム 75

Mg含有製剤と高Mg血症

制酸剤や下剤などのMg含有製剤により高Mg血症が発症することがある。重症になると、意識レベル低下や呼吸抑制、不整脈、心停止に至ることもある。実際、国内において2008年8月末までに、酸化Mg製剤による高Mg血症が25例報告され、そのうち4例は死亡例であった（重複症例などを除く）。

したがって、Mg含有製剤を服用中の患者に対しては、食欲不振、悪心・嘔吐、低血圧、傾眠、疲労、筋力低下、徐脈、皮膚潮紅などの初期症状の有無を常に確認する。特に、高齢者、長期投与中や腎機能障害のある患者、また便秘症の患者では、腎機能が正常な場合や通常用量以下の投与であっても重篤な転帰をたどる例があるため、注意が必要である。これらの患者では、Mgの使用を必要最小限にとどめ、定期的に血清Mg濃度を測定するなど注意し、初期症状が現れた場合は服用を中止して直ちに受診するよう指導しなくてはならない。なお、活性型ビタミンD_3製剤服用中の患者でもMgの腸管吸収量が増加するので同様に注意する（☞ **表1-17**）。

第3節
血液障害

血液障害（血球数変化、機能異常など）を起こす可能性のある薬剤および併用禁忌の組み合わせを**表8-7**に示した。禁忌以外でも、**表8-7**に示す薬剤を相互に併用すると、血液障害を誘発する可能性が高くなるので注意する。

特に、DMARDs（抗リウマチ薬）、チクロピジン塩酸塩（パナルジン）、クロラムフェニコール系薬、ST合剤（バクタ配合錠）、メトロニダゾール（フラジール）、H_2拮抗薬、ベスナリノン、シネパジド、クロザピン（クロザリル）は、血液障害および白血球減少の患者には投与禁忌である。

チクロピジンに関しては、血栓性血小板減少性紫斑病（TTP）、無顆粒球症および重篤な肝障害などの重大な副作用が投与開始後2カ月以内に発現し、死亡に至った例も報告されている。これを受けて、2002年7月に緊急安全性情報が出され、添付文書の警告欄に**表8-6**の記述が追加された。

表8-6　チクロピジンの副作用に関する警告

① 投与開始後2カ月間は、特に上記副作用の初期症状の発現に十分留意し、原則として2週に1回、血球算定（白血球分画も含む）、肝機能検査を行い、上記副作用発現が認められた場合には、直ちに投与を中止し、適切な処置を行うこと。本剤投与中は、定期的に上記副作用の発現に注意すること。
② 本剤投与中、患者の状態からTTP、顆粒球減少および肝障害の発現が疑われた場合には、投与を中止し、必要に応じて血液像もしくは肝機能検査を実施し、適切な処置を行うこと。
③ 本剤の投与にあたっては、あらかじめ上記副作用が発生する場合があることを患者に説明するとともに、下記について患者に指導すること。 1）投与開始後2カ月間は定期的に血液検査を行う必要があるので、原則として2週に1回、来院すること、 2）副作用を示唆する症状が現れた場合には、ただちに医師等に連絡し、指示に従うこと。
④ 投与開始後2カ月間は、原則として1回2週間分を処方すること。

また、抗リウマチ薬として使用されているメトトレキサート（リウマトレックス）においても、1999年3月12日の発売から2011年2月末までの間に、因果関係が否定できない死亡例が417例報告されている。死亡例の内訳は、血液障害150例（汎血球減少症89例、骨髄抑制※38例、白血球減少10例、無顆粒球症2例ほか）、間質性肺炎110例、感染症74例（ニューモシスティス肺炎23例、肺炎18例、敗血症8例ほか）、新生物49例（リンパ腫24例、白血病5例ほか）、肝障害13例などであり、死亡例の大半が血液障害（36%）、肺障害（28.8%）、感染症（17.7%）のいずれかに起因していた。血液障害の前駆症状である風邪様症状（発熱、咽頭痛、全身倦怠感など）、口内炎、食欲不振などの症状（間質性肺炎・感染症の前駆症状は、風邪様症状、呼吸器症状［空咳、息切れ、呼吸困難など］：☞**表8-22**）が現れた場合は、同薬を中止し、至急受診するように指導する。血液障害と診断された場合には、メトトレキサート（葉酸代謝拮抗薬）の拮抗薬であるホリナートCa（ロイコボリン；葉酸の活性型誘導体、☞**図6-3**）を投与するとともに、感染症対策を実施する。また、過量投与したときは、速やかにホリナートを投与するとともに、メトトレキサートの排泄を促進するために、水分補給と尿のアルカリ化を行う。なお、2012年5月末までにリウマトレックス（抗リウマチ薬）による結核症例59例が報告されたため、同年7月の「使用上の注意」の改訂より、活動性結核の患者に対するリウマトレックスの投与は禁忌となっている。

一方、OTC医薬品としても販売されているH_2拮抗薬に関しては、赤血球、白血球、血小板が同時に低下する汎血球減少症が出現し、死亡した例も報告されている。消化性潰瘍のみの患者には、適正に使用していれば特に危険というわけではないが、これらの血液障害は潰瘍以外の肝疾患、糖

※ 骨髄障害の早期には赤血球、血小板、顆粒球の形成抑制が起こり、再生不良性貧血は後に起こる。

表 8-7　血液障害などを誘発し得る主な薬剤と相互作用

(1) 血液障害[※1]などを誘発する可能性のある薬剤

【a】血液障害

- NSAIDs：ピラゾロン系薬（フェニルブタゾン★、クロフェゾン★［フェニルブタゾン2分子］、スルフィンピラゾン★）、ピリン系薬（イソプロピルアンチピリン［SG配合顆粒］、スルピリン［同名］）、インドメタシン（インテバン）、メフェナム酸（ポンタール）
- **抗リウマチ薬**：**メトトレキサート**（リウマトレックス）、金製剤（オーラノフィン［リドーラ］、金チオリンゴ酸［シオゾール］）、ペニシラミン（メタルカプターゼ；キレート剤）、ブシラミン（リマチル）、レフルノミド（アラバ）、イグラチモド（ケアラム、コルベット；警告あり）
- 痛風治療薬：アロプリノール（ザイロリック）、プロベネシド（ベネシッド）、スルフィンピラゾン★
- 抗血小板薬：**チクロピジン**（パナルジン）、クロピドグレル（プラビックス）、ジピリダモール（ペルサンチン）
- 抗凝固薬：リバーロキサバン（イグザレルト）
- 抗菌薬：**クロラムフェニコール系薬**（クロロマイセチン、チアンフェニコール）、**ST合剤**（バクタ配合錠）、サルファ剤、ペニシリン系薬、セフェム系薬、カルバペネム系薬、キノロン系薬など
- イミダゾール系薬：PPI（オメプラゾール［オメプラゾン］、ラベプラゾール［パリエット］、ランソプラゾール［タケプロン］、エソメプラゾール［ネキシウム］）、**メトロニダゾール**（フラジール）、チニダゾール（チニダゾール）など
- **H_2拮抗薬**：シメチジン（タガメット）、ラニチジン（ザンタック）、ファモチジン（ガスター）、ロキサチジン（アルタット）、ラフチジン（プロテカジン）、ニザチジン（アシノン）
- 抗てんかん薬：フェニトイン（アレビアチン）、カルバマゼピン（テグレトール）、バルプロ酸（デパケン）
- フェノチアジン系薬（プロピル側鎖）　● **クロザピン**（クロザリル；治療抵抗性統合失調症治療薬）　● 三・四環系抗うつ薬
- 降圧薬：ニフェジピン（アダラート）、カプトプリル（カプトリル）、メチルドパ（アルドメット）、アムロジピン(アムロジン他)
- 抗不整脈薬：キニジン（硫酸キニジン）、プロカインアミド（アミサリン）、アミオダロン（アンカロン）、アジマリン★
- 強心薬：ベスナリノン★
- 利尿薬：チアジド系、ループ系、アセタゾラミド（ダイアモックス）
- 糖尿病用薬：SU薬（クロルプロパミド［アベマイド］、トルブタミド［ヘキストラスチノン］など）、シタグリプチン（グラクティブ、ジャヌビア）、トログリタゾン★
- エンドセリン受容体拮抗薬：ボセンタン（トラクリア）→ヘモグロビン減少
- 脳循環改善薬：シネパジド★、ビンポセチン★　● 脳保護薬：エダラボン（ラジカット）
- 第2世代抗ヒスタミン薬：セチリジン（ジルテック）、オキサトミド（セルテクト）、メキタジン（ゼスラン）、エピナスチン（アレジオン）
- ロイコトリエン受容体拮抗薬：モンテルカスト（キプレス、シングレア）
- **抗甲状腺薬**：チアマゾール（メルカゾール）、プロピルチオウラシル（チウラジール、プロパジール）
- 抗マラリア薬：クロロキン（アブロクロール）　● **免疫抑制剤、抗癌剤、抗腫瘍薬**　● インターフェロン製剤
- HIVプロテアーゼ阻害薬：リトナビル（ノービア）、インジナビル★、サキナビル★
- 抗RSウイルス抗体：パリビズマブ（シナジス）
- その他：リトドリン（ウテメリン）など

【b】メトヘモグロビン血症[※2]誘発

- 芳香族アミノ基に由来：フェナセチン★（代謝物）、局所麻酔薬（プロカイン［塩酸プロカイン］、アミノ安息香酸エチル［同名］、テトラカイン［テトカイン］など）、メトクロプラミド（プリンペラン）、サルファ剤
- NO_2^-産生：無機亜硝酸塩（亜硝酸アミル［同名］）
- クロタミトン（オイラックス：過量投与時）　● 非BZP薬（ゾピクロン［アモバン］、エスゾピクロン［ルネスタ］）

【c】骨髄障害

- **免疫抑制・抗癌剤**：チオプリン系薬（メルカプトプリン［ロイケリン］、アザチオプリン［イムラン］）、FU系薬（カルモフール★など）、メトトレキサート（メソトレキセート）、タキソイド系（パクリタキセル［タキソール］など）、ベンダムスチン（トレアキシン；アルキル化薬）、エトポシド(ベプシド)など
- アセタゾラミド（ダイアモックス）
- **抗ウイルス薬**：ジドブジン（レトロビル）、リバビリン（レベトール、コペガス）、ソリブジンなど

太字の薬剤には特に注意。

※1　初期症状である皮下・粘膜出血、咽頭痛・頭痛・発熱、顔面蒼白などに注意。

※2　メトヘモグロビン血症とは、ヘモグロビン中の鉄が酸化され3価となるために酸素の授受ができなくなった状態である。芳香族アミン、NO_2^-などの酸化力のある薬剤で起こりやすい。

★ 販売中止

表 8-7（つづき） 血液障害などを誘発し得る主な薬剤と相互作用

（2）相互作用（協力作用）

	薬剤A	薬剤B
併用禁忌	ペニシラミン（メタルカプターゼ）	金製剤（オーラノフィン［リドーラ］、金チオリンゴ酸［シオゾール］）
	クロラムフェニコール系薬、クロザピン（クロザリル）	骨髄抑制を起こす薬剤
	カルモフール★	ソリブジン★
	ピラゾロン系★	抗リウマチ薬（DMARDs）

★ 販売中止

表 8-8 総合感冒薬に含まれる成分

分類	主な商品名	解熱鎮痛成分		鎮静・抗ヒスタミン作用		CNS興奮、血管収縮（鼻閉抑制）
ピリン系配合剤[※1]	サリドン錠★、セデスG★、サリイタミン顆粒★、グリンケンH顆粒★、トーワサール細粒★	イソプロピルアンチピリン（ピリン系）	フェナセチン★（アニリン系）	鎮静薬	アリルイソプロピルアセチル尿素	無水カフェイン[※1]
	SG配合顆粒	イソプロピルアンチピリン（ピリン系）	アセトアミノフェン（アニリン系）	鎮静薬	アリルイソプロピルアセチル尿素	
非ピリン系配合剤	PL配合顆粒	サリチルアミド[※2]（サリチル酸系）	アセトアミノフェン（アニリン系）	抗ヒスタミン薬	プロメタジンメチレンジサリチル酸塩[※3]	
	ペレックス配合顆粒、小児用ペレックス配合顆粒	サリチルアミド[※2]（サリチル酸系）	アセトアミノフェン（アニリン系）	抗ヒスタミン薬	クロルフェニラミンマレイン酸塩	

★ 表中のフェナセチン含有医薬品は腎障害のため販売中止。

※1 カフェインは消炎鎮痛薬の相対的有効率を 1.4 倍上昇させるとの報告がある。

※2 サリチルアミドは代謝されてもサリチル酸を生じないが、アスピリンと構造が類似しているためサリチル酸系とした。

※3 フェノチアジン系薬：メチレンジサリチル酸プロメタジン製剤を小児（特に 2 歳未満）に投与した場合、乳幼児突然死症候群（SIDS）および乳児睡眠時無呼吸発作の報告があるため、2006 年 6 月、幼児用 PL 配合顆粒は「2 歳未満の乳幼児への投与は禁忌」となった。

尿病、癌などの重症の病気を合併している患者に出現しているので要注意である。

　また、ピリン系（ピラゾロン系）の NSAIDs を配合している総合感冒薬（SG 配合顆粒）は、血液障害・メトヘモグロビン血症を誘発する可能性がある。腎障害を誘発する可能性のあるフェナセチンを含有しているピリン系配合剤は販売中止となっている（**表8-8**）。

第 4 節

NSAIDsの副作用

主な非ステロイド性抗炎症薬（NSAIDs）を**表 8-9**に示す。これらの NSAIDs はシクロオキシゲナーゼ（COX）を阻害してプロスタグランジン（PG）の合成を抑制することで、鎮痛や抗炎症作用を発揮する。

COX には COX1、COX2の2つのアイソザイムがある。COX1は胃粘膜や血小板など様々な組織で常時発現し、生理機能を維持する働きを持つのに対し、COX2は炎症時に炎症関連細胞で発現する。例えば胃粘膜では COX1により生成された PGE_2 や PGI_2 が血流を保つことにより、胃粘膜を保護している。したがって、COX1および COX2を非選択的に阻害する NSAIDs は炎症部位の PG 合成を阻害するだけでなく、生理機能の維持に必要な PG 合成も阻害するため、胃腸障害や腎機能

表 8-9　主な非ステロイド性抗炎症薬（NSAIDs）の分類と特徴

（1）カルボン酸系
● サリチル酸系：アスピリン製剤（バファリン配合錠 A330）、カシワドール、ジフルニサル →抗血小板作用、耳鳴り。
● フェナム酸系：メフェナム酸（ポンタール）、フルフェナム酸（オパイリン）、フロクタフェニン、トルフェナム酸 →鎮痛効果が強い。下痢。
● 酢酸系 ・フェニル酢酸系： ジクロフェナク（ボルタレン）、トルメチン、フェンブフェン、アンフェナク（フェナゾックス）、ナブメトン※1、※2（レリフェン） →消炎・鎮痛・解熱効果が強い。 ・インドール酢酸系： インドメタシン（インテバン）、インドメタシンファルネシル※1（インフリー）、アセメタシン※1（ランツジール）、プログルメタシン※1（ミリダシン）、スリンダク※1（クリノリル） ・ピラノ酢酸系：エトドラク※2（ハイペン；COX2阻害薬） ・イソキサゾール酢酸系：モフェゾラク（ジソペイン）
● プロピオン酸系：イブプロフェン（ブルフェン）、フルルビプロフェン（フロベン）、ケトプロフェン（カピステン、アネオール）、ナプロキセン（ナイキサン）、プラノプロフェン（ニフラン）、チアプロフェン酸※3（スルガム）、オキサプロジン（アルボ）、ロキソプロフェン※1（ロキソニン）、アルミノプロフェン、ザルトプロフェン（ソレトン、ペオン）など →消炎・鎮痛・解熱効果が安定している。副作用が少ない。
（2）エノール酸系
● ピラゾロン系※4：フェニルブタゾン、クロフェゾン →半減期が長い。副作用が多い。
● オキシカム系： メロキシカム※2（モービック；選択的COX2阻害薬）、ピロキシカム（バキソ）、テノキシカム、アンピロキシカム（フルカム※1） →半減期が長い。
（3）コキシブ系
● スルホンアミド系：セレコキシブ※2（セレコックス；COX2選択的阻害薬） COX2のIC50値に対するCOX1のIC50値の比（COX1/COX2）が360倍（組換えヒトCOX）、31倍（ヒト由来細胞）。
（4）塩基性※5
● チアラミド（ソランタール） →効果が弱い。ヒスタミン遊離抑制作用を有する。

※1　プロドラッグ。
※2　COX2 選択性が強い。COX2 は炎症部位での PG 合成の律速酵素であるシクロオキシゲナーゼ（cyclooxygenase）。
メロキシカム、セレコキシブは選択的 COX2 阻害薬。
※3　チアプロフェン酸の気管支喘息およびその既往歴のある患者への投与は禁忌である。
※4　現在は使用されていない。
※5　抗炎症作用は COX 阻害に起因していないが、アスピリン喘息患者への投与は禁忌である。

表 8-10　エイコサノイドの主な作用

	血管	血小板凝集	気管支	消化液分泌	消化管運動	子宮筋	腎血流量（Na排泄量）
PGE_2	拡張		拡張	抑制		収縮	増加
$PGF_{2\alpha}$					亢進	収縮	
PGI_2※	拡張	抑制				収縮	増加
TXA_2	収縮	促進	収縮				
LT_4			収縮				

エイコサノイドとは炭素数 20 の脂肪酸から合成されるプロスタグランジン（PG_2）、トロンボキサン（TXA_2）およびロイコトリエン（LT_4）を指す。
※ PGI_2 はプロスタサイクリンとも呼ばれる。

【注意】PGE_2 は脳･交感神経末端からのカテコールアミン（CA）放出抑制作用あり。PGE_2 は、交感神経抑制、Ad などの CA 産生抑制、インスリン様作用（脂肪組織、肝臓）、インスリン分泌抑制（膵臓）、骨吸収促進（破骨細胞刺激）などの作用を示す。

【参考】ヒトでは以下のように食物中の必須不飽和脂肪酸から炭素数 20（C20）のエイコサン酸となり、3 グループのエイコサノイド（PG、TX、LT）が合成される。
（1）リノール酸（C18：2）→γ - リノレン酸（C18：3）→エイコサトリエン酸（C20：3）→ PG_1、TXA_1、LT_3
（2）エイコサトリエン酸（C20：3）→アラキドン酸（C20：4、エイコサテトラエン酸）→ PG_2、TXA_2、LT_4
（3）α - リノレン酸→エイコサペンタエン酸（EPA、C20：5）→ PG_3、TXA_3、LT_5

表 8-11　NSAIDs の選択のポイント

胃腸の弱い人	プロドラッグ※1、COX2 選択性が強い薬剤※2、坐剤・経皮吸収剤など
腎障害を避けたいとき	COX2 選択性が強い薬剤※2、腎の PG 合成を抑制しない薬剤（スリンダク［クリノリル］）、半減期が短い薬剤※3、経皮吸収剤など
高齢者	半減期が短い薬剤（蓄積性の低い薬剤）
ワルファリンや SU 薬との併用	少量で有効な薬剤（1 日量の少ない薬剤）
キノロン系との併用	塩基性 NSAIDs（フェニル酢酸系およびプロピオン酸系との併用は避ける）

※ 1　プロドラッグ：フェンブフェン、アセメタシン（ランツジール）、プログルメタシン（ミリダシン）、スリンダク（クリノリル）、インドメタシンファルネシル（インフリー）、ナブメトン（レリフェン）、ロキソプロフェン（ロキソニン）、アンピロキシカム（フルカム）。
※ 2　COX（シクロオキシゲナーゼ）のアイソザイム：
COX1：生体機能維持（胃、腎など）に必要な PG 合成の律速酵素。
COX2：炎症部位での PG 合成の律速酵素。選択的 COX2 阻害薬（メロキシカム［モービック］、セレコキシブ［セレコックス］）。
※ 3　半減期：
short acting：ジクロフェナク（ボルタレン）、インドメタシン（インテバン）、イブプロフェン（ブルフェン）、ロキソプロフェン（ロキソニン）。
long acting：ピロキシカム（バキソ）、ナブメトン（レリフェン：蓄積性低い）、ナプロキセン（ナイキサン）、オキサプロジン（アルボ）。

低下などの主な副作用を発現すると考えられている（**表 8-10**；☞**コラム 76**）。

なお、アニリン系（アセトアミノフェン［カロナール］、フェナセチン）、ピリン系（アンチピリン［ミグレニンに含有］、イソプロピルアンチピリン［SG 配合顆粒、クリアミン配合錠に含有］、アミノピリン、スルピリン水和物［同名］など）の薬剤には、PG 合成抑制作用はほとんどないとされていたが、COX3 に対して選択的な阻害作用を有することが明らかになっている（☞**コラム 77**）。また、市販の総合感冒薬（☞**表 8-8**）もピリン系やアニリン系の成分を含むので注意する。参考までに NSAIDs の選択のポイントを**表 8-11** にまとめた。

以下、NSAIDs の主な副作用および関与する相互作用について、❶胃腸障害、❷腎機能への影響、❸アスピリン喘息、❹スティーブンス・ジョンソン症候群・中毒表皮壊死症、❺ライ症候群、❻不妊症・心筋梗塞、❼ショック、アナフィラキシー、❽その他――の順に見ていく。

なお、経皮吸収型鎮痛消炎剤のエスフルルビプロフェン（ロコアテープ）は他の全身作用を期待する NSAIDs との併用は可能な限り避ける必要があり、やむを得ず併用する場合には、必要最小限の使用にとどめ、患者の状態に十分注意する必要がある。

表 8-12　NSAIDs による胃腸障害（消化管出血、潰瘍作用）が関わる相互作用

	薬剤 A	薬剤 B	併用により起こり得る事象
併用禁忌	インドール酢酸系NSAIDs（インドメタシン [インテバン]、アセメタシン [ランツジール]、プログルメタシン [ミリダシン]）	ジフルニサル★（サリチル酸系）	胃腸出血。グルクロン酸抱合関与（☞表6-4）。
併用慎重	アスピリン製剤（バファリン配合錠、バイアスピリン）	オキシカム系NSAIDs（ピロキシカム [バキソ]、アンピロキシカム [フルカム]）	胃腸出血の危険性増大。血漿タンパク結合置換関与（☞表2-4）。
	低用量アスピリン製剤（バイアスピリン、バファリン配合錠 A81）	セレコキシブ（セレコックス；COX2 選択的阻害薬）	上部消化管潰瘍の発現率が高くなる。アスピリンを併用しない例では0.2%（5/3154例）、6カ月間併用した例では0.7%（6/833例）に上昇。
	NSAIDs	副腎皮質ホルモン製剤、イグラチモド（ケアラム；抗リウマチ薬：免疫調整薬）	消化性潰瘍などの、胃腸障害の発現率増加。PG 生成阻害の協力作用に起因。
		アルコール（飲酒）、ドネペジル（アリセプト）、ビスホスホネート系薬、シロスタゾール（プレタール）、デフェラシロクス（ジャドニュ；鉄キレート剤）、カフェインなど	消化性潰瘍、胃腸出血の危険性上昇。ただし、カフェインには消炎鎮痛薬の相対有効率を1.4倍上昇させるとの報告あり。
	プロピオン酸系NSAIDs経口薬･坐薬（イブプロフェン [ブルフェン]、フルルビプロフェン [フロベン]、ナプロキセン [ナイキサン]、スプロフェン★）、インドメタシン（インテバン、インドメタシン坐剤）、ピロキシカム（バキソ）、スルピリン（同名）	低用量アスピリン製剤（バイアスピリン、バファリン配合錠 A81など）	拮抗作用。アスピリンの血小板凝集抑制作用が減弱。

NSAIDs は消化性潰瘍の患者には使用禁忌である。その他は ☞ 表 7-42。
★ 販売中止。スプロフェンは外用薬のみ販売。

❶ 消化性潰瘍

NSAIDs の副作用の約 90%は胃腸障害である。消化管粘膜における PGE_2 や PGI_2 の合成阻害作用や、直接的な作用に起因すると考えられており、消化性潰瘍の患者には禁忌である。

厄介なことに、NSAIDs による消化性潰瘍の半数は無症状である。特に高齢者ではその傾向が著しく、消化管出血で死亡することもある。腹痛や吐き気、嘔吐といった自覚症状は、投与開始後 1 週間以内に発現することが多い。

NSAIDs を投与する際は、空腹時の服用は避ける方が望ましいことを伝え、少しでも消化器症状が認められた場合には、直ちに処方医や薬剤師に相談するように指導する。患者が胃腸障害に対して過度の恐怖心を抱かないよう書面に記載して説明するとよいだろう。なお、アンピロキシカム（フルカム）は、他の NSAIDs に比べて胃腸障害および重篤な皮膚障害の発現率が高いとの報告がある。

NSAIDs の胃腸障害が関与する相互作用を**表 8-12** に示す。特に、NSAIDs 相互の併用、また胃酸分泌を促進する副腎皮質ホルモン製剤やコリン作動薬（☞**表 7-22**）、カフェイン含有品・炭酸飲料（☞**付 E**）などと併用する場合は注意する。既に述べた抗凝固薬との併用により、胃腸出血が助長される恐れもある（☞**表 7-42**）。

NSAIDs は胃炎・胃潰瘍だけでなく、小腸や大腸にも種々の傷害や粘膜病変を引き起こす。過量投与時に限ったことではなく、常用量の範囲内や坐薬でも認められる。小腸・大腸潰瘍では下痢、下血、貧血、便潜血などを主訴とするが、長期投与（1～4 年）では膜様狭窄へと進展し、腹痛、閉塞症状などを認めることもある。小腸でも同様の病変を来し、穿孔に至る場合もある。

注意

NSAIDs 潰瘍の治療・予防薬

NSAIDs 潰瘍を発症した場合は、原則としてNSAIDs を中止する。しかし、関節リウマチや骨関節疾患の患者、血栓防止のために低用量アスピリンを継続投与している患者などでは、NSAIDs の中止は困難なことが多い。実際、ステント留置例では低用量アスピリン製剤とチエノピリジン系薬を最低でも3カ月、症例によっては1年以上の長期にわたって投与するが、アスピリンを自己判断で中止したためにステント血栓を来した例も報告されており、仮に胃潰瘍を発症してもアスピリンを中止するのは危険である。そのため、臨床現場では、ほとんどが抗潰瘍薬（PPI、PG製剤、H_2 拮抗薬、防御因子増強薬など）とNSAIDs を併用して対処している。

日本消化器病学会の『消化性潰瘍診療ガイドライン 2015』は、NSAIDs 継続下での潰瘍治療には PPI あるいは PG 製剤の投与を推奨している。また、やや推奨度は下がるものの、潰瘍既往歴のない患者に対する一次予防も「必要があるので行うよう提案する」としている。具体的には、NSAIDs の短期投与例（3カ月未満）では胃潰瘍に対して PG 製剤、PPI が有効としている。なお、H_2 拮抗薬は胃潰瘍より十二指腸潰瘍に効果が認められている。一方、NSAIDs の長期投与例（3カ月以上）の場合、一次予防には PG 製剤、PPI、または高用量 H_2 拮抗薬の有効性が報告されている。

ガイドラインでは、高齢者の NSAIDs 潰瘍出血の予防に PPI、PG 製剤の投与を推奨しているほか、潰瘍既往歴のある患者の二次予防（再発予防）には PG 製剤、PPI が有効で、第一選択薬として PPI の併用投与を推奨している。

一方、低用量アスピリン製剤（LDA）に起因する潰瘍について、同ガイドラインでは、「LDA による消化性潰瘍の発生率、有病率の抑制には酸分泌抑制薬が有効であるので行うよう推奨する」としている。

残念ながら、これらの NSAIDs 潰瘍治療に対するエビデンスは主に欧米での臨床試験の結果に基づいており、本邦でのエビデンスを採用したものはない。そもそも日本人の場合、欧米人に比較して胃酸分泌量が少なく、ヘリコバクター・ピロリ感染率が高いことが知られている。胃酸分泌量は NSAIDs 潰瘍の発症および治癒に影響を与える可能性があり、また NSAIDs 潰瘍にはヘリコバクター・ピロリ関連潰瘍が含まれ、その鑑別も困難である。今後の課題として、日本人を対象とした研究成果に基づく、わが国独自のエビデンスづくりが必要とされている。

なお、わが国では 2016 年 3 月現在、PG 製剤のミソプロストール（サイトテック；PGE_1 製剤）が「NSAIDs の長期投与時に見られる胃潰瘍および十二指腸潰瘍」に保険適応を持つ。PPI のエソメプラゾールマグネシウム水和物（ネキシウム）20mg、ランソプラゾール 15mg（タケプロン）、ボノプラザン 10mg（タケキャブ）は、NSAIDs 投与時における胃・十二指腸潰瘍の再発抑制に保険適応が認められている。また、エソメプラゾール 20mg、ランソプラゾール 15mg、ラベプラゾールナトリウム（パリエット）5mg/10mg、ボノプラザン 10mg には、LDA 投与時の胃・十二指腸潰瘍の再発抑制に適応がある。その他の潰瘍治療薬には保険適応は認められていない。

表 8-13　NSAIDs による腎機能への影響と相互作用

【a】腎障害（☞表8-20：フェナセチン含有医薬品は腎障害のため販売中止）			
併用禁忌	インドメタシン（インテバン）、ジクロフェナク（ボルタレン）	トリアムテレン（トリテレン）	腎・聴器毒性誘発（トリアムテレンの腎毒性を防御するPGE合成阻害のため）。トリアムテレンの利尿効果はNSAIDsと拮抗の可能性（下記参照）。
併用慎重	NSAIDs	ループ系薬	フロセミド（ラシックス）とインドメタシンの併用でクレアチニンクリアランス55%減少、スリンダクでは38%減少（腎障害）。ループ系の利尿効果はNSAIDsと拮抗（下記参照）。
併用慎重	NSAIDs	シクロスポリン（サンディミュン、ネオーラル）、タクロリムス（プログラフ）、フェノフィブラート（リピディル）など	腎毒性。
併用慎重	NSAIDs	RA 系阻害薬（ACE阻害薬、AT_1拮抗薬）	急性腎障害の可能性が高まる。脱水、腎機能不全、心不全などの患者では、Ang Ⅱ、PGによる腎機能維持効果が消失し急性腎不全誘発の可能性がある。
【b】降圧・利尿作用拮抗			
併用慎重	NSAIDs	RA 系阻害薬（ACE阻害剤、AT_1拮抗薬）	インドメタシンにより、カプトプリル（カプトリル）の降圧効果が60～72%減弱（降圧作用拮抗）。
併用慎重	NSAIDs	利尿薬（フロセミド［ラシックス；ループ系］など）	ジクロフェナク（ボルタレン）により、フロセミドのNa排泄効果が38%減弱（利尿作用拮抗）。
【c】糸球体濾過減少作用			
併用慎重	NSAIDs	炭酸Li（リーマス）、メトトレキサート（メソトレキセート、リウマトレックス）、ジギタリス製剤（ジゴキシン［ジゴシン］、メチルジゴキシン［ラニラピッド］）	作用増強（☞表3-1；薬動態的相互作用）。メトトレキサートではNSAIDsによる腎MRP2阻害も関与（☞第4章［第5節❹］）。
【d】高K血症誘発			
併用慎重	NSAIDs：インドメタシン（インテバン）、ジクロフェナク（ボルタレン）など	K保持性利尿薬、抗アルドステロン薬（エプレレノン［セララ］など）、、エサキレノン（ミネブロ；アルドステロン阻害作用）、RA系阻害薬（ACE阻害薬、AT_1拮抗薬）、シクロスポリン（サンディミュン、ネオーラル）	急性腎障害の可能性が高まる高K血症。RA系阻害薬の併用時は、腎障害の可能性増大に注意（上記【a】参照）。

❷ 腎機能への影響

NSAIDsは、腎のPG（主にPGE_2、PGI_2）を阻害するため、腎血流量や糸球体濾過率（GFR）の低下、Na再吸収促進、ADH（抗利尿ホルモン；☞**コラム74**）作用促進、レニン分泌抑制などを引き起こす。最も多く見られる腎の副作用は浮腫であり、腎障害の誘発とも関連する。

NSAIDsによる腎機能への影響とそれに伴う相互作用を**表8-13**に示す。特に、インドメタシン（インテバン）やジクロフェナクNa（ボルタレン）と、腎障害を誘発し得るトリアムテレン（トリテレン）を併用すると、これらのNSAIDsによって、トリアムテレンの腎毒性を防御するために働いているPGの合成が強力に阻害されて急性腎不全が発現する可能性があり、併用は禁忌である（腎血流量の低下は、トリアムテレンの利尿作用に拮抗するとも考えられる）。その他の腎障害を誘発する薬剤（利尿薬など；☞**表8-20**）との併用にも同様に注意する。また、脱水、腎機能障害、心不全などの患者では、アンジオテンシンⅡ（Ang Ⅱ）、PGが腎機能維持のために強く働いている。したがって、これらの病態の

表8-14 NSAIDsのその他の副作用と相互作用

❸ アスピリン喘息（酸性NSAIDsで誘発される喘息）
❹ スティーブンス・ジョンソン症候群、中毒表皮壊死症、発疹、紅斑、口腔内びらん、水疱など
❺ ライ症候群 感染後に起こる原因不明の急性脳症。サリチル酸系は原則的に15歳未満への投与禁忌（原則禁忌）。
❻ 不妊症、心筋梗塞 NSAIDs長期投与で可逆的不妊症。月経困難症に投与する際にも注意。選択的COX2阻害薬も同様に不妊を起こす可能性あり。COX2阻害薬の長期投与で心血管系障害増加。
❼ ショック、アナフィラキシー
❽ その他の副作用 催奇形性（☞**表4-19**；妊婦禁忌、胎児臓器機能不全）、血管収縮作用による降圧薬の作用減弱（☞**表7-36、7-37**）、出血傾向増大（血小板凝集抑制：☞**表7-40**）、血糖値低下（☞**表7-45**）、痙攣（キノロン系との併用：☞**表8-1**）、血液障害（☞**表8-7**）、光線過敏症（☞**表8-21**）、間質性肺炎（☞**表8-22**）
❾ 薬動態学的相互作用 酸性薬剤として消化管吸収阻害作用を受ける（☞**第1章［第4節］**）。血漿タンパク結合置換（☞**表2-1**）。腎糸球体濾過（☞**表3-1**）。腎分泌競合（☞**表4-33、4-34**）。尿酸分泌拮抗（☞**表3-3**）、グルクロン酸抱合競合（☞**表6-4**）

患者にNSAIDsとレニン-アンジオテンシン系（RA系）阻害薬（ACE阻害薬、AT_1拮抗薬）とを併用投与すると、腎障害発現の危険性が高くなる。

一方、利尿薬（チアジド系、ループ系など）、ACE阻害薬は、腎のPG上昇を介して腎血流量を増加させ、利尿・降圧効果を発現することが知られており、NSAIDsと併用すると作用が拮抗することがある（併用慎重）。

第3章［第1節］で述べたように、NSAIDsによる腎血流量の低下は、炭酸Li（リーマス）、メトトレキサート（メソトレキセート、リウマトレックス）、ジギタリス製剤（ジゴキシン［ジゴシン］、メチルジゴキシン［ラニラピッド］）の糸球体濾過量を減少させ、これらの薬剤の中毒を誘発させる可能性がある（☞**表3-1**）。また、NSAIDsはレニン分泌抑制を介してAng II作用を低下させるため、アルドステロン分泌が低下して高K血症を誘発しやすいことにも留意する。なお、アニリン系のフェナセチン含有医薬品（☞**表8-8、8-20**）は、腎障害のため販売中止となっている。

❸ アスピリン喘息

成人喘息の約10％は、NSAIDsで誘発される「アスピリン喘息」である。これは、気管支拡張作用を有する肺PGE_2の合成が阻害されたり、PG合成経路が阻害されてアラキドン酸からのLT合成経路が促進したりするためと考えられる（☞**表8-10、図8-1**）。特に、チアプロフェン酸（スルガム）は喘息およびその既往歴のある患者には禁忌である。

喘息患者にNSAIDsが処方された場合は、必ずアスピリン喘息について説明し、アスピリン喘息でないことを確認した上で投薬する。また、喘息以外の患者でも、NSAIDs服用によって咳が長引く場合は気管支喘息や間質性肺炎（☞**表8-22**）を疑い、処方医に連絡して対処する。

なお、食品・医薬品添加物の黄色4号（タートラジン）や安息香酸Na（防腐剤）などによってもアスピリン喘息は誘発されるため、これらの添加物を自主的に除くメーカーが増えている。

❹ スティーブンス・ジョンソン症候群、中毒性表皮壊死症

NSAIDsの服用によって、まれにスティーブンス・ジョンソン症候群（Stevens-Johnson syndrome：SJS；皮膚粘膜眼症候群）や中毒性表皮壊死症（toxic epidermal necrolysis：TEN；中毒性表皮壊死融解症、ライエル症候群）といった重篤な皮膚障害が起こることがある。薬剤による免疫・アレルギー反応が関与していると考えられているが、発現機序は明らかでない。

わが国における発現頻度は、SJSが100万人当たり2.9人、TENが0.8～1.2人と推計されている。SJSの原因は50～60％が薬剤性のアレルギー

性皮膚炎で、20～40％が感染症に起因する。一方、TENでは80～90％が薬剤性と考えられている。

いずれも早期発見に努める必要があるが、初期の段階では発疹や発熱から麻疹などと誤診されることもある。患者に発疹、紅斑、口腔内びらん、水疱などが少しでも認められたら、これらの皮膚障害の可能性を考慮し、直ちに処方医に連絡する。

NSAIDs以外にも、抗てんかん薬（ラモトリギン［ラミクタール；死亡例4例：警告あり］など）、アゾール系薬、抗菌薬（ペニシリン系、セフェム系、キノロン系、マクロライド系、サルファ剤）、PPI、高脂血症治療薬、抗悪性腫瘍薬、アロプリノール（ザイロリック）、エペリゾン塩酸塩（ミオナール）、アレンドロン酸Na水和物（フォサマック、ボナロン）、インダパミド（テナキシル、ナトリックス）など、多くの薬剤で重篤な皮膚障害が報告されている。アレルギー反応が関与しているとすれば、全ての薬剤で起こる可能性がある。

なお、筋弛緩薬のクロルメザノンは、TENなどの重篤な皮膚障害を発症し死亡した例が報告されたため、販売中止に至っている。また、15員環マクロライド系のアジスロマイシン水和物（ジスロマック）においても、SJSやTENが報告されている。アジスロマイシンによるSJSおよびTENは、投与中または投与終了後1週間以内に発現し、ほとんどの症例で投与中止後に軽快・回復している（死亡例はない）が、注意を要する。

❺ ライ症候群

ライ症候群（Reye syndrome）は1963年、「感染後起こる原因不明の急性脳症」としてReyeらが報告した小児疾患である。1980年以降、米国では疫学調査が盛んに実施され、アスピリンなどのサリチル酸系薬とライ症候群との関連が指摘されたため、インフルエンザなどのウイルス性疾患への解熱目的でのアスピリンの使用を中止した結果（代替薬はアセトアミノフェン）、ライ症候群発生は激減し、サリチル酸系薬との関連が強いことが判明している。

一方、わが国でも基礎研究や疫学調査が行われたが、ライ症候群とサリチル酸系薬（アスピリン製剤［バファリンなど］）との関連性は認められなかった。しかし、米国での報告を踏まえて、1998年、「原則としてサリチル酸系薬を15歳未満の水痘、インフルエンザなどのウイルス性疾患の患者に投与しないこと」とされた（原則禁忌）。なお、非ピリン系の感冒薬である（幼児用）PL配合顆粒、ペレックス配合顆粒などに含有されているサリチルアミドはサリチル酸系薬であるが（☞表8-8）、代謝されてもサリチル酸を生じない。しかし、アスピリンと類似の構造をしていることから原則禁忌となっている。

サリチル酸系以外のNSAIDsとライ症候群との関連性は明らかでないが、当時、わが国ではアスピリンより解熱・抗炎症作用の強いジクロフェナクNa（ボルタレン）やメフェナム酸（ポンタール）が使用されており、これらのNSAIDsの関連を否定できないという声があった（参考文献：正しい治療と薬の情報．1999;14:1-4.）。その後、2000年に「インフルエンザ脳炎・脳症患者にはジクロフェナクを投与しない（禁忌）」という緊急安全性情報が出されたほか、2001年にはメフェナム酸の添付文書が改訂され、「小児のインフルエンザに伴う発熱に対しては原則として投与しないこと」と記載された。現在では、サリチル酸系以外のNSAIDsも小児に投与するケースは少なくなり、代替薬として主にアセトアミノフェン（カロナール、アルピニー）が使用されている。

ライ症候群の病態について、参考までに補足しておく。急性脳症はウイルス（インフルエンザ脳症など）や細菌感染などの様々な原因によって脳が急にむくみ、意識障害や痙攣などを起こす病気の総称である。ライ症候群は小児の急性脳症の一つで、インフルエンザや水痘などのウイルス感染後に、意識低下、嘔吐、痙攣を来し、数時間から1～2日で嗜眠から昏睡となる。死亡率は40％以上と高い。著明な肝機能障害（AST［GOT］、ALT

［GPT］上昇）とともに、高アンモニア血症（尿素サイクル阻害）、低血糖（糖新生抑制）、脂肪肝（β酸化抑制）などの肝ミトコンドリア障害に起因する所見が認められることから、ウイルス感染によって肝臓のミトコンドリアが障害を受け、発症すると考えられている。そのため、サリチル酸系薬、バルプロ酸Na（デパケン）などはミトコンドリア障害を引き起こし、本症の発症を助長すると推測される。

❻ 不妊症、心筋梗塞

NSAIDsの長期投与により、可逆的な不妊症が起こる可能性が報告されている（Mendonça LLF, et al. Rheumatology. 2000;39:880-2.）。この報告では、リウマチなどで3～6年間ジクロフェナクNa（ボルタレン）を服用していた4人の女性（27～41歳：自然妊娠の経験が過去にある人も含む）が原因不明の不妊症となっていたが、ジクロフェナク中止後、2～6カ月で妊娠したというものである。他の報告においても、ピロキシカム（バキソ）、ナプロキセン（ナイキサン）による原因不明の不妊が指摘されている。これらの結果から、PG合成が妊娠に不可欠であることが強く示唆される。

PGは、主に2つのシクロオキシゲナーゼ（COX1およびCOX2）による酵素反応を介して合成される。一般にCOX1は全ての臓器で発現し、COX1により生成されたPGは生理的な役割を担うのに対し、COX2は炎症部位で特異的に誘導されてPGを合成すると考えられている（☞**コラム76**）。女性の生殖系におけるCOXの働きに関しては、COX2を完全欠損させたノックアウトマウスでは不妊が強く、排卵が減少するために月経がかなり少ないことが示されているほか、COX1・COX2共に初期妊娠のあらゆる段階で子宮粘膜に発現し、卵子の排卵・受精・着床や胎盤形成、月経期の子宮内膜脱落に対する血管形成などに必要であることが示されている。

一方、女性の生殖系以外にも、COX2は脳、脊髄、血管内皮などに常に発現しており、例えば血管内皮のPGI_2（血管拡張作用）はCOX2により産生されることも報告されている。これらは動物を用いた実験結果ではあるが、近年、臨床においても、NSAIDsと心血管系障害との関連性が指摘されている。

具体的には、COX2阻害薬のロフェコキシブ（国内未発売）の長期投与（18カ月以上）により、心筋梗塞などの心血管系障害の発生が有意に増加すること（プラセボの約2倍）が報告されている。そのため同薬は世界的に売上が高いにもかかわらず、2004年9月に海外での販売が中止された。また、FDA（米国食品医薬品局）は、同様の理由で、COX2阻害薬のセレコキシブおよびバルデコキシブの処方を本当に必要な場合に限定するように求める異例の勧告を発表したほか、COX2選択性が高くない従来のNSAIDsについても同様の危険性があると指摘した。そのため米国では、OTCを含む全てのNSAIDsに、「心血管系障害リスクの可能性が増大する」との警告表示が義務付けられている。

わが国では、2007年6月に発売されたセレコキシブ（セレコックス）の添付文書に**表8-15**に示す

表8-15　セレコックスの添付文書における心血管系副作用への注意喚起

● 警告

外国において、シクロオキシゲナーゼ（COX）-2選択的阻害剤等の投与により、心筋梗塞、脳卒中等の重篤で場合によっては致命的な心血管系血栓塞栓性事象のリスクを増大させる可能性があり、これらのリスクは使用期間とともに増大する可能性があると報告されている。

● 用法用量に関連する使用上の注意

（1）本剤を使用する場合は、有効最小量を可能な限り短期間投与することに留め、長期にわたり漫然と投与しないこと。

（2）慢性疾患（関節リウマチ、変形性関節症等）に対する使用において、本剤の投与開始後2～4週間を経過しても治療効果に改善が認められない場合は、他の治療法の選択について考慮すること。

（3）本剤の1年を超える長期投与時の安全性は確立されておらず、外国において、本剤の長期投与により、心筋梗塞、脳卒中等の重篤で場合によっては致命的な心血管系血栓塞栓性事象の発現を増加させるとの報告がある。（国内では1年を超える臨床経験がない。）

注意喚起が記載されているほか、重篤な心不全のある患者、冠動脈バイパス術の周術期患者への投与は禁忌となっている。

これらのことから、COX1だけでなくCOX2も、生体維持に必要なPGを合成している可能性が示唆される。従来の非選択的COX阻害薬に比べて、選択的COX2阻害薬（メロキシカム［モービック］、セレコキシブ）は消化器・腎障害などの副作用は少ないとされるが、特に月経困難症や関節リウマチのある女性、また心血管系障害およびそのリスクの高い患者（高血圧、糖尿病、脂質異常症など）にNSAIDsを長期投与する場合には常に注意して対処した方がよい。

❼ ショック、アナフィラキシー

関節機能改善薬であるジクロフェナクエタルヒアルロン酸ナトリウム（ジョイクル関節注）について、2021年3月23日の製造販売承認取得以降、同年5月28日までに同薬使用患者において重篤なショック、アナフィラキシーの症例が10例報告された（推定使用患者数約5,500人）。このうち1例は、因果関係は不明であるが、死亡に至った症例として報告された。このため厚労省は、添付文書の「警告」を新設し、「重要な基本的注意」等を改訂するとともに、安全性速報により、医療関係者等に対して速やかに注意喚起を行うよう、製造販売業者に指示した。注意喚起のポイントは、①緊急時に十分な対応のできる準備をした上で行うこと。②同薬の投与後少なくとも30分間は、医師の管理下で患者の状態を十分に観察すること。投与直後に限らず、医療機関から帰宅後に発現している症例も報告されている点に留意すること。③患者又は家族等に対して、ショック、アナフィラキシーが発現する可能性があること、及びその徴候や症状について十分に説明し、異常が認められた場合には、速やかに医療機関を受診するよう指導することである。一方、患者に対しては、リーフレットを作成し注意喚起している。その中で、投与後数時間はアナフィラキシーが起こる可能性があり、投与直後から帰宅後にかけて、状態をよく観察し、体調変化に十分注意すること、特に、顔色が悪い、意識の消失、息苦しさなどは緊急性の高い症状であり、救急車を呼ぶなど直ちに対応することを求めている。

❽ その他

NSAIDsが関与するその他の相互作用と副作用およびNSAIDsの併用などを以下に示す。本書で解説したページを付記しておくので、参考にしていただきたい。

（1）薬動態学的相互作用

・消化管吸収阻害　☞第1章［第4節］
・血漿タンパク結合置換　☞表2-1
・腎糸球体濾過量の減少　☞表3-1
・腎分泌競合阻害　☞表4-34
・尿酸分泌拮抗　☞表3-3
・グルクロン酸抱合競合阻害　☞表6-4

（2）薬力学的相互作用

・血管収縮作用による降圧薬の作用減弱　☞表7-36、表7-37
・出血傾向増大（抗血小板作用）　☞表7-40
・血糖値低下（インスリン分泌促進）　☞表7-45
・痙攣（キノロン系薬との併用）　☞表8-1
・血液障害　☞表8-7
・光線過敏症　☞表8-21
・間質性肺炎　☞表8-22

（3）NSAIDsによる大腸癌予防効果　☞コラム80

コラム 76

エイコサノイドの合成とNSAIDs

エイコサノイドとは、炭素数20の脂肪酸（エイコサン酸）から合成されるプロスタグランジン（PG）、トロンボキサン（TX）、ロイコトリエン（LT）のことを指す[※1]。中でもPG、TXはプロスタノイドと呼ばれる。

ヒトの生体内で合成されない必須脂肪酸には、リノール酸、リノレン酸、アラキドン酸がある[※2]。これらの不飽和脂肪酸は、細胞膜を構成するリン脂質の2位の位置に存在する（☞**図7-8**のR_2部位）。特に、アラキドン酸はリン脂質の5～15%を占め、種々の刺激により活性化される酵素のホスホリパーゼA_2により遊離されている（**図8-1**）。遊離したアラキドン酸からシクロオキシゲナーゼ（COX）によりプロスタノイド（PG_2、TXA_2）が生成される。

各種細胞では、主に1種類のプロスタノイドが生成され、**表8-10**に示した生理作用を発現する。例えば、血小板ではTXA_2が、血管内皮細胞ではPGI_2が主に合成される（☞**図7-10**）。NSAIDsはCOX、副腎皮質ホルモン（☞**コラム81**）はホスホリパーゼA_2をそれぞれ阻害して、炎症部位でのPG合成を抑制し抗炎症作用を示す。

現在のところ、COXにはCOX1、COX2、COX3のアイソザイムが確認されており、COX1は生体維持に関わるPGのみを合成し炎症部位ではほとんど発現しないが、COX2は炎症部位で特異的に誘導されることが知られている。また、COX3は、脳や心臓に構成的に存在し、発熱などと関係すると考えられている（☞**コラム77**）。

NSAIDsによる副作用はCOX1阻害に基づくものであると考えられるので、COX2を特異的に阻害する薬剤は、“理にかなった抗炎症薬”として活用されるはずである。事実、1999年に初の選択的COX2阻害薬としてセレコキシブが発売された米国では、従来のNSAIDsに比べて胃腸障害や腎障害が有意に少なく、血小板凝集作用も認められないなどの評判で、発売後半年間で売上高6億ドルを記録した。わが国では、2001年にメロキシカム（モービック）、2007年にセレコキシブ（セレコックス）が発売されている。ただし、本節❻で述べたように、COX2は脳、脊髄、女性の生殖系だけでなく、心血管系などにも常に存在し、生体維持に必要なPGを合成している可能性が示唆されるため、選択的COX2阻害薬の使用の際にも副作用に留意する必要がある。

図 8-1　エイコサノイドの合成経路

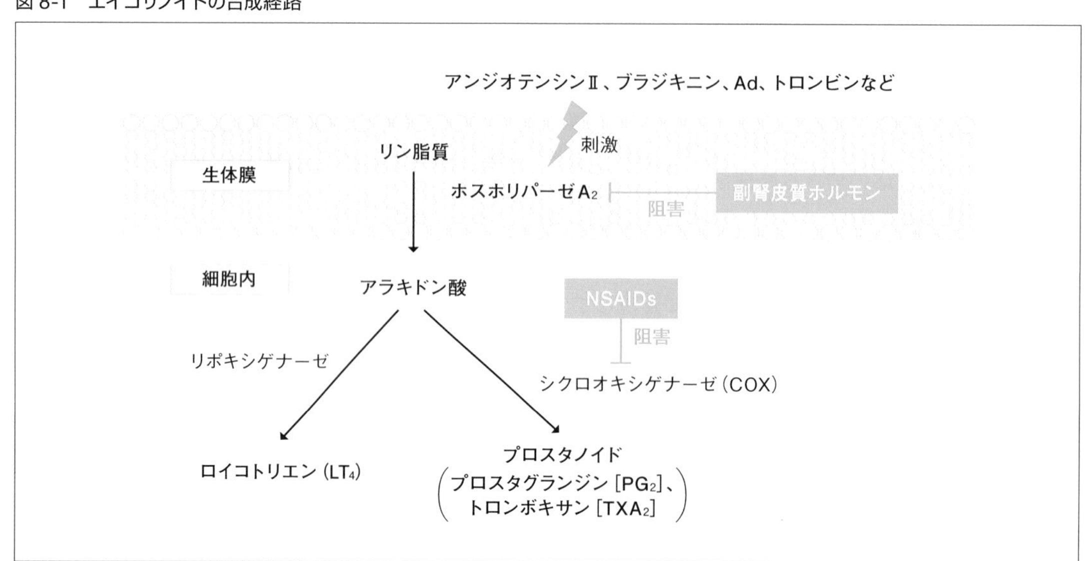

一方、白血球、肥満細胞、血小板、マクロファージなどでは、アラキドン酸からリポキシゲナーゼを介して数種のロイコトリエン（LT_4）が合成される。アナフィラキシーの遅延反応性物質（slow reacting substances of anaphylaxis：SRS-A）はLTC_4、LTD_4、LTE_4の混合物で、ヒスタミンやPGの100～1000倍も強力に気管支を収縮する。また、これらのロイコトリエンは、LTB_4とともに血管壁の透過性を亢進し、白血球の誘導と活性化を引き起こすことから、炎症や喘息誘発に深く関与している。LT受容体拮抗薬のプランルカスト水和物（オノン）、モンテルカストNa（シングレア、キプレス）、ザフィルルカスト（アコレート）は、気管支喘息に適応がある。

※1　ちなみに、ヒトのエイコサノイドは3つのグループに分類できる（☞**表8-10**）。第1グループはエイコサトリエン酸（二重結合が3個）から合成されるPG_1、TXA_1、LT_3、第2グループはアラキドン酸（二重結合が4個）から合成されるPG_2、TXA_2、LT_4、第3グループはEPA（二重結合が5個）から合成されるPG_3、TXA_3、LT_5である。各数字は合成されたエイコサノイドの二重結合の数を示している。

※2　不飽和脂肪酸は、構造上の二重結合の位置により分類される。脂肪酸の両端はそれぞれカルボキシル基とメチル基だが、メチル基側の炭素原子から数えて、最初の二重結合が始まる炭素原子の位置を示す方法である。つまり、末端のメチル基の炭素原子をω1またはn－1（nマイナス1）の記号で表すと、2番目の炭素はω2（またはn－2）、3番目の炭素はω3（またはn－3）となり、9番目に二重結合が始まるオレイン酸はω9となる。この分類によると、ω6はリノール酸、アラキドン酸、ω3はEPA、α-リノレン酸となる。興味深いことに、ω3不飽和脂肪酸は、アルツハイマー病やリウマチ、喘息などの慢性炎症性疾患の予防・治療に有用であることが疫学研究で示唆されている。その機序は明らかでないが、EPAが核内受容体のPPARγを活性化し、IL6などの炎症性サイトカインの産生を抑制するためと考えられている（Kawashima A, et al. Prostaglandins Leukot Essent Fatty Acids.2008;79:59-65.）。

コラム77

COX3の発見と解熱鎮痛薬の作用機序

従来、解熱鎮痛薬のアニリン系（アセトアミノフェン［カロナール］）、ピリン系（アンチピリン［ミグレニン］、イソプロピルアンチピリン［SG配合顆粒、クリアミン配合錠などに含有］）は、抗炎症効果をほとんど示さず、なぜ頭痛・発熱を抑制するのか不明だった。しかし、COX3が発見され、解熱鎮痛薬の作用機序が明らかとなった（Chandrasekharan NV, et al. Proc Natl Acad Sci.2002;99:13926-31.）。

実験ではまず、COX1遺伝子を用いてCOXタンパク質を単離し、ノーザンブロット法により各組織での発現（mRNA）量を調べた。その結果、ヒトでは、COX3 mRNAは大脳皮質、心臓の順に多く発現していることが明らかになった。このことから、COX3はCOX1と類似した塩基配列でコードされる構成的なCOX1変異体といえるが、その臓器発現パターン

表8-16　COXに対する解熱鎮痛薬やNSAIDsなどの阻害効果

薬剤名	IC_{50}（COX活性を50%低下させる濃度［μM］）		
	COX1	COX2	COX3
アセトアミノフェン（カロナール）	1000以上	1000以上	460
フェナセチン★	1000以上	1000以上	102
アミノピリン★	1000以上	1000以上	688
アンチピリン（ミグレニンに含有）	1000以上	1000以上	863
ジクロフェナク（ボルタレン）	0.035	0.041	0.008
インドメタシン（インダシン）	0.01	0.66	0.016
イブプロフェン（ブルフェン）	2.4	5.7	0.24
アスピリン（バファリン）	10	1000以上	3.1
カフェイン	1000以上	1000以上	1000以上

（Chandrasekharan NV, et al. Proc Natl Acad Sci.2002;99:13926-31. 一部改変）
★販売中止

はCOX1、COX2とは異なることが示唆される。

さらに、各種の解熱鎮痛薬およびNSAIDsのCOX活性に対する阻害効果を調べたところ、アニリン系（アセトアミノフェン、フェナセチン）やピリン系（アミノピリン、アンチピリン）のCOX1およびCOX2阻害効果は極めて低く、脳に発現するCOX3を特異的に阻害していることが分かった（**表8-16**）。これらのことから、アニリン系、ピリン系の解熱鎮痛薬に胃腸障害やアスピリン喘息などの副作用が少なく、抗炎症作用がほとんどないのは、COX1、COX2阻害効果が弱いためであると考えられる。また、COX3は炎症誘発に関わる可能性が低く、これまで不明だった解熱鎮痛薬の作用機序が、中枢（脳）に存在するCOX3阻害であることなども示唆される。

一方、ジクロフェナクNa（ボルタレン）、イブプロフェン（ブルフェン）、アスピリン（バファリン配合錠A330）、インドメタシン（インダシン）などのNSAIDsは、COX1やCOX2と同等かそれ以上に強くCOX3を阻害し、その程度も解熱鎮痛薬に比べてかなり高い。すなわち、これらNSAIDsの解熱鎮痛効果は、主にCOX3阻害を介している可能性が示唆される。事実、COX3阻害の程度と同様に、ジクロフェナクの解熱作用は強力である。また、アニリン系やピリン系のCOX3阻害効果はNSAIDsに比べて弱いため、解熱鎮痛効果も弱いとも考えられるが、一般に酸性のカルボン酸系NSAIDsがBBBを通過しにくい反面、アニリン系やピリン系は容易にBBBを通過するため、COX3阻害に必要な脳内濃度に十分達していると推測される。

このように、COX3の新たな発見によって、中枢における鎮痛のメカニズムの解明は大きく進歩したが、解熱鎮痛薬の作用が全てCOX3で説明できるわけではない。例えば、アセトアミノフェンはジクロフェナクで処理したマクロファージ細胞において、COX阻害活性を示すことが報告されている（Simmons DL, et al. Proc Natl Acad Sci. 1999；96：3275-80.）。この阻害は抗COX2血清に反応するタンパク質（＝COX2変異体）の誘導に伴って起こり、アスピリンやジクロフェナク、フルルビプロフェンによる処理の影響をほとんど受けなかった。そのほか、COX2欠損マウスではインターロイキンにより惹起される発熱が起こりにくい（COX1欠損マウスでは変化なし）という報告もあり、COX2選択的阻害薬にも解熱作用があることは広く知られている。したがって、COX3とは特性が異なり、COX2に似た性質を持つ新たなCOXが存在する可能性も考えられる。今後の研究の進展に期待したい。

コラム78

イヌイットに動脈硬化が少ない理由

イヌイットでは心臓疾患が少なく、血小板凝集も起こりにくいことが知られている。これは、イヌイットが魚油を常用しているためである。

魚油はエイコサペンタエン酸（EPA；二重結合が5個）を多く含むため、イヌイットの細胞膜リン脂質にはEPAが多く存在する。一般に、ヒトの各細胞では、アラキドン酸（エイコサテトラエン酸：二重結合が4個）の遊離によりプロスタノイド（PG_2、TXA_2）が生成されるのに対し、イヌイットの各細胞では、EPAからPG_3、TXA_3が合成されやすい。このPG_3、TXA_3は、アラキドン酸の遊離を抑制するほか、TXA_3の血小板凝集作用はTXA_2より弱く、PGI_3の血小板凝集抑制作用はPGI_2と同様に強いと考えられる。これらの理由からイヌイットは血小板凝集を起こしにくい。

加えて、イヌイットでは総コレステロール、中性脂肪、LDLコレステロールが低く、HDLコレステロールが高い傾向にある。動脈硬化や心疾患が少ないのは、これらの全てに起因すると考えられる。なお、EPA製剤のイコサペント酸エチル（エパデール）は、閉塞性動脈硬化症に伴う潰瘍・疼痛・冷感の改善、高脂血症に対して適応がある。

コラム79

アスピリンおよびNSAIDsの抗血小板作用

血小板のCOX1がNSAIDsやアスピリンにより阻害されると、TXA_2合成が抑制され、血小板凝集が抑制される。ただし、NSAIDsと低用量アスピリン製剤（バファリン配合錠A81、バイアスピリン）による血小板のCOX1阻害機構は全く異なる。

NSAIDsはCOX1酵素タンパク質のポケット内にある触媒部位（活性部位）での結合をアラキドン酸と競合して阻害する（可逆的競合阻害）。一方、アスピリンは触媒部位の近くにあるセリン残基を不可逆的にアセチル化し、これが大きな立体的障壁となるためアラキドン酸が触媒部位にアクセスできなくなり阻害効果を示す（不可逆的阻害）。

したがって、NSAIDsによるCOX1阻害は投与中のみ起こり、間欠的投与では血小板凝集抑制効果は持続しないが、アスピリンの場合は血小板の寿命（3～7日［1日約10%が再生］）が来るまで持続する。このため、低用量アスピリンは、血小板凝集阻害薬として虚血性心･脳疾患（狭心症、心筋梗塞、脳梗塞）などによく用いられる。これらのことから、NSAIDsとアスピリンを併用すると、薬力学的な協力作用により血小板凝集抑制作用は増強すると考えられる。

一方で、NSAIDsであるプロピオン酸系のイブプロフェン（ブルフェン）、フルルビプロフェン（フロベン）、スプロフェン、インドール酢酸系のインドメタシン（インダシン、インフリー）などが、低用量アスピリンの血小板凝集抑制作用を阻害し、心血管障害のリスクを高める可能性があるとの報告もある（Catella-Lawson F. et al. New Engl J Med. 2001；345：1809-17.）。

これは、イブプロフェンなどがCOX1酵素タンパク質内の触媒部位に結合すると、イブプロフェンの立体構造が障壁となり、アスピリンが作用部位（529位のセリン残基）に到達できなくなるためと考えられている。イブプロフェンと立体構造が異なるジクロフェナクNaでは、このような阻害作用は認められないことから、NSAIDsの中でも構造の違いによって、アスピリンに対する相互作用は異なると考えられる。したがって、これらNSAIDsを低用量アスピリン服用患者に投薬する場合は、アスピリンの血小板凝集抑制作用が減弱する可能性に留意する必要がある（☞表8-12）。イブプロフェンは医療用医薬品だけでなく一般用医薬品（イブ、ナロンエース、ベンザブロックIP、パブロンNなど）にも含まれているため注意する。

なお、選択的COX2阻害薬ではこのような阻害作用はないと考えられるが、興味深いことに、セレコキシブ（セレコックス：COX選択的阻害薬）が、アスピリンによるCOX1のアセチル化を抑制して、その血小板凝集抑制効果を減弱する可能性が示されている（Proc Natl Acad Sci USA,2010;107:28-33.）。犬での実験ではあるが、セレコキシブを3日間投与した後にセレコキシブとアスピリンを同時投与するとアスピリン効果が減弱する。実はセレコキシブは、血小板COX1の非活性部位に結合して構造変化を起こすが、アラキドン酸の触媒反応には影響を与えないことが知られている。しかし、この構造変化は、アスピリンの反応部位であるセリン残基へのアクセスを妨げるため、阻害効果を示すと推測されている。いずれにせよ、COX2選択的阻害薬によるアスピリンの効果減弱にも注意した方がよいだろう。

コラム80

NSAIDsによる大腸癌予防効果

わが国の食生活は、戦前は魚、野菜中心だったが、戦後は欧米化が進み、肉を中心としたものとなっている。これが原因で癌に占める大腸癌の割合が増加し、部位別の癌死亡数は男性で3位、女性では1位となっている（いずれも結腸と直腸を合わせたデータ、2013年）。

この大腸癌の予防薬として、NSAIDsが有効である可能性が注目されている。具体的には、アスピリン（同名）、スリンダク（クリノリル）などのNSAIDsを長期に常用している患者は、NSAIDsを服用していない群に比べて、大腸癌の発症率が40～50%低いことが複数の疫学研究で報告されている。NSAIDsは、PG合成の律速酵素であるCOXの活性を抑制することから、大腸癌の発症・進展にCOXが深く関わっている可能性が示唆される。

前述のように、COXは主にCOX1とCOX2のアイソザイムが存在する。動物実験では、COX1は大腸癌と正常大腸粘膜で同等に発現しているが、COX2は正常細胞では発現していないにもかかわらず、大腸癌細胞の90%以上で発現誘導が認められた。したがって、主にCOX2によるPG合成が大腸腫瘍の発症・進展に重要と考えられる。実際、マウスを用いた実験で、非選択的COX阻害薬に比べて、選択的COX2阻害薬の方が腸管ポリープの発症を抑制することも示されている。

また、腫瘍細胞においてCOX2が発現すると、腫瘍の進展と密接に関係する血管新生が促進し、腫瘍細胞のアポトーシス（自然死）が抑制されるという報告もあり、NSAIDsによる癌の進展抑制には、COX2阻害を介した血管新生の抑制が関与する可能性が考えられる。一方、NSAIDsによって増殖抑制を受けた癌細胞で核内受容体のPPAR γを強制発現させると、癌細胞の増殖が再開するとの報告もあり、NSAIDsが大腸癌細胞のPPAR γの転写活性を阻害する機序も示唆されている。

以上のように、NSAIDsによる大腸癌の予防効果とその機序には不明な点も多いが、COXやPPARなど複数の反応系が関与している可能性がある。また、大腸癌以外の癌種についても、肺腺癌の約70%にCOX2の過剰発現が認められることや、臨床的に到達可能な濃度の選択的COX2阻害薬が、COX2を発現させた肺癌細胞にアポトーシスを引き起こすこと（in vitro実験）などが報告されている。さらに、抗癌剤（イリノテカン塩酸塩水和物［カンプト、トポテシン］など）とCOX2阻害薬を併用すると、相乗効果を発揮することも示唆されている。ただし、前述したようにCOX2阻害薬の長期投与による心血管系障害の発生リスクについては、常に考慮する必要がある。

わが国では2007年から、大腸癌のハイリスク群である大腸腺腫症患者※を対象に、アスピリン腸溶錠（100mg/日を2年間）の発癌予防効果を検証するための二重盲検比較試験が行われた。その結果、アスピリンにより腺腫の再発リスクを約40%減少（非喫煙者では60%以上減少）させることが示されている（Gut.2014;63:1755-9.）。今後、大規模研究により、罹患率の高い大腸癌の予防法としての確率が期待される。

参考文献

医学のあゆみ. 2000；193：221-4. および 245-8. 同 2001；199：641-4. 同 2012；241：411-5.

※大腸に100個以上の腺腫（腫瘍性ポリープ）が発生し、放置すればほぼ100%の患者で大腸癌を発生する。

コラム 81

副腎皮質ホルモン製剤の副作用

副腎皮質ホルモン（糖質コルチコイド）はPGやLT生成過程の上流にあるホスホリパーゼA_2を阻害し、抗炎症作用のほか、様々な組織で多彩な作用を発揮する。副腎皮質ホルモン製剤の主な副作用と併用禁忌薬を**表8-17**にまとめた。生ワクチンまたは免疫強化剤（IL2製剤など）と副腎皮質ホルモン製剤との併用は、禁忌または原則禁忌である。

表 8-17　副腎皮質ホルモン製剤の主な副作用と併用禁忌薬

①副作用

組織	副作用の種類	発生機序
免疫系	◎ 感染誘発・増悪	免疫系抑制
代謝系	◎ 糖尿病 ・中心性肥満、ムーンフェイス（満月様顔貌）	糖新生促進、糖利用低下、抗インスリン作用 内臓脂肪合成促進、抗インスリン作用
消化器系	○ 消化性潰瘍	PG 合成抑制、粘液分泌抑制、胃酸分泌亢進
循環器系	○ 血栓・塞栓形成、皮下出血 ・高血圧、浮腫、低 K 血症、脂質異常症	凝固因子増加、抗プラスミン作用 アルドステロン作用・Na 貯留、K 排泄・レニン基質増加、血中中性脂肪上昇作用
結合組織系	○ 骨粗鬆症・骨折	腸管 Ca 吸収抑制、ビタミン D 合成低下、骨芽細胞の骨基質合成低下
中枢神経系	○ 躁うつ状態、不眠	CA の機能修飾
内分泌系	・副腎不全、成長抑制、月経異常	ホルモン分泌抑制
血液リンパ系	・白血球増多	好中球の骨髄からの動員促進 好酸球の骨髄からの放出促進
眼	・白内障 ・緑内障	水晶体のタンパク代謝異常 ムコ多糖類の隅角沈着・房水の循環不全

◎：しばしばみられる重篤な副作用　　○：重篤な副作用　　（吉田　正ほか. 治療学. 1993；27：71-7. を参考に作成）

②薬力学的相互作用

	薬剤 A	薬剤 B	併用により起こり得る事象
併用禁忌	生ワクチン	副腎皮質ホルモン製剤	病原性増悪。
原則禁忌	免疫強化剤：IL2 製剤（テセロイキン［イムネース］）など		免疫強化と抑制（作用拮抗）。

第5節
その他の副作用

❶ 横紋筋融解症

筋肉障害には、①血漿CPK値（クレアチンホスホキナーゼ）上昇を伴わず筋肉痛を呈する、②血漿CPK値上昇（正常の10倍以上）を伴うが無症状、③血漿CPK値上昇を伴い筋肉症状を呈する、④血漿CPK値上昇（正常の10倍以上）かつ筋肉症状（筋肉痛、脱力感など）があり、ミオグロビン血症（血中および尿中ミオグロビン値上昇；赤または褐色尿）や腎機能障害（急性腎不全）を伴う――の4つに分けられる。③はミオパチー（筋肉炎）、④は横紋筋融解症と呼ばれている。

表8-18　横紋筋融解症を発現し得る主な薬剤と相互作用

（1）横紋筋融解症を発現し得る主な薬剤

- スタチン系薬※：プラバスタチン（メバロチン）、フルバスタチン（ローコール）、ロスバスタチン（クレストール）、シンバスタチン（リポバス）、アトルバスタチン（リピトール）、ピタバスタチン（リバロ）、セリバスタチン★
- フィブラート系薬：ベザフィブラート（ベザトールSR）、フェノフィブラート（リピディル、トライコア）など
- ニコチン酸（ナイクリン）
- コレスチミド（コレバイン）
- アゾール系薬：イトラコナゾール（イトリゾール）など
- マクロライド系薬：エリスロマイシン（エリスロシン）など
- 抗てんかん薬：フェニトイン（アレビアチン）、カルバマゼピン（テグレトール）、ゾニサミド（エクセグラン、トレリーフ）、バルプロ酸（デパケン）、ガバペンチン（ガバペン）、ガバペンチンエナカルビル（レグナイト）、レベチラセタム（イーケプラ）
- 痙攣を誘発する可能性のある薬剤（☞**表8-1**）
- 薬剤性パーキンソニズムを誘発する可能性のある薬剤（☞**表8-2**）
- 低K血症誘発薬（☞**表8-5**）
- 非脱分極性・脱分極性筋弛緩薬（☞**表7-27**）
- CPK値を上昇させる薬剤：ダプトマイシン（キュビシン静注；環状リポペプチド系）
- その他：PPI(オメプラゾール[オメプラゾン]、エソメプラゾール[ネキシウム]、ラベプラゾール[パリエット]など)、AT_1拮抗薬（オルメサルタン［オルメテック］、テルミサルタン［ミカルディス］、バルサルタン［ディオバン］など)、BZP系薬（エチゾラム［デパス］、フルニトラゼパム［サイレース、ロヒプノール］など)、アロプリノール（ザイロリック）、トランドラプリル（オドリック、プレラン；ACE阻害薬）、プランルカスト（オノン）、コルヒチン、総合感冒薬、エダラボン（ラジカット）、テルビナフィン（ラミシール；アリルアミン系抗真菌薬）、ペロスピロン（ルーラン；SDA）、ルラシドン（ラツーダ；DSA；抗精神病薬/双極性障害のうつ症状治療薬）、ラミブジン（ゼフィックス；抗HBV薬）、テラプレビル★（抗HCV薬）、ビタミンB_6製剤（新生児・乳児に大量投与時）、クロピドグレル（プラビックス）、パロキセチン（パキシル；SSRI）、DPP4阻害薬（シタグリプチン［グラクティブ、ジャヌビア］、ビルダグリプチン［エクア］、アログリプチン［ネシーナ］)、メトホルミン（メトグルコ；ビグアナイド系薬）、ネララビン（アラノンジー静注用；抗悪性腫瘍薬）、抗パーキンソン病薬（プラムペキソール［ビ・シフロール］、ロチゴチン［ニュープロ］､）シクロホスファミド（エンドキサン；アルキル化薬）、アマンタジン（シンメトレル；ドパミン遊離促進薬）、硫酸Mg製剤、リトドリン（ウテメリン；β_2刺激薬）、アムロジピン(アムロジン他；Ca拮抗薬)、エンコラフェニブ（ビラフトビ）など

※ スタチン系薬によるCPK上昇の発症は、プラバスタチン（メバロチン）、フルバスタチン（ローコール）で1.2%、ロスバスタチン（クレストール）で1.7%、シンバスタチン（リポバス）で4.2%、ピタバスタチン（リバロ）で4.6%、アトルバスタチン（リピトール）で6%といわれている。
★ 販売中止

（2）相互作用（協力作用）

	薬剤A	薬剤B	併用により起こり得る事象
原則禁忌	スタチン系薬	フィブラート系薬	腎機能に関する臨床検査値に異常が認められる患者にやむを得ず併用する場合、定期的に腎機能検査を実施。フィブラート系は腎排泄のため腎機能障害では血中濃度上昇。
併用慎重	スタチン系薬	フィブラート系薬、ニコチン酸系薬、アゾール系薬、マクロライド系薬、環状リポペプチド系薬（ダプトマイシン［キュビシン静注］）	横紋筋融解症が現れやすい。フィブラート系は、腎機能に異常がない患者では併用慎重。体内動態、特にOATP2阻害（☞**表4-20**）、CYP3A4阻害（☞**表5-32**）に起因する相互作用に注意。
併用慎重	硫酸Mg製剤（硫酸Mg補正液、マグネゾール、マグセントなど）	リトドリン（ウテメリン；子宮筋選択性β_2刺激薬）	横紋筋融解症を疑わせるCPK上昇例。双方ともに子宮収縮抑制作用あり。

横紋筋融解症は、骨格筋の変性、壊死によりミオグロビンが血中に流出する病態で、血中・尿中のミオグロビン値の上昇を特徴とする。ミオグロビンの腎排泄量の増加に起因する急性腎不全を伴う場合には、透析を行わなければ致命的にもなり得る。また、尿中へのミオグロビン排泄が多くなると、尿が赤（褐）色を呈する。

横紋筋融解症を来す可能性がある薬剤を**表8-18**に示す。これらの薬剤は、可逆性のミオパチー（筋肉の症状とCPK値のみ上昇）や筋肉痛（CPK値の上昇を伴わない）を誘発する恐れもある。特に、臨床的に使用頻度の高い高脂血症治療薬に関しては、手足がしびれる、力が入らない、筋肉がこわばる、つる、痛むといった自覚症状の有無を投薬時に確認するとともに、「尿が赤や褐色になることはありませんか」と尋ねるようにする。CPK値の上昇と筋肉症状を認め、かつミオグロビン値も上昇している場合は、直ちに服用を中止させる。

これらの薬剤は、併用により横紋筋融解症発現の危険性がさらに高まるので、注意を要する。中でも、スタチン系薬（HMG-CoA還元酵素阻害薬）とフィブラート系薬との併用は、腎機能に関する臨床検査値に異常が認められる患者では原則禁忌である。また、スタチン系薬とニコチン酸系薬、アゾール系薬（☞**表5-17**）、マクロライド系薬（☞**表5-21**）、シクロスポリン（サンディミュン、ネオーラル；☞**表4-20、5-30⑥**）などとの併用でも、発症の危険性が上昇する（☞**コラム42**）。

スタチン系薬の単独投与で横紋筋融解症を発症したケースでは、そのほとんどが腎機能低下者と高齢者であることが明らかになっている。また、セリバスタチンについては、横紋筋融解症を発症して死亡に至った例が米国で31人、全世界で52人報告され、わが国でも2001年8月に販売中止となったが、死亡例は、フィブラート系薬のゲムフィブロジル（国内未発売）を併用していた例や、高齢者が高用量のセリバスタチンを服用していた例であった。

70歳代女性Aさん。

[処方箋]
① ノルバスク錠5mg　1錠
　トライコア錠80mg　1カプセル
　　1日1回　朝食後　14日分
② リバロ錠2mg　1錠
　　1日1回　夕食後　14日分

ノルバスク（アムロジピンベシル酸塩）とトライコア（フェノフィブラート）を服用中のAさん。血清TG値は140mg/dLと正常だったが、今回、血清LDLコレステロール値が196mg/dLと高値だったため、リバロ（ピタバスタチンCa）が追加された。

フィブラート系薬とスタチン系薬の併用は、腎機能検査値に異常がある場合には原則として禁忌である。Aさんの血清クレアチニン値は0.87 mg/dLとやや高めだったため、念のために処方医に疑義照会し、用法・用量を変更するか、ゼチーア（エゼチミブ）など他剤に変更するよう提案した。その結果、トライコアとリバロを1日おきに交互に服用する方法に変更となった。

トライコアによる筋肉障害については説明していたが、薬剤師はAさんに対し、今回の薬の追加によって筋肉障害が現れる可能性がさらに高くなることを説明。これまで以上に、手足の筋肉の痛み、しびれ、ひきつけなどの筋肉の障害や赤色尿に注意し、これらの症状が現れたら受診するように指導した。

その後、1年経過した現在でも、このような症状は全く認められていない。また、血清LDLコレステロール値115mg/dL、血清TG値133mg/dL、血清CPK値87U/Lと正常値を維持している。

50歳代女性Bさん。

[処方箋]
① ムコスタ錠100mg　2錠
　デパス錠0.5mg　2錠
　リボトリール錠0.5mg　2錠
　　1日2回　朝夕食後　14日分
② リポバス錠5　1錠
　　1日1回　朝食後　14日分

小型運動発作のため数十年間リボトリール（クロナゼパム）を服用中のBさんが、ある日、足のふくらはぎの筋肉がひきつけを起こすと訴えた。週に2～3回の頻度で夜中に発症し、赤色尿は認めていないという。

デパス（エチゾラム）による筋肉障害、またリボトリールの効果減弱の可能性もあるが、主な原因は数年前から服用しているスタチン系薬のリポバス（シンバスタチン）による筋肉障害であると考えられた。しかし、処方医は血液検査により血漿CPK値が正常であることを確認し、①②の処方薬を続けて服用するようにBさんに指示していた。

ところが、数週間後も足の痙攣は治まらなかったため、薬剤師は薬の副作用の可能性が高いと判断。患者の了解を得て処方医に連絡し、スタチン系による筋肉障害は血漿CPK値上昇を伴わない場合もあることを伝えて、減量を提案した。その結果、リポバスは半錠へと処方変更された。

2週間後、Bさんの筋肉のひきつけは完全に消失し、その後の血液検査でも、HDLコレステロール、LDLコレステロール値は正常であった。

症例③ 60歳代女性Cさん。

[処方箋]
メバロチン錠10mg　1錠
1日1回　夕食後　14日分

メバロチン（プラバスタチンNa）の服用を開始したCさんが、2週間後、下半身の倦怠感を訴えた。激しい運動やストレス、不眠などはなく、生活習慣にも全く変化がないため、薬の副作用が考えられる。処方医に連絡して相談した結果、2～3日間メバロチンを中止して様子をみることになった。Cさんは数日後に受診し、中止により症状改善を認めたため、メバロチンからローコール錠20mg（フルバスタチンNa）に変更となった。

それから約4カ月間は異常は認められなかったが、効果不十分のため、リピトール錠10mg（アトルバスタチンCa）に変更となった。開始から5日後、足のふくらはぎに痛みが出現。服薬中止で消失、服薬再開で再発を認めたため、リピトールは5mgに減量された。しかし、足の症状が完全に改善しなかったため、クレストール錠2.5mg（ロスバスタチンCa）に変更。4日後、再び全身のしびれや筋肉痛が出現したため、リバロ錠1mg（ピタバスタチンCa）に変更となるが、3日後に筋肉痛が発現したため中止となった。

処方医と相談した結果、Cさんにスタチン系薬を投与することは困難であると判断されたため、コレバイン錠500mg（コレスチミド）6錠（1日2回、朝夕食前）を投与することとなった。しかし約1カ月後、足のふくらはぎに痛みが出現し、服用を中止すると消失したため、コレバインは中止された。再度、処方医との協議の結果、エパデールカプセル300mg（イコサペント酸エチル）を6カプセル（1日3回毎食後）投与することになった。

それから数年が経過し、現在もエパデールを服用中であるが、筋肉障害は全く認められていない。

注意

横紋筋融解症の発症機序

横紋筋融解症は、激しい筋肉の使用、てんかん発作、低K血症、ウイルス感染（インフルエンザA、サイトメガロウイルス、EBウイルス）、熱中症などに伴い、発現することが知られている。また、肝・腎障害や甲状腺機能低下がある患者、筋ジストロフィーなどの遺伝性の筋疾患またはその家族歴、薬剤性（フィブラート系薬、スタチン系薬など）筋障害の既往がある患者、アルコール中毒患者、高齢者などでは、横紋筋融解症が発現しやすいので要注意である。

横紋筋融解症の発現機序には、次に説明するように、コレステロール合成経路が関与している。

HMG-CoAからメバロン酸を生成するHMG-CoA還元酵素は、肝でのアセチルCoAからコレステロールを合成する過程の律速酵素であり（☞**図7-14**）、インスリンや甲状腺ホルモンなどによって活性化される（ただし、甲状腺機能が低下した状態ではLDL受容体の活性が低下し、高コレステロール血症になりやすい）。このコレステロール合成経路の中間体であるファルネシルピロリン酸からは、別の経路でミトコンドリアの電子伝達系の成分のユビキノン（coenzyme Q）が合成される。したがって、HMG-CoA還元酵素阻害薬（スタチン系薬）による横紋筋融解症の原因として、筋肉内のユビキノン合成能の低下によるミトコンドリアの機能異常や、筋膜のコレステロール含量低下などが考えられる。

重要

フィブラート系薬の作用機序

フィブラート系薬には、コレステロールや中性脂肪を低下させ、HDLコレステロールを上昇させる作用がある。この作用が核内受容体のPPARsを介した総合的な脂質代謝改善作用に起因することが、フェノフィブラート（リピディル）を用いた研究で明らかにされている。

核内受容体は細胞内のタンパク質発現を調節する転写調節因子であり、リガンド（ホルモン、ビタミン、脂肪酸、薬剤など）と結合すると活性化されて特定の遺伝子（DNA）領域に結合し、転写を調節する（☞**第5章[第3節]、付C**）。

PPARsにはα（肝、消化器に存在）、γ（脂肪組織に存在）、δ（β；全ての組織に存在）の3つのサブタイプがある。αは脂質代謝、γは脂肪細胞の分化およびインスリン抵抗性、δは抗肥満や心肥大に関与している。

インスリン抵抗性改善薬のピオグリタゾン塩酸塩（アクトス）はPPARγを活性化し、インスリン抵抗性を改善することが示されている（☞**表7-44**）。一方、フェノフィブラートとペマフィブラート（パルモディア）は、肝PPARαのリガンドとしてこれを活性化し、脂質代謝に関係するタンパク質の遺伝子発現（転写）を制御する。具体的には、PPARαの活性化によって、HDLの主成分であるアポAⅠ・AⅡや、LPL（リポタンパクリパーゼ）、β酸化に関わる酵素などのタンパク質の発現が増加し、アポB含有リポタンパク質（変性LDLなど）に含まれ、動脈硬化を惹起する構成要素の一つであるアポCⅢの産生が低下することなどにより総合的にコレステロール、中性脂肪を低下させると考えられる。また、フェノフィブラートの投与によって一過性の血中AST（GOT）、ALT（GPT）の上昇がみられることがあるが、この原因についても、投与初期に肝臓で一時的に増える中性脂肪の脂肪酸が、GOTやGPTの遺伝子転写を促進するPPARαを活性化するためと考えられている。また、フィブラート系によるクレアチニンキナーゼ上昇のメカニズムの一つとして、PPARαとPPARδを介したペルオキシソームの活性化とミトコンドリアのβ酸化活性化による酸化的ストレスの増大が関与するとされている。

一方、フェノフィブラートのPPARα活性化作用によって、薬物代謝酵素が誘導されることも示されている（☞**表5-54**）（ただし選択的PPARα活性化薬であるペマフィブラート［パルモディア］では、臨床上問題となる誘導作用は認められない）。また、同系のベザフィブラート（ベザトールSR）は、PPARαだけでなくPPARγ、δのリガンドであることも示されており、多彩な作用を持つ薬剤として期待されている（☞**第7章[第8節❸C]**）。

参考文献：Staels B, et al. Nature. 1998；393：790-3.

❷ 肝機能障害

薬剤性肝障害は、アセトアミノフェン（カロナール）の多量摂取などに見られる中毒性と、予測不可能な特異体質性に分類される。後者には代謝性特異体質やアレルギー性特異体質が含まれるが、薬剤性肝障害の大半はアレルギー性機序に起因すると考えられている。

薬剤性肝障害の臨床型は、肝損傷の組織像により、肝細胞障害型、胆汁うっ滞型、混合型に分けられ、一部は劇症化して劇症肝炎となる。起因薬剤の種類によって、その分布は異なる。例えば、抗菌薬に起因する肝障害では、肝炎型51.3％、混合型32.9％、胆汁うっ滞型15.3％、劇症肝炎0.6％であるのに対し、代謝性疾患用剤（糖尿病・高脂血症用剤）に起因する肝障害では、それぞれ53.7％、25.9％、14.8％、5.6％である（いずれも1999年の全国調査のデータ；厚生労働省「重篤副作用疾患別対応マニュアル　薬物性肝障害」参照）。

薬剤性肝障害の発症は非常にまれであり、原因薬剤の中止により速やかに治癒するが、放置すると劇症肝炎となり死亡する例があるため、早期発見が極めて重要である。肝障害を誘発する可能性のある主な薬剤を**表8-19**に示す。これらの薬剤を相互に併用すると、発現の危険性はさらに高くなる。

特に、抗菌薬やNSAIDs、抗癌剤、劇症肝炎の報告がある薬剤では注意し、これらの薬剤を服用中の患者には、肝障害の初期症状である全身症状（全身倦怠感、発熱、黄疸など）、皮膚症状（発疹、そう痒感、蕁麻疹など）、消化器症状（食欲不振、吐き気・嘔吐・悪心、下痢、腹痛など）などの有無について尋ねるようにする。胆汁うっ滞型では、黄疸やかゆみ（胆汁酸の皮膚への蓄積によるヒスタミン遊離に起因）が出現しやすい。

また、これらの自覚症状を認めないことも多いため、定期的な血液検査（肝機能検査）の実施も重要である。一般に、胆汁うっ滞型では、血液中の胆道系酵素（γ GTP［γ-グルタミルトランスペプチダーゼ；著明に上昇］、ALP［アルカリ性ホスファターゼ］、LAP［ロイシンアミノペプチダーゼ］）が上昇するが、逆に肝細胞障害型ではAST（GOT）、ALT（GPT）が上昇し、混合型ではALP、AST、ALTが基準値上限の2倍を超える数値を示すといわれている。薬剤性肝障害は、服用後60日以内に起こることが多いが，90日以降に発症するケースも約20％あるため、長期にわたって注意すべきである。

中でもアセトアミノフェン（カロナール）に関しては、2011年2月、添付文書に「警告」の項が設けられ、「①同薬により重篤な肝障害が発現する恐れがあることに注意し、1日総量1500mgを超す高用量で長期投与する場合は、定期的に肝機能等を確認するなど慎重に投与すること、②同薬とアセトアミノフェンを含む他の薬剤（一般用医薬品を含む）との併用により、アセトアミノフェンの過量投与による重篤な肝毒性が発現する恐れがあるため、これらの薬剤との併用を避けること」という文言が追加された。また、2012年には「重大な副作用」に劇症肝炎が追加された。高用量でない場合であっても、長期服用患者においては定期的に肝機能検査を行うことが望ましいとされている（☞**第5章［第3節❹］**）。

さらに、慢性大量飲酒によりアルコール性肝障害が最も起こりやすく、慢性飲酒者では健常者に比べ、薬剤性肝障害を発症しやすい。また、2002年に中国製ダイエット食品により肝障害が発生したケースや死亡例が報告されたように、健康食品や嗜好品の摂取状況も把握する必要がある。

なお、既に述べたが、薬剤性肝障害は肝トランスポーターのMRP2、BSEP阻害に起因するケースが多く（☞**表4-25**）、全ての薬剤性肝障害が肝トランスポーターに関与するとは断言できないが、少なくともMRP2やBSEP阻害効果に注目する必要があると考えられる。

表 8-19 肝障害を誘発し得る主な薬剤（太字は劇症肝炎が報告されている薬剤）

抗菌薬
● 抗生物質;ピペラシリン（ペントシリン;42）、セフォチアム（パンスポリン;33）、セファクロル（ケフラール;24）、**ミノサイクリン**（ミノマイシン；18）、セファゾリン（セファメジンα；17）、アンピシリン（ビクシリン；13）、セフメタゾール（セフメタゾン；13）、**ホスホマイシン**（ホスミシン；11）、**クラリスロマイシン**（クラリス；10）、アモキシシリン（アモリン；9）、**スルバクタム・セフォペラゾン**（スルペラゾン静注用）、セフテラム（トミロン；8）、セフポドキシム（バナン；8）、フロモキセフ（フルマリン；8）、セフィキシム（セフスパン；7）、**セフジニル**（セフゾン；7）、スルタミシリン（ユナシン；7）、セフォペラゾン（セフォペラジン；6）、セフォゾプラン（ファーストシン；6）、セフタジジム（モダシン；6）、**セフトリアキソン**（ロセフィン；6）、ラタモキセフ（シオマリン；6）、ロキシスロマイシン（ルリッド;6）、レナンピシリン★（5）、**セファレキシン**（ケフレックス）、**セフカペン**（フロモックス）、**イミペネム・シラスタチン**（チエナム；9）、**メロペネム**（メロペン）、**パニペネム・ベタミプロン**（カルベニン） ● 抗結核薬：**リファンピシン**（リファジン；26）、**イソニアジド**（イスコチン；19）、**ピラジナミド**（ピラマイド） ● キノロン系薬；**ガレノキサシン**（ジェニナック）、オフロキサシン（タリビッド；17）、**レボフロキサシン**（クラビット；14）、ノルフロキサシン（バクシダール；8）、シプロフロキサシン（シプロキサン；6）、**モキシフロキサシン**（アベロックス） ● サルファ剤；スルファメトキサゾール（バクタ配合錠に含有；6） ● イミダゾール系薬；メトロニダゾール（フラジール、アネメトロ）
NSAIDs
ジクロフェナク（ボルタレン；41）、**アセトアミノフェン**（カロナールなど；警告あり；23）、**アスピリン・ダイアルミネート**（バファリン配合錠；21）、**ロキソプロフェン**（ロキソニン；17）、メフェナム酸（ポンタール；12）、イブプロフェン（ブルフェン；10）、PL配合顆粒（9）、インドメタシン（インテバン；8）、プラノプロフェン（ニフラン；7）、セレコキシブ（セレコックス）など
抗癌剤
テガフール・ウラシル配合薬（ユーエフティ配合カプセル/顆粒；26）、**テガフール**（フトラフール）、**ドキシフルリジン**（フルツロン）、**フルタミド**（オダイン；抗アンドロゲン薬；死亡例あり）、分子標的治療薬（いずれも死亡例あり）（ラパチニブ［タイケルブ］、**ソラフェニブ**［ネクサバール］、アファチニブ［ジオトリフ］、**クリゾチニブ**［ザーコリ］、パゾパニブ［ヴォトリエント］、**レゴラフェニブ**［スチバーガ］、エベロリムス［アフィニトール］、テムシロリムス［トーリセル］、シロリムス［ラパリムス］、イマチニブ［グリベック］、ポナチニブ［アイクルシグ］、ロルラチニブ［ローブレナ］、チラブルチニブ［ベレキシブル］、ダブラフェニブ［タフィンラー］、カプマチニブ［タブレクタ］、テポチニブ［テプミトコ］、アベマシクリブ［ベージニオ］、ラロトレクチニブ［ヴァイトラックビ］、ベバシズマブ［アバスチン］、リツキシマブ［リツキサン］、オファツムマブ［アーゼラ］、モガリズマブ［ポテリジオ］、**ニボルマブ**［オプジーボ］、ゲムツズマブ［マイロターグ］、**ブレンツキシマブ**［アドセトリス］、ポラツズマブ［ポライビー］）、**クロルマジノン**（プロスタール；6；死亡例あり）、**メトトレキサート**（メソトレキセート、リウマトレックス）、**テガフール・ギメラシル・オテラシルカリウム配合剤**（ティーエスワン）、シクロスポリン（サンディミュン、ネオーラル）、イリノテカン（カンプト）、レトロゾール（フェマーラ）、**タモキシフェン**（ノルバデックス；死亡例あり）、**ネララビン**（アラノンジー；死亡例あり）、**テモゾロミド**（テモダール：海外1［死亡］、国内1［転機不明］）、エンザルタミド（イクスタンジ）、**アビラテロン**（ザイティガ;CYP17阻害薬;死亡例あり）、ポマリドミド（ポマリスト）、ベキサロテン（タルグレチン;レチノイド製剤）など
中枢神経系用薬
フェニトイン（アレビアチン；19）、**エトトイン**（アクセノン）、**カルバマゼピン**（テグレトール；18）、**バルプロ酸**（デパケン；11）、**クロルプロマジン**（コントミン；10）、ハロペリドール（セレネース；5）、**バレニクリン**（チャンピックス）、ロチゴチン（ニュープロパッチ）、**プレガバリン**（リリカ；死亡例あり）、メマンチン（メマリー）、メチルフェニデート（肝不全、肝機能障害；海外報告で重篤な肝障害により肝移植に至った報告）
抗アレルギー薬
オキサトミド（セルテクト；21）、トラニラスト（リザベン；19）、セラトロダスト（ブロニカ；5）、**ザフィルルカスト**（アコレート）、**モンテルカスト**（シングレア）、**オロパタジン**（アレロック；死亡例あり）など
循環器系用薬
アプリンジン（アスペノン；14）、アジマリン★（11）、ニフェジピン（アダラート：8）、ニカルジピン（ペルジピン；5）、トラピジル（ロコルナール;9）、メチルドパ（アルドメット;5）、**デラプリル**（アデカット）、**ロサルタン**（ニューロタン；AT_1拮抗薬）、アジルサルタン（アジルバ；AT_1拮抗薬）、**ヒドララジン**（アプレゾリン；血管拡張薬）、**アミオダロン**（アンカロン）、**チクロピジン**（パナルジン）、ダビガトランエテキシラートメタンスルホン酸塩（プラザキサ）、エドキサバン（リクシアナ）、アピキサバン（エリキュース）、**アムロジピン**（アムロジン他；死亡例）など
消化器系用薬
チオプロニン（チオラ；45）、**サラゾスルファピリジン**（サラゾピリン［サルファ剤］；19）、ファモチジン（ガスター；13）、シメチジン（タガメット;6）、**ランソプラゾール**（タケプロン;6）、スルピリド（ドグマチール;6）、ラニチジン（ザンタック;5）、**オメプラゾール**（オメプラゾン；5）、**エソメプラゾール**（ネキシウム）、**モサプリド**（ガスモチン）など

表8-19（つづき） 肝障害を誘発し得る主な薬剤（太字は劇症肝炎が報告されている薬剤）

糖尿病用薬
トログリタゾン★（19；死亡例あり）、**アカルボース**（グルコバイ；12）、ボグリボース（ベイスン；6）、グリベンクラミド（オイグルコン；5）、エパルレスタット（キネダック；5）、テネリグリプチン（テネリア；死亡例あり）、ビルダグリプチン（エクア）など
ホルモン製剤
チアマゾール（メルカゾール；21）、**プロピルチオウラシル**（チウラジール；14）、ダナゾール（ボンゾール；8）、経口避妊薬など
漢方薬
小柴胡湯（18）、柴苓湯（5）、葛根湯（5）、抑肝散など
その他
インターフェロンベータ-1α（アボネックス；死亡例）、**ハロタン**（フローセン；15）、アシクロビル（ゾビラックス；12）、**アロプリノール**（ザイロリック；7）、フェノフィブラート（リピディル）、エゼチミブ（ゼチーア）、**ベンズブロマロン**（ユリノーム）、プロベネシド（ベネシッド）、フルバスタチン（ローコール）、ボセンタン（トラクリア）、リトナビル（ノービア）、サキナビル★、**ネビラピン**（ビラミューン：抗HIV薬）、アスナプレビル（スンベプラ）・ダクラタスビル（ダクルインザ）併用療法（抗HCV薬：死亡例あり）、アダリムマブ（ヒュミラ；抗TNFα）、デフェラシロクス（ジャドニュ；警告あり）、**エファビレンツ**（ストックリン；抗HIV薬）、トルバプタン（サムスカ；V_2-受容体拮抗薬）、ペラミビル（ラピアクタ；抗インフルエンザ薬）、イコサペント酸エチル（エパデール）、ミノドロン酸（ボノテオ、リカルボン：死亡例あり）、デュタステリド（アボルブ、ザガーロ：5α還元酵素阻害薬）、バダデュスタット（バフセオ：腎性貧血治療薬）など

カッコ内の数字は、1999年、全国調査で得られた薬剤性肝障害報告症例数（5例以上）を示す。厚生労働省「重篤副作用疾患別対応マニュアル 薬物性肝障害」（2007年4月）による。

★ 販売中止

❸ 内耳神経障害および腎障害

内耳神経（第8脳神経）障害は、蝸牛神経系の障害による耳鳴り、難聴、前庭神経系の障害によるめまいなどを主症状とする。内耳神経障害を誘発する恐れのある薬剤は、腎毒性を来す恐れもあり、相互の併用による不可逆性の聴力喪失、腎不全、死亡例が報告されている。

内耳神経障害および腎障害を誘発する可能性がある薬剤と相互作用を**表8-20**に示す。腎障害を起こし得る薬剤（手足の浮腫に注意）の相互の併用は、重篤な場合には死に至ることがあり、併用禁忌、原則禁忌となっているものも多い。また、**表8-20**に示した薬剤は、併用薬の腎排泄を抑制して作用を増強させる可能性も高く、腎排泄型薬剤との併用には注意が必要である。

チアジド系利尿薬は糸球体濾過量を減少させるため、腎機能障害患者への使用は避けた方がよい。一方、ループ系利尿薬は糸球体濾過量を減少させず、Na再吸収に必要なATP消費を抑えて腎保護的に働くため、注射薬は腎性急性腎不全の治療に用いられる。ただし、脱水による二次的な腎前性急性腎不全の発症には十分に注意する（後述）。

脳保護薬であるフリーラジカルスカベンジャーのエダラボン（ラジカット）は、2001年6月の発売以降、投与中または投与後に重篤な腎機能障害（機序不明）が現れたため、現在では、重篤な腎機能障害のある患者は投与禁忌となっているほか、腎機能障害・脱水、感染症、肝機能障害、心疾患、高度の意識障害のある患者や高齢者には慎重に投与することとされている。また、2015年6月、筋萎縮性側策硬化症（ALS）も投与禁忌に追加された。筋萎縮のある患者では、投与開始前および投与中定期的に、血清クレアチニン値（SCr）、尿素窒素（BUN）の測定に加え、血清シスタチンCによる推算腎糸球体濾過量（eGFR）の算出、蓄尿によるクレアチニンクリアランス（CCr）の算出など、筋肉量による影響を受けにくい腎機能評価を実施するよう記載されている。

鎮暈薬（抗ヒスタミン薬）では、内耳神経障害を不顕化するので注意する。また因果関係は明らかでないが、PDE5阻害薬投与後に、急激な聴力低下または突発性難聴が起こり、耳鳴りやめまいを伴うことが報告されている。

表には示していないが、アマンタジン塩酸塩（シンメトレル；適応に脳梗塞後遺症、パーキンソン症候群、A型インフルエンザ感染症）は、腎障害患者への投与によって、血中濃度が上昇し、意識障害（昏睡を含む）、精神症状（幻覚、妄想、せん妄、錯乱など）、痙攣、ミオクローヌスなどの副作用が現れることが報告されている。特に、透析が必要な患者ではこれらの副作用が著明に出現することがある。これは、アマンタジンの大部分が未変化体として尿中から排泄されるほか（腎OCTで分泌；☞**表4-30**）、同薬が血液透析で少量しか除去されないためである。同薬は2006年に添付文書が改訂され、透析を必要とするような重篤な腎障害患者は投与禁忌とされた。腎障害のある患者や高齢者では、腎機能の程度に応じて投与間隔を延長するなど、慎重に投与する。

（☞**コラム82**）

一方、RA系阻害薬（直接レニン阻害薬、ACE阻害薬、AT_1拮抗薬）による腎障害にも注意が必要である。ACE阻害薬とAT_1拮抗薬を併用した場合、RA系阻害の協力により急性腎不全、低血圧、高K血症のリスクが増加するとの報告がある。また、2型糖尿病における糖尿病性腎症の患者や腎機能障害を有する患者では、SCr上昇、血清K上昇が現れやすいため、RA系阻害薬同士を併用する場合は要注意である（併用原則禁忌あり）（☞**表7-37、コラム60、表8-5（2）**）。

注意

腎障害とビグアナイド系薬

ビグアナイド系薬（メトホルミン塩酸塩［メトグルコ、グリコラン］、ブホルミン塩酸塩［ジベトン］）は、未変化体のままOCT2を介して腎排泄されるため（☞**表4-30**）、腎障害患者では血中濃度が上昇し、肝臓での代謝能以上に乳酸が増え、乳酸アシドーシスを引き起こす可能性がある。そのため、「腎機能検査値が正常範囲外の患者」へのビグアナイド系薬の投与は禁忌である。ただし、メトグルコでは中等度以上の腎機能障害患者のみが禁忌であり、血清クレアチニン値（SCr値；酵素法）男性1.3mg/dL、女性1.2mg/dL以上の患者には投与を推奨しないとされている（臨床試験を行っていないため）。

また、腎毒性の強いヨード造影剤（イオパミドール［イオパミロン］、イオヘキソール［オムニパーク］、イオメプロール［イオメロン］など）や抗菌薬（アミノグリコシド系など）とメトホルミンの併用でも、血中濃度が上昇して乳酸アシドーシスを起こすことがある。造影剤、アミノグリコシド系薬による腎機能低下作用によって、メトホルミンの腎排泄が低下すると考えられる。メトホルミンを服用中の患者において、ヨード造影剤を用いて検査を実施する場合は、メトホルミンを一時的に中止し（緊急検査を除く）、造影剤投与後48時間はメトホルミン投与を再開してはならない（☞**表3-6**）。また、アミノグリコシド系などの腎毒性の強い抗菌薬を併用する場合には、メトホルミンを一時的に減量・中止するなど、適切に対処する。

なお、その他の薬剤では、トレラグリプチンコハク酸塩（ザファテック；持続性DPP4阻害薬）、ダビガトランエテキシラートメタンスルホン酸塩（プラザキサ；直接トロンビン

表 8-20　内耳神経障害および腎障害を誘発し得る主な薬剤と相互作用

（1）内耳神経障害および腎障害を誘発し得る主な薬剤

【a】内耳神経障害

- アミノグリコシド系抗菌薬：ゲンタマイシン（ゲンタシン注）、カナマイシン※1、パロモマイシン※2（アメパロモ：腸管アメーバ症治療薬）
- ポリペプチド系抗菌薬：ポリミキシンB（硫酸ポリミキシンB）など
- グリコペプチド系抗菌薬：バンコマイシン（同名）、テイコプラニン（タゴシッド）など
- ループ系利尿薬
- 白金製剤※3（シスプラチン［ランダ］、オキサリプラチン［エルプラット］、カルボプラチン［パラプラチン］、ネダプラチン［アクプラ］）
- サリチル酸※4（アスピリン［バファリン配合錠A］、サリチル酸ナトリウム［注射薬］など）
- 抗結核薬：エンビオマイシン（ツベラクチン）

【b】腎毒性

- 血液代用薬：デキストラン（低分子デキストランL）、ヒドロキシエチルデンプン（サリンヘス）、アルギン酸Na（ただし消化性潰瘍治療薬のアルロイドGは、アルギン酸Naであるが、生体内に吸収されないため腎障害はない）
- 抗菌薬：カルバペネム系、ペネム系、サルファ剤、ST合剤（バクタ配合錠）、アミノグリコシド系、ポリペプチド系、グリコペプチド系、セフェム系、アムホテリシンB（ファンギゾン）、ペンタミジン（ベナンバックス；カリニ肺炎治療薬）、シプロフロキサシン（シプロキサン；ニューキノロン系薬→急性腎不全、間質性腎炎）
- 免疫抑制・抗癌剤：メトトレキサート（リウマトレックス）、シクロスポリン（サンディミュン、ネオーラル）、タクロリムス（プログラフ）、白金製剤（シスプラチン［ブリプラチン、ランダ］など）、シクロホスファミド（エンドキサン）など
- 利尿薬：アセタゾラミド（ダイアモックス）、トリクロルメチアジド（フルイトラン；チアジド系→急性腎不全、無尿、体液中のNa^+、K^+が明らかに低下している患者への投与禁忌）、トリアムテレン（トリテレン；K保持性）、フロセミド（ラシックス；ループ系）
- レニン・アンジオテンシン（RA）系阻害薬（ACE阻害薬、AT_1拮抗薬、直接レニン阻害薬→糸球体濾過圧低下による腎障害）
- 抗結核薬：エンビオマイシン（ツベラクチン）、リファンピシン（リファジン）
- アニリン系薬（フェナセチン、アセトアミノフェン［カロナール］）
→腎障害のためフェナセチン含有医薬品販売中止（セデスG、サリドンなど；☞**表8-8**）
- 抗ウイルス薬：ビダラビン（アラセナ-A）注射、HIVプロテアーゼ阻害薬（リトナビル［ノービア→腎結石］、インジナビル★［腎結石］、サキナビル★［腎不全、腎炎など］）、ホスカルネット（ホスカビル；抗CMV薬）、テラプレビル★（抗HCV薬→急性腎不全）
- エダラボン（ラジカット注；脳保護薬；フリーラジカルスカベンジャー）
- NSAIDs
- ファンコニー症候群誘発薬剤（☞**表5-56**）
- その他：テリパラチド製剤（合成ヒトPTH製剤；テリボン、フォルテオ）、リン酸Na塩配合錠（ビジクリア配合錠；経口腸管洗浄剤；警告あり）、プロピベリン（バップフォー）、デフェラシロクス（ジャドニュ；鉄キレート剤；警告あり）、フェノフィブラート（リピディル）、パミドロン酸（アレディア；ビスホスホネート系薬→急性腎不全、ネフローゼ症候群、間質性腎炎）、炭酸リチウム（リーマス→急性腎不全、間質性腎炎、ネフローゼ症候群）、ソラフェニブ（ネクサバール；チロシンキナーゼ阻害薬→腎不全、ネフローゼ症候群）、ダサチニブ（スプリセル）、カプマチニブ（タブレクタ）、テポチニブ（テプミトコ）、ベバシズマブ（アバスチン）、リツキシマブ（リツキサン）、オファツムマブ（アーゼラ）、ニボルマブ（オプジーボ）、ゲムツズマブ（マイロターグ）など

※1　経口投与ではほとんど吸収されないが、肝性脳症における消化管内アンモニア産生菌の増殖抑制目的で長期連用する場合などには、難聴や腎障害に注意が必要となる。

※2　消化管からほとんど吸収されないが、特に腎機能障害患者、高齢者、腸病変を有する患者では血中濃度が高まる可能性が考えられるため、聴力検査を実施することが望ましい。アミノグリコシド系抗菌薬による聴力障害は、高周波数に始まり低周波数へと波及するので、障害の早期発見のために、聴力検査の最高周波数である8kHzでの検査が有用である。

※3　蝸牛に障害が生じる。ヒト側頭骨病理では、有毛細胞と血管条に変性・消失が見られる。シスプラチンの投与によって蝸牛内で脂質過酸化や一酸化窒素、ミエロペルオキシダーゼ活性の上昇が報告されている。これら蝸牛内に発生したフリーラジカルによって、主に外有毛細胞にアポトーシスが引き起こされると考えられている（不可逆的）。

※4　蝸牛に障害が生じる。サリチル酸製剤によってアラキドン酸代謝が阻害されることはよく知られている。この作用が直接蝸牛障害を引き起こすのか、あるいは血流障害などによって二次的に引き起こされるのかは不明である。光学顕微鏡を用いた観察では組織障害が認められない。生理学的には外有毛細胞の細胞膜特性の変化が示唆されている（可逆的）。

表 8-20（つづき）　内耳神経障害および腎障害を誘発し得る主な薬剤と相互作用

（2）相互作用

【a】協力作用

	薬剤A	薬剤B	併用により起こり得る事象
併用禁忌	インドメタシン（インテバン）、ジクロフェナク（ボルタレン）	トリアムテレン（トリテレン）	急性腎不全発現（☞**表8-13**）。
	タクロリムス（プログラフ）	シクロスポリン（サンディミュン、ネオーラル）	腎毒性。肝代謝抑制の関与（☞**表5-21、5-30**）。
	ペンタミジン（ベナンバックス；カリニ肺炎治療薬）	ホスカルネット（ホスカビル；抗CMV薬）	腎毒性、低Ca血症。
	リン酸Na塩配合錠（ビジクリア配合錠；経口腸管洗浄剤）	降圧薬（高血圧症の高齢者にはA剤を投与しない）	高齢者で併用禁忌；「警告」あり。高血圧症の高齢患者は急性腎不全、急性リン酸腎症を発症しやすいため、リン酸Na塩配合錠を投与しない※。
原則禁忌	腎・聴器毒性を有する薬剤：バンコマイシン［バンコマイシン塩酸塩］、エンビオマイシン（ツベラクチン）、白金誘導体抗悪性腫瘍薬（シスプラチン［ランダ］、カルボプラチン［パラプラチン］、ネダプラチン［アクプラ］）、ループ系薬など	アミノグリコシド系薬（ゲンタマイシン［ゲンタシン注］）	腎毒性、内耳神経障害、死亡例、ループ系では腎再吸収促進も関与（☞**表3-4**）。
	腎障害を起こす可能性のある血液代用剤：デキストラン、ヒドロキシエチルデンプン（サリンヘス）など	アミノグリコシド系薬（ゲンタマイシン［ゲンタシン注］）	腎毒性。カナマイシン（同名）の併用は原則禁忌でなく「注意」である。
	アリスキレン（ラジレス；直接レニン阻害薬）	ACE阻害薬、AT_1拮抗薬（ARNIを含む）を服用中の糖尿病患者（ただし、降圧治療薬による血圧コントロールが著しく不良の患者を除く）	ARNIとの併用は禁忌（☞**表7-37**）。RA系阻害の協力（糸球体濾過圧低下による腎障害、低血圧、高K血症、非致死性脳卒中発症などのリスク増加）。
		ACE阻害薬、AT_1拮抗薬（ARNIを含む）を服用中の腎機能障害患者（eGFR 60mL/min/1.73m^{2}未満では治療上やむを得ない場合を除き併用は避ける）	血清クレアチニン値、血清K値が上昇する恐れがあるため。
併用慎重	AT_1拮抗薬	ACE阻害薬	腎機能障害、低血圧、高K血症の恐れ。
	エダラボン（ラジカット）	抗菌薬（セファゾリン［セファメジンα］、セフォチアム［パンスポリン］、ピペラシリン［ペントシリン］など）	腎排泄型の抗菌薬との併用により腎機能障害悪化。
	エンビオマイシン（ツベラクチン）	ポリペプチド系薬	腎毒性、内耳障害。
	ループ系薬（フロセミド［ラシックス］、エタクリン酸、ピレタニド［アレリックス］）	NSAIDs	クレアチニンクリアランス減少（腎毒性）。ただし、ループ系薬の利尿効果減弱（☞**表8-13**）。
		セフェム系薬（セファロチン［コアキシン］、セファロリジン）	腎毒性、腎再吸収促進も関与。
		ペネム系薬（ファロペネム［ファロム］）	動物実験においてフロセミドとの併用で腎毒性増強。
	シクロスポリン（サンディミュン、ネオーラル）	NSAIDs	腎血流量が低下しシクロスポリン腎毒性。腎機能低下患者では併用をできる限り避ける。
		フェノフィブラート（リピディル）	重度の腎毒性。
	タクロリムス（プログラフ）	腎毒性を起こし得る薬剤（アミノグリコシド系薬、アムホテリシンB［ファンギゾン］、ST合剤［バクタ配合錠］、NSAIDsなど）	腎毒性が相互に増強される。

表 8-20（つづき） 内耳神経障害および腎障害を誘発し得る主な薬剤と相互作用

併用慎重	腎毒性を有する薬剤:シクロスポリン（サンディミュン、ネオーラル）、アムホテリシンB（ファンギゾン）、ホスカルネット（ホスカビル）、コリスチン（オルドレブ注）	アミノグリコシド系薬（ゲンタマイシン［ゲンタシン注］）	腎障害が発現、悪化の恐れ。
併用慎重	パロモマイシン（アメパロモ；腸管アメーバ症治療薬	聴器毒性または腎毒性を有する薬剤：カナマイシン（カナマイシン）、ゲンタマイシン（ゲンタシン注）、コリスチン（コリマイシン散）、フロセミド（ラシックス）など	神経筋遮断作用または腎障害を悪化させる作用による聴器障害（難聴など）や腎障害。
［b］拮抗作用（不顕化）			
併用慎重	ジメンヒドリナート（ドラマミン；鎮暈薬、抗ヒスタミン薬）	アミノグリコシド系薬	内耳神経障害の不顕化。

※ 腎障害誘発のためリン酸 Na 塩配合錠との併用に注意すべき薬剤には、腎血流量・腎機能に影響を及ぼす薬剤（利尿薬、Ang Ⅱ作用薬、NSAIDs）、高リン血症を誘発する薬剤（緩下薬［リン酸 Na 製剤］、輸液［リン含有製剤］、ビスホスホネート系薬、甲状腺ホルモン製剤など）がある。リン酸 Na 塩配合錠は電解質異常誘発薬剤（☞ **表 8-5**）、QT 延長誘発薬剤（☞ **表 7-34**）との併用に注意。

阻害薬）の活性代謝物（ダビガトラン）は主に腎で排泄されるため、「透析患者を含む高度（重度）の腎障害のある患者」への投与は禁忌である。

注意

高 Ca 血症および活性型ビタミン D3 製剤による腎毒性

高 Ca 血症は重篤な腎機能障害（急性腎不全）を誘発し、また腎機能低下は高 Ca 血症を引き起こす恐れがある。

したがって、高 Ca 血症を誘発する可能性のあるテリパラチド製剤（合成ヒト PTH 製剤；テリボン、フォルテオ）や、活性型ビタミン D3 製剤（カルシトリオール［ロカルトロール；肝・腎での活性化不要］、アルファカルシドール［アルファロール、ワンアルファ；肝で 25 位水酸化が必要］、エルデカルシトール［エディロール；カルシトリオール誘導体］、カルシポトリオール［ドボネックス］、タカルシトール水和物［ボンアルファ、ボンアルファハイ］）、およびその誘導体（マキサカルシトール［オキサロール］）を投与する場合には、定期的に血清 Ca 値および腎機能検査を行う必要がある。テリパラチド製剤は、活性型ビタミン D3 製剤と併用すると血清 Ca 値が上昇する恐れがあるため、併用は避けることが望ましいとされている（原則禁忌）。なお、テリパラチド製剤では、腎障害患者への投与時のみ定期的に腎機能検査を行う必要がある。

注意すべきことは、尋常性乾癬外用治療薬（ドボネックス軟膏 20 μ g/g、ボンアルファハイ軟膏・ローション 20 μ g/g、オキサロール軟膏・ローション 25 μ g/g）では、外用薬であるにもかかわらず、「使用開始 2 ～ 4 週後に 1 回、その後は適宜、血清 Ca 値および腎機能（血清クレアチニン、BUN など）の検査を行うこと」とされていることである。

相互作用についても、腎毒性を有する薬剤と活性型ビタミン D3 製剤を併用すると、高 Ca 血症や腎機能低下が発現する危険性が高まる恐れがある。特に、シクロスポリン（サンディミュン、ネオーラル）と上述の尋常性乾癬治療薬との併用は、外用薬であっても注意が必要である（☞ **第 3 章［第 4 節］**）。

表 8-21　光線過敏症を引き起こす可能性のある薬剤

(1) 光線過敏症を起こし得る薬剤

- 光増感剤・食品：ポルフィリン系薬（ポルフィマー［フォトフリン］、プロトポルフィリン［プロトポルト］など）、フロクマリン系（メトキサレン［オクソラレン］、フロクマリン含有食品［セロリ、ライムなど］）、クロロフィル（葉緑素）含有食品（クロレラ、アワビ、サザエなど）
- 抗ヒスタミン薬：ジフェンヒドラミン（トラベルミン、レスタミンなど）
- フェノチアジン系薬:クロルプロマジン（コントミン）など、フェノチアジン系抗ヒスタミン薬（メキタジン［ゼスラン、ニポラジン］、プロメタジン［ピレチア、ヒベルナ］）
- ベンゾフェノン系薬（ベンゾフェノン構造およびその類似構造を有する薬剤）：ケトプロフェン（モーラスパップ、モーラステープ、カピステン、アネオールなど）、スプロフェン軟膏・クリーム（スルプロチン、スレンダムなど）、チアプロフェン酸（スルガム）、フェノフィブラート（リピディル）、オキシベンゾン・ジオキシベンゾン含有日焼け止め・香料
- オクトクリレン含有製品（日焼け止め、香水、化粧品など）
- 抗菌薬：
  - サルファ剤、テトラサイクリン系薬
  - キノロン系薬（6位と8位にFを有する；☞**図5-15**）：ナリジクス酸（ウイントマイロン）、フレロキサシン★、スパルフロキサシン★、ロメフロキサシン（ロメバクト）、オフロキサシン（タリビッド）など→特に、フレロキサシン、スパルフロキサシンの服用中および服用後7日間は直射日光を避ける。
  - グリセオフルビン★
- スルホンアミド系薬（サルファ剤、SU薬など）
- ブチロフェノン系薬
- 降圧薬：
  - ジヒドロピリジン系（Ca拮抗薬）：ニフェジピン（アダラート）、アムロジピン（ノルバスク）、ニカルジピン（ペルジピン）、フェロジピン（スプレンジール）など
  - ACE阻害薬：カプトプリル（カプトリル）
  - AT_1拮抗薬：バルサルタン（ディオバン）、テルミサルタン（ミカルディス）
  - β遮断薬：メトプロロール（ロプレソール、セロケン）、チリソロール★
  - α遮断薬：タムスロシン（ハルナールD）
- 利尿薬：チアジド系薬、ループ系薬
- NSAIDs：アンピロキシカム（フルカム）、ピロキシカム（バキソ）、ナプロキセン（ナイキサン）、ケトプロフェン（カピステン、アネオール）、イブプロフェン（ブルフェン）、チアプロフェン酸（スルガム）、ジクロフェナク（ボルタレン）
- 抗癌剤：FU系薬（フルオロウラシル［5-FU］、テガフール［フトラフール］など）、メトトレキサート（メソトレキセート）
- ピルフェニドン（ピレスパ；抗線維化薬；皮膚癌の可能性の記載は削除）
- BZP系薬
- その他:カルバマゼピン（テグレトール）、ベンズブロマロン（ユリノーム）、クロルフェネシンカルバミン酸エステル（リンラキサー；中枢性筋弛緩薬）、メチレンブルー、プラバスタチン（メバロチン）

★ 販売中止

注意

デノスマブによる低Ca血症

デノスマブ（ランマーク皮下注）は、多発性骨髄腫による骨病変および骨転移を有する固形癌の骨病変の進展を抑える薬剤である。破骨細胞の活性化抑制により、骨からCaが溶け出すことを抑制するため、低Ca血症を起こす恐れがある。発売後、同薬との関連性を否定できない低Ca血症による死亡例が2例報告されたことから、2012年9月11日に安全性速報（ブルーレター）が出され、添付文書に「警告」の項が新たに加えられた。

患者の安全確保のために、①投与前および投与後頻回に血清Caを測定、②十分量

表 8-21（つづき） 光線過敏症を引き起こす可能性のある薬剤

（2）相互作用（協力作用）

	薬剤A	薬剤B	併用により起こり得る事象など
併用慎重	メトキサレン（オクソラレン）	光線過敏症誘発薬剤・食品	光線過敏症の恐れ。併用時は直射日光、集中光を避ける。
	フロクマリン化合物（ソラレン類）含有食物（セロリ、ライム、イチジク、ニンジン、パセリ、からしなど）、クロロフィル分解物（フェオホルバイド類）含有食物（アワビ、サザエ、そば、野沢菜、高菜漬け、クロレラなど）	光線過敏症誘発薬剤	多量摂取に注意（☞**付E**）。
	ケトプロフェン（ベンゾフェノン系；モーラスパップ、モーラステープなど）	ベンゾフェノン構造およびその類似構造を有する薬剤（ベンゾフェノン系）	光線アレルギー誘発で皮膚炎発症。ベンゾフェノン系（経口薬を含む）相互の併用、また光線アレルギーを助長する局所・経口NSAIDsとの併用にも注意。ベンゾフェノン系に過敏症の既往歴のある患者へのこれら薬剤の投与は禁忌。
	ポルフィマー（フォトフリン；レーザー光照射による活性酸素生成を利用した局所的抗悪性腫瘍薬）	光線過敏症誘発薬剤；フロクマリン系、フェノチアジン系、サルファ剤、テトラサイクリン系、キノロン系、グリセオフルビン、スルホンアミド系、チアジド系、NSAIDs、フルオロウラシル系、メトトレキサート（リウマトレックス）、その他の光増感剤・食品など	光線過敏症の恐れ。併用時は直射日光、集中光を避ける。

のCaおよびビタミンDを合わせて服用、③重度腎機能障害者では低Ca血症を起こす恐れが高いため、慎重に投与すること、④低Ca血症が認められた場合には、速やかに適切な処置を行うこと──が重要とされている。

同じデノスマブを成分とした骨粗鬆症治療薬のプラリア皮下注では、「重要な基本的注意」に同様の記載がなされ、これら2剤の併用は避けることとされている。デノスマブなど抗RANKLモノクローナル抗体製剤の投与に伴う低Ca血症の治療・予防薬として、デノタスチュアブル配合錠（沈降炭酸Ca・コレカルシフェロール［天然型ビタミンD］・炭酸Mg）が2013年5月に発売されている。

❹ 光線過敏症

薬剤による光線過敏症は、発現機序によって、光毒性と光アレルギーに分けられる。光毒性は、薬剤（特に二重結合が多い薬剤）が光を吸収した後に、そのエネルギーを分子状酸素（三重項酸素；$^3O_2$）に渡す結果、非常に毒性が強い活性酸素（一重項酸素；$^1O_2$）が生成するため、発現すると考えられている。

光線過敏症を誘発する可能性のある薬剤および相互作用を**表8-21**に示す。これらの薬剤の併用により発現頻度は高くなる。場合によっては、これらの薬剤を服用している患者には、服用中はできる限り太陽光を避けるように指導した方がよい。

また、フロクマリン化合物（主にソラレン類）を含有する食物（セロリ、ライム、イチジク、ニンジン、パセリ、からしなど）、クロロフィル分解物（フェオホルバイド類）含有食物（アワビ、サザエ、そば、野沢菜、高菜漬け、クロレラなど）は、光毒性を増強させる可能性がある。**表8-21**の薬剤を服用している患者では、多量に摂取しないように注意する。

一方、ベンゾフェノン（C_6H_5-CO-C_6H_5）は、紫外線吸収剤としての用途があり、光線アレルギー（光接触皮膚炎）を誘発することが知られている。実際、ベンゾフェノン系（ベンゾフェノン構造およびその類似構造）の薬剤であるケトプロフェン（モーラスパップ、モーラステープ、ミルタックス、セクターローション、カピステン、アネオール）、スプロフェン（スルプロチン軟膏・クリーム、スレンダム軟膏・クリーム）、チアプロフェン酸（スルガム）、フェノフィブラート（リピディル）、オキシベンゾンなどが交叉感受性を示し、光線過敏症を引き起こす可能性が報告されたため、ベンゾフェノン系に対して過敏症の既往歴のある患者に、これら薬剤を投与することは禁忌となった。

具体的には、1996年から4年間のフランスでの全国調査の結果、ケトプロフェンゲル（外用薬；使用期間は平均12日間）による皮膚の副作用が770件報告されている。症状発現までの期間は平均13日間、症例の1/4は初日〜36日後に発現していた（Veyrac G, et al. Therapie. 2002；57：55-64.）。また、わが国の報告では、ケトプロフェン製剤（外用薬）による光線過敏症の発現件数は紫外線量（特にUVA；320〜400nm）に相関して夏季にピークを迎え、貼付薬の場合は使用後数カ月を経過してから発症する例もあった。

したがって、ベンゾフェノン系の外用薬の使用中は、天候にかかわらず戸外の活動を避け、投与部位を衣服やサポータで遮光するよう指導する。貼付薬・塗布薬ともに、少なくとも使用後1カ月間は継続して紫外線に対する注意が必要である。また、ケトプロフェンゲルと局所・経口NSAIDs、フェノフィブラートとの併用により、光線アレルギーの重症度が高まることから、外用・内服を含めたベンゾフェノン系薬の相互の併用にも注意する。なお、わが国では、医薬品以外にも、化粧品や乳液などの日焼け止め製品や香料に、紫外線吸収剤としてベンゾフェノン系のオキシベンゾン、ジオキシベンゾンが含まれていることもあるので留意する。

さらに、ベンゾフェノン系だけでなく、オクトクリレン（ジフェニル化合物）を含む日焼け止めなどとケトプロフェン外用薬を併用すると、光線過敏症の危険性が高まることも報告されている。そのため、オクトクリレンを含有する製品（日焼け止め、香水、化粧品など）に対して過敏症の既往歴のある患者に、ケトプロフェン外用薬を投与することも禁忌となっている（関連事項☞コラム83）。

なお、ピルフェニドン（ピレスパ；抗繊維化薬）は承認時までに実施した光遺伝毒性試験において、光照射による染色体構造異常誘発性を有することが確認されたことから、これまで、「警告」、「重要な基本的注意」及び「その他の注意」の項において、光暴露に伴う皮膚の発がんの可能性について注意喚起されてきた。しかしながら、2014年に日米EU医薬品規制調和国際会議（ICH）における合意事項として新たに「医薬品の光安全性評価ガイドライン」が策定され、当該記載の根拠となった光遺伝毒性試験は感度が過剰に高く偽陽性結果が生じること、光遺伝毒性試験データの解釈、すなわち、臨床的に関連性のあるUV依存性の皮膚がん増加に対する意義が不明瞭であることから、標準的な光毒性試験プログラムの一部として実施することは推奨されないことが記載された。当該ガイドラインの策定により、光遺伝毒性試験結果をヒトに当てはめることが不明瞭となり、さらに、発売以降、国内において「皮膚がん」は報告されていないことから、ピルフェニドンの光暴露に伴う皮膚の発がんの可能性に関する記載が添付文書から削除された。

症例 40歳代女性Aさん。

[処方箋]
① ノルバスク錠5mg　1錠
　メバロチン錠10mg　1錠
　　1日1回　朝食後　14日分
② ムコスタ錠100mg　3錠
　　1日3回　毎食後　14日分
③ オイラゾンクリーム0.05%　10g
　　1日2～3回　両腕に塗布

Aさんは①②の薬を5年以上服用中であるが、数年前から両腕に斑点状の発疹が多数発現していた。内科の処方医は、肝斑（シミ）と診断し、時折③のオイラゾン（デキサメタゾン）を処方していたが、全く治らなかった。

今回、Aさんから「痛くもかゆくもないが、半袖の服を着ると発疹が目立ってとても恥ずかしいので、何かよい治療方法を教えてほしい」と相談を受けた。薬剤師は、両腕の発疹は日光が当たりやすい部位であるため、ノルバスク（アムロジピンベシル酸塩）とメバロチン（プラバスタチンNa）による薬剤性光線過敏症の可能性があることを説明し、皮膚科診療所を紹介した。Aさんは数日後に受診し、ハイシー顆粒25%（アスコルビン酸）、ハイチオール錠（L-システイン）が処方となったが、皮膚科医は薬が原因で発症した可能性もあるため、ノルバスクを中止し、他の降圧薬に変更するよう内科医に連絡した。その結果、ノルバスクからオルメテック錠20mg（オルメサルタンメドキソミル）に処方が変更された。

その後Aさんには、日中の外出時は直射日光をできる限り避け、長袖の服を着用するよう指導した。また、内服薬以外にも痛み止めの貼付薬や軟膏、ローションなどの外用薬や、香水、化粧品、日焼け止めなどの製品でも光線過敏症を起こすことがあるため、これらを使用する際は必ず医師・薬剤師に相談するように伝えた。その後、Aさんの色素沈着は徐々に薄くなり、約1年後にはほぼ消失した。

重要

活性酸素

ヒトは酸素を利用して生きているが、空気中の酸素（分子状酸素；三重項酸素；$^3O_2$）は反応性に乏しいため、生体内ではこれを反応性の高い酸素、すなわち活性酸素に変換して利用している。

例えば、好中球による殺菌作用（NADPHオキシダーゼによる活性酸素産生）、CYP450酵素による薬物の水酸化などには、活性酸素の生成が関与する。一方、活性酸素は紫外線照射、抗癌剤（ブレオマイシン塩酸塩［ブレオ］、ドキソルビシン塩酸塩［アドリアシン］）投与、ビリルビン光線治療の際に生成し、DNA切断や発癌過程のイニシエーション・プロモーションなどにも関与することが示されている。

活性酸素は非常に反応性が高いため、これを消去する酵素（スーパーオキシドジスムターゼ［SOD］、グルタチオンペルオキシダーゼなど）や抗酸化物質もあるが、生体内で十分に消去できなくなると、核酸、脂肪、タンパク質などが酸化されて、老化や動脈硬化、糖尿病、急性冠症候群、癌、肝毒性、網膜症、消化性潰瘍、アレルギー性皮膚炎などの様々な炎症性疾患の原因となるといわれている。そのため、活性酸素を消去する役割を持つ抗酸化物質のビタミンE・C・A、カロチン、グルタチオンなどは、老化防止や発癌阻止に有効である可能性が示唆されている。

❺ 間質性肺炎

間質性肺炎は、肺の間質（肺胞壁および末梢の支持組織）を中心に炎症を来す疾患である。間質性肺炎を起こす可能性がある薬剤を**表8-22**に示す。併用ではさらに発症の危険性が高くなる。

これらの薬剤による間質性肺炎の発現機序は明確でないが、薬剤性間質性肺炎の病理所見では、好酸球の増多を認めることが多い。好酸球は抗原抗体複合体を貪食する作用を有するので、間質性肺炎の発症にはアレルギー反応が関係している可能性が高く、全ての薬剤で間質性肺炎が起こり得る。特に**表8-22**に示した薬剤を服用している患者では、発熱、咳、呼吸困難などの感冒様症状に注意し、このような症状が現れた場合には、直ちに胸部X線撮影によって間質性陰影（すりガラス様陰影）の有無を確認する必要がある。

小柴胡湯単剤による間質性肺炎については、1996年に添付文書に警告欄が設けられ、「慢性肝炎における肝機能障害の改善の目的で投与された患者で間質性肺炎が起こり、重篤な転帰に至ることがある」と記載された。さらに97年には「発熱、咳嗽、呼吸困難、肺音の異常（捻髪音）、胸部X線の異常などが現れた場合には、直ちに投与を中止すること」という記述が追記された。ただし、97年以降も本剤と関連性が否定できない間質性肺炎が50例（うち死亡8例）報告されている（2000年1月時点）。死亡例のうち5例は、小柴胡湯の適応のない肝硬変、肝癌症例に使用されていたことから、現在では、肝硬変や肝癌の患者、慢性肝炎における肝機能障害で血小板数が10万/mm^3以下の患者への使用は禁忌となっている。なお、間質性肺炎は、柴苓湯や半夏瀉心湯、六君子湯など、多くの漢方製剤で報告されている。漢方成分のいずれかの成分によって発症すると考えられ、早急な原因解明が望まれている（☞ **コラム84**）。

一方、インターフェロン製剤に関しては、2004年4月から08年5月までに、ペグインターフェロンα-2a（ペガシス）による間質性肺炎が124例（うち死亡13例）報告されている（推定使用患者数4万2600人）。そのうち、既往歴や合併症として間質性肺炎があった患者への投与が11例（うち死亡1例）と多かったことから、間質性肺炎の既往歴のある患者へのペグインターフェロンα-2aの投与は禁忌となった（08年8月）。その他のインターフェロン製剤については、既往歴や合併症として間質性肺炎のある患者は比較的少なかったものの、間質性肺炎に関する副作用が引き続き報告されていることから、間質性肺炎の既往歴のある患者へは慎重投与となっている。また、インターフェロンと小柴胡湯の併用は、死亡例も報告されており禁忌である。

また、非小細胞肺癌治療薬で上皮成長因子受容体（EGFR）チロシンキナーゼ阻害薬のゲフィチニブ（イレッサ）に関しては、02年7月16日の発売から10月11日までの約3カ月間（推定使用患者数7000人以上）に、同薬との関連性を否定できない間質性肺炎を含む肺障害が22例（うち死亡11例）報告された。そのため、10月15日に緊急安全性情報が出されるとともに、添付文書に警告欄が新設され、「投与により急性肺障害、間質性肺炎が現れることがあるので、胸部X線検査等を行うなど観察を十分に行い、異常が認められた場合には投与を中止し、適切な処置を行うこと。なお、患者に対し副作用の発現について十分説明すること」と記載された。また、これらの症例の中には、服用開始後早期（7日未満：5例、7～14日：7例）に症状が発現し、急速に進行するケースが見られたことから、患者の臨床症状（息切れ、呼吸困難、咳および発熱などの有無）を十分に観察し、これらが出現した場合は、速やかに医療機関を受診するように指導することも注意喚起された。

その後、販売元による02年10月15日の発表は過少報告だったことが判明し、10月26日の発表では、発生数125例（うち死亡39例）に訂正された。04年12月28日時点で報告数は1473例（うち死亡例588例）に上る。また、04年12月には、日本を含まない28カ国での比較臨床試験（ISEL試験）の初回解析で、非小細胞肺癌患者のゲフィチニブ服用による延命効果は統計的に認められないとの結果が明らかになり、翌05年1月にアストラゼネカは欧州での承認申請を取り下げた（09年5月に再び承認申請、10年7月に承認）。ただし、日本を含まない東洋人のサブグループでは生存期間の延長

表 8-22 間質性肺炎を引き起こし得る薬剤と相互作用

(1) 間質性肺炎を起こし得る薬剤

- **インターフェロン**(死亡例)
- 漢方薬:
  小柴胡湯(死亡例)、柴朴湯、柴苓湯、六君子湯、防風通聖散、柴胡加竜骨牡蛎湯、清心蓮子飲、抑肝散、竜胆瀉肝湯など
- 抗癌剤、抗腫瘍薬、免疫抑制薬:
  分子標的治療薬(**エルロチニブ**[タルセバ;死亡例]、**ゲフィチニブ**[イレッサ;死亡例]、**ラパチニブ**[タイケルブ;死亡例])、イマチニブ[グリベック]、**ボルテゾミブ**[ベルケイド;死亡例]、**アファチニブ**[ジオトリフ;死亡例]、**クリゾチニブ**[ザーコリ;死亡例]、**アレクチニブ**[アレセンサ;死亡例]、**ソラフェニブ**(ネクサバール;間質性肺炎を含む急性肺障害が4例、うち死亡例2例、肝不全・肝性脳症による死亡例12例)、ボスチニブ[ボシュリフ]、ルキソリチニブ[ジャカビ]、**レゴラフェニブ**[スチバーガ;死亡例]、**エベロリムス**[アフィニトール;免疫抑制剤として用いる低用量のエベロリムス[サーティカン]に比べて発現率が10倍以上;死亡例]、**テムシロリムス**[トーリセル;死亡例]、**シロリムス**[ラパリムス;死亡例]、**バンデタニブ**[カプレルサ;死亡例]、ブレンツキシマブ[アドセトリス点滴静注:抗CD30モノクローナル抗体]、**オシメルチニブ**[タグリッソ]、**ダコミチニブ**[ビジンプロ]、**ギルテリチニブ**[ゾスパタ]、キザルチニブ[ヴァンフリタ]、**セリチニブ**[ジカディア]、ブリグチニブ[アルンブリグ]、エヌトレクチニブ[ロズリートレク]、**イブルチニブ**[イムブルビカ]、アカラブルチニブ[カルケンス]、チラブルチニブ[ベレキシブル]、**カプマチニブ**[タブレクタ]、**テポチニブ**[テプミトコ]、**パルボシクリブ**[イブランス]、**アベマシクリブ**[ベージニオ]、トラスツズマブ[ハーセプチン]、ペルツズマブ[パージェッタ]、**ベバシズマブ**[アバスチン]、リツキシマブ[リツキサン]、オファツムマブ[アーゼラ]、オビヌツズマブ[ガザイバ]、モガムリズマブ[ポテリジオ]、ニボルマブ[オプジーボ]、**ゲムツズマブ**[マイロターグ])、イキセキズマブ[トルツ皮下注:ヒト化抗ヒトIL-17Aモノクローナル抗体])、アザチオプリン(イムラン)、FU(5-FU)、ブレオマイシン(ブレオ)、シクロホスファミド(エンドキサン)、**メトトレキサート**(メソトレキセート;死亡例)、ペプロマイシン(ペプレオ)、ノギテカン(ハイカムチン)、テモゾロミド(テモダール;アルキル化薬)、ベキサロテン(タルグレチン;レチノイド製剤)など
- 抗結核薬:イソニアジド(イスコチン)
- 抗ウイルス薬:アシクロビル(ゾビラックス)、テラプレビル★(抗HCV薬)など
- 抗リウマチ薬:**レフルノミド**(アラバ;死亡例)、**メトトレキサート**(リウマトレックス;死亡例)、TNFαモノクローナル抗体(**インフリキシマブ**[レミケード;メトトレキサート併用時に死亡例]、**ゴリムマブ**[シンポニー;死亡例])、金製剤(オーラノフィン[リドーラ]、金チオリンゴ酸ナトリウム[シオゾール注])、ペニシラミン(メタルカプターゼ)、ブシラミン(リマチル)など
- 利尿薬:チアジド系(トリクロルメチアジド[フルイトラン]など)、ループ系薬(フロセミド[ラシックス]など)
- ACE阻害薬:エナラプリル(レニベース)など
- β遮断薬:アセブトロール(アセタノール)
- スタチン系薬
- ピオグリタゾン(アクトス)
- AT_1拮抗薬:バルサルタン(ディオバン)、オルメサルタン(オルメテック)など
- 抗てんかん薬:ヒダントイン系(フェニトイン[アレビアチン]、エトトイン[アクセノン])、カルバマゼピン(テグレトール)、バルプロ酸(デパケン)など

が示唆されたことから、わが国では使用が継続されている。

一方、抗リウマチ薬のレフルノミド(アラバ)においても、03年9月12日の発売から04年1月30日まで5カ月間(使用患者数3470人)に、間質性肺炎の発症あるいは悪化が18例(うち死亡6例)報告されたため、04年2月に安全性情報が出され、添付文書が改訂された。そのうち12例は、合併症または既往歴に間質性肺炎、肺線維症などの肺障害、日和見感染による肺炎が含まれていたことから、同薬はこれらの疾患を有する患者または既往歴のある患者に対しては、慎重投与とされた。

また、抗リウマチ薬のメトトレキサート(リウマトレックス)においても、99年3月12日の発売から2011年2月28日までに、因果関係が否定できない死亡例が417例報告されており、そのうち間質性肺炎が原因と考えられるのは110例だった(☞**本章[第3節]**)。

- NSAIDs：
  フェニル酢酸系（ジクロフェナク［ボルタレン］、フェンブフェン）、プロピオン酸系（ロキソプロフェン［ロキソニン］）、コキシブ系（セレコキシブ［セレコックス］）、アセトアミノフェン含有［PL配合顆粒、ペレックス配合顆粒］など
- 抗不整脈薬：アミオダロン（アンカロン）、メキシレチン（メキシチール）、ベプリジル（ベプリコール）など
- PPI
- DPP4阻害薬：シタグリプチン（グラクティブ、ジャヌビア）、テネリグリプチン（テネリア）、ビルダグリプチン（エクア）、リナグリプチン（トラゼンタ）、アログリプチン（ネシーナ）
- 抗血栓薬：クロピドグレル（プラビックス）、シロスタゾール（プレタール）、**リバーロキサバン**（イグザレルト：死亡例）、**アピキサバン**（エリキュース；死亡例）、エドキサバン（リクシアナ）
- 腎性貧血治療薬：モリデュスタット（マスーレッド）
- その他：ベラプロスト（ドルナー）、リュープロレリン（リュープリン）、レノグラスチム（ノイトロジン）、プロピルチオウラシル（チウラジール）、チオプロニン（チオラ）、エチゾラム（デパス；BZP系）、乾燥BCG（膀胱内用）、**インフルエンザHAワクチン**（死亡例）、ペルゴリド（ペルマックス）、メサラジン（ペンタサ；TPMT阻害薬）、プレガバリン（リリカ；死亡例）、アンブリセンタン（ヴォリブリス；非選択的 ET_A 拮抗薬）、アモキシシリン（サワシリン）、イトラコナゾール(イトリゾール)、ベンラファキシン（イフェクサー；SNRI）など

太字の薬剤は死亡例が報告。

（2）相互作用（協力作用）

小柴胡湯とインターフェロンα、β→併用禁忌

コラム 82

薬剤性のネフローゼ症候群と急性腎不全

薬剤性腎障害で臨床上問題となることが多いのは、ネフローゼ症候群（多量の尿タンパク）および腎機能障害である。ネフローゼ症候群を誘発する典型的な薬剤として、抗リウマチ薬の金製剤（オーラノフィン［リドーラ］）、ブシラミン（リマチル）、ペニシラミン（メタルカプターゼ）やNSAIDsなどがあり、免疫異常を介して、糸球体に膜性腎症などの腎炎様の変化を起こす。一方、腎機能障害では、主に腎不全や尿細管機能障害（電解質異常、酸－塩基平衡調節異常、アシドーシス、アルカローシス）が出現し、腎不全の多くは、腎前性および腎性の急性腎不全であることが示されている。ネフローゼ症候群および急性腎不全を引き起こしやすい薬剤を**表8-23**に示す。以下、主に薬剤性の急性腎不全について説明する。

腎前性急性腎不全は、腎血流量が減少し、糸球体濾過量が低下した状態で起こる。薬剤による脱水で体液量が減少したり（有効循環血漿量減少）、薬剤が腎血管に直接作用したりすることに起因する。このような腎前性急性腎不全を起こす代表的な薬剤として、利尿薬と活性型ビタミンD_3製剤、リン酸Na塩配合錠（ビジクリア；経口腸管洗浄剤）などがある。

活性型ビタミンD_3製剤では、高Ca血症を介した抗利尿ホルモン（バソプレシン；ADH）作用の阻害により、尿濃縮が阻害されて脱水を招き、さらに脱水が高Ca血症を悪化させるため、悪循環的に脱水が進行することが示されている。一方、腸管洗浄剤のリン酸Na塩配合錠は、腸管内に水分を貯留させて瀉下作用を示すが、強力に脱水を起こすため腎血流量が低下し、リン酸Ca結晶が析出して尿細管に詰まり、その結果、重篤な急性腎不全や急性リン酸腎症（腎石灰化沈着症）を起こすことが知られている。特に高血圧の高齢者で発症しやすいことが報告されており、添付文書の警告欄には、高リスクに該当する患者（高齢者、高血圧症の患者、循環血液量の減少、腎疾患、活動期の大腸炎のある患者、腎血流量に影響を及ぼす薬剤を使用している患者）への

表8-23　ネフローゼ症候群や急性腎不全を起こし得る主な薬剤

薬剤性腎障害	発症機序など	代表的な誘発薬剤
ネフローゼ症候群	糸球体障害（免疫異常）	金製剤、ブシラミン（リマチル）、ペニシラミン（メタルカプターゼ）、NSAIDs、インフルエンザHAワクチン、パミドロン酸（アレディア）、炭酸リチウム（リーマス）、ソラフェニブ（ネクサバール）
腎前性急性腎不全	腎血流量低下（細動脈収縮など）	利尿薬、活性型ビタミンD_3、NSAIDs、リン酸Na塩配合錠（ビジクリア配合錠）
	糸球体濾過値低下（輸出細動脈弛緩）	RA系阻害薬（ACE阻害薬、AT_1拮抗薬、アリスキレン［ラジレス］）
腎性急性腎不全	輸入細動脈病変	シクロスポリン（サンディミュン、ネオーラル）、タクロリムス（プログラフ）、チクロピジン（パナルジン）、インターフェロンα（スミフェロン）、マイトマイシンC（マイトマイシン）
	糸球体病変	ベンジルチオウラシル★、ヒドララジン（アプレゾリン）、リファンピシン（リファジン）、抗TNF-α薬（エタネルセプト［エンブレル］）
	急性間質性腎炎（薬剤アレルギー）	メチシリン★、NSAIDs、利尿薬、抗痙攣薬、シプロフロキサシン（シプロキサン）、アシクロビル（ゾビラックス、ビクロックス）、バラシクロビル（バルトレックス）など
	尿細管壊死	シスプラチン（ブリプラチン）、抗菌薬（アミノグリコシド系、グリコペプチド系、バンコマイシン［バンコマイシン塩酸塩］、アムホテリシンB［ファンギゾン］、セフェム系［主にセファロリジン★、セファロチン〈コアキシン〉］など）、フェニトイン（アレビアチン）、造影剤、エベロリムス（サーティカン）
	尿細管閉塞	サルファ剤、メトトレキサート（メソトレキセート）、キノロン系薬など

★ 販売中止

投与は慎重に行い、特に高血圧症の高齢者には投与しないよう記載されている。したがって、降圧薬を服用中の高齢者では、リン酸Na塩配合錠を併用してはならない。

また、シクロスポリン（サンディミュン、ネオーラル）は腎の輸入細動脈を直接的に収縮させ、NSAIDsは腎血流量を増加させるPGE$_2$の合成阻害などを介して、いずれも腎血流量を減少させて腎前性腎不全を起こす。

一方、アンジオテンシンⅡ（AngⅡ）作用の阻害薬（RA系阻害薬；ACE阻害薬、AT$_1$拮抗薬、アリスキレンフマル酸塩［ラジレス；直接的レニン阻害薬］）を服用中の患者が、発熱や下痢、食欲低下などによって脱水に傾いたり、腎機能障害や心不全などを合併したりすると、腎前性急性腎不全を起こしやすくなることが示されている。これらの病態はいずれも腎機能が低下しており、AngⅡが輸出細動脈を収縮させて糸球体濾過量（糸球体血圧）を高めて腎機能維持に強く働いている。そのためAngⅡ作用を阻害するとこの効果が失われ、腎障害が発現すると考えられている。したがって、AngⅡ作用の阻害薬（RA系阻害薬）は、腎などの臓器保護効果が期待されている反面、服用中に下痢、食欲不振などにより脱水を認めた場合は腎機能低下が現れる可能性が高く注意が必要である。また、これらの病態では、PGも同様に腎機能維持に働くことから、AngⅡ作用阻害薬とNSAIDsを併用すると、腎毒性を誘発する可能性がさらに高くなる（併用慎重）。そのほか、AngⅡ作用阻害薬とNSAIDsの併用では、高カリウム血症の誘発にも注意する（☞**表8-5**）。

一方、腎性急性腎不全では、輸入細動脈・糸球体病変、尿細管・間質病変（間質性腎炎、尿細管壊死、尿細管閉塞）などの組織変化を伴う。まず、シクロスポリン、タクロリムス水和物（プログラフ）、チクロピジン塩酸塩（パナルジン）、インターフェロンα（スミフェロン）、マイトマイシンC（マイトマイシン注）は、輸入細動脈など腎血管の（血栓性）微小血管障害変化を来し、溶血性尿毒症症候群の臨床像を示して非可逆性の腎不全を引き起こす。糸球体の組織変化はまれであるが、ヒドララジン塩酸塩（アプレゾリン）、リファンピシン（リファジン）、抗TNF-α薬（エタネルセプト［エンブレル］）は、糸球体に半月体を形成するため腎炎となり急性腎不全を起こすことが知られている。

そのほか、急性間質性腎炎は薬剤アレルギー（過敏症）に起因し、メチシリンなどの抗菌薬やNSAIDs、利尿薬、抗痙攣薬などで起こることが知られているが、基本的にはあらゆる薬剤で起こり得る。また、重篤な急性尿細管壊死は、抗癌剤（シスプラチン［ブリプラチン］）、抗菌薬、造影剤で起こる。尿細管閉塞は、サルファ剤やメトトレキサート（メソトレキセート）などの酸性薬剤が、尿pHの低下に伴い結晶として析出するために起こる。スタチン系薬などによる横紋筋融解症でミオグロビンが血中に流出し、急性腎不全を引き起こすこともある（☞**表8-18**）。

コラム83

ポルフィリン症の発現機序

ヘム生合成経路の酵素活性低下や欠損によって、組織および血漿中に、ポルフィリノーゲン（PPN）や、その前駆体であるδアミノレブリン酸（ALA）やポルホビリノーゲン（PBG）などが増加し、内臓神経（消化器症状）、中枢神経（神経精神症状）や皮膚に症状が発現する病態をポルフィリン症と呼ぶ。

特に皮膚症状の光線過敏症は、ポルフィリノーゲンから自然に生成するポルフィリンの増加に起因する。これは、光（波長約400nm）により活性化されたポルフィリンが、そのエネルギーを酸素（三重項酸素；$^3O_2$）に与えて一重項酸素（$^1O_2$）を生成し、毒性を示すためである（光毒性）。

（スクシニルCoA＋グリシン）→①ALA→②PBG→③→④ウロPPN→⑤コプロPPN→⑥プロトPPN→⑦プロトポルフィリン→⑧ヘム

表 8-24　漢方薬の成分（生薬）による副作用

漢方薬の成分	起こり得る副作用
カンゾウ（グリチルリチン酸含有）	偽アルドステロン症（低カリウム血症［ミオパチーなど］、血圧上昇、浮腫、体重増加など；☞**表8-5**）、痙攣（☞**表8-1**）、横紋筋融解症（☞**表8-18**）；**1日量2.5g以上のカンゾウ含有漢方薬は、アルドステロン症、ミオパチー、低カリウム血症の患者への投与禁忌。**
マオウ（エフェドリン含有）	交感神経刺激作用（☞**表7-15**）
ブシ（トリカブト含有；主成分アコニチン）	トリカブト中毒症状（口・舌のしびれ、嘔吐、下痢、運動麻痺、知覚麻痺、痙攣、呼吸困難、心伝導障害、心悸亢進など；**妊婦には投与しないことが望ましい**）
ダイオウ、トウニン（桃仁）、ボタンピ（牡丹皮）、ボウショウ（芒硝）、コウカ（紅花）、ゴシツ（牛膝）	流産（**妊婦には投与しないことが望ましい**）
ダイオウ（アントラキノン誘導体含有）	下痢（瀉下作用）
ジオウ（地黄）、トウキ（当帰）、ボウショウ（芒硝）、サンソウニン（酸棗仁）、セッコウ（石膏）、センキュウ（川芎）	消化器症状（食欲不振、胃部不快感、下痢、悪心など）
サンシン（山梔子；長期連用）	腸間膜静脈硬化症
ニンジン（人参）、ケイヒ（桂皮）、ゴマ油	皮膚障害（発疹、発赤、そう痒など）

ちなみに、ヘム合成は次の経路で行われ、①のALA合成酵素をはじめ8種類の酵素が関与している。

主なポルフィリン症は、③の酵素欠損：急性間欠性ポルフィリン症、⑤の酵素欠損：遅発性皮膚ポルフィリン症、⑧の酵素欠損：プロトポルフィリン症である。③の酵素が欠損するとALA、PBGが蓄積し、主に消化器症状（腹痛など）や神経精神症状が起こるが、⑤⑧の欠損では主にPPNが蓄積し光線過敏症も発症する。

ポルフィリン症への投与に注意すべき薬剤として、CYP450誘導薬（バルビツール酸系薬、カルバマゼピン［テグレトール］、ヒダントイン系薬、グリセオフルビン、アルコールなど）が知られている。これは、ヘム合成経路の律速酵素である①のALA合成酵素が誘導され、ALAやPBG、PPNの生成量が増加するためである。しかし、ALA合成酵素はCYP450誘導薬によって直接的に誘導されるわけではなく、ヘム量の低下に伴うフィードバックによって誘導されると考えられている。ヘム量の低下は、CYP450誘導薬を投与すると、ヘムを含むCYP450酵素量が増えるため、ヘムが使い果たされることに起因している。

そのほか、ALA合成酵素の活性を上昇させ得る薬剤として、ジクロフェナクNa（ボルタレン）、エンフルラン（全身麻酔薬）、フェンタニル（タラモナール、デュロテップ；麻薬性麻酔薬）、局所麻酔薬（リドカイン塩酸塩［キシロカイン］など）、フロセミド（ラシックス）、バルプロ酸などが動物実験で報告されている（Blekkenhorst GH, et al. Lancet. 1980；8182：1367.）。また、黄体ホルモン製剤はポルフィリンおよびその代謝物の排泄を遅延させるため、遅発性皮膚ポルフィリン症を増悪させると考えられている。当然のことながら、光線過敏症を引き起こす可能性の高い薬剤（☞**表8-21**）のポルフィリン症への投与時には、添付文書で禁忌の有無を確認するなど注意が必要である。

コラム 84

漢方薬の成分による副作用

漢方薬の成分（生薬）による主な副作用を**表8-24**に示す。漢方薬が処方された場合、これらの成分の有無を確認し、必要に応じて患者に説明する。特に、カンゾウ（甘草）、マオウ（麻黄）、ブシ（附子）、ダイオウ（大黄）は副作用が現れやすく、これらの生薬を含有する漢方薬を併用する場合は要注意である。

間質性肺炎は小柴胡湯を含む多くの漢方製剤で報告されているが、その原因成分は明らかでない。

なお、近年では、サンシシ（山梔子）による腸間膜静脈硬化症の報告がある。腸間膜静脈硬化症は、大腸壁内から腸間膜の静脈に石灰化が生じ、静脈還流の障害によって、腸管の慢性虚血性変化をきたす疾患であり、近年サンシシを含有する漢方の長期服用（多くは5年以上）が原因の一つとして注目されている。サンシシの成分であるゲニポシドが大腸の腸内細菌によって加水分解され、産生されたゲニピンがアミノ酸やタンパク質と反応し、青色色素を形成するとともに、腸間膜静脈壁の繊維性肥厚および石灰化を引き起こし、血流を鬱滞させ、腸管壁の浮腫、繊維化、石灰化、腸管狭窄を引き起こすとされている。

症状は主に、腹痛（特に右側）、下痢、悪心、嘔吐が認められるが、無症状の症例もあり、また、重症例ではイレウスを呈する場合もある。症例では、サンシシ含有漢方で多く報告されており、さらに、5年以上の長期服用例に発症が多いため、サンシシ含有漢方（生薬サンシシ、清肺湯、防風通聖散、梔子柏皮湯、加味帰脾湯、竜胆瀉肝湯、五淋散、温清飲、荊芥連翹湯、柴胡清肝湯、清上防風湯、茵蔯蒿湯、黄連解毒湯、辛夷清肺湯、加味逍遙散など）を長期服用する際は定期的にCT、大腸内視鏡等の検査を行うことが望ましいとされている。

付録

薬の体内動態や作用発現には、生理活性物質やシグナル伝達機構、病態生理などが深く関わっている。5-HT（セロトニン）、PDE（ホスホジエステラーゼ）、受容体、動脈血栓症について、相互作用の理解に必要な知識を整理するとともに、飲食物・嗜好品と薬剤との相互作用を一覧表に示す。

付A
5-HT（セロトニン）

5-HT（5-hydroxytryptamine、セロトニン）は、生体アミンの1種であり、中枢神経系（CNS）の神経伝達物質として様々な働きを担っている。5-HT神経系は体温、感情、知能、摂食、血圧、催嘔、痛覚などの調節に関与する。また、末梢では、一酸化窒素（NO）の産生を促進して血管を拡張する一方、平滑筋収縮（血管、気管支、消化管）や血小板凝集なども引き起こす。

5-HTの作用は複雑で長らく不明な点も多かったが、近年、5-HTの受容体が同定されるにつれて、5-HTの多彩な作用が解明されつつある。主なサブタイプには、1A、1B、1D、2A、2B、2C、3、4などがある。これらの受容体の作用を**表S-1**、5-HTが関与する薬剤を**表S-2**に示す。

以下、うつ病、統合失調症、末梢循環不全、催吐、消化管運動賦活の各病態・作用について、受容体の機能に焦点を当てながら5-HTの生理作用を解説するとともに、関連する薬剤を提示する。

❶ うつ病、統合失調症

三環系抗うつ薬はモノアミン（5-HTまたはNAd）の神経終末への再取り込みを阻害して、シナプス間隙のモノアミン濃度を増加させて効果を発揮する。これに基づき提唱されたのが、「うつ病は、脳内モノアミン神経の活動低下により引き起こされる」とするモノアミン仮説である（☞**表7-15**）。

その後の研究で、うつ病患者の脳では5-HT_2受容体数が増加していることが明らかとなり、5-HT_2受容体感受性亢進説が浮上した。これは、感受性の亢進した5-HT_2受容体にストレスなどで

表S-1　主な5-HT受容体とその主作用

受容体	主作用
（1）5-HT_1受容体（c-AMP生成量低下）	
5-HT_{1A}	・中枢神経系（CNS）；抗うつ、抗不安、過食、低体温
5-HT_{1B}	・神経伝達物質遊離抑制※、脳血管収縮（抗片頭痛）
5-HT_{1D}	・神経伝達物質遊離抑制※、脳血管収縮（抗片頭痛）
受容体分子種不明	・血管内皮細胞からのNO放出促進（血管拡張）
（2）5-HT_2受容体（DG・IP_3系亢進）	
5-HT_{2A}	・CNS；幻覚など ・平滑筋収縮；血圧上昇、気管支喘息（他剤による平滑筋収縮も増強） ・血小板；血小板凝集（他剤による凝集も増幅）
5-HT_{2B}	・CNS；抗不安、過食など ・胃底部平滑筋収縮、血管内皮細胞からのNO放出促進（血管拡張）
5-HT_{2C}	・CNS；不安、高体温、食欲低下、ジスキネジア、睡眠障害など
（3）5-HT_3受容体（陽イオン［主にNa^+］流入）	
・CNS；催吐（CTZの5-HT_3受容体）、感情障害、不安 ・消化管；悪心・嘔吐（催吐）、消化管運動亢進 ・心臓；Bezold-Jarisch反応（冠状血管化学反射；一過性の徐脈・血圧低下）	
（4）5-HT_4受容体（c-AMP生成量上昇）	
・消化管；筋層間神経叢でACh遊離促進（胃腸管運動亢進） ・心臓；頻脈（NAd遊離促進）	

※ACh、グルタミン酸、ドパミン、NAd、GABA、ヒスタミンなど。

表S-2　5-HT関連薬剤の種類と作用

作用	薬剤	備考
（1）5-HT作動作用※		
5-HT_{1A}作動薬	タンドスピロン（セディール）	抗不安薬、中枢性降圧作用
5-$HT_{1B/1D}$作動薬	トリプタン系薬；ゾルミトリプタン（ゾーミッグ）、エレトリプタン（レルパックス）、スマトリプタン（イミグラン）、リザトリプタン（マクサルト）、ナラトリプタン（アマージ）	抗片頭痛薬. エレトリプタン、ナラトリプタンはMAO-Aで代謝されない（☞**表6-7**）。
5-HT_4作動薬	モサプリド（ガスモチン）	消化管運動賦活薬。
	シサプリド★	QT延長のため販売中止。
非選択的、その他	三環系抗うつ薬	5-HT・NAd再取り込み阻害（NAd再取り込み阻害優位が多い）。α_1遮断、抗コリン作用、抗ヒスタミン作用。
	SSRI；フルボキサミン（デプロメール、ルボックス）、パロキセチン（パキシル）、セルトラリン（ジェイゾロフト）、エスシタロプラム（レクサプロ）	選択的5-HT再取り込み阻害；抗うつ薬 塩酸セルトラリンには抗ドパミン作用がある（☞**表8-2**）。
	SNRI；デュロキセチン（サインバルタ）	強力な5-HT・NAd再取り込み阻害；抗うつ薬。欧米では慢性疼痛にも応用されている。
	SNRI；ミルナシプラン（トレドミン）	5-HT・NAd再取り込み阻害薬；抗コリン作用、抗うつ薬
	SNRI；シブトラミン★	5-HT·NAd再取り込み阻害. 5-$HT_{2A/2C}$作動、α_1、β_1、β_3作動；抗肥満薬
	SNRI;ベンラファキシン（イフェクサー）	5-HT/NAd再取り込み阻害薬：低用量では主に5-HT, 高用量では5-HTおよびNAdの作用が強い。1日1回投与の徐放製剤
	NaSSA；ミルタザピン（レメロン）	NAd・5-HT作動薬、α_2遮断、5-HT_2遮断、5-HT_3遮断、5-HT_1作動；抗うつ薬。消化器症状の副作用が少ない。
	S-RIM：ボルチオキセチン（トリンテリックス）	5-HT再取り込み阻害作用ならびに5-HT受容体調節作用（5-HT3、5-HT7、5-HT1Dアンタゴニスト、5-HT1B部分アンタゴニスト、5-HT1Aアゴニスト）：抗うつ薬
	トラゾドン（デジレル）	5-HT_{2A}遮断、5-HT再取り込み阻害薬、α遮断作用；抗うつ薬
	麦角系薬（エルゴタミン製剤）； ジヒドロエルゴトキシン（ヒデルギン） エルゴタミン（クリアミン配合錠）など	5-HT・ドパミン作動作用、α遮断作用；末梢循環改善薬 5-HT作動作用、α遮断作用；抗片頭痛薬
	デキストロメトルファン（メジコン）	中枢5-HT作動作用；非麻薬性鎮咳薬
	ペチジン（オピスタン）	神経系5-HT再取り込み阻害作用；鎮痛・鎮痙薬
	ペンタゾシン（ソセゴン）	中枢5-HT作動活性増強作用；鎮痛薬（κオピオイド作動薬）
	ブプレノルフィン（レペタン）	中枢性5-HT作動活性増強作用；鎮痛薬（μオピオイド作動薬）
	トラマドール（トラマール）	中枢5-HT·NAd再取り込み阻害（SNRI）作用;鎮痛薬（活性代謝物M1による弱いμオピオイド作動作用。5-HT_{1A}が鎮痛に関与の可能性）
	タペンタドール（タペンタ）	トラマドールのμオピオイド作動作用とNAd再取り込み阻害作用を強め、5-HT再取り込み阻害作用を弱めている（セロトニン症候群などの発症低下）。
	フェンタニル（アブストラル、イーフェン、デュロテップ、ワンデュロ、フェントス）	5-HT再取り込み抑制作用？ 単独ではないが、SSRIとの併用でセロトニン症候群誘発。
	炭酸Li（リーマス）	トリプトファン取り込み促進（5-HT合成促進）、5-HT_2脱感作用；抗躁薬

※セロトニン症候群に注意。　？明らかでない。
★販売中止もしくは国内未発売

表 S-2（つづき） 5-HT 関連薬剤の種類と作用

非選択的、その他	MAO阻害薬（リネゾリド［ザイボックス；抗菌薬］、MAO-B阻害薬；セレギリン［エフピー］、ラサギリン［アジレクト］、サフィナミド［エクフィナ］など）	モノアミン（5-HTなど）分解阻害薬
	セント・ジョーンズ・ワート（SJW）含有健康食品	5-HT代謝阻害（MAO阻害？）。うつ病に効果？
（2）抗5-HT作用		
抗5-$HT_{1A、1B/1D}$	ピンドロール（カルビスケン）	β遮断薬（5-HTと同様にインドール骨格あり）
抗5-$HT_{1B/1D、2A}$	ミアンセリン（テトラミド）	$α_2$遮断作用；四環系抗うつ薬
抗5-HT_2	フェノチアジン系薬、ブチロフェノン系薬	抗5-HT_2/D_2薬、α遮断作用、抗コリン作用；抗精神病薬
	ジメトチアジン（ミグリステン）	フェノチアジン系薬；抗片頭痛薬
	SDA；リスペリドン（リスパダール）、ペロスピロン（ルーラン）	抗5-HT_{2A}/D_2薬、非定型抗精神病薬．ペロスピロンは5-HT_{1A}にも高い親和性。
	MARTA；オランザピン（ジプレキサ）、クエチアピン（セロクエル）	抗5-HT_{2A}/D_2および他の受容体（オランザピンでは$α_1$、ムスカリン、ヒスタミンH_1など、クエチアピンでは$α_1$、$α_2$、ヒスタミンH_1など）にも高い親和性；非定型抗精神病薬。
	DSS；アリピプラゾール（エビリファイ）	抗5-$HT_{1A、2A}$作用．シナプス間隙のドパミン濃度の増減に応じてD_2受容体を遮断・刺激する；非定型抗精神病薬。
	SDAM；ブレクスピプラゾール（レキサルティ）	5-HT1_A受容体部分アゴニスト作用、抗5-HT_{2A}作用，D_2受容体部分アゴニスト作用。アリピプラゾールに比べて強力なセロトニンへの作用を示し、D_2受容体に対する刺激作用を弱めて機能的なアンタゴニスト作用を持つ。
	DSA；ブロナンセリン（ロナセン）	抗5-HT_{2A}、抗D_2/D_3作用；抗D_2作用が強い。
	ベラパミル（ワソラン）	Ca拮抗薬
抗5-$HT_{2A、2C}$	サルポグレラート（アンプラーグ）	末梢循環改善薬
抗5-HT_{2C}	シプロヘプタジン（ペリアクチン）	抗ヒスタミン薬
抗5-HT_3	セトロン系薬；オンダンセトロン（ゾフラン）、グラニセトロン（カイトリル）、アザセトロン（セロトーン）、トロピセトロン★、ラモセトロン（ナゼア、イリボー）、パロノセトロン（アロキシ）	制吐薬。ラモセトロンの低用量は男性の下痢型の過敏性腸症候群（IBS）に使用される。
	タリペキソール（ドミン）	D_2刺激薬、$α_2$刺激作用；抗パーキンソン薬
非選択的、その他	レセルピン（アポプロン）	モノアミン（5-HT、NAd、ドパミン）枯渇；降圧薬、抗精神病薬
（3）両作用；5-HT作動および遮断		
－	LSD-25★	麻薬；幻覚誘発；5-$HT_{2A、2C}$関与
－	マレイン酸リスリド★	麦角系薬；中枢5-HT・ドパミン作動作用、$α_2$遮断作用、末梢抗5-HT作用、抗ヒスタミン作用；脳神経伝達機能調整

D_2、D_3：ドパミンD_2、D_3
★ 販売中止もしくは国内未発売

表 S-3　セロトニン症候群に注意が必要な薬剤（MAO 阻害薬が関与する相互作用は表 6-7、表 7-29 参照）

	薬剤A	薬剤B	併用により起こり得る事象
併用慎重	三環系抗うつ薬、SSRI（フルボキサミン［デプロメール］、パロキセチン［パキシル］、セルトラリン［ジェイゾロフト］、エスシタロプラム［レクサプロ］）、SNRI（ミルナシプラン［トレドミン］、デュロキセチン［サインバルタ］、ベンラファキシン［イフェクサー］）、NaSSA（ミルタザピン［レメロン］）、S-RIM（ボルチオキセチン［トリンテリックス］）など	5-HT1B/1D 作動薬：トリプタン系薬（ゾルミトリプタン［ゾーミッグ］、エレトリプタン［レルパックス］、スマトリプタン［イミグラン］、リザトリプタン［マクサルト］、ナラトリプタン［アマージ］）	5-HT 作用増強（脱力感、反射亢進、協調運動障害など出現）。
		L-トリプトファン含有製剤（アミノ酸製剤、経腸成分栄養剤など）、オピオイド系鎮痛薬（トラマドール［トラマール］、タペンタドール［タペンタ］、フェンタニル［アブストラル、イーフェン、デュロテップ、ワンデュロ、フェントス］）、SJW 含有食品など	セロトニン症候群発現の可能性。L-トリプトファンが 5-HT の前駆物質であるため。
		グラニセトロン（カイトリル）	セロトニン症候群の恐れ。機序不明。
		抗 ADHD 薬・アンフェタミン系薬（リスデキサンフェタミン［ビバンセ］、メチルフェニデート［リタリン、コンサータ］）	セロトニン症候群の恐れ。リスデキサンフェタミンのセロトニン再取り込み阻害作用、神経終末からのセロトニン放出促進作用あり。
		DSA；ブロナンセリン	

遊離した5-HTが結合し、過剰な生体反応が起こり、うつ病が誘発されるというものである。感情障害では5-HT_{1A}受容体が脱感作（ダウンレギュレーション）するといわれているほか、5-HT_{1A}受容体は5-HT_2受容体機能に対して抑制効果を及ぼすことがある。したがって、5-HT_2受容体感受性亢進の原因の一つとして、5-HT_{1A}受容体の脱感作のために、5-HT_{1A}によって抑制されていた5-HT_2受容体の機能が亢進したことが考えられる。抗不安薬や抗うつ薬には、5-HT_{1A}作動または抗5-HT_2作用を持つものもある。

なお、食欲調節にも脳内の5-HTが関与している。実際、抗5-HT_2作用を有する薬剤では食欲亢進による肥満を来すことも多い。抗肥満薬のシブトラミン塩酸塩（国内未発売）は向精神薬には分類されないSNRIである。同薬は、脳内シナプス間隙の5-HTおよびNAd濃度を上昇させることにより、5-$HT_{2A/2C}$およびα_1、β_1の刺激を介して食後の満腹感を亢進させたり、β_3刺激を介して末梢エネルギー消費量を増加させると考えられている。

一方、統合失調症の発症には、5-HT神経系の異常が関与している可能性が示唆されている。統合失調症患者の脳では、5-HT_2受容体が減少し、5-HT_{1A}およびドパミンD_2（D_2）受容体数が増加している。抗精神病薬は全て抗ドパミン作用を有することから、脳内ドパミン作用の増強が統合失調症に関わっていると考えられている（ドパミン学説）。ただし、抗精神病薬は抗5-HT_2作用も有しており、抗ドパミンと抗5-HT_2の両作用を持つ薬剤が統合失調症に有効である。

参考

セロトニン症候群の診断基準

5-HT神経系への機能亢進作用を有する薬剤では、セロトニン症候群の発現に注意する。特に、5-HT作動薬とL-トリプトファン含有製剤（アミノ酸製剤、経腸成分栄養剤など）、トリプタン系薬、トラマドール塩酸塩（トラマール）、リネゾリド（ザイボックス）、炭酸Li（リーマス）、SJW含有製品などの5-HT作動作用のある薬を併用すると、セロトニン症候群を発現する恐れがある（**表S-3**）。L-トリプトファンは5-HTの前駆物質であるため、併用により脳内の5-HT濃度が高まる。

セロトニン症候群の診断基準を以下に示す。このSternbachの診断基準は初めて考案されたもので、簡便に判定できることから広く用いられているが、特異性が低いことに留意する（Sternbach H. Am J Psychiatry. 1991；148：705-13.、厚生労働省「重篤副作用疾患別対応マニュアル セロトニン症候群」［2010年］）。

A：セロトニン作動剤の追加投与や投与量の増量と一致して、以下の臨床症状の少なくとも3つを認める。
①精神状態の変化（錯乱、軽躁）、②興奮、③ミオクローヌス、④反射亢進、⑤発汗、⑥悪寒、⑦振戦、⑧下痢、⑨協調運動障害、⑩発熱

B：他の疾患（例えば感染、代謝疾患、物質乱用やその離脱）が否定されること。

C：上に挙げた臨床症状の出現前に抗精神病薬が投与されたり、その用量が増量されていないこと。

❷ 末梢循環不全

健常人では、血管内皮に存在する5-HT_1受容体を介する血管拡張作用と、血管平滑筋に存在する5-HT_{2A}受容体を介する血管収縮作用のバランスが保たれている。しかし、高血圧や動脈硬化、加齢などによって血栓が誘発されたり血管内皮が損傷を受けたりすると、5-HT_1受容体の機能が低下するほか、血小板が活性化されて多くの5-HTが放出されるために、5-HT_{2A}受容体を介する血管収縮や血小板凝集が促進し、末梢循環障害が助長されると考えられている（☞図7-11）。また、5-HTの作用として、他の血小板凝集誘発物質や

血管収縮物質の作用を増強することが知られている。

サルポグレラート塩酸塩（アンプラーグ）は、末梢の5-HT_{2A}受容体拮抗薬であり、血小板および血管平滑筋に作用し、血小板凝集および血管収縮を抑制する（抗血栓薬；☞表7-39）。また、SSRIやSNRIなどの5-HT再取り込み阻害薬は、血小板の5-HT取り込みを阻害して血小板凝集を抑制するため、抗血栓薬の作用を増強する可能性がある（☞表7-40）。

❸ 催吐、下痢型IBS抑制作用

抗癌剤投与後の24時間以内に発現する急性悪心・嘔吐の誘因には、5-HT_3受容体が深く関与している（末梢性経路；**右記「参考」**参照）。回腸の求心性迷走神経末端に存在する5-HT_3受容体に、抗癌剤の刺激により小腸粘膜の内分泌細胞（腸管クロム親和性細胞）から放出された5-HTが結合し、直接あるいはCTZを介し、嘔吐中枢（延髄）を刺激するためである。

抗癌剤投与による急性悪心・嘔吐の抑制に、オンダンセトロン塩酸塩水和物（ゾフラン）、グラニセトロン塩酸塩（カイトリル）、アザセトロン塩酸塩（セロトーン）、トロピセトロン塩酸塩、ラモセトロン塩酸塩（ナゼア）、パロノセトロン塩酸塩（アロキシ）などの5-HT_3受容体拮抗薬が用いられている。これらの薬剤は、最後野のCTZにある5-HT_3受容体の遮断作用も有すると考えられる。

なお、ナゼアOD錠0.1mg（ラモセトロン塩酸塩として100μg/日）の1/20～1/10を用量とするイリボー（1日最高10μgまで）は、男性の下痢型の過敏性腸症候群（IBS）に対して用いられている。下痢型IBSは、精神的ストレスによりセロトニン分泌が亢進して発症するが、ラモセトロンは、脳から大腸へ延びている遠心性神経の神経節（腸管神経叢）に存在する5-HT_3受容体を遮断するため、AChなどの分泌を抑制し、下痢や排便亢進を改善する。また、大腸から脳へと延びる求心性神経の神経終末（大腸側）に存在する5-HT_3受容体も遮断するため、大腸痛覚の伝達が抑制され、腹痛および内臓知覚過敏も改善すると考えられる。なお、現時点では女性に対する有効性は認められず副作用発現率も高いことから、女性には使用することができない。

一方、D_2受容体刺激薬であるタリペキソール塩酸塩（ドミン；非麦角アルカロイド）は、抗5-HT_3作用を有している。一般にD_2作動薬はCTZにあるドパミン受容体を刺激して嘔吐を誘発するが（☞ コラム73）、タリペキソール塩酸塩は抗5-HT_3作用に基づく制吐作用があり、臨床的に消化器症状の少ない抗パーキンソン薬として期待されている。

参考

癌化学療法による悪心・嘔吐
（chemotherapy-induced nausea and vomiting：CINV）

CINVは、発現時期によって、①精神的な要因で抗癌剤投与前から生じる予測性CINV、②抗癌剤投与後24時間以内に発現する急性CINV（本文参照）、③抗癌剤投与後24時間以降に発現し、2～5日間持続する遅発性CINV――の3つに分類される。予測性CINVは、前回の抗癌剤投与時にCINVのコントロールが不良だった患者で起こりやすい。一方、投与後のCINVの発現経路には、前述のような小腸の5-HT_3を介した末梢性経路のほか、脳内のニューロキニン（NK_1）受容体を介した中枢性経路もある。中枢性経路は、抗癌剤がCTZを直接刺激するためサブスタンスPが増えてNK_1受容体に結合し、嘔吐中枢（延髄）へ刺激が伝わり嘔吐を発現する経路である。末梢性経路は急性CINVの発現に関与するのに対し、NK_1受容体を介した中枢性経路は急性だけでなく遅発性CINVの発現にも関与している。

これらのことから、急性CINVの治療法として、抗5-HT_3薬、NK_1受容体拮抗薬（アプレピタント［イメンド］）、副腎皮質ホルモン製剤（デキサメタゾン）の3剤併用が推奨されている（アプレピタントは、原則として抗5-HT_3制吐薬およびコルチコステロイドと併用）。一方、遅発性CINVの治療ではアプレピタントと副腎皮質ホルモン製剤の2剤併用が中心となることが多い。また、オランザピン（ジプレキサ）も抗悪性腫瘍剤投与に伴う消化器症状（悪心、嘔吐）に対する有効性が認められ保険適応となったが、原則としてコルチコステロイド、5-HT_3受容体拮抗薬、NK1受容体拮抗薬等と併用して使用することが必要である。

❹ 消化管運動賦活

モサプリドクエン酸塩水和物（ガスモチン）およびシサプリド（販売中止）は、5-HT_4作動薬である（ただし、低用量のシサプリドには抗5-HT_{1A}作用あり）。消化管の筋層間神経叢にある5-HT_4受容体に作用し、AChの遊離を促進して消化管運動を賦活する。これらの5-HT_4作動薬は、全ての消化管に有効であり、上部消化管にしか効果のない抗ドパミン薬（イトプリド塩酸塩［ガナトン］、メトクロプラミド［プリンペラン］、ドンペリドン［ナウゼリン］）とは区別される。またモサプリドは、D_2遮断作用およびK^+チャネル遮断作用がないため、シサプリドと比較して錐体外路症状（パーキンソン症状、乳汁分泌など）およびQT延長といった副作用発現の可能性が低い。

❺ 片頭痛

片頭痛は、悪心・嘔吐・光過敏および音過敏を伴う強い反復性頭痛発作である。その病態生理は十分に解明されていないが、頭蓋内外の血管が過度に拡張することが一因であると考えられており、5-HTの関与が注目されている。

片頭痛の発症機序については、現在、血管説と三叉神経血管説の2つの説が提唱されているが、特に後者が有力視されている。

血管説は、「何らかの誘因で5-HTの過剰放出とその代謝が起こり、頭蓋内外血管が一旦収縮した後に異常拡張を起こすため、血管壁に浮腫、炎症が生じて片頭痛発作が起こる」という説である。これに対し三叉神経説は、「何らかの誘因により、三叉神経終末からサブスタンスPやカルシトニン遺伝子関連ペプチド（calcitonin gene-related peptide：CGRP）などの血管作動性の神経ペプチドが放出されるため、頭蓋内外血管拡張とともに血管周辺に神経性炎症、血管透過性亢進などが生じて片頭痛発作が起こる」というものである。いずれにしても、過度の頭蓋内外の血管拡張により頭痛発作が起こると考えられている。

5-$HT_{1B/1D}$作動薬であるトリプタン系薬（ゾルミトリプタン［ゾーミッグ］、エレトリプタン臭化水素酸塩［レルパックス］、スマトリプタン［イミグラン］、リザトリプタン安息香酸塩［マクサルト］、ナラトリプタン塩酸塩［アマージ］）は、頭蓋内外の血管に存在する神経伝達物質の遊離抑制系である5-$HT_{1B/1D}$受容体を刺激し、血管を収縮させることで片頭痛を改善する。また、トリプタン系薬には、三叉神経終末にも存在する5-$HT_{1B/1D}$を刺激し、CGRPなどの起炎性ペプチドの放出を抑制して頭痛を緩解する作用もあると考えられている。

トリプタン系薬との併用が禁忌である薬剤には、麦角系薬、5-$HT_{1B/1D}$作動薬（☞表7-37）、MAO阻害薬（エレトリプタンおよびナラトリプタン以外のトリプタン系薬；MAO-Aで代謝）、プロプラノロール塩酸塩（インデラル；MAO-Aで代謝）がある

（☞表6-7）。ただし、エレトリプタンとナラトリプタンはMAO-Aで代謝されないため、MAO阻害薬およびプロプラノロールと併用しても問題ない。また、トリプタン系とSSRIは併用慎重とされている。

なお、水溶性のスマトリプタン、リザトリプタンはCYP450でほとんど代謝を受けないのでCYP450阻害・誘導に起因する相互作用はないのに対し、脂溶性が高いエレトリプタンはCYP3A4、ナラトリプタンは複数のCYP450分子種（CYP1A2・2C9・2D6・3A4/5・2E1）、ゾルミトリプタンはCYP1A2で代謝されるため、CYP3A4およびCYP1A2阻害薬・誘導薬との併用には注意する。HIVプロテアーゼ阻害薬とエレトリプタンは併用禁忌である（☞表5-30）。

参考

カプサイシン感受性知覚神経とCGRP

迷走神経中に含まれる知覚神経の末端から、CGRP、サブスタンスP、ニューロキニンAなどの生理活性ペプチドが遊離される。このようなペプチド含有知覚神経は、血管を取り巻くように走行しているため、頭蓋内外血管を拡張し片頭痛発作を誘起すると考えられるが、消化管における知覚神経では消化管粘膜防御に重要な役割を果たしている。

消化管における求心性の知覚神経は、唐辛子の成分であるカプサイシンにより選択的に刺激されることから、カプサイシン感受性知覚神経と呼ばれる。カプサイシン感受性知覚神経はCGRPを遊離し、粘膜血流量の増大や粘液分泌の促進などを介して粘膜の恒常性の維持に寄与している。CGRPの作用の一部には一酸化窒素（NO）の産生が深く関わっていることが明らかとなっており、カプサイシン感受性知覚神経は消化器系以外にも心血管系、呼吸器系など、様々な生理作用に影響を与えている。

ちなみに、カプサイシンは知覚神経に対して二面的な作用を示す。少量では胃損傷の抑制、粘膜血流の増大、アルカリ分泌の促進、上皮再構築現象の促進などを示すのに対し、大量では知覚神経麻痺を起こして損傷の増悪や治癒遅延などを示すことが報告されている。H_2拮抗薬のラフチジン（プロテカジン）は、カプサイシン感受性知覚神経を刺激し、胃酸分泌促進作用のあるガストリン分泌を抑制することが知られている。

付B
PDE（ホスホジエステラーゼ）

PDEは、細胞内のセカンドメッセンジャーであるc-AMPやc-GMPを加水分解する酵素である（☞図7-7）。現在までに、調節因子や基質選択性の違いから8つのタイプ（ファミリー）が同定されているほか、遺伝子配列の違いにより15のサブタイプ（PDE1Aなど）に分けられ、さらにスプライシングの違いや局在により計30以上の分子種（PDE1A2など）に細分されている。その体内分布と機能についてはまだ十分に解明されていないが、PDEファミリーの分布や特異性が明らかになっている（**表S-4**）。また、いくつかのPDE阻害薬が臨床使用されている（**表S-5**）。以下、各組織・細胞におけるPDEの役割およびPDE阻害薬の作用について解説する。

❶ 血管系（血管平滑筋・内皮、血小板）

PDEは、動脈硬化や血栓形成、末梢循環不全の誘発に深く関与している。これは、c-AMPやc-GMPの濃度が上昇すると血管平滑筋が弛緩（細胞の増殖抑制）することや、血小板内のc-AMP上昇ではTXA_2合成などが抑制されて血小板凝集が阻害されるのに対し（☞**図7-11**）、血管内皮のc-AMP上昇では血管弛緩・血小板凝集抑制因子であるPGI_2生成が抑制されることなどに基づいている。

これらの細胞におけるPDEの分布は、に示すように、血管平滑筋にはPDE1、3、4、5が存在し、そのうちPDE1、3、4がc-AMPの分解を、PDE1、5がc-GMPの分解を担っている。また、血小板にはPDE3、5が存在する（PDE3がc-AMPを分解）。血管内皮にはPDE3、4が存在しているが、PDE4が多い（いずれも主にc-AMPを分解）。

動脈硬化の抑制や血栓予防、末梢循環不全治療薬として用いられているのは、PDE1阻害薬とPDE3阻害薬である。

PDE1はc-GMPに親和性が高いため、PDE1阻害薬であるビンポセチンは、血管平滑筋でのc-GMPを主に上昇させて血管拡張作用を発揮し、脳血流量を増加すると考えられる。

表S-4　PDEアイソザイムの特異性と分布

ファミリー	基質特異性	特異性	主な分布
PDE1	c-AMP＜c-GMP	Ca・カルモジュリン依存性	**平滑筋**、心筋、肺、炎症細胞（好中球、肥満細胞）、脳、神経組織
PDE2	c-AMP≦c-GMP	c-GMPにより活性化	心筋、気管支平滑筋、炎症細胞（好中球、肥満細胞）、脳、副腎、肝
PDE3	c-AMP≦c-GMP	c-GMPにより阻害	**血管平滑筋、血小板、血管内皮細胞、心筋、気管支平滑筋、炎症細胞（リンパ球、マクロファージ、肥満細胞）、肝、脂肪細胞**
PDE4	主にc-AMP		**血管平滑筋、血管内皮細胞、気管支平滑筋、気道上皮細胞、炎症細胞（好中球、好酸球、リンパ球、単球、肥満細胞、マクロファージ）、脳、精巣**
PDE5	主にc-GMP		血管平滑筋、血小板、気管支平滑筋、肺、炎症細胞（肥満細胞）、**海綿体平滑筋**
PDE6	主にc-GMP	光受容体	**網膜**
PDE7	主にc-AMP	PDE4阻害薬（ロリプラム）で抑制されない	骨格筋、T細胞
PDE8	c-AMP、c-GMP	PDE1、3、4、5阻害薬で抑制されない	大脳皮質

各PDEファミリーが多く存在する組織・細胞を太字で示した。

表 S-5　PDE 阻害薬の種類と作用

ファミリー（アイソザイム）	阻害薬	阻害薬の薬理作用
PDE1阻害薬	ビンポセチン★（脳循環代謝改善薬）	血管平滑筋弛緩、中枢機能の修飾
PDE3阻害薬	シロスタゾール（プレタール；抗血栓薬；脳梗塞発症後の再発抑制）	血管平滑筋弛緩、血小板凝集抑制
	急性心不全治療薬；アムリノン★、ミルリノン（ミルリーラ）、オルプリノン（コアテック）、ピモベンダン（アカルディ）	陽性変力・変時作用
	アナグレリド（アグリリン；本態性血小板血症治療薬）、3-ヒドロキシアナグレリド（活性代謝物）	陽性変力・変時作用、血小板凝集抑制？
PDE5阻害薬	ジピリダモール（ペルサンチン※；冠血管拡張薬）	血管平滑筋弛緩、血小板凝集抑制
	勃起不全治療薬（シルデナフィル［バイアグラ］、バルデナフィル［レビトラ］、タダラフィル［シアリス］）	陰茎海綿体平滑筋弛緩
	肺動脈性肺高血圧症治療薬（シルデナフィル［レバチオ］、タダラフィル［アドシルカ］）	肺組織の血管弛緩
非選択的阻害薬	テオフィリン（テオドール；気管支拡張薬）	気管支平滑筋拡張、抗炎症
	パパベリン（ストミンA配合錠に含有；耳鳴り治療薬）	血管平滑筋拡張
	イブジラスト（ケタス；脳血管障害・気管支喘息改善薬）	血管平滑筋弛緩、血小板凝集抑制、気管支平滑筋弛緩、抗炎症
その他	アマンタジン（シンメトレル；脳循環代謝改善薬、抗パーキンソン薬、抗ウイルス薬）	大脳皮質、海馬に多いPDE1A2を阻害しc-AMPを上昇
	ジアゼパム（セルシン；BZP系抗不安薬）	脳・心臓でPDE4、5を阻害

※ 臨床投与量での PDE5 阻害効果は極めて弱い。
★ 販売中止

一方、PDE3が血管平滑筋・血小板でのc-AMPを分解することから、PDE3阻害薬のシロスタゾール（プレタール）はc-AMPを上昇させ、血管弛緩・血小板凝集抑制作用を発揮すると考えられる。血小板でのc-AMP分解酵素はPDE3のみであり、血管内皮ではPDE4が多いため、PDE3阻害薬は血管内皮への作用は弱く、主として血小板および血管平滑筋に作用すると考えられる。PDE3は心筋にも存在するため、PDE3阻害薬は陽性変力作用を発揮するが（後述）、シロスタゾールは心臓への陽性変力作用を弱めた誘導体であるとされていた。

しかし、シロスタゾールでは、脳梗塞再発抑制効果を検討する試験において、狭心症が516例中6例（1.16%）に認められている。また、同じ試験において、長期にわたりPRP（pressure rate product：圧心拍数積［収縮期血圧×心拍数；心筋酸素消費量を示す値］）を有意に上昇させる作用が認められた。そのため、同薬の添付文書の警告欄には、「投与により脈拍数が増加し、狭心症が発現することがあるので、狭心症の症状（胸痛など）に対する問診を注意深く行うこと」と記載されている。同薬はうっ血性心不全の患者には投与禁忌となっている。

一方、PDE5阻害薬のジピリダモール（ペルサンチン）は、抗血栓作用、冠血管拡張作用を有している。ただし、臨床投与量でのPDE5阻害作用は極めて弱く、主な薬理作用は、アデノシンの赤血球、血管内皮、各臓器への取り込みを阻害することにより血中アデノシンを増加させ、アデノシン受容体（A_{2A}、A_{2B}；冠血管、末梢血管）を介したアデニル酸シクラーゼの活性化を増強させc-AMP濃度を上昇させることと考えられている。したがってPDE5阻害薬（シルデナフィルクエン酸塩［バイアグラ］など）と併用禁忌ではない（☞表7-37）。

❷ 心筋

心筋のc-AMPが上昇すると心筋収縮力が増強する（陽性変力作用）。心筋にはPDE 1、2、3

が存在するが、PDE3が主に分布しているため、PDE3阻害が収縮力の増強に重要な役割を担っている（☞表S-4）。

アヘンアルカロイドのパパベリン塩酸塩（ストミンA配合錠に含有）やキサンチン系のテオフィリン（テオドール；気管支拡張薬）などは、非選択的にPDEを阻害するため、PDE3阻害に伴う陽性変力作用の副作用がしばしば問題となる。

一方、に示すPDE3阻害薬のミルリノン（ミルリーラ）、オルプリノン塩酸塩水和物（コアテック）、ピモベンダン（アカルディ）やアムリノンは、心筋のc-AMP濃度を上昇させ心筋収縮力を増強させるため、急性心不全治療薬として用いられている。PDE3はc-GMPによる活性阻害を受けるため、主にc-AMPを分解すると考えられる。そのため、PDE3阻害薬は心筋のc-AMP濃度のみを上昇させると思われる。実際、アムリノン、ミルリノンはc-GMPを上昇させずにc-AMPを選択的に上昇させることが示されている。c-GMPは血管平滑筋に対してはc-AMPと同様に拡張作用を示すが、心筋ではc-AMPと相反して陰性変力作用を示すことから、PDE3阻害薬は強心薬として理にかなっているといえる（当然のことながら、これらのPDE3阻害薬は血管平滑筋弛緩作用・抗血小板作用なども有する）。

❸ 気管支平滑筋、炎症細胞

気管支平滑筋におけるc-AMP、c-GMP濃度の上昇は気管支拡張をもたらすため、PDEは気管支喘息と密接に関係する。また、喘息は炎症性疾患であるとの概念から、炎症細胞に存在するPDEも重要である。炎症細胞のc-AMPの増加により、喘息発作抑制、ケミカルメディエーター遊離抑制、サイトカイン生成抑制などが起こる。

気管支平滑筋には主にPDE3、4、5、気道上皮細胞にはPDE4、好塩基球・好酸球・肥満細胞・好中球・単球にはPDE4、リンパ球・マクロファージにはPDE3、4が分布している。したがって、PDE3やPDE4の阻害薬が気管支喘息治療薬として有用である可能性が注目されるが（主にPDE4阻害薬）、心・血管系や嘔吐（PDE4阻害薬）などの副作用の回避が問題となっている。現在、実臨床では非選択的PDE阻害薬のイブジラスト（ケタス；PDE4阻害作用が比較的強い）、テオフィリン（テオドール）が、気管支拡張作用と抗炎症作用を持つ喘息治療薬として用いられているが、同薬もPDE阻害に起因する心・血管系の副作用や嘔吐などの副作用があり注意を要する。

❹ 海綿体平滑筋、肺組織

陰茎の勃起には陰茎海綿体平滑筋の弛緩を要するが、これには、副交感神経に加え、一酸化窒素（NO）作動性神経（非アドレナリン非コリン性神経）が神経因子として関係している。具体的には、NO作動性神経の伝達物質であるNOが平滑筋のグアニル酸シクラーゼを活性化してc-GMP濃度を上昇させる結果、海綿体平滑筋が弛緩し勃起が起こる。陰茎海綿体のc-GMPは選択的にPDE5で加水分解される（☞表S-4、表S-5）。

PDE5阻害薬のシルデナフィルクエン酸塩（バイアグラ；シルデナフィルとして25mg、50mgを1日1回投与）、バルデナフィル塩酸塩水和物（レビトラ）、タダラフィル（シアリス；タダラフィルとして5mg、10mg、20mgを1日1回投与）は、勃起不全（ED）治療薬として用いられている。ただし、シルデナフィルを20mg含むレバチオ（1日60mg［分3］投与）、タダラフィルを20mg含むアドシルカ（1日40mg［分1］投与）は、肺動脈性肺高血圧症に対して用いられる。

ED治療薬は陰茎海綿体平滑筋だけでなく、血管平滑筋にも作用し血管を拡張するため、低血圧を引き起こす可能性がある。したがって、①心・血管系障害を有する患者、②低血圧患者（安静時収縮期血圧90mmHg以下）、③治療による管理がなされていない高血圧の患者（安静時収縮期血圧170mmHg以上または安静時拡張期血圧

表S-6　PDE5阻害薬（ED治療薬）の比較

一般名 （商品名）	シルデナフィルクエン酸塩 （バイアグラ）	バルデナフィル塩酸塩水和物 （レビトラ）	タダラフィル （シアリス）
規格	錠25mg、50mg	錠5mg、10mg、20mg	錠5mg、10mg、20mg
通常用量※	性行為の1時間前に 25～50mgを経口投与	性行為の1時間前に 10mgを経口投与	性行為の1時間前に10mgを経口投与
有効性の 持続時間	3時間	3～5時間	36時間
用量に 関する 注意事項	高齢者では25mgから開始	高齢者は5mgから開始し、 10mgを超えないこと	－
	肝障害では25mgから開始	中等度の肝障害では5mgから開始し、 10mgを超えないこと	軽度・中等度の肝障害では10mgを超えないこと
	重度の腎障害 （CCr＜30mL/ min）では 25mgから開始	－	中等度･重度の腎障害では5mgから開始。 中等度は10mgを超えずに、投与間隔を48時間以上とする。重度は5mgを超えないこと
食事の影響	Cmax 42%低下 AUC 14%低下 Tmax 1.8時間延長	影響なし	影響なし
併用禁忌	・NO供与薬（☞**表7-37**） ・アミオダロン経口薬（アンカロン；☞**表7-34**） ・リオシグアト（アデムパス；可溶性グアニル酸シクラーゼ［sGC］刺激薬） 肺動脈性肺高血圧治療薬のレバチオ（シルデナフィル20mg含有：1日60mg投与）はイトラコナゾール（イトリゾール：☞表5-17）、HIVプロテアーゼ阻害薬（☞表5-30）、テラプレビル★、コビシスタット（スタリビルド配合錠）との併用も禁忌。	・NO供与薬 ・リオシグアト（アデムパス；可溶性グアニル酸シクラーゼ［sGC］刺激薬） ・クラスⅠa・Ⅲ抗不整脈薬（☞**表7-35**） ・イトラコナゾール（イトリゾール；☞**表5-17**）、ケトコナゾール内服薬★ ・HIVプロテアーゼ阻害薬（☞**表5-30**） ・テラプレビル★ ・コビシスタット（スタリビルド配合錠）	・NO供与薬 ・リオシグアト（アデムパス；可溶性グアニル酸シクラーゼ［sGC］刺激薬） 肺動脈性肺高血圧治療薬のアドシルカ（タダラフィル20mg含有：1日40mg投与）は、CYP3A4を強力に阻害する薬剤（イトラコナゾール、HIVプロテアーゼ阻害薬、クラリスロマイシン［クラリス：表5-21］、テリスロマイシン★［☞表5-22］、テラプレビル★）、CYP3A4を強力に誘導する薬剤（リファンピシン［リファジン：☞表5-47］、バルビツール酸系薬［☞表5-48］、フェニトイン［アレビアチン：☞表5-49］、カルバマゼピン［テグレトール：☞表5-50］）との併用も禁忌。
特記事項	食事の影響を受けやすい。	CYP3A4阻害に起因する相互作用を受けやすいが、腎障害患者には使いやすい。	効果の持続時間が長い。CYP3A4阻害に起因する相互作用に注意する。高齢者（65歳以上）にも適切であると思われるが、腎障害患者には使いにくい。

※1日1回の投与とし、投与間隔は24時間以上空ける。ただし、タダラフィルは中等度腎障害患者では48時間空ける必要がある。
★販売中止もしくは国内未発売

100mmHg以上）、④脳梗塞・脳出血や心筋梗塞の既往が最近6カ月以内にある患者――などへのED治療薬の投与は禁忌となる（☞**表S-6**）。

また、PDE5阻害薬と、NO産生により血管平滑筋弛緩作用を示す硝酸薬やNO供与薬（ニトログリセリン、亜硝酸アミルなど）を併用すると、c-GMP上昇を介するNOの降圧作用が増強するため、併用は禁忌である（死亡例あり；☞**表7-37**）。特にバルデナフィルは血管拡張作用が強力なため、CYP3A4阻害薬（イトラコナゾール［イトリゾール］、リトナビル［ノービア］、インジナビル硫酸塩エタノール付加物★；☞**表5-17、5-30❻**）、QT延長を誘発する薬剤（クラスⅠa、Ⅲ群の抗不整脈薬；☞**表7-37**）との併用も禁忌である。また、シルデナフィル、バルデナフィル、タダラフィルは、それぞれPDE5への阻害効果を示す濃度の約1/10、1/16および1/700の濃度でPDE6を阻害する。したがって、PDE6の遺伝的素因が原因の一つであると考えられる網膜色素変性症の患者には、いずれも投与禁忌である。

付C
受容体

細胞は、細胞外からの刺激を受容し、それに応じて機能を発揮する。すなわち、細胞には多くの受容体が存在し、リガンド（アゴニスト、アンタゴニスト）が結合すると（受容）、これを起点とする細胞内情報伝達系が作動し、最終的に生理作用が発揮される（応答）。現在、国内外で使用されている薬剤を作用機序別にみると、受容体に関連する薬剤が最も多い。したがって、受容体とその情報伝達系（シグナル伝達と受信のカスケード）を把握することは、相互作用を理解する上で重要である。

受容体は、細胞内局在によって、細胞膜受容体と核内受容体（細胞質・核内の脂溶性リガンド受容体）の2つに大きく分けられる。前者は細胞膜に存在する受容体であり、細胞膜を通過できない水溶性薬物をリガンドとし、Gタンパク質共役型受容体（GPCR）、チロシンキナーゼ（PTK）関連型受容体、イオンチャネル内蔵型受容体（Ca^{2+}、K^+、Na^+、Cl^-チャネル）の3種類に分類される。一方、核内受容体は、細胞膜を通過する脂溶性物質をリガンドとし、細胞質および核内に存在する。

第7章［第2節］で述べた交感神経β受容体やα_1受容体、ACh受容体などはGPCRであり、Gタンパク質（GTP結合タンパク質）を介してセカンドメッセンジャーの生成を制御している。また、薬物代謝酵素の誘導やフィブラート系薬、ピオグリタゾン塩酸塩（アクトス）などの作用機序には、核内受容体が関与している（☞**表5-54、第7章［第8節］**）。

ここでは、受容体の詳細については薬理学書に譲り、相互作用を把握する上で重要な、①Gタンパク質共役型受容体（GPCR）、②チロシンキナーゼ（PTK）関連型受容体、③核内受容体——について簡潔に説明する。また、参考までに、これらの受容体と密接に関係する①GPCRの脱感作機構、②インスリン受容体、③ストレス・炎症に関わる細胞内シグナル伝達系、④アゴニスト非依存的受容体活性化とインバースアゴニスト（逆アゴニスト）、⑤メカニカルストレスによる心肥大とインバースアゴニスト活性を有するAT_1受容体拮抗薬（AT_1拮抗薬）、⑥心肥大と転写因子、⑦分子標的治療——について述べる。なお、本節で各シグナル伝達機構を示した図は、加藤茂明編『わかる実験医学シリーズ　受容体がわかる』（羊土社、2003）を参考にして作成した（出典を付記した図表を除く）。

❶ Gタンパク質共役型受容体

Gタンパク質共役型受容体（GPCR）は細胞膜を7回貫通する構造を持つ。GPCRは、α、β、γの3つのサブユニットからなるGタンパク質（三量体Gタンパク質；αサブユニットにGTP/GDP結合部位あり）を活性化し、細胞内に情報を伝達する。GPCRは生体内で最も多い受容体であり、臨床で用いられている医薬品の50～60％がGPCRに関与する。約1000以上のGPCRが、少なくとも16種類のα、6種類のβ、12種類のγからなるGタンパク質を活性化している。代表的なGPCRには、次のような受容体がある。すなわち、アドレナリン受容体（α、β受容体）、ACh受容体（ムスカリン受容体）、$5\text{-}HT_3$（イオンチャネル）以外のセロトニン受容体、TXA_2受容体、トロンビン受容体、ADP受容体、PGI_2受容体、ロドプシン受容体、ドパミン受容体、AT_1受容体、エンドセリン受容体、アドレノメデュリン受容体、Pael受容体（パーキンソン病に関与）、アディポネクチン受容体、オピオイド受容体、ケモカイン受容体（IL8受容体、MCP-1受容体など）、GLP-1受容体などである。

薬物などのリガンドによってGPCRが刺激されると、**図S-1**に示すように、「受容体→Gタンパク質→効果器→セカンドメッセンジャー」へと情報が伝達され、様々な生理作用が発現する。

効果器は、セカンドメッセンジャー（c-AMP、

IP_3・DG、c-GMP、Ca^{2+}、K^+など）の生成を制御するものであり、AC（アデニル酸シクラーゼ）、PLC（ホスホリパーゼC）、c-GMP-PDE（c-GMP特異的PDE）、Ca^{2+}チャネル、PTK（チロシンキナーゼ）、PI3K（PI3キナーゼ；ホスファチジルイノシトール3-キナーゼ）、GIRK1（Gタンパク質制御内向き整流K^+チャネル）などがある。

三量体Gタンパク質は、αサブユニットの種類により活性化する効果器が異なる。ACを活性化、抑制するGタンパク質をそれぞれGs、Giと呼び、PLCを活性化するGタンパク質はGqとして分類される。αサブユニットの種類と活性化される効果器、タンパク質リン酸化酵素（プロテインキナーゼ）は、それぞれ

- Gs：AC活性化→PKA活性化
- Gi：AC活性抑制→PKA、MAPK抑制
- Gq：PLC活性化→PKC、MAPK活性化

である（☞図7-7）。

❷ チロシンキナーゼ関連型受容体

PTK関連型受容体は、1回膜貫通型のタンパク質複合体である。水溶性リガンドが結合すると、PTKドメインが直接あるいは間接的に活性化され、基質となる細胞内タンパク質のチロシン残基がリン酸化されることで、細胞内へ情報が伝達される。

PTK関連型受容体は、PTK内蔵型と非内蔵型の2つのタイプに分類される。前者は、受容体自体がPTK活性を持ちリガンド結合によって活性化されるのに対し、後者は受容体自体はPTK活性を持たないが、リガンドの結合によって細胞質内のPTK（JAK［ヤヌスキナーゼ］など）が同受容体に結合し活性化される。PTK内蔵型には、インスリン受容体、増殖因子（EGF、PDFなど）受容体などがあり、非内蔵型にはサイトカイン受容体群（エリスロポエチン、G-CSF、IFN、IL）などがある。

A チロシンキナーゼ内蔵型受容体

PTKの基質となる細胞内のタンパク質としては、低分子量GTP結合タンパク質（低分子量Gタンパク質）がよく知られている。このタンパク質にはRas、Rho、Rab、Arfの4つのファミリーがあり、GPCRと同様に1つのGTP/GDP結合部位を有し、GTPが結合すると活性型、GDPが結合すると不

図S-1　Gタンパク質共役型受容体を介した細胞内シグナル伝達機構

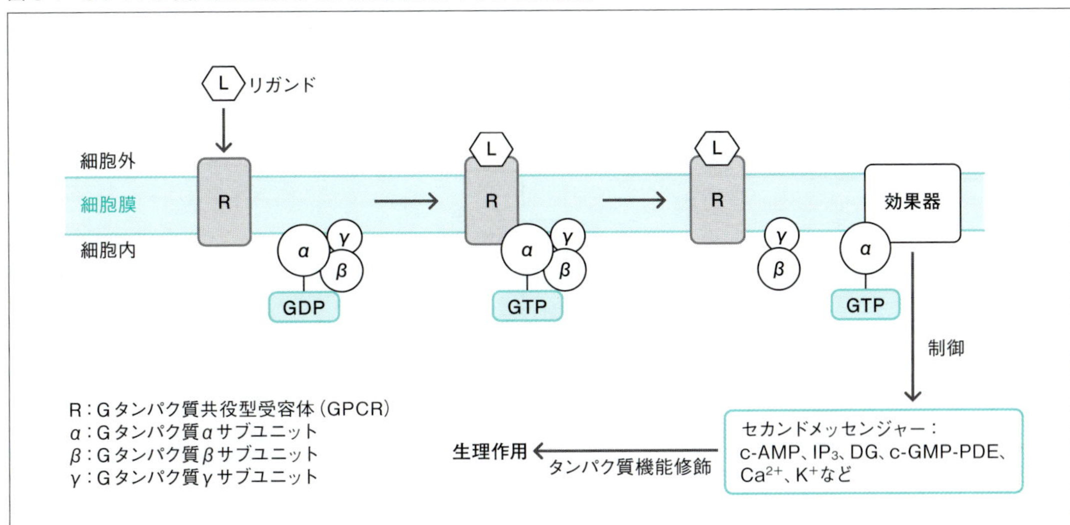

活性型となる。特に、RasはPTK関連受容体により活性化される（Ras-GDPがリン酸化されてRas-GTPとなる）ことが広く証明されており、PTK関連受容体によって起動される主な細胞内シグナル伝達経路の最も上流に位置している（**図S-2**）。

Rasが活性化されると、3段階のキナーゼからなるMAPK（MAPキナーゼ）カスケードが活性化される（Ras/MAPK経路）。最終的に生成したMAPKは核内へと移行して転写因子を活性化し、標的遺伝子の転写頻度（mRNAの量）を制御することで生理作用が発揮される。つまり、細胞内シグナル伝達は、「受容体→PTK→Ras→MAPK→転写因子活性化」の順に進んでいく。MAPKは、細胞の増殖・分化・生死を決定する極めて重要なキナーゼである。

B チロシンキナーゼ非内蔵型受容体

PTKを内蔵していないサイトカイン受容体群では、主に細胞質内のPTKであるJAK（ヤヌスキナーゼ）を介した2つの経路により細胞内へのシグナル伝達が起こっている（**図S-3**）。リガンドの結合により活性化されたJAKがRasを活性化してMAPKカスケードを経てMAPKが生成する経路（JAK/Ras/MAPK経路）と、活性化されたJAKが受容体をリン酸化し、STATと呼ばれる転写因子を直接的に活性化（リン酸化）する経路（JAK/STAT経路）がある。最終的には、いずれの経路も転写因子を活性化（リン酸化）することにより標的遺伝子の転写を制御している。つまり、「受容体→JAK→Ras→MAPK→転写因子活性化」または「受容体→JAK→STAT→転写因子活性化」と2つの経路により情報が伝達され、生理作用が発現する。

なお、TNF-αやIL1などの炎症性サイトカインの受容体は、他のサイトカイン受容体と異なり、PTKを介さずにシグナル伝達が行われる。

図S-2　チロシンキナーゼ内蔵型受容体を介した細胞内シグナル伝達機構

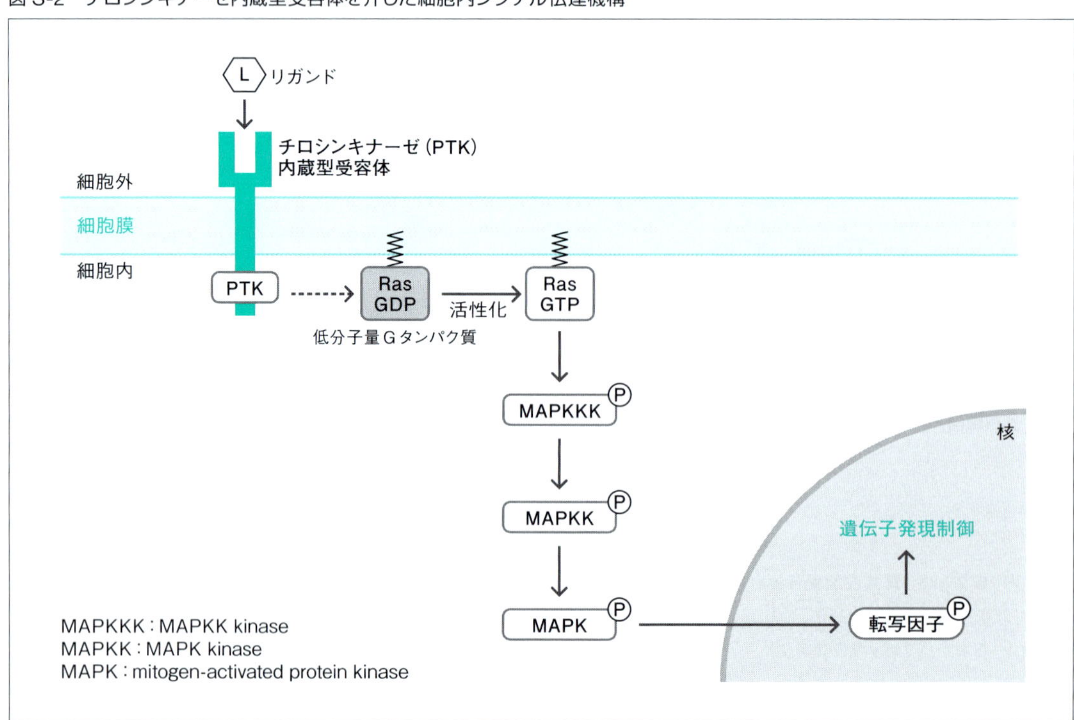

図 S-3　チロシンキナーゼ非内蔵型受容体を介した細胞内シグナル伝達機構

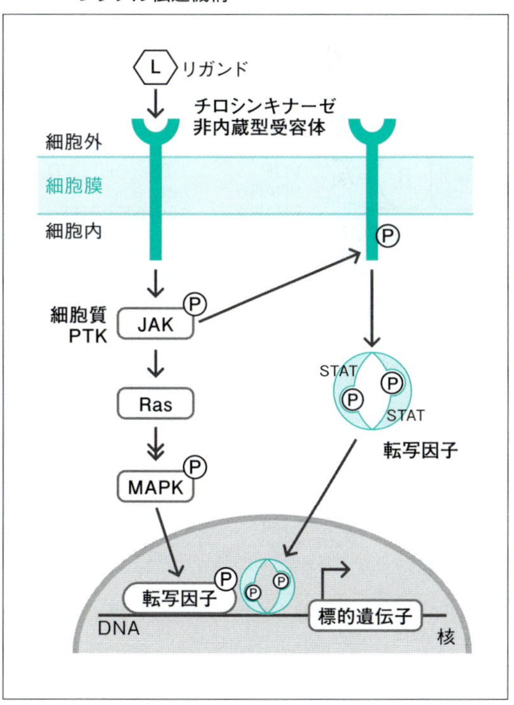

図 S-4　核内受容体を介した細胞内シグナル伝達機構

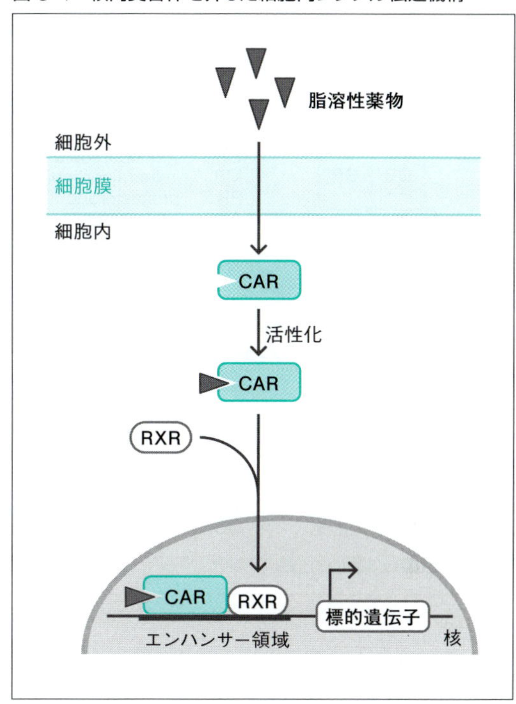

参考

MAP キナーゼカスケード

MAPKは、様々な増殖因子によって活性化されるセリン/スレオニンキナーゼである。細胞の増殖・分化・生死を決定する情報伝達経路の最終段階にあり、極めて重要な役割を持つ。前述のPTK関連型受容体では、低分子量Gタンパク質Rasの下流にMAPKカスケードが続いている。MAPKカスケードは3段階からなるタンパク質の連続したリン酸化反応経路であり、「MAPKKK（MAPKKキナーゼ）→MAPKK（MAPKキナーゼ）→MAPK」の順にリン酸化が進行する。つまり、MAPKKKはMAPKKをリン酸化し、MAPKKはMAPKをリン酸化する。MAPKKK、MAPKK、MAPKは総称であるが、この経路で最初に報告された分子はそれぞれRaf1、MEK1/2、ERK1/2であり、これらの分子によるカスケード反応は古典的経路と呼ばれる。

❸ 核内受容体

以前から、脂溶性の生理活性物質であるステロイドホルモンや甲状腺ホルモンなどが、核内受容体を介して作用を発現することが示されていた。また、既に述べたように、薬物による代謝酵素の誘導作用（☞図5-16）や、フィブラート系薬、ピオグリタゾン塩酸塩（アクトス）などの薬理作用の発現も核内受容体（PPAR α、γ）を介することが明らかになっている（☞p.591「重要」、第7章［第8節］）。これらの脂溶性リガンドは、それぞれの核内受容体を介して細胞内にシグナル伝達を行っている。

核内受容体※は、それ自体が転写因子であり、標的遺伝子の発現頻度を調節し機能を発揮する

図 S-5　核内受容体の分類

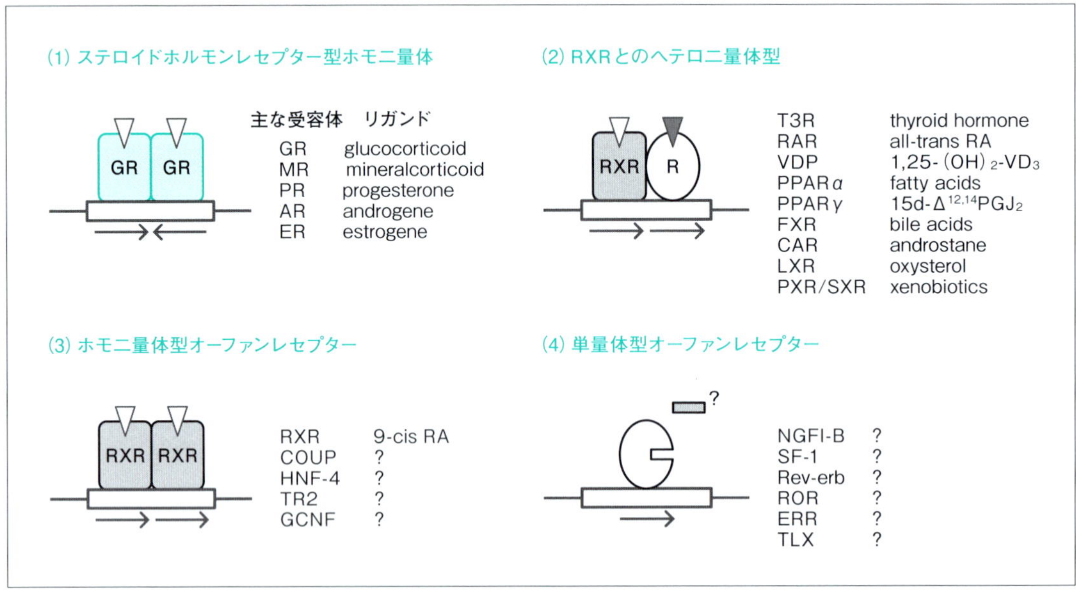

（藤井 博. 医学のあゆみ 2002；200：1115-6.、Olefsky JM. J Biol Chem. 2001；276：36863-4.）

（**図 S-4**）。すなわち、脂溶性リガンド（アゴニストおよびアンタゴニスト）が細胞膜を通過して核内受容体と特異的に結合すると、核内受容体は活性化され、標的遺伝子の転写開始頻度を調節している特定の DNA 領域（ホルモン感受性エレメント［HRE］あるいはエンハンサー領域［エレメント］）の応答配列（応答領域；核内受容体が結合する DNA 塩基配列）に移動して結合する。その結果、下流にある標的遺伝子の転写（mRNA 量）が制御され、生理機能を発揮する標的タンパク質量が増減して、生理作用が調節される。

核内受容体には様々な種類があるが、標的の応答配列（DNA）の認識の仕方によって、二量体（ホモ型またはヘテロ型）および単量体の4つの型に分けられる（**図S-5**）。例えば、細胞膜を通過したグルココルチコイドは核内受容体の GR に結合して二量体となる。また、代謝酵素誘導作用の最も強いリファンピシン（リファジン）は、核内受容体の PXR と特異的に結合してこれを活性化し、同じ核内受容体の RXR とヘテロ二量体（PXR/RXR）を形成して、それぞれの核内受容体の応答配列（DNA）に結合して機能する。

❹ 受容体が関わる薬理作用とメカニズム

① G タンパク質共役型受容体の脱感作機構

脱感作（desensitization）とは、受容体にアゴニストによる刺激が加わっても、その細胞の持つ刺激応答能が減弱していることをいう（受容体感受性の低下）。臨床的には、β_2刺激薬の連用による感受性の減弱がしばしば問題になる。

従来、脱感作は、細胞表面における受容体数の低下に起因すると説明されてきた。しかし近年では、β2アドレナリン受容体（β_2受容体）の脱感作機構に、受容体のエンドサイトーシス（細胞がタンパク質など大きな分子を細胞膜で包み、小胞化して取り込む仕組み）が関与していることが明らかになっている（**図S-6**）。すなわち、G タンパク質

※ 受容体は細胞質にも存在するが、結果的に核内へと移行して作用を発現するため、本書では核内受容体としている。

共役型受容体（GPCR）のリガンド（薬物など）による持続的な刺激により、受容体は①リン酸化→②細胞内への移行（internalization；インターナリゼーション）→③再利用（resensitization；レセンシタイゼーション）の経路をたどる。インターナリゼーションの間は、受容体のリガンドとの結合が回避されるため、脱感作現象が起こると考えられている。

受容体は、受容体に結合したβ、γサブユニットによってβアドレナリン受容体キナーゼ（βARK）が活性化されることでリン酸化されるが、受容体の細胞内移行には、アレスチンというタンパク質の結合を必要とする。β_2受容体に比較して、β_1受容体はアレスチンとの親和性が低いため、受容体の細胞内移行が起こりにくく、脱感作現象が起こりにくいと考えられる。

このような短期間の脱感作に対して、長時間アゴニストによる刺激が加わると、長期脱感作としてダウンレギュレーションが起こる。つまり、リガンドが結合した受容体が細胞内へと移行後、プロテアソームなどで分解を受けて、受容体の総数そのものが減る。一般に、プロテアソームによる分解時には、タンパク質のユビキチン化を要することから、ユビキチン化によるダウンレギュレーション制御機構が注目されている。

② インスリン受容体を介したシグナル伝達機構

インスリンの作用は、受容体を介する細胞内シグナル伝達を経て発現する（**図S-7**）。既に述べたように、インスリン受容体はPTK内蔵型受容体であり、インスリンとの結合により受容体自体のキナーゼが活性化される。活性化されたPTKは、主に細胞内タンパク質のIRS（インスリン受容体基質）およびShc（Src homology 2 domain containing-adaptor protein）を活性化（リン酸化）して、細胞内に情報を伝達する。

活性化されたIRSはPI3K（PI3キナーゼ）を活性化し、次いでPDK1（ホスファチジルイノシトール三リン酸依存性キナーゼ）を活性化した後、さらに様々なキナーゼ（Akt［別名PKB：protein kinase B］、p70S6キナーゼ、atypical PKC［PKCλ］など）の活性化を介して、肝・骨格筋におけるグリコーゲン合成促進、脂肪組織における中性脂肪の分解抑制、骨格筋･脂肪組織におけるグルコー

図S-6　β_2受容体の脱感作機構

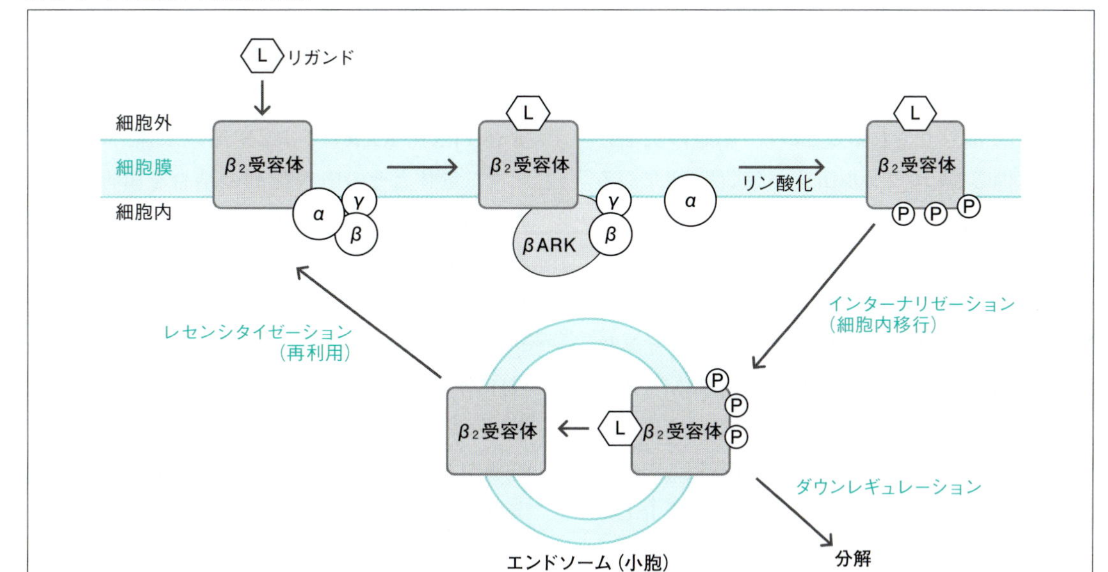

ス取り込み促進（GLUT4［4型グルコーストランスポーター］の細胞膜への移動を促進）などを引き起こし、血糖低下などの生理作用を発揮する。すなわち、IRSはインスリン受容体が内蔵するPTKの最も重要な基質といえる。

アンジオテンシンⅡ（AngⅡ）は、骨格筋のAT_1受容体を介して、IRSのリン酸化とPI3Kの活性化を抑制し、GLUT4の細胞膜への移行などを抑制しインスリン感受性を低下させる。そのため、AngⅡの作用を抑制するレニン-アンジオテンシン（RA）系阻害薬であるACE阻害薬、AT_1拮抗薬や直接的レニン阻害薬は、降圧作用だけでなくインスリン感受性も増大させると考えられる。また、小型脂肪細胞から分泌される善玉のアディポネクチンは、骨格筋などにおけるIRSを介したPI3Kの活性化を促進し、インスリン感受性を高めるが、肥大脂肪細胞から分泌される悪玉のTNF-αは、アディポネクチンと拮抗する形で作用し、インスリン抵抗性を惹起する。一方、活性化されたShcは、既に述べたRas/MAPK経路を介して標的遺伝子の転写を制御し、細胞増殖などを制御している。

図S-7　インスリン受容体を介した細胞内シグナル伝達機構

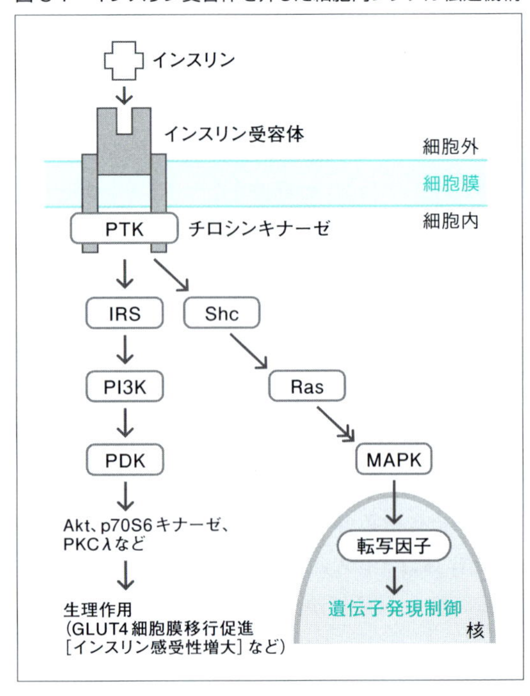

③ ストレス・炎症に関わる細胞内シグナル伝達系

MAPKカスケードや、転写因子であるNF-κB、AP-1（主にFosおよびJunのヘテロダイマーにより構成）などは、ストレス刺激や炎症性サイトカインによって活性化されることから、細胞の炎症性ストレスの応答にシグナル伝達が深く関与している（**図S-8、S-9**）。

MAPKは紫外線、活性酸素、X線、重金属、抗癌剤、高温などにより活性化されるが、このMAPKは、SAPK1（ストレス活性化プロテイン1；別名JNK）およびSAPK2（別名p38MAPK）と呼ばれ、前述の古典的なERK1/2とは異なる分子種である。ストレスにより共通のMAPKKKが活性化され、次いで異なるMAPKKを介してSAPK1、2がそれぞれ活性化され、最終的に標的遺伝子の転写が制御されてストレス応答が起こると考えられている（☞**図S-8**）。

一方、細胞質内の転写因子であるNF-κBは、GPCRやPTK関連受容体からもシグナルを受けて活性化されるが、炎症性のストレスでも活性化され、COX2、炎症性サイトカイン（TNF-α、IL1、IL6など）、細胞内増殖因子、抗アポトーシス、細胞接着性因子などの遺伝子発現を促進し、炎症誘発の中心的な転写因子として注目されている。なお、NF-κBがPXRのヘテロ二量体（PXR/RXR）のRXR部位に結合し、ヘテロ二量体とその応答配列の結合を阻害するため、CYP3A4の転写が抑制されるとの報告もある（Xinsheng G, et al. J Biol Chem. 2006；281:17882-9.；☞ **コラム45**）。

NF-κBの活性化は、ヒト免疫不全ウイルス（HIV）の増殖にも関与し、また、関節リウマチ、クローン病、心肥大、癌など、様々な疾患の誘因の一つとしても考えられている。例えば、炎症性疾患である関節リウマチでは、滑膜細胞のCOX2の異常発現が認められるが、これは炎症性サイトカインであるIL8β、TNF-αなどにより、NFκＢやMAPKが活性化され、最終的にCOX2が誘導されるためと考えられている。実際、関節リウマチ患者から採取した滑膜細胞をIL8βで刺激した実験では、**図S-9**に示すように、NF-κB、p38 MAPK、ERK1/2の3つの経路を介してCOX2遺伝子の転写が制御されることが示唆されている（Fumimori T, et al. J Rheumatology. 2004;31:436-41.）。すなわち、NF-κB、p38 MAPKはCOX2遺伝子転写を促進し、ERKは逆に抑制すると考えられる。また、以下に示すように、抗炎症作用を有する薬剤の作用点は、NF-κB阻害またはp38MAPK阻害であることが示されている。

抗炎症薬	COX2転写制御経路
デキサメタゾン（デカドロン）、エリスロマイシン（エリスロシン）、テトラサイクリン系薬	p38MAPK阻害
サリチル酸系薬（アスピリン［同名］など）、メトトレキサート（リウマトレックス）、レフルノミド（アラバ；DMARDs）、サリドマイド（サレド）、ポリフェノールなど	NF-κB阻害

サリチル酸系以外のNSAIDsには、COX2転写を制御するような作用はないため、主な抗炎症作用は直接的なCOX2の活性阻害に起因することになる。つまり、NSAIDs、p38 MAPK阻害薬、NF-κB阻害薬の作用機序は異なるため、これらの薬剤の相互の併用は、関節リウマチなどの炎症性疾患における抗炎症薬の併用療法として有用であると考えられる。

ちなみに、これらNF-κB阻害薬の作用点は、IκB（NF-κB抑制因子）のリン酸化酵素であるIKK（IκBキナーゼ）活性の阻害に起因すると考えられている（☞**図S-9**）。つまり、NF-κB（P65とP50のヘテロダイマー）はIκBと会合しているため不活性型として存在しているが、IKKによるIκBのリン酸化はプロテオソームによるIκBの分解を促進する。したがって、炎症性サイトカインなどがIKKを活性化してIκBの分解を促進すると、NF-κBが活性化されると考えられることから、IKKの活性化を阻害する薬剤は、NF-κBの活性化を抑制し、抗炎症作用を示すことになる。

図S-8　炎症性ストレスによる細胞内シグナル伝達機構

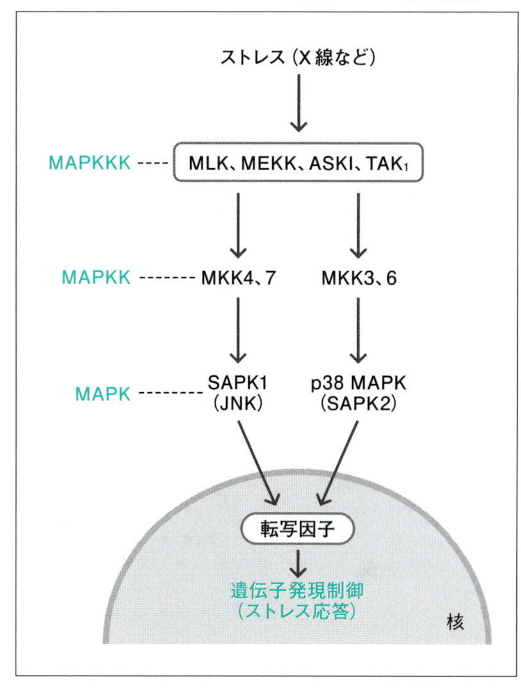

④ アゴニスト非依存的受容体活性化とインバースアゴニスト

従来、全ての受容体はアゴニストと結合することにより活性化されると考えられていたが、GPCR受容体の研究が進むにつれ、アゴニストが結合しなくても受容体が活性化される場合もあることが分かってきた。すなわち、生体内では、アゴニストのみが受容体を活性化しているわけではなく、アゴニスト非依存的な受容体の活性化が常に起こっていると考えられる。

一般に、受容体はアゴニストと結合すると、立体構造が非活性型から活性型に変化する。アゴニストがない状態でも、例えば機械的な刺激（メカニカルストレス；☞⑤）によって、同様な立体構造の変化が起こると考えられる。

また、アンタゴニストについても、アゴニスト非依存的な受容体活性化を抑制する機序が示され、

図 S-9　炎症誘発に関わる細胞内シグナル伝達機構

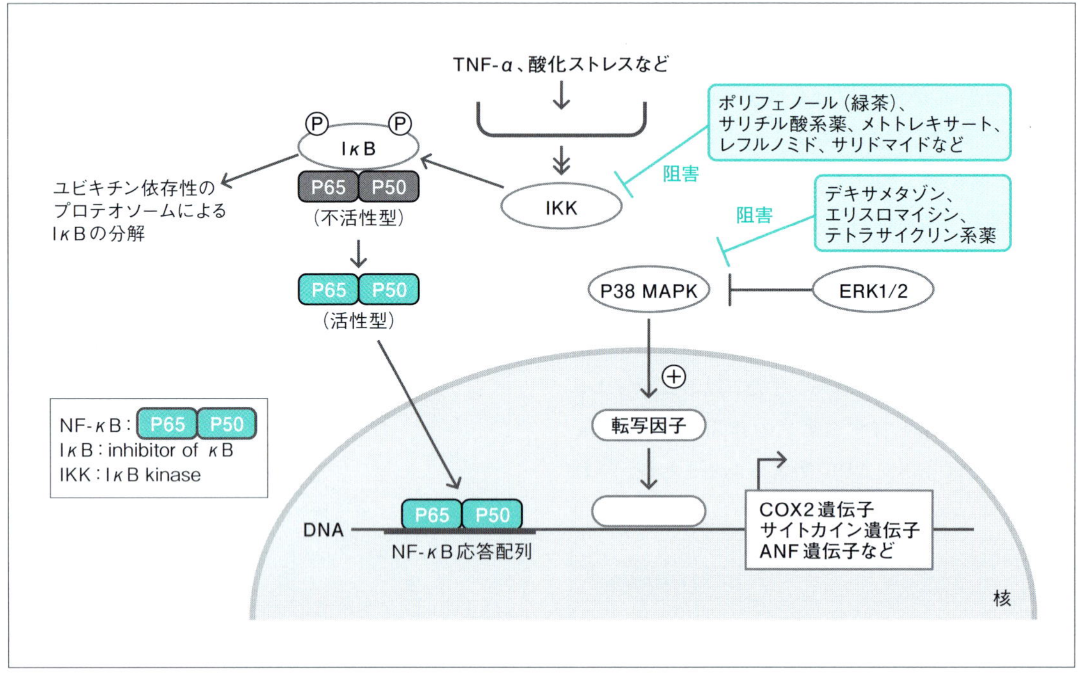

（Fumimori T, et al. J Reumatology. 2004 ; 31 : 436-41. 一部改変）

従来のアンタゴニストには2種類のタイプがあることが明らかとなった。すなわち、アゴニストの受容体結合のみを競合して阻害するものは真性アンタゴニスト、アゴニスト非依存性の受容体活性化までも抑制するものはインバースアゴニスト（逆アゴニスト）として区別される。

真性アンタゴニストは、受容体が非活性型から活性型となる立体構造の変化に何ら影響を与えることはない。一方、インバースアゴニストが受容体に結合すると、受容体の立体構造を安定化させるため、活性化に必要な立体構造変化が起こらなくなると考えられる。臨床的なインバースアゴニストの例として、⑥に述べる AT_1 受容体拮抗薬があり、心肥大抑制作用と関連して注目されている。ただし、アゴニスト非依存的受容体活性化は、ET-1受容体、β受容体などではみられず、一部の受容体にのみ認められる現象であると考えられている。

⑤ メカニカルストレスによる心肥大

心肥大とは、メカニカルストレス（機械的負荷；血行力学的負荷；圧負荷、容量負荷など）によって代償的に誘導される心臓の容積増大を指す。高血圧、弁膜症、心筋梗塞後などの様々な病態でみられ、狭心症や不整脈、突然死を誘発する危険因子である。メカニカルストレスが心肥大の誘導因子であると示されてきた経緯について、アンジオテンシンII（Ang II）に焦点を当てて説明する。

心肥大には、Ang IIを生成するレニン-アンジオテンシン（RA）系が深く関与している。RA系には、①肝臓で生成されたアンジオテンシノーゲンが血液循環し、レニン（腎の傍糸球体細胞で生成；腎の圧受容器を介して働く）によりAng Iに変換され、さらに肺で生成されるACEによってAng IIに変換する循環RA系（全身的RA系）、②各臓器の局所に存在してAng IIを生成する組織（局所）RA系——の2つの経路がある。当初は、循環RA系が心肥大の誘因と考えられていたが、心肥大では循環RA系の活性が低下して組織RA系が亢進したり、血圧がそれほど高くないにもかかわらず心・脳梗塞が起こることなどから、心肥大

（他の臓器も同様）には組織RA系の活性化、つまり心筋細胞からのAng Ⅱ生成および分泌促進が深く関与しているとされていた。

しかし近年、組織（心臓）にAng Ⅱが存在しない状態でも、メカニカルストレスによりAT_1受容体が活性化し心肥大が起こることが示され、Ang Ⅱ非依存性のAT_1受容体活性化が心肥大の大きな誘因であるという仮説が支持されるようになった。さらに、このAng Ⅱ非依存性のAT_1受容体の活性化を抑制するインバースアゴニストとして、一部のAT_1受容体拮抗薬（カンデサルタンシレキセチル［ブロプレス］など）の心肥大抑制効果が示され、注目されている。つまり、AT_1拮抗薬には、Ang Ⅱが存在して初めて効果を発揮する真性アンタゴニストと、Ang Ⅱが存在しなくても直接AT_1受容体を抑制するインバースアゴニストがあることになる。

GPCRであるAT_1受容体にメカニカルストレスが加わると、AT_1受容体自体の立体構造が変化し非活性型から活性型となり、Gタンパク質が活性化され、次いでMAPK（ERK）が活性化されるが、インバースアゴニストではGタンパク質の活性化が起こらない。これは、既に述べたように、インバースアゴニストがAT_1受容体の立体構造を安定化させるなどして活性型への変換を阻害するためと考えられる。ロサルタンカリウム（ニューロタン）のような真性アンタゴニストに比べ、カンデサルタンシレキセチル（ブロプレス）、バルサルタン（ディオバン）、オルメサルタンメドキソミル（オルメテック）などのインバースアゴニスト活性を持つAT_1拮抗薬の方が、臓器保護効果に優れている可能性があり、基礎研究が進められている。

なお、カンデサルタンは2005年10月、慢性心不全患者において左室収縮末期径および心胸郭比の有意な減少などが認められ、AT_1受容体拮抗薬として国内で初めて慢性心不全に対する適応が認められた（ただし、軽症～中等症の慢性心不全で、ACE阻害薬の投与が適切でない場合に限られる）。

⑥ 心肥大と転写因子

心肥大の発現には、炎症反応の中心的な転写因子であるNF-κB、AP1などや、Ca^{2+}依存性転写因子であるNFATなどの活性化が深く関わることが示されている。

まず、NF-κBは、心肥大を誘発する炎症誘発物質（TNF-α、LPS）や内分泌成長因子（Ang Ⅱ、エンドセリン1、TGF-β、フェニレフリン）により、速やかに活性化され、標的遺伝子であるCOX2やTNF-α、IL1・6（炎症性サイトカイン）、IL8（ケモカイン）などの転写を促進し、さらにこれが刺激となりANF（心房性Naペプチド）などの心肥大因子の発現を増大させることが示されている（新生ラット心筋細胞［NCM］を用いた実験結果；Smeets PJ, et al. J Biol Chem. 2008;283:29109-18.）。一方、Ang Ⅱ、エンドセリンなどによってホスホリパーゼC（PLC）が活性化されると、細胞内のCa^{2+}濃度が上昇してカルシニューリン（CN）と呼ばれる脱リン酸化酵素が活性化され、NFATが活性化（脱リン酸化）して心肥大を起こすというCN/NFAT経路も重要である。

近年、心筋細胞のPPARs（peroxisome proliferator-activated receptors）の活性化が病的心肥大の抑制に有効であることが示され、脚光を浴びている。既に述べたように、PPARsは糖・脂質代謝の恒常性に関連した遺伝子の発現を制御するが、PPARα、γ、δのいずれが活性化されても、心肥大の中心的な炎症誘発転写因子であるNF-κBの活性化が阻害され、心肥大が抑制されることが示されている（Asakawa M, et al. Circulation. 2002;105:1240-6.、Smeets PJ, et al. J Biol Chem. 2008;283:29109-18.）。また、心筋培養細胞においてPPARγを活性化すると、エンドセリンによるCNおよびNFATの活性化が阻害されることから、PPARγ活性化により心筋細胞の肥大化が抑制されることも示唆されている（Yingxia B, et al.Mol Cell Biochem. 2008;317:189-96.）。詳細な抑制機序は明らかでないが、PPARγがNFκBやNFATと直接結合してこれらのDNAへの結合を阻害する可能性が示されている（Suzawa M, et al. Nat Cell Biol.2003;5:224-30.）。

PPARδ（PPARβと同一）の機能は長らく不明であったが、これまでに、骨格筋の脂肪燃焼を促進して肥満を抑制する作用を有することや（Wang YX, et al. Cell. 2003;113:159-70.）、前述のようにNF-κB抑制を介して病的心肥大に有効である可能性が示されている。

また、マウスを用いた実験では、PPARδ（β）の活性化によって心肥大が起こるが、この肥大は可逆的で心機能に異常はなく、運動により起こるスポーツによる心肥大（スポーツ心臓）と全く同じであることや、血管新生が促進されることも示されている（Wagner N, et al. Cardiovasc Res. 2009;83:61-71.）。これは、PPARδ（β）活性化によりCNの転写が促進される結果、NFAT（心肥大誘発）、Hif-1α（血管新生促進）などの発現が増大するためと考えられている。血管新生は、癌細胞の増殖や糖尿病性網膜症などを引き起こすが、心筋細胞では、肥大した部分に栄養を供給するパイプとして機能し、虚血/再還流による心筋障害（心筋梗塞後損傷）の抑制や、病的心肥大から心不全への進展を阻止すると考えられる。すなわち、心臓においてNFATは病的・生理的心肥大の双方に働いている。生理的心肥大と血管新生は心保護作用をもたらすことから、PPARδ（β）活性化の臨床応用に興味が持たれる。

⑦ 分子標的治療

従来、抗癌剤は、培養癌細胞株を用いて低濃度で強く増殖抑制効果を示す薬剤のみが有用とみなされ、様々な癌細胞の特異性は考慮されていなかった。しかし近年の分子生物学の飛躍的な進歩により、各癌種の腫瘍細胞に特異的なシグナル伝達経路や、細胞増殖、細胞周期調節、浸潤・転移、細胞死（アポトーシス）、抗癌剤への耐性獲得メカニズムなどの生物学的特徴が明らかになってきた。

そこで、現在では、癌細胞の特性を左右する標的分子（タンパク質、遺伝子、糖鎖など）を設定し、その標的に作用する特異的な治療法が試みられるようになった。この治療法は、分子標的治療と呼ばれ、癌治療にパラダイムシフトをもたらした。

ここでは、チロシンキナーゼ（PTK）またはPTK内蔵型受容体を標的とする分子標的治療薬およびレチノイン酸核内受容体（RAR）を標的とするトレチノイン（all-trans RA；商品名ベサノイド）、タミバロテン（all-trans RA類似物質；アムノレイク）について解説する（**表S-7**）。

慢性骨髄性白血病（chronic myeloid leukemia：CML）の特徴は、95%以上の症例で骨髄細胞にフィラデルフィア染色体（第9染色体）が認められることである。フィラデルフィア染色体上には、BCR遺伝子（第22染色体）とABL遺伝子が結合したBCR/ABL融合（キメラ）遺伝子が存在する。この融合遺伝子は、強力なPTK活性を有するBCR/ABLタンパク質を産生するため、細胞内のPTKが常時活性化され、これがCMLの発症と深く関わることが示されている。

イマチニブメシル酸塩（グリベック）は、PTK内蔵型の血小板由来増殖因子受容体（platelet derived growth factor receptor：PDGFR）であるPTKを阻害するが、このBCR/ABLタンパク質のPTK活性の阻害作用も強力であるため、臨床ではCMLの治療薬として用いられている。またイマチニブは、化学療法や放射線治療に抵抗性が高い消化管間質腫瘍（gastrointestinal stromal tumor：GIST）の治療にも用いられている。

GISTは、消化管の蠕動運動を調節しているカハール介在細胞もしくはその前駆細胞が異常増殖して腫瘍化したものと考えられている。その発症機序は、カハール介在細胞膜上のKIT（PDGFRに属するファミリー）というPTK内蔵型受容体が異常を来し、外部からの指令がなくても細胞増殖などのシグナル伝達が起こることと考えられる。受容体の異常は遺伝子変異に起因しており、GISTではKIT受容体の遺伝子であるc-Kit遺伝子の異常が80～90%の割合で検出される（5%

表 S-7　わが国で用いられている主な分子標的薬

分子標的薬	標的分子	適応症
キナーゼ阻害薬		
ゲフィチニブ（イレッサ）	EGFR	EGFR遺伝子変異陽性の手術不能又は再発非小細胞肺癌
エルロチニブ（タルセバ）	EGFR	切除不能な再発・進行性で、がん化学療法施行後に増悪した非小細胞肺癌、EGFR遺伝子変異陽性の切除不能な再発・進行性で、がん化学療法未治療の非小細胞肺癌、治癒切除不能な膵癌
アファチニブ（ジオトリフ）	EGFR、HER2、HER4	EGFR遺伝子変異陽性の手術不能又は再発非小細胞肺癌
オシメルチニブ（タグリッソ）	EGFR	EGFR遺伝子変異陽性の手術不能又は再発非小細胞肺癌
ダコミチニブ（ビジンプロ）	EGFR	EGFR遺伝子変異陽性の手術不能又は再発非小細胞肺癌
セツキシマブ★（アービタックス）	EGFR	RAS遺伝子野生型の治癒切除不能な進行·再発の結腸·直腸癌、頭頸部癌
パニツムマブ★（ベクティビックス）	EGFR	KRAS遺伝子野生型の治癒切除不能な進行・再発の結腸・直腸癌
ネシツムマブ★（ポートラーザ）	EGFR	切除不能な進行・再発の扁平上皮非小細胞肺癌
トラスツズマブ★（ハーセプチン、カドサイラ）	HER2	ハーセプチン：HER2過剰発現が確認された乳癌、HER2過剰発現が確認された治癒切除不能な進行・再発の胃癌 カドサイラ：HER2陽性の手術不能又は再発乳癌、HER2陽性の乳癌における術後薬物療法
ペルツズマブ★（パージェタ）	HER2	HER2陽性の乳癌
ラパチニブ（タイケルブ）	HER2、EGFR	HER2過剰発現が確認された手術不能又は再発乳癌
イマチニブ（グリベック）	BCR/ABL、KIT、PDGFR	慢性骨髄性白血病、KIT陽性消化管間質腫瘍、フィラデルフィア染色体陽性急性リンパ性白血病、FIP1L1-PDGFR α 陽性の好酸球増多症候群および慢性好酸球性白血病
ニロチニブ（タシグナ）	BCR/ABL、KIT、PDGFR	慢性期又は移行期の慢性骨髄性白血病
ダサチニブ（スプリセル）	BCR/ABL、SRCファミリーキナーゼ、c-KIT、EPHA2受容体、PDGF β 受容体	慢性骨髄性白血病、再発又は難治性のフィラデルフィア染色体陽性急性リンパ性白血病
ボスチニブ（ボシュリフ）	ABL、SRC	慢性骨髄性白血病
ポナチニブ（アイクルシグ）	ABL	前治療薬に抵抗性又は不耐容の慢性骨髄性白血病、再発又は難治性のフィラデルフィア染色体陽性急性リンパ性白血病
ギルテリチニブ（ゾスパタ）	FLT3	再発又は難治性のFLT3遺伝子変異陽性の急性骨髄性白血病
キザルチニブ（ヴァンフリタ）	FLT3	再発又は難治性のFLT3-ITD変異陽性の急性骨髄性白血病
アキシチニブ（インライタ）	VEGFR1-3	根治切除不能又は転移性の腎細胞癌
ベバシズマブ★（アバスチン）	VEGF	治癒切除不能な進行・再発の結腸・直腸癌、扁平上皮癌を除く切除不能な進行·再発の非小細胞肺癌、手術不能又は再発乳癌、悪性神経膠腫、卵巣癌、進行又は再発の子宮頸癌、切除不能な肝細胞癌
アフリベルセプトベータ★（ザルトラップ）	VEGF	治癒切除不能な進行・再発の結腸・直腸癌
ラムシルマブ★（サイラムザ）	VEGFR2	治癒切除不能な進行・再発の胃癌、治癒切除不能な進行・再発の結腸・直腸癌、切除不能な進行・再発の非小細胞肺癌、がん化学療法後に増悪した血清AFP値が400ng/mL以上の切除不能な肝細胞癌
ペミガチニブ（ペマジール）	FGFR	がん化学療法後に増悪したFGFR2融合遺伝子陽性の治癒切除不能な胆道癌
ソラフェニブ（ネクサバール）	BRAF、FLT3、c-KIT、VEGFR、PDGFR	根治切除不能又は転移性の腎細胞癌、切除不能な肝細胞癌、根治切除不能な甲状腺癌
スニチニブ（スーテント）	FLT3、KIT、VEGFR、PDGFR、CSF、RET	イマチニブ抵抗性の消化管間質腫瘍、根治切除不能又は転移性の腎細胞癌、膵神経内分泌腫瘍

パゾパニブ(ヴォトリエント)	VEGFR1-3、PDGFRα、PDGFRβ、c-KIT	悪性軟部腫瘍、根治切除不能又は転移性の腎細胞癌
レゴラフェニブ(スチバーガ)	VEGFR1-3、TIE2、PDGFR、FGFR、KIT、RET、RAF-1、BRAF	治癒切除不能な進行・再発の結腸・直腸癌、がん化学療法後に増悪した消化管間質腫瘍、がん化学療法後に増悪した切除不能な肝細胞癌
バンデタニブ(カプレルサ)	VEGFR2、EGFR、RET	根治切除不能な甲状腺髄様癌
レンバチニブ(レンビマ)	VEGFR1-3、FGFR1-4、PDGFRα、KIT、RET	根治切除不能な甲状腺癌、切除不能な肝細胞癌、切除不能な胸腺癌
カボザンチニブ(カボメティクス)	VEGFR2、MET、AXL	根治切除不能又は転移性の腎細胞癌、がん化学療法後に増悪した切除不能な肝細胞癌
クリゾチニブ(ザーコリ)	ALK、c-Met/HGFR、ROS1、RON	ALK融合遺伝子陽性の切除不能な進行・再発の非小細胞肺癌、ROS1融合遺伝子陽性の切除不能な進行・再発の非小細胞肺癌
アレクチニブ(アレセンサ)	ALK	ALK融合遺伝子陽性の切除不能な進行・再発の非小細胞肺癌、再発又は難治性のALK融合遺伝子陽性の未分化大細胞リンパ腫
セリチニブ(ジカディア)	ALK	ALK融合遺伝子陽性の切除不能な進行・再発の非小細胞肺癌
ロルラチニブ(ローブレナ)	ALK	ALKチロシンキナーゼ阻害剤に抵抗性又は不耐容のALK融合遺伝子陽性の切除不能な進行・再発の非小細胞肺癌
ブリグチニブ(アルンブリグ)	ALK	ALK融合遺伝子陽性の切除不能な進行・再発の非小細胞肺癌
エヌトレクチニブ(ロズリートレク)	TRK、ROS1	NTRK融合遺伝子陽性の進行・再発の固形癌、ROS1融合遺伝子陽性の切除不能な進行・再発の非小細胞肺癌
ラロトレクチニブ(ヴァイトラックビ)	TRK	NTRK融合遺伝子陽性の進行・再発の固形癌
イブルチニブ(イムブルビカ)	BTK	慢性リンパ性白血病、再発又は難治性のマントル細胞リンパ腫
アカラブルチニブ(カルケンス)	BTK	再発又は難治性の慢性リンパ性白血病
チラブルチニブ(ベレキシブル)	BTK	再発又は難治性の中枢神経系原発リンパ腫、原発性マクログロブリン血症及びリンパ形質細胞リンパ腫
ルキソリチニブ(ジャカビ)	JAK1、2	骨髄線維症、真性多血症
ベムラフェニブ(ゼルボラフ)	BRAF	BRAF遺伝子変異を有する根治切除不能な悪性黒色腫
ダブラフェニブ(タフィンラー)	BRAF	BRAF遺伝子変異を有する悪性黒色腫、BRAF遺伝子変異を有する切除不能な進行・再発の非小細胞肺癌
エンコラフェニブ(ビラフトビ)	BRAF	BRAF遺伝子変異を有する根治切除不能な悪性黒色腫、がん化学療法後に増悪したBRAF遺伝子変異を有する治癒切除不能な進行・再発の結腸・直腸癌
トラメチニブ(メキニスト)	MEK1、2	BRAF遺伝子変異を有する悪性黒色腫、BRAF遺伝子変異を有する切除不能な進行・再発の非小細胞肺癌
ビニメチニブ(メクトビ)	MEK1、2	BRAF遺伝子変異を有する根治切除不能な悪性黒色腫、がん化学療法後に増悪したBRAF遺伝子変異を有する治癒切除不能な進行・再発の結腸・直腸癌
エベロリムス(アフィニトール)	mTOR	結節性硬化症
テムシロリムス*(トーリセル)	mTOR	根治切除不能又は転移性の腎細胞癌
シロリムス(ラパリムス)	mTOR	リンパ脈管筋腫症
カプマチニブ(タブレクタ)	MET	MET遺伝子エクソン14スキッピング変異陽性の切除不能な進行・再発の非小細胞肺癌
テポチニブ(テプミトコ)	MET	MET遺伝子エクソン14スキッピング変異陽性の切除不能な進行・再発の非小細胞肺癌
ベネトクラクス(ベネクレクスタ)	BCL-2	再発又は難治性の慢性リンパ性白血病、急性骨髄性白血病

パルボシクリブ（イブランス）	CDK4/6	ホルモン受容体陽性かつHER2陰性の手術不能又は再発乳癌
アベマシクリブ（ベージニオ）	CDK4/6	ホルモン受容体陽性かつHER2陰性の手術不能又は再発乳癌
その他		
オラパリブ（リムパーザ）	PARP-1、2	白金系抗悪性腫瘍剤感受性の再発卵巣癌における維持療法、BRCA遺伝子変異陽性の卵巣癌における初回化学療法後の維持療法、相同組換え修復欠損を有する卵巣癌におけるベバシズマブを含む初回化学療法後の維持療法、がん化学療法歴のあるBRCA遺伝子変異陽性かつHER2陰性の手術不能又は再発乳癌、BRCA遺伝子変異陽性の遠隔転移を有する去勢抵抗性前立腺癌、BRCA遺伝子変異陽性の治癒切除不能な膵癌における白金系抗悪性腫瘍剤を含む化学療法後の維持療法
ボルテゾミブ★（ベルケイド）	プロテアソーム	多発性骨髄腫、マントル細胞リンパ腫、原発性マクログロブリン血症及びリンパ形質細胞リンパ腫
カルフィルゾミブ★（カイプロリス）	プロテアソーム	再発又は難治性の多発性骨髄腫
イキサゾミブ（ニンラーロ）	プロテアソーム	再発又は難治性の多発性骨髄腫、多発性骨髄腫における自家造血幹細胞移植後の維持療法
ボリノスタット（ゾリンザ）	HDAC1-3、HDAC6（ヒストン脱アセチル化酵素）	皮膚T細胞性リンパ腫
パノビノスタット（ファリーダック）	HDAC（ヒストン脱アセチル化酵素）	再発又は難治性の多発性骨髄腫
ロミデプシン★（イストダックス）	HDAC（ヒストン脱アセチル化酵素）	再発又は難治性の末梢性T細胞リンパ腫
トレチノイン（ベサノイド）	RAR-α（核内受容体）	急性前骨髄球性白血病
タミバロテン（アムノレイク）	RAR-α（核内受容体）	再発又は難治性の急性前骨髄球性白血病
ベキサロテン（タルグレチン）	RAR-α、β、γ（核内受容体）	皮膚T細胞性リンパ腫
リツキシマブ★（リツキサン）	CD20	CD20陽性のB細胞性非ホジキンリンパ腫、CD20陽性の慢性リンパ性白血病、免疫抑制状態下のCD20陽性のB細胞性リンパ増殖性疾患、多発血管炎性肉芽腫症、顕微鏡的多発血管炎、難治性のネフローゼ症候群、慢性特発性血小板減少性紫斑病、後天性血栓性血小板減少性紫斑病、全身性強皮症、難治性の尋常性天疱瘡及び落葉状天疱瘡、腎あるいは肝移植のABO血液型不適合移植における抗体関連型拒絶反応の抑制、インジウムイブリツモマブチウキセタン注射液及びイットリウムイブリツモマブチウキセタン注射液投与の前投与
オファツムマブ★（アーゼラ）	CD20	再発又は難治性のCD20陽性の慢性リンパ性白血病
オビヌツズマブ★（ガザイバ）	CD20	CD20陽性の濾胞性リンパ腫
ダラツムマブ★（ダラザレックス）	CD38	多発性骨髄腫
イサツキシマブ★（サークリサ）	CD38	再発又は難治性の多発性骨髄腫
アレムツズマブ★（マブキャンパス）	CD52	再発又は難治性の慢性リンパ性白血病、同種造血幹細胞移植の前治療
ポラツズマブ★（ポライビー）	CD79b	再発又は難治性のびまん性大細胞型B細胞リンパ腫
ブリナツモマブ★（ビーリンサイト）	CD19,CD3	再発又は難治性のB細胞性急性リンパ性白血病
モガムリズマブ★（ポテリジオ）	CCR4	CCR4陽性の成人T細胞白血病リンパ腫、再発又は難治性のCCR4陽性の末梢性T細胞リンパ腫、再発又は難治性の皮膚T細胞性リンパ腫

ニボルマブ★ (オプジーボ)	PD-1	悪性黒色腫、切除不能な進行・再発の非小細胞肺癌、根治切除不能又は転移性の腎細胞癌、再発又は難治性の古典的ホジキンリンパ腫、再発又は遠隔転移を有する頭頸部癌、がん化学療法後に増悪した治癒切除不能な進行・再発の胃癌、切除不能な進行・再発の悪性胸膜中皮腫、がん化学療法後に増悪した治癒切除不能な進行・再発の高頻度マイクロサテライト不安定性を有する結腸・直腸癌、がん化学療法後に増悪した根治切除不能な進行・再発の食道癌
ペムブロリズマブ★ (キイトルーダ)	PD-1	悪性黒色腫、切除不能な進行・再発の非小細胞肺癌、再発又は難治性の古典的ホジキンリンパ腫、がん化学療法後に増悪した根治切除不能な尿路上皮癌、がん化学療法後に増悪した進行・再発の高頻度マイクロサテライト不安定性を有する固形癌、根治切除不能又は転移性の腎細胞癌、再発又は遠隔転移を有する頭頸部癌、根治切除な進行・再発の食道癌、治癒切除不能な進行・再発の高頻度マイクロサテライト不安定性を有する結腸・直腸癌、PD-L1陽性のホルモン受容体陰性かつHER2陰性の手術不能又は再発乳癌、がん化学療法後に増悪した切除不能な進行再発の子宮体癌、がん化学療法後に増悪した高い腫瘍遺伝子変異量を有する進行・再発の固形癌
アベルマブ★ (バベンチオ)	PD-L1	根治切除不能なメルケル細胞癌、根治切除不能又は転移性の腎細胞癌、根治切除不能な尿路上皮癌における化学療法後の維持療法
アテゾリズマブ★ (テセントリク)	PD-L1	切除不能な進行・再発の非小細胞肺癌、PD-L1陽性の非小細胞肺癌における術後補助療法、進展型小細胞肺癌、切除不能な肝細胞癌、PD-L1陽性のホルモン受容体陰性かつHER2陰性の手術不能又は再発乳癌
デュルバルマブ★ (イミフィンジ)	PD-L1	切除不能な局所進行の非小細胞肺癌における根治的化学放射線療法後の維持療法、進展型小細胞肺癌
イピリムマブ★ (ヤーボイ)	CTLA-4	根治切除不能な悪性黒色腫、根治切除不能又は転移性の腎細胞癌、がん化学療法後に増悪した治癒切除不能な進行・再発の高頻度マイクロサテライト不安定性を有する結腸・直腸癌、切除不能な進行・再発の非小細胞肺癌、切除不能な進行・再発の悪性胸膜中皮腫、根治切除不能な進行・再発の食道癌
エロツズマブ★(エムプリシティ)	SLAMF7	再発又は難治性の多発性骨髄腫
ゲムツズマブ★(マイロターグ)	CD33	再発又は難治性のCD33陽性の急性骨髄性白血病
ブレンツキシマブ★ (アドセトリス)	CD30	CD30陽性のホジキンリンパ腫及び末梢性T細胞リンパ腫
イノツズマブ★(ベスポンサ)	CD22	再発又は難治性のCD22陽性の急性リンパ性白血病
イブリツモマブ★ (セヴァリンイットリウム)	CD20	CD20陽性の再発又は難治性の低悪性度B細胞性非ホジキンリンパ腫、マントル細胞リンパ腫

※1 コロニー刺激因子受容体(チロシンキナーゼ内蔵型受容体)　※2 グリア細胞由来神経栄養因子受容体(チロシンキナーゼ内蔵型受容体)
★ 注射薬

にPDGFR αの遺伝子異常、残りの5%は原因不明)。PDGFRとKIT受容体は同じPTK内蔵型受容体であり類似構造を有するため、イマチニブはKIT受容体のPTKも強く抑制する作用があり、KIT陽性のGISTに適応が認められている。

イマチニブはCMLに対する第一選択薬として広く用いられている一方、イマチニブ抵抗性や不耐容(継続あるいは標準用量の投与困難)の患者の存在も明らかとなった。そこで開発されたのがニロチニブ塩酸塩水和物(タシグナ)とダサチニブ水和物(スプリセル)である。ニロチニブは、BCR/ABLに高い選択性と強い阻害活性を示すPTK阻害薬であり、慢性期または移行期のCMLに適応がある。一方のダサチニブは、BCR/ABLのPTK活性を強力に阻害するほか、4種類の重要な発癌性PTK/キナーゼファミリー(SRC [sarcoma] ファミリーキナーゼ、c-KIT、EPH [ephrin;細胞表面に存在するタンパク質] A2受容体、PDGF β受容体)に対するATP結合を競合的に阻害し、イマチニブ抵抗性のCMLだけでなく、再発または難治性のフィラデルフィア染色体陽性急性リンパ性白血病に対しても有効性が認められている。

上皮増殖因子受容体(epidermal growth factor receptor:EGFR)はチロシン内蔵型受容体であり、EGFR、HER2(human epidermal growth factor receptor 2;ヒト上皮成長因子受容体2)、HER3、HER4の4種類に分類される。既に述べたように、これらの受容体にEGFが結合すると、受容体に内蔵されたPTKが活性化(リン酸化)され、これが起点となり細胞内にシグナルが伝達される(受容体→PTK→RAS→MAPKカスケード→転写因子活性化→細胞増殖、アポトーシス、分化など)。各癌種の腫瘍細胞ではEGFRおよびHER2が過剰発現している場合があり、生命予後の不良や生存期間の短縮に関与していると考えられることから、これらの阻害薬は抗腫瘍薬として期待されている。

例えば、ゲフィチニブ(イレッサ)およびエルロチニブ塩酸塩(タルセバ)は、EGFR内蔵PTKのATP結合部位でATPと競合してリン酸化を阻害し、癌増殖のシグナル伝達を阻害する。非小細胞肺癌の30〜80%でEGFRの過剰発現があるとされており、ゲフィチニブはEGFR遺伝子変異陽性の手術不能または再発非小細胞肺癌に対して適応がある。また、エルロチニブは、「切除不能な再発・進行性で、癌化学療法施行後に増悪した非小細胞肺癌」に対して用いられる。

また、セツキシマブ(アービタックス)は、世界初のEGFRのモノクローナル抗体であり、EGFR陽性の治癒切除不能な進行・再発の結腸・直腸癌に対して用いられている。海外の臨床試験の結果によると、EGFRの下流に位置するRasファミリーの一つであるKRAS遺伝子に変異がある患者では、セツキシマブの有効性(併用療法における上乗せ効果)が認められなかった。これは、セツキシマブによりEGFRからの細胞内シグナル伝達を止めても、下流に存在するKRASに変異があることで常にMAPKカスケードへのシグナル伝達が行われるためである。したがって、同薬の使用に際してはKRAS変異の有無を考慮した上で、適応の有無を判断する必要がある。

一方、トラスツズマブ(ハーセプチン)は、世界初のHER2タンパク質のモノクローナル抗体である。HER2タンパク質はPTK内蔵型の増殖因子の細胞膜受容体であり、乳癌患者の10〜30%でHER2遺伝子の増幅とHER2タンパク質の過剰発現が報告されている。そのため、同薬は、HER2過剰発現が確認された乳癌あるいは治癒切除不能な進行・再発の胃癌に対してのみ用いられる。

また、ラパチニブトシル酸塩水和物(タイケルブ)は、HER2およびEGFRのPTKを可逆的に競合阻害し、腫瘍細胞のアポトーシスの誘導や細胞増殖を抑制する。そのため、同薬はHER2過剰発現が確認された手術不能または再発乳癌に対し、カペシタビン(ゼローダ;腫瘍細胞で選択的にFUを生成)と併用して用いられる。

また、ソラフェニブトシル酸塩(ネクサバール)もPTK阻害薬であるが、血管新生に関与する血管内皮増殖因子受容体（vascular endothelial growth factor receptor：VEGFR）および PDGFR を阻害する（血管新生は腫瘍の増殖および転移に必要とされる）。また、腫瘍の進行、予後に関係する FLT-3（FMS-like tyrosin kinase 3；PDGFR に属するファミリー）や KIT などの PTK 内蔵型受容体の PTK 活性も阻害する。さらに、PTK だけでなく、MAPK カスケード（細胞増殖に関わる Ras 以下のシグナル伝達経路；Raf［MAPKKK］→ MEK［MAPKK］→ MRK［MAPK］）を構成する C-Raf および B-Raf のセリン/スレオニンキナーゼ活性を阻害する（Raf キナーゼ阻害）。

すなわち、ソラフェニブは2つのタイプのキナーゼ活性を阻害する分子標的治療薬であり、根治切除不能または転移性の腎細胞癌や切除不能な肝細胞癌に対して用いられている。さらに、スニチニブリンゴ酸塩（スーテント）は、多くの種類の受容体キナーゼを阻害する分子標的治療薬であり、イマチニブ抵抗性の GIST や、根治切除不能または転移性の腎細胞癌に対して適応がある。

PTK に関連する薬剤のほか、RAR を標的としたレチノイドによる急性前骨髄球性白血病（acute promyelocytic leukemia：APL）の分子標的治療薬が知られている。APL は、15番目と17番目の染色体の一部が切断されて入れ代わり、17番染色体の RAR α が15番染色体の PML 遺伝子の下流に移動（転座）し、PML 遺伝子と RAR α 遺伝子が結合した PML/RAR α 融合（キメラ）遺伝子が出現することを特徴とする。このため、生理的濃度の RA（レチノイン酸）では RAR α（または PML/RAR α）への結合が不十分となり、HDAC（ヒストン脱アセチル化酵素；histone deacetylase）を含むコレプレッサー複合体（転写抑制複合体）を解離できない状態になる。つまり、RAR α（および PML）の本来の作用である細胞分化・成熟促進が阻害され、未熟で分化が停止した前骨髄球が著明に増加するため APL を発症する。

したがって、APL に対して高濃度の RA が作用すると、RAR α との十分な結合が起こり、コレプレッサーが解離して新たにコアクチベーターがリクルートされ、ヒストンのアセチル化などに伴って標的遺伝子の転写が開始されると考えられる。実際、APL に対して all-trans RA（トレチノイン；商品名ベサノイド）を投与すると、増加した前骨髄球性白血病細胞が分化・成熟を開始しアポトーシス（細胞死）を起こすと考えられ、高い寛解率が得られる。再発または難治例に対しては、all-trans RA よりもさらに強力に RAR α を活性化するタミバロテン（アムノレイク）が用いられている。ちなみに、三酸化ヒ素（トリセノックス）も、レチノイドとは異なった機序で分化誘導を起こすため、再発または難治例の APL に使用されている。

分子標的治療薬が関与する相互作用を表 S-8 に示すので参照されたい。

表S-8　分子標的治療薬が関与する相互作用

分子標的治療薬（A剤）	相互作用を起こす併用薬（B剤）	発現機序	結果	備考
ゲフィチニブ（イレッサ）	プロトンポンプ阻害薬（PPI）、H_2拮抗薬	消化管吸収低下（表1-9）	A剤↓	溶解性がpHに依存。6～7h胃内pHを5以上で維持すると、AUC約50%低下。
	CYP3A4阻害薬、GFJ	CYP3A4代謝阻害	A剤↑	イトラコナゾール併用でAUCが約80%上昇。
	CYP2D6で代謝される薬剤	CYP2D6代謝阻害	B剤↑	メトプロロールのAUCが平均35%上昇。
	ワルファリン（ワーファリン）	機序不明	B剤↑	プロトロンビン比が著名に上昇。併用の場合は、定期的にプロトロンビン時間またはPT-INRのモニターを行う。
	CYP3A4誘導薬、SJW含有食品	CYP3A4代謝亢進	A剤↓	リファンピシン併用でAUC約17%減少。
エルロチニブ（タルセバ）	PPI、H2拮抗薬	消化管吸収低下	A剤↓	オメプラゾールおよびラニチジンとの併用でエルロチニブの溶解度が低下しAUCはそれぞれ46%および33%低下。
	シプロフロキサシン（シプロキサン）	CYP1A2およびCYP3A4代謝阻害	A剤↑	AUC39%、Cmax17%上昇。
	CYP3A4阻害薬、GFJ	CYP3A4代謝阻害	A剤↑	ケトコナゾール併用によりAUC86%、Cmax69%上昇。
	ワルファリン（ワーファリン）	機序不明	B剤↑	INR増加や胃腸出血等の報告。併用中は、定期的に血液凝固能検査を行う。
	喫煙	CYP1A2代謝亢進	A剤↓	喫煙によりエルロチニブのAUC64%低下。
	CYP誘導薬、SJW含有食品等	CYP代謝亢進	A剤↓	リファンピシンとの併用により、AUC69%低下。
アファチニブ（ジオトリフ）	P-gp阻害薬	P-gp阻害	A剤↑	1時間前にリトナビルを投与するとAUC48%、Cmax 39%上昇。P-gp阻害薬と併用する場合、同時かアファチニブを先に投与。
	P-gp誘導薬、SJW含有食品	P-gp誘導	A剤↓	リファンピシンを先に投与すると、AUC34%、Cmax 22%低下。
オシメルチニブ（タグリッソ）	CYP3A4誘導薬	CYP3A4代謝亢進	A剤↓	リファンピシンとの併用によりAUC78%、Cmax73%低下。CYP3A誘導作用のない薬剤への代替を考慮。
	P-gpの基質	P-gp阻害	B剤↑	オシメルチニブ反復投与後の併用により、フェキソフェナジンのAUC56%、Cmax76%上昇。
	BCRPの基質	BCRP阻害	B剤↑	オシメルチニブ反復投与後の併用により、ロスバスタチンのAUC35%、Cmax72%上昇。
	QT延長を起こす薬剤	QT延長作用増強	A剤↑ B剤↑	QT延長を増強する恐れ。
ダコミチニブ（ビジンプロ）	CYP2D6の基質	CYP2D6阻害	B剤↑	デキストロメトルファンのAUC855%、Cmax874%上昇。副作用発現頻度および重症度が増加する恐れ。
	PPI	消化管吸収低下	A剤↓	原則禁忌。ラベプラゾール併用によりAUC39%、Cmax51%低下。
トラスツズマブ（ハーセプチン注射用）	アントラサイクリン系薬	心障害リスク増強	A剤↑ B剤↑	併用により心障害の発現頻度が上昇することが報告されている。
トラスツズマブエムタンシン（カドサイラ点滴静注）	抗凝固薬	出血リスク増強	A剤↑ B剤↑	出血リスクを増強させる恐れ。

付録

表 S-8（つづき）　分子標的治療薬が関与する相互作用

ペルツズマブ（パージェタ点滴静注）	アントラサイクリン系薬	心障害リスク増強	A剤↑ B剤↑	併用により心障害の発現頻度が上昇することが報告されている。
ラパチニブ（タイケルブ）	PPI	消化管吸収低下	A剤↓	エソメプラゾールによりAUCが約15%減少。
	パゾパニブ（ヴォトリエント；BCRP、P-gpの基質）	CYP3A4、P-gp、BCRP阻害	B剤↑	パゾパニブのAUC59%、Cmax51%上昇。
	BCRPの基質	BCRP競合阻害	B剤↑	BCRP競合による胆汁中排泄抑制（血中濃度上昇）。
	P-gp阻害薬	P-gp阻害	A剤↑	血中濃度上昇の可能性。BCRPの基質になる薬剤と併用時も注意。ラパチニブは主に胆汁中排泄。
	P-gp誘導薬、SJW含有食品	肝P-gp誘導	A剤↓	血中濃度低下の可能性。ラパチニブは主に胆汁中排泄。
	P-gpの基質：ジゴキシン（ジゴシン）など	P-gp阻害	B剤↑	ジゴキシンのAUCが約98%上昇。
	CYP3A4を阻害薬	CYP3A4代謝阻害	A剤↑	ケトコナゾールによりAUCが約3.6倍上昇し、半減期が1.7倍延長。副作用発現に十分注意。CYP阻害作用のないまたは弱い薬剤への代替を考慮するとともに副作用発現に十分注意。
	GFJ	CYP3A4代謝阻害	A剤↑	血中濃度上昇の恐れ。GFJを摂取しない。
	治療域が狭くCYP3A4又はCYP2C8で代謝される薬剤：ビノレルビン（ナベルビン注／ロゼウス静注）など	CYP2C8および3A4阻害	B剤↑	原則禁忌。これらの薬剤の血中濃度が上昇する可能性。副作用発現･増強に注意し減量等考慮。
	パクリタキセル（タキソール）	CYP2C8および3A4阻害	A剤↑ B剤↑	パクリタキセルAUC23%上昇、ラパチニブAUC21%上昇。併用時は下痢・好中球減少の発現率、重症度が増加。P-gp競合関与。
	治療域が狭くCYP3A4で代謝される薬剤（ミダゾラム［経口薬は国内未発売］など）	CYP3A4阻害	B剤↑	ミダゾラムのAUCが経口投与で45%上昇、静脈内投与で14%上昇。
	CYP3A4誘導薬	CYP3A4代謝亢進	A剤↓	カルバマゼピンによりAUCが約72%減少。CYP誘導作用のないまたは弱い薬剤への代替を考慮する。
	イリノテカン（カンプト、トポテシン）	UGT1A1阻害	B剤↑	薬効増強。SN-38のAUCが約41%上昇。UGT1A1阻害によるSN-38の抱合抑制。
	QT延長を起こす薬剤、抗不整脈薬	QT延長作用増強	A剤↑ B剤↑	QT延長作用を起こすまたは悪化させる恐れ。
イマチニブ（グリベック）	ロミタピド（ジャクスタピッド）	CYP3A4代謝阻害	B剤↑	併用禁忌。ロミタピドの血中濃度が著しく上昇するおそれ。
	ニロチニブ（タシグナ）	相互にCYP3A4代謝阻害およびP-gp阻害	A剤↑ B剤↑	ニロチニブとの併用で本剤のAUC18～39%、ニロチニブのAUC18～40%上昇。
	ワルファリン（ワーファリン）	CYP2C9阻害	B剤↑	プロトロンビン比が顕著に上昇。抗凝固薬が必要であれば、ヘパリンが望ましい。
	アゾール系薬、エリスロマイシン（エリスロシン）、クラリスロマイシン（クラリス）、GFJ	CYP3A4代謝阻害	A剤↑	ケトコナゾール併用でCmax 26%、AUC40%上昇。

イマチニブ（グリベック）	シンバスタチン（リポバス）、シクロスポリン（サンディミュン／ネオーラル）、ピモジド（オーラップ）、トリアゾラム（ハルシオン）、ジヒドロピリジン系Ca拮抗薬	CYP3A4阻害	B剤↑	シンバスタチンのCmax 2倍、AUC 3倍上昇。ただし個体差が大きい（Cmax0.54~17.6倍、AUC0.75~15.7倍）。
	フェニトイン（アレビアチン）、デキサメタゾン（デカドロン）、カルバマゼピン（テグレトール）、リファンピシン（リファジン）、フェノバルビタール（フェノバール）、SJW含有食品	CYP3A4代謝亢進	A剤↓	フェニトインを長期投与中の患者でイマチニブのAUCは約5分の1となる。
	アセトアミノフェン（カロナール）	UGT1A1阻害	B剤↑	高用量のアセトアミノフェン（3~3.5g/日）との併用により重篤な肝障害（外国で死亡例）。
	L—アスパラギナーゼ	機序不明	A剤↑ B剤↑	肝障害の発現率が上昇。
ニロチニブ（タシグナ）	胃内のpHを上昇させる薬剤：PPIなど	消化管吸収低下	A剤↓	エソメプラゾールによりCmax27%、AUC 34%低下。ファモチジンは、ニロチニブ投与10時間前および2時間後に投与、制酸剤はニロチニブ投与2時間前または2時間後に投与。
	イマチニブ（グリベック）	相互にCYP3A4代謝阻害、P-gp阻害	A剤↑ B剤↑	イマチニブとの併用でニロチニブAUC18～40%、イマチニブAUC18～39%上昇。
	CYP3A4阻害薬、GFJ	CYP3A4代謝阻害	A剤↑	ケトコナゾールによりCmax1.8倍、AUC 3倍上昇。併用する場合は、QT延長等に注意。
	CYP3A4で代謝される薬剤	CYP3A4阻害	B剤↑	ミダゾラムのCmax2.0倍、AUC2.6倍上昇。
	CYP3A4誘導薬、SJW含有食品	CYP3A4代謝亢進	A剤↓	リファンピシンにより、Cmax1/3およびAUC1/5に低下。CYP3A4誘導作用が弱い薬剤への代替を考慮。
	抗不整脈薬、QT延長を起こす恐れのある薬剤	QT延長作用増強	A剤↑ B剤↑	QT延長を起こすまたは悪化させる恐れ。
ダサチニブ（スプリセル）	PPI、H2拮抗薬	消化管吸収低下	A剤↓	原則禁忌。オメプラゾール併用によりCmaxおよびAUCはそれぞれ42%および43%低下。制酸剤（投与間隔を2時間以上空ける）の代替を考慮。
	制酸剤（水酸化Al・水酸化Mg含有製剤）	消化管吸収低下	A剤↓	同時禁忌。両剤の投与間隔を2時間以上空ける。
	CYP3A4阻害薬、GFJ	CYP3A4代謝阻害	A剤↑	原則禁忌。ケトコナゾールによりCmax4倍、AUC 5倍上昇。併用が避けられない場合、有害事象の発現に注意し、ダサチニブの減量を考慮。
	CYP3A4の基質	CYP3A4阻害	B剤↑	シンバスタチンのCmax37%、AUC 20%上昇。ダサチニブを治療係数が低いCYP3A4の基質となる薬剤と併用する場合には注意。
	CYP3A4誘導薬、SJW含有食品	CYP3A4代謝亢進	A剤↓	原則禁忌。リファンピシンによりCmax81%、AUC82%低下。
	QT延長を起こす薬剤、抗不整脈薬	QT延長作用増強	A剤↑ B剤↑	QT延長作用が増強する可能性。

表 S-8（つづき） 分子標的治療薬が関与する相互作用

ボスチニブ（ボシュリフ）	胃内pHに影響を及ぼす薬剤：PPI	消化管吸収低下	A剤↓	原則禁忌。ランソプラゾールによりAUC26%、Cmax 46%低下。
	CYP3A阻害剤、GFJ	CYP3A代謝阻害	A剤↑	原則禁忌。ケトコナゾールとの併用でCmax5.2倍、AUC 8.6倍上昇。本剤の減量を考慮するとともに副作用発現に十分注意。
	CYP3A誘導薬、SJW含有食品	CYP3A代謝亢進	A剤↓	リファンピシンとの併用でCmax86%、AUC 94%低下。CYP3A誘導作用のないまたは弱い薬剤への代替を考慮する。
ポナチニブ（アイクルシグ）	CYP3A4阻害薬	CYP3A4代謝阻害	A剤↑	ケトコナゾールによりCmax47%、AUC78%上昇。
	CYP3A4誘導薬	CYP3A4代謝亢進	A剤↓	リファンピシン反復投与との併用により、Cmax42%、AUC63%低下。
ギルテリチニブ（ゾスパタ）	CYP3A/P-gp誘導薬	CYP3A/P-gp誘導	A剤↓	リファンピシン反復投与との併用により、Cmax27%、AUC72%低下。CYP3A誘導作用およびP-gp誘導作用のない薬剤への代替を考慮。
	CYP3A/P-gp阻害薬	CYP3A/P-gp阻害	A剤↑	原則禁忌。イトラコナゾールによりCmax1.2倍、AUC2.2倍上昇。本剤の減量を考慮するとともに副作用発現に十分注意する。
	QT延長を起こす薬剤	QT延長作用増強	A剤↑ B剤↑	QT延長作用が増強する可能性。
キザルチニブ（ヴァンフリタ）	強いCYP3A4阻害薬	CYP3A4代謝阻害	A剤↑	ケトコナゾール反復投与との併用によりキザルチニブCmax17%、AUC94%上昇。AC886のCmax60%、AUC15%低下。本剤を減量するとともに副作用発現に十分注意する。
	CYP3A4誘導薬、SJW含有食品	CYP3A4代謝亢進	A剤↓	リファンピシン反復投与との併用のシュミレーションにより、キザルチニブAUC 72%、主代謝物AC886のAUC66%低下すると推定。CYP3A誘導作用のない薬剤への代替を考慮。
	QT延長を起こす薬剤	QT延長作用増強	A剤↑ B剤↑	QT延長作用が増強する可能性。
アキシチニブ（インライタ）	CYP3A4/5阻害薬、GFJ	CYP3A4/5代謝阻害	A剤↑	原則禁忌。ケトコナゾールによりCmaxおよびAUCがそれぞれ50%および106%上昇。本剤の減量を考慮するとともに副作用発現に十分注意する。
	CYP3A4/5誘導薬、SJW含有食品	CYP3A4/5代謝亢進	A剤↓	リファンピシンによりCmaxおよびAUCがそれぞれ71%および79%低下。CYP3A4/5誘導作用のないまたは弱い薬剤への代替を考慮。
ベバシズマブ（アバスチン点滴静注）	抗凝固薬	出血リスクの増強	A剤↑ B剤↑	出血のリスクを増強させる恐れ。
アフリベルセプト（ザルトラップ）	抗凝固薬、抗血小板薬	出血リスクの増強	A剤↑ B剤↑	出血のリスクを増強させる恐れ。

ペミガチニブ（ペマジール）	強いまたは中程度のCYP3A誘導薬	CYP3A代謝亢進	A剤↓	原則禁忌。リファンピシン反復投与との併用によりCmax62%、AUC85%低下。ペミガチニブの有効性が減弱する恐れ。
	強いまたは中程度のCYP3A阻害薬	CYP3A代謝阻害	A剤↑	原則禁忌。イトラコナゾール反復投与との併用によりCmax17%、AUC88%上昇。生理学的薬物動態モデルに基づいたシミュレーションにおいて、エリスロマイシン併用により、Cmax16%、AUC66%上昇。同様にジルチアゼム併用によりCmax13%、AUC51%上昇。やむを得ず併用する場合にはペミガチニブの減量を考慮するとともに副作用の発現に十分注意する。
ソラフェニブ（ネクサバール）	ワルファリン（ワーファリン）	機序不明。	B剤↑	INR上昇や胃腸出血等の報告。併用中は、定期的に血液凝固能検査を行う。
	カペシタビン（ゼローダ；FU系薬）	機序不明	B剤↑	カペシタビン及びその活性代謝産物（FU）のAUCがそれぞれ50%および52%上昇。
	パクリタキセル（タキソール；タキソイド系薬）/カルボプラチン（パラプラチン注：白金製剤）	機序不明	A剤↑ B剤↑	パクリタキセルおよびカルボプラチンとの併用により、パクリタキセルとその活性代謝産物（6-OH体）のAUCがそれぞれ29%、50%上昇し、ソラフェニブのAUCが47%上昇。
	CYP3A4誘導薬、SJW含有食品	CYP3A4代謝亢進	A剤↓	リファンピシンによりAUC37%低下。
	イリノテカン（カンプト、トポテシン）	UGT1A1阻害	B剤↑	イリノテカンおよびSN-38（活性代謝物）のAUC26~42%および67～120%上昇。
	ドキソルビシン（アドリアシン）ドセタキセル（タキソテール）	機序不明	B剤↑	ドキソルビシンのAUC21%上昇、ドセタキセルのAUC36~80%上昇。
	フラジオマイシン（経口剤：国内未販売）	腸肝循環抑制	A剤↓	フラジオマイシンの腸内細菌叢への影響により腸肝循環が抑制され、AUCが54%低下。
スニチニブ（スーテント）	CYP3A4阻害薬、GFJ	CYP3A4代謝阻害	A剤↑	原則禁忌。ケトコナゾールによりCmax59%、AUC 74%上昇、一方、N-脱エチル体はそれぞれ29%および12%減少。スニチニブとN-脱エチル体を合わせたCmax49%、AUC 51%上昇。スニチニブを減量するとともに副作用発現に十分注意。
	CYP3A4誘導薬、SJW含有食品	CYP3A4代謝亢進	A剤↓	原則禁忌。リファンピシンによりCmax56%、AUC 78%低下し、N-脱エチル体ではそれぞれ137%、27%上昇。スニチニブとN-脱エチル体を合わせたCmax23%、AUC 46%低下。
	QT延長を起こす薬剤、抗不整脈薬	QT延長作用増強	A剤↑ B剤↑	併用によりQT延長作用が増強するおそれ。
パゾパニブ（ヴォトリエント）	PPI	消化管吸収低下	A剤↓	原則禁忌。エソメプラゾールにより、AUC約40%、Cmax約42%低下。パゾパニブの溶解性はpHに依存。
	ラパチニブ（タイケルブ）	CYP3A4、P-gp及びBCRP阻害作用	A剤↑	AUC59%、Cmax 51%上昇。
	CYP3A4阻害薬、GFJ	CYP3A4代謝阻害	A剤↑	原則禁忌。ケトコナゾールによりAUC約66%、Cmax 45%上昇。副作用発現・増強に注意し減量等を考慮する。グレープフルーツ（ジュース）を摂取しない。
	パクリタキセル（タキソール注）	CYP2C8及びCYP3A4阻害	B剤↑	パクリタキセルのAUC約26%、Cmax 31%上昇。

表 S-8（つづき） 分子標的治療薬が関与する相互作用

パゾパニブ（ヴォトリエント）	CYP3A4誘導薬	CYP代謝亢進	A剤↓	原則禁忌。カルバマゼピンフェニトイン等との併用によりAUC約54%、Cmax 35%低下。CYP3A4誘導作用のない/弱い薬剤への代替を考慮する。
	シンバスタチン（リポバス）	機序不明	B剤↑	ALT（GPT）上昇。BCRP遺伝子多型の関与の可能性。
	QT延長を起こす薬剤、抗不整脈薬	QT延長作用増強	A剤↑ B剤↑	併用によりQT延長作用が増強するおそれ。
レゴラフェニブ（スチバーガ）	CYP3A4阻害薬	CYP3A4代謝阻害	A剤↓	原則禁忌。ケトコナゾールにより、未変化体AUC33%およびCmax40%上昇。M-2およびM-5のAUCはそれぞれ94%、93%低下し、Cmaxはそれぞれ97%、94%低下。
	CYP3A4誘導薬	CYP3A4代謝亢進	A剤↓	原則禁忌。リファンピシンにより未変化体AUC50%、Cmax20%低下。主活性代謝物M-2のAUCは変化ないがCmaxは1.6倍上昇し、活性代謝物M-5のAUC3.6倍、Cmax4.2倍上昇。
	イリノテカン（カンプト）	UGT1A1阻害	B剤↑	薬効増強。イリノテカンおよびSN-38のAUCがそれぞれ28%、44%上昇し、Cmaxはそれぞれ22%上昇、9%低下。
	BCRPの基質：ロスバスタチン（クレストール）など	BCRP競合阻害	B剤↑	ロスバスタチンにより、ロスバスタチンのAUC3.8倍、Cmax4.6倍上昇。併用する場合は、患者の状態を慎重に観察。
バンデタニブ（カプレルサ）	P-gpの基質	P-gp阻害	B剤↑	ジゴキシンのAUCおよびCmaxはそれぞれ23%および29%上昇。
	OCT2の基質：メトホルミン（メトグルコ）	OCT2阻害	B剤↑	メトホルミンのAUCおよびCmaxは、それぞれ74%および50%上昇、腎クリアランス52%低下。バンデタニブはOCT2の基質ではない。
	CYP3A誘導薬、SJW含有食品等	CYP3A4代謝亢進	A剤↓	リファンピシンの併用でAUC40%低下、Cmax影響なし。
	抗不整脈薬、QT延長を起こす薬剤	QT延長作用増強	A剤↑ B剤↑	原則禁忌。QT延長作用を起こすまたは悪化させる恐れ。治療上の有益性が危険性を上回ると判断される場合にのみ使用。
レンバチニブ（レンビマ）	P-gp阻害薬	P-gp阻害	A剤↑	ケトコナゾール併用でCmaxおよびAUCはそれぞれ19%および15%上昇。
	CYP3A/P-gp誘導薬：リファンピシン（リファジン）、フェニトイン（アレビアチン）、カルバマゼピン（テグレトール）、SJW含有食品	CYP3A4代謝亢進、P-gp誘導	A剤↓	リファンピシン単回同時併用によりCmax33%、AUC31%上昇。リファンピシン反復投与後に同時併用すると単回同時併用した場合と比べてCmax24%、AUC37%低下。
カボザンチニブ（カボメティクス）	CYP3A阻害薬	CYP3A4代謝阻害	A剤↑	ケトコナゾール反復投与との併用によりCmaxに影響は認められず、AUC38%上昇。本剤の減量を考慮するとともに副作用発現に十分注意する。
	CYP3A誘導薬、SJW含有食品	CYP3A4代謝亢進	A剤↓	リファンピシン反復投与との併用により、Cmaxに影響は認められず、AUC 77%低下。CYP3A誘導作用のない薬剤への代替を考慮。
クリゾチニブ（ザーコリ）	CYP3A阻害薬	CYP3A代謝阻害	A剤↑	イトラコナゾールにより定常状態のAUCは57%、Cmaxは33%上昇。CYP3A阻害作用のないまたは弱い薬剤への代替を考慮する。
	CYP3Aの基質	CYP3A阻害	B剤↑	原則禁忌。ミダゾラムのAUCは3.7倍、Cmaxは2.0倍。

クリゾチニブ（ザーコリ）	CYP3A誘導薬	CYP3A代謝亢進	A剤↓	リファンピシン併用により定常状態のAUCは84%、Cmaxは79%低下。CYP3A誘導作用のないまたは弱い薬剤への代替を考慮する。
	QT延長を起こす薬剤	QT延長増強	A剤↑ B剤↑	QT延長作用が増強する恐れ。
アレクチニブ（アレセンサ）	CYP3A阻害薬	CYP3A代謝阻害	A剤↑	原則禁忌。ポサコナゾール（国内未承認）によりAUC75%、Cmax 18%上昇、主要活性代謝物のAUC25%、Cmax 71%低下。
	CYP3A誘導薬	CYP3A代謝亢進	A剤↓	リファンピシンにより、AUC73%、Cmax 51%低下。主要活性代謝物M-4のAUC79%、Cmax 120%上昇。CYP3A 誘導作用のないまたは弱い薬剤への代替を考慮する。
セリチニブ（ジカディア）	QT延長を起こす薬剤	QT延長増強	A剤↑ B剤↑	QT延長作用が増強する恐れ。
	徐脈を起こす薬剤：β遮断薬、非ジヒドロピリジン系Ca拮抗薬、クロニジン（カタプレス）など	徐脈作用増強	A剤↑ B剤↑	原則禁忌。いずれも徐脈を起こす恐れ。可能な限り使用しない。
	CYP3A4阻害薬	CYP3A4代謝阻害	A剤↑	原則禁忌。ケトコナゾール反復投与との併用によりCmax1.2倍、AUC2.9倍上昇。併用が避けられない場合は、セリチニブの減量を考慮するとともに副作用の発現に十分注意。
	CYP3A4誘導薬、SJW含有食品	CYP3A4代謝亢進	A剤↓	原則禁忌。リファンピシン反復投与との併用により、Cmax44%、AUC70%低下。
	CYP3Aの基質	CYP3A阻害	B剤↑	原則禁忌。ミダゾラムのCmax1.8倍、AUC5.4倍。副作用の発現に十分注意。
	CYP2C9の基質	CYP2C9阻害	B剤↑	ワルファリンのCmax1.1倍、AUC1.5倍上昇。ワルファリンの抗凝固作用が促進される可能性。ワルファリンと併用する場合にはPT-INRのモニタリングの頻度を増やす。
	胃内pHを上昇させる薬剤：PPIなど	消化管吸収低下（表1-9）	A剤↓	溶解性がpHに依存。エソメプラゾールによりCmax79%、AUC 76%低下。
ロルラチニブ（ローブレナ）	リファンピシン	機序不明	A剤↑↓ B剤↑	併用禁忌。リファンピシン反復投与との併用により、AUC85%、Cmax76%低下。全ての被験者でAST値およびALT値の上昇による中等度から重度の可逆的な薬剤性肝障害が認められた。
	CYP3A4阻害薬、GFJ	CYP3A4代謝阻害	A剤↑	原則禁忌。イトラコナゾール反復投与との併用によりAUC42%、Cmax24%上昇。CYP3A阻害作用のない薬剤への代替を考慮。やむを得ず併用する場合は、ロルラチニブの減量を考慮するとともに副作用の発現に十分注意。
	CYP3A4誘導薬（リファンピシンを除く）	CYP3A4代謝亢進	A剤↓	原則禁忌。可能な限り併用を避け、CYP3A誘導作用のない薬剤への代替を考慮。
	CYP3Aの基質	CYP3A誘導	B剤↓	ミダゾラムのAUC61%、Cmax40%低下。
	P-gpの基質	P-gp誘導	B剤↓	フェキソフェナジンのAUC67%、Cmax63%低下。
	QT延長を起こす薬剤	QT延長増強	A剤↑ B剤↑	QT延長作用が増強する恐れ。

表 S-8（つづき） 分子標的治療薬が関与する相互作用

ブリグチニブ（アルンブリグ）	強いまたは中程度のCYP3A阻害薬	CYP3A代謝阻害	A剤↑	原則禁忌。イトラコナゾールとの併用によりAUC101%、Cmax21%上昇。CYP3A阻害作用のないまたは弱い薬剤への代替を考慮。併用が避けられない場合は、ブリグチニブの減量を考慮するとともに副作用の発現に十分注意。
	強いまたは中程度のCYP3A誘導薬、SJW含有食品	CYP3A代謝亢進	A剤↓	原則禁忌。リファンピシン併用により、Cmax60%、AUC80%低下。併用を避け、CYP3A誘導作用のないまたは弱い薬剤への代替を考慮。
エヌトレクチニブ（ロズリートレク）	CYP3A阻害薬、GFJ	CYP3A代謝阻害	A剤↑	原則禁忌。イトラコナゾールとの併用によりCmax1.7倍、AUC6.0倍上昇。CYP3A阻害作用のない薬剤への代替を考慮。やむを得ず併用する場合は、副作用の発現に十分注意。
	CYP3A誘導薬	CYP3A4代謝亢進	A剤↓	リファンピシンとの併用により、Cmax56%、AUC77%低下。CYP3A4誘導作用のない薬剤への代替を考慮。
	CYP3Aの基質	CYP3A阻害	B剤↑	原則禁忌。ミダゾラムのCmax21%低下、AUC50%上昇。副作用の発現に十分注意。
ラロトレクチニブ（ヴァイトラックビ）	強いまたは中程度のCYP3A阻害薬、GFJ	CYP3A代謝阻害	A剤↑	原則禁忌。イトラコナゾール反復投与との併用によりCmax2.8倍、AUC4.3倍上昇。生理学的薬物動態モデルに基づいたシミュレーションにおいて、フルコナゾール併用により、Cmax86%、AUC272%上昇。同様にジルチアゼム併用によりCmax78%、AUC255%上昇。やむを得ず併用する場合にはラロトレクチニブの減量を考慮するとともに副作用の発現に十分注意する。
	強いまたは中程度のCYP3A誘導薬	CYP3A代謝亢進	A剤↓	原則禁忌。リファンピシン反復投与との併用によりCmax71%、AUC81%低下。ラロトレクチニブの有効性が減弱する恐れ。
	CYP3Aの基質	CYP3A代謝亢進	B剤↑	ミダゾラムのAUC68%、Cmax77%上昇。
イブルチニブ（イムブルビカ）	ケトコナゾール、イトラコナゾール、クラリスロマイシン	CYP3A代謝阻害	A剤↑	併用禁忌。ケトコナゾール併用によりCmax29倍、AUC24倍上昇。
	CYP3A阻害薬（上記を除く）	CYP3A代謝阻害	A剤↑	原則禁忌。ボリコナゾールによりCmax6.7倍、AUC5.7倍上昇。エリスロシンによりCmax3.4倍、AUC3.0倍上昇。CYP3A阻害作用のない薬剤への代替を考慮。やむを得ず併用する場合は、イブルチニブの減量を考慮するとともに副作用の発現に十分注意。
	GFJ	CYP3A代謝阻害	A剤↑	Cmax約3.6倍、AUC約2.1倍上昇。グレープフルーツ含有食品は摂取しない。
	CYP3A誘導薬	CYP3A代謝亢進	A剤↓	リファンピシンとの併用により、Cmax約1/13、AUC1/10に低下。CYP3A誘導作用のない薬剤への代替を考慮。
	SJW含有食品	CYP3A代謝亢進	A剤↓	SJW含有食品を摂取しないよう注意。
	抗凝固薬、抗血小板薬	出血リスクの増強	B剤↑	出血のリスクを増強させる恐れ。
アカラブルチニブ（カルケンス）	強いまたは中程度のCYP3A阻害薬	CYP3A代謝阻害	A剤↑	原則禁忌。イトラコナゾールによりCmax 3.9倍、AUC5.0倍上昇。併用は可能な限り避け、代替の治療薬への変更を考慮。やむを得ず併用する場合は、副作用の発現に十分注意。
	強いまたは中程度のCYP3A誘導薬、SJW含有食品	CYP3A代謝亢進	A剤↓	原則禁忌。リファンピシン反復投与との併用により、Cmax68%低下、AUC79%低下。CYP3A誘導作用のない薬剤への代替を考慮。SJW含有食品は摂取しない。

アカラブルチニブ（カルケンス）	PPI	消化管吸収低下	A剤↓	原則禁忌。溶解性がpHに依存。オメプラゾールの併用によりCmax79%、AUC57%低下。
	制酸剤	消化管吸収低下	A剤↓	同時投与禁忌。溶解性がpHに依存。炭酸カルシウムの併用によりCmax75%、AUC53%低下。併用する場合は、投与間隔を2時間以上空ける。
	H_2受容体拮抗薬	消化管吸収低下	A剤↓	同時投与禁忌。溶解性がpHに依存。併用する場合は、アカラブルチニブを2時間前に投与。
	オレンジジュース	消化管吸収低下	A剤↓	同時投与禁忌。Cmax56%、AUC38%減少。アカラブルチニブの溶出率が低下。オレンジジュースとともに投与しない。
	抗凝固薬、抗血小板薬	出血リスクの増強	A剤↑ B剤↑	出血のリスクを増強させる恐れ。
チラブルチニブ（ベレキシブル）	強いまたは中程度のCYP3A阻害薬	CYP3A代謝阻害	A剤↑	イトラコナゾールによりCmax24%、AUC49%上昇。副作用の発現に十分注意。
	強いまたは中程度のCYP3A誘導薬	CYP3A代謝亢進	A剤↓	リファンピシン反復投与との併用により、Cmax70%低下、AUC71%低下。CYP3A誘導作用のないまたは弱い薬剤への代替を考慮。
	抗凝固薬、抗血小板薬	出血リスクの増強	A剤↑ B剤↑	出血のリスクを増強させる恐れ。
ルキソリチニブ（ジャカビ）	強力なCYP3A4阻害薬	CYP3A4代謝阻害	A剤↑	原則禁忌。ケトコナゾールによりCmax33%、AUC91%上昇、半減期は3.7時間から6.0時間に延長。ルキソリチニブの減量を考慮するとともに有害事象の発現に十分注意。
	CYP3A4及びCYP2C9を阻害する薬剤：フルコナゾール（ジフルカン）など	CYP3A4およびCYP2C9代謝阻害	A剤↑	ルキソリチニブの血中濃度が上昇する恐れ。
	CYP3A4阻害薬	CYP3A4代謝阻害	A剤↑	エリスロマイシンによりAUC約27%、Cmax8%上昇。併用する場合は、有害事象の発現に十分注意。
	CYP3A4誘導薬、SJW含有食品等	CYP3A4代謝亢進	A剤↓	リファンピシンによりAUC約71%、Cmax52%低下。半減期3.3時間から1.7時間に短縮。CYP3A4阻害作用のないまたは弱い薬剤の代替を考慮する。
ベムラフェニブ（ゼルボラフ）	CYP3A4の基質	CYP3A4阻害	B剤↑	海外臨床試験でミダゾラムAUCが平均39%低下。
	CYP3A4誘導薬	CYP3A4代謝亢進	A剤↓	リファンピシン併用によりAUC39%低下、Cmax11%上昇。誘導作用のない薬剤への代替を考慮。
	CYP3A4阻害薬	CYP3A4代謝阻害	A剤↑	イトラコナゾール併用によりAUC40%、Cmax40%上昇。
	CYP1A2の基質となる薬剤：カフェイン、テオフィリン（テオドール）、チザニジン（テルネリン）など	CYP1A2阻害	B剤↑	海外臨床試験でカフェインAUCが平均2.6倍上昇。チザニジンAUC4.2倍、Cmax2.2倍上昇。
	P-gpの基質：ジゴキシン（ジゴシン）など	P-gp阻害	B剤↑	海外での臨床薬物相互作用試験で血漿中ジゴキシン濃度AUC82%上昇。
	CYP2C9の基質となる薬剤：ワルファリン（ワーファリン）など	CYP2C9競合阻害	B剤↑	海外臨床試験でワルファリンAUCが平均18%上昇。
	QT延長を起こす薬剤、抗不整脈薬	QT延長作用増強	A剤↑ B剤↑	QT延長作用が増強する恐れ。

ダブラフェニブ（タフィンラー）	CYP3A阻害薬	CYP3A4代謝阻害	A剤↑	原則禁忌。ケトコナゾールとの併用によりCmax約71%、AUC約33%上昇。CYP3A阻害作用のない薬剤への代替を考慮。やむを得ず併用する場合は、副作用の発現・増強に注意。
	CYP2C8阻害薬：ゲムフィブロジル（国内未承認）など	CYP2C8代謝阻害	A剤↑	原則禁忌。ゲムフィブロジルによりAUC約48%上昇するが、Cmaxは変化なし。CYP2C8阻害作用のない薬剤への代替を考慮。やむを得ず併用する場合は、副作用の発現・増強に注意。
	CYP3AおよびCYP2C8誘導薬：リファンピシンなど	CYP3AおよびCYP2C8代謝亢進	A剤↓	リファンピシン反復投与との併用によりCmax 27%、AUC34%低下。CYP3AおよびCYP2C8誘導作用のない薬剤への代替を考慮。
	CYP3Aの基質	CYP3A代謝亢進	B剤↓	ミダゾラムのAUC約74%低下、Cmax約61%低下。
	CYP2C9の基質：ワルファリンなど	CYP2C9代謝亢進	B剤↓	ワルファリンのAUCはS体で約37%、R体で約33%低下。ワルファリンのCmaxはS体で約18%、R体で約19%上昇。
	OATP1B1およびOATP1B3の基質：HMG-CoA還元酵素阻害薬（ロスバスタチン）など	OATP1B1およびOATP1B3阻害	B剤↑	ダブラフェニブ反復投与後にロスバスタチンを併用した時、ロスバスタチンのCmax156%上昇、AUC7%上昇。
エンコラフェニブ（ビラフトビ）	CYP3A阻害薬	CYP3A4代謝阻害	A剤↑	原則禁忌。ボサコナゾール反復投与との併用によりCmax68%、AUC183%上昇。ジルチアゼム反復投与との併用によりCmax45%、AUC83%上昇。CYP3A阻害作用のない薬剤への代替を考慮。やむを得ず併用する場合は、エンコラフェニブの減量を考慮するとともに副作用の発現に十分注意。
エベロリムス（アフィニトール）	生ワクチン：乾燥弱毒生麻しんワクチン、乾燥弱毒風しんワクチン、経口生ポリオワクチン、乾燥BCGなど	免疫抑制	B剤↑	併用禁忌。免疫抑制下で生ワクチンを接種すると増殖し、病原性をあらわす可能性。
	不活化ワクチン：不活化インフルエンザワクチンなど	免疫抑制	B剤↓	免疫抑制作用によってワクチンに対する免疫が得られない恐れ。
	GFJ	CYP3A4代謝阻害	A剤↑	血中濃度上昇の恐れ。飲食を避ける。
	アゾール系薬：イトラコナゾール（イトリゾール）、ボリコナゾール（ブイフェンド）、フルコナゾール（ジフルカン）など	CYP3A4代謝阻害	A剤↑	原則禁忌。ケトコナゾールによりCmax3.9倍、AUC15倍上昇し、半減期は1.9倍延長。エベロリムスを減量することを考慮するとともに副作用発現に十分注意。
	CYP3A4阻害薬（アゾール系薬除く）	CYP3A4代謝阻害	A剤↑	エリスロマイシンによりCmax2.0倍、AUC4.4倍上昇、半減期は1.4倍延長。ベラパミル併用下でCmax2.3倍、AUC3.5倍上昇し、ベラパミルのCminはエベロリムス併用により2倍上昇。シクロスポリンによりCmax1.8倍、AUC2.7倍上昇。エベロリムスの減量を考慮するとともに副作用発現に十分注意。
	オムスタスビル・パリタプレビル・リトナビル★	CYP3A4阻害	A剤↑	原則禁忌。エベロリムスのAUCが27倍、Cmaxが4.7倍に上昇。併用する場合には、エベロリムスの減量を考慮するとともに、副作用発現に十分に注意。

エベロリムス（アフィニトール）	シクロスポリン	CYP3A4競合阻害	A剤↑	エベロリムスのバイオアベイラビリティが有意に増加。併用する場合には、エベロリムスの減量を考慮するとともに、副作用発現に十分に注意。
	ミダゾラム（経口剤：国内未販売）	CYP3A4阻害	B剤↑	ミダゾラムCmax25%上昇、AUC30%上昇。
	リファンピシン（リファジン）、リファブチン（ミコブティン）	CYP3A4代謝亢進	A剤↓	原則禁忌。リファンピシンによりCmax58%、AUC 63%低下。
	CYP3A4誘導薬（リファンピシン、リファブチン除く）、SJW含有食品	CYP3A4代謝亢進	A剤↓	血中濃度低下の恐れ。低用量のエベロリムス（サーティカン；免疫抑制剤）には記載がない。SJW含有食品は摂取しない。
テムシロリムス（トーリセル点滴静注用）	生ワクチン：乾燥弱毒生麻しんワクチン、乾燥弱毒風しんワクチン、経口生ポリオワクチン、乾燥BCGなど	免疫抑制	B剤↑	併用禁忌。免疫抑制下で生ワクチンを接種すると増殖し、病原性をあらわす可能性。
	不活化ワクチン：不活化インフルエンザワクチンなど	免疫抑制	B剤↓	免疫抑制作用によってワクチンに対する免疫が得られないおそれ。
	CYP3A4阻害薬、GFJ	CYP3A4代謝阻害	A剤↑	ケトコナゾールによりテムシロリムス未変化体のCmax及びAUCに影響は認められないが、主要代謝物シロリムスのCmax 約2.2倍、AUC約 3.1倍上昇。副作用発現に十分注意。
	CYP3A誘導薬、SJW含有食品	CYP3A4代謝亢進	A剤↓	リファンピシンにより、未変化体のCmax及びAUCに影響は認められないが、エステラーゼによる主要代謝物シロリムス（主にCYP3A4で代謝）のCmaxは約65%、AUCは約56%低下。
	ACE阻害薬：エナラプリル（レニベース）、リシノプリル（ロンゲス）、キナプリル（コナン）など	PG類発現増加による相乗効果	A剤↑ B剤↑	血管神経性浮腫の発現。シロリムスはPGI2の放出を促進。ACE阻害薬によるブラジキニン発現を介したPGの増加と相乗効果。
シロリムス（ラパリムス）	生ワクチン：乾燥弱毒生麻しんワクチン、乾燥弱毒風しんワクチン、経口生ポリオワクチン、乾燥BCGなど	免疫抑制	B剤↑	併用禁忌。免疫抑制下で生ワクチンを接種すると増殖し、病原性をあらわす可能性。
	GFJ	CYP3A4代謝阻害	A剤↑	GFJが腸管の代謝酵素を阻害し血中濃度上昇の恐れ。飲食を避ける。
	CYP3A4阻害薬	CYP3A4代謝阻害	A剤↑	原則禁忌。エリスロマイシンによりCmaxおよびAUCは約4倍上昇、Tmaxは40%上昇し、エリスロマイシンのCmax、TmaxおよびAUCがそれぞれ63%、29%および69%上昇。本剤を減量することを考慮するとともに副作用発現に十分注意する。
	オムスタスビル・パリタプレビル・リトナビル★	CYP3A4阻害	A剤↑	原則禁忌。シロリムスのAUCが38倍、Cmaxが6.4倍に上昇。併用する場合には、シロリムスの血中濃度をモニタリングするなど患者の状態を慎重に観察し、副作用発現に十分注意。
	ミカファンギン（ファンガード点滴用）	機序不明	A剤↑	シロリムスのAUCが21%上昇。併用する場合には、副作用発現に十分に注意し、必要に応じてシロリムスの投与量を調節。

シロリムス（ラパリムス）	リファンピシン（リファジン）、リファブチン（ミコブティン）、抗てんかん薬：カルバマゼピン（テグレトール）、フェノバルビタール（フェノバール）、フェニトイン（アレビアチン）	CYP3A4代謝亢進	A剤↓	原則禁忌。リファンピシンによりCmax71%、AUC82%低下。本剤を併用するのは治療上の有益性が危険性を上回る場合のみ。
	SJW含有食品	CYP3A4代謝亢進	A剤↑	血中濃度低下の恐れ。SJW含有食品は摂取しない。
	ACE阻害薬	PG類発現増加による相乗効果	A剤↑ B剤↑	血管浮腫（顔面、口唇、舌、咽頭の腫脹等）を発症するリスク。シロリムスがPGI2の放出を促進。ACE阻害剤によるPGの発現増加と相乗効果。
カプマチニブ（タブレクタ）	強力または中程度のCYP3A誘導薬	CYP3A代謝亢進	A剤↓	リファンピシン反復投与との併用によりCmax56%、AUC66%低下。生理学的薬物動態モデルに基づいたシュミレーションにおいてエファビレンツ併用によりCmax32%、AUC45%低下。CYP3A誘導作用のないまたは弱い薬剤への代替を考慮。
	強力なCYP3A阻害薬	CYP3A代謝阻害	A剤↑	イトラコナゾール反復投与との併用によりCmaxに変化はなく、AUC42%上昇。
	CYP1A2の基質	CYP1A2代謝阻害	B剤↑	カフェイン併用により、カフェインのCmaxに変化はないが、AUC2.3倍上昇。
	P-gpの基質	P-gp阻害	B剤↑	ジゴキシン併用によりジゴキシンCmax74%、AUC47%上昇。
	BCRPの基質	BCRP阻害	B剤↑	ロスバスタチン併用によりロスバスタチンCmax3.0倍、AUC2.1倍上昇。
	PPI	消化管吸収低下	A剤↓	原則禁忌。溶解性がpHに依存。ラベプラゾール併用によりCmax37%、AUC25%低下。
テポチニブ（テプミトコ）	P-gpの基質：ダビガトランエテキシラート、ジゴキシン、フェキソフェナジンなど	P-gp阻害	B剤↑	ダビガトラン併用によりダビガトランCmax38%、AUC45%上昇。
ベネトクラクス（ベネクレクスタ）	強いCYP3A阻害薬（再発又は難治性の慢性リンパ性白血病の用量漸増期）	CYP3A代謝阻害	A剤↑	併用禁忌。腫瘍崩壊症候群の発現増強の恐れ。ケトコナゾール反復投与との併用により、Cmax2.3倍、AUC2.7倍上昇。リトナビルとの併用によりCmax2.3倍、AUC8.1倍上昇。
	強いCYP3A阻害薬（再発又は難治性の慢性リンパ性白血病の維持投与期）、中程度のCYP3A阻害薬	CYP3A代謝阻害	A剤↑	生理学的薬物動態モデルによるシュミレーションでは、イトラコナゾール、エリスロマイシンおよびフルコナゾールとの併用により、AUCがそれぞれ5.8倍、4.9倍および2.7倍上昇すると推定。副作用が増強される恐れがあるためベネトクラクスを減量するとともに副作用発現に十分注意。
	GFJ	CYP3A代謝阻害	A剤↑	摂取しない。
	強いまたは中程度のCYP3A誘導薬	CYP3A代謝亢進	A剤↓	リファンピシン反復投与との併用によりCmax42%、AUC71%低下。CYP3A誘導作用のないまたは弱い薬剤への代替を考慮。
	生ワクチン又は弱毒性ワクチン	免疫抑制	B剤↑	ワクチン接種に対する応答が不明であり、また、生ワクチンによる二次感染が否定できない。
	ワルファリン	機序不明	B剤↑	R体のCmaxおよびAUCはいずれも1.2倍に上昇、S体のCmax1.2倍、AUC1.3倍に上昇。血液凝固能の変動に十分注意。

ベネトクラクス（ベネクレクスタ）	P-gp阻害薬	P-gp阻害	A剤↑	リファンピシン単回投与との併用によりCmax2.1倍、AUC1.8倍に上昇。
	治療域の狭いP-gpの基質	P-gp阻害	B剤↑	ジゴキシン併用により、ジゴキシンのCmax1.4倍、AUC1.1倍に上昇。
	アジスロマイシン（ジスロマック）	機序不明	A剤↓	原則禁忌。アジスロマイシン併用により、Cmax25%、AUC35%低下。
パルボシクリブ（イブランス）	CYP3A阻害薬	CYP3A代謝阻害	A剤↑	イトラコナゾール反復投与との併用によりAUC87%、Cmax34%上昇。CYP3A阻害作用のない薬剤への代替を考慮。
	強いCYP3A誘導薬	CYP3A代謝亢進	A剤↓	リファンピシン反復投与との併用によりAUC85%、Cmax70%低下。CYP3A誘導作用のないまたは弱い薬剤への代替を考慮。
	CYP3Aの基質	CYP3A代謝亢進	B剤↑	ミダゾラムのAUC61%、Cmax37%上昇。
アベマシクリブ（ベージニオ）	CYP3A阻害薬	CYP3A代謝阻害	A剤↑	クラリスロマイシン反復投与との併用によりAUC3.4倍上昇。総活性物質のAUC2.2倍上昇。減量を考慮するとともに有害事象の発現に十分注意。
	GFJ	CYP3A代謝阻害	A剤↑	GFJを摂取しない
	CYP3A誘導薬	CYP3A代謝亢進	A剤↓	リファンピシン反復投与との併用によりAUC77%、Cmax45%低下。CYP3A誘導作用のない薬剤への代替を考慮。
オラパリブ（リムパーザ）	強いまたは中程度のCYP3A阻害薬	CYP3A代謝阻害	A剤↑	原則禁忌。イトラコナゾール反復投与との併用によりCmax1.4倍、AUC2.7倍上昇。生理学的薬物動態モデルによるシュミレーションからフルコナゾールとの併用によりCmax1.1倍、AUC2.2倍上昇。CYP3A阻害作用のない又は弱い薬剤への代替を考慮。やむを得ず中程度または強いCYP3A阻害薬を併用する場合は、オラパリブの減量を考慮するとともに、副作用の発現に十分注意。
	GFJ	CYP3A代謝阻害	A剤↑	グレープフルーツ含有食品を摂取しない。
	CYP3A誘導薬	CYP3A代謝亢進	A剤↓	リファンピシン反復投与との併用によりCmax71%、AUC87%低下。CYP3A誘導作用のない薬剤への代替を考慮。
ボルテゾミブ（ベルケイド注射用）	CYP3A4阻害薬	CYP3A4代謝阻害	A剤↑	ケトコナゾール反復投与との併用によりAUC35%上昇。
	CYP3A4誘導薬	CYP3A4代謝亢進	A剤↓	リファンピシン反復投与との併用によりAUC45%低下。
イキサゾミブ（ニンラーロ）	CYP3A4誘導薬、SJW含有食品	CYP3A4代謝亢進	A剤↓	リファンピシン反復投与との併用により、Cmax54%、AUC74%低下。CYP3A誘導作用のない薬剤への代替を考慮。
ボリノスタット（ゾリンザ）	クマリン系抗凝血薬：ワルファリン（ワーファリン）	機序不明	B剤↑	PT延長およびINR上昇が現れることがある。併用する際はPTおよびINRを注意深くモニターする。
	バルプロ酸（デパケン）	機序不明	B剤↑	原則禁忌。消化管出血、血小板減少、貧血等の副作用が増強。
パノビノスタット（ファリーダック）	CYP2D6の基質となる薬剤	CYP2D6代謝阻害	B剤↑	デキストロメトルファンのCmaxおよびAUCは、83%および64%上昇。
	強いCYP3A阻害薬	CYP3A代謝阻害	A剤↑	ケトコナゾールによりCmaxおよびAUCはそれぞれ62%および78%上昇。併用する場合は、減量を考慮するとともに有害事象発現に十分注意する。

パノビノスタット（ファリーダック）	強いCYP3A誘導薬、SJW含有食品	CYP3A代謝亢進	A剤↓	原則禁忌。シュミレーションではリファンピシンによりAUC約70%低下と推定。デキサメタゾンによりAUC20%低下する傾向。
	抗不整脈薬、QT延長を起こす他の薬剤	QT延長作用増強	A剤↑ B剤↑	原則禁忌。QT延長作用を起こす又は悪化させる恐れ。
	QT延長を起こす制吐薬：オンダンセトロン（ゾフラン）、トロピセトロン	QT延長作用増強	A剤↑ B剤↑	QT延長作用を起こすまたは悪化させる恐れ。
ロミデプシン（イストダックス）	CYP3A阻害薬	CYP3A代謝阻害	A剤↑	ケトコナゾールとの併用によりAUC25%、Cmax10%上昇。併用する場合は、ロミデプシンの減量を考慮するとともに副作用発現に十分注意。
	リファンピシン	機序不明	A剤↑	ロミデプシンのAUC約80%、Cmax60%上昇。ロミデプシンの減量を考慮するとともに副作用発現に十分注意。
	抗不整脈薬、QT延長を起こす薬剤	QT延長作用増強	A剤↑ B剤↑	QT間隔延長等の重篤な心電図異常を起こす恐れ。
トレチノイン（ベサノイド）	ビタミンA製剤（チョコラAなど）	ビタミンA過剰症	A剤↑ B剤↑	併用禁忌。ビタミンA過剰症（嘔吐、下痢、腹痛、皮膚のかゆみなど）の恐れ。
	CYP3A4で代謝される薬剤	CYP3A4誘導	B剤↓	併用薬の薬効減弱。
	フェニトイン（アレビアチン）	タンパク結合阻害	B剤↑	フェニトインのタンパク結合能が低下し作用増強の恐れ。
	抗線溶剤：トラネキサム酸（トランサミン）など、アプロチニン製剤（ボルヒール、ベリプラストPコンビセット）	血液凝固亢進	B剤↑	血栓症の恐れ。凝固線溶系のバランスが変化。
	アゾール系薬	CYP代謝阻害	A剤↑	作用増強の恐れ。
タミバロテン（アムノレイク）	ビタミンA製剤（チョコラAなど）	ビタミンA過剰症	A剤↑ B剤↑	併用禁忌。ビタミンA過剰症（嘔吐、下痢、腹痛、皮膚のかゆみなど）の恐れ。
	CYP3A4で代謝される薬剤	CYP3A4誘導	B剤↓	併用薬の薬効減弱。
	CYP3A4誘導薬	CYP3A4誘導	A剤↓	薬効減弱。
	CYP3A4阻害薬、GFJ	CYP3A4代謝阻害	A剤↑	副作用の発現頻度および重症度が増加する恐れ。
	制酸剤、H2拮抗薬、PPI	吸収増加	A剤↑	本剤の溶解度が上昇し薬効増強。
ベキサロテン（タルグレチン）	ビタミンA製剤（チョコラAなど）	ビタミンA過剰症	A剤↑ B剤↑	併用禁忌。ビタミンA過剰症（嘔吐、下痢、腹痛、皮膚のかゆみなど）の恐れ。
	CYP2C8阻害薬：ゲムフィブロジル（国内未承認）など	CYP2C8代謝阻害	A剤↑	原則禁忌。ゲムフィブロジルにより血中トラフ値が約4倍上昇。CYP2C8阻害作用のない薬剤への代替を考慮。やむを得ず併用する場合は、ベキサロテンの減量を考慮するとともに副作用の発現に注意。
	CYP3Aの基質	CYP3A代謝亢進	B剤↓	併用によりアトルバスタチンのAUCが約50%低下。
	糖尿病用薬	血糖降下作用増強	A剤↑ B剤↑	糖尿病用薬との併用により、低血糖を発現した例が認められている。
	紫外線療法	光毒性作用	A剤↑	NB—UVB療法との併用により、光線過敏症を発現した例が認められている。

リツキシマブ（リツキサン点滴静注）	生ワクチン又は弱毒生ワクチン	免疫抑制	B剤↑	リンパ球傷害作用によりBリンパ球が枯渇し、免疫抑制状態となる恐れ。その結果、接種したワクチンに起因する感染症が発症する可能性。
	不活化ワクチン	免疫抑制	B剤↓	免疫抑制作用によってワクチンに対する免疫が得られない恐れ。
	免疫抑制作用のある薬剤	免疫抑制	A剤↑ B剤↑	過度の免疫抑制作用による感染症誘発の危険性。
オファツムマブ（ケシンプタ皮下注）	生ワクチン又は弱毒生ワクチン	免疫抑制	B剤↑	ワクチン接種に対する応答が不明であり、また、生ワクチンによる二次感染が否定できない。
	不活化ワクチン	免疫抑制	B剤↓	ワクチン効果を減弱させる恐れ。
	免疫抑制薬又は免疫調整薬	免疫抑制	A剤↑ B剤↑	相加的に免疫系に作用するリスクがある。
オビヌツズマブ（ガザイバ点滴静注）	生ワクチン又は弱毒生ワクチン	免疫抑制	B剤↑	リンパ球傷害作用によりBリンパ球が枯渇し、免疫抑制状態となる恐れ。その結果、接種したワクチンに起因する感染症が発症する可能性。
	降圧薬	降圧作用増強	A剤↑ B剤↑	一過性の血圧下降があらわれることがある。
アレムツズマブ（マブキャンパス点滴静注）	生ワクチン又は弱毒生ワクチン	免疫抑制	B剤↑	ワクチン接種に対する応答が不明であり、また、生ワクチンによる二次感染が否定できない。
	不活化ワクチン	免疫抑制	B剤↓	ワクチン効果を減弱させる恐れ。
	免疫抑制薬	免疫抑制	A剤↑ B剤↑	過度の免疫抑制作用による感染症誘発の危険性。
	降圧薬	降圧作用増強	A剤↑ B剤↑	一過性の血圧下降があらわれることがある。
ポラツズマブ（ポライビー点滴静注）	強いCYP3A阻害薬	CYP3A4代謝阻害	A剤↑	ポラツズマブを構成するモノメチルアウリスタチンE（MMAE）は主にCYP3A4で代謝される。生理学的薬物動態モデルに基づいたシミュレーションにおいてケトコナゾール併用時のMMAEのCmaxは18%、AUCは48%上昇すると推定された。
ブリナツモマブ（ビーリンサイト点滴静注）	生ワクチン又は弱毒生ワクチン	免疫抑制	B剤↑	ブリナツモマブのBリンパ球傷害作用により発病する恐れ。
モガムリズマブ（ポテリジオ点滴静注）	不活化ワクチン	免疫抑制	B剤↓	ワクチン効果を減弱させる恐れ。
	生ワクチン又は弱毒生ワクチン	免疫抑制	B剤↑	ワクチン接種に対する応答が不明であり、また、生ワクチンによる二次感染が否定できない。
ニボルマブ（オプジーボ点滴静注）	生ワクチン、弱毒生ワクチン	免疫抑制	B剤↑	ニボルマブのT細胞活性化作用による過度の免疫応答が起こる恐れ。
	不活化ワクチン	免疫抑制	A剤↑ B剤↑	
ゲムツズマブ（マイロターグ点滴静注）	CYP3A4阻害薬	CYP3A4代謝阻害	A剤↑	ゲムツズマブはCYP3A4により代謝される可能性が示唆されている。

ブレンツキシマブ(アドセトリス点滴静注)	ブレオマイシン(ブレオ)	機序不明	B剤↑	併用禁忌。肺毒性(間質性肺炎等)が発現する恐れ。
	CYP3A4阻害剤	CYP3A4代謝阻害	A剤↑	ケトコナゾールにより、構成分MMAEのAUCおよびCmaxは34%および25%上昇。MMAEは主にCYP3A4で代謝。副作用の発現に十分注意。
イットリウムイブリツモマブ(ゼヴァリンイットリウム)	生ワクチン又は弱毒生ワクチン	免疫抑制	B剤↑	イブリツモマブのBリンパ球傷害作用により発病する恐れ。
	不活化ワクチン	免疫抑制	B剤↓	イブリツモマブのBリンパ球傷害作用によりワクチンに対する免疫が得られない恐れ。
	免疫抑制薬	免疫抑制	A剤↑ B剤↑	過度の免疫抑制作用による感染症誘発の恐れ。
インジウムイブリツモマブ(ゼヴァリンインジウム)	生ワクチン又は弱毒生ワクチン	免疫抑制	B剤↑	イブリツモマブのBリンパ球傷害作用により発病する恐れ。
	不活化ワクチン	免疫抑制	B剤↓	イブリツモマブのBリンパ球傷害作用によりワクチンに対する免疫が得られない恐れ。
	免疫抑制薬	免疫抑制	A剤↑ B剤↑	過度の免疫抑制作用による感染症誘発の恐れ。

付D
動脈血栓症

血栓の形成については既に**第7章［第7節］**で述べたが、致命的な動脈血栓症（血小板血栓）の誘因として、ずり応力惹起血小板凝集（shear stress-induced platelet aggregation：SIPA）がある。このような血栓症に対しては、抗血小板療法が有効である。また、致命的な動脈血栓症である急性冠症候群（acute coronary syndrome：ACS）に対して、近年、経皮的冠動脈インターベンション（percutaneous coronary intervention；PCI）による治療が広く行われている。これらの病態や治療法について、簡潔に解説する。

❶ ずり応力惹起血小板凝集

血小板凝集は、病的血栓症（動脈血栓症）の発症と深く関わっているため、凝集機構を把握することは重要である。

血小板凝集には、**第7章［第7節］**で述べたADPなどによる「アゴニスト惹起血小板凝集」のほか、「ずり応力（shear stress）による凝集（ずり応力惹起血小板凝集；SIPA）」がある。いずれの経路も、最終的には血小板表面膜上のGPⅡb/Ⅲaが活性化されて凝集が起こるが、SIPAによる凝集は、アゴニスト惹起血小板凝集とは異なり、フォン・ウィルブランド因子（vWF）に依存して起こる（☞**図7-11**）。すなわち、高いずり応力が働くと、糖タンパク質のGPⅡb/Ⅲa受容体が活性化され、vWFを介した血小板同士の凝集が主として起こる。これは、フィブリノーゲン（Fbg）を介したGPⅡb/Ⅲa受容体による血小板相互の結合は弱く、低いずり応力が働くと切れてしまうが、vWFを介したGPⅠb受容体やGPⅡb/Ⅲa受容体による血小板の結合は強く、高いずり応力が働いても切れないためである。ずり応力で刺激された血小板は活性化され、濃染顆粒やα顆粒から様々な物質を放出し、最終的にGPⅡb/Ⅲa受容体が活性化され、血小板同士の凝集が進展する。

一般に、血管内の血流は中央部で速く、血管壁近傍で遅いため、血管内で速度勾配が生じている。「ずり応力」とは、この血流の速度勾配によって、血管壁表面および血液中に存在する細胞（血小板）をゆがめようとする力のことである。血流が速く、血管径が狭く、血液粘度が高い部位ほど、ずり応力は高くなる。したがって、高血圧などにより内腔が狭窄した部位には過度のずり応力が負荷されるため、主にSIPAが起こり、血小板血栓の形成が助長されると思われる。臨床的には、vWF依存性のSIPAは、急性冠症候群（ACS）やアテローム血栓脳梗塞などの血栓症急性期に亢進し（ラクナ梗塞、心原性脳塞栓症、安定期冠動脈疾患では亢進しない）、また、ステント血栓症の誘因としても考えられている（☞❹）。

❷ 抗血小板療法

動脈血栓（病的血栓）の形成には血小板が深く関わっているため、血小板血栓が病態の中核である冠動脈インターベンション（PCI）時や急性冠症候群（ACS）の薬物療法では、抗血小板薬が用いられる（☞❸❹）。また、抗血小板療法は梗塞の再発予防だけでなく、高血圧や脂質異常症、糖尿病を合併する患者の動脈血栓症にも有効であることが示されている。

まず、低用量アスピリン製剤（バファリン配合錠A81、バイアスピリン）は血小板のCOXを非可逆的に阻害し、TXA_2の生成を抑制し効果を発揮する。心・脳の血栓形成に対する予後改善効果が確立されているため、狭心症（慢性安定狭心症、不安定狭心症）、心筋梗塞、虚血性脳血管障害（一過性脳虚血発作［TIA］、脳梗塞）における血栓・塞栓形成の抑制や、冠動脈バイパス術やPCI施行後における血栓・塞栓形成の抑制に保険適応がある。

一方、チクロピジン塩酸塩（パナルジン）、クロピドグレル硫酸塩（プラビックス）、プラスグレル塩酸塩（エフィエント）などのチエノピリジン系薬の活性代謝物は、ADP受容体の$P2Y_{12}$に不可逆的に結合し、ADP依存性血小板凝集を阻止する作用を持つことに加え、vWF依存性のSIPAも抑制することが知られている。つまり、チエノピリジン系薬は、PCIによりステントを留置した後に発症する「ステント血栓症」の予防にも有効性が確認されている。

そのほか、SIPA阻害作用がある抗血小板薬には、c-AMP濃度を上昇させるベラプロストナトリウム（ドルナー;PGI_2製剤）およびシロスタゾール（プレタール；PDE3阻害薬）、GPⅡb/Ⅲa阻害薬（国内未発売）などがある。アスピリン、サルポグレラート塩酸塩（アンプラーグ；抗5-HT_{2A}作用）には、SIPA阻害作用はほとんどないことが示されている。

❸ 急性冠症候群

心疾患はわが国における3大死因の一つであるが、その死亡の約半数は急性冠症候群（ACS）である。

ACSとは、冠動脈プラークの破裂・崩壊とそれに伴う急激な血栓形成によって惹起される、急性冠閉塞や切迫する閉塞状態の総称であり、虚血性心疾患の中でも最も予後不良である不安定狭心症、急性心筋梗塞、心臓突然死が含まれる。従来は、心筋壊死の有無により心筋梗塞と狭心症を分類していたが、血栓形成が共通に認められる病態としてACSが定義されており、臨床面でも実用的な概念である。

ACSの発症機序を理解する上で重要なのが、プラーク（粥腫）の安定性である。プラークはコレステロールなどの脂質沈着によって生じる動脈内膜面の黄色の腫脹であり、安定および不安定プラークに分類される（**図S-10**）。

安定プラークには厚い線維性被膜があるため、リピッドコア（脂質芯）と血液の接触が妨げられ、プラークの破裂・崩壊は起こりにくい。労作性狭心症ではこの安定プラークが認められ、冠動脈が狭窄して虚血を引き起こすが、プラークが安定している限りACSを引き起こさない。したがって、労作性狭心症は冠動脈狭窄を起こしている部位に血行再建術を行うのみで改善されやすく、また副血行路も形成していることが多いため、予後が不良になることは少ない。

一方、ACSの原因である不安定プラークでは、リピッドコアを覆う線維性被膜は薄く脆弱化しており、しかも急激に成長するため破裂しやすい。プラークが破綻すると、血小板が活性化され血管表面に接着し、vWFを介して血小板凝集（白色血栓）を引き起こす。さらに、プラーク内から放出さ

図S-10　急性冠症候群の考え方に基づく動脈内の形態学的特徴

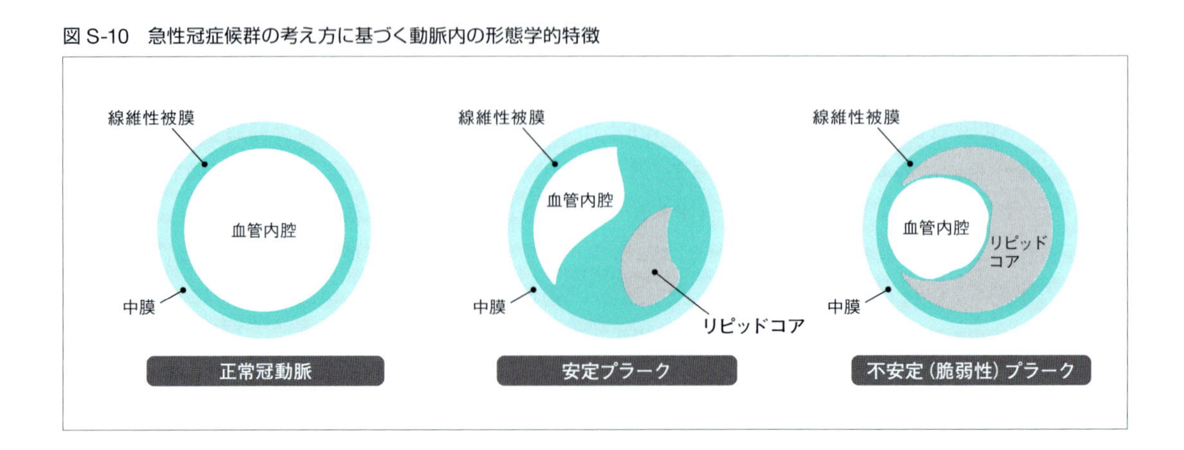

れた組織因子（トロンボプラスチン）が凝固系を活性化し、フィブリン血栓（赤色血栓）を形成して、冠動脈の部分的あるいは完全閉塞を起こす。

また、不安定プラークの破壊にはマクロファージが重要な役割を果たしており、MMP（マトリックスメタロプロテアーゼ）というプラーク構造を支える線維成分を溶かす物質を分泌するだけでなく、凝固能亢進を起こす組織因子も発現している。さらに、血管壁では、マクロファージのプラークへの遊走を促すMCP-1（単球遊走促進因子）の発現が亢進している。このことから、ACSはマクロファージを中心とした炎症反応によって発症するといえる。ちなみに、ACS患者では血中MCP-1濃度が高いほど予後不良といわれている。

注意すべき点は、冠動脈造影所見上では、不安定プラークは内腔の狭窄を来していない場合が多く、冠動脈の有意な狭窄がみられない所で突然発症することである。

ACSは血栓症であることから、薬物治療には、フィブリン網溶解薬や抗血小板薬が用いられる。まず、急性心筋梗塞に対しては、フィブリン網溶解薬としてt-PA（組織プラスミノーゲンアクチベーター）が主に使用されている（適応症：急性心筋梗塞における冠動脈血栓の溶解）。一方、不安定狭心症への薬物療法としては、冠動脈狭窄による心筋虚血に対する治療（β遮断薬、硝酸薬、Ca拮抗薬などの抗狭心症薬）と冠動脈血栓に対する治療（低用量アスピリン、ヘパリン、チエノピリジン系薬、GPⅡb/Ⅲa阻害薬などの抗血栓薬）が行われているが、特にGPⅡb/Ⅲa阻害薬（注射剤；アブシキシマブ［国内未承認］など）の有効性が示されており、早期の臨床使用が望まれている。

また、ACSの急性期または慢性期の場合、血清コレステロール値が正常値内であっても、HMG-CoA還元酵素阻害薬（スタチン系薬）の投与は有用であることも示されている。これは、スタチン系薬がプラーク内のコレステロール量を低下させたり、マクロファージの増殖を抑制する（抗炎症効果）ことなどにより、不安定プラークを安定化させるためと考えられている（☞**p.34コラム2「ビスホスホネート系薬とスタチン系薬によるプレニル化阻害」**）。薬物治療以外には、ACSの根本的な治療法として、血行再建術であるPCIのステント留置術が行われることがある（☞❹）。

❹ 経皮的冠動脈インターベンション

虚血性冠動脈疾患の治療には、薬物治療と血行再建術がある。後者には、経皮的冠動脈インターベンション（PCI）および外科的治療である冠動脈バイパス術（CABG）がある。特にPCIは局所麻酔で済み、開胸を要するCABGに比べて身体への負担が極めて少なく、初期成功率も高いため、わが国において急速に普及している。ここでは、PCIの中でも古典的な経皮的冠動脈形成術（PTCA）と、ステント留置術について簡潔に説明した後、PCI後に起こるステント血栓症を防ぐ抗血栓薬についても紹介する。

PTCAは、風船治療とも呼ばれる。先端にバルーン（風船）が付いたカテーテルを足の付け根や腕の血管から挿入し、冠動脈の狭窄部位まで到達させた後に膨らませることで、狭窄した冠動脈を広げ、血流を改善する。現在でもPTCAは有用であるが、冠動脈が再び狭窄する再狭窄や、拡張直後に冠動脈の内膜が剥がれてしまう急性冠動脈解離が起こるといった問題があった。

このため考案されたのが、ステント留置術である。ステントと呼ばれる金属製の網状の筒を、閉じた状態で血管内腔に挿入し、バルーンカテーテルを使って狭窄部位まで運び、その場で筒を広げて血管に密着させて固定させる。これにより、急性冠動脈解離のリスクは低減した。しかし、留置直後のステントは血管壁で金属が露出した状態で血液と接し、異物として認識されることから、血小板機能が亢進して閉塞性血栓（ステント血栓症）が起こりやすくなるという欠点があった。

これを克服するため考えられたのが、薬剤溶出性ステント（DES）を用いたPCIである。DESは、再狭窄を防ぐ薬剤がステント表面に塗布されており、徐々に溶出するようなっている。これにより、再狭窄率は30%から0〜数%へと激減した。

一方、ステント血栓症の予防薬としては、ステントがわが国に導入された1990年当時は、ヘパリンNaとワルファリンカリウム（ワーファリン）を中心とした抗凝固療法が主流だった。しかし、低用量アスピリンとチエノピリジン系薬（チクロピジン塩酸塩［パナルジン］、クロピドグレル硫酸塩［プラビックス］）の併用がステント血栓症の抑制に有用であることが示され、抗血小板療法の重要性が認識されるようになった（つまり、ステント血栓症には血小板血栓が関与している）。

抗血小板療法とDESにより、現在ではステント血栓症の発生頻度は1%以下となっている。一般にステント血栓症は、留置後24時間以内に最も多く、ステント表面が徐々に内皮細胞などで被覆されることから、留置30日以降の発症リスクは低くなる。ただし、チエノピリジン系薬は術後3カ月以上の投与が必要で、低用量アスピリンは永続的に使用される。ちなみに欧米では、抗血小板薬のGPⅡb/Ⅲa阻害薬（注射剤;アブシキシマブ;国内未承認）がPCI時にルーチンに投与されている。

DESによるステント血栓症については、術後30日以降に起こる「遅発性ステント血栓症」の発症リスクの増大が指摘され、一時期は医師の間でDESの使用を控える動きもあった。その原因として、再狭窄抑制のためステントに含まれている免疫抑制剤や抗癌剤が血管内皮細胞に傷害を与えてステント被覆を遅らせたり、コーティングの基材であるポリマーが血管壁に炎症を起こしたりすることなどが考えられる。現在では、再狭窄を防ぐメリットがデメリットに勝るとの判断に落ち着いているが、遅発性再狭窄を防ぐための抗血小板療法の最適化は今後の課題だろう。

炎症性マクロファージを中心とした炎症反応は、動脈硬化やインスリン抵抗性、急性冠症候群（ACS）、糖尿病合併症（網膜症・腎症）だけでなく、PCI後の再狭窄の発症・進展においても重要な意味を持つ。MCP-1（単球遊走促進因子）は、単球・マクロファージの浸潤を促すケモカインの一種であり、炎症反応に不可欠とされる。PCI後の血管損傷部位では、MCP-1が過剰に発現することが示されており、MCP-1を標的とした再狭窄治療法の確立が期待されている。

付E
飲食物・嗜好品（21品目）と薬の相互作用

投薬時には、医薬品同士の相互作用だけではなく、飲食物・嗜好品と医薬品の相互作用にも注意すべきである。調剤報酬においても、薬剤服用歴管理指導料の算定要件として、薬歴に記載すべき事項の1つに、「飲食物（現に患者が服用している薬剤との相互作用が認められているものに限る）の摂取状況」が含まれている。

特に健康食品はブームとなっているが、含有成分が明確でない製品も少なからずある。2002年には、医薬品に該当する食欲抑制薬のフェンフルラミン、甲状腺末、葛根などを含む中国製のダイエット用健康食品の摂取により、重篤な肝障害が発生したケースや死亡例が報告されている（詳細は厚生労働省のウェブサイト参照）。

このように、健康食品も含めて飲食物・嗜好品による医薬品への影響が懸念される。ただし、少量でも無視できない成分を含有する場合を除けば、飲食物・嗜好品中のわずかな量の成分に注目して患者に説明することは、混乱を招く恐れもある。結局のところ、個々の患者のライフスタイルや食生活を考慮し、相互作用が出現するか否かを総合的に判断する必要がある。

表S-9には、以下の21品目について、本書で取り上げたものを中心に臨床的に重要と思われる飲食物・嗜好品の相互作用をまとめたので、参考にしていただきたい。薬局では、「毎日服用している市販の医薬品、健康食品、ビタミン剤、薬用養命酒（商品名）などはありませんか」「牛乳・乳製品、ジュース類、カフェイン含有品（コーヒー、紅茶、緑茶、栄養ドリンクなど）、炭酸飲料、アルコールはよく飲みますか」「タバコは吸いますか」などと患者にインタビューし、飲食物・嗜好品の摂取状況を常に把握するようにする。

①金属（ミネラル）含有品
②牛乳・乳製品
③炭酸飲料
④グレープフルーツジュース（GFJ）
⑤セイヨウオトギリソウ（セント・ジョーンズ・ワート；SJW）含有品
⑥カフェイン含有品
⑦タンニン含有品
⑧アルコール
⑨喫煙（タバコ）
⑩チラミン含有品
⑪ヒスチジン含有品
⑫フロクマリン（ソラレン類）含有品・クロロフィル（フェオホルバイド類）含有品
⑬高タンパク食
⑭ビタミンB_6含有品
⑮ビタミンC含有品
⑯柑橘系ジュース
⑰ビタミンK含有品
⑱ビタミンE、EPA、DHA含有品
⑲高カロリー飲料
⑳ニンニク含有健康食品
㉑ミルクシスル（マリアアザミ）含有食品

表 S-9　飲食物と医薬品の相互作用（↓：薬効減弱、↑：薬効・副作用増強、★ 販売中止）

<table>
<tr><th>飲食物・嗜好品</th><th>相互作用を起こす薬剤</th><th>発現機序</th><th>結果</th><th>備考</th></tr>
<tr><td colspan="5">① 金属（ミネラル）含有品：</td></tr>
<tr><td>Al、Mg、Fe、Ca、Zn</td><td>ビスホスホネート系薬、ペニシラミン（メタルカプターゼ；3-メルカプト-D-バリン）、テトラサイクリン系薬、キノロン系薬（ノルフロキサシン［バクシダール］、シプロフロキサシン［シプロキサン］、プルリフロキサシン［スオード］、トスフロキサシン［オゼックス］など）、ミコフェノール酸モフェチル（セルセプト；免疫抑制剤）</td><td rowspan="8">金属錯体・結合（☞表1-1、1-2、1-3）</td><td rowspan="8">↓</td><td rowspan="8">同時禁忌（2時間の間隔を空ける；レボフロキサシン［クラビット］では1時間の間隔を空ける。甲状腺ホルモン製剤、セフジニルは表1-1参照）。市販の健康食品、総合ビタミン剤（商品名ポポンSなど）、胃腸薬には金属（ミネラル）を含有している場合が多く、投薬時には成分のチェックを必ず行う。牛乳とその加工品であるチーズやヨーグルトなどの乳製品ではCa含有量に留意する。また、Ca、Feなど金属含量の多い菓子類（カルシウムウエハース、ボーロなど）、栄養ドリンク類、牡蠣エキス（Zn含有）、青汁などにも留意。</td></tr>
<tr><td>Al、Fe、Ca、Zn</td><td>甲状腺ホルモン製剤</td></tr>
<tr><td>Al、Mg、Fe、Zn</td><td>キノロン系薬；エノキサシン★、ガチフロキサシン★（経口薬販売中止）、レボフロキサシン（クラビット）、スパルフロキサシン★</td></tr>
<tr><td>Al、Mg</td><td>キノロン系薬；ロメフロキサシン（ロメバクト）</td></tr>
<tr><td>Fe、Zn、Cu</td><td>セフジニル（セフゾン）</td></tr>
<tr><td>Fe</td><td>Al、Mg含有制酸剤・吸着剤（☞表1-4）、タンニン酸アルブミン（タンナルビン；収斂剤）</td></tr>
<tr><td>Ca</td><td>エストラムスチン
（エストラサイト；前立腺癌治療薬）</td></tr>
<tr><td>Al、Mg、Ca</td><td>陽イオン交換樹脂（ポリスチレンスルホン酸Ca［カリメート］、ポリスチレンスルホン酸Na［ケイキサレート］）</td></tr>
<tr><td>Fe</td><td>アロプリノール（ザイロリック）、フェブキソスタット（フェブリク）</td><td>XOD阻害による鉄蓄積（☞表6-2）</td><td>↑</td><td>XODはフェリチンから鉄を遊離する作用あり（☞図6-1）。</td></tr>
</table>

飲食物・嗜好品	相互作用を起こす薬剤	発現機序	結果	備考
② **牛乳・乳製品**	ビスホスホネート系薬、ペニシラミン（メタルカプターゼ）、テトラサイクリン系薬、キノロン系薬（ノルフロキサシン［バクシダール］、シプロフロキサシン［シプロキサン］、プルリフロキサシン［スオード］、トスフロキサシン［オゼックス］など）、ミコフェノール酸モフェチル（セルセプト）、甲状腺ホルモン製剤、エストラムスチン（エストラサイト）、陽イオン交換樹脂（ポリスチレンスルホン酸Ca［カリメート］、ポリスチレンスルホン酸Na［ケイキサレート］）	金属（Ca）錯体・結合	↓	①参照。
	高脂溶性薬剤：脂溶性ビタミン（D、A、K、E）、インドメタシンファルネシル（インフリー）、グリセオフルビン★、EPA製剤、ポリエンホスファチジルコリン（EPL）、シクロスポリン（サンディミュン）、クアゼパム（ドラール）、イトラコナゾール（イトリゾール）、エトレチナート（チガソン；合成レチノイド）、ロラタジン（クラリチン；抗アレルギー薬）など	胆汁酸分泌促進	↑	一般に、高脂溶性薬剤の吸収には胆汁酸が必要で、高脂肪食や牛乳・乳製品を飲食すると胆汁酸分泌が促進され、脂溶性薬剤吸収が増加する（薬効増強）ことがある（☞**コラム6**）。クアゼパム、エトレチナートは牛乳による服用を避けた方がよい。イトラコナゾールは吸収性を高めるため食直後服用（☞**表1-15**）。一方、空腹時の服用では薬効減弱が問題となる。
	スチリペントール（ディアコミット；抗てんかん薬）	酸性飲料により分解（☞**表1-13**）	↓	酸性飲料、牛乳・乳製品とともに服用しないよう指導する。
	腸溶性製剤（商品名コーラック、アデホス、バイアスピリンなど）、pH依存性徐放製剤（ニフェジピン［セパミット-R］など）、テオフィリン徐放性製剤（テオドール）など	消化管内pH上昇（制酸作用；☞**表1-14**）	↓	腸溶性、徐放性の変化。基本的には牛乳で服用しないよう指導する。
	HIVプロテアーゼ阻害薬（リトナビル［ノービア］、インジナビル★など）、デラビルジン★、ゲフィチニブ（イレッサ）、メフロキン（メファキン；抗マラリア薬）、プルリフロキサシン（スオード；キノロン系）、レボドパ製剤（ドパストン）、フェノチアジン系、ドンペリドン（ナウゼリン）	消化管内pH上昇（制酸作用；☞**表1-9**）	↓	溶解性が低下し吸収低下。アタザナビル（レイアタッツ；HIVプロテアーゼ阻害薬）とプロトンポンプ阻害薬（PPI）との併用は禁忌。
	イトラコナゾール（イトリゾール；アゾール系薬）	消化管内pH上昇（制酸作用；☞**表1-9**）	↓	吸収型（塩酸塩）の低下。吸収性を高めるため食直後服用（☞**表1-15**）。
	Fe剤			pH上昇によるFe溶解性の低下。牛乳200mL程度なら可。
	ポリカルボフィルCa（コロネル）			Ca離脱（活性型）抑制で薬効減弱。
	ジギタリス製剤、マクロライド系薬、ベンジルペニシリン（バイシリン）、ジダノシン錠★		↑	胃（酸）での分解抑制。
	フレカイニド（タンボコール）	消化管吸収低下（☞**表1-17**）	↓	機序不明。
	Ca、Mg含有医薬品（制酸剤、塩化Caなど）	Ca吸収促進	↑	ミルク・アルカリ症候群誘発（慢性腎障害、頭痛、悪心・嘔吐、脱力感など）。牛乳の大量摂取を避ける。
	活性型ビタミンD_3製剤			高Ca血症。服用間隔を2時間空ける。
	ジギタリス製剤			高Ca血症によるジギタリス中毒誘発の可能性。牛乳の大量摂取を避ける。

E 付録

表 S-9（つづき）　飲食物と医薬品の相互作用

飲食物・嗜好品	相互作用を起こす薬剤	発現機序	結果	備考
③ **炭酸・酸性飲料**：コーラ、サイダー、ビールなど（☞**表1-9、1-11、1-13、1-14**）	腸溶製剤（商品名コーラック、アデホス、バイアスピリンなど）、pH依存性徐放製剤（ニフェジピン［セパミット-R］など）、テオフィリン徐放性製剤など	消化管内pH低下（胃酸分泌促進）	↓	同時禁忌。腸溶性、徐放性の変化。
	ジギタリス製剤、ジダノシン錠★、マクロライド系薬、ベンジルペニシリン（バイシリンG顆粒）、アンピシリンDS（ビクシリンDS）			胃（酸）で分解促進。マクロライド系DS（ドライシロップ）などは口腔内で苦味が生じるので酸性飲料での服用を避ける。
	イトラコナゾール（イトリゾール；アゾール系薬）		↑	吸収型（塩酸塩）の増加。炭酸飲料での服用は避ける。吸収性を高めるため食直後服用（☞**表1-15**）。
	スチリペントール（ディアコミット；抗てんかん薬）	酸性飲料により分解（☞**表1-13**）	↓	酸性飲料、牛乳・乳製品とともに服用しないよう指導する。
	ペミロラストDS（ペミラストンDS）、マクロライド系DS、アンピシリンDS（ビクシリンDS）、スルタミシリン細粒（ユナシン細粒小児用10%）、セフカペン細粒（フロモックス小児用細粒100mg）	酸性飲料による分解・析出（薬効低下）、苦味発現	↓	これらのDSや細粒を酸性飲料で服用したり、溶解・懸濁することは避けて、水やぬるま湯で服用する。
	ニコチンガム製剤（ニコレット）	口腔内pH低下	↓	ニコチン（塩基性）の非イオン型の減少で口腔吸収低下。酸性飲料の摂取後はニコチンガム使用をしばらく避ける。
④ **グレープフルーツジュース**（GFJ；⑯参照）	P糖タンパク質（P-gp）の基質となる薬剤（☞**表4-10**）	P-gp活性変化（☞**表4-11**）	↑↓	GFJはP-gpを阻害する、活性化する、または変化させないとする報告がある（ただし、GFの皮、成分［ナリンジン、6', 7'-ジヒドロキシベルガモチン］にはP-gp阻害作用あり）。また、GFJはCYP3A4阻害作用、OATPs阻害作用がある。P-gpとOATPsの双方の基質になる薬剤（フェキソフェナジン［アレグラ］など）では、GFJのOATPs阻害作用が強力に起こるため、消化管吸収が阻害される（血中濃度低下）。
	OATPsの基質になる薬剤（☞**表4-2**）	OATPs阻害（消化管吸収抑制；☞**表4-15**）	↓	
	CYP3A4で代謝される薬剤（主に以下の薬剤）：Ca拮抗薬（ニソルジピン［バイミカード］、フェロジピン［ムノバール］、ニトレンジピン［バイロテンシン］、ニフェジピン［アダラート］、ニカルジピン［ペルジピン］、アゼルニジピン［カルブロック］）、シンバスタチン（リポバス）、アトルバスタチン（リピトール）、キニジン（硫酸キニジン）、テルフェナジン★、ピモジド（オーラップ）、シサプリド★、タクロリムス（プログラフ）、分子標的治療薬（イマチニブ［グリベック］、ゲフィチニブ［イレッサ］、エベロリムス［アフィニトール、サーティカン］など）、バニプレビル★など	CYP3A4阻害（☞**表5-36**⑤）	↑	
⑤ **セイヨウオトギリソウ**（セント・ジョーンズ・ワート；SJW）含有健康食品	P-gp、MRPの基質となる薬剤（☞**表4-10**）	P-gp、MRP活性化	↓	原則禁忌（☞**表5-51**）。
	CYP1A2、2C群、3A4で代謝される薬剤（☞**表5-1～5-3**）	CYP450誘導		
	セロトニン作用薬（SSRI、S-RIMなど）	セロトニン作用の増強。MAO阻害。	↑	セロトニン症候群発現の恐れ。SJWにはMAO阻害作用がある。

飲食物・嗜好品	相互作用を起こす薬剤	発現機序	結果	備考
⑥**カフェイン含有飲食物**：コーヒー、紅茶、緑茶、ウーロン茶、玄米茶、栄養ドリンク、感冒薬など（☞**表7-9、7-10、7-12**） ・ただし麦茶、杜仲茶はカフェインを含んでいない。 ・カフェインは構造上、キサンチン系（テオフィリン、テオブロミン、アミノフィリンなど）に分類される。キサンチン系はアデノシン受容体と結合するためアデノシンの血管拡張作用を減弱させる（☞**表7-37**）。	カフェイン含有医薬品、嗜好品	過剰摂取	↑	カフェイン中毒誘発（効果増強）。CNS興奮。エナジードリンク、カフェイン錠剤の摂取などで死亡例あり。総摂取量を400mg/日以内にとどめる。
	麦角系薬（エルゴタミン製剤；クリアミン配合錠など）	消化管吸収増大（☞**表1-17**）、血管収縮協力（☞**表7-37**）	↑	カフェインとエルゴタミンの複合体形成またはカフェインによりエルゴタミン溶解性が上昇し吸収増大。クリアミンは主成分のエルゴタミンの吸収促進と鎮痛効果増強の目的で無水カフェインが配合されている。エルゴタミン製剤服用中は、カフェイン含有食品の過剰摂取は控える。
	胃酸分泌により吸収が増大する薬剤：イトラコナゾール（イトリゾール）、酸で溶けやすい薬剤：レボドパ製剤	消化管吸収増大（☞**表1-9**）	↑	酸性飲料（カフェイン含有飲料）でのイトラコナゾール服用は避ける（ただしPPI、H_2拮抗薬と併用時、効果増強のため酸性飲料で服用する場合あり）。レボドパも同様に酸性飲料で服用することがある。
	ニコチンガム（ニコレット）	口腔内pH低下によるニコチン（弱塩基性）吸収低下	↓	コーヒーなどの摂取後しばらく（30～40分間）ガムの使用は避ける。
	胃酸で分解されやすい薬剤：エリスロマイシン（エリスロシン）、アンピシリン（ビクシリン）	分解促進、消化管吸収低下	↓	酸性飲料での服用を避ける。
	ペミロラスト（アレギサール、ペミラストン）	酸による析出	↓	ドライシロップで主成分析出（効果減弱）。
	抗菌薬のドライシロップ：マクロライド系（クラリスロマイシン［クラリシッド、クラリス］など）、アンピシリン（ビクシリン）、抗菌薬の細粒：スルタミシリン（ユナシン）、セフカペン（フロモックス）など	苦味を抑える特殊な加工が酸により消失	―	苦味発現。酸性飲料での服用を避ける。
	CYP1A2で代謝される薬剤：テオフィリン（テオドール）、チザニジン（テルネリン）、メキシレチン（メキシチール）など（☞**表5-1**）	CYP1A2代謝競合	↑	CYP1A2で代謝される薬剤、カフェイン血中濃度上昇（作用増強、過度のCNS興奮など）。キサンチン系薬ではCNS興奮作用の協力も関与。
	CYP1A2阻害作用のある薬剤：キノロン系、SSRIなど（☞**表5-13、5-14**）		↑	カフェインの代謝が抑制され血中濃度が上昇し中枢神経興奮。強力なCYP1A2阻害薬（シプロフロキサシン［シプロキサン］、フルボキサミン［デプロメール、ルボックス］は特に注意）。
	キサンチンオキシダーゼ阻害薬：アロプリノール（ザイロリック）、フェブキソスタット（フェブリク）；☞**図5-6**	XOD阻害	↑	
	MAO-B阻害薬：セレギリン（エフピー）	カフェインのMAO阻害と抗A_{2A}作用による抗パーキンソン作用増大	↑	MAO-B阻害薬との併用で頻脈、高血圧などが出現。
	CYP1A2誘導薬：喫煙、PPIなど	代謝促進	↓	カフェイン効果減弱（カフェインの代謝促進）。

E

付録

表 S-9（つづき） 飲食物と医薬品の相互作用

飲食物・嗜好品	相互作用を起こす薬剤	発現機序	結果	備考
⑥**カフェイン含有飲食物**：コーヒー、紅茶、緑茶、ウーロン茶、玄米茶、栄養ドリンク、感冒薬など（☞**表7-9、7-10、7-12**） ・ただし麦茶、杜仲茶はカフェインを含んでいない。 ・カフェインは構造上、キサンチン系（テオフィリン、テオブロミン、アミノフィリンなど）に分類される。キサンチン系はアデノシン受容体と結合するためアデノシンの血管拡張作用を減弱させる（☞**表7-37**）。	アルコール（飲酒）	CNS興奮・抑制作用の拮抗	↑	急性アルコール中毒誘発。カフェインのCNS興奮作用によりアルコールのCNS抑制作用がマスクされて過剰飲酒を招く。飲酒時のカフェイン摂取は避ける。
	CNS興奮薬（キサンチン系薬など；☞**表7-1**）	CNS興奮協力	↑	過度のCNS興奮。抗パーキンソン薬、抗精神病薬、抗うつ薬も中枢神経興奮作用を呈することがあるので注意。
	睡眠薬：ベンゾジアゼピン系薬など	覚醒作用	↓	睡眠誘導効果減弱。
	β_1刺激薬、甲状腺ホルモン製剤（レボチロキシン［チラーヂンS］など）、ハロゲン吸収麻酔薬（ハロタン［フローセン］）甲状腺ホルモン製剤	心筋CA感受性増大・強心作用（☞**表7-17**）	↑	心機能亢進（頻脈、心房細動、心停止）。ハロゲン吸収麻酔薬は心筋cAMP系の賦活作用、甲状腺ホルモンは心筋β受容体増加あり。ハロゲン吸入麻酔薬とキサンチン系（テオフィリン、カフェインなど）との併用は禁忌であった。
	β刺激薬、 テオフィリン（テオドール）	c-AMP濃度上昇（強心作用協力）	↑	気管支拡張作用は協力して増強するが、キサンチン系によるc-AMP上昇（β作用）に起因する心機能亢進（陽性変時・変力作用）、振戦、高血糖、低K血症などが協力して出現する可能性。テオフィリンでは代謝競合も関与。キサンチン系は強心・利尿作用があり、低K血症を引き起こすためジギタリス中毒誘発に注意。心筋収縮力増強。ジギタリス中毒誘発：低K血症（β_2刺激）により助長。
	ジギタリス製剤（☞**表7-33、8-5**）			
	利尿薬：チアジド系（ヒドロクロロチアジド）、ループ系（フロセミド［ラシックス］など）など	利尿（血液凝固促進）作用	↑	利尿作用増強。血栓・塞栓誘発、脱水症状、低血圧。カフェイン血管収縮（抗A_{2A}）作用もあるため血圧変動に注意。
	NSAIDs（アスピリン［バファリン配合錠A330］など）	胃酸分泌協力、鎮痛作用協力	↑	中等度のカフェインは胃酸とペプシンの分泌促進（胃腸障害誘発）。カフェインは消炎鎮痛薬の有効率を1.4倍上昇させる（☞**表8-8**）。
	アミトリプチリン（トリプタノール）など	機序不明（抗A_1作用関与？）	↓	アミトリプチリンの鎮痛効果を減弱させるとの報告。
	アデノシン注（アデノスキャン注；心疾患診断補助薬）	アデノシン受容体競合（血管拡張拮抗）（☞**表7-37**）	↓	アデノシンによる虚血診断に影響する（併用禁忌）。カフェイン摂取後、12時間以上空けてアデノシン投与。
	アデノシン作動薬：ジピリダモール（ペルサンチン）、ジラゼプ（コメリアン）、アデノシン三リン酸二ナトリウム（アデホス、トリノシン）など		↓	ジピリダモールの主な薬理作用は血中アデノシン濃度の増加による血管拡張だが、カフェインはアデノシン受容体と結合するためアデノシンの効果（血管拡張）を減弱させる。
⑦**タンニン含有飲食物**；コーヒー、紅茶、緑茶、ウーロン茶、玄米茶	Fe剤	金属結合	↓	鉄とタンニンによる不溶性塩形成。最近の研究では、鉄欠乏状態では鉄吸収が亢進しているためタンニンによる影響は少ないとされている（ただし、多量に摂取する場合は注意）。麦茶はタンニンを含まないため問題なし。なお、カテキン類もタンニン（水溶性ポリフェノール類の総称）の一種。

飲食物・嗜好品	相互作用を起こす薬剤	発現機序	結果	備考
⑧**アルコール（飲酒）**（薬力学的相互作用は☞**表7-8**）	高尿酸血症治療薬：ベンズブロマロン（ユリノーム）、アロプリノール（ザイロリック）、フェブキソスタット（フェブリク）など	尿酸分泌競合（☞**図3-2、3-3**）	↓	アルコールによる乳酸上昇で腎の遠位尿細管における尿酸分泌競合（尿酸値上昇）。
	肝で代謝される全ての薬剤（中枢神経系用薬、ワルファリン［ワーファリン］）、CYP2E1で代謝される薬剤［アセトアミノフェン〈カロナール〉ほか］）など	CYP450阻害、誘導（二相効果；☞**表5-57**）	↑↓	急性アルコール摂取（体内にアルコール存在下で薬剤服用）では肝代謝抑制で薬効増強。慢性摂取では肝代謝酵素誘導で薬効減弱（CYP2E1を強く誘導）。特にCYP2E1で代謝される薬剤の作用減弱に注意するが、アセトアミノフェンでは代謝促進による肝障害誘発に要注意。
	アルコール代謝阻害作用を有する薬剤（☞**表6-3**）	アルコール代謝阻害	↑	アルコール作用増強（アンタビュース効果）。メトロニダゾール（フラジール）、チニダゾール（チニダゾール）、プロカルバジン（塩酸プロカルバジン；アルキル化薬）、ジスルフィラム（ノックビン）、シアナミド（シアナマイド）、MTT基含有セフェム系、カルモフール*の服用中には飲酒禁忌。アルコール含有飲食物（奈良漬け、ケーキ、薬用養命酒［商品名］など）にも注意。特に、ジスルフィラム投与中はアルコールを含む化粧品、ポリビニルアルコール含有コンタクトレンズ装着液の使用も中止。アルコールに感受性の高い患者は要注意。
	ニトログリセリン（ニトロペン）	ALDH2代謝競合（☞**第6章［第3節］**）血管拡張協力（☞**表7-36**）	↑↓	ニトログリセリン（NTG）服用中の患者が飲酒するとALDH2の代謝が競合しNTGの活性化抑制（薬効減弱）の可能性。薬力学的には血管拡張作用の相加的協力。
	中枢神経系（CNS）抑制薬（☞**表7-1**）	CNS抑制協力	↑	BZP系、ゾピクロン（アモバン）は原則禁忌。向精神薬（抗精神病薬、抗不安薬、抗うつ薬）では原則的に飲酒禁止。
	糖尿病用薬（☞**表7-44**）	血糖値変動	↑↓	アルコールは肝グリコーゲン分解促進（血糖値上昇）、糖新生抑制（血糖値低下）作用あり。慢性の飲酒では肝グリコーゲン枯渇、糖新生抑制により低血糖誘発。
	血管拡張作用を有する薬剤（☞**表7-35、7-36**）	血管拡張協力	↑	起立性低血圧、反射性頻脈（☞**表7-37**）。
	抗凝固薬（ワルファリンなど）	血液凝固抑制	↑↓	出血の可能性（肝凝固因子産生低下）。血栓の可能性（飲酒の利尿作用による脱水）。
	消化管障害誘発薬剤；NSAIDs（アスピリン［バファリン配合錠］など）、麦角系薬、ドパミン作動薬、抗パーキンソン薬	副作用協力	↑	胃腸障害、消化管出血（出血時間の延長が増強）。飲酒によりドパミン感受性増大。
	肝毒性を誘発する薬剤；メトトレキサート（メソトレキセート、リウマトレックス）、アセトアミノフェン（カロナール）、ベンズブロマロン（ユリノーム）、グリベンクラミド（オイグルコン）など	肝毒性協力	↑	肝毒性の増加。大量飲酒で高頻度で肝障害発症。慢性飲酒では薬剤性肝障害を誘発しやすい。

表 S-9（つづき） 飲食物と医薬品の相互作用

飲食物・嗜好品	相互作用を起こす薬剤	発現機序	結果	備考
⑨ **喫煙（たばこ）**	肝で代謝される全ての薬剤（主にCYP1A2で代謝される薬剤：テオフィリン［テオドール］、プロプラノロール［インデラル］、オランザピン［ジプレキサ；MARTA］）（☞**表5-53**）	CYP450誘導	↓	喫煙はCYP1A1、1A2、2E1を強く誘導。ベンゾ［α］ピレンによるAhR活性化（☞**表5-54**）。
	グルクロン酸抱合を受ける薬剤（☞**表6-4**）	UDP-グルクロン酸転移酵素（UGT）誘導		たばこの煙に含まれるベンゾ［α］ピレンによるAhRを介するUGTの誘導（☞**表5-54**）。
	経口避妊薬（☞**表7-36**）、麦角系薬（☞**表7-37**）	血管収縮協力	↑	心血管系障害誘発。1日15本以上の喫煙は注意。
	血管拡張薬（☞**表7-35**）	血管拡張拮抗	↓	降圧効果など減弱。
	抗血栓薬（ワルファリン［ワーファリン］など；☞**表7-39**）	血液凝固抑制拮抗		喫煙には血小板凝集促進作用あり（☞**表7-40**）。
	糖尿病用薬（☞**表7-44**）	血糖値低下拮抗		ヘビースモーカーではインスリンが30倍必要との報告。
⑩ **チラミン含有量の多い飲食物**：チーズ、ビール、赤ワイン、バナナ、ヨーグルト、酵母エキス、レバー、ドライソーセージなど	MAO阻害作用のある薬剤：セレギリン（エフピー）、イソニアジド（イスコチン）、プロカルバジン（塩酸プロカルバジン；アルキル化薬）、リネゾリド（ザイボックス；抗菌薬）	代謝（MAO；☞**表6-7**）	↑	MAO阻害によるチラミン代謝抑制でチーズ効果などの交感神経刺激作用が増強（高血圧、興奮、頭痛、動悸、痙攣など）。
⑪ **ヒスチジン含有食品**：鮮度の低い赤身魚（マグロ、ブリ、ハマチなど）、干物（サンマ、イワシ、アジなど）、缶詰（カツオ、マグロなど）	MAO阻害作用のある薬剤：セレギリン（エフピー）、イソニアジド（イスコチン）、プロカルバジン（塩酸プロカルバジン；アルキル化薬）、リネゾリド（ザイボックス；抗菌薬）	代謝（MAO；☞**表6-7**）	↑	MAO阻害によるヒスタミン代謝抑制でヒスタミン中毒発現（口周囲ヒリヒリ感、顔面紅潮、頭痛、嘔吐、発疹など）。ヒスチジンはヒスタミン前駆物質。鮮度の低い赤身魚を食べないこと。
⑫ **フロクマリン（ソラレン類）含有食物**（セロリ、ライム、イチジクなど）、クロロフィル分解物（フェオホルバイド類）含有食品（アワビ、サザエ、高菜漬け、クロレラ、ドクダミなど）	光線過敏症誘発薬剤：メトキサレン（オクソラレン）、メキタジン（ゼスラン、ニポラジン）など（☞**表8-21**）	光線過敏症誘発	↑	これらの食物には光感作効果あり。
⑬ **高タンパク食**（1日1.5g/kg以上のタンパク質の摂取）	レボドパ製剤（ドパストン）	アミノ酸トランスポーター競合（☞**表4-15、4-16**）	↓	高タンパク食で生じた中性L-アミノ酸がアミノ酸トランスポーターをレボドパと競合し消化管吸収低下、BBB通過量低下（薬効減弱）。
⑭ **ビタミンB_6含有品**（健康食品、総合ビタミン剤など）	レボドパ製剤（ドパストン）	BBB通過性（☞**図2-2**）	↓	ビタミンB_6による末梢の脱炭酸酵素の活性化でレボドパからドパミンへの変換が促進しレボドパのBBB通過量低下（薬効減弱）。

飲食物・嗜好品	相互作用を起こす薬剤	発現機序	結果	備考
⑮ **ビタミンC含有品**（健康食品、ビタミン剤など）	Fe剤	消化管吸収	↑	3価から2価鉄への還元促進で吸収増加（鉄吸収を促進させる手段でもある）。
	アセタゾラミド（ダイアモックス）	尿路結石誘発		大量のビタミンC摂取により一部がシュウ酸へと代謝され尿中シュウ酸排泄が増加しCa析出。
	弱塩基性薬剤；ペチジン（オピスタン）、キニジン（硫酸キニジン）、メキシレチン（メキシチール）	尿pH変化（尿酸性化）（☞**表3-5**）	↓	腎尿細管での再吸収低下。ビタミンCによる尿酸性化により、弱塩基性薬剤の非イオン型が減り再吸収低下。
	経口避妊薬、アセトアミノフェン（カロナール）	硫酸抱合の競合（☞**表6-4**）	↑	エチニルエストラジオール（EE_2）血中濃度上昇、アセトアミノフェンの$t_{1/2}$延長。ビタミンCによる内在性硫酸塩の枯渇。
⑯ **柑橘系ジュース**：オレンジジュース、アップルジュース、グレープフルーツジュースなど	ビスホスホネート系薬、ペニシラミン（メタルカプターゼ）、水溶性テトラサイクリン、甲状腺ホルモン製剤、エストラムスチン（エストラサイト；前立腺癌治療薬）	金属錯体（キレートなど）形成（消化管吸収低下）（☞**表1-1**）	↓	同時服用を避けた方がよい（柑橘系ジュースにわずかに含まれる金属と錯体形成すると考えられる）。また、これらの医薬品は食事により吸収が低下するため食前投与。
	ペミロラストDS（ペミラストンDS）、マクロライド系DS、アンピシリンDS（ビクシリンDS）、スルタミシリン（ユナシン細粒小児用）、セフカペン（フロモックス小児用細粒）	酸性飲料による分解・析出（薬効低下）、苦味発現（☞**表1-13**）		これらのDSや細粒を酸性飲料で服用したり、溶解・懸濁することは避けて、水やぬるま湯で服用。
	ニコチンガム製剤（ニコレット）	口腔内pH低下（☞**表1-11**）		ニコチン（塩基性）の非イオン型の減少で口腔吸収低下。酸性飲料を飲んだ後はニコチンガム使用をしばらく避ける。
	OATPsの基質になる薬剤（フェキソフェナジン［アレグラ］、ジゴキシン［ジゴシン］、甲状腺ホルモン製剤；☞**表4-2**）	OATPs阻害（消化管吸収抑制）（☞**表4-15**）		グレープフルーツジュース（GFJ）、オレンジジュース、アップルジュースはOATPs阻害効果あり。
	Al含有製剤	キレート形成（Alの消化管吸収促進；Al脳症・骨症）（☞**表1-1**）	↑	同時服用を避けた方がよい（柑橘系ジュースに含まれるクエン酸とAlのキレート形成。オレンジジュースではAl吸収を10倍にする報告あり）。
	イトラコナゾール（イトリゾール；アゾール系）	消化管内pH低下（溶解性上昇；吸収増加）（☞**表1-9**）		酸性飲料（オレンジジュース）で吸収が高まるとの報告あり。海外では、H_2拮抗薬による吸収低下を避けるためイトラコナゾールを酸性飲料で服用。
	弱塩基性薬剤：キニジン（硫酸キニジン）、メキシレチン（メキシチール）、ペチジン（オピスタン）	尿pH変化（尿アルカリ化）（☞**表3-5**）		柑橘系ジュースや果汁による尿アルカリ化により、弱塩基性薬剤の非イオン型が増え再吸収増加。
⑰ **ビタミンK含有飲食物**：納豆、クロレラ、青汁、緑黄色野菜、春菊、ブロッコリー、ホウレン草、キャベツなど	ワルファリン（ワーファリン）	血液凝固抑制拮抗（☞**表7-42**）	↓	ワルファリンによる活性型ビタミンK生成阻害効果を無効にする（☞**図7-12**）。納豆、クロレラ、青汁、緑黄色野菜の大量摂取禁止。ただし、納豆にはナットウキナーゼによる血栓溶解作用があるため、ワルファリンを服用していない患者では抗血栓作用が期待できる。

表 S-9（つづき） 飲食物と医薬品の相互作用

飲食物・嗜好品	相互作用を起こす薬剤	発現機序	結果	備考
⑱ **ビタミンE、EPA、DHA含有品**（健康食品など）	抗血栓薬（ワルファリン［ワーファリン］など；☞**表7-39**）	血液凝固抑制協力	↑	出血傾向増大。ビタミンE、魚油（EPA、DHA）は血小板凝集抑制作用を有する（☞**表7-40**）。血管拡張薬による血流増加（降圧）作用も増強（☞**表7-36**）。
	血管拡張薬（☞**表7-35**）	血流増加協力		
⑲ **高カロリー飲料**（ジュースなど）	抗精神病薬：フェノチアジン系薬、ブチロフェノン系薬、SDA（リスペリドン［リスパダール］）、MARTA（オランザピン［ジプレキサ］、クエチアピン［セロクエル］）など	高血糖誘発（☞**第7章［第8節❹］**）	↑	抗精神病薬による口渇などで高カロリー飲料を過剰摂取すると、体重が増加してインスリン感受性が低下する可能性がある。MARTAは糖尿病または既往歴の患者への投与禁忌（☞**表7-46**）。
⑳ **ニンニク含有健康食品**（商品名DHC無臭ニンニク、サントリー黒酢にんにくなど）	HIVプロテアーゼ阻害薬：サキナビル★	CYP450誘導（☞**表5-53**）	↓	ニンニク成分（詳細不明）により誘導されたCYP450がサキナビルの代謝を促進。ニンニク含有製品を摂取しないこと。サキナビルのAUC 51%低下、8時間後の平均トラフ値が49%低下、Cmaxが54%低下。
㉑ **ミルクシスル（マリアアザミ）含有食品**	CYP3A4の基質（シメプレビル★）、CYP2C8の基質など	CYP3A4阻害（☞**表5-30**）	↑	血中濃度上昇の恐れ（ただし、シメプレビルの薬動態試験は実施されていない）。マリアアザミ（アオアザミ、オオヒレアザミ、ミルクシスル）に含まれる成分のCYP3A4、2C8阻害作用（in vitro）が報告されている（Toxcol In Vitro.2011; 25:21-7.）。

索 引

本編の主な参照ページを記載している。

（薬剤名は物質名および薬効分類名を含む）

一般索引

数字・欧文

さ

し

す

せ

そ

た

ち

薬剤名索引

数字・欧文

あ

い

お

か

き

く

け

こ

さ

し

す

せ

そ

た

ち

な

に

ふ

へ

ほ

ま

み

む

め

も

や

ゆ

よ

ら

り

る

れ

ろ

わ

編著者略歴

杉山 正康（すぎやま まさやす）

杉山薬局（福岡県嘉麻市）代表取締役。医学博士、薬学博士。1981年福岡大学薬学部卒。久留米大学医学部医化学講座講師、米国テキサス大学・ニューヨーク大学留学などを経て、1997年に杉山薬局を開設。現在、福岡県と山口県に保険薬局を展開している。著書に『「服薬指導のツボ」虎の巻 第3版』（日経BP、2018年）。

本書についての最新情報、訂正、重要なお知らせについては下記ウェブサイトでご確認ください。
https://nkbp.jp/DIsayou2

新版
薬の相互作用としくみ
第2版

2016年 6月7日 初版第1刷発行
2022年 9月12日 第2版第1刷発行

編　著　杉山 正康
発行者　田島 健
発　行　株式会社日経BP
発　売　株式会社日経BPマーケティング
〒105-8308 東京都港区虎ノ門4-3-12

デザイン・制作　株式会社ランタ・デザイン
印刷・製本　図書印刷株式会社

ISBN978-4-296-11276-0